Terug naar het bloed

# Tom Wolfe

# Terug naar het bloed

Vertaald door Mario Molegraaf

2012 Prometheus Amsterdam

*Aan Sheila*
*en ter nagedachtenis van*
*Angel Calzadilla*

De personages en de gebeurtenissen in dit boek zijn fictief.
Iedere gelijkenis met echte personen, dood of levend, is toevallig
en niet bedoeld door de auteur.

Oorspronkelijke titel *Back to Blood*
© 2012 Tom Wolfe
© 2012 Nederlandse vertaling Uitgeverij Prometheus en Mario Molegraaf
Omslagontwerp Roald Triebels
Foto omslag Guido Cozzi – Camilo Morales/Corbis
Opmaak binnenwerk ZetSpiegel, Best
www.uitgeverijprometheus.nl
ISBN paperback 978 90 446 2219 5
ISBN gebonden 978 90 446 2003 0

# PROLOOG

## WIJ NU IN MEE-*AH*-MEE

Jij…

  Jij…

    *Jij… bent de hoofdredacteur van mijn leven… Jij bent mijn wijf, mijn Mac the Knife* – het grapje hier is dat hij dan hoofdredacteur mag zijn van een van de vijf of zo belangrijkste kranten van Amerika, de *Miami Herald*, maar zíj is hoofdredacteur van *hem*. *Zij…* is de hoofdredacteur van… *hem*. Vorige week vergat hij helemaal de decaan te bellen, die vent met zijn opgelapte hazenlip, van de kostschool, Hotchkiss, van hun zoon Fiver, en Mac, zijn vrouw, zijn Mac the Knife was daar met recht geïrriteerd over… maar toen had hij zo'n beetje zijn rijmpje gezongen, op de wijs van 'You light up my life'. *Jij… bent de hoofdredacteur van mijn leven … Jij bent mijn wijf, mijn Mac the Knife* – en ze moest er of ze wilde of niet om glimlachen, en door de glimlach veranderde de stemming, die neerkwam op *Ik ben jou en je nonchalante manier van doen beu.* Zou het misschien nog eens lukken – nu? Zou hij het er nog eens op durven wagen?

  Op het ogenblik had Mac het voor het zeggen, achter het stuur van haar geliefde en belachelijk kleine gloednieuwe Mitsubishi Green Elf hybride, een chique en in de huidige tijd moreel gezien verlichte auto. Ze struinde de ononderbroken rij auto's af die pal naast elkaar, buitenspiegel naast buitenspiegel stonden geparkeerd, achter dé tent van de eeuw deze maand in Miami, Balzac's, vlak bij Mary Brickell Village, en joeg vergeefs op een plek. *Zij* reed in *haar* auto. Ze was deze keer geirriteerd – ja, weer met recht – omdat ze door zijn nonchalante manier van doen deze keer vreselijk laat naar Balzac's vertrokken, en daarom stond ze erop dat ze in haar Green Elf naar de allergaafste tent reden. Als *hij* in zijn bmw reed, zouden ze er *nooit* komen, omdat hij zo'n slome en gekmakend voorzichtige chauffeur was… en hij vroeg zich af of ze werkelijk angstig en onmannelijk bedoelde. In elk geval nam zij de mannenrol over, en de Elf vloog naar Balzac's als een vleermuis, en daar waren ze dan, en Mac was niet blij.

Drieënhalve meter boven de ingang van het restaurant was er een enorme schijf van lexaanglas, met een diameter van 1 meter 80 en 45 centimeter dik, met een buste erop van Honoré de Balzac 'toegeëigend' – zoals kunstenaars tegenwoordig artistieke diefstal noemen – van de beroemde daguerreotype van de één-naamfotograaf Nadar. Balzacs ogen waren gedraaid zodat ze recht in die van de klant keken en zijn lippen waren bij de hoeken gedraaid om een grote glimlach te krijgen, maar de 'toe-eigenaar' was een getalenteerd beeldhouwer, en verlichting van binnenin overgoot de gigantische plaat lexaanglas met een gouden gloed, en *tout le monde* vond het prachtig. De verlichting hier op het parkeerterrein was evenwel ellendig. Industriële lampen hoog op palen zorgden voor een vage elektro-schemering en gaven de palmboombladeren een ettergele kleur. 'Een ettergele kleur' – daar had je het. Ed voelde zich depri, depri, depri… in de gordel van de passagiersstoel die hij helemaal naar achteren moest laten glijden om zijn lange benen maar die piepkleine, grasgroene milieubewuste auto van Mac in te krijgen, de Green Elf. Hij voelde zich net de autoband, het reservewiel van speelgoedformaat van de Elf.

Mac, een groot meisje, was net 40 geworden. Ze was een groot meisje toen hij haar achttien jaar geleden op Yale leerde kennen… grote botten, brede schouders, lang, 1,78 om precies te zijn… lenig, soepel, sterk, een echte sportvrouw… vrolijk, blond, vol leven… Prachtig! Werkelijk adembenemend, dat grote meisje van hem! Maar in de gelederen van adembenemende meisjes zijn grote meisjes de eersten die de onzichtbare grens passeren tussen wat op zijn allerbest 'een heel knappe vrouw' is of 'echt heel opvallend'. Mac, zijn vrouw, zijn Mac the Knife, was die lijn gepasseerd.

Ze zuchtte zo diep dat ze uiteindelijk lucht tussen haar tanden uitstootte. 'Je zou denken dat ze in een restaurant als dit parkeerservice hadden. Het is *duur* genoeg.'

'Dat klopt,' zei hij. 'Je hebt gelijk. Joe's Stone Crab, Azul, Caffe Abbracci – en hoe heet dat restaurant in het Setai? Die hebben allemaal parkeerservice. Je hebt volkomen gelijk.' *Jouw wereldbeeld is mijn Weltanschauung. Zullen we het eens over restaurants hebben?*

Een stilte. 'Hopelijk besef je dat we *erg laat* zijn, Ed. Het is tien voor halfnegen. We zijn dus al twintig minuten te laat en we hebben geen parkeerplek gevonden en er wachten binnen zes mensen op ons –'

'Maar ik weet niet wat nog – ik heb Christian gebeld –'

'– en jij wordt geacht de gastheer te zijn. Ben je je daarvan bewust? Is dat überhaupt wel tot je doorgedrongen?'

'Nou, ik heb Christian gebeld en hem verteld dat ze iets te drinken moeten bestellen. Reken maar dat Christian daar geen bezwaar tegen heeft, en Marietta ook niet. Marietta met haar *cocktails*. Ik ken verder helemaal niemand die *cocktails* bestelt.' *Of zullen we een beetje* obiter dictum *voortborduren op cocktails of Marietta, een van beide of allebei?*

'Hoe dan ook – het is gewoon niet *netjes* iedereen zo te laten wachten. Ik méén het – in alle ernst, Ed. Dit is zo *nonchalant*, ik kan er gewoon niet tegen.'

*Nu! Dit was zijn kans! Dit was de scheur in de woordenmuur waarop hij wachtte! Een opening! Het is riskant, maar* – en bijna helemaal goed en zuiver dreunt hij,

'Jij...

Jij

'Jij... bent de hoofdredacteur van mijn leven... *Jij* bent mijn wijf, mijn Mac the Knife...'

Ze begon haar hoofd van de ene kant naar de andere te schudden. 'Daar schiet ik blijkbaar niet veel mee op, wel?'... Geeft niets! Wat kroop daar zo heimelijk op haar lippen? Was het een *glimlach*, een kleine, onwillige glimlach? Ja! *Ik ben jou beu* begon opnieuw meteen te verdwijnen.

Ze waren halverwege de parkeerstrook toen twee gestalten in de koplampen opdoemden, die naar de Elf en Balzac's toe liepen – twee meisjes, met donker haar, die kletsten, blijkbaar hadden ze net hun auto geparkeerd. Ze konden niet ouder zijn geweest dan negentien of twintig. De meisjes en de struinende Elf naderden elkaar snel. De meisjes droegen shorts van denim met de broekband gevaarlijk dicht bij de venusheuvel en de broekspijpen afgesneden tot... *hier*... praktisch tot de heupaanzet, en de rafels zaten eraan. Hun jonge benen leken modelachtig lang, omdat ze ook glanzende hoge hakken droegen van minstens vijftien centimeter. De hakken leken gemaakt van perspex of zoiets. Ze lichtten in helder, doorzichtig goud op toen er licht op viel. De ogen van de twee meisjes zaten zo zwaar onder de mascara dat ze in vier zwarte vijvers leken te drijven.

'Ah, is *dat* even aantrekkelijk,' mompelde Mac.

Ed kon zijn ogen niet van hen afhouden. Het waren *latinas* – ook al zou hij niet hebben kunnen uitleggen waarom hij dat wist, net zomin als dat *latina* en *latino* Spaanse woorden waren die alleen in Amerika bestonden. Deze twee latina's – ja, ze waren kitscherig, akkoord, maar Macs ironie deed niets aan de waarheid af. Aantrekkelijk? 'Aantrekkelijk' kon in de verste verte niet beschrijven wat hij voelde! Wat een leuke fragiele lange benen hadden de twee meisjes! Wat een mini minishortjes! Zo mini dat ze die *zomaar ineens* konden laten vallen. Heel snel konden ze hun sappige, kleine lendenen ontbloten en hun perfecte cupcakebilletjes… voor *hem*! En dat wilden ze kennelijk! Hij kon onder zijn Jockey-onderbroekje de zwelling voelen opkomen waarvoor mannen leven! Ah, verschrikkelijk vieze meisjes!

Toen Mac langs hen struinde, wees een van de meisjes naar de Green Elf, en ze begonnen allebei te lachen. Láchen? Blijkbaar konden ze niet inschatten hoe chic Green was… of hoe hip de Elf was, of hoe gaaf. Nog minder konden ze begrijpen dat de Elf, van alles voorzien als die was, met Green-accessoires en diverse esoterische milieumeters, plus ProtexDeer radar – ze konden niet begrijpen dat dit elfje van een auto $ 135.000 kostte. Hij had er alles voor gegeven om te weten wat ze zeiden. Maar hier in het cocon van de Elf met warmte-isolerende ruiten van lexaanglas, deuren en panelen van fiberglas, en verdampingsomringende recyclebare airco kon je absoluut niets van buiten horen. Spraken ze zelfs wel Engels? Hun lippen bewogen niet op de manier zoals lippen bewegen wanneer mensen Engels spreken, concludeerde de grote audiovisionaire taalkundige. Het moesten latina's zijn. Ah, verschrikkelijk vieze latinomeisjes!

'Goeie god,' zei Mac. 'Waar halen ze volgens jou in hemelsnaam die hoge hakken vandaan die zo *oplichten*?' Een gewone conversatiestem! Niet langer geïrriteerd! De betovering was verbroken! 'Ik zag die gekke lichtstokken overal toen we langs Mary Brickell Village reden,' vervolgde ze. 'Ik had geen idee wat het waren. Het zag er daar uit als een *carnival*, al die kakelbonte lichtjes op de achtergrond en alle kleine halfnaakte *party girls* die op hun *hoge hakken* rondwaggelden... Is het iets Cubaans volgens jou?'

'Geen idee,' zei Ed. Meer niet – omdat hij zijn hoofd zo ver had omgedraaid als maar kon, zodat hij een laatste blik van hun achterkant kon opvangen. Perfecte cupcakejes! Hij kon de glijmiddelen en spirocheten gewoon het kruis van hun mini minishorts binnen *zien* sijpelen! Mini mini minishorts! Seks! Seks! Seks! Seks! Daar had je het, seks in Miami, op gouden tronen van perspex!

'Nou,' zei Mac, 'ik kan alleen maar zeggen dat Mary Brickell in haar graf vast een ingezonden brief aan het schrijven is.'

'Hé, dat is een goeie, Mac. Heb ik je ooit gezegd dat je behoorlijk grappig bent als je wilt?'

'Nee, waarschijnlijk ben je het vergeten.'

'Het is zo, hoor! "Een ingezonden brief schrijven in haar graf!" Ik kan je wel vertellen dat ik stukken liever een brief van Mary Brickell zou krijgen van twee meter onder de grond dan van die gekken van wie ik brieven krijg... die met schuim op de mond rondlopen.' Hij fabriceerde een lach. 'Dat is heel grappig, Mac.' *Humor. Goed onderwerp! Prima. Of hé, laten we het over Mary Brickell hebben, Mary Brickell Village, ingezonden brieven, sletjes op perspex, wat verdorie ook, zolang het maar niet ik ben het beu is.*

Alsof ze zijn gedachten las, draaide Mac één kant van haar mond tot een twijfelachtige glimlach – maar niettemin een glimlach, godzijdank – en ze zei: 'Maar *echt*, Ed, *zo* laat zijn, ze allemaal laten wachten, het is echt *zo-o-o-o* verkeerd. Het is niet netjes en niet *goed*. Het is zo *nonchalant*. Het is –' ze zweeg even, 'het is – het is – het is gewoon *luiheid*.'

Och jee! *Nonchalant*, hè? Godallemachtig, en ook nog eens *lui*! Voor de eerste keer tijdens heel dit treurige tochtje had Ed zin om te lachen. Dit waren twee van Macs Blank-Angelsaksisch-Protestantse woorden. In heel Miami-Dade County, in heel Miami en omstreken, zeer zeker ook in Miami Beach, bezigden alleen leden van het afnemende en bedreigde volkje waartoe zij beiden behoorden, de Blanke Angelsaksische Protestanten, de termen *nonchalant* en *lui*, of hadden in elk geval enig idee wat die eigenlijk inhielden. Jawel, ook hij was een lid van dat uitstervende geslacht, de Blanke Angelsaksische Protestant, de WASP, maar Mac omhelsde het geloof werkelijk. Niet het protestantse *religieuze* geloof, dat spreekt voor zich. Niemand aan de Oostkust of de Westkust van de Verenigde Staten die ook maar het instapniveau van verfijning ambieerde was nog religieus, al helemaal niet iemand die aan Yale was afgestudeerd, zoals hij en Mac. Nee, Mac was in morele en culturele zin een exemplaar van het soort WASP. Zij was de WASP-purist die zich niet kon neerleggen bij nietsdoen en lanterfanten, fase een van nonchalant en lui zijn. Nietsdoen en lanterfanten stonden niet louter voor verspilling en gebrek aan inzicht. Het waren immorele dingen, laksheid. Het waren zondes tegen je persoon. Ze kon er bijvoorbeeld niet tegen zomaar in de zon rond te hangen. Op het strand, als er niets beters te doen viel, organiseerde ze snelwandelingen. Iedereen! Overeind! We gaan! We gaan in één uur acht kilometer over het strand lopen, over het *zand*! Nou, dat was me een prestatie! Om kort te gaan, als Plato ooit Zeus ervan had weten te overtuigen – Plato beweerde in Zeus te geloven – hem te reïncarneren zodat hij op aarde terug kon keren om de ideaaltypische WASP-vrouw te zoeken, zou hij hier in Miami uitkomen en Mac eruit pikken.

Op papier was Ed zelf een ideaaltypisch lid van het volkje. Hotchkiss, Yale… lang, een meter negentig, op een slungelige manier slank… lichtbruin haar, dik maar met grijze flonkeringen erdoorheen… zag eruit als Donegal tweed, zijn haar dus… en natuurlijk was er de naam, zijn achternaam, die Topping luidde. Hij besefte zelf dat Edward T. Topping IV het toppunt was van WASP, op het satirische af. Zelfs die onovertroffen snobistische ballen, de Britten, deden niet aan alle III'en, IV'en, V'en en af en toe een VI die je in de Verenigde Staten tegenkwam. Daarom begon iedereen hun zoon Eddie 'Fiver' te noemen. Zijn volledige naam was Edward T. Topping V. Vijf kwam nog steeds heel weinig voor. *Elke* Amerikaan met III of hoger achter zijn naam was een WASP of had ouders die dat wanhopig wensten.

Maar Jezus Christus, waar was een WASP, een laatste verloren ziel van een uitstervend slag mee bezig, dat hij hoofdredacteur was van de *Miami Herald* met een naam als Edward T. Topping IV? Hij had de baan argeloos aanvaard. Toen de Loop Groep de *Herald* kocht van de McClatchy Company en hem plotseling van redacteur van de opiniepagina van de *Chicago Sun-Times* promoveerde tot hoofdredacteur van de *Herald* had hij maar één vraag. Wat voor plons zou dit geven in het blad van de afgestudeerden van Yale? Dat was het enige wat aansloeg in de linkerhelft van zijn hersenen. Ach, de lui van de onderzoeksafdeling van de Loop Groep probeerden hem te instrueren. Dat probeerden ze. Maar alle dingen die ze hem probeerden te vertellen over de situatie in Miami zweefden op een of andere manier over de gebieden van Broca en Wernicke in zijn hersenen heen... en losten op als ochtendmist. Was Miami de enige stad ter wereld waar meer dan de helft van alle burgers recente immigranten waren, dat wil zeggen binnen de afgelopen vijftig jaar?... Hmmmm... Wie had dat gedacht? Beheerste één groep daarvan, de Cubanen, de stad in politiek opzicht – Cubaanse burgemeester, Cubaanse afdelingshoofden, Cubaanse smerissen, Cubaanse smerissen en nog meer Cubaanse smerissen, 60 procent van het korps Cubanen plus 10 procent andere latino's, 18 procent zwarte Amerikanen en slechts 12 procent Anglo's? En was heel de bevolking niet zo'n beetje op die manier opgebouwd?... Hmmmm... vast interessant... wat 'Anglo's' ook mogen zijn. En waren de Cubanen en andere latino's zo dominant dat de *Herald* een geheel afzonderlijke Spaanse editie moest maken, *El Nuevo Herald*, met eigen Cubaanse mensen, of anders dreigde irrelevant te worden?... Hmmmm... Hij geloofde dat hij dit al zo'n beetje wist. En hadden de zwarte Amerikanen een hekel aan de Cubaanse smerissen, die net zo goed uit de hemel hadden kunnen vallen, zo plotseling waren ze opgedaagd, enkel en alleen om zwarten slecht te behandelen?... Hmmmm... stel je dat eens voor. En hij probeerde het zich voor te stellen... zo'n vijf minuten... en toen vervaagde die vraag in het licht van een verzoek dat leek aan te geven dat het blad voor de afgestudeerden de eigen fotograaf zou sturen. En waren de Haïtianen met duizenden en duizenden Miami binnengestroomd, vol ergernis over het feit dat de Amerikaanse regering illegale Cubaanse immigranten binnen de kortste keren legaliseerde, maar Haïtianen geen kans gaf?... en nu Venezuelanen, Nicaraguanen, Puerto Ricanen, Colombianen, Russen, Israëli's... *Hmmmm*... is dat zo? Dat moet ik onthouden... Hoe zat het ook allemaal weer?...

Maar het doel van de instructies was niet, probeerden ze Ed op een subtiele manier te laten weten, om al deze spanningen en wrijvingen als potentiële bronnen van nieuws in Immigratie Stad aan te merken. Zeker niet. Het doel was om Ed en zijn mensen aan te moedigen 'toegeeflijk' te zijn en de nadruk te leggen op Verscheidenheid, wat goed was, zo niet edel, en niet op verdeeldheid, die we allemaal konden missen als kiespijn. Het doel was om Ed duidelijk te maken dat hij geen van deze groepen in het harnas moest jagen... Hij moest 'een rechte koers houden' in deze periode waarin de Groep het uiterste zou doen om de *Herald* en *El Nuevo Herald* naar het digitale tijdperk te brengen, hen te bevrijden van de knorrige oude greep van de drukpers en hen in blakende eenentwintigste-eeuwse online publicaties te veranderen. De diepere boodschap was: vier in de tussentijd, als de straathonden beginnen te grommen, te grauwen en elkaar met hun tanden open te rijten, de Verscheidenheid van dit alles en zorg ervoor dat hun tanden gebleekt zijn.

Dat was drie jaar geleden. Omdat hij nooit echt had geluisterd, had Ed het niet direct door. Drie maanden nadat hij als hoofdredacteur was aangesteld, publiceerde hij het eerste deel van een verhaal van een ondernemende jonge journalist over de mysterieuze verdwijning van $ 940.000 die de nationale regering had toebedeeld aan een anti-Castro-organisatie in Miami om met niet te verstoren televisie-uitzendingen naar Cuba te beginnen. Niet één feit in het verhaal kon ooit worden ontkracht of ook maar serieus aangevochten. Maar vanuit 'de Cubaanse gemeenschap' – waaruit die ook mocht bestaan – steeg zo'n gejammer op dat Ed er tot in zijn in de schoenen verschrompelde kleine tenen door werd geschokt. 'De Cubaanse gemeenschap' overlaadde de telefoon, de e-mail, de website en zelfs de fax van de *Herald* en de kantoren van de Loop Groep in Chicago zodanig dat die bezweken. Dagenlang hadden zich menigtes gevormd voor het pand van de *Herald*. Ze schreeuwden, zongen, joelden, en hadden borden met gevoelens als ROEI ALLE RODE RATTEN UIT... HERALD: FIDEL, SI! VADERLANDSLIEFDE, NEE!... BOYCOT EL HABANA HERALD... EL MIAMI HEMORROÏDEN... MIAMI HERALD: CASTRO'S TEEF... In een onophoudelijke scheldkanonnade op Spaanstalige radio en televisie werden de nieuwe eigenaars van de *Herald*, de Loop Groep, een virulent 'uiterst links virus' genoemd. Onder de nieuwe volkscommissarissen was de *Herald* zelf nu een nest van openlijk 'radicaal linkse intellectuelen' en de nieuwe hoofdredacteur, Edward T. Topping IV, was een 'Fidelista-sympathisant en meeloper'. Op weblogs werd de ondernemende jongeman die het verhaal had geschreven als 'een toegewijde communist' aangemerkt, en door heel Hialeah en Little Havana gingen er circulaires en posters rond met zijn foto, huisadres en telefoonnummers, mobiel en vast, onder de kop GEZOCHT WEGENS VERRAAD. Doodsbedreigingen aan hem, zijn vrouw en hun drie kinderen waren even frequent als machinegeweervuur. In de reactie van de Groep werd Ed, ook al stond het tussen de regels, als een archaïsche dwaas afgeschilderd, deel twee en deel drie van het verhaal werden geschrapt, en de dwaas kreeg opdracht geen enkele aandacht aan de anti-Castrogroepen te besteden, zolang de politie ze niet formeel beschuldigde van moord, brandstichting of zwaar lichamelijk letsel door opzettelijk vuurwapengebruik. Ook mopperden ze over de kosten om de verslaggever en zijn gezin – *vijf mensen* – zes weken lang op een veilige plek te moeten onderbrengen en, nog erger, voor lijfwachten te moeten betalen.

Aldus landde Edward T. Topping IV op een schotel vanaf Mars midden in een knokpartij op straat.

Mac was intussen met de Green Elf naar het eind van de baan gestruind en reed de volgende op. 'Hé, jij daar –' riep ze uit, waarna ze stilviel omdat ze niet precies wist hoe ze de boosdoener pal voor haar moest beledigen. Ze stond achter een grote geelbruine Mercedes, dat chique Europese geelbruin, misschien was het zelfs een Maybach die glinsterde in de ziekelijke elektro-schemering... en de baan afstruinde voor een parkeerplek. Als er eentje vrij kwam, zou de Mercedes er natuurlijk als eerste zijn.

Mac hield in om de ruimte tussen de twee auto's te vergroten. Juist op dat moment hoorden ze een auto waanzinnig snel optrekken. Zo te horen nam de chauffeur de draai van de ene baan naar de andere zo snel dat de banden moord en brand schreeuwden. De auto naderde nu achter hen met roekeloze vaart. De koplampen overstroomden het interieur van de Green Elf. 'Wie zijn deze *idioten*?' zei Mac. Ze schreeuwde bijna.

Zij en Ed zetten zich schrap voor een aanstaande botsing van achteren, maar de auto remde op het laatste moment en bleef op amper twee meter van hun bumper hangen. De chauffeur gaf voor de volledigheid twee, drie keer flink gas.

'Wat denkt die maniak te gaan doen?' zei Mac. 'Er is geen ruimte om iemand te passeren, ook al zou ik het goed vinden!'

Ed draaide om in zijn stoel voor een blik op de zondaar. 'Jezus Christus, wat zijn die lichten fel! Het enige wat ik kan onderscheiden is dat het een soort cabriolet is. Volgens mij is de chauffeur een vrouw, maar ik kan het niet goed zien.'

'Brutale *teef*!' zei Mac.

Toen – Ed kon het niet geloven. Vlak voor hen verschenen een paar rode achterlichten in de muur van auto's rechts van hen. Vervolgens een rood dioderemlicht op het achterraam! Omdat het zo hoog zat, het remlicht, moest het een Escalade of een Denali zijn, een of ander monster van een suv in ieder geval. Zou… inderdaad iemand uit deze ondoordringbare muren van metaalblik gaan vertrekken?

'Niet te geloven,' zei Mac. 'Ik geloof het pas wanneer hij hier echt wegrijdt. Dit is een wonder.'

Zij en Ed keken als één wezen naar voren om te zien of de concurrentie, de Mercedes, de lichten had gezien en achteruit zou rijden om de plek op te eisen. Goddank struinde de Mercedes – geen remlichten… gewoon verder… al bij het eind van de baan… ontging het wonder volkomen.

Langzaam reed de wagen achteruit uit de muur van auto's weg… een groot zwart geval – enorm!… langzaam, langzaam… Het was een monster dat Annihilator heette. Chrysler was die in 2011 gaan maken om met de Cadillac Escalade te concurreren.

Het scherpe licht van de auto achter hen begon zich terug te trekken uit het interieur van de Elf en nam daarna sterk af. Ed keek achterom. De chauffeur had de cabriolet in z'n achteruit gezet en was nu aan het keren. Nu kon Ed het duidelijker zien. Ja, de chauffeur was een vrouw, donker haar, jong, zo te zien, en de cabriolet – godallemachtig! – het was een witte Ferrari 403!

Ed begon richting achteruit te wijzen en zei tegen Mac: 'Je brutale teef vertrekt. Ze keert om en gaat terug de baan op. En je raadt nooit waarin ze rijdt… een Ferrari 403!'

'En wat wil dat zeggen…?'

'Dat is een auto van $ 275.000! Bijna 500 pk. Ze houden er races mee in Italië. We hebben een stuk over de Ferrari 403 gehad.'

'O, als je me eraan herinnert, zoek ik het zeker op,' zei Mac. 'Het enige wat me op dit moment aan de wonderauto interesseert, is dat de brutale teef ermee is weggereden.'

Van achter hen klonk de alles verslindende brul van de wonderauto en vervolgens het schreeuwende gekrijs van de banden nu de vrouw terugreed van waar ze was gekomen.

Log… log… reed de Annihilator achteruit. Zwaar… lijvig… begon de enorme achterkant naar de Green Elf toe te draaien om recht uit te komen vóór koers te zetten naar de uitgang. De Annihilator zag eruit als een reus die een Green Elf zou opeten als een appel of een volkoren proteïnereep. Blijkbaar voelde Mac dat net zo aan en reed ze met de Elf achteruit om de reus alle ruimte te geven die hij nodig had.

'Is het je ooit opgevallen,' vroeg Ed, 'dat mensen die deze gevallen kopen nooit weten hoe ze ermee moeten rijden? Het duurt allemaal een eeuwigheid. Ze zijn niet in staat zo'n grote auto te besturen.'

Eindelijk hadden ze zicht op wat haast een mythisch stukje aardrijkskunde was geworden... een parkeerplaats.

'Goed, grote jongen,' zei Mac, en ze bedoelde de Annihilator, 'laten we ons vermannen en *rijden*.'

Ze had 'rijden' nog niet uitgesproken of het verwoestende mechanische gebrul van een hogesnelheidsverbrandingsmotor en een boze schreeuw van rubber weerklonken vanaf de uitritkant van de rijbaan. Godallemachtig – het was een auto die bijna even snel optrok als de Ferrari 403 maar de baan vanaf de verkeerde kant op kwam. Nu het casco van de Annihilator hun uitzicht blokkeerde, konden Ed en Mac niet zien wat er gebeurde. In de volgende fractie van een seconde klonk de versnelling zo luid dat de auto ongeveer óp de Annihilator moest zitten. De claxon van de Annihilator en de remlichten schreeeeeeeeuwden rood – giiiiiiiiiiiillend rubber – het naderende voertuig manoeuvreeeeerde om een frontale botsing met de Annihilator te vermijden – een waaaas wit en daarboven een waaaasje zwarte streeeeepen rechts van Ed voor de Annihilator – ramde zich de wonderbaarlijke parkeerplaats in – en lieieieieiet rubber achter, bij het remmen pal voor de ogen van Ed en Mac.

*Schrik, verbijstering* – en *bam* – hun centrale zenuwstelsel werd overspoeld door... *vernedering*. De witte waas was de Ferrari 403. Het zwarte waasje was het haar van de brutale teef. Het was sneller gelukt dan je het had kunnen zeggen. Zodra ze besefte dat er een parkeerplaats vrijkwam was de brutale teef omgedraaid, hard de verkeerde kant van de rijbaan op gereden, rond de muur van auto's geslingerd, had zich in de verkeerde richting over de volgende rijbaan gehaast, had zich rond de rij auto's bij de uitgang geslingerd, had zich in de verkeerde richting over deze rijbaan gehaast, had de Annihilator gesneden en was de parkeerplaats in geschoten. Waar diende een Ferrari 403 anders voor? En waar diende een passieve weldoener als de Green Elf anders voor dan goede werken te verrichten voor de hopeloos gewonde Planeet Aarde en verder alles als een man... of als een elf te aanvaarden?

De Annihilator toeterde een paar keer boos naar de brutale teef om vervolgens de rijbaan af te gaan, waarschijnlijk naar de uitgang. Maar Mac bleef staan. Ze ging nergens heen. Ze was woest, hels.

'Die *teef*!' zei ze. 'Die schaamteloze kleine teef!'

Daarop reed ze de Elf naar voren en stopte pal achter de Ferrari, die aan de rechterkant van de Elf tot stilstand was gekomen.

'Wat doe je?' vroeg Ed.

Mac zei: 'Als ze denkt dat ze hiermee wegkomt, moet ze nog maar eens goed nadenken. Wil ze een spelletje spelen? Goed, dan doen we dat.'

'Wablief?' vroeg Ed. Macs gezicht stond zeer WASP-achtig. Hij wist wat dat wilde zeggen. Het wilde zeggen dat de misstap van de brutale teef niet louter een kwestie was van slechte manieren. Het was een zondige daad.

Ed merkte dat zijn hart in een hogere versnelling ging kloppen. Hij was geen man voor lijfelijke confrontaties en openbaar vertoon van woede. Bovendien was hij hoofdredacteur van de *Herald*, de man van de Loop Groep in Miami. Alles waarbij hij in het openbaar betrokken raakte, zou honderdvoudig worden uitvergroot.

'Wagajedoen?' Hij besefte dat zijn stem ineens vreselijk schor klonk. 'Ik betwijfel of zij het allemaal waard –' Hij kon niet bedenken hoe hij de zin moest afmaken.

Mac lette trouwens helemaal niet op hem. Haar ogen waren op de brutale teef gericht, die net uit de cabriolet stapte. Ze konden alleen haar rug zien. Maar zodra ze zich begon om te draaien drukte Mac op het knopje waarmee het raam aan de passagierskant openging. Ze leunde over Ed heen en liet haar hoofd zakken zodat ze de vrouw recht in het gezicht kon kijken.

Zodra de vrouw helemaal was omgedraaid, zette ze een paar stappen en kwam tot stilstand toen ze besefte dat de Elf haar vrijwel klem zette in de muur van auto's. En toen gaf Mac haar de volle laag:

'JE ZAG ME WACHTEN OP DIE PLEK, EN GA DAAR NIET STAAN LIEGEN VAN NIET. WAAR HEB JE –'

Ed had Mac nog nooit zo hard of zo woedend horen schreeuwen. Hij werd er bang van. Zoals ze naar de ruit toe leunde, haar gezicht was maar een paar centimeter van het zijne. Het Grote Meisje stond nu in de volledige WASP-rechtvaardige aanvalsstand, en daarvoor zou Jan en alleman een hoge prijs betalen.

' – JE MANIEREN GELEERD, VAN DE HURRICANE GIRLS?'

De Hurricane Girls waren een beruchte bende van voornamelijk zwarte meisjes, ontstaan in een tentenstad voor mensen die de orkaan Fiona waren ontvlucht. Twee jaar geleden hadden ze een heleboel overvallen en berovingen gepleegd. Precies wat hij nodig had. 'Vrouw van hoofdredacteur van de *Herald* slaat racistische taal uit' – hij kon het hele stuk zelf schrijven – en meteen besefte hij dat de brutale teef niet uit een meisjesbende of iets wat daarop leek afkomstig was. Het was een knappe jonge vrouw, en niet alleen knap maar ook modieus, chic en rijk, voor zover Ed kon bepalen. Ze had glanzend zwart haar met een scheiding in het midden... kilometers... dat steil omlaag viel tot het in grote, schuimachtige golven wild werd waar het haar schouders raakte... en een stukje van een mooie gouden ketting rond haar hals... met een traanvormig hangertje waardoor Eds ogen meteen afdaalden naar het gleufje van twee jonge borsten die zo graag uit het mouwloze jurkje van witte zijde wilden barsten dat hen tegenhield, tot op zekere hoogte, om het vervolgens op te geven, halverwege haar dijen eindigde en niet eens een poging deed een stel perfect gevormde, perfect door de zon gebruinde benen te verbergen. Die benen leken wel een wellustige kilometer lang, boven een paar witte schoentjes van krokodillenleer met maximale hakken die haar op een hemelse manier optilden terwijl Venus kreunde en steunde. Ze droeg een damestasje van struisvogelleer. Ed had al deze spullen geen naam kunnen geven, maar hij wist uit de bladen dat het allemaal de allernieuwste mode was en heel kostbaar.

' – OF HEB JE GEEN IDEE WAT EEN GOEDKOOP *DIEFJE* JE BENT?'

Ed zei, sotto voce: 'Toe nou, Mac. Laten we het gewoon vergeten. Het is de moeite niet waard.' Wat hij bedoelde was: 'Wie weet beseft iemand wie ik ben.' Maar wat Mac betrof, was hij er niet eens. Alleen zijzelf en de brutale teef die haar onrecht had aangedaan waren er.

De mooie brutale teef schrok helemaal niet van Macs aanval en leek niet in het minst geïntimideerd. Ze stond daar met scheve heupen, de knokkels van een hand rustten op de bovenheup en haar gebogen elleboog was zo ver uitgestoken als maar kon, plus een suggestie van een glimlach op haar lippen, een geringschattende houding die zoveel zei als: 'Hoor eens, ik heb haast en u staat in de weg. Wilt u zo vriendelijk zijn met uw tsunamietje in een glas water op te houden – nu meteen.'

' – GEEF ME EENS ÉÉN REDEN –'

In plaats van voor Macs agressie terug te deinzen, kwam de mooie brutale teef twee stappen dichter naar de Green Elf toe, boog vooror om Mac in de ogen te kijken en zei in het Engels, zonder stemverheffing: 'Waarom u spugen onder het praten?'

'WAT ZEG JE?'

De brutale teef kwam nog een stap dichterbij. Inmiddels was ze nog geen meter van de Elf vandaan – en van Eds passagiersplaats. Ze zei deze keer met een luidere stem, terwijl ze haar ogen nog steeds in die van Mac boorde: '¡*Mirala!* Oma, u spugen onder het praten *como una perra sata rabiosa con la boca llena de espuma,*\* en het komt allemaal op *tu pendejocito allí.*\*\* *¡Tremenda pareja que hacen, pendeja!*\*\*\* Ze was inmiddels even boos als Mac en dat begon je te merken.

Mac kende geen woord Spaans, maar ook het Engelse onderdeel van wat uit het boosaardige gezicht van de brutale teef kwam was uiterst beledigend.

'WAAG HET NIET ZO TEGEN ME TE PRATEN! WIE DENK JE WEL DAT JE BENT? EEN AKELIG AAPJE, *DAT* BEN JE!'

De brutale teef beet terug: '*NO ME JODAS MAS CON TUS GRITICOS! VETE A LA MIERDA, PUTA!*\*\*\*\*

Ed verstijft door de harde stemmen van de twee vrouwen, de beledigingen die van beide kanten als kogels langs zijn helemaal verbleekte gezicht fluiten. De woedende latina kijkt langs hem heen of hij niets meer dan lucht is, een nulliteit. Wat hem vernedert. Hij moest natuurlijk zijn mannelijkheid opwekken en aan de hele ruzie een eind maken. Maar hij durft niet te zeggen: 'Ophouden, jullie allebei!' Hij durft Mac niet duidelijk te maken dat zij in enig opzicht fout zit door zich zo te gedragen. Hij weet dat maar al te goed. Ze zou hem de rest van de avond aan flarden scheuren, ook pal voor hun vrienden, die ze straks binnen zullen treffen, en zoals gebruikelijk zou hij niet weten wat hij moest zeggen. Hij zou het gewoon als een man slikken, bij wijze van spreken. Ook durft hij niet zijn beklag te doen bij de latina. Wat voor indruk zou dat maken? De hoofdredacteur van de *Miami Herald* die een chique Cubaanse señora op haar donder geeft en dus beledigt! Dat is de helft van zijn Spaans: '*señora*'. De andere helft is: '*Sí, cómo no?*' Bovendien zijn latino's opvliegend, zeker Cubanen, als ze een Cubaanse is. En van de Spaanstalige vrouwen in Miami kon toch alleen een Cu-

---

\*    'Moet je haar eens zien! Oma, u spuugt onder het praten, als een dolle straathond met schuim op de mond.'

\*\*   'je stommeling van een man'; letterlijk: 'je schaamhaartjes'.

\*\*\* 'Wat een stel zijn jullie, stomme teef dat je bent!'

\*\*\*\*'Val me niet lastig met je stuipjes! Val toch dood, hoer!'

baanse zo zichtbaar rijk zijn? Hij stelt zich voor dat ze straks een heet-hoofdige echtgenoot of vriend zal ontmoeten in het restaurant, het soort dat genoegdoening zou eisen en hem zo nog dieper zou verne-deren. Zijn gedachten tollen rond. De kogels blijven heen en weer flui-ten. Zijn mond en zijn keel zijn kurkdroog. Kunnen ze niet gewoon ophouden!

*Ophouden?* Ha! Mac begint te schreeuwen: 'PRAAT ENGELS, ZIELIGE IDIOOT DAT JE BENT! JE BENT NU IN AMERIKA! PRAAT ENGELS!'

Even lijkt de brutale teef te beseffen dat ze moet zwijgen. Vervolgens keert ze terug naar haar kalme, hooghartige aard en zegt ze vrij zacht met een spottende glimlach: 'No, *mía malhablada puta gorda**, wij nu in Mee-ah-mee! Jij nu in Mee-ah-mee!*

Mac staat paf. Een paar tellen wist ze niets te zeggen. Ten slotte weet ze één verstikt gesis uit te brengen: '*Brutale teef*!' – en toen gaf ze gas met de Green Elf en reed ze met zo'n ruk weg dat de Elf piepte.

Macs lippen waren zo ver samengeperst dat het vlees eronder en erboven opzwol. Ze schudde haar hoofd... niet boos, zo leek het Ed, maar iets veel ergers: vernederd. Ze keek niet eens naar hem. Haar ge-dachten zaten vast in een capsule van wat zojuist was gebeurd. ::::: Jij hebt gewonnen, brutale teef. :::::

Balzac's was afgeladen. Het getater in de zaak had al het maximale we-zitten-in-een-hip-restaurant-en-is-het-niet-geweldig-niveau bereikt... maar Mac stond erop het hele verhaal *luidkeels* te vertellen, zo luid dat hun zes vrienden het allemaal konden horen, zo razend was ze... Christian Cox, Marietta Stillman... de vriendin met wie Christian sa-menwoont, Jill-van-Christian... Marietta's man, Thatcher... Chauncey en Isabel Johnson... zes Anglo's, *echte* Anglo's, net als zijzelf, WASP's – maar *God, ik smeek U!* Eds ogen schoten woest alle kanten op. Dat konden Cubanen zijn aan het volgende tafeltje. God mag weten hoe ze aan het geld zijn gekomen! Ja hoor! *Daar!* En de obers? Zien er ook als latino's uit... het *moeten* wel latino's zijn... Hij luistert niet meer naar Macs getier. Vanuit het niets glipt een uitspraak zijn hoofd in. 'Ieder-een... zij allemaal... het is *terug naar je bloed!* Religie sterft uit... maar iedereen moet toch *ergens* in geloven. Het zou ontoelaatbaar zijn – je zou het niet kunnen uitstaan – om jezelf uiteindelijk te moeten voor-

---

* 'Nee, dikke hoer van me met je smerige praatjes.'

houden: "Waarom blijven doen alsof? Ik ben niets meer dan een wille-keurig atoom in een deeltjesgeleider die als universum bekendstaat." Maar *geloven in* betekent per definitie *blindelings, redeloos*, nietwaar? Dus, mijn mensen, dan blijft alleen ons bloed over, de bloedlijnen die door onze eigen lichamen lopen, om ons te verbinden. "*La Raza!*" zoals de Puerto Ricanen roepen. "*Het Ras!*" schreeuwt heel de wereld. Zij hebben, zoals alle mensen, alle mensen overal, één laatste idee – *Terug naar je bloed!*' Alle mensen, overal – jullie hebben geen andere keus dan *Terug naar je bloed!*

# I

## DE MAN OP DE MAST

SMAK de Safe Boat stuitert de lucht in komt weer neer SMAK op een volgende golf in de baai stuitert weer op komt neer SMAK op een volgende golf en SMAK stuitert de lucht in met signaalhoorns politie gekke lichten die ontploffen SMAK in een waanzinnige opeenvolging op het dak SMAK maar de medesmerissen van agent Nestor Camacho SMAK hier in de stuurhut de twee dikke SMAK *americanos* die vinden dit gedoe prachtig vinden het prachtig vinden het *prachtig* de boot SMAK met vol gas 70 kilometer per uur tegen de wind in SMAK de lichte aluminium romp stuitert *stuitert* SMAK van golf SMAK naar golf SMAK naar golf SMAK naar de monding toe van de Biscayne Baai om het 'te regelen met de man boven op een mast' SMAK 'in de buurt van de Rickenbacker Causeway' –

– SMAK de twee *americanos* zaten bij het stuurwiel op stoelen met ingebouwde schokdempers zodat ze bestand waren tegen al het SMAK stuiteren terwijl Nestor, die 25 was, met vier jaar als smeris maar SMAK net bevorderd naar de politie te water, een elite SMAK eenheid, en nog op proef was SMAK aangewezen op de ruimte achter hen waar hij SMAK zich schrap moest zetten tegen iets wat een leunstang heette en SMAK zijn eigen benen als schokdempers moest gebruiken –

Een *leunstang*! Deze boot, de Safe Boat, was het tegendeel van gestroomlijnd. Hij was *lelllllijk*... een acht meter lange, rubberachtige, met schuim gevulde pannenkoek als dek met een oud hokje van een sleepboot erbovenop geplakt als stuurhut. Maar de twee motoren hadden 1500 pk en het geval ging over het water als een kogel. De boot kon niet zinken tenzij je een kanon pakte en er gaten van vijfentwintig centimeter in schoot, een heleboel, door de schuimvulling heen. Bij proeven was zelfs geen mens erin geslaagd er eentje te laten kapseizen, wat voor dwaze manoeuvre hij ook probeerde. Het was gebouwd voor reddingen. En dit hokje van een stuurhut waarin hij en de *americanos* zaten? Het was het lelijke eendje van de scheepsbouw – maar geluiddicht. Buiten wierp de Safe Boat met 70 kilometer per uur een regelrechte orkaan van lucht, water en verbrandingsmotor op... terwijl je hierbinnen in de stuurhut niet eens je stem hoefde te verheffen... om te bespreken wat voor halvegare je moest zijn om boven op een mast te zitten in de buurt van de Rickenbacker Causeway.

Een brigadier die McCorkle heette, met zandkleurig haar en blauwe ogen, bestuurde de boot, en zijn tweede man, agent Kite, met blondachtig-bruin haar en blauwe ogen, zat in de stoel naast hem. Het waren allebei echte vleeshompen met vet – en school-van-blond haar! – en blauwe ogen! *Blonde mensen! – met blauwe ogen!* – waardoor je of je nu wilde of niet *americanos* dacht.

Kite zat *SMAK* aan de politieradio: 'Q,S,M' – bij de politie van Miami een code voor 'Herhalen' – 'Negatief?' *SMAK* 'Négatief? Je bedoelt dat niemand weet wat hij daarboven doet? Er zit een vent boven op' *SMAK* 'een *mast* en hij *schreeuwt*, en niemand weet' *SMAK* 'wat hij *schreeuwt*? Q,K,T?' – voor 'over'.

Statisch kraken statisch kraken Radiocom: 'Q,L,Y' – voor 'oké' – 'Meer hebben we niet. Vier-drie stuurt een' *SMAK* 'eenheid naar de Causeway. Q,K,T.'

Lange, verbijsterde *SMAK* stilte... 'Q,L,Y... Q,R,U... Q,S,L' – voor 'over en uit'.

Kit zat *SMAK* daar even zomaar, hij hield de microfoon voor zijn gezicht en gluurde ernaar alsof hij *SMAK* er nog nooit eentje had gezien. 'Ze weten geen bal, brigadier.'

'Wie zit er bij Radiocom?'

'Ik weet het niet. Een of andere' *SMAK* 'Canadees.' Hij zweeg even – *Canadees?*

– 'Ik hoop maar niet dat het weer' *SMAK* 'een illegaal is, brigadier. Die stomme idioten zijn zo gek dat ze je' *SMAK* 'vermoorden zonder dat ze dat ook maar willen. Onderhandelen kun je vergeten, zelfs als je iemand hebt die' *SMAK* 'de verdomde taal beheerst. Hun verdomde levens redden kun je vergeten, voor zover dat' *SMAK* 'mogelijk is! Bereid je maar gewoon voor op Ultimate Fighting onder water met een of andere' SMAK 'zakkenwasser die stijf staat van de adrenaline. Als je wilt weten wat ik vind, het is de akeligste' SMAK 'roes die er is, brigadier, adrenaline. Een of andere motorrijder aan de meth – dat is niets in vergelijking met een van die broodmagere' SMAK 'zakkenwassertjes die opgefokt zijn van de adrenaline.'

*Zakkenwassers?*

De twee *americanos* keken niet naar elkaar als ze spraken. Ze keken recht vooruit, de ogen gericht op het vooruitzicht van een of andere stomme idioot boven op een mast nabij de Rickenbacker Causeway.

Door de voorruit – die *naar voren* boog in plaats van naar achteren – het *tegendeel* van gestroomlijnd – zag je dat er veel wind stond en de baai wild was, maar verder was het een kenmerkende dag voor Miami begin september... nog zomer... nergens een wolk... en *Jezus* wat was het warm... De zon veranderde heel de hemel in één gigantische hitte-lamp met een diepblauwe koepel, verblindend helder, en er knalden stralen weerspiegeling van ieder glanzend gebogen oppervlak af, zelfs van de koppen van de golven. Ze waren net langs de jachthavens van Coconut Grove gesneld. De merkwaardig rozeachtige skyline van Miami verhief zich langzaam aan de horizon, verschroeid in de zonne-stralen. Strikt genomen kon Nestor al die dingen niet echt zien – de rozeachtige omtrekken, het schijnsel van de zon, het lege blauw van de hemel, de zonnestralen... hij *wist* alleen dat het er allemaal was. Hij kon het niet echt zien omdat hij uiteraard een zonnebril op had, niet donker maar de *donkerste*, de magno *donkerste*, de supremo *donkerste*, met een namaak goudstaaf over de bovenkant. Dat droeg iedere Cu-baanse smeris in Miami die cool was... $29,95 bij CVS... een goudstaaf, schat! Net zo cool was de manier waarop hij zijn hoofd geschoren hield met alleen een plat heliplatformpje haar op de bovenverdieping. Nog cooler was zijn brede nek – cooler en niet eenvoudig om die zo te krij-gen. Zijn nek was nu breder dan zijn hoofd en leek te versmelten met zijn monnikskapspier... een eind naar *hier*. Worstelaarsbruggen, schat, en gewichtheffen! Een hoofdharnas met gewichten eraan – dan lukt het wel! Door de dikke nek zag het geschoren hoofd eruit als dat van een Turkse worstelaar. Anders zag een geschoren hoofd eruit als een deurknop. Hij was een broodmager joch van één meter zeventig ge-weest toen hij voor het eerst aan de politie had gedacht. Nu was hij nog steeds één meter zeventig, maar... in de spiegel... goed voor één meter zeventig grote gladde rotsformaties, echte Gibraltars, traps, delts, lats, pecs, biceps, triceps, schuine spieren, buikspieren, bilspieren, beenspieren – *stevig!* – en wil je weten wat nog beter was voor het bovenlichaam dan gewichten? In het touw van achttien meter klimmen bij Rodriguez' 'Ñññññ̃ooooooooooooo!!! Qué Gym!', zoals iedereen de sportschool noemde, zonder je benen te gebruiken. Je wilt *stevige* biceps en lats – en zelfs pecs? Niets zo goed als in dat touw van achttien meter klimmen bij Rodriguez – *stevig!* – en bepaald door de diepe donkere spleten die elke spiermassa aan de randen afzet... in de spiegel. Om die grote nek had hij een mooie gouden ketting met een medaillon van de gave Santería-heilige, Barbara, beschermheilige van artillerie en explosieven, die zat op zijn borst onder zijn shirt... *Shirt*... Daar had je het probleem met de politie te water. In de straatdienst zorgde een Cubaanse smeris zoals hij ervoor een uniform met korte mouwen te hebben, één maat te klein, waardoor iedere opzwelling van iedere rotsformatie uitkwam... vooral, in zijn geval, de triceps, de grote spier aan de achterkant van de bovenarm. Hij beschouwde die van hem als de ultieme geologische triomf van de triceps... in de spiegel. Wanneer je echt cool en Cubaans was, dan had je het achterste van je uniformbroek laten innemen – flink – tot je er van achteren uitzag als een man met Speedoos met lange broekspijpen. Op die manier was je supercool in de ogen van iedere *jebita* op straat. Precies zo had hij Magdalena ontmoet – *Magdalena*!

Supercool moest hij er hebben uitgezien toen hij diende te voorkomen dat deze *jebita* de versperring over 16th Avenue bij Calle Ocho door zou gaan en ze zette die grote mond op en door de woede in haar ogen werd hij alleen maar gekker op haar – *¡Dios mío!* – en toen glimlachte hij op een bepaalde manier naar haar en zei *Ik zou je heel graag doorlaten – maar ik ga dat niet doen* en hij bleef glimlachen op die bepaalde manier en ze vertelde hem twee avonden later te hebben gedacht dat toen hij begon te glimlachen ze hem ertoe had verleid dat ze haar gang kon gaan maar toen weerstond hij haar onbuigzaam met *maar ik ga dat niet doen* – en het wond haar op. Maar stel je voor dat hij die dag *dit* uniform had gedragen! Jezus, haar zou alleen zijn opgevallen dat hij in de weg stond. Dit uniform van de politie te water – het was niet meer dan een flodderig wit poloshirt en een flodderige donkerblauwe korte broek. Kon hij de mouwen maar korter maken – maar dat zouden ze onmiddellijk in de gaten hebben. Hij zou vreselijk worden bespot... Hoe zouden ze hem gaan noemen?... 'Spieren'?... 'Mister Universe'... of gewoon 'Uni'? – uitgesproken als 'Joenie', wat nog erger zou zijn. Hij was dus opgescheept met dit... *pietluttige*... uniform waardoor je eruitzag als een walgelijk uit zijn krachten gegroeide peuter in het park. Nou, in ieder geval stond het hem niet zo slecht als het de twee dikke *americanos* vlak voor hem stond. Vanaf hier zag hij ze, als hij achteroverleunde tegen de leunstang, maar al te dichtbij van achteren... weerzinwekkend... zoals hun spek in zwembandjes uitblubberde waar het poloshirt in de korte broek was gestopt. Het was deerniswekkend – en zij werden geacht fit genoeg te zijn om in paniek geraakte mensen uit het water te redden. Even overwoog hij dat hij misschien een lichaamssnob was geworden, maar niet meer dan dat, even. Man, het was al gek genoeg gewoon ergens langs te gaan met alleen *americanos* om je heen. Dit was hem niet één keer overkomen in de twee jaar dat hij straatdienst had. Er waren er zo weinig meer over bij het politiekorps. Het was dubbel zo gek dat je door een stel van dit soort minderheden in aantal en *in rang* werd overtroffen. Hij had niets tegen minderheden... *americanos*... zwarten... Haïtianen... Nica's, zoals iedereen Nicaraguanen noemde. Hij was zeer ruimdenkend, een nobele, tolerante jonge man van deze tijd. *Americano* gebruikte je in het gezelschap van andere Cubanen. Je zei Anglo voor publiek gebruik. Vreemd woord, *Anglo*. Het was zo... *uit*. Het verwees naar blanke mensen van Europese komaf. Zat er misschien iets afwerends in? Het was niet zo lang geleden dat de... Anglo's... de wereld in vier kleuren verdeelden, de blanken, de zwarten, de gelen – en alle overigen waren bruin. Ze gooiden alle latino's op één hoop als bruin! – terwijl in elk geval hier in Miami de meeste latino's, of een enorm percentage, hoe dan ook veel, even blank waren als iedere Anglo, afgezien van het blonde haar... Zo dachten de Mexicanen over hen wanneer ze het woord *gringo* bezigden: de mensen met het blonde haar. Cubanen gebruikten het af en toe voor een komisch effect. Een auto vol Cubaanse jongens die een knap blond meisje op een trottoir in Hialeah zien en een van hen zingt uit: '*¡Ayyyyy, la gringa!*'

'*Latino*' – ook dat woord was zo *uit*. Het bestond alleen in de Verenigde Staten. Net als '*Hispanic*'. Wie noemde er verdorie verder mensen Hispanics? Waarom? Maar hij begon hoofdpijn te krijgen van het hele geval –

*McCorkles stem!* slingerde hem terug in het hier en nu. De brigadier met hoogblond haar, McCorkle, zei iets tegen zijn blondachtige tweede in rang, Kite: 'Dit lijkt me geen' SMAK 'illegaal. Ik heb nooit gehoord van een illegaal die in een boot met een' SMAK 'mast arriveert. Weet je? Ze zijn te langzaam, ze zijn te zichtbaar... Bovendien, neem Haïti... of' SMAK 'Cuba. In dat soort oorden zijn geen boten met masten meer over.' Hij draaide zijn hoofd naar opzij en kantelde het SMAK naar achter om over zijn schouder te spreken. 'Dat is toch zo, Nestor?' Nes-*ter*. 'Ze *hebben* niet eens' SMAK 'masten op Cuba. Dat is toch zo? Zeg maar ja, Nestor.' Nes-*ter*.

Dit ergerde Nestor – nee, het maakte hem *woedend*. Zijn naam was Nestor, niet Nes-*ter*, zoals *americanos* het uitspraken. Nes-*ter*... zo klonk het of hij in een nest zat met zijn nek omhoog in de lucht gestrekt en zijn bek wijd open, wachtend tot Mammie naar huis zou vliegen om een worm door zijn strot te laten glijden. Deze debielen hadden duidelijk nooit gehoord van koning Nestor, held uit de Trojaanse Oorlog. Toch vindt deze idiote brigadier het grappig hem als een hulpeloze zesjarige te behandelen met zijn *Dat is toch zo? Zeg maar ja, Nestor* grap. Tegelijk was *het uitgangspunt* van de grap dat een Cubaan van de tweede generatie zoals hij, geboren in de Verenigde Staten, zo bezig was met Cuba dat de vraag of er masten of geen masten op Cubaanse boten zaten hem op een of andere stomme manier echt zou *interesseren*. Zo bleek hoe ze eigenlijk over Cubanen *dachten*. ::::: Ze denken nog steeds dat we *vreemdelingen* zijn. Na al die tijd hebben ze het nog steeds niet door, wel? Als er vreemdelingen in Miami zijn, dan zijn *zij* het. Stelletje blonde mongolen – met jullie 'Nes-*ter*!' :::::

'Hoe kan *ik* dat weten?' hoort hij zichzelf zeggen. 'Ik' SMAK 'heb nooit een *voet* op Cuba gezet. Ik heb nooit een *blik* op' SMAK 'Cuba geworpen.'

*Wacht even!* Bam – hij beseft meteen dat dit er verkeerd uit kwam, beseft het voor hij het rationeel kan bepalen, weet dat 'Hoe kan *ik* dat weten?' in de lucht hangt als een rottingsgas. Zoals hij het *ik* beklemtoonde... en het *voet* en het *blik*! Zo smalend! Zo verwijtend! Zo enorm brutaal! Hij had hem evengoed regelrecht een stomme blonde mongool kunnen noemen! Had niet eens *geprobeerd* de boosheid die hij voelde te verbergen! Al had hij er maar een 'brigadier!' aan toegevoegd! Met 'Hoe kan *ik* dat weten, *brigadier*' had hij een kansje gehad! McCorkle is een minderheid, maar hij is wel een brigadier! Het enige wat hij hoeft te doen is één slecht rapport indienen – en Nestor

Camacho zakt in de proeftijd en wordt het water uit geblazen! Snel! Doe er meteen een *brigadier* bij! Maak er twee van – *brigadier* en *brigadier*! Maar het is een hopeloze zaak – te laat – drie of vier eindeloze secondes zijn verstreken. Het enige wat hij kan doen is zich schrap zetten tegen de leunstang en zijn adem inhouden –

Geen kik van de twee blonde *americanos*. Nestor wordt zich vreselijk bewust van zijn hart SMAK dat bonkt onder het poloshirt. Nutteloos nutteloos nutteloos wat maakt het uit wat maakt het uit wat maakt het uit hij beseft dat de skyline van SMAK het centrum van Miami steeds hoger oprijst nu de Safe Boat snel dichterbij komt, de Safe Boat stuit op steeds meer 'slimmeriken', zoals de smerissen plezierboten noemen in het bezit van en doelloos genavigeerd door burgers die geen idee hebben, ze zonnebaden SMAK te dik te bloot te veel ingesmeerd met beschermingsfactor 30 SMAK crèmes, en passeert ze zo snel dat de slimmeriken door hen SMAK achteruit lijken te worden *geslagen* –

*Jezus Christus!* Nestor maakt ongeveer een sprong. Vanaf hier SMAK achter de stoel van de man kan hij zien dat de duim van brigadier McCorkle boven zijn schouder uit komt. Nu beweegt SMAK hij die achteruit naar Nestor zonder zijn hoofd te bewegen – hij blijft vooruit kijken – en zegt tegen agent Kite: 'Hij zou het' SMAK 'niet weten, Lonnie. Hij heeft verdorie nooit een voet op Cuba gezet. Hij heeft er verdorie nooit een blik op geworpen.' SMAK 'Hij weet het... verdorie... gewoon niet.'

Lonnie Kite reageert niet. Hij doet waarschijnlijk wat Nestor zelf ook doet... wachten waartoe dit alles leidt... terwijl het centrum van Miami oprijst... oprijst. Daar is de SMAK Rickenbacker Causeway zelf, die over de baai heen gaat vanuit de stad naar Key Biscayne.

'Goed, Nes-*ter*,' zegt McCorkle, en hij laat Nestor nog steeds alleen de achterkant van zijn hoofd zien, 'dat weet je niet. Vertel ons dan' SMAK 'wat je *wel* weet, Nes-*ter*. Wat vind je daarvan? Maak ons wijzer. Wat weet je' SMAK '*wel*?'

*Doe er meteen het* brigadier *bij!* 'Vooruit, brigadier, zo' SMAK 'bedoelde ik het niet –'

'Weet je wat voor *dag* het is?' SMAK

'*Dag*?'

'Jawel, Nes-*ter*, het is een bepaalde dag. Wat voor dag? Weet je *dat* wel?' SMAK

Nestor wist dat de grote dikke blonde *americano* hem voor de gek hield – en de grote dikke blonde *americano wist* dat hij het wist – maar hij, Nestor, durfde niets te zeggen wat aangaf dat hij SMAK het *inderdaad* wist, want hij wist ook dat de grote dikke *americano* met hoogblond haar hem uitdaagde om nog een keer de *wijsneus* uit te hangen zodat hij hem *echt* kon laten hangen.

Lange stilte – tot Nestor zo SMAK argeloos als hij kan zegt: '*Vrij*dag?'

'Is dat het enige – *vrij*dag? Weet je niet dat het misschien meer dan zomaar een' SMAK 'vrijdag is?'

'Brigadier, ik –'

De stem van brigadier McCorkle rent recht over die van Nestor heen: 'Dit is de verdomde verjaardag van die verdomde José Martí.' SMAK 'Hoezo weet je *dat* niet, Camacho?'

Nestor voelt zijn gezicht koken van woede en vernedering. :::::: *'Die verdomde José Martí'* waagt hij te zeggen! José Martí is de meest ver-eerde figuur uit de Cubaanse geschiedenis! Onze Bevrijder, onze Hei-land! *'Verdomde verjaardag'* – nóg een belediging! – en het *Camacho* om te zorgen dat Nes-*ter* de belediging goed voelt! En het is *niet* Martí's verjaardag! Zijn verjaardag is in januari – maar ik kan zelfs daarmee niet terugslaan! :::::

Lonnie Kite zegt: 'Hoe wist u dat, brigadier?'

'Wist ik wat?'

'Dat dit' SMAK 'de verjaardag is van José Martí?'

'Ik let op op school.'

'Heus? Welke school, brigadier?'

'Ik ben' SMAK 'naar Miami-Dade geweest, 's avonds en in het week-end. Ik heb allebei de jaren gedaan. Ik heb mijn diploma.'

'Heus?'

'Jazeker,' zei brigadier McCorkle. 'Nu' SMAK 'wil ik me inschrijven aan EGU. Ik wil een echte graad. Ik ben niet van plan hiervan een car-rière te maken, weet je, smeris zijn. Als ik een Canadees was, zou ik het overwegen. Maar ik ben' SMAK 'geen Canadees.'

*Canadees?*

'Hoor eens, ik wil u niet ontmoedigen, brigadier,' zei de blondach-tig-bruinharige agent Kite, 'maar wat ze mij vertellen is dat' SMAK 'E, G, U *zelf* voor meer dan de helft *Canadees* is, in elk geval wat de stu-denten betreft. Van de docenten' SMAK 'weet ik het niet.'

*Canadees – Canadees!*

'Nou, zo erg als het korps kan het niet zijn –' De brigadier brak deze redenering plotseling af. Hij bleef zijn hand op het bedieningspaneel houden, liet zijn hoofd zakken en stak zijn kin vooruit. 'Gossiemijne! Moet je' SMAK 'daarboven eens zien. Daar is de Causeway, en zie je dat daarboven op de brug?'

Nestor had geen idee waarover hij het had. Omdat hij zo ver achter in de stuurhut zat, kon hij de bovenkant van de brug absoluut niet zien.

Op dat moment de statische stem van Radiocom: 'Vijf, een, zes, o, negen – Vijf, een, zes, o, negen – wat is jullie' SMAK 'Q,T,H? Heb jullie met de grootste spoed nodig. Vier-drie zegt dat ze een stelletje *tontos* hebben, ze zijn hun auto's uit' SMAK 'en schreeuwen op een aanstootgevende manier naar de man op de mast. Het verkeer op de Causeway' SMAK 'is in beide richtingen tot stilstand gekomen. Q,K,T.'

Lonnie Kite Q,L,Y-de dat voor Vijf, een, zes, o, negen en zei: 'Q,T,H. Zojuist' SMAK 'Brickell gepasseerd en gaan nu recht op de Causeway af. Zie de zeilen, zie iets boven op de' SMAK 'mast, zie de opschudding op de Causeway. Ben daar over, ehhh, zestig' SMAK 'seconden. Q,K,T.'

'Q,L,Y,' zei Radiocom. 'Vier-drie wil de man daarboven weg hebben Z.S.M.'

*Canadezen!* Het was uitgesloten dat meer dan de helft van de studenten aan EGU – Everglades Global University – Canadezen waren, maar het gold *wel* voor de Cubanen. *Dat* was dus hun niet al te slimme *americano*-spelletje! En ze waren zo stom, ze dachten dat er een genie nodig zou zijn om het te snappen! Hij doorzocht zijn hersenen om te proberen zich te herinneren hoe ze *Canadezen* nog maar een paar minuten eerder hadden gebruikt. En hoe zat het met *zakkenwassers*? Werden *dat* ook geacht Cubanen te zijn? Latino's? ::::: Hoe beledigend is het als een *americano Canadees* zegt om *Cubaans* aan te duiden... pal in je gezicht. *Witheet, witheet, witheet* – maar beheers je! ::::: *Cubaan? Canadees? Zakkenwasser?* Wat deed dat er allemaal toe? Wat ertoe deed was dat de brigadier zich zo beledigd voelde dat hij nu zijn toevlucht nam tot sarcasme, kilo's, zelfs tot erge dingen als 'die verdomde José Martí'. En waarom? Om hem aan te zetten tot regelrechte insubordinatie – en hem dan uit deze elite-eenheid, de politie te water, te kunnen laten knikkeren, en hem te laten degraderen – of uit het korps te laten ontslaan! *Op straat gezet! Eruit getrapt!* Hij hoefde daarvoor alleen met zijn commandant insubordinerend ruzie te gaan maken op een cruciaal moment tijdens een patrouille – op het moment dat het hele korps zat te wachten tot zij een of andere idioot uit de top van een mast in de Biscayne Baai haalden! Het zou met hem gedaan zijn! *Gedaan* – ook wat betreft Magdalena! *Magdalena!* – die deed al raar, afstandelijk, en nu is hij een stuk vuil, verstoten bij de politie, dodelijk vernederd.

De brigadier nam gas terug. De SMAK'ken werden minder hevig en minder frequent toen ze bij de enorme witte zeilboot kwamen. Ze benaderden die van de achterkant.

Agent Lonnie Kite leunde omlaag over het instrumentenpaneel en begon omhoog te kijken. 'Jezus Christus, brigadier, die masten – ik heb van mijn leven nooit zulke hoge masten gezien. Ze zijn even hoog als die verdomde brug, en die verdomde brug steekt gemiddeld verdorie vijfentwintig meter boven het waterpeil uit!'

Omdat hij bezig was de Safe Boat naast de zeilboot te manoeuvreren, keek de brigadier nauwelijks op. 'Dat is een schoener, Lonnie. Heb je van "tall ships" gehoord?'

'Ja... dat geloof ik wel, brigadier. Ik neem aan van wel.'

'Ze hebben ze voor de snelheid gebouwd, destijds in de negentiende eeuw. Daarom hebben ze zulke hoge masten. Zo krijg je meer zeiloppervlak. Destijds pleegden ze naar scheepswrakken, inkomende vrachtschepen of wat dan ook te snellen om de buit vlugger binnen te halen. Ik wed dat deze masten net zo hoog zijn als de boot lang is.'

'Hoe weet u dat allemaal, over schoeners, brigadier? Ik heb er hier nooit één gezien. Niet één.'

'Ik let op –'

'– op school,' zei Lonnie Kite. 'O ja, dat was ik bijna vergeten, brigadier.' Hij wees naar boven. 'Verdorie nog aan toe. Daar is de vent! De man op de mast! Boven op de voormast! Ik dacht dat het een hoop vuil wasgoed was, of doek of zoiets. Moet je 'm eens zien! Hij zit even hoog als de *tontos* op de brug! En, man, kennelijk zijn ze over en weer aan het schreeuwen...'

Nestor kon er niets van zien, en geen van hen kon horen wat er aan de hand was, want de stuurhut van de Safe Boat was geluiddicht.

De brigadier voer erg langzaam om langszij de schoener te komen. Slechts een paar centimeter ervandaan kwamen ze tot stilstand. 'Lonnie,' zei de brigadier, 'neem jij het stuurwiel.'

Toen hij uit zijn stoel overeind kwam, keek hij naar Nestor alsof hij was vergeten dat die bestond. 'Oké, Camacho, doe iets nuttigs. *Maak dat verdomde luik open.*'

Nestor keek vreselijk angstig naar de brigadier. In zijn schedel zei hij een gebed. ::::: *Ik smeek U, Almachtige God. Laat het me niet verkloten.* :::::

Het 'luik' was een geluiddichte schuifdeur met dubbelglas aan de zijkant van het hokje en kwam uit op het dek. Heel Nestors universum trok zich ineens samen in die deur en de test op olympisch niveau om die met maximale kracht, maximale snelheid te openen – terwijl hij intussen maximale controle moest houden... *nu! Onmiddellijk!...* ::::: *Ik smeek U, Almachtige God* – hier gaat – :::::

Het lukte hem! Het lukte hem! Met de soepele kracht van een tijger lukte het hem!... Lukte hem wat? Hem open te schuiven! Een schuifdeur open te schuiven! Zonder het te verkloten!

Buiten – het was een en al tumult. De herrie stortte de onschendbaar-geluiddichte stuurhut binnen, de herrie en de hitte. Jezus, wat was het warm hier aan dek! Gloeiend! Slopend! Je kreeg er een klap van. De opstekende wind van de baai was nodig om het draaglijk te maken. De wind was sterk genoeg om een eigen fluitend geluid te maken en SLAP vlagen tegen de romp van de schoener en FLAP tegen de enorme zeilen, twee masten vol zeilen – FLAP tot ze tot wolken van een onnatuurlijk witte helderheid werden opgeblazen – de zomerzon van Miami! Nestor tuurde omhoog naar die vuurbal – die zichzelf opbrandde – en zelfs met zijn allerdonkerste zonnebril probeerde hij dat niet nog eens – omhoogkijken in die helse hittelamp die uit heel de hemel bestond. Maar dat was niets in vergelijking met de roerige BRANDING van menselijke stemmen. Geschreeuw! Aansporingen! Gevloek! Gejoel! Smeekbeden! Boegeroep! Een enorm gebrul en tandengeknars anderhalve kilometer uit de kust midden op de Biscayne Baai!

De brigadier kwam uit het hokje tevoorschijn zonder de minste oogbeweging in de richting van Nestor. Maar toen hij van boord ging, maakte hij een rukkend gebaar met zijn hand bij zijn heup om aan te geven dat Nestor hem moest volgen. Hem *volgen*? Nestor volgde hem als een hond.

Toen de brigadier en zijn hond aan boord gingen van de schoener en op het dek waren – dit dek was een regelrechte zweetkamer! – hingen er passagiers, als het dat waren, over de reling. Ze gebaarden en brabbelden tegen Nestor en de brigadier... *americanos*, het hele stel... lichtbruin en blondachtig haar... voor de helft meisjes – vrijwel spiernaakt! Woest blond haar! Plukjes tangaslipjes die niet eens de schaamheuvel bedekten!... Bovenstukjes die uit twee driehoekjes stof bestonden die

31

de tepels bedekten, maar de rest van de borsten aan beide kanten lieten uitpuilen en lokten: *Wil je meer?* Nestor niet. Op dit moment vond hij niets zo oninteressant als toenadering zoeken tot *lubricas americanas*. Ze vielen uiteen in zijn gebeden, die waren ingekookt tot: *Ik smeek U, Almachtige God, laat het me niet… verkloten!*

De brigadier liep regelrecht naar de voormast. Nestor liep regelrecht naar de voormast. De brigadier keek omhoog. Nestor keek omhoog. De brigadier zag de roest van de mysterieuze man boven in de mast. Nestor zag de roest van de mysterieuze man – een silhouet tegen een dodelijke hittelampkoepel, een zwarte klont het equivalent van zes of zeven etages boven het dek. Een regelrechte storm van rauw-kelige stemmen bekvechtte van boven omlaag tussen een kakofonie van boze autoclaxons. De brigadier keek weer omhoog. Nestor keek weer omhoog. De twee politiemannen moesten hun nek helemaal naar achter buigen om te zien waar de opschudding vandaan kwam. Pure moord om zo omhoog te kijken naar de hoogste boog van de brug… Een boze menigte leunde over de reling, twee, drie rijen, god weet hoeveel rijen dik. Ze stonden zo hoog dat hun hoofden het formaat van eieren leken te hebben. Zelfs Nestor achter zijn donkerste supremos kon niet langer dan één ogenblik naar hen staren. Het was alsof je op straat stond, onder aan een gebouw van zeven of acht etages met een menigte die om onbegrijpelijke redenen naar je schreeuwde vanaf een dak dat door de zon in brand werd gezet. En *daar* in de hoogte! – vrijwel op oogniveau met de menigte, vrijwel even hoog boven het dek – was de man. De brigadier keek van pal onder naar hem. Nestor keek van pal onder naar hem. Door hun ogen met hun handen af te schermen konden ze zien dat hij *inderdaad* een hoop vuil wasgoed leek, zoals Lonnie Kite het had geformuleerd… nee, hij zag er nog erger uit… hij zag eruit als een hoop smerig, doorweekt wasgoed. Hij was kletsnat. Zijn kleren, zijn huid, zelfs zijn zwarte haar – wat ze ervan konden zien – alles aan hem had momenteel dezelfde doorweekte modderachtige grijsbruine kleur, alsof hij net uit een volle beerput was gekropen. Het maakte er niet beter op dat hij spastisch met zijn hoofd rukte terwijl hij naar de menigte op de brug schreeuwde en zich met uitgestoken handen tot hen richtte, verwrongen, de palmen omhoog, in de vorm van twee kopjes. Maar hoe kon hij daarboven blijven zonder de mast vast te houden? Ahhhhh… hij had een mandstoeltje gevonden – maar hoe was hij eigenlijk boven gekomen?

'Agent! Agent!'

Een grote lompe slimmerik, niet ouder dan 30, had zich voor brigadier McCorkle geposteerd. Hij bleef zijn wijsvinger omhoog prikken naar de man op de mast. De angst stond op zijn gezicht te lezen, en hij praatte zo snel, zijn woorden leken haasje-over te springen, over elkaar heen te vallen, te tuimelen, te struikelen, te ricocheren, hopeloos verspreid: 'Kan niet, agent, van beneden hier niets aan te doen, ik nooit hem kennen eerder gezien dat u het weet lui boven wat doen ze hij is zo boos daar wil wie hem aanvallen mijn boot alleen die mast kapot kost fortuin precies wat ik nodig heb –'

De vent was *zacht* – kijk hem eens! – maar op zo'n *zinnelijke* manier, luidde Nestors oordeel direct. Hij had volle wangen maar zulke gladde en boterachtige wangen dat ze het niveau van een perfecte crème caramel hadden bereikt. Hij had een pens maar een pens die een volmaakte parabool vormde vanaf zijn borstbeen tot zijn onderbuik, de unieke pens van Luie Jongeling, ongetwijfeld gemaakt door de aardigste, tederste, smakelijkste koks ter wereld. Over de volmaakte parabolische boog van de maagstreek zat een appelgroen shirt gespannen, van katoen, jawel, maar zulk fijn katoen, en zo non-conformistisch, het had een volmaakte appelgroene glans – kortom, deze vent was echt een mietje, een mietje wiens woorden uit zijn mond bleven komen in een wirwar van mietjesgedrag en angst.

' – moordenaar mafkees ik ben genaaid *mij* aanklagen! De aansprakelijke zondebok die aangeklaagd wordt ben *ik*! Een totale gek nooit eerder gezien pikt *mij* eruit! –'

De brigadier bracht beide handen omhoog naar zijn borst, de palmen omhoog en van hem af in de *Ho, ophouden*-stand. 'Langzaam aan! Dit is jouw boot?'

'Ja! En ik ben degene –'

'*Rustig* blijven. Hoe heet je?'

'Jonathan. De kwestie is, zeg maar, zodra ik –'

'Je hebt, *zeg maar*, een achternaam?'

Het grote lompe mietje keek naar de brigadier alsof hij, de brigadier, gek was geworden. Toen zei hij: 'Krin?' Het klonk half als een vraag. 'ᴋ,ʀ,ɪ,ɴ?' Omdat hij lid was van de eerste generatie die geen achternamen gebruikte, vond hij het maar een archaïsch idee.

'Goed, Jonathan, vertel me' – de brigadier maakte met zijn handpalmen drie kleine pompbewegingen omlaag naar het dek alsof hij wilde zeggen: *Kalm, zonder helemaal opgewonden te raken* – 'eens hoe hij daar gekomen is.'

Het bleek dat deze gezette, maar volmaakt gezette jongeman zijn maten had uitgenodigd voor een vaartocht over de Biscayne Baai naar het huis en de jachthaven van een vriend in een enclave aan de waterkant vol beroemdheden die toepasselijk Star Island werd genoemd. Hij zag geen reden waarom hij de 23 meter hoge hoofdmast van de schoener niet onder de 25 meter hoge brug van de Causeway door zou kunnen krijgen... tot ze dichtbij kwamen en het mogelijk gevaarlijk begon te lijken, doordat de schoener door de wind, het ruwe water en de golven een beetje stampte. Dus lieten ze achttien meter van de brug het anker vallen, en alle acht gingen ze naar de boeg om de situatie te bestuderen.

Een van hen draaide zich toevallig om en hij zei: 'Hé, Jonathan, daar achter op het dek staat een of andere kerel! Hij is net de touwladder op gekomen!' En jawel, daar had je dit magere, pezige, drijfnatte, doorweekte, ellendige mannetje, hij ademde zwaar... een dakloze, dacht iedereen. Hij was op een of andere manier de touwladder op het achterschip op gekomen, die werd gebruikt om in en uit het water te glijden. Nu stond hij stilletjes te druipen op het achterdek en hen aan te staren. Hij begon langzaam, behoedzaam, naar lucht happend naar hen toe te lopen, tot Jonathan hem, in zijn hoedanigheid van eigenaar en kapitein, toeschreeuwde: 'Hé, wacht eens even, waarbenjemeebezig?' De vent kwam tot stilstand, begon met beide handen te gebaren, palmen omhoog, en tussen happen lucht door te brabbelen, in wat zij voor Spaans hielden. Jonathan bleef roepen: 'Wegwezen hier! Kom op! Opsodemieteren!' en andere onvriendelijke bevelen. Daarop begon de landloper, voor wie zij hem allemaal hielden, klungelig te lopen, struikelend, overhellend, niet van hen vandaan maar recht op hen af. De meisjes begonnen te schreeuwen. De landloper zag eruit als een natte rat. Zijn haar leek voor de helft over zijn gezicht geplakt. Zijn ogen puilden uit. Zijn mond stond wijd open, misschien gewoon omdat hij geen adem kon krijgen, maar je kon zijn tanden zien. Hij maakte een psychotische indruk. De jongens begonnen naar hem te schreeuwen en te zwaaien in het soort kruiselings patroon dat scheidsrechters bij American football gebruiken om aan te geven dat een fieldgoal niet telt. De landloper komt almaar dichterbij en is nog maar een paar meter van hen vandaan, en de meisjes schreeuwen, ze maken een hels

kabaal, en de jongens schreeuwen – hun geroep is inmiddels half geschreeuw geworden – en zwaaien met hun armen boven hun hoofden,
en de landloper draait om, snelt naar de voormast en gaat die in, tot de
top.

'Wacht even,' zegt brigadier McCorkle, 'even recapituleren. Goed,
hij is daarachter op het dek, en dan komt hij helemaal van daar naar
hier. Hebben jullie geprobeerd hem tegen te houden? Heeft iemand
geprobeerd hem tegen te houden?'

Jonathan wendde zijn ogen af, haalde diep adem en zei: 'Tja, de kwestie is... hij maakte een gestoorde indruk. Snapt u? En misschien had hij
een wapen – snapt u? –, een revolver, een mes. Dat was niet duidelijk.'

'Ik begrijp het,' zei de brigadier, 'hij maakte een gestoorde indruk, en
misschien had hij een wapen, dat was niet duidelijk, en jullie probeerden niet hem tegen te houden, niemand probeerde hem tegen te houden.' Hij formuleerde het niet als een vraag maar als een voordracht...
in de vorm van uitgestreken spot waarvan smerissen houden.

'Ehhh... dat klopt,' zei de grote Luie Jongeling.

'Hoe is hij in de mast geklommen?' vroeg de brigadier. 'Je zei dat hij
buiten adem was.'

'Er is een touw, dat kunt u hier van de mast af zien komen. Bovenop zit een katrol, en er is een mandstoeltje. Je gaat hierbeneden in
het stoeltje zitten en je laat iemand je in het mandstoeltje naar boven
hijsen.'

Brigadier McCorkle wees naar boven. 'Wie heeft hem opgehesen?'

'Nou, hij – je kunt het touw gebruiken en *jezelf* omhoogtrekken, als
het moet.'

'Dat moet wel even hebben geduurd,' zei de brigadier. 'Hebben jullie geprobeerd hem tegen te houden? Heeft iemand geprobeerd hem
tegen te houden?'

'Nou, zoals ik zei, hij maakte – '

'– een gestoorde indruk,' zei McCorkle, die de zin voor hem af-
maakte. 'En misschien hield hij een wapen verborgen.' De brigadier
knikte zijn hoofd omhoog en omlaag met smerishumor, alsof hij het
begreep. Toen bewoog hij zijn ogen in Nestors richting met een bepaalde opwaartse beweging van de wenkbrauwen die zoveel betekende
als: 'Wat een stel mietjes, hnnnnh?'

Wat een Geluk! Voor Nestor stond, op dat moment, die blik gelijk
aan de Eremedaille! De brigadier had hem erkend als lid van de moe-

35

dige broederschap van smerissen! – niet zomaar iemand die op proef was bij de politie te water en alleen in de weg kon lopen.

Radiocom in de lucht... 'De vent beweert een anti-Fidel-dissident te zijn... Brug vol Cubanen die eisen dat hij asiel krijgt. Nú doet dat er niet toe. Nú moeten jullie hem daar omlaag halen. We hebben acht rijbanen met verkeer op de Causeway en er zit geen beweging in. Wat is jullie plan? Q,K,T.'

Meer was er niet voor nodig. Voor iedere smeris in Miami, zeker zo eentje als Nestor of de brigadier, verklaarde dat... de man op de mast afdoende. Ongetwijfeld hadden Cubaanse smokkelaars hem zo ver gebracht, een klein eindje de Biscayne Baai in, aan boord van een of ander supersnel vaartuig zoals een Cigarette Boat, die met 110 kilometer over de zee ging, ze hadden hem afgezet – of eruit gegooid – het water in nabij de kust, hadden rechtsomkeert gemaakt en waren teruggesneld naar Cuba. Voor deze dienst had hij waarschijnlijk iets in de orde van grootte van $5000 moeten dokken... in een land waar het gemiddelde loon voor een arts $300 in de maand was. Hij blijkt dus in de Baai te spartelen. Hij ziet de touwladder aan de achterkant van de schoener en klimt omhoog, mogelijk met het idee dat het schip is afgemeerd, want het beweegt niet, en hij kan er zo vanaf lopen de kust op, of anders zal de boot hem bij de brug brengen. Meer hoeft een Cubaan niet te doen: voet op Amerikaanse bodem zetten of op enig bouwsel dat zich vanaf Amerikaanse bodem uitstrekt, zoals de brug, en dan krijgt hij asiel... Iedere *Cubaan*... Geen enkele andere vluchteling genoot zulke voorrechten. Amerika's meest begunstigde migratiestatus genoten de Cubanen. Als een Cubaanse vluchteling voet zette op Amerikaanse bodem (of een bouwsel), werd hij als 'met droge voeten' beschouwd en was hij veilig. Maar als hij op of in het water werd aangehouden, dan werd hij teruggestuurd naar Cuba, tenzij hij een opsporingsambtenaar van de Kustwacht ervan kon overtuigen dat hem 'een geloofwaardige dreiging' wachtte, zoals vervolging door de communisten, wanneer hij terug moest. De man op de mast was uit het water weten te komen – maar bevond zich op een boot. Dus wanneer Nestor en de brigadier verschijnen is hij technisch gesproken nog 'in het water' en wordt hij aangemerkt als 'met natte voeten'. Mensen met natte voeten hebben pech. De Kustwacht brengt hen naar Guantánamo, waar ze, in wezen, werden losgelaten in de bossen, als een ongewenst huisdier.

Maar op dit moment denken de hoge pieten van de politie niet aan al zulke dingen. Het maakt hen niet uit of hij natte voeten heeft, droge voeten, of hij een Cubaanse vreemdeling is of een verdwaalde Mongool. Het enige wat hen interesseert, is om hem uit de mast te krijgen – *nú* – zodat het normale verkeer op de Causeway kan worden hervat.

De brigadier keek weg en zijn ogen richtten zich op... een denkbeeldig punt op de middenafstand. Hij bleef voor wat wel een eeuwigheid leek in die houding. 'Oké,' zei hij uiteindelijk en hij keek nog eens naar Nestor. 'Denk je dat je in die mast kunt klimmen, Camacho? De vent spreekt geen Engels. Maar *jij* kunt met hem praten. Zeg hem dat we er geen belang bij hebben hem te arresteren en hem terug te sturen naar Cuba. We willen alleen dat hij naar beneden komt zodat hij niet valt en zijn nek breekt... of daarboven blijft en mijn ballen breekt.' Dat was waar. Het korps gaf smerissen openlijk de instructie zich niet in te laten met heel het gedoe rond illegale vreemdelingen. Dat was het probleem van de nationale overheid, van de ICE, de FBI en de Kustwacht. Maar *dit* was het probleem (of waren de problemen) van Nestor Camacho: in een mast van 21 meter klimmen... en een arme broodmagere paniekerige Cubaan overhalen met hem uit die godverdomde mast te komen.

'Lukt je dat, Camacho?'

De *waarheidsgetrouwe* antwoorden waren 'Nee' en 'Nee'. Maar de enige *mogelijke* antwoorden waren 'Ja' en 'Ja'. Hij kon toch onmogelijk gaan staan zeggen: 'Nou, om u de waarheid te vertellen, brigadier, spreek ik eigenlijk geen Spaans – beslist niet goed genoeg om iemand ergens uit te praten.' Het was met hem zoals met een heleboel Cubanen van de tweede generatie. Hij kon Spaans verstaan, omdat zijn ouders thuis alleen Spaans spraken. Maar op school sprak, ondanks alle praatjes over tweetaligheid, vrijwel iedereen Engels. Er waren meer Spaanstalige televisie- en radiozenders dan Engelse, maar de beste programma's waren in het Engels. De beste films, blogs (en online porno) en videospelletjes, de leukste muziek, het allernieuwste op het gebied van iPhones, BlackBerry's, Droids, toetsenborden – allemaal gemaakt om in het Engels te gebruiken. Je voelde je al heel snel invalide... *daarbuiten*... als je geen Engels kende, geen Engels gebruikte en niet *dacht* in het Engels, wat weer vereiste dat je, even goed als iedere Anglo, de Amerikaans-Engelse spreektaal beheerste. Voor je het wist – en op een dag had je het altijd ineens in de gaten – kon je in het Spaans niet veel verder komen dan op zesdeklasniveau. Dat stukje eerlijke waarheid schoot door Nestors gedachten. Maar hoe kon hij dit allemaal aan die twee *americanos* uitleggen? Het zou zo slap overkomen – en misschien zelfs laf! Misschien had hij gewoon het lef niet voor een opdracht als deze. En hij kon toch niet zeggen: 'Jeetje, ik weet niet of ik in die mast kan klimmen'?

Totaal onmogelijk! De enige twee opties die hij had waren... het doen – en slagen... of het doen – en afgaan als een gieter. Wat de zaak nog lastiger maakte, was de stemming van de menigte op de brug. Ze joelden hem uit! Vanaf het ogenblik dat Nestor en de brigadier aan boord van de schoener waren gegaan, waren ze steeds luidruchtiger, akeliger, vijandiger, heser geworden. Zo nu en dan kon Nestor een bescheiden kreet onderscheiden.

'*Libertad!*'

'*Traidor!*'

'*Comemierda, hijo de puta!*'

Zodra hij die mast op zou gaan, zouden zij het op hem hebben gemunt – terwijl hij zelf een Cubaan was! En daar zouden ze natuurlijk vlug genoeg achter komen! Hij kon onmogelijk winnen! Aan de andere kant... hij was even van de wereld... hij staarde naar de man op de mast zonder hem nog te zien. Het leek een openbaring voor hem, de vraag: 'Wat is schuld?' Schuld is een gas, en gassen verspreiden zich, maar mensen met een hogere rang niet. Wanneer ze je eenmaal in je kont bijten, zijn ze zo vasthoudend als een hond. De mogelijke afkeuring van een menigte met zijn eigen mensen was in de verste verte niet zo dreigend als de afkeuring van deze *americano* met blauwe ogen en zandkleurig haar, brigadier McCorkle, die al op het punt stond hem de laan uit te sturen –

– en tot wie hij zich richtte met de woorden: 'Brigadier – dat lukt me wel.'

Nu kon hij er niet onderuit, of hij dit kunststukje aankon of niet. Hij nam de mast eens op. Hij helde zijn hoofd naar achteren en keek recht omhoog. Ver... ver... ver omhoog – Jezus! De zon verbrandde zijn oogbollen, donkerste *extremos* of geen donkerste *extremos*! Hij was beginnen te zweten... wind of geen wind! *Christus*, wat was het heet hier, hij werd geroosterd op het dek van een schoener midden op de Biscayne Baai. De man boven op de mast leek ongeveer de afmeting, de kleur en de vormeloosheid te hebben van zo'n poepbruine vuilniszak van vinyl. Hij tolde en slingerde nog steeds rond... heel hoog. Allebei zijn armen schoten weer uit, in silhouet, ongetwijfeld met de vingers opnieuw in de kopjesvorm van de smekeling gevouwen. Hij schommelde stellig hopeloos heen en weer in zijn bootsmansstoel, want hij bleef naar voren en dan weer terug gaan, alsof hij de menigte toeschreeuwde. Jezus, wat was het een eind naar de top! Nestor liet zijn hoofd zakken om de mast zelf op te nemen. Hierbeneden, waar de mast het dek bereikte, was het verdomde geval bijna even dik als zijn middel. Zijn benen eromheen slaan en zich naar boven slingeren zou een eeuwigheid duren... centimeter voor centimeter, een hopeloze omhelzing van een scheepsmast van 21 meter... het was allemaal te traag en te vernederend om over na te denken... Maar wacht even! Het touw, de lijn die de poepbruine jongen had gebruikt om zichzelf naar de top te hijsen – het hing hier, ging langs de mast omhoog vanuit een plas los touw op het dek. Aan het andere eind was de illegaal zelf, tegen de top van de mast gesmeten in de bootsmansstoel. ::::: Ik heb achttien meter in een touw geklommen zonder mijn benen te gebruiken, ::::: besefte hij, ::::: en ik had hoger kunnen klimmen als Rodriguez een hoger plafond had gehad in zijn 'Ñññññññoooooooooooooo!!! Qué Gym!' Maar eenentwintig meter... Christus!... Nee? – Ik heb geen keus. ::::: Het was alsof niet hij maar zijn centrale zenuwstelsel het had overgenomen. Voor hij zich er ook maar een herinnering van kon vormen sprong hij, greep hij het touw beet en begon naar boven te klimmen – *zonder zijn benen te gebruiken*.

Een smerige waterval van gejoel en gescheld stortte van boven op hem neer. Wat een schoft! De smerissen gingen een arme vluchteling boven in een mast arresteren en hem terugsturen naar Castro en ze gebruikten een Cubaan, een overgelopen Cubaan, om het vuilste werk op te knappen, maar dit bereikte allemaal niet echt de verstandelijke zetel van rechtvaardigheid in de linkerhelft van Nestors hersenen, die was op een publiek gericht van één persoon – Brigadier McCorkle ::::: en O God, ik smeek U, laat het me niet verkloten! ::::: Hij beseft dat hij hand over hand bijna tot halverwege is geklommen – nog altijd zonder zijn benen te gebruiken. De lucht bestaat uit herrie beroerd door waanzin... Jezus, zijn armen en rug, zijn borst bereiken de grens van uitputting. Moet rusten, moet stoppen... maar geen tijd... Hij probeert om zich heen te kijken. Hij wordt overspoeld door wolken wit doek, de zeilen van de schoener... Hij tuurt, omlaag... ongelooflijk...

Het dek is zo *ver* onder hem... hij moest al *verder* dan halverwege in de mast zijn geklommen – veertien, vijftien meter. De gezichten op het dek allemaal recht omhoog geheven, naar hem toe... ze zien er zo klein uit. Hij probeert de brigadier eruit te pikken – is *dat* hem?... kan het niet zien... hun lippen bewegen niet... of ze in trance verkeren... *americano*-gezichten *americano*-gezichten... op hem gericht. Hij kijkt recht omhoog... naar het gezicht van de man op de mast... zijn smerige hoopje lichaam is verschoven zodat hij omlaag kan kijken... hij weet wat er gebeurt, goed – de menigte op de brug... hun stortvloed aan scheldwoorden... gericht tegen Nestor Camacho!... wat een ellendeling!

'*Gusano*!'

'Smerig *traidor* farken!'

Oh, het smerige hoopje wasgoed weet het. Iedere keer dat zijn belager het touw grijpt om zichzelf hoger te trekken, kan het smerige hoopje een rukje voelen in de bootsmansstoel... De kluiver en de spinnaker beginnen te FLAP FLAP FLAPPEREN in de wind... de wolken doek worden even opzij geblazen... daar heb je ze, de menigte op de brug... Christus! Ze zijn niet meer zo ver boven hem... hun hoofden hadden het formaat van eieren... nu eerder van meloenen... een grote, schurftige galerij van vertrokken menselijke gezichten... mijn eigen mensen... die *mij* haten... *Ik word vervloekt als ik het doe en vervloekt als ik het niet doe* flitst door zijn centrale zenuwstelsel – maar gedegradeerd tot agentje – of erger – als ik het niet doe. Wel verdomme! Wat laat daar zonnestralen ontbranden? Een *televisiecameralens* – en *verdomme*! Daar is er nog eentje – en *verdomme! Daar* ook eentje. *O, God, ik smeek U*... De angst treft hem als een enorme dosis adrenaline... laat het mij niet... Hij klimt nog steeds omhoog, hand over hand, zonder zijn benen te gebruiken. Hij kijkt omhoog. De man op de mast is niet meer dan drie meter boven hem! Hij kijkt hem pal in het gezicht!... Wat een uitdrukking... het in het nauw gedreven dier... de gedoemde rat... doornat, vies, uitgeput... hijgend... amper in staat tot een roep om wonderbaarlijke redding.

::::: *Ay, San Antonio, ayudame. San Lazaro, este conmigo.* :::::

Nu – *moet* Nestor wel stoppen. Hij is dicht genoeg bij de top om de smeekbedes van de man boven de herrie van de brug uit te horen. Hij slaat zijn benen rond het touw en komt tot stilstand.

*¡Te suplico! ¡Te suplico!* 'Ik smeek u! Smeek u! U kunt me niet terug-

sturen! Ze zullen me martelen tot ik *iedereen* verklik! Ze zullen mijn familie verdelgen. Heb genade! Er staan Cubanen op die brug! Ik smeek u! Is eentje meer zo'n ondraaglijke last? Ik smeek u, smeek u! U weet niet wat het is! U verdelgt niet alleen mij, u verdelgt een hele beweging! Ik smeek u! Ik smeek u om asiel! Ik smeek u om een kans!'

Nestor kende genoeg Spaans om de strekking van wat hij zei te begrijpen, maar hij kon niet op de woorden komen om hem te kalmeren en naar beneden te krijgen. 'Geloofwaardige dreiging'... Dat is het! Hij zou hem over 'geloofwaardige dreiging' vertellen... Een vluchteling zoals hij wordt verhoord door de Kustwacht, op het dek, en als ze geloven dat hij het risico liep van een geloofwaardige dreiging zou hij asiel krijgen. Het woord voor 'geloofwaardig' – wat is het verdomde woord voor geloofwaardig? Misschien hetzelfde als in het Engels? Maar 'dreiging'... dreiging... Wat was het verdomde woord voor dreiging? Hij wist dat hij het vroeger had geweten... *Daar ging het!*... Recht door zijn hersenen, voor hij het kon grijpen. Er zat een z in een z in een z in... *Bijna had hij het weer!*... maar het verdween nog een keer. En nu we toch bezig zijn, wat was een officieel verhoor?... Hij moest *iets* zeggen – *wat dan ook* – en dus doorzocht hij zijn brein, keek omhoog naar het gezicht van de man en zei: '*La historia* –' Net op tijd hield hij zich in! Wat was er met hem aan de hand? Zijn arme wanhopige brein had er bijna een beroemd citaat van Fidel Castro uitgeflapt!

Boegeroep, schimpscheuten, alle bekende luidkeelse lasterlijke uitdrukkingen regenden neer van de mensen die tegen de brugleuning stonden samengepakt.

De man keek bezorgd naar hem omlaag en zei: '*¿Como?*' in een poging te achterhalen wat Nestor had gezegd.

Gek werd je ervan!... achttien meter een touw op klimmen zonder zijn benen te gebruiken – maar hij kon zich niet verstaanbaar maken. Hij moest dichterbij komen. Hij begon weer in het touw te klimmen, hand over hand. Hij tuurt omhoog naar de arme verzopen rat. Zijn gezicht is... ontsteld. Hoe kan hij hem duidelijk maken dat hij niet naar boven komt om hem te arresteren? Hij kan niet op de woorden komen! Dus stopt hij met klimmen en wikkelt zijn benen rond het touw, zo heeft hij zijn rechterhand vrij om een geruststellend teken te geven. Maar wat voor teken? Het enige wat hij kan verzinnen is het vredesteken... Hij spreidt zijn wijsvinger en zijn middenvinger om een V te vormen. Het gezicht van de man, inmiddels nog geen anderhalve meter boven Nestor, verandert van ontsteld... in doodsbang. Hij begint overeind te komen uit de bootsmansstoel. Jezus Christus, waar denkt hij mee *bezig* te zijn? Hij zit boven op een mast van 21 meter met alleen een bootsmansstoeltje als steun – en hij wil gaan staan. Hij probeert zijn voeten op het katrolhuis te verankeren. Inmiddels is hij uit zijn stoel, hij wankelt in gehurkte houding boven op een mast die slingert op een ruwe zee... Nestor ziet het ergste al gebeuren. Hij klimt 21 meter omhoog aan een touw – hand over hand, zonder zijn benen te gebruiken – alleen om een arme vluchteling een dodelijke val te laten maken – en wiens schuld is het? Van Nestor Camacho! Door wie de politie te water van Miami – verdorie, heel het korps – lijkt te bestaan uit beestachtige, onnadenkende vervolgers en moordenaars van een arme man wiens enige zonde was dat hij probeerde één voet op Amerikaanse bodem te zetten! Wie heeft deze harteloze misdaad begaan? Nestor Camacho, de vleesgeworden laagheid!

Met twee verwoede hand-over-handgrepen is hij bij de bootmansstoel en probeert hij het been van de man te pakken – of ook maar zijn voet – te laat! De man slingert naar voren – *zijn dood tegemoet*! Een fel vuur barst in Nestors schedel uit... Nee! De man is naar voren op de kabel geslingerd. Hij probeert daarover achterwaarts naar beneden te glijden... Deze arme broodmagere uitgemergelde grijsbruine modderrat – hij speelt met zijn leven! De kabel loopt in een steile hoek vanaf de mast tot onder de boeg naar de boegspriet... meer dan dertig meter. Nestor hurkt in de bootsmansstoel... Even kan hij de menigte op de brug zien. Hij is nu even hoog als zij... drie, vier, vijf rijen... Zonnestralen! Zonnestralen! Zonnestralen! Zonnestralen! Ze spetteren van camera's af! Hoofden springen op om een beter zicht op de voorstelling te krijgen... een bord! Een van hen heeft een primitief bord – waar vandaan?... hoe beschreven?... SMERISSEN FIDELISTAS TRAIDORES... nooit door zo veel mensen gehaat. Hij kijkt omlaag... wordt er duizelig van... zoiets als op de rand van het dak staan van een gebouw van negen etages. Het water is een laken van blauwgrijsachtig staal en overal dansen er zonnestralen overheen. Boten!... bootjes rond de schoener... vanuit het niets!... bloedzuigende insecten... een boot – een bord. Kan daar echt op staan wat hij denkt dat erop staat?... ¡ASIEL AHORA! –

– en dit alles in een ogenblik... Schuld! Angst! Schrik!... maar de grootste daarvan is Schuld! Moet hun held niet voor hun ogen laten sterven! Hij zwaait over de kabel omlaag... zinloos om te proberen hem glijdend in te halen... Instinctief, met de methode die ze op het trainingskamp gebruikten, begint hij met zijn handen van de kabel af te zwaaien, zwaai voor zwaai omlaag, met zijn ogen gericht op zijn moddergrijsbruine prooi... Zijn armen, zijn schouders, de palmen van zijn handen – pijn! Hij wordt nog uit elkaar gerukt... maar twee zwaaien van de vent vandaan. Het lichaam van de vent is nog boven aan de kabel, maar slingert alle kanten op... zo mager... niet sterk genoeg hiervoor... heft zijn hoofd, kijkt Nestor pal in het gezicht... erger dan schrik – volstrekte hopeloosheid voelt de arme sukkel... het is voorbij!... de arme sukkel slingert zo erg dat hij niet boven aan de kabel kan blijven... hangt zwakjes één laatste ogenblik aan zijn handen. *Nu* of de vergetelheid! Voor de arme sukkel! Voor Nestor Camacho! Hij is met twee zwaaien bij de arme sukkel– *waarvoor?*... Er is maar één mogelijkheid. Hij slaat zijn benen rond het middel van het broodmagere knaagdier en sluit ze bij de enkels... de arme kleine sukkel laat de kabel los en stort neer. De dodelijke ruk schokt Nestor... het dode gewicht! ::::: Mijn armen bij de schouderholtes van mijn lichaam gerukt! ::::: Ongelooflijk dat hij er nog is – een organisme dat uit louter pijn bestaat vanaf zijn brandende handen tot de kleermakersspieren van zijn gesloten benen... achttien meter boven het dek... zo veel gewicht met één hand ondersteunen terwijl hij met de andere zwaait om de kabel af te dalen... *onmogelijk*... maar als hij het niet doet – *¡Dios mío!*– zal hij het verkloten! En het niet zomaar verkloten... maar het op *televisie* verkloten... Het verkloten voor de ogen van *duizenden, honderdduizenden, miljoenen*... waarom geen miljarden... omdat er maar eentje nodig zou zijn, één bemoeizieke *mierda*-mondige *americano* brigadier met de naam – *bam!*

*Caliente! Caliente schat.*
*Heb volop fuego in yo caja china,*
*Wil zeggen dat je er een stuk Slang in moet doen.*
*Valt niet over –*

Het is zijn iPhone die overgaat in zijn zak! ::::: Wat een idioot! Ik ben één misstap van de dood, nu ik een man met mijn benen overeind houd en hem met één hand van een kabel van dertig meter hijs – er is niets waarmee ik het godverdomde ding uit kan zetten! Een godverdomd liedje van Bulldog – niet eens het echte werk, Pitbull! – en toch kan ik niet voorkomen dat de woorden in mijn hersenen doordringen – :::::

*– te twisten.*
*Slang weet dat je opbrandt zonder 't spul*
*Probeer maar niet te ontkennen,*
*Want Slang weet dat je het dolgraag probeert –*

– nu hij iedere neuron, iedere dendriet, iedere synaps, iedere gemmula in zijn geest nodig heeft om zich te concentreren op het vreselijke probleem dat hij zichzelf heeft bezorgd. Als hij van 21 meter op een bootdek neervalt omdat zijn iPhone zingt

*Slang weet het allemaal!*
*Weet dat je 't wilt kopen,*
*Maar Slang geeft het alleen voor niks*

– kan hij verdomme beter verdorie beter dood zijn!... Hij kan verdomme beter niet uitgeteld wakker worden in een ziekenhuisbed met elektrische motor in een of andere treurige intensivecareafdeling met de aantekening 'kritiek maar stabiel'... de beledigende schande ervan! Maar – geen keus! Hij *moet* het doen! Beide handen hebben nog steeds de kabel vast, zijn benen grijpen *hoeveel?* – *misschien 55 kilo* – hysterische homunculusje, en *daar gaat het!* Hij laat één hand los – en *dat is het* – er is geen terug! De zwaai omlaag – de *centrifugale kracht* – ::::: Het is met me gedaan! ::::: Eén hand! Ondraaglijk, de *centrifugale kracht* ::::: rukt mijn rotatorenmanchet uit elkaar, rukt mijn arm uit het gewricht! – mijn pols van mijn arm af! mijn hand van mijn pols af! alles weg alleen –

*Aan zijn favoriete liefdadigheid,*
*Slangs favoriete liefdadigheid, snap-ie?*
*Slangs favoriete liefdadigheid*
*En dat ben ik.*

– één hand aan een kabel! Ik knal op het dek van zes verdiepingen hoog, ik en de dwerg ::::: maar een *wonder!* Hij grijpt de kabel vervolgens met zijn andere hand – ja, *een wonder!* – waardoor het gewicht opnieuw wordt verdeeld! Beide schouders, beide polsen, beide handen zijn weer héél! – alleen intact gebleven door het dunste staalachtige koord van ondraaglijke pijn! – alleen dat koord dat hem en de modder-bruine kabouterman ervan weerhoudt van zes verdiepingen neer te vallen en te eindigen als twee vormeloze zakken ecchymotisch-paars vel vol gebroken botten! Onder hen, beneden in de Halusische Kloof, is het dek overdekt met naar boven gerichte gezichten zo groot als knikkers. Van boven regenen de beledigingen, het boegeroep en weerzinwekkende *yaaagggggh*'s neer van de beesten op de brug – maar nu weet hij! heeft de kracht om vol te houden in een toestand van de allerergste pijn – al in een *volgende zwaai* – en het lukt hem – woede van

*Dat ben ik, snap-ie?*
*En dat ben ik.*

boven – de toeschouwers beneden gapen – maar hij denkt aan maar één iemand, de minderheidsbrigadier McCorkle, een domme *americano* maar niettemin een *brigadier* – nog een zwaai – en het lukt hem – de verdomde telefoon gaat nog steeds over. ::::: Imbecielen! Weten jullie niet

*En dat ben ik, snap-ie?*
*En dat ben ik.*
*Yo yo!*

dat jullie pompend gif zijn en me helemaal in de war maken? O, verrek toch! ::::: Nog een zwaai – het lukt hem. ::::: *Dios mío querido*, samen kijken we in het web van bloed in hun ogen, en in de emotieloze rode ogen van de televisiecamera's! ::::: Nog een zwaai – het
   '– Yo Yo!
   Mismo! Mismo!'
lukt hem... nog een... nog een... nog een... ¡*Dios mío!* – niet meer dan drie meter boven het dek – die zee van oogbollen en open monden – *wel ver-!!??* Het modderachtige ecchymotische zakje paniek is tot leven gekomen – hij spartelt als een vis in de klem van Nestors benen – een regelrecht woud van handen
   'Yo yo yo yo yo.'
dat omhoog reikt vanaf de boeg, maar de kabel loopt achter hen door naar de boegspriet *piep piep piep piep piep* – een sms'je! – en zij tweeën,

Nestor en de modderbruine homunculus – hij is los uit de beenklem! – doe het niet *nu*! – te laat! hij doet het *wel*! Het volgende moment tuimelen de twee lichamen, dat van hem en dat van de dwerg, van het eind van de boegspriet het water in. Ze zijn onder water – en het is precies zoals Lonnie Kite zei! De kleine gek heeft zich losgemaakt uit de beenklem en... *belaagt* hem! *trapt* hem! trekt aan zijn haar! laat zijn neus *kraaaaken* met zijn onderarm... Kite had gelijk! Nestor weert de steeds zwakkere klappen van de kleine man af, valt aan, neemt hem in een politienekgreep, en dat werkt! Het schepseltje verslapt! Verslagen! Ultimate Fighting onder water!

Wanneer ze het oppervlak bereiken, heeft Nestor zijn slijmerige prooitje in een politiereddingsgreep... dwerg hoest water op. Een halve meter verder – de Safe Boat! Met Lonnie aan het roer. Nestor is terug in de wereld vanuit een verre kosmos... Lonnie trekt de modderbruine homunculus op het rubberachtige pannenkoekdek... en vervolgens Nestor... wie *zijn* in hemelsnaam deze mensen? Nestor bevindt zich pal naast de schoener. Hij draait naar het dek toe... zonnestralen komen van twee grote ogen van glas – tv-camera's – en daar leunt over de reling... de hoogblonde brigadier McCorkle...

De brigadier hoeft geen woord te zeggen – het staat allemaal op zijn gezicht te lezen. Nestor Camacho is nu... *een smeris*... een *echte* smeris... zo echt als ze ze maken... Nestor Camacho gaat de hemel in.

Brigadier McCorkle droeg de verdronken rat over aan de Kustwacht, meteen midden op de baai, en Nestor, de brigadier en Lonnie Kite gingen met de Safe Boat terug naar de haven van de politie te water, die aan de kant van Miami in de baai uitstak. De hele weg overgoten de brigadier en Lonnie Kite Nestor met lof in de vaste smerisstijl, alsof het helemaal geen lof was. Lonnie Kite zei: 'Jezus Christus, man' – hij is nu een bevriende *man*! – 'zoals dat klootzakje rondspartelde op het eind, nadat je zijn hachje had gered – waar sloeg *dat* allemaal op? Trapte je hem in z'n ballen om te zien of hij leefde?'

Nestor dreef, dreef, dreef op de euforie.

De andere kerels in de haven waren opgewonden over hem. In smerisogen, evengoed van Cubanen als van niet-Cubanen, had hij een supermannelijke krachttoer verricht, vér boven het maximale.

Brigadier McCorkle was nu zijn maat – zijn *maat*! 'Hoor eens, Nestor, ik vroeg je alleen de vent omlaag te halen van die verdomde mast! Ik zei niet dat je voor heel de verdomde stad Miami een hoogwerker-voorstelling moest geven!'

Iedereen lachte en lachte, en Nestor lachte met hen mee. Zijn mobieltje deed *piep piep piep piep*, om een sms'je aan te kondigen. Magdalena! Hij wendde zijn ogen heel even af – *Magdalena!* – maar het was niet van Magdalena. Er stond: 'Onrechtvaardige bevelen niet opvolgen wijst op karakter.' Dat was alles; dat was heel het bericht. Was getekend: 'Eens je leraar, je vriend door dik en dun, Jaime Bosch.' Mijnheer Bosch doceerde stellen en leesbegrip op de politieschool. Hij was ieders favoriete leraar. Hij had Nestor buiten schooltijd privéles gegeven, louter als gunst en uit liefde voor het lesgeven. 'Onrechtvaardige bevelen niet opvolgen wijst op karakter'… Nestor kon er geen wijs uit. Hij kreeg er hoofdpijn van… stevig.

Hij keek omhoog naar de rest van hen en probeerde zijn onbehagen niet te laten merken. Godzijdank, ze waren allemaal nog steeds in een vrolijke stemming, ze grinnikten en lachten. Umberto Delgado, die op de politieschool bij Nestor in de klas had gezeten, zei, in het Engels: 'Wat was dat voor gesodemieter met die schaargreep met je benen, Nestorcito? Die greep dient om de klootzakken te immobiliseren wanneer je door het vuil rolt – niet om ze van een verdomde dertig meter kluiverkabel omlaag te krijgen!'

Iedereen lachte en lachte en dolde en dolde, en Nestor vond het heerlijk!… maar de drie sms'jes die er nog waren… *moest* ze lezen… kwamen binnen *terwijl* zijn leven letterlijk aan een draadje hing… *terwijl* hij de man op de mast tussen zijn benen klemde en hand over hand afdaalde van het kluivertouw. Hij begon te branden van nieuwsgierigheid en een voorgevoel dat hij vermeed te benoemen… en hoop – Magdalena! Hij wendde zijn ogen opnieuw even af. Het eerste… 'y u Nestor y u' stond er – en het was niet van Magdalena. Het was van Cecilia Romero. Gek genoeg was zij het meisje met wie hij uitging op de middelbare school toen hij Magdalena leerde kennen. Kierewiet… wat bedoelde ze met 'y u Nestor y u'? Verbijsterend… maar hij liet het niet merken… hij sloot zich weer aan bij de vrolijke golf van mannelijk gelach bij de politie te water… maar een lichte twijfel ontkiemde.

'Hoe vond je het dat die kleine gluiperd op de Ultimate Fighting-stand overschakelde zodra hij onder water was, Nestor?' vroeg agent Kite. 'Zei ik je niet dat die klootzakjes in monsters veranderen zodra ze onder water zijn!'

'Ik had naar je moeten luisteren, Lonnie!' zei Nestor. Een halfuur geleden had hij er niet aan gedácht agent Kite met zijn voornaam aan te spreken. 'Dat lulletje –' zei hij en hij voelde zich heel mannelijk. 'Heel het eind die verdomde kabel af is hij dood gewicht en zodra we tien centimeter onder water zijn, besluit hij in actie te komen! Voor ik weet wat er gebeurt, breekt hij mijn verdomde neus met zijn blote handen!'

En iedereen lachte en lachte, maar Nestor – *moest* de overige twee sms'jes lezen. Nieuwsgierigheid, ongerustheid en een laatste sprankje hoop – misschien *is* er een van Magdalena! – dwongen hem. Hij durfde zijn ogen nog eens op het mobieltje te werpen. Durfde – *moest*. Het eerste sms'je was van J. Cortez. Hij kende geen enkele J. Cortez. Er stond: 'OK u r een grote latingo beroemdheid. En nu?' Wat betekende gvd 'latingo'? Hij had het maar al te snel door. Een latingo moest een latino zijn die *gringo* was geworden. En wat had *dat* te betekenen? Er heerste vrolijkheid in het vertrek, maar Nestor kon zich niet bedwingen... moest tot op de bodem. Het laatste sms'je was van Inga La Gringa. Er stond: 'Je kunt je altijd onder mijn bed verstoppen, Nestorcito.' Inga stond achter de bar en serveerde vlak om de hoek bij de haven. Ze was sexy, zeker, een grote Baltische blondine met verbijsterende borsten die ze wist op te heffen als raketten en graag liet zien. Ze was opgegroeid in Estland... een sexy accent ook... een echt stuk was Inga, maar ze was rond de veertig, niet veel jonger dan zijn moeder. Het was haast of zij zijn gedachten precies kon lezen. Iedere keer dat hij de zaak binnenliep, benaderde Inga hem op een flirterige maar komische manier, ze zorgde dat hij goed en lang in de gleuf tussen haar borsten kon kijken... of maakte ze echt *alleen* maar een grapje? 'Nestorcito' noemde ze hem, omdat ze Umberto hem een keer zo had horen noemen. Dus noemde hij haar Inga La Gringa. Hij had haar zijn mobiele nummer gegeven toen ze zei dat haar broer de bovenliggende nokkenas van zijn Camaro kon helpen repareren... en dat deed hij. Inga en Nestor plaagden elkaar... zeker, 'plaagden', maar Nestor zette nooit de volgende stap, ook al kwam hij sterk in de verleiding. Maar waarom had ze gezegd 'Je kunt je onder mijn bed *verstoppen*'? Voor wat verstoppen? Ze maakte natuurlijk gewoon een grapje op haar Inga La Gringa wellustige kom-je-maar-in-mijn-leemachtige-gleufje-nestelen-manier, maar waarom 'Je kunt je onder mijn bed *verstoppen*?'

Op een of andere manier kwam dit bij Nestor harder aan dan een

lolletje als 'latingo'. 'Verstoppen' zegt de hartelijke, flirterige Inga?…
Hij voelde zijn gezicht betrekken… Deze keer *moest* de rest het wel
merken – maar de brigadier verscheen en redde de situatie door te zeggen: 'Maar weet je wat mij bezighoudt? Die kinderen op de boot waren
zulke *mietjes*. Ze waren doodsbang omdat een of ander bang gek ventje
dat eruitzag als een verzopen rat, van misschien vijftig kilo na een Big
Mac, op hun verdomde zeilboot opdaagt. Een paar van die mietjes wogen verdomme negentig kilo, de helft ervan spek, maar klein zijn ze
niet. Er is geen enkele reden waarom ze die arme kleine stumper in
hun verdomde mast lieten klimmen waardoor hij er bijna aan ging…
alleen dan dat het klote *mietjes* zijn! Hebben ze wel het flauwste benul
dat ze ongeschikt zijn om met zo'n grote boot het verdomde water op
te gaan… mietjes als ze zijn? "Lieve help, we wisten niet of hij een
vuurwapen of een mes of iets had"… Kolder! Die kleine stumper had
nauwelijks *kleren* aan zijn lijf. En dus moesten we Nestor hier een verdomde mast van drieëntwintig meter in sturen, hem voor Superman
laten spelen en zijn leven laten riskeren om het rotzakje uit een bootsmansstoel van ongeveer zo groot te krijgen en een godverdomde kluiverkabel van dertig meter af.' De brigadier schudde zijn hoofd. 'Weet
je? We hadden tegen al die mietjes proces-verbaal moeten opmaken en
*hen* naar Cuba sturen en de verzopen rat hier houden. Dan waren we
erop vooruitgegaan!'

Hé! Wie zijn *die twee*, die zich zomaar aansluiten bij de groep smerissen van de politie te water? Ze zien er in de verste verte niet als smerissen uit. Het blijkt om een journalist en een fotograaf van de *Miami
Herald* te gaan. Nestor had nooit gehoord van een journalist die het
hele eind naar de baai toe kwam. De fotograaf was een donker ventje
met een of ander soort safari-jasje, met overal zakken, wijd open. Nestor kon niet zien wat hij was… maar over de journalist bestond geen
twijfel. Het was een klassieke *americano*, lang, mager, bleek. Hij droeg
een marineblauwe blazer, een lichtblauw, conventioneel overhemd, een
kaki broek met aan de voorkant net geperste vouwen… zag er heel keurig uit. Overdreven keurig. Wie heeft er ooit gehoord van een krantenjournalist die in Miami een jasje draagt? Hij praatte zacht, op het
verlegene af, deze journalist. Zijn naam was blijkbaar John Smith. Hoeveel meer *americano* kon je het krijgen?

'Ongelooflijk wat je zojuist *deed*,' zei de klassieke *americano*. 'Ongelooflijk dat iemand hand over hand van dat geval af zwaait met een

andere persoon tussen zijn benen. Waar had je de kracht vandaan? Doe je aan gewichtheffen – of *wat*?'

Nestor had nooit eerder met een journalist gepraat. Misschien was dat niet de bedoeling. Hij keek naar brigadier McCorkle. De brigadier glimlachte alleen en knipoogde een beetje, als om te zeggen: 'Het is in orde, ga je gang en vertel het hem.'

Zo gebeurde. Nestor begon heel bescheiden: 'Ik geloof niet dat het echt kracht vergt.' Hij *probeerde* op het bescheiden pad voort te gaan – maar blééf de *americano* maar doorzagen. Hij geloofde niet in gewichtheffen voor het bovenlichaam. Het is veel beter om, zonder je benen te gebruiken, in een touw van zeg achttien meter te klimmen. Zorgt overal voor, armen, rug, borst – alles.

'Waar heb je dat gedaan?' vroeg deze John Smith.

'Op Rodriguez' "Ññññññoooooooooooooo!!! Qué Gym!" noemen ze het.'

De *americano* lachte. 'Como en "Ññññññoooooooooooooo!!!Que barata"?'

::::: Deze *americano* spreekt niet alleen Spaans – hij moet ook naar de Spaanse radio luisteren! Je kunt nergens anders het 'Ññññññoooooo-ooooooo!!! Que barata!'-spotje horen. :::::

'*Es verdad*,' zei Nestor. Dat was een linguïstische handdruk omdat John Smith Spaans sprak. 'Maar voor je benen moet je wel gewichten gebruiken, squats doen enzovoorts. Ik weet niet wat je moet doen om op die manier een kereltje te dragen… alleen dat je moet proberen heel zo'n toestand te vermijden.' Een vleugje bescheidenheid daar… of zelf-spot… of wat dan ook. Nestor keek naar beneden, als om zijn uniform te inspecteren. Hij probeerde zich voor te houden dat achter wat hij wilde doen geen opzet zat – waardoor het uiteraard zelfbedrog *per se* werd.

'*Dios mío*,' zei hij, 'dit shirt is doornat en verdomd smerig! Ik kan het *ruiken*.' Hij keek naar Umberto, alsof dit niets te maken had met de twee mannen van de *Herald*, en vroeg: 'Waar hebben we droge shirts?'

'Droge shirts?' zei Umberto. 'Ik weet het niet, tenzij ze die…'

Maar Nestor luisterde al niet meer. Hij was bezig met zijn shirt omhoog te trekken en van zijn torso, zijn armen en zijn hoofd af. Daarbij moest hij zijn handen vrijwel recht omhoog steken. Hij vertrok alsof het pijn deed. '*Awwwguh!* Dat doet godverdomme zeer. Ik moet iets hebben verrekt in mijn schouders.'

'Kan ik me voorstellen,' zei Umberto.

*Zomaar ineens* had John Smiths donkere fotograafje zijn camera voor zijn ogen getild, telkens weer drukte hij op het knopje.

Brigadier McCorkle kwam tussenbeide, pakte Nestor bij de elleboog en trok hem weg. 'We hebben binnen shirtjes, niet bij de *Miami Herald*. Begrijp je wat ik bedoel?'

Hij marcheerde met een flink vaartje weg met Nestor en trok hem dicht genoeg naar zich toe om zachtjes te zeggen: 'Je kunt zoals nu ter plaatse met de pers praten, zolang je het maar niet over tactiek of beleid hebt. Maar niet zodat je kunt pronken met je klotefysiek. Begrijp je wat ik bedoel?'

Maar hij grinnikte erover. Dit was geen dag dat hij onaardig ging doen tegen agent Nestor Camacho... die in de Hemel bleef.

# 2

## HET HELDENWELKOM

*Todo el mundo* had zijn heldendaden op televisie gezien... '*Todo el mundo!*' hield Nestor zich op het hoogtepunt van zijn euforie voor... Maar van zijn tienduizenden, zo niet miljoenen *admiradores* was er eentje van wie hij het ontzag het allerliefst rond zich zag stralen. Hij sloot zijn ogen en probeerde zich voor te stellen wat zij, zijn Magdalena, zijn Manena, de bijnaam waarvan hij hield, dacht en voelde toen ze voor een tv-scherm zat – of misschien door de intensiteit van het geheel wel knielde – vastgenageld, vol ontzag, verrukt toen ze zag hoe haar Nestor hand over hand, zonder zijn benen te gebruiken, in dat touw van eenentwintig meter klom... hoe hij de man op de mast *met zijn benen!* vasthield... terwijl hij hand over hand van een kluiverkabel van dertig meter af ging... en zo de stad in spanning hield.

In feite had Magdalena niet het flauwste idee van zijn heldentriomf van zo veel watt. De hele tijd had zij haar handen vol aan... de moeder van alle moeder-en-dochtertwisten. In dit geval een echte meidenstrijd. Magdalena had net aangekondigd dat ze uit huis zou gaan.

Haar vader zat op de eerste rang, op een gemakkelijke stoel naast de bank in de woonkamer van hun casita, hun huisje, in Hialeah, drie kilometer van de casita van de familie Camacho. Magdalena stond strijdlustig overeind – haar vuisten op haar heupen en haar ellebogen uitgestoken. Moeder en Dochter wisselden gesis, gegrom en hoektanddreiging uit. Moeder zat naar voren op de bank met *haar* ellebogen uitgestoken – dit leek een instinctieve houding bij beide partijen in hun moeder-en-dochtertwisten – en haar handen met de muis naar beneden gedrukt op de voorste rand van het frame, een echte katachtige, voorbereid om te springen, uit te halen, darmen uit te rukken, levers compleet op te eten en koppen af te bijten door beide groepen snijtanden in de zachte middelpunten van slapen te zetten. Haar vader was, voor zover Magdalena er iets van merkte, in de greep van een heftig verlangen te verdampen. Jammer genoeg was hij heel diep in de gemakkelijke stoel weggezonken. Hij had een acrobaat moeten zijn om ongemerkt weg te glippen. Hun ruzies waren een kwelling voor hem. Ze waren zo vulgair en banaal. Niet dat hij geweldige illusies over goede manieren koesterde. Hij was dorsmachinemonteur geweest in Camagüey toen hij en zijn vrouw elkaar leerden kennen. Ze waren daar allebei opgegroeid. Hij was vijf jaar vrachtwagenmonteur geweest in Havana toen ze tijdens de 'Mariel boatlift' Cuba verlieten... en hij was nu vrachtwagenmonteur in Miami. Niettemin had hij zijn normen. Wat had hij een hekel aan die godverdomde moeder-en-dochtertwisten... maar hij had het allang opgegeven te proberen deze twee katten in te tomen.

Moeder duwde tegen Dochter. 'Is het al niet erg genoeg dat ik de mensen moet vertellen dat je voor een pornografische dokter bent gaan werken? Drie jaar lang heb ik hun verteld dat je voor *echte* dokters in een *echt* ziekenhuis werkt. En nu vertel ik ze dat je werkt voor een *nep*-dokter, een pornografische dokter, in een of ander smerig praktijkje?... en dat je het huis uit gaat om met alleen god weet wie in South Beach te gaan wonen? Je *zegt* dat het een blan-*ca* is. Weet je zeker dat het geen blan-*co* is?'

Dochter keek heel even naar het anderhalve meter hoge beeld van gebakken klei van St. Lazarus bij de voordeur voor ze pareerde: 'Het is geen pornografische dokter. Het is een psychiater, een zeer bekende psychiater, en toevallig behandelt hij mensen die verslaafd zijn aan pornografie. Hou op hem een pornografische dokter te noemen! Snap je dan helemaal *niets*?'

'Ik snap één ding,' riposteerde Moeder. 'Ik weet dat het jou niet uitmaakt of je de naam van de familie te gronde richt. Er is maar één reden dat meisjes het huis uit gaan. Dat weet iedereen.'

Magdalena liet haar ogen haar schedel in rollen, stak haar hals uit, leunde met haar hoofd achterover, strekte beide armen stijf langs haar heupen, en maakte een *unngghhhhummmmmmmmm*-geluid in haar keel. 'Hoor eens, je bent niet meer in Camagüey, Estrellita! In dit land hoef je niet te wachten tot je getrouwd bent om het huis uit te kunnen.' *Heb-*

*bes… Hebbes…* twee keer binnen negen woorden. Haar moeder vertelde mensen altijd dat ze uit Havana kwam, want het eerste wat iedere Cubaan in Miami wilde weten was je familiegeschiedenis in Cuba – en geschiedenis betekende natuurlijk sociale status. Uit Camagüey komen was synoniem met een *guajira* zijn, een provinciaaltje. Dus slaagde Dochter erin Camagüey – *hebbes* – in vrijwel iedere moeder-en-dochter-twist te verwerken. Eveneens had ze er af en toe plezier in haar moeder met haar voornaam aan te spreken, Estrellita, in plaats van Mami – *hebbes* – louter omdat het zo brutaal was. Ze vond het leuk de nadruk te leggen op de *y*-klank van de dubbele *l*. *Es-tray-yeeeee-ta.* *Zo* klonk het ouderwets, helemaal Camagüey.

'Ik ben inmiddels vierentwintig, Estrellita, en ik heb een diploma als verpleegster – je was erbij, herinner ik me, toen ik het kreeg – en ik heb een baan en een carrière en –'

'Sinds wanneer is verpleegster zijn bij een pornografische dokter een carrière?' Moeder vond het prachtig hoe Dochter bij die opmerking terugdeinsde. 'Bij wie ben je de hele dag? – geperverteerden! Dat heb je me zelf verteld… geperverteerden, geperverteerden, geperverteerden.'

'Het zijn geen *geperverteerden* –'

'Nee? Ze kijken de hele dag naar pornofilms. Hoe noem je dat?'

'Het zijn geen *geperverteerden*! Het zijn zieke mensen, en verpleegsters proberen die te helpen, zieke mensen. Er zijn mensen met allerlei onaangename ziektes, zoals… zoals.. zoals hiv, en verpleegsters moeten voor hen zorgen.'

Och jee! Zodra het 'hiv' over haar lippen was, wilde ze het weer uit de lucht rukken. *Ieder* voorbeeld was beter… longontsteking, tuberculose, syndroom van Tourette, hepatitis, diverticulitis… alles. Tja, te laat. Zet je maar schrap –

'Hahh!' blafte Moeder. 'Bij jou draait alles om geperverteerden! Nu *maricones*! *La cólera de Dios*! Hebben we daarvoor al dat schoolgeld betaald? Zodat jij met smerige mensen kunt oppappen?'

'*Op*pappen?' zei Dochter. '*Op*pappen? Je zegt niet *op*pappen, het is aanpappen.' Magdalena besefte meteen dat binnen heel de belediging van haar moeder het *op*pappen wel het minste was. Het enige wat erop zat was het er harder in te wrijven, dus nam ze haar toevlucht tot de E-bom: Engels. 'Je moet niet proberen omgangstaal te spreken, Estrellita. Je doet het altijd verkeerd. Je hebt de klok horen luiden maar weet niet waar de klepel hangt. Je komt altijd als een zwakzinnige over.'

Haar moeder viel een paar tellen stil, haar mond een beetje open. *Hebbes!* Magdalena wist dat dit zou aankomen. Dat lukte als je in het Engels reageerde vrijwel altijd. Haar moeder had geen benul wat 'omgangstaal' betekende. Magdalena ook niet, tot niet heel veel avonden terug toen Norman het gebruikte en het haar uitlegde. Haar moeder wist misschien wat 'klok' was en misschien zelfs 'klepel' maar het gezegde bracht haar ongetwijfeld van haar stuk, en vanwege de term 'zwakzinnig' keek ze gegarandeerd zoals ze nu keek, namelijk zwakzinnig. Wanneer Magdalena haar zo in het Engels lik op stuk gaf, maakte haar dat gek.

Magdalena profiteerde van de extra milliseconden die de leemte haar schonk om een echte blik op Lazarus te werpen. Het beeld van klei, bijna levensgroot – niet van steen, niet van brons, maar van keramiek –, was het eerste wat je zag wanneer je de casita binnenkwam. Wat een miserabele heilige om onder ogen te moeten zien! Hij had ingevallen wangen, een onverzorgde baard, een gepijnigde uitdrukking en een purperachtig Bijbels gewaad – dat openhing om de leprazweren overal op zijn boventorso beter te laten uitkomen – plus twee honden van klei aan zijn voeten. In de Bijbel was Lazarus ongeveer het laagste van het laagste, sociaal gesproken... een bedelaar met overal op zijn lichaam leprazweren... hij bedelde om broodkruimels bij de poorten van een deftig huis dat toebehoorde aan een rijke man die Dives heette en die hem volkomen negeerde. Beiden, Lazarus en Dives, stierven toevallig ongeveer op hetzelfde moment. Om iets duidelijk te maken – namelijk dat in de Hemel de laatsten de eersten zullen zijn, en de eersten de laatsten – en dat het gemakkelijker is voor een kameel om door het oog van de naald te gaan dan voor een rijke man om het Koninkrijk van God binnen te gaan... Jezus stuurt deze arme donder Lazarus naar de Hemel, waar hij 'aan Abrahams hart rust'. Hij stuurt Dives naar de Hel, waar hij voor eeuwig levend verbrandt.

Magdalena was rooms-katholiek gedoopt en was altijd naar de mis gegaan met haar moeder, haar vader en haar twee oudere broers. Maar Moeder was echt een plattelandsmeisje uit Camagüey. Moeder geloofde in Santería – een Afrikaanse religie die door de slaven naar Cuba was gebracht... vol met geesten, magie, extatische dansen, trances, gif, grondwortels, waarzeggerij, vervloekingen, dierenoffers, en god weet wat verder voor hoodoo en voodoo. De aanhangers begonnen hun hoodoogoden met katholieke heiligen te verbinden. De god van de zieken, Babalú Ayé, werd St. Lazarus. Magdalena's moeder en vader hadden een lichte huid, zoals inmiddels zo veel gelovigen. Maar je kon Santería nooit losmaken van de sociale oorsprong… slaven en simpele zielen van plattelands-*guajiros*. Dit was een handige naald voor Magdalena geworden in de moeder-en-dochtertwisten.

Het was anders geweest toen zij een klein meisje was. Zij was een mooi, onweerstaanbaar schepseltje, en haar moeder was daar erg trots op. Toen, op haar veertiende, werd ze een erg mooie, onweerstaanbare maagd. Volwassen mannen keken heimelijk naar haar. Magdalena vond dat *prachtig*… en hoe ver kwamen zij bij haar? Geen centimeter. Estrellita waakte met argusogen over haar. Ze had graag de rol van chaperonne laten herleven. Het was niet zo lang geleden dat Cubaanse meisjes in Miami geen afspraakjes konden hebben zonder dat Moeder meeging als chaperonne. Het kon een beetje… *raar* worden. Soms was de Moeder-chaperonne in verwachting van Dochters snel te verwachten broer of zus. Terwijl ze zelf op barsten stond van een kind hield ze toezicht op Dochters eerste preutse les in hoe je jonge mannen, op het gepaste moment, met het gepaste fatsoen, over het pad naar de portalen van de schoot moest leiden. De opgezwollen buik maakte duidelijk dat Moeder nu uitgerekend had gedaan wat ze met haar surveillance probeerde te verhinderen dat Dochter zou doen met haar jonge aanbidder van het moment. Zelfs Estrellita kon geen voorafgaande goedkeuring eisen van een jongen met wie Magdalena uitging. Maar ze kon wel eisen en deed dat ook dat hij haar hier in de casita zou oppikken zodat ze hem eens goed kon bekijken, eisen om hem een paar vragen te stellen als hij erg verdacht leek, en eisen dat hij haar voor elf uur thuis zou brengen.

De enige 'oudere man' in Magdalena's leven was iemand die liefst een jaar ouder was dan zij en die een beetje glamour had, omdat hij tegenwoordig agent was bij de politie te water, namelijk Nestor Camacho. Estrellita kende zijn moeder, Lourdes. Zijn vader had een eigen zaak. Nestor was een goede jongen uit Hialeah.

Moeder had haar verstand en haar stem weer terug. 'Weet je zeker dat je kleine *blanca* huisgenoot in South Beach niet Nestor Camacho heet?'

Dochters 'Hahhhhhhh!' was zo luid en had zo'n coloratura sopraanhoogte dat Moeder ervan schrok. 'Ridicuul! Nestor is zo'n goede, gehoorzame kleine jongen uit Hialeah. Waarom bel je zijn moeder niet op, dan kan ze ook eens lachen? Of waarom regel je het niet meteen?

Waarom haal je je kokosnootkralen niet en gooi je ze niet voor de oude La-Z-Boy daar neer? Die vertelt het je wel! Die stuurt je wel de goede kant op!' Ze stak haar arm en wijsvinger als een speer naar het beeld van Lazarus uit.

Estrellita was weer sprakeloos. Er gebeurde iets met haar gezicht dat de grenzen van moeder-en-dochtertwisten overschreed. Het was zwarte woede. Estrellita kreeg het al te pakken toen Magdalena naar Santería verwees. Het was een indirecte manier om haar een onwetende, sociaal gezien achterlijke *guajira* te noemen. Dat wist ze. Maar wat Magdalena nu zei was regelrechte blasfemie. 'La-Z-Boy' durfde ze St. Lazarus te noemen. Ze leefde zich uit in spot met de geloofskracht van waarzeggerij, zoals het werpen van de kokosnootkralen. Ze maakte haar geloof en heel haar bestaan belachelijk.

Met een ijzige woede die van diep in haar keel kwam, siste ze uit: 'Je wilt van huis weg? Doe dat dan. Doe het nu. Het kan me niet schelen als je nooit meer een voet in dit huis zet.'

'Goed!' zei Magdalena. 'Eindelijk zijn we het eens!'

Maar in haar stem zat een trilling. De blik op het gezicht van haar moeder en de ratelslangtoon van haar stem... Magdalena durfde geen woord meer te zeggen. Nu... *moest ze weg*... wat tot een schok in haar maag leidde. Voortaan zou haar nieuwe leven tussen de *americanos* niet meer het exotische, opwindende, ondeugende avontuur van een vrije geest zijn... Voortaan zou ze afhankelijk zijn van een *americano* voor een plek om te wonen, haar salaris, haar sociale leven, haar liefdeleven. De enige dingen die ze mee had zouden haar knappe verschijning zijn... en iets wat haar nooit... nog nooit... in de steek had gelaten, namelijk haar lef.

*Euforie!* was de term voor de luchtbel die Nestor omsloot toen de dienst was afgelopen en hij met zijn oude Camaro noordwaarts door Miami reed naar Hialeah. *Superman!* was de naam van de held in de luchtbel. Superman verlichtte die luchtbel als een omhooggehouden fakkel.

*De hoofdcommissaris in eigen persoon, hoofdcommissaris Booker, was om middernacht heel het eind naar de haven komen rijden om ga-zo-door tegen hem te zeggen!*

Hialeah... op het middernachtelijk uur... een silhouet in het donker van rij na rij na rij na rij na straat na straat na straat met huisjes van één laag, de 'casitas', stuk voor stuk vrijwel eender als het huisje ernaast, liefst vijf meter verder, allemaal op een perceel van 15 bij 30 meter, allemaal met een oprit recht naar achteren... vierkant gaas dat van iedere vierkante centimeter van ieders terrein een fort maakte... voortuinen van keihard beton versierd met kleine Venetiaanse fonteinen van beton. Maar vannacht glansde heel Hialeah door de golvende stroom van de Camaro. Dit was niet dezelfde Nestor Camacho – je weet wel, de zoon van Camilo Camacho – die anoniem naar huis reed na dezelfde oude avonddienst –

Helemaal niet – want *de hoofdcommissaris in eigen persoon was om middernacht heel het eind naar de haven komen rijden om ga-zo-door tegen hem te zeggen!*

Nestor was stralend opgerezen uit de rangen van de 220.000 zielen van Hialeah. Hij is nu bekend in Miami en omstreken, waar de digistralen van de tv maar waren doorgedrongen... de smeris die zijn leven had geriskeerd om een arme, paniekerige vluchteling te redden uit de top van een torenhoge mast van een schoener. Zelfs nu, op het middernachtelijk uur, scheen de zon rond hem heen. Hij speelde met het idee de Camaro twee of drie straten van huis te parkeren en de rest van de weg te lopen in een kalm, gelijkmatig tempo, gewoon om de burgers een blik te gunnen op de stralende man... en te zien hoe ze elkaar aanstootten... 'Kijk! Dat is *hem* toch?' Maar de realiteit was dat er verdomd weinig voetgangers te zien waren, en Hialeah had geen noemenswaardig nachtleven. Bovendien was hij zo verdomd moe...

Zijn straat was even schemerig als de andere, maar hij kon La Casita de Camacho onmiddellijk onderscheiden. Een straatlantaarn, hoe zwak ook, volstond voor een weerspiegeling op de gladde, glanzende, bijna glasachtige belettering waarmee de zijkant van zijn vaders grote, pal voor de deur geparkeerde Ford E-150 bestel was versierd: CAMACHO FUMIGADORES. Zijn ouwe was trots op die belettering. Hij had echt geld betaald om een echt commerciële kunstenaar het te laten doen. De letters hadden zwarte schaduwen waardoor ze in drie dimensies van de zijkant van de bestelwagen leken te schieten. CAMACHO FUMIGADORES!... Camilo Camacho's eigen insecten-en-ongedierte-verdelgingsbedrijf... Strikt genomen klopte FUMIGADORES, meervoud, niet. De firma had precies één bestrijder en één werknemer, punt, en diens naam stond op de zijkant van de bestelwagen. Drie jaar lang had Camilo een assistent 'in dienst' gehad, zijn zoon Nestor. Nestor kon er niet tegen... malathion spuiten in de donkere, dompige uithoeken van de huizen van mensen... waarbij je onvermijdelijk wat van de troep inademde... en Camilo hoorde zeggen 'Je gaat er niet dood van!'... iedere dag rook hij malathion in zijn kleren... rook hij het op zichzelf... hij raakte zo paranoïde dat volgens hem iedereen het op hem kon ruiken... Wanneer mensen wilden weten wat hij *deed*, zei hij dat hij op een bedrijf voor populatieharmonisatie werkte, maar naar een andere baan zocht. Goddank werd hij uiteindelijk tot de politieschool toegelaten! Zijn vader was er daarentegen trots op een bedrijf te hebben dat populaties harmoniseerde in de huizen van mensen. Hij wilde dat *todo el mundo* zag dat HIJZELF in grote letters voor zijn huis stond geparkeerd. Nestor was pas vier jaar smeris in Miami, maar lang genoeg om te weten dat je volop buurten had... Kendall, Weston, Aventura, de Upper East Side, Brickell... waar iedere man die zo'n voertuig voor zijn huis parkeerde zelf als een kakkerlak zou worden beschouwd. Net als zijn vrouw en het stel grootouders dat bij hen woonde, en de zoon die smeris was. Heel het nest zou een regelrechte plaag vormen. Je had stukken in Coral Gables waar het onwettig was om een dergelijk bedrijfsvoertuig voor je huis te parkeren. Maar in Hialeah kon een man er trots op zijn. Hialeah was een stad met 220.000 zielen, en tegen de 200.000 moesten Cubanen zijn, zo meende Nestor. De mensen hadden het altijd over 'Little Havana', een deel van Miami langs Calle Ocho waar de toeristen allemaal naar Café Versailles gingen om een kop vreselijk zoete Cubaanse koffie te drinken en dan een paar straten liepen om naar de oude mannen, vermoedelijk Cubanen, te kijken die domino speelden in Domino Park, een klein stukje park dat Calle Ocho had gekregen om de nogal saaie buurt een beetje... authentieke, pittoreske, *folklórica atmósfera* te verlenen. Daarmee konden ze zeggen dat ze Little Havana hadden gezien. Maar het echte Little Havana was Hialeah, alleen kon je het moeilijk 'little', klein, noemen. Het oude 'Little Havana' was somber, aftands, het zat er vol Nicaraguanen en god weet verder wie, en was hard op weg een achterbuurt te worden, als je het Nestor vroeg. Cubanen zouden nooit stilzitten in een achterbuurt. Cubanen hadden een ambitieuze aard. Dus elke man die een wagen had met een bedrijfsbelettering, het bewijs dat hij een ondernemer was, hoe klein ook, parkeerde die gewichtig voor zijn huis. CAMACHO FUMIGADORES! Dat plus het Grady-White motorjacht op de oprit bewees dat Camilo Camacho geen Cubaan uit de werkende stand was. Eén op misschien elke vijf casita-bezitters in Hialeah had een of ander motorjacht – motorjacht wilde zeggen te groot om af te doen als 'motorboot' –, hoog, heel hoog, op een aanhangwagen. De voorsteven stak gewoonlijk boven de gevel van de casita uit. De opleggers waren zo hoog, het waren net sokkels… het ging zo ver dat door de motorjachten de casitas zelf maar klein leken. Hier in het donker leken door hun silhouetten de motorjachten net raketten die zo meteen boven je hoofd zouden opstijgen. Nestors ouwe had dezelfde commerciële kunstenaar betaald om hetzelfde soort glanzende, glasachtige belettering op de romp van het Grady-White motorjacht aan te brengen. LAS SOMBRILLAS DE LIBERTAD stond er, 'De parasols van de vrijheid'. De naam verwees naar het grote avontuur op leven en dood uit de jeugd van de ouwe. Net als Magdalena's familie waren Camilo en zijn vader, Nestors grootvader, plattelandsjongens uit Camagüey. Nestors grootvader droomde erover weg te komen uit een bestaan van riet snijden, stallen uitmesten en zich uit de naad werken. Hij verlangde naar het Leven in de Stad. Hij verhuisde, met zijn vrouw en zijn zoon, naar Havana. Geen *guajiro* meer! Voortaan een rasechte proletariër! Eindelijk vrij, en de nieuwe *prole* kreeg een baan als opzichter bij de afdeling rioolwaterzuivering van het waterbedrijf van Malecón. 'Opzichter' wilde zeggen dat hij rubber laarzen aan moest trekken, een zaklamp mee moest nemen, als een dwerg moest bukken en in het donker door rioolpijpen moest lopen, terwijl rivieren van stront en andere smerigheid langsstroomden en regelmatig over zijn laarzen gutsten. En lekker ruiken deed het ook niet. Dit was niet het Leven in de Stad dat hij in gedachten had. Dus bouwden hij en Camilo heimelijk een primitief bootje in de kelder van hun proletarische flatgebouw in Havana. Ze stalen twee grote caféparasols om te gebruiken als zeilen… en bescherming tegen de zon. Camilo, zijn ouders en Lourdes, Camilo's vriendin (te zijner tijd zijn vrouw en Nestors moeder) vertrokken op een nacht naar Florida. Ze stierven bijna honderd doden, tenminste zoals de ouwe het verhaal vertelde (veel meer dan honderd doden), door zonnesteken, uitdroging, verhongering, noodweer, torenhoge golven, razende stromingen, wind die helemaal wegviel, en god weet verder wat, voor ze twaalf dagen later Key West bereikten, alle vier op sterven na dood.

Wel, Nestor had nu zelf een heldengeschiedenis… om aan *hen* te vertellen. Hij kon amper wachten. Hij had vanuit de haven drie keer naar huis gebeld. De telefoon was iedere keer in gesprek, maar misschien was het beter zo. Ze zouden het allemaal uit zijn eigen mond horen... terwijl hun jonge held voor hen stond en keek hoe hun gezichten steeds opgewondener werden.

Zoals gewoonlijk parkeerde hij de Camaro op het stukje oprit tussen het trottoir en de boot.

Zodra hij het huis in gaat, wacht zijn vader daar met zijn armen over zijn borst gekruist en zijn Ik, Camilo Camacho, Heer van dit Huis-blik op zijn gezicht... zijn autoritaire gedrag een beetje aangetast door het feit dat hij een T-shirt draagt dat uit zijn Relaxed Fits blauwe spijkerbroek hangt... De gekruiste armen drukken van boven neer op zijn buikje, en de riem van zijn laag gesneden spijkerbroek duwt het van onder af omhoog, waardoor het buikje opzwelt als een watermeloen onder een T-shirt. Nestors moeder staat een stap achter Ik, Camilo. Ze kijkt naar Nestor, alsof hij, haar derde kind, haar laatst geboren baby, een vlammetje is dat langs een lont knettert naar –

– *Boem!* – Ik, Camilo Camacho, *ontploft*:

'Hoe kon je dat een man van je eigen bloed aandoen? Hij is achttien meter van de vrijheid af en jij arresteert hem! Jij hebt hem veroordeeld te worden gemarteld en gedood in Fidels kerkers! Hoe kon je dat de eer van je eigen familie aandoen? De mensen bellen op! Ik heb de hele avond aan de telefoon gezeten! Ze weten het allemaal! Ze zetten de radio aan en het enige wat ze horen is *"Traidor! traidor! traidor! Camacho! Camacho! Camacho!"* Je sleurt ons door *de stront!*' Hij kijkt achterom naar zijn vrouw: 'Het moet worden gezegd, Lourdes' – draait zich weer naar Nestor – 'Door *de stront* sleur je het Huis Camacho!'

Nestor was verbijsterd. Het was of de ouwe een honkbalknuppel tegen zijn schedelbasis had gemept. Zijn mond viel open, maar er kwamen geen geluiden uit. Hij draaide zijn palmen omhoog in het eeuwige gebaar van verbijsterde hulpeloosheid. Hij kon niet praten.

'Wat is er met je?' vroeg zijn vader. 'Door de waarheid je tong verloren?'

'Waar *heb* je het over, pa?' Het kwam er minstens een octaaf te hoog uit.

'Ik heb het over wat jij hebt gedaan! Als een of andere smeris mij en je grootvader had aangedaan' – hij knikte zo'n beetje in de richting van de achterkamer van Nestors grootvader en grootmoeder, Yeyo en Yeya – 'wat jij net een van je eigen mensen, je eigen bloed, hebt aangedaan, zou je hier niet zijn! Je zou geen grote smeris in Miami zijn! Je zou niets zijn! Je zou niet *bestaan!* Niet eens *bestaan!*'

'Pa –'

'Weet je wat wij moesten doen zodat jij ook maar kon *bestaan*? Ik en je grootvader moesten zelf een boot bouwen, 's nachts, beneden in een kelder, zodat de conciërge niet zou komen rondneuzen. En we gingen ook 's nachts de zee op, met Yeya en je moeder – en het enige wat we hadden was eten, water, een kompas en twee buitenparasols van een café die we 's nachts moesten stelen en die we als zeilen gebruikten. Caféparasols!'

'Ik weet het, pa –'

'Het duurde twaalf dagen! Twaalf dagen dat we de hele dag verbrandden en het de hele nacht koud hadden en zo' – hij gebaart hoe de boot omhoog en omlaag stampte – 'werden geduwd en zo' – gebaart hoe de boot schommelde – 'en zo' – slingerde – 'en zo' – rijzende golven – 'dag en nacht – en we moesten ook dag en nacht hozen. Slapen konden we niet. We konden amper eten. We moesten alle vier continu hozen om de boot maar drijvende te houden. We hadden wel honderd keer kunnen sterven' – hij knipte met zijn vingers – 'zomaar ineens! De laatste vier dagen hadden we geen eten meer en één fles water voor ons vieren –'

'Pa –'

'We waren vier skeletten toen we eindelijk aan land kwamen! We waren half gek! Je moeder hallucineerde, en –'

'*Pa! Ik ken het hele verhaal!*'

Hij, Camilo Camacho viel stil. Hij haalde zo diep adem en vertrok zijn gezicht in zo'n grimas, compleet met ontblote boventanden en uitpuilende aderen, dat hij ofwel iemand ging bijten of een beroerte zou krijgen – tot hij op het laatste moment zijn stem vond en uitkraste:

'*Het hele verhaal* noem je het? *Het hele verhaal*? *Het hele verhaal* – het ging om leven en dood! We waren bijna dood! Twaalf dagen op de oceaan in een open boot! Er zou geen agent Nestor Camacho *zijn* zonder *het hele verhaal*! Hij zou niet *bestaan*! Als een grote smeris ons achttien meter van de kust had gearresteerd en teruggestuurd, zou dat voor ons allemaal het einde zijn geweest! Je zou nooit iets zijn geweest! En jij noemt dat *het hele verhaal*! Jezus Christus, Nestor, wat voor een mens ben jij? Of misschien niet eens een mens! Misschien heb je klauwen en een staart, zoals een *mapache*!'

::::: Hij noemt me een *wasbeer*! :::::

'Moet je eens luisteren, Pa –'

'Nee, *jij* moet luisteren! Je weet niet wat lijden is! Je arresteert een vent achttien *metros de libertad*! Voor jou doet het er niet toe dat de Camacho's naar Amerika zijn gekomen in een zelfgebouwde –'

'Pa, *luister* naar me!'

Nestor zei het zo scherp dat zijn vader zijn zin niet probeerde af te maken.

Nestor zei: 'Deze vent hoefde –' hij begon te zeggen 'het hele verhaal', maar hield zich net op tijd in – 'niet zoiets te doen als wat jij en Yeyo moesten doen. Deze vent betaalde een paar smokkelaars drie- of vierduizend dollar om hem regelrecht naar Miami te brengen in een Cigarette. Zo'n boot gaat met 110 kilometer over het water, zo'n Cigarette. Het kostte hem – misschien twee uur om hier te komen. Hoogstens drie. In een open boot? Nee, in een stuurhut met een dak. Honger? Vermoedelijk had hij niet eens tijd de grote lunch te verteren van kort voor zijn vertrek!'

'Nou – dat doet er niet toe. Het principe is hetzelfde –'

'Welk principe, pa? De brigadier gaf me een direct bevel! Ik voerde *een direct bevel* uit!'

Spottend gesnuif. '*Een direct bevel uitvoeren.*' Meer gesnuif. 'Net als Fidels mensen! Die voeren ook directe bevelen uit – om mensen te slaan, mensen te martelen, mensen te laten "verdwijnen" en alles wat ze hebben af te pakken. Nooit eerder van eer gehoord? De eer van je familie telt niet voor je? Ik wil dat zielige smoesje niet meer horen!... *Een direct bevel uitvoeren...*'

'Toe nou, pa! De vent is aan het schreeuwen tegen de menigte op de brug en zwaait zo met zijn armen rond' – hij laat het zien – 'Die vent is de kluts kwijt! Hij zal te pletter vallen, en alle zes rijbanen op de Causeway zijn een grote file, de vrijdagspits, de ergste –'

'Hoho! Een *verkeersopstopping*. Waarom *zei* je dat niet? *Jee*, een *verkeersopstopping*. Dat *verandert* de zaak... Je probeert me dus te vertellen dat een verkeersopstopping erger is dan *marteling* en *dood* in Fidels kerkers?'

'Pa, ik wist niet eens wie of wat de vent was! Ik weet het nog steeds niet! Ik wist niet wat hij uitkraamde! Hij was eenentwintig meter boven me!'

Eigenlijk *had* hij het wel geweten, min of meer, maar dit was niet het moment voor subtiele onderscheidingen. Met alle middelen moest een eind komen aan deze tirade, dit verschrikkelijke oordeel – van zijn eigen vader!

Maar niets kon Ik, Camilo Camacho, Heer van dit Huis, tegenhouden. 'Je zei dat hij te pletter zou vallen. *Jij* was degene door wie hij bijna te pletter viel! Jij wilde hem uit alle macht *arresteren*, koste wat kost!'

'Jezus Christus, pa! Ik heb hem niet *gearresteerd*! We arresteren geen immig–'

'Iedereen heeft je het *zien* doen, Nestor! Iedereen wist dat het een Camacho was die dit heeft gedaan. We zagen het je met onze eigen ogen doen!'

Het bleek dat zijn vader, zijn moeder en zijn grootouders het hele gebeuren hadden bekeken op de Amerikaanse tv met het geluid uit en het hadden beluisterd op WDNR, een Spaanstalige radiozender waar ze het heerlijk vonden woedend te worden over zondes van de *americanos*. Niets wat Nestor kon zeggen zou zijn vader ook maar een klein beetje kalmeren. Ik, Camilo Camacho, gooide zijn handen op in de lucht als om te zeggen: 'Hopeloos... hopeloos...,' draaide zich om en liep weg.

Zijn moeder bleef waar ze was. Toen ze er zeker van was dat Ik, Camilo een ander vertrek in was gegaan, sloeg zij haar armen om Nestor en zei: 'Het maakt mij niet uit wat je hebt gedaan. Je leeft en je bent thuis. Dat is het voornaamste.'

*Maakt niet uit wat je hebt gedaan.* De hierin besloten schuldigverklaring stemde Nestor zo somber dat hij niets zei. Hij kon er niet eens een onoprecht *bedankt, Mami* uit krassen.

Hij ging uitgeput naar zijn kamertje. Zijn hele lichaam deed pijn, zijn schouders, zijn heupgewrichten, de kleermakersspieren aan de binnenkant van zijn dijen, en zijn *handen*, die nog steeds ontveld waren. Zijn handen! De kootjes, de knokkels – het was een marteling als hij ook maar probeerde een vuist te maken. Gewoon zijn schoenen uittrekken, zijn broek, zijn shirt en op het bed zien te komen – een marteling...
::::: Slapen, goeie god. Sla me bewusteloos... meer vraag ik niet... laat me wegvaren van *esta casita*... de armen van het zandmannetje in... Neem mijn gedachten weg... wees mijn morfine... :::::
Maar Morfeus liet hem in de steek. Hij dommelde in en toen – *schrok hij wakker* met zijn hart dat te snel sloeg... dommelde in – *schrok wakker*... dommelde in – *schrok wakker*!... heel de nacht, bij vlagen... tot hij *wakker schrok* om 6.00 uur. Hij voelde zich een uitgebrande dop. Hij had overal pijn, meer pijn dan hij ooit in zijn leven had gevoeld. Het

bewegen van de gewrichten van zijn heupen en benen was zo pijnlijk dat hij zich afvroeg of ze ooit zijn gewicht konden ondersteunen. Maar ze *moesten* wel. Hij moest hier als de bliksem weg!... *Ergens* heen... om de tijd te doden tot om vier uur zijn dienst bij de politie te water begon. Hij schoof zijn voeten van het bed af en ging langzaam overeind zitten... zat daar een minuut versuft... ::::: Ik voel me te beroerd... Ik *kan niet* overeind. Wat ga je dan doen, hier rondhangen om weer te worden uitgescholden? ::::: Met uiterste wilskracht wist hij *een pure marteling!* op te staan. Behoedzaam, omzichtig trippelde hij naar de woonkamer en ging bij een van de twee voorramen van het kleine huis staan om naar de vrouwen te kijken. Die waren al in heel de straat buiten bezig hun voortuinen van beton schoon te maken, nu het zaterdagochtend was.

Niet één man wilde dood gevonden met een van deze slangen in zijn handen. Dat was vrouwenwerk. Dat zou zijn moeder als eerste werk na het opstaan doen: de hogedrukspuit op hun keiharde grasveld van vijftien bij zes zetten. Jammer dat beton niet groeide van water. Dan was hun voortuin inmiddels vijftig verdiepingen hoog.

Zo ver terug als hij zich kon herinneren, bestond Nestors beeld van Hialeah uit duizenden van zulke straatjes, eindeloze rijen casitas met kleine verharde voortuinen... maar geen bomen... hier en daar bedekt met auto's met overal tekst erop... maar geen bomen... boten die op *Opzichtige Vrije tijd* wezen... maar geen bomen. Nestor had over een periode gehoord dat in heel het land de náám Hialeah een beeld opriep van Hialeah Park, de renbaan met de meeste glamour en sociale status in Amerika, in de droom van een landschapsarchitect gelegen, een weelderig, groen, helemaal door mensenhand gemaakt park van 100 hectare met een groep zeer roze flamingo's als vaste bewoners... tegenwoordig een opgeheven, gesloten overblijfsel, een groot vermolmd memento van de dagen van voorspoed toen de Anglo's het in Miami voor het zeggen hadden. Tegenwoordig volstond een voor je deur geparkeerde bestelwagen voor insectenvergassing met je naam erop om La Casita de Camacho in Hialeah een sociale status te bezorgen. Hij had zijn vader erom bewonderd. Elke avond als de ouwe thuiskwam, verspreidden zijn kleren wolkjes malathion. Maar Nestor beschouwde dat als een teken van zijn vaders succes als zakenman. Dezelfde vader keert nu zich tegen hem terwijl hij meer dan ooit steun nodig heeft!

*Jezus!* Het liep tegen 06.30, en hij stond hier zomaar zijn gedachten te laten dwalen… Het hele stel zou binnenkort op zijn… Camilo de Caudillo, de eeuwige bezorgde, handflensende vrouw van de Caudillo, Lourdes, en Yeya en Yeyo –

*Yeya!*

Het was hem volkomen ontschoten! Vandaag was het haar verjaardag! Het was uitgesloten dat hij Yeya's verjaardag kon omzeilen. Er werd altijd een varken geroosterd… een varken dat groot genoeg was voor honderd man of zo… heel de familie… *ontelbaar*, alleen al hier in Hialeah… plus alle buren van de natte betonnen tuinen. Zijn ouders, Yeya en Yeyo, en ook hijzelf kenden de buren zo goed dat ze hen *Tía* en *Tío* waren gaan noemen, alsof het echte ooms en tantes waren. Als hij spijbelde van dit feest, zouden ze hem *nooit* vergeven. Het vieren van grootmoeders verjaardag was heel erg belangrijk in huize Camacho… het was vrijwel een heiligendag… en hoe ouder zij werd, hoe heiliger *die* werd.

Je had overal in Hialeah grootouders die in hetzelfde huis woonden als hun kinderen van middelbare leeftijd. Tot zijn broer en zijn zus trouwden en het huis uit gingen, was deze casita net een jeugdherberg. Er was één badkamer voor zeven mensen uit drie generaties. Van mensen die elkaar in de haren zitten gesproken…

O, Magdalena! Was zij nu maar aan zijn zijde! Hij zou zijn arm om haar heen slaan… met iedereen erbij… meteen… en zij zou grapjes maken over alle betonnen voortuinen en alle verongelijkte vrouwen van Hialeah. Waarom werkten ze niet samen om *één* boom water te geven? Dat zou ze zeggen. Ze wedde dat er in heel Hialeah geen tien bomen waren. Hialeah was begonnen als een moddervlakte, en tegenwoordig was het een betonvlakte. Dat soort dingen zou ze zeggen, als ze maar hier was… Hij kon haar lichaam tegen het zijne *voelen* leunen. Ze was zo *mooi* – en zo *intelligent*! Haar… *manier*… om naar de wereld te kijken… Wat mocht hij zich gelukkig prijzen! Hij had een meisje dat adembenemender, spitser, slimmer was dan – dan – dan een televisiester. Hij kon haar lichaam tegen het zijne in bed voelen. ::::: O, Manena van me ::::: Zijn lichaam had het hare in bijna twee weken niet zo aangeraakt. Als het niet zijn werktijden waren, waren het wel *haar* werktijden. Hij had nooit geweten dat verpleegsters bij een psychiater zo lang en zo hard moesten werken. Deze psychiater was blijkbaar heel belangrijk. De patiënten stonden ongeveer in de rij in het ziekenhuis,

Jackson Memorial, plus degenen die de hele dag naar zijn praktijk kwamen, en Manena moest de patiënten op beide plaatsen verzorgen. Nestor had nooit geweten dat psychiaters zo veel ziekenhuispatiënten hebben. O, maar hij is heel vooraanstaand, heel veel gevraagd, legde Manena uit. Ze werkte dag en nacht. De laatste tijd zo hard dat er helemaal geen gelegenheid was haar te spreken. Wanneer om middernacht zijn dienst bij de politie te water erop zat, lag zij in bed te slapen, en hij durfde haar niet te bellen. Ze moest om 7.00 uur met haar werk beginnen, had ze uitgelegd, omdat ze eerst langs het ziekenhuis moest voor een 'pre-check' en dan naar de praktijk voor een dag vol patiënten die om 17.00 uur eindigde, maar Nestors dienst begon om 16.00 uur. Helemaal erg was dat ze afwijkende vrije dagen hadden. Het was een onmogelijke toestand geworden. Wat moest eraan gebeuren?

Hij had haar niet zo lang nadat hij terug was in de haven op haar mobieltje gebeld. Geen reactie. Hij sms'te haar. Ze sms'te niet terug... en ze *moest* ervan hebben geweten. Als zijn vader gelijk had, wist *iedereen* ervan.

Hij moest zijn Manena zien!... al was het maar op Facebook. Hij snelde terug naar zijn kamer, kleedde zich sneller aan dan hij ooit in zijn leven had gedaan, en ging achter zijn laptop zitten, die hij op een tafel had staan die maar net in de kamer paste, en ging online... *Manena*! Daar was ze... Het was een foto die hij van haar had gemaakt... lang, weelderig, donker haar dat tot haar schouders *stroomde*... haar donkere ogen, haar een beetje geopende, een beetje glimlachende lippen – die beloofden... *opwinding* waarvoor hij niet eens de woorden had! :::::
Maar hou op met fantaseren, Nestor! Ga naar de keuken en neem koffie... voor je wordt gekweld door gezelschap dat je niet wilt. :::::

Hij zat in het donker in de keuken een tweede kop koffie te drinken, probeerde wakker te worden... en te denken... denken... denken... denken... Hij kon haar moeilijk zo vroeg opbellen, 6.45 op een zaterdagochtend... en ook maar beter niet sms'en. Zelfs van het *piep piep piep* van een sms'je zou ze wakker kunnen worden.

Er ging een licht aan, en hij hoorde het vertrouwde spoelen en *klok-klok-klok* van een wc. *Verdomme*! Zijn ouders waren aan het opstaan... Camilo de Caudillo zou regelrecht naar hier komen... *Een sprankje hoop*!... Zijn vader had de kans gehad er een nachtje over te slapen en wilde vrede sluiten –

*Klik* – het licht in de keuken gaat aan. Zijn vader staat in de deuropening... Hij heeft zijn wenkbrauwen naar beneden gebogen, waardoor er een groef tussen zit. Hij heeft zijn Relaxed-Fits aan, een xxl T-shirt met korte mouwen die tot beneden zijn ellebogen vallen... toch is het amper groot genoeg om zijn watermeloenbuik te bedekken. Hij heeft zich niet geschoren. De onderkanten van zijn wangen zijn grijs. Hij heeft nog slapers in zijn ogen. Hij ziet er echt niet uit.

'*Buenas días*...?' waagt Nestor. Het begint als een begroeting maar eindigt vooral als een vraag.

Zijn vader zegt: 'Wazitje hier in het donker?' *Weet je niet eens hoe je in een keuken moet zitten?*

'Ik... wilde niemand wakker maken.'

'Wie wordt er verdorie wakker van dit lampje?' *Weet je dan niks?*

Hij liep langs Nestor zonder nog een woord en zette een kop koffie voor zichzelf... Nestor hield zijn ogen op Hem, Camilo, Heer van dit Huis gericht. Hij vreesde een nieuwe ontploffing. Ik, Camilo Camacho, ledigde zijn kop koffie zonder één slok te treuzelen. Toen marcheerde hij de keuken uit als een man die iets te doen had. Bij het weggaan negeerde hij Nestors aanwezigheid volkomen... keek niet eens uit een ooghoek naar hem...

Nestor keerde terug naar zijn koffie, maar die was inmiddels koud, te zwart, te bitter... en deed er niet toe. Hij dacht en dacht en dacht en dacht... en kon nog steeds niet bepalen hoe het er met hem voor stond...

Hij vroeg zich af: 'Besta ik?'

Het volgende moment... beginnen vlak bij de keuken alle soorten gebrom, gekreun, gehijg en snakken naar adem die men van slopend werk kent.

Het is zijn vader – maar wat is hij verdorie aan het doen? Zijn lichaam helt over naar rechts omdat hij een enorm geval op zijn rechterschouder draagt. Het is lang, omvangrijk – het is een doodkist. Zijn vader worstelt ermee en wankelt eronder... Het zigzagt omhoog en omlaag op de schouder van de ouwe... slingert opzij tegen zijn nek... Het kan ieder moment aan zijn greep ontsnappen... Hij worstelt het boven op zijn schouder terug... Eén arm vecht tegen het slingeren... de andere probeert het zigzaggen te stoppen... Hij ziet rood in zijn gezicht... Hij hapt naar adem... Hij maakt alle onsamenhangende geluiden die men van zwaar tillen kent...

'– messj... cinnghh... neetz... guhn arrrgh... *klootss*... nooonmp...

*gotver*... boggghh... frimp... sssloooosj... gessssuj *hoejoe*... neench... arrgh... eeeeeooomp.'

De benen van de ouwe knikken. Het is *geen doodkist* – het is de *caja china* die ze altijd gebruiken om het varken te roosteren – maar wanneer heeft iemand ooit geprobeerd het verdomde geval alleen te dragen? Daar – de metalen gleuven aan het uiteind waar je handvatten in doet om het te dragen, een man aan de ene kant, een aan de andere... Welke dwaas heeft ooit geprobeerd het op zijn schouder te dragen? Ik, Camilo, had het jaren geleden zelf in elkaar gezet... een doodkistvormig geval van triplex van 2½ centimeter dik met metaal bekleed... moet 30 kilo wegen... zo lang, zo groot, niemand kon er een arm omheen krijgen en het recht houden –

Nestor schreeuwt het uit: 'PA, LAAT ME JE HELPEN!'

Waarop de ouwe probeert van hem weg te manoeuvreren... blijf er met je fikken van af, verrader... '*Arggggh*'... Die ene kleine manoeuvre – die doet het 'm! Nu is de *caja china* de baas! Het vervloekte geval is een enorme dolle stier die *boven op* een kleine berijder zit... Nestor ziet het gebeuren... het lijkt slow motion... maar in feite gebeurt het zo snel, hij staat aan de vloer genageld... inert... de *caja china* begint te tollen. Zijn vader begint te tollen in een poging het geval tegen te houden... zijn benen raken in elkaar gedraaid... hij slaat om... '*Arrrggh*'... de dolle *caja china* belandt boven op hem... '*Errrnafumph*'... één kant ervan raakt de muur –

K N A A A L!

– klinkt als een botsende trein in zo'n kleine casita –

'Pa!' Nestor is al over het wrak gebogen en begint de grote kist van zijn vaders borst te tillen –

'Nee!' Zijn vader kijkt recht omhoog in Nestors gezicht. 'Nee! Nee!'... heeft nu heel de grimas... ogen in vuur en vlam... boventanden ontbloot... 'Jij – nee!'

Nestor tilt de *caja china* toch van zijn vader af en zet het geval op de vloer neer... Voor iemand met lats, traps, biceps, bracs en quads als de zijne – maximaal opgepompt door de adrenaline – is het niets... het kon net zo goed een kartonnen doos zijn...

'Pa! Gaat het!?'

Ik, Camilo Camacho... ligt op zijn rug... is woest en woedend op zijn zoon. 'Blijf met je poten van die *caja china* af,' zegt hij met een gedempte maar duidelijke brul.

Zijn pa is niet gewond... hij is volkomen bij zijn verstand... de muur heeft de klap van de *caja china* opgevangen... het geval tuimelde alleen over Ik, Camilo Camacho heen... hij heeft geen pijn... Nee hoor... hij wil alleen pijn *toebrengen*... Iets wat dicht bij wanhoop ligt raast door Nestors centrale zenuwstelsel... Hij had sinds zijn twaalfde zijn vader altijd de *caja china* voor het roosteren van de varkens naar buiten helpen dragen... Zijn vader tilde het geval aan de ene kant aan de handvatten op, en Nestor tilde het aan de handvatten aan de andere kant op... *sinds zijn twaalfde!* Het was een klein ritueel van mannelijkheid geworden! En nu wil zijn vader niet dat hij meedoet.

Ik, Camilo Camacho, wil niet eens dat zijn zoon een neergeknalde doodkist van zijn uitgestrekte lijf tilt. Je weet wel hoe je een zoon kunt kwetsen, nietwaar, *Caudillo* Camacho... Maar Nestor kan de woorden niet vinden om dat of iets anders te zeggen.

'Wat is er gebeurd!? Wat is er gebeurd!?'

Het is zijn moeder die de slaapkamer uit komt *rennen*. 'O, goeie god – Cachi! Wat is er gebeurd? Cachi!' Dat is haar koosnaampje voor de Meester. 'Gaat het met je? Wat was dat voor vreselijke herrie? Wat is er neergekomen?'

Ze viel op haar knieën naast hem neer. Hij keek op een uitdrukkingsloze manier naar haar, vervolgens schoof hij zijn tong in zijn wang en staarde Nestor dreigend – en door de tong in de wang beschuldigend – aan. De blik was als een laserstraal... waardoor zijn moeder zich naar Nestor draaide... met wijd open ogen... verbijsterd... bang... ze vreesde het ergste... eigenlijk vroeg ze: 'Heb *jij* dit je vader aangedaan?'

'Pa, vertel het haar! Vertel Mami wat er is gebeurd!'

Ik, Camilo Camacho, zei niets. Hij ging alleen door met sinister naar Nestor te staren.

Nestor richtte zich tot zijn moeder. 'Pa probeerde de *caja china* in zijn eentje te dragen, op zijn schouder! Hij verloor zijn evenwicht – en het ding knalde tegen de muur!'

Nestor begon te hyperventileren... Hij kon het niet bedwingen, ook al werden zijn woorden er twijfelachtig door.

'Vertel haar waarom,' zei de Heer van dit Huis met zijn nieuwe zachte, gedempt-mysterieuze stem... wat veel suggereerde dat ongezegd was gebleven.

Mami keek naar Nestor. 'Wat *is* er gebeurd?' Vervolgens naar haar echtgenoot. 'Cachi, je moet het me vertellen! Ben je gewond?'

Met een stem die een octaaf omhoog ging, een beverige octaaf, zei Nestor: 'Ik zweer het! Pa probeerde dat geval alleen te dragen! Kijk eens hoe groot het is! Hij raakte de macht erover kwijt, en toen ik probeerde hem te helpen, sprong hij weg, sprong hij in elk geval min of meer weg – en hij verloor zijn evenwicht, en de *caja china* knalde neer en belandde boven op hem! Nietwaar, pa? Zo is het precies gegaan – nietwaar?'

Mami, die op haar knieën zat, begon te huilen. Ze duwde haar handen tegen beide kanten van haar gezicht en bleef maar zeggen: 'Goeie god… Goeie god… Goeie god… Goeie god!…'

Ik, Camilo Camacho, bleef zijn zoon aanstaren, hij duwde zijn tong zo hard in zijn wang dat zijn lippen aan die kant weken en er tanden te zien waren.

'Pa – je *moet het haar vertellen*!' Nestors stem werd schel. 'Pa – ik weet waarmee je bezig bent! Je bent *Geduld op een grafmonument, een glimlach voor het leed*[1] aan het spelen!…' Magdalena had hem met die uitdrukking kennis laten maken. Op een of andere manier pikte ze die dingen op. 'Je bent Moet-je-eens-kijken-hoe-ver-je-me-hebt-gekregen aan het spelen!'

Zelfde zachte, gedempte stem: 'Zo praat je niet tegen mij. De Grote Smeris – maar iedereen weet wie je eigenlijk bent.'

Mami brak in snikken uit, hevig snotterende snikken.

Nestors eigen ogen begonnen zich met tranen te vullen. 'Dit is gemeen, pa!' Meer kon hij niet doen om te voorkomen dat zijn lippen gingen beven. 'Ik zal je overeind helpen, pa! Ik zal de *caja china* voor je naar de tuin brengen! Maar het is niet eerlijk – zo kun je me niet behandelen! Het is gemeen! Je speelt een spelletje! Geduld op een grafmonument, een glimlach voor het leed!'

Hij kwam omhoog uit zijn gehurkte houding… Wegwezen hier! Hij onderdrukte zijn tranen en ging de kleine gang in die van de uitbouw naar de kamers aan de voorkant van het huis leidde. Achter hem ging een deur open… een lamp… Hij besefte meteen… Yeya en Yeyo… de laatste mensen op aarde waaraan hij op dit moment, te midden van dit alles, behoefte had.

Yeya verscheen achter hem en zei in het Spaans: 'Wat was dat voor herrie? We vielen ongeveer uit bed! Wat is er gebeurd?'

[1] Noot vertaler: dit fragment van Shakespeare werd uit de weergave van Jan Jonk overgenomen.

Moest snel iets verzinnen... Nestor hield in, draaide om en wierp Yeya de grootste, liefste glimlach toe waartoe hij in staat was. Wat een stel *guajiros* stond daar voor hem. Ze weghouden van hun zoon, Ik, Camilo Camacho, dat was het voornaamste... Yeya was kort en gezet, met een soort bloemetjesmuumuu over haar forse lijf. Maar je had vooral haar haar. Het ging om de blauwe bal, de Blauwe Bal van Hialeah voor dames van zekere leeftijd. Oude dames verfden hun grijze haar niet in Hialeah, niet op de gebruikelijke manier tenminste... Achtenveertig uur geleden, toen ze zich klaarmaakte voor haar grote verjaardagsfeest, was ze naar de kapper gegaan. Hij knipte het gepast kort... voor een vrouw van zekere leeftijd, deed er wat 'blauwsel' op, waardoor het grijs een blauw aanzien kreeg, om het vervolgens te föhnen, achteruit te kammen en te touperen tot het een teerblauwe bal werd, een valhelm à la Hialeah, zoals men het noemde. Die van haar was aan één kant een beetje plat geworden doordat ze erop had geslapen, maar het weer donzig krijgen en laten herleven van de helm leek geen probleem te zijn, zolang die niet uit elkaar was getrokken. Vlak boven haar voorhoofd zat haar haar rond een paar krulspelden gewonden. Yeyo, vlak achter haar, was een lange man. Eens was hij groot, lijvig en sterk geweest. Hij had nog steeds een lang, stevig lichaam, zij het een beetje gebogen. Nu leek hij eerder een breed maar benig rek voor de ouderwetse pyjama en de badjas die hij aanhad. Op dit moment zag hij eruit als iemand die zojuist tegen zijn wil uit een aangename ontmoeting met het zandmannetje was gewekt. Zijn grijze haar was wonderbaarlijk dik. God moest iedere haar op zijn hoofd voor altijd hebben vastgespijkerd. Hij was een heel knappe man geweest, die blaakte van kracht en zelfvertrouwen – om over zijn dominante aard maar te zwijgen... Maar op dit onwillige moment stak zijn haar alle kanten op, als een kapotte bezem –

Nestor zag dat allemaal onmiddellijk... én hun uitdrukking. Deze ochtend waren zij niet zijn liefhebbende *abuelo* en *abuela*. In de verste verte niet. Als hij deze gezichten goed las, verfoeiden ze het dat hij dezelfde lucht inademde als zij...

Hoe ze af te leiden. Dat was het idee.

'Harte – *feliz cumpleaños*, Yeya!'

*Verdomme*. Had het zo'n beetje verknoeid. Bijna 'Hartelijk gefeliciteerd!' gezegd. Zulke dingen kwamen bij Yeya en Yeyo echt niet goed over – de nieuwe generatie, die Engels in plaats van Spaans gebruikte voor zoiets traditioneels als *Feliz cumpleaños*. Yeya bekeek Nestor eens. Was hij wel goed bij zijn hoofd? Een sufferd? Had hij wel kloten? Ze tuurde naar zijn opzettelijk te kleine shirt.

'Ahhh, de sterke man,' zei ze. 'Onze tv-ster. We hebben je gezien, Nestorcito. Een heleboel.' Ze begon herhaaldelijk met haar hoofd te knikken, met haar lippen samengetrokken, verfrommeld onder haar neus als een zakje met dichtgetrokken koord... Jazeker, Nestorcito, we hebben meer van je gezien dan ons lief is...

Voor Nestor iets kon zeggen, zei Yeyo (in het Spaans): 'Waarom heb je ze verteld hoe je heet?'

'Aan wie, Yeyo?'

'Aan de tv.'

'Dat heb ik ze niet verteld.'

'Wie dan wel?' vroeg Yeya. 'De kaboutertjes?'

'Ik weet het niet. Ze wisten het gewoon.'

'Weet je dat het ook mijn naam is?' vroeg Yeyo. 'En van je vader? Weet je dat we van onze naam *houden*? Weet je dat wij Camacho's vele generaties teruggaan? Weet je dat we een trots verleden hebben?'

:::::: Weet ik dat jij bijdroeg aan dat trotse verleden door de woeste strontstroom in het waterbedrijf van Havana te tarten? Ja, dat weet ik, dominante ouwe zak. :::::: Echte woede, niet gemengd met *gekwetstheid*, steeg nu op in Nestors hersenstam. Hij moest hier wegwezen voor de woorden er werkelijk uit zouden komen.

Zijn mond was zo droog en zijn keel zat dichtgesnoerd. 'Ja, Yeyo,' wist hij uit te brengen. 'Dat weet ik. Ik moet nu gaan.'

Hij had zich omgedraaid om het huis te verlaten toen... *klos-kreun-knars* bonk... *klos-kreun-knars* bonk... *klos-kreun-knars* bonk... achter in de gang... O, in godsnaam... zijn moeder probeerde zijn vader te ondersteunen... Ik, Camilo's elleboog leunde op Mama's onderarm, die beefde onder het gewicht van de gehandicapte. Hij hinkte langs alsof hij zijn been had bezeerd... *klos* – hij deed een stap en plaatste al zijn gewicht op zijn 'goede' been waardoor de op een koopje gemaakte houten vloer van de gang kreunde en knarste... vervolgens de lichtere bons van het 'slechte' been, heel voorzichtig... 'het deed pijn'... proberen vooruit te komen... *Wat een schandalige bedrieger was Geduld!*

Yeya schreeuwde. 'Camilito – o, goeie god – wat is er met je gebeurd?'

Binnen de kortste keren stond ze naast Camilito en probeerde hem meer steun te geven door haar onderarmen onder zijn andere arm te krikken.

'Het is in orde, Mami,' zei hij. 'Dat hoef je niet te doen. Het gaat best.' Wat klonk hij moedig! Wat stoïcijns! dacht Nestor. Terwijl het niet bepaald aangenaam kon zijn geweest dat de muis van haar handen onder de zachte plek van zijn oksel zat gekrikt.

'Maar Camilito! Camilito van me! Er was zo'n knal! O, mijn god!'

'Het is niets, Lourdes,' Ik, Camilo's nieuwe zachte, omfloerste stem. 'Gewoon een familie... conflictje.' Daarop richtte hij zijn ironische, starende blik met tong in de wang en blote tanden weer op Nestor, met een onderbreking die net lang genoeg duurde om te zeggen: '*Gewoon... een... familie... conflictje...*'

Inmiddels hadden ze alle vier hun ogen op Nestor gericht. Yeya was hysterisch geworden.

'Wat heb je je vader aangedaan?! Je eigen vader! Was het niet genoeg wat je die arme jongen gisteren hebt aangedaan? Moest je nu je eigen vader te lijf?!'

Nestor was verbijsterd... kon geen woord uitbrengen... stond daar maar met open mond. Zijn moeder keek naar hem zoals ze zijn hele leven nooit naar hem had gekeken! Zelfs Mami!

Toen hij zijn stem terug had, was hij bijna even hysterisch als Yeya. 'Je moet haar de waarheid vertellen, Pa! Vertel haar wat er werkelijk is gebeurd! Jij... Jij... *draait alles om*! In godsnaam, vertel de waarheid! Pa, jij... jij...'

Zijn zaak werd er niet sterker op doordat hij het hier afbrak, omdraaide, hun zijn rug toekeerde, naar zijn kamer snelde om zijn autosleutels te pakken – en naar de voordeur stormde zonder de rest van zijn familie ook maar een blik waardig te keuren.

*Bèng* – hij gooide de voordeur van La Casita de Camacho achter zich dicht.

# 3

## DE MOEDIGE ZWAKKELING

Amper twee uur later verscheen er een Edward T. Topping IV zoals niemand op de stadsredactie van de *Miami Herald* ooit eerder had gezien. Gewoonlijk liep er een spleet midden over zijn voorhoofd, van zijn wenkbrauwen tot zijn neus… een spleet in het vlees van een man die erover tobde hoeveel mensen op de redactie, wat daarvan over was, hem haatten. Maar vanmorgen grijnsde hij… grijnsde hij een zo brede grijns dat zijn wenkbrauwen zo hoog zaten als ze konden… zijn ogen wijd open waren gesperd… zijn roze wangen een flink eind boven elk jukbeen uitstaken, zoals bij de Kerstman. De groef was verdwenen. De ogen glinsterden.

'Moet je eens kijken, Stan! Moet je eens kijken, heel *goed* kijken. Je weet waarnaar je kijkt?'

Hij stond midden in zijn kantoor, dat uitkwam op de stadsredactie. Hij stónd, zat niet half verborgen in het cocon van een horecameubilairdraaistoel met hoge rug tegen een niervormig horecameubilairbureau, zoals hij gewoonlijk deed. En dat niet alleen, hij stond met zijn rug naar de glaswand die hem, als hoofdredacteur, voorzag van Het Uitzicht… van alles in Miami dat glamour had… de koningspalmen, het Mandarin Oriental Hotel, de koningspalmen, Brickell Avenue, de koningspalmen, de Biscayne Baai, Brickell Key, Key Biscane, de Venetian Isles, Indian Creek, Star Island, Miami Beach en daarachter de grote parabolische kromme van de Atlantische Oceaan aan de horizon, 180 graden zongebleekte lichtblauwe tropische lucht, en de koningspalmen.

Nee, momenteel had hij alleen oog voor de *Herald* van vanmorgen, die hij voor zich hield zoals je een schilderij zou vertonen, op volle lengte, van top tot teen, om te pronken met de voorpagina.

'Hier heb je het! Je kijkt naar echte journalistiek! *Echte* journalistiek, Stan!'

Stan, te weten Stanley Friedman, een benige, kalende man van in de veertig, 1 meter 83 lang maar met een afschuwelijke houding waardoor zijn borst hol leek en hij vijftien centimeter korter – stadsredacteur Stan bekeek deze voorstelling vanuit een leunstoel slechts een meter verderop. Stan had een loensende blik op zijn gezicht. Ed Topping vatte die op als de blik van een man die nog verbaasd was over wat hij had helpen scheppen: *dit!*... de *Miami Herald* van vanmorgen! Eerlijk gezegd had Stanley Friedman geen ruimte in zijn hart of op zijn gezicht voor Toppings 'echte journalistiek'. Het enige wat hij zich afvroeg, was hoe lang hij nog een baan zou hebben. Twee weken geleden had de Maffia uit Chicago, kortweg de Maffia, zoals iedereen bij de stadsredactie inmiddels de zes mannen aanduidde die door de Loop News Corporation uit Chicago waren gestuurd om de *Herald* over te nemen, nog eens 20 procent van het personeel van de krant ontslagen, wat het totaal op 40 procent bracht. Net zoals stadsredacteur Stan hadden alle mensen die waren gebleven het gevoel dat hun baan aan een zijden draadje hing. Het moreel was – *welk* moreel? Iedereen lette alleen op de woorden van Edward T. Topping IV om tekenen van dreigende rampen te ontdekken. Dreigende Rampen, daarnaar loensten de ogen van stadsredacteur Stan. In werkelijkheid verkeerde hij niet in gevaar. De Maffia moest iemand uit de streek als stadsredacteur hebben, iemand wiens geheugenbank al propvol informatie zat die hij uit zijn hoofd kende over heel de agglomeratie, alle kleinigheden van de stadsplattegrond, alle veertien politierayons en de grenzen daarvan – het was heel belangrijk de smerissen te kennen –, de hoofdrolspelers, tot wie zeer zeker alle mensen behoorden met een politieke beleidsfunctie, *allemaal*, plus de beroemdheden, vooral de mindere goden, die zich in Miami meer op hun gemak voelden dan in Los Angeles en New York... en... de nationaliteiten en hun stekkies... Klein Havana en Groot Hialeah... Klein Haïti, Klein Caracas, ook bekend als Westzuela, Moedertje Rusland (Sunny Isles en Hallandale), de Bruinwerkers Snelweg, dat was de bijnaam van smerissen voor de Anglo-enclave in South Beach, die ook wel als 'homo' bekendstond... Er kwam geen eind aan, en een stadsredacteur moest weten wie wie verafschuwde en waarom –

'Kijk alleen al naar die opmaak, Stan!' zei Ed, met ogen die nog steeds zo licht waren als gloeilampen.

Hij had het over de voorpagina. Een inktzwarte kop stond over de volle breedte van de krant – TOUWKLIM SMERIS IN 'TOP' REDDING. Uiterst rechts was er een eenzame kolom tekst. De rest van de bovenste helft van de voorpagina bestond uit een enorme kleurenfoto van een witte schoener met twee torenhoge masten en wolken en wolken van witte zeilen... die dreef op de aquamarijnen vlakte van de Biscayne Baai... onder de bleekblauwe hemelkoepel... en heel, heel, heel ver daarboven, het equivalent van vijf of zes etages boven het dek, niet groter dan een postzegel tegen zo'n gigantische uitgestrektheid, twee levende wezentjes, twee mannen van wie hun leven ervan afhing of één man zijn greep met één hand aan een kluiverzeilkabel vol kon houden... twee vlekjes die eruit sprongen in deze overweldigende afmetingen, twee kleine mensenbeesten die *vlak bij* een duik naar hun dood waren... dat alles was in een foto gevangen van een oude fotograaf van de *Herald*, Ludwig Davis geheten, die vanwege zijn talent niet de zak had gekregen. Eronder stond een tweekoloms foto van een jongeman met blote borst, spieren op spieren, allemaal nadrukkelijk afgebakend, 'strak', 'afgetekend' zodat ze er bijna uitzagen of ze in krimpfolie zaten. Dat plaatje op pagina één was een onvervalst mannelijk naakt in clair-obscur, school Michelangelo.

Ed Topping kon de geweldige vreugde niet inhouden die de grote kleurenfoto van de schoener hem bezorgde. Hij timmerde erop met de achterkant van zijn vingers. '*Dat is het dus!*' zei dit sein.

'Geen enkel ander medium had dit beeld kunnen benaderen, Stan!' zei de ineens vrolijk geworden hoofdredacteur. 'Krantenpapier is geweldig voor kleur zolang je maar grote vormen in één toon hebt, zoals de lucht, de baai, de schoener, de romp, die enorme zeilen – helemaal wit – en weet je? Door de slechte resolutie van krantenpapier worden de kleurenblokken uniformer. Het is net een negentiende-eeuwse Japanse prent, die uniforme blokken kleur. Het nadeel pakt uit als een voordeel!'

Ed sperde zijn ogen wijd open... en draaide ze als een reosaat lichter en lichter en lichter, alsof hij wilde zeggen: '*Nu* zie je toch wel wat ik bedoel?'

Stadsredacteur Stan rekte zijn nek omhoog en draaide op een vreemde manier met zijn mond en zijn onderkaak.

'Geen enkel ander medium had dit kunnen benaderen,' vervolgde Ed en met enige bijzonderheden legde hij uit waarom de televisie dat niet kon, film, videoband, internet... waarom zelfs een geweldige afdruk van de originele foto het niet kon benaderen. Er zouden 'te veel tonen in de kleurblokken zitten'.

Stadsredacteur Stan maakte nog eens die vreemde draaibeweging met zijn nek, mond en onderkaak.

::::: Waarover gaat *dit* in godsnaam allemaal? ::::: Maar Ed was te zeer in de ban van zijn geleerde vertoog over kleurenafbeeldingen... negentiende-eeuwse Japanse prenten, toe maar!... om bij de tracheale draai van oude Stan stil te staan. In zijn hart ging Edward T. Topping IV met de eer strijken voor deze fantastische voorpagina... of de één, zoals echte krantenmannen het noemden. Tijdens de enorme opwinding gisteravond toen de krant zakte – nog een uitdrukking van Echte Krantenmannen, de krant laten zakken – had hij zijn kantoor verlaten, was de ruimte van de stadsredactie in gegaan en pal naast zijn adjunct gaan staan, ook iemand van de Maffia uit Chicago, Archie Pendleton geheten, die leunde op zijn beurt over de schouder van de opmaakredacteur, een plaatselijke overlever die als een pony aan het touw moest worden voortgeleid – hij bleef zich maar afvragen wat hij aan moest met deze opmerkelijke foto van die oude kerel, Lud Davis... en Ed had tegen Lucius gezegd: 'Haal er alles uit wat erin zit, Archie. Maak het groot. Zorg dat het je overrompelt op de één.'

En dat was gebeurd. Hoe kon je de immense voldoening uitleggen die het hem gaf? Het was meer dan de grote man zijn, de hoofdredacteur, de Macht. Het ging om creatief zijn maar ook agressief... het er allemaal uit durven te laten komen als het tijd was het er allemaal uit te laten komen. Dit bedoelden ze met de uitdrukking: 'Hij is een echte krantenman.'

Ed draaide de krant om zodat hij de één van dichterbij kon bekijken.

'Wat kun je me vertellen over John Smith, Stan? – de vent die het stuk schreef.'

Stans hele uitdrukking veranderde. Wat een opluchting! Wat een opluchting om even verlost te zijn van Meedogenloze Maaimachine IV die een langdradig vertoog hield! Wat een opluchting niet de ene gaap na de andere verstikkend in te moeten slikken! Hij hoopte erg dat zijn kronkelingen slechts hevige hikbuien hadden geleken. Wat een opluchting een eenvoudige vraag te beantwoorden... en een paar statuspunten te scoren door informatie te verstrekken die jij wel hebt en hij niet heeft.

'John is geen snelle leerling,' zei Stan. 'Hij is een langzame leerling. Hij is zo'n jongen van 28 – hij heeft trouwens een hekel aan bijnamen, heeft een hekel aan Jack, Johnny, Jay of wat anderen ook maar verzinnen. Weigert daarop te reageren. Zo! Weigert ernaar te luisteren! Hij is gewoon John Smith. Maar goed, hij is zo'n jongen met blond haar en een kindergezicht die 28 is en er omstreeks 18 uitziet. Ik weet niet eens of hij zich moet scheren, maar ik kan je iets vertellen wat hij wél doet – hij bloost! Hij bloost de hele tijd! Ik ken echt niet één andere volwassen man die dat nog kan... *blozen.* En beleefd? Tegenwoordig zal het – ' Terwijl Stan doorbabbelde, keek Ed naar zijn computer en zocht John Smith op in de interne gids van de *Herald.*

'Praat maar door, Stan. Ik zoek alleen Smith hier op.'

::::: Hoe is het mogelijk ::::: dacht Ed zodra het op het scherm verscheen ::::: John Smith heeft op St. Paul's en op Yale gezeten! We komen allebei van Yale... en St. Paul's overtroeft Hotchkiss!:::::

Voor Ed was dit zoveel als een... openbaring.

'– maar als je de jongen ergens op wijst,' zei Stan, 'dan gaat hij erop af. Hij gaat recht op iedereen af die je wilt om hem alles te vragen wat je wilt. Je kent het openingsartikel dat hij schreef? De hoge pieten van de politie probeerden hem van die jonge smeris vandaan te houden, Nestor Camacho heet hij – de smeris die de vent uit de mast haalde? Ze houden er niet van als smerissen interviews geven zonder voorafgaande toestemming, instructies enzovoorts, zeker in een geval als dit. Maar John liet niet af. Als hij zichzelf aan de smeris had kunnen boeien om het interview door te laten gaan, dan wed ik dat hij het had gedaan. Hij beschrijft die hele toestand verderop in het stuk.'

Ed las het openingsartikel nog eens... 'Door John Smith, met aanvullende berichtgeving door Barbara Goldstein, Daniel Roth en Edward Wong.

"*Gewicht*heffen? Touwklimmen klopt gewichtheffen iedere dag!" liet Nestor Camacho, agent van de politie te water in Miami, terwijl de adrenaline nog stroomde, gisteren aan de *Herald* weten – nadat hij met zijn toeren het leven van een man had gered die zich ruim zeventig voet boven Biscayne Baai bevond en hij een hele stad die het live op televisie had gevolgd in spanning had gehouden.

"Zo train ik! Ik klim in dat touw van 55 voet bij Rodriguez, de 'Ñññññ̃oooooooooooooo!!! Qué Gym!', zonder mijn benen te gebruiken!" zei hij. "Lats? Delts? Biceps? Pecs? Ook pecs! Het is het allerbeste ter wereld voor het bovenlichaam, touwklimmen, dus."

En wie durfde er in heel Miami tegen de man in te gaan?

De 25-jarige smeris had net een verbazende krachttoer geleverd – een hoogwerkernummer waardoor een Cubaanse vluchteling van een fatale val werd gered, het verkeer op de zes banen van de Rickenbacker Causeway uren tot stilstand kwam, de hele stad via liveverslagen op televisie en radio in de ban werd gehouden – en de woede werd opgewekt van Cubaanse activisten in Miami die de smeris een "verrader" noemden.

Kort voor 15.00 uur, even ten zuiden van de William Powell Brug op de Causeway –'

Ed hield op met lezen, keek naar Stan en grijnsde nog eens. 'Weet je, toen aanvankelijk dit openingsartikel binnen begon te komen zei ik bij mezelf: "Wat heeft dit verdorie te betekenen? Pecs? delts? Sportschool Ñññññ̃o – of wat het ook is? Wat denkt deze vent dat hij aan het schrijven is, een berichtje over body building in onze tijd?" Het duurde even voor het bij me daagde dat dit de *perfecte* opening was. We zitten constant met dit probleem. Als er een groot verhaal is, heeft iedereen het al op de radio of de televisie gehoord of het online gelezen. Dus zegt iedereen wanneer wij uitkomen: "Wat is dit? De krant van *gisteren*?" Maar wij kregen als enigen de smeris te pakken voor een interview, nietwaar?' ::::: Hoe kan het… St. Paul's en Yale. :::::

'Klopt,' zei Stan. 'De smerissen wilden de media niet bij hem in de buurt, want dit verhaal heeft twee kanten. Ik bedoel, je herinnert je al dat boegeroep, al die figuren die vanaf de brug omlaag schreeuwden – alle borden met LIBERTAD en TRAIDOR? Het blijkt dat de smeris zelf een Cubaan is, Nestor Camacho. Wanneer hij de vent in de kraag grijpt, dan heeft die "natte voeten". Hij heeft nooit land bereikt of iets wat aan land vastzit, zoals de brug. Dus kan hij meteen naar Cuba worden teruggestuurd. Heb je gezien hoe *El Nuevo Herald* het heeft gebracht?'

'Die heb ik hier liggen, maar ik zit te wachten op een vertaling.'

'In de kop staat ¡DETENIDO!' zei Stan. 'Je weet wel, met de twee uitroeptekens, voor en na? ¡DETENIDO! A DIECIOCHO METROS DE LIBERTAD! Gearresteerd! Achttien meter van de vrijheid af!'

'Zestig voet is 18 meter?'

'Vrijwel precies. Klinkt korter, hè?'

'Wat hebben we voor de follow-up?' vroeg Ed.

'De grote vraag is nu wat er met de natvoet gebeurt,' zei Stan. 'Op dit moment zit hij in hechtenis bij de Kustwacht. De politie heeft hem van hun Safe Boat gehaald en op een schip van de Kustwacht overgezet. Dat vermeldt John in het stuk.'

'Wat doet de Kustwacht nu met hem?'

'Daar heb ik John op gezet,' zei Stan. 'Hij zegt dat hij een paar contacten heeft bij de ICE die off the record wel met hem willen praten.' Stan begon te grinniken. Waardoor zijn benige ingevallen borst op een vreemde manier schudde. 'Als ze de vent terugsturen, dan krijg je een heleboel opgefokte mafkezen in Miami. Ik zou niet in de schoenen van die smeris willen staan, Nestor Camacho.'

:::::: ICE, Immigratie & Douane. :::::: Ed luisterde naar Stan, maar tegelijk :::::: Nou, hoe-kan-het... iemand van Yale... Ik vraag me af of hij bij de *Daily News* heeft gewerkt :::::: hij bedoelde de studentenkrant, de *Yale Daily News*, waarvoor Ed zelf had gewerkt. *Knip!* – en hij was in York Street en Broadway in New Haven, hij keek naar de campus... al die prachtige gotische steenhopen, openslaande ramen met glas in lood en enorme leistenen daken, gewelven en waterspuwers, de heilige toren van de bibliotheek, Sterling Memorial.

:::::: Wat zei Stan zojuist over het joch en de ICE? O ja... het joch kent mensen bij de ICE. ::::::

'Stan, laat hem even hier komen.'

'John bedoel je?'

'Ja. Ik wil graag precies weten hoe hij denkt verder te gaan.'

Stan haalde zijn schouders op. 'Nou, goed. Maar ik moet je van te voren vertellen dat hij het misschien over iets anders zal hebben, een idee waarmee hij mijn ballen breekt, een verhaal over Sergei Korolyov en het nieuwe museum.'

Na enige tijd kwam een jongeman binnen die verlegen vlak bij de deur bleef staan. In Eds ogen was hij verrassend lang, omstreeks 1 meter 88. Hij was ook verrassend knap... op een tedere volwassen-aan-het-worden-manier. Verder voldeed hij aan Stans beschrijving. Hij had een kindergezicht, akkoord, en een kop met vrij lang, stroachtig blond haar.

'Kom maar verder,' zei Ed met een grote glimlach en hij wenkte de jonge journalist.

'Ja, mijnheer,' zei de keurige John Smith.

– hij bloosde! Geen twijfel mogelijk! Zijn gladde, bleke, geheel rimpelloze gezicht werd bijna vuurrood.

Hij keek naar de stadsredacteur Stan. Zijn blik was een vraag: 'Waarom?'

'Ik geloof dat mijnheer Topping iets wil weten over wat we hebben over het besluit van de Kustwacht,' zei Stan.

Weer heftig blozen. 'Ja, mijnheer.' Hij richtte het *ja* tot Stan en het *mijnheer* tot Ed Topping.

'Pak een stoel en ga zitten,' zei Ed en hij gebaarde naar een andere leunstoel. Hij wierp het joch nog een grote glimlach van de grote baas toe.

John Smith pakte de stoel en ging zitten, met beide voeten plat op de vloer en een zo correct-rechte houding dat zijn rug nooit de stoelleuning raakte. Hij had geen stropdas aan, maar wel droeg hij een overhemd met een boord, in zijn geval een wit, conventioneel overhemd. Dat was ongeveer het beste waarop je tegenwoordig kon hopen, een overhemd met een boord. En dat niet alleen, hij droeg een marineblauwe blazer – kon dat linnen zijn? –, een kaki broek net met een plooi geperst (zag je niet dagelijks op dit kantoor) en een paar goed gepoetste donkerbruine mocassins. De meeste van de mannelijke medewerkers van de *Herald* hadden blijkbaar geen idee wat schoensmeer was.

::::: Een heel bekakte jongen heb ik hier, een heel bekakte figuur van Yale ::::: dacht Ed ::::: én van St. Paul's. :::::

Ed pakte de krant op en spreidde die in volle breedte uit, net zoals hij voor Stan Friedman had gedaan.

'Nou,' zei hij, 'vind je dat je stuk genoeg aandacht heeft gekregen?'

John Smiths lippen leken heel dicht bij een glimlach. Maar het bloed stroomde weer naar zijn wangen en hij zei: 'Ja, mijnheer.'

Dat was zijn derde *ja, mijnheer* op een rij en tot nu toe had hij verder geen woord gezegd. Het werd heel stil. Dus vulde Ed snel de leegte. 'Hoe is het je gelukt tot de jonge smeris, Camacho, door te dringen? Voor zover wij weten is dat verder niemand gelukt.'

Dat was Eds manier om tegen de jongen ga-zo-door te zeggen. Je flapte er niet zomaar 'Prachtig stuk, Smith!' uit. Zo deed een echte krantenman dat niet.

'Ik wist waar ze met de Safe Boat zouden aanmeren als ze Camacho terugbrachten. Bij Jungle Island. Daar ben ik dus heen gegaan.'

'En verder kwam niemand op dat idee?'

'Ik neem aan van niet, mijnheer Topping' zei het joch. 'Er was daar verder niemand.'

Nu hij uiteindelijk afgezien van *ja, mijnheer* nog een paar woorden uit hem had gekregen, stootte Ed door. 'Hoe wist je erover?'

'Doordat ik over de politie schrijf, mijnheer Topping. Ik ben een paar keer mee geweest op een Safe Boat.'

'En *El Nuevo Herald*? Waarom zijn die niet op het idee gekomen?'

John Smith haalde z'n schouders op. 'Dat weet ik niet, meneer Topping. Ik zie nooit iemand van *El Nuevo Herald* achter een verhaal aan gaan.'

Ed leunde, zo ver de kruiskoppeling ervan het toeliet, in zijn draaistoel achterover, draaide weg van John Smith en stadsredacteur Stan, bewoog zijn hoofd achteruit en sloot zijn ogen, of hij diep in gedachten was. Zijn uitbundige grijns kwam terug. De roze vetballen rond zijn jukbeenderen hergroepeerden zich en zijn wenkbrauwen gingen weer heel, heel ver omhoog, al bleven zijn ogen gesloten. Hij was weer in York en Broadway. Het was het middaguur en eerstejaars liepen de Oude Campus in en uit... Hij kwam in de verleiding langer te blijven.

Maar hij draaide terug naar John Smith en stadsredacteur Stan, en opende zijn ogen weer. Hij glimlachte nog steeds. Daarvan was hij zich bewust. Waarom hij glimlachte, wist hij niet goed... alleen dan dat als je glimlachte en verder niemand het begrijpt je intelligent, misschien zelfs intellectueel overkomt. Hij gaf zichzelf maar half toe dat het voor de Yale-student John Smith was.

'John, ik zie in je cv' – hij knikte naar het computerscherm – 'dat je op Yale hebt gezeten.'

'Ja, mijnheer.'

'Wat was je hoofdvak?'

'Engels.'

'*Engels...*' zei Ed op een bepaalde veelzeggende toon. Hij verbreedde zijn glimlach zodat die ondoorgrondelijker leek dan ooit.

'Was Theorie toen jij er zat nog steeds zo belangrijk op de Engelse faculteit?'

'Er waren een paar docenten die Theorie gaven, neem ik aan,' zei John Smith, 'maar volgens mij was het niet heel belangrijk.'

Ed handhaafde zijn ik-heb-een-geheim-glimlach en zei: 'Ik meen me te herinneren –' *Bijlll* hij sneed die zin af bij de nek. In de volgende fractie van een seconde, als het al niet zover was, zou Stan doorhebben wat deze *ik meen me te herinneren* eigenlijk was: een gekunstelde manier om John Smith te laten weten dat hij, Edward T. Topping IV, ook op Yale had gezeten. *Bam!* Hij liet de glimlach vallen, trok een frons, en begon op een zakelijke toon te praten die impliceerde dat John Smith zijn, T-4's, tijd had verspild.

'*Wel...* Goed, laten we het over de kwestie hebben. Waar staan we met dit Kustwachtgedoe?'

Nadrukkelijk staarde hij eerst naar Stan en vervolgens naar John Smith. John Smith staarde naar Stan, en Stan staarde naar John Smith en gebaarde naar Ed met zijn kin, en John Smith staarde naar Ed en zei tegen hem:

'O, ze gaan hem terugsturen naar Cuba, mijnheer Topping. Dat hebben ze gisteravond besloten.'

Hij toonde geen bijzondere opwinding, maar bij Stan en Ed lag dat anders. Ze begonnen meteen te praten.

Stan: 'Dat heb je –'

Ed: 'Hoe –'

' – me niet verteld!'

' – weet je dat?'

John Smith zei tegen Stan: 'Daar kreeg ik geen kans voor. Ik was net klaar met bellen toen u zei dat ik naar het kantoor van mijnheer Topping moest komen.' Hij wendde zich tot Ed. 'Er is... iemand bij ICE die ik heel goed ken. Ik weet dat hij het me niet zou vertellen als hij niet zeker was van zijn zaak. Maar ik moet het voorleggen aan Ernie Grimaldi bij de Kustwacht om te kijken of zij het bevestigen.' Hij keek naar Stan. 'Ik had hem net opgebeld en een bericht achtergelaten toen ik hier binnenkwam.'

'Je zei dat ze het besluit gisteravond hebben genomen?' vroeg Ed. 'Wie neemt het besluit? Hoe doen ze het?'

'Het is nogal eenvoudig, mijnheer Topping, en het kan heel snel gaan. Als het een Cubaan is, dan verhoren ze *heee* – de persoon... meteen op het schip van de Kustwacht. Ze zullen wel een agent hebben die deze verhoren altijd doet. Als ze de agent van het verhoor ervan kunnen overtuigen –'

::::::: Wel verdorie, die jongen is PC.... zoals hij bijna 'hem' zei en het op de rand van de klif in 'persoon' veranderde... en toen 'persoon' verruilde voor 'ze' zodat hij geen last had van het geslacht in het enkelvoud, de hem'en en de hij'en. :::::

' – dat ze uit Cuba gevlucht zijn vanwege een "geloofwaardige drei-ging" – dat is de term die ze gebruiken, "een geloofwaardige dreiging" – dan krijgen ze asiel. Deze man zegt dat zijn naam Hubert Cienfue-gos luidt en hij lid is van een ondergrondse organisatie die El Solvente heet, het Oplosmiddel. Maar ik was hier gisteravond tot elf uur, mijn-heer Topping, om iedereen te bellen die ik kon verzinnen, en niemand had ooit gehoord van Hubert Cienfuegos of van El Solvente.'

'Spreek je Spaans?'

'Ja, mijnheer, vrij behoorlijk in ieder geval.'

'Goed, hoe beslissen ze over de "geloofwaardige dreiging" en het asiel?' vroeg Ed.

'Het is allemaal in handen van die ene man, de agent die het verhoor afneemt. Hij gelooft ze of gelooft ze niet. Hij doet het allemaal meteen daar op het dek. Dat is heel de procedure, mijnheer Topping. Het is in een mum voorbij.'

'Hoe beslist hij?'

'Zoveel weet ik er ook niet van, mijnheer Topping, maar ik begrijp dat twee dingen de persoon kunnen diskwalificeren. In het ene geval als ze te vaag zijn, ze kunnen geen datums of een tijdlijn verstrekken, of ze kunnen niet vertellen wie hen precies bedreigt. Het andere geval is als het verhaal, u weet wel – te perfect is. Het klinkt alsof het is ge-repeteerd of ingeprent en ze het nu uit het hoofd opzeggen. Dat soort dingen. De agent die verhoort kan geen getuigen oproepen. Het is dus een arbitrair oordeel, kun je vermoedelijk zeggen.'

'Waarom doen ze dit aan dek van een schip?' vroeg Ed. 'Neem die kerel van gisteren – Cienfuegos. Waarom hebben ze hem niet naar de kust gebracht om hem te verhoren – ik wil zeggen na al die toestanden?'

'Als de persoon Cubaans is en ze brengen hem naar een politie-bureau, een huis van bewaring, een gevangenis of wat dan ook, dan krijgen ze asiel, automatisch. Ze hebben voet op Amerikaanse bodem gezet. Als ze een misdaad in Amerikaanse wateren hebben gepleegd, worden ze vervolgd, maar ze kunnen hen niet terugsturen naar Cuba.'

'Dat meen je niet.'

'Toch wel, mijnheer. En als het enige wat de persoon heeft gedaan is proberen het land illegaal binnen te komen, is het enige wat er gebeurt dat ze veroordeeld worden tot een proeftijd van een jaar, en ze kunnen als vrij persoon vertrekken. De Cubanen hebben zoiets als een meest-begunstigde-migratie-status.'

::::: persoon persoon persoon zij zij zij zij zij hen hen hen hen ik kan verdomme niet geloven dat het aan Yale ligt dat mijn man hier de god-verdomde Engelse taal zo verhaspelt, al is meest-begunstigde-migratie een alleraardigste spelletje met meest-begunstigde-natie ::::: maar het enige wat hij zei was:

'Deze vent Cienfuegos is dus door de mand gevallen en hij is hier weg.'

'Ja, mijnheer. Maar mijn bron heeft me verteld dat ze er vier, vijf dagen, misschien wel een week niets over zullen zeggen. Ze willen alle demonstranten wat tijd geven om af te koelen.'

'Dat zou *geweldig* zijn!' zei Stan, die zo opgewonden was dat hij let-terlijk recht overeind zat. 'Als we er meteen mee aan de slag gaan, heb-ben we het verhaal voor onszelf.' Stan stond op... ook recht, voor zijn doen. 'Oké, aan de slag, John. We hebben een hoop te doen!'

Stan begon richting deur te gaan. John Smith kwam ook overeind, maar bleef daar staan en zei tegen Stan: 'Is het goed dat ik het verhaal over Korolyov aanstip bij mijnheer Topping?'

Stan richtte zijn ogen omhoog, slaakte een vermoeider-dan-gewoon-vermoeid zucht en keek naar Ed. Ed brak weer in een grote glimlach uit, de glimlach van een man die alles meezat. 'Natuurlijk,' zei hij te-gen John Smith, 'laat maar horen. Korolyov is me er eentje. Als je het over –'

Ed zag een twijfelachtige blik, kennelijk alleen voor hem, als een schaduw over Stans gezicht gaan. Maar een gelukkig iemand maakt zich niet druk over andermans schaduwen.

' – kleurrijk hebt,' vervolgde hij. 'Ik kwam toevallig vrijwel naast hem te zitten tijdens het diner dat de stad en het museum vorig jaar ter ere van hem aanboden. Mijn god, voor zeventig miljoen dollar schilderijen had hij geschonken, en ze moeten de helft daarvan in die eetzaal heb-ben opgehangen! Dat was me wat... al die Russische schilderijen aan de muren... Kandinsky's, Malevitsjen... *ehhh*...' Meer namen kon hij zich niet herinneren.

'Een paar Larionovs,' zei John Smith, 'Gontsjarova's, Chagalls, een Pirusmanashvili, en – '

Ed trok een gezicht. 'Piruh–*wie*?'

'Hij was een soort Russische Henri Rousseau,' zei John Smith. 'In 1918 gestorven.'

::::: Jezus, Pirushoezovili? ::::: Ed besloot zich boven het niveau van de details te verheffen. 'Ze zijn in elk geval minstens zeventig miljoen dollar waard, en dat is volgens de *lage* schattingen. Nee, Korolyov is een geweldig onderwerp. Maar niet zo heel lang geleden hadden we een groot profiel van hem. Wat zou jouw invalshoek zijn?'

Wolk na wolk rolde inmiddels over het gezicht van Stan, die achter John Smith stond.

'Nou, mijnheer, om te beginnen zijn de Kandinsky's en de Malevitsjen nep.'

Ed deed zijn hoofd omhoog en tilde één wenkbrauw zo ver op, zo ver dat de oogbol zo groot als een deurknop leuk. De andere wenkbrauw liet hij zakken tot het dat oog helemaal afsloot. Hij zei: 'De Kandinsky's en de Malevitsjen zijn nep.' Geen vraagteken. 'En met "nep" bedoel je neem ik aan vervalsingen.' Opnieuw geen vraagteken. Maar de blik op zijn gezicht vroeg impliciet en aarzelend: 'Heb je echt gezegd wat je volgens mij zojuist zei?'

'Ja, mijnheer,' zei John Smith. 'Dat is mijn informatie.'

Ed deed zijn hoofd nog verder omhoog en zei gemaakt-terloops: 'Allemaal... vervalsingen.' Weer geen vraagteken. Zijn verwrongen wenkbrauwen stelden de vraag empathischer dan woorden hadden ge-kund: 'Wat heb je gerookt? Verwacht je heus dat iemand dat serieus neemt?' Hardop zei hij: 'En ik veronderstel dat Korolyov dat allemaal wist toen hij ze aan het museum gaf.' Geen vraagteken – ditmaal was het een niet vermomde verbale sneer.

'Mijnheer, hij was degene die betaalde om ze te laten maken.'

Ed was sprakeloos. ::::: Wat is er toch *met* dit joch? Niemand heeft bij hem het beeld van een onderzoeksjournalist. Hij lijkt eerder een te lange zesdeklasser die zijn hand op blijft steken omdat hij de onder-wijzer gewoon dolgraag wil laten zien hoe slim hij is. :::::

'En, ik weet, mijnheer,' zei John Smith, 'dat de twee Larionovs nep zijn.'

Ed begon te sputteren. 'Dus een van de meest gulle... en... en... so-ciale en... en... bewonderde en gerespecteerde burgers van Miami heeft het museum opgelicht?' Een vraagteken was in de verste verte niet nodig. De uitspraak zou zonder één luchtbel door de eigen absur-diteit zinken.

'Nee, mijnheer,' zei John Smith. 'Ik zie het niet als oplichting, want de schilderijen waren een schenking en hij heeft er geen geld of iets an-ders voor teruggevraagd, voor zover ik weet. En je kunt de begiftigden geen onnozele halzen noemen. Het worden geacht experts op dit gebied te zijn.'

Een hoogst onaangenaam gevoel, nog geen gedachte, begon zich als een gas door Eds binnenste te verspreiden. Hij begon persoonlijk en beroepsmatig een hekel te krijgen aan deze magere herrieschopper, of hij nu op Yale had gezeten of niet. Op dat diner vorig jaar had geen man dichter bij de eregast, Korolyov, gezeten dan Ed. De vrouw die tussen hen in zat was de muisachtige vrouw van burgemeester Cruz, Carmenita. Ze was klein en pijnlijk verlegen, een stuk onbenul, om kort te gaan. Dus Ed zat ongeveer bij de elleboog van de illustere oligarch. In de kortste keren waren ze 'Ed' en 'Sergei'. *Iedereen* was op dat diner, vanaf de burgemeester en zijn kanonnen van het gemeentehuis... tot en met de miljardair-kunstverzamelaar Maurice Fleischmann, die op zo veel gebieden invloed had dat hij bekendstond als de Meester – wat rijmde op *burgemeester*. Fleischmann zat daar aan de hoofdtafel ongeveer vier stoelen van Ed af. Ed zag nog heel het gebeuren voor zich alsof het pas gisteravond was geweest. Fleischmann was lijfelijk niet zo groot als hij eruitzag... wat er eigenlijk niet toe deed wanneer wat je te zien kreeg een boze beer leek, zwaar van lichaam en harig van gezicht. Om zijn kale kruin te compenseren droeg hij de destijds zo trendy 'dubbel-stoppel', een baard van ongeveer vier weken die vanaf de slapen over de wangen en de kin liep en onder de neus. Om het netjes en gelijk te houden, gebruikten de meeste mannen het Gillette Dubbel-Stoppel elektrische scheerapparaat. Je kon die instellen als een grasmaaier om welk niveau van begroeiing je maar wilde te handhaven. Door deze baardgroei zag Fleischmann er ongewoon sterk en agressief uit. Hij was van nature in zaken een regelrechte beer, zeer gevreesd, zeer benijd, zeer gewild. Hij had zijn vermogen – *miljarden* – verdiend met een bedrijf dat American ShowUp heette in een bedrijfstak waarvan niemand ooit had gehoord: 'convenabele infrastructuur'. Minstens een paar keer hadden welwillende en deskundige lieden het geprobeerd aan Ed uit te leggen, maar hij snapte het nog steeds niet. Maar wie zat praktisch tête-à-tête met de eregast, Sergei Korolyov? Niet de grizzlybeer, maar Ed. Het ontging de andere beroemdheden uit Miami die er die avond bij waren niet. Eds status was sinds zijn aankomst in Miami nooit zo gestegen.

Hij en de *Herald* waren Korolyovs grootste steunpilaren geweest om hem en zijn enorme kunstdonatie de hoeksteen van Museum Park te

maken. Het Park was een tijd terug, eind jaren negentig, verzonnen...
als een 'culturele bestemming'. Bij stadsplanners in heel het land zoemde het vage idee rond dat iedere stad van 'wereldklasse' – 'wereldklasse' was ook zo'n courante term – een culturele bestemming van wereldklasse moest hebben. *Cultureel* verwees naar de kunst... in de vorm van een kunstmuseum van wereldklasse. In het Museum Park zou ook een nieuw Miami Museum of Science komen, maar het anker van heel het project zou het kunstmuseum zijn. Alles ging geweldig in 2005, en de droom begon geloofwaardig te lijken. Het Park zou het terrein overnemen van het oude Bicentennial Park – oud omdat sinds het 'Bicentennial', het tweehonderdjarig bestaan van het land, bijna veertig jaar waren verstreken, een eeuwigheid in het tijdsbesef van Miami – bijna twaalf hectare in het centrum van Miami met een geweldig uitzicht. Je keek over de Biscayne Baai uit. Men begon serieus geld bijeen te brengen. Het museum alleen al zou tweehonderdtwintig miljoen dollar kosten, 40 procent overheidsleningen en 60 procent persoonlijke schenkingen. Een paar Zwitserse architecten van wereldklasse, Jacques Herzog en Pierre de Meuron, zouden het museum ontwerpen, en Cooper, Robertson, een bedrijf van wereldklasse uit New York, zou het weelderige park aanleggen. Maar er was een probleem bij het aantrekken van persoonlijke schenkingen. Deze culturele bestemming van wereldklasse zou tot een museum leiden vol met... praktisch niets... de schamele, derderangs kunstcollectie, een paar honderd eigentijdse schilderijen en objecten, van het bestaande Miami Art Museum, pas in 1984 opgericht, toen de prijzen van alle 'grote' kunst waren opgeblazen tot onbereikbare hoogtes.

Maar toen – een wonder. Vier jaar geleden verscheen vanuit het niets een Russische oligarch van wie niemand ooit had gehoord in Miami en hij bood aan het museum, dat inmiddels het New Miami Art Museum heette, schilderijen ter waarde van zeventig miljoen dollar te geven van Russische modernisten met een grote naam uit het begin van de twintigste eeuw – Kandinsky's, Malevitsjen en de rest. Vanaf dat moment begon men halsoverkop met de bouw. Ze waren nog niet helemaal klaar toen vorig jaar het diner werd gehouden, maar één ding was af. Na het dessert rolde een ploeg van acht vakbondselven een enorm geval, ruim vier meter hoog en bijna tweeënhalve meter breed – *enorm* –, afgedekt met een mauve fluwelen mantel, het podium op. De directeur van wat tegenwoordig het New

Miami Art Museum heette, sprak een paar opzettelijk vage woorden en trok toen aan een fluwelen koord. Het koord was verbonden met een katrolmechanisme, en de fluwelen mantel vloog eraf, *zomaar ineens*. Voor *le tout Miami* was er een geweldige rechthoek van kalksteen waarin met gigantische hoofdletters stond gebeiteld: THE KOROLYOV MUSEUM OF ART. *Le tout Miami* verhief zich als één koloniaal dier in een oorverdovende uitbarsting van applaus. Het bestuur had om hem te eren het museum een andere naam gegeven. De massieve plak kalksteen had zulke diepe inkervingen dat de letters in de schaduw verdwenen als je probeerde helemaal naar de onderkant van de inkervingen te kijken. De voorzitter van het bestuur kondigde aan dat het ornamentele bord van tien ton aan de dwarsbalken zou komen te hangen boven de ingang, midden in een gigantische hangende tuin.

Ed kon het overweldigende zicht van die enorme letters die zo diep waren ingekerfd – *tot in alle eeuwigheid!* – in een steentablet van tien ton maar niet begrijpen. Ze eerden expliciet Korolyov, die letters die de eeuwen zouden doorstaan, maar impliciet eerden ze Korolyovs grote heraut en voorvechter – mij, ik, Edward T. Topping IV.

::::: En dit te lange jongetje pal voor me komt me, in feite, vertellen dat ik me op de meest vernederende en stomme manier heb laten gebruiken, beetnemen, bedotten, belazeren. ::::: Een idee waarvan hij woedend werd.

John Smith vroeg zich waarschijnlijk af waarom Eds stem zo kookte toen hij een lelijk gezicht trok, naar hem loerde en hem toebeet: 'Goed, het speelkwartier is voorbij. Iedereen kan iedereen *overal* van *beschuldigen*. Het is tijd om serieus te worden. Waarom denk je dat iemand iets zou geloven van het sprookje dat je me net hebt verteld? Je beschuldigt een zeer gerespecteerd man van' – hij begon 'lasterlijk' te zeggen – 'heel nare dingen.'

'Ik kreeg een tip, mijnheer Topping. Het ging over de schilder die de Kandinsky's en de Malevitsjen heeft vervalst. Blijkbaar kan hij de neiging er tegenover iedereen over op te scheppen niet bedwingen. Hij heeft de experts voor de gek gehouden.'

'Wie is iedereen?'

'De ingewijden van het kunstwereldje zou je ze denk ik kunnen noemen, mijnheer, in Wynwood en South Beach.'

'De ingewijden van het kunstwereldje in Wynwood en South Beach...'

zei Ed. 'Wie precies van *de ingewijden van het kunstwereldje in Wynwood en South Beach* heeft je over al deze dingen verteld?'

'Een kunstenaar die ik ken en die een atelier heeft naast dat van de kunstenaar die de vervalsingen heeft gemaakt.'

'En heeft hij de bekentenissen van de vervalser op de band of op papier, mag ik hopen?'

'Nee, mijnheer, en de vervalser – hij heet Igor Drukovitsj – het is een Rus, net als Korolyov – heeft het niet in zo veel woorden bekend, maar hij ziet het ook niet als een "bekentenis". Hij wil *heel graag* dat de mensen het weten, mijnheer. Volgens mij heeft hij een flink drankprobleem, en de toespelingen gaan verder en verder.'

'De toespelingen gaan verder en verder,' zei Ed zo ironisch als hij kon. Geen vraagteken.

'Ja, mijnheer.'

'Heb je er ooit bij stilgestaan dat alles wat je me zojuist vertelde op horen zeggen berust?'

'Ja, mijnheer,' zei John Smith. 'Ik weet dat ik een heleboel werk moet verzetten. Maar ik vertrouw mijn bronnen.'

'Hij vertrouwt zijn bronnen,' zei Ed met maximaal sarcasme pal in John Smiths gezicht.

Hij besefte onmiddellijk dat hij zijn beheersing had verloren... maar deze John Smiths, deze godverdomde ambitieuze knapen, deze opgeblazen kinderen en hun visioenen over het 'onthullen,' 'aan het licht brengen', 'aan de kaak stellen' van schandalen... En waarvoor? Tot heil van de gemeenschap? O, laat me niet lachen! Ze zijn zelfzuchtig, dat is alles. Onvolwassen egoïsten! Als ze zo vastbesloten zijn herrie te schoppen, kwaad bloot te leggen, ook als daarbij mensen gruwelijk worden belasterd, waarom kunnen ze dat dan niet tot de overheid beperken? Tot mensen die een ambt vervullen? Tot politici? Tot bureaucraten van de overheid? Die kunnen geen *rechtszaak* aanspannen! Formeel gesproken wel – maar in de praktijk kunnen ze het niet. Daar zitten ze, maak ze maar af! Hebben jullie daar niet genoeg aan, ezelachtige snotapen dat jullie zijn! Stelletje muggen! Jullie leven om te steken en bloed te zuigen, en dan vliegen jullie weg en wachten jullie al zwevend op de volgende arme sukkel die van de belastingbetaler komt profiteren en jullie de rug toekeert zodat jullie weer een duikvlucht kunnen maken, steken en *meer* bloed zuigen! Hebben jullie daar niet genoeg aan? *Moeten* jullie mensen als Sergei Korolyov uitkiezen die belangeloos de gemeenschap dienen – en die waarschijnlijk genoeg advocaten in dienst hebben om de *Miami Herald* vast te binden en te vernederen tot die alle geloofwaardigheid verliest en met de staart tussen de benen verdwijnt?

'Wel, John,' zei Ed, die worstelde om weer kalm te worden. 'Heb je nagedacht over het... het... *kaliber* van zo'n stuk, als je het zou schrijven?'

'Hoe bedoelt u, mijnheer?'

Ed was weer sprakeloos. Hij wist precies wat hij bedoelde, maar hij had geen idee hoe het onder woorden te brengen. Hoe kon je zo'n jonge journalist in de ogen zien en zeggen: 'Jongen, snap je het niet? We *willen* zulke grote *verhalen* niet? Journalistiek? Heb je het niet door? Je hebt journalistiek en je hebt de cijfers. En als je het niet erg vindt even opzij te gaan, moeten we hier op z'n minst rekening houden met de cijfers. Sorry, maar je kunt momenteel niet voor Woodward en Bernstein spelen. En we wijzen je er trouwens vriendelijk op dat ze mensen nazaten die geen *rechtszaak* konden beginnen. Richard Nixon was de president van de Verenigde Staten, maar hij kon geen *rechtszaak* aanspannen. Ze konden zeggen dat hij de eenden neukte in Rock Creek Park, en hij kon geen *rechtszaak* beginnen.

Moeizaam, moeizaam vond Ed uiteindelijk weer de kracht om te spreken. 'Wat ik bedoel is dat je, in een geval als dit, zeer systematisch te werk moet gaan...' Hij zweeg even, want hij probeerde vooral tijd te winnen. Deze keer wist hij werkelijk niet *wat* hij bedoelde.

'Systematisch? Hoe bedoelt u, mijnheer?' vroeg John Smith.

Ed ploeterde door. 'Goed... je hebt hier niet te maken met burgemeester Cruz, gouverneur Slate of de wijkraad van Tallahassee. Je hebt een heleboel vrijheid met politieke stukken en politici... politici...' Angstvallig vermeed hij de term *rechtszaak*. Hij wilde niet dat John Smith zou weten dat *rechtszaak* hier het voornaamste woord was. 'Je kunt speculeren over een politicus en zelfs als je het fout hebt, zullen er waarschijnlijk geen vreselijke repercussies zijn, want dat hoort er in de politiek allemaal bij, in dit land tenminste. Maar wanneer je een particulier hebt als Korolyov zonder verleden in dit opzicht...'

'Mijnheer, zoals ik het begrijp, is het met Korolyov zoals met een heleboel van de zogeheten oligarchen die hiernaartoe komen. Hij is goed opgeleid, beschaafd, hij is charmant, hij ziet er geweldig uit, hij kent Engels, Frans en Duits, afgezien van Russisch uiteraard. Hij is op de hoogte van de kunstgeschiedenis – en niet zomaar een beetje – en van de kunstmarkt – maar hij is een crimineel, mijnheer Topping. Er zitten een heleboel criminelen bij, en ze laten de grootste schurken ter wereld, Russische schurken, voor hen werken, en ze zijn gewoon ongelooflijk meedogenloos. Ik zou u verhalen kunnen vertellen.'

Ed staarde weer naar John Smith. Hij bleef wachten tot hij in iets heel anders zou veranderen, een havik, een schorpioen, een Delta Commando, een pijlstaartrog. Maar het was allemaal uit de mond van hetzelfde gezicht gekomen... van nog maar een jongen met onberispelijke manieren en een onberispelijke houding. En het blozen. Wanneer hij zag hoe Ed naar hem staarde, deed de jongen het weer. Hij werd vuurrood.

::::: Jezus ::::: zei Ed Topping bij zichzelf. ::::: Deze knaap is een klassiek geval... Mensen hebben zo'n kleurrijk beeld van journalisten bij de krant, nietwaar, al die waaghalzen die nieuws 'brengen', corruptie 'aan het licht brengen' en zich in gevaarlijke situaties begeven voor een 'primeur'. Robert Redford in *All the President's Men*, Burt Lancaster in *The Sweet Smell of Success*... Jawel – en in het echte bestaan zijn ze ongeveer even kleurrijk als John Smith hier. Als je het mij vraagt, word je journalist van de krant op je zesde wanneer je voor het eerst naar school gaat. Op het schoolplein worden de jongens onmiddellijk in twee types verdeeld. Onmiddellijk! Er zijn jongens met de wil om te durven en te domineren, en er zijn jongens zonder die wil. Jongens zonder die wil, zoals John Smith hier, zijn de helft van hun jonge jaren bezig met proberen een modus vivendi te bedenken met de jongens mét die wil... en afgezien van kruiperigheid en vernedering vinden ze alles goed. Maar je hebt jongens aan de zwakke kant van de scheidslijn die met dezelfde dromen opgroeien als de sterken... en één ding weet ik heel zeker: daar hoort de jongen bij die voor me staat, John Smith. Ook zij dromen over macht, geld, roem en mooie geliefden. Jongens zoals deze knaap groeien op met het instinctieve besef dat taal een artefact is, zoals een zwaard of een vuurwapen. Wanneer je het bekwaam gebruikt, heeft taal de macht om... tja, niet zozeer om dingen te *bereiken* als wel om dingen neer te halen – ook mensen... ook de jongens die aan de sterke kant van die scherpe scheidslijn belandden. Hé, dat zijn nu *linkse elementen!* Ideologie? Economie? Sociale rechtvaardigheid? Niets meer dan hun uitdossing op het schoolbal. Hun politieke houding werd voor heel hun leven bepaald op het schoolplein toen ze zes waren. Zij waren de

zwakkelingen en voortaan hadden ze voor altijd een hekel aan de sterken. Daarom zijn zo veel journalisten links! Precies dezelfde gebeurtenissen op het schoolplein die hen naar het geschreven woord duwden... duwden hen de linkse kant op. Zo eenvoudig is het! En van
ironie gesproken! Als je in de journalistiek macht via het woord wilt, is
retorisch talent niet genoeg. Je hebt inhoud nodig, nieuw materiaal...
*nieuws*, om kort te gaan... en je moet het zelf vinden. Jij, van de zwakke
kant, kan zo'n hang naar nieuwe informatie ontwikkelen dat je uiteindelijk dingen doet waarvan iedere sterke man aan de andere kant van
de scheidslijn bang zou worden. Je zult jezelf in gevaarlijke situaties
tussen gevaarlijke mensen brengen... *en ervan genieten*. Je zult alleen
gaan, zonder enige vorm van ondersteuning... *en met plezier*! Jij – jij
met je zwakke karakter – benadert uiteindelijk het grootste tuig met
een eis. 'Jij hebt informatie en die heb ik *nodig*. En ik *verdien* het! En ik
*zal* het krijgen ook!'::::::

Al deze dingen zag Ed in het kindergezicht voor hem. Misschien
waren die Russische schurken of waar hij het ook over had ongeveer zo
meedogenloos als hij zei. Ed had zelf geen idee. Maar hij zag dat John
Smith zijn kindergezicht, blonde haar, blauwe ogen en een hoop arge-
loosheid in hún gezicht duwde en informatie eiste over Sergei Korolyov
omdat hij die nodig heeft, verdient en *moet* hebben.

::::::Nou, ik heb die *niet* nodig, en ik *verdien* geen grote, smerige, zo-
genaamd-rechtvaardige, geldverslindende strijd die alleen tot meer-
dere glorie wordt gevoerd van een joch met de naam John Smith, en ik
laat het niet gebeuren. ::::::

Maar er is iets wat dichter bij huis ligt waarover je liever niet nadenkt, nietwaar, Ed... Als een van die addertjes van de zwakke kant van
de speelplaats Korolyov en zijn vroege Russische modernisten 'ter
waarde van zeventig miljoen dollar' op een of andere manier *wel* ontmaskeren als een nepkunstenaar die de zaak gigantisch wist op te lichten, zou heel de gevestigde orde van Miami een stel sukkels lijken!...
De idioten hadden vijfhonderd miljoen dollar in een culturele bestemming van wereldklasse gestoken die nu helemaal niets waard was! Ze
zouden allemaal schertsfiguren van wereldklasse worden, volstrekte
flapdrollen, ongelooflijk onnozele cultuurjagers! De lachsalvo's zouden
over heel de wereld klinken!

En wie zou de aller-belachelijkste worden, de zieligste en beklagens-
waardigste – waardoor vier generaties Topping, vijf als je Fiver mee-

telde, in één lang, uitgesponnen verhaal over een schurftige hond zouden veranderen?

En hij werd geacht zijn eigen hielenlikkers te helpen om hem in schaamte te laten verzuipen?... ::::: Kom voor jezelf op, man! Wees eens één keer in je leven sterk! 'Echte journalistiek?' Aan m'n reet! :::::

# 4

## MAGDALENA

Nestor haalde eens diep adem... in *vrijheid*... in de open lucht van een mooie heldere zaterdagochtend. Hij keek naar het horloge aan zijn pols, een groot smerisformaat horloge barstensvol digitale systemen. Het was precies 7.00 uur... onnatuurlijk kalm hier op straat – *prima*!... niemand roerde zich behalve de vrouwen die het beton schoonspoten... een regelrecht tweenoots-concert van stralen die een hard oppervlak raakten! ¡SHEEEAHHHH AHHHHHSSHEEEE! Hij kijkt zo'n... twee deuren verder, Señora Díaz. Hij kent haar vanaf de dag dat hij in deze casita kwam. Goddank, een lieve, aardige vriendin uit de vrije wereld! Hij wordt er blij van, haar daar gewoon zien met een tuinslang in haar hand, terwijl ze het beton besproeit. O zo heel vrolijk zingt hij het uit: '*Buenos días*, Señora Díaz!'

Ze keek op en begon te glimlachen. Maar slechts één kant van haar mond bewoog. De andere kant bleef roerloos, alsof die aan een hoektand was blijven haken. Haar blik werd leeg ¡SHEEEEAHHHHH AHHHHH-SHHEEEE! toen ze het meest mechanische *Buenos días* stamelde dat hij ooit in zijn leven had gehoord... *Stamelde*!... en draaide hem haar rug toe, alsof ze het schoonspuiten van het beton... *daar*... had verwaarloosd.

Meer kreeg hij niet van haar! Wat gestamel en een ingetrokken glimlach! En een steenkoude rug... terwijl hij haar altijd had gekend! :::::: Moet ook *hier* weg! De straat uit waar ik praktisch heel mijn leven heb gewoond! Moet gaan – *waarheen*, injezusnaam?! ::::::

Hij had geen idee. Afgezien van de vrouwen die het beton schoon-spoten, zoals Señora Díaz, lag Hialeah in een zaterdagochtendcoma. :::::
Nou... ik heb *honger. ¿No es verdad? Dios mío, wat heb ik een honger.* :::::
Hij had bijna 24 uur niets te eten gehad, of vrijwel niets. Hij had zijn vaste pauze rond acht uur gisteravond, maar zoveel van de mannen daar stelden hem vragen over het geval met de man op de mast dat hij alleen een hamburger en wat friet binnen wist te krijgen. Hij rekende erop iets te eten te krijgen wanneer hij thuiskwam. Maar zijn vader duwde hem dus een heleboel beledigingen door zijn strot.

Hij ging regelrecht naar zijn oude muscle car, de Camaro... *Muscle* car, een auto met spieren?... met zijn grote zwarte Cubaanse smeris-senzonnebril op, een spijkerbroek die was bijgewerkt tot die in het zit-vlak als een balletmaillot paste... poloshirt maat S, klein, omdat het dan 'te' strak over de borst en schouders kwam te zitten. ::::: Verdomme :::::
wat een stomme fout! Deze ochtend wilde hij niet dat men hem zag pronken met zijn spieren of op enige andere manier de aandacht op zich vestigen. Ricky's Bakery zou zo vroeg wel open zijn... in een win-kelgalerij zes straten verderop. Zes straten – maar hij had geen zin zijn gezicht in zijn eigen buurt te vertonen en meer verrassingen te riske-ren zoals Señora Díaz die voor hem in petto had.

Binnen de kortste keren reed de machtige Camaro door de winkel-zone. Het oord sliep nog... Hij reed langs de botanica waar Magda-lena's moeder het beeld van St. Lazarus had gekocht.

Nestor klauterde de Camaro uit voor Ricky's en ving een vleug op van Ricky's *pastelitos*, 'pasteitjes' van filodeeg dat rond rundergehakt, gekruide ham, guave, noem maar op was gewikkeld – één vleug van het bakken van pastelito's en hij ontspande... *zalig*... Hij had vanaf dat hij een kleine jongen was van pastelito's gehouden. Ricky's was een kleine bakkerij met een grote glazen toonbank achterin over ongeveer de volle breedte van de zaak. Op de voorgrond had je aan beide kanten een klein, rond, blikken cafétafeltje, wit geschilderd – ooit –, geflan-keerd door een paar ouderwetse Thonet-stoelen in warenhuisstijl. Er zat daar een eenzame klant, de rug naar Nestor toe, een krant te lezen en een kop koffie te drinken. Hij was van middelbare leeftijd, afgaande op hoe hij boven op zijn hoofd kaal was geworden zonder dat zijn haar grijs was geworden. Er stonden altijd drie meisjes achter de toonbank, maar de toonbank was zo hoog dat je heel dichtbij moest komen om meer te zien dan het haar boven op hun hoofden. ::::: Hé! Is dat een blondje daar achter? ::::: Nestor had nooit eerder een blonde serveerster bij Ricky gezien. Misschien nu ook niet. Door zijn smeriszonnebril was heel de zaak in een half-doodse schemering verzwolgen… om 7.00 uur. Hij drukte die dus tot boven zijn ogen.

Grote fout. Want zo werd ook zijn eigen gezicht zo duidelijk als de maan. Het grote hoofd aan het tafeltje met een blad van wit blik draaide zich naar hem toe. *¡Dios mío!* Het was mijnheer Ruiz, de vader van Rafael Ruiz, een van Nestors klasgenoten op Hialeah High School.

'Zo, hallo, Nestor,' zei mijnheer Ruiz. Het was geen vrolijke begroeting. Het was eerder de kat die met de muis speelde.

Nestor deed erg zijn best naar mijnheer Ruiz te glimlachen en zo vrolijk als hij kon te zeggen: 'Ah… mijnheer Ruiz! *Buenos días!*'

Mijnheer Ruiz draaide weg, toen maakte zijn hoofd een kwartslag in Nestors richting, maar hij keek niet naar hem en zei uit de zijkant van de mond: 'Ik snap dat het gisteren een bijzondere dag voor je was.' Geen glimlach… in het geheel niet. Toen draaide hij zich weer naar zijn krant.

'Tja, zo kun je het denk ik wel noemen, mijnheer Ruiz.'

Het hoofd zei: 'Je kunt ook *te cagaste* zeggen.' Je hebt het verprutst. Letterlijk: je hebt het helemaal ondergescheten. Mijnheer Ruiz draaide helemaal weg en toonde Nestor zijn rug.

*Vernederd!* – door deze – deze – deze – Nestor wilde dat grote hoofd van de magere nek af draaien en – en – en *cagar* in zijn luchtpijp – en dan zou hij –

'Nestor!'

Nestor keek naar de toonbank. Het was de blondine. Op een of andere manier was ze erin geslaagd hoog genoeg op haar tenen te gaan staan om haar hoofd boven de toonbank te krijgen. Hij kende haar. *Cristy La Gringa!* wilde hij roepen, maar de aanwezigheid van mijnheer Ruiz weerhield hem daarvan.

Hij liep naar de toonbank toe. Al dat schitterende lange wilde blonde haar! *Cristy La Gringa!* 'Cristy La Gringa!' Hij besefte dat het niet de poëtische dreun had van 'Inga La Gringa' maar hij voelde zich er toch Narretje Nestor door… een echte lolbroek, *no es verdad*? Cristy had een klas lager dan hij gezeten op Hialeah High School, en ze had het van hem te pakken. O, dat had ze laten merken. Hij kwam in de verleiding. Zijn lendenen waren door haar in beweging gekomen… *Pastelitos!* Ja graag!

'Cristy!' zei Nestor. 'Ik wist niet dat je hier werkte! *La bella gringa!*'

Ze lachte. Zo noemde hij haar op Hialeah High... toen ze naar verluidt maar wat dolden.

'Ik ben hier net begonnen,' zei Cristy. 'Nicky heeft me de baan bezorgd. Je herinnert je Nicky? Een klas *hoger* dan jij?' Ze gebaarde de kant van het derde meisje op. 'En dit is Vicky.'

Nestor liet zijn ogen over het drietal gaan. Het haar van Nicky en Vicky stroomde in woelige golven omlaag bij de schouders, net als bij Cristy, maar hun haar was op z'n Cubaans donker. Ze waren alle drie in krimpfolie van spijkerstof verpakt. Hun jeans omhelsden hun hellingen voor en achter, gingen iedere spleet binnen, verkenden alle heuvels en dalen van hun onderbuik, klommen hun venusheuvels op –

– maar op een of andere manier lukte het hem gewoon niet... Hij was te gedeprimeerd. 'Vicky en Cristy en Nicky en Ricky's,' zei hij. Ze lachten... onzeker... en daarbij bleef het.

Hij ging wat pastelito's en koffie bestellen... om mee te nemen. Hij had zich voorgesteld aan een van de tafeltjes te zitten en er een lang, ontspannen ontbijt van te maken, rustig, op neutraal terrein, alleen hij, zijn pastelito's en koffie. Mijnheer Ruiz had daaraan een eind gemaakt. Wie weet hoeveel meer goedgebekte zeurkousen hier zelfs nu zouden verschijnen, zo vroeg op een zaterdagochtend?

Na een poos bracht Cristy een witte papieren zak – op een of andere manier gebruikten alle bakkerijtjes en eettentjes in Hialeah alleen witte zakken – met de pastelito's en de koffie. Aan de kassa zei hij, toen zij hem wisselgeld gaf: 'Bedankt voor alles, Cristy.' Hij bedoelde het liefdevol, maar het kwam er vooral triest en verslagen uit.

Cristy was alweer terug achter de toonbank toen hij daaronder een plank zag met twee stapeltjes kranten.

*Wow!* Zijn hart probeerde uit zijn thorax te springen. *Hijzelf!* – een foto van *hemzelf!* – zijn officiële foto van het politiekorps – op de voorpagina van de Spaanstalige *El Nuevo Herald!* Naast zijn foto – een foto van een jongeman met een verwrongen gezicht: Nestor kende dat gezicht natuurlijk – de man op de mast... boven deze twee portretjes een grote foto van de schoener bij de Causeway en een menigte mensen op de brug die schreeuwden tot je hun tanden zag... en daarboven de grootste, zwartste letters die Nestor ooit in een krant had gezien: ¡DETENIDO! 18 METROS DE LIBERTAD – over de volle breedte van de voorpagina... van *El Nuevo Herald. Dat was schrikken!* – zijn hart begon te versnellen. Hij wilde het stuk niet lezen, *wilde* het oprecht niet – maar zijn ogen stortten zich op de eerste zin en lieten niet meer los.

In het Spaans stond er: 'Een Cubaanse vluchteling, volgens de berichten een held uit de dissidente verzetsbeweging, werd gisteren gearresteerd op de Biscayne Baai op slechts 18 meter van de Rickenbacker Causeway – en asiel – door een smeris wiens eigen ouders Cuba zijn ontvlucht en die Miami en de vrijheid wisten te halen in een zelfgebouwd bootje.'

Nestor had het gevoel of er hitte uit zijn hersenschors opwelde en zijn hersenen schroeide. Nu was hij een schurk, een ondankbare hond die zijn eigen mensen de vrijheid ontzegde die hij genoot... om kort te gaan het ergste soort *TRAIDOR*!

Hij wilde de krant niet kopen... De *vuiligheid* zou zich onuitwisbaar over zijn handen verspreiden zodra hij de krant ook maar oppakte... toch schoof iets – zijn autonome zenuwstelsel? – zijn bewuste wil opzij en gebood hem te bukken en er een te pakken. *Wel verdraaid!* Toen hij bukte, viel zijn oog op de krant boven op de andere stapel. Heel de bovenste helft van de voorpagina van de krant was één enorme kleurenfoto – het blauw van de Baai, de enorme witte zeilen van de schoener... boven de foto – in het Engels! De *Miami Herald*! – een even grote en vette kop als die van *El Nuevo Herald* – TOUWKLIM SMERIS IN 'TOP' REDDING... Hij draaide de krant om, om de onderste helft van de voorpagina te bekijken - ¡*Santa Barranza*! – een twee-kolom-brede foto, in kleur, van een jongeman zonder shirt... vanaf het middel alleen bedekt met zijn eigen spieren, een compleet berglandschap van spieren, enorme zwerfkeien, scherpe kliffen, diepe kloven en ijzeren ravijnen... een compleet spierlandschap... IK! Zo verliefd werd hij – op IK! – dat hij zijn ogen amper lang genoeg van de foto kon afhouden om het stuk door te vliegen dat de overige vier kolommen vulde... 'verbazende krachttoer'... 'riskeerde zijn eigen leven' – 'Ññññññoooooooooooooo!!! Qué Gym!'... touwklimmen... 'redde een Cubaanse vluchteling door hem met zijn benen vast te klemmen.' Zie je?... hij *redde* de kleine rotzak... Touwklimsmeris had hem niet gedoemd tot marteling en dood in Fidels kerkers... Nee hoor... Hij had *zijn leven gered*... Zo *stond* het er, met zo veel woorden!... Nestors stemming veranderde zo sterk, zo snel dat hij het in zijn maag kon voelen. De *Miami Herald* had hem gratie verleend... in het Engels... maar *dat telde*, nietwaar?... De *Herald* in het Engels – de oudste krant van Florida! Maar toen werd hij somber...

'*Yo no creo el Miami Herald*', ik geloof de *Miami Herald* niet. Nestor had dat vroeger niet één keer maar duizend keer gehoord... De *Herald* was tegen Cubaanse immigratie geweest, toen de Cubanen eenmaal met duizenden Castro begonnen te ontvluchten... verfoeide het toen er zo veel Cubanen waren, ze het in politiek opzicht overnamen... '*Yo no creo el Miami Herald*!' Dat had Nestor gehoord van zijn vader, de broers van zijn vader, de echtgenoten van de zus van zijn vader, zijn neven, het hele stel uit Hialeah... van iedereen die oud genoeg was om de woorden te zeggen: '*Yo no creo el Miami Herald...*'

Maar... deze *americano*-krant was het enige wat hij had. Iemand in Hialeah moest het vervloekte ding lezen en zelfs geloven... tot op zekere hoogte. Alleen had hij die persoon nooit ontmoet. Een heleboel van de mensen die naar Yeya's feestje kwamen konden Engels lezen, hoewel... Ja!... Ze konden toch zeker die enorme letters lezen waarin wat hij had gedaan een 'TOP' REDDING werd genoemd? Hij smeerde 'm uit Ricky's en keerde terug naar de Camaro... Onzegbare wolken aroma van Ricky's Bakery uit de zak naast hem namen heel de auto over... De pastelito's en de *Miami Herald* die naast de zak lag... twee traktaties... en 'Daar heb je hem, de overlopersmeris, die zijn kop vol eten stopt en over zijn opgehemelde persoontje leest in de *Yo-no-creo Herald...*' Niet goed, niet goed... maar ik ben zo *moe*... Hij haalde het plastic dekseltje van de *cortadito* af, verwende zichzelf met een slok en een slok en een slok van de uiterst hedonistische zoetheid van Cubaanse koffie... Hij pakte de *Miami Herald* op en consumeerde nog wat lipsmakkende lettergrepen van de TOUWKLIM SMERIS... Hij greep in de zak van Ricky's – *pastelito's*! – en pakte er een maantje vleespastelito uit in vetvrij papier gewikkeld... *Een beetje Hemel!*... smaakte precies zoals hij had gehoopt... *Pastelito's*! Een kruimeltje van het gebakken filodeeg viel... en toen nog een... zo ging dat met gebakken filodeeg... er vielen kruimeltjes vanaf als je een pastelito oppakte... kruimeltjes vielen op zijn kleren... op de opnieuw beklede stoelen van de Camaro... Het ergerde hem allerminst, het rustige vallen van deeg in de stilte van 7.30 uur op een zaterdagochtend was ook een beetje Hemel... en Nestor moest erdoor aan thuis denken, genoegens uit zijn jeugd, het zonnige Hialeah, een gezellige casita... zachte, donzige wolkjes liefde en genegenheid... en bescherming. Rustig, rustig waaiden de kruimels weg door de witte ruis zefiers die uit de openingen van de airco kwamen... Nestor kon de verschrikkelijke spanning voelen wegstromen wegstromen wegstromen en hij dronk nog wat koffie... onzegbare zoetheid – en wat was die warm gebleven in het bekertje met het plastic dekseltje!... en hij at nog wat maantjes pastelito, en de kruimels vielen o zo rustig en tolden rond in de zefiers, en hij... tilde het handeltje aan de zijkant van de stoel op en liet die door zijn eigen gewicht teruggaan naar een helling van 20 graden... en de koffie die geacht werd hem alert te houden na een slapeloze nacht zond een golf van ideale warmte door zijn lichaam omhoog... en zijn lichaam gaf zich volledig over aan de helling van de stoel... en zijn geest gaf zich volledig over aan een sluimerstaat, en weldra...

Hij werd met een schok wakker. Hij keek naar de sleutels van de Camaro die van het contact neerhingen in de AAN-stand en hij voelde de koele bries van de airco. Hij was in slaap gevallen met de motor aan... Hij deed de ramen open om zoveel mogelijk frisse lucht binnen te laten... Jezus, die frisse lucht was gloeiend! De zon stond pal boven hem... moordend fel... Hoe laat was het? Hij keek op zijn reuzenhorloge. Het was 10.45! Hij had drie uur geslapen... uitgestrekt in het Land van het Zandmannetje met de motor aan en de airco die een elektrobries uitkotste.

Hij haalde zijn mobieltje uit de kuipstoel en zuchtte... Wat voor berichten het binnenste ervan ook bevatte, ze zouden akelig zijn. Toch kon hij weer eens geen weerstand bieden. Hij tikte het scherm met nieuwe berichten aan. De een na de ander na de ander... tot eentje hem twee keer liet kijken. Het nummer sprong op hem af – een sms'je van Manena!

'kom naar feestje van yeya c u later'

Hij staarde naar het ding. Hij probeerde er een teken van liefde in te ontdekken... hoe gering ook... acht woorden. Het lukte hem niet. Toch sms'te hij terug: 'manena van me dying to c u.'

Hij draaide helemaal dol. Het zou minstens vier uur duren voor het feestje begon, maar hij ging naar huis... *nu*. :::: Ik ga jullie, *guajiros* uit Camagüey, gewoon negeren, Papa, Yeya en Yeyo. Ik zal er verdorie voor zorgen dat ik er ben wanneer Manena komt. ::::

Inmiddels, 11.00 uur, waren de straten van Hialeah muren van geparkeerde auto's. Hij moest de Camaro meer dan een straat verderop parkeren. Halverwege in zijn eigen straat, een paar casitas eerder, liep Señor Ramos zijn voordeur uit. Vanachter zijn grote smeriszonnebril kon Nestor Señor Ramos naar hem zien staren. Voor hij het wist draaide Señor Ramos zich naar zijn voordeur, knipte met zijn vingers in een overdreven demonstratie van iets vergeten zijn – *sjjjt* – en is weer in zijn casita. Señor Ramos is maar een bagagesjouwer op Miami Airport. Een bagagesjouwer! Een mannetje van niks! Maar deze ochtend, in deze straten, wil hij niet eens *buenos días* zeggen tegen agent Nestor Camacho. Maar wat maakt het uit? Magdalena komt.

Wil je het wel geloven? Van vier of vijf casitas ver kan hij zijn eigen casita *horen*... de hogedrukspuit die voor wrijving zorgt met het warme beton van Hialeah. Jawel hoor. Daar is Mami, ze draagt flodderige lange shorts, een flodderiger te-groot wit T-shirt en slippers... ze temt de betonnen wildernis voor de tigste keer deze ochtend... en... Jawel hoor... hij krijgt zijn eerste vleugje van het varken dat waarschijnlijk al een paar uur wordt geroosterd... wat wordt geregeld door die twee macho bazen van de grote dingen in het bestaan, Ik, Camilo en El Pepe Yeyo...

Zodra ze haar zoon aan ziet komen, zet Mami de slang uit en roept uit: 'Nestorcito! Waar was je heen? We waren ongerust!'

Nestor wilde zeggen ::::: *Ongerust? Hoezo? Ik dacht dat 'we' blij zouden zijn dat ik was verdwenen* ::::: Maar hij had nooit sarcastisch tegen zijn ouders gesproken en wilde daar nu niet mee beginnen. Tenslotte zou Magdalena komen.

'Ik ging weg om te ontbijten –'

'We hadden hier eten, Nestorcito!'

' – om te ontbijten en ik kwam een paar vriendinnen tegen van Hialeah High.'

'Wie?'

'Cristy, Nicky en Vicky.'

'Die herinner ik me niet... Waar?'

'Bij Ricky's.'

Nestor kon de rijmen als het ware zien rinkelen in zijn moeders hersenen, maar ze had het niet door of wilde er niet door worden afgeleid.

'Zo vroeg in de ochtend...' zei zijn moeder. Toen liet ze dit onderwerp rusten. 'Ik heb goed nieuws voor je, Nestor. Magdalena komt.' Ze keek hem aan met het soort blik dat op de knieën gaat en *smeekt* om een opgewekte reactie.

Hij probeerde, hij probeerde... Hij kromde zijn wenkbrauwen en liet zijn kaak een paar tellen zakken voor hij zei: 'Hoe weet je dat?'

'Ik heb haar opgebeld en uitgenodigd, en ze komt!' zei zijn moeder. 'Ik zei haar dat ze moest komen voor je weg moest voor je dienst.' Ze aarzelde. 'Ik dacht dat ze je een beetje zou opvrolijken.'

'Is dat volgens jou nodig?' vroeg Nestor. 'Nou, je hebt gelijk. Toen ik weg was, kwam ik erachter... dat iedereen in Hialeah net zo over me denkt als Pa, Yeya en Yeyo. Wat heb ik *gedaan*, Mami? Er was een noodsituatie, en ik kreeg het bevel daar een eind aan te maken zonder dat iemand gewond zou raken, en dat heb ik *gedaan*!' Hij was zich ervan bewust dat zijn stem luider werd, maar hij kon zich niet inhouden. 'Op de politieschool hadden ze het voortdurend over "domweg de bereidheid om gevaar te trotseren". Dat houdt in dat je bereid bent gevaarlijke dingen te doen zonder eerst alles te gaan analyseren en te beslissen of je wel instemt met het risico dat ze willen dat je neemt. Je kunt niet gaan zitten *discussiëren*. Dat houdt "domweg" in. Je kunt niet over alles gaan zitten *argumenteren* en... en, ik bedoel, *je* begrijpt –'

Hij dwong zich rustig aan te doen en zijn stem te dempen. Waarom zijn moeder met al dit gedoe belasten? Zij wilde alleen vrede en harmonie. Dus hield hij helemaal op met praten en glimlachte triest naar haar.

Ze kwam dichterbij, en uit haar eigen trieste glimlach kon hij afleiden wat er ging gebeuren. Zij wilde zijn armen om hem heen slaan en hem ervan verzekeren dat Moeder nog van hem hield. Wat hij niet wilde.

Hij hief zijn armen voor zijn borst, handpalmen naar buiten ::::: Niet doen ::::: tegelijk glimlachte hij naar haar en zei: 'Het gaat wel, Mami. Ik kan het wel aan. Er is alleen een beetje "domweg de bereidheid om gevaar te trotseren" vereist.'

'Je vader, Yeya en Yeyo meenden niet echt... alles wat ze zeiden, Nestorcito. Ze waren alleen –'

'O, ze meenden het wel,' zei Nestor. Hij zorgde dat zijn glimlach over zijn gezicht bleef gespreid.

Daarop ging hij naar binnen, terwijl Mami buiten bleef om het betonvlak verder te kastijden met de hogedrukspuit.

Binnen was de casita overstroomd met de luchtjes, goed en slecht, van het varken dat in de *caja china* werd geroosterd. Goed – slecht – de buren zouden geen van beide erg vinden. Het waren allemaal Cubanen. Ze wisten allemaal wat een belangrijke gebeurtenis, wat een familieritueel het roosteren van een varken was, en bovendien waren de meesten van hen uitgenodigd voor het feest. Zo deden Cubanen dat.

Er leek niemand in huis te zijn. Nestor ging naar de achterkant. Yeya's en Yeyo's deur stond open, en dus ging hij daar naar binnen en keek uit hun achterraam. Natuurlijk was het hele machostel buiten in de tuin. Daar had je Ik, Camilo. Hij gaf aanwijzingen aan Yeyo, die een emmer kolen voor de *caja china* bracht. Daar had je Yeyo, de *muchacha vieja*, die alle kanten op wees en ze op die manier allebei aanwijzingen gaf... ze allebei corrigeerde. Daar kon Nestor donder op zeggen.

Tja... hij kon meteen naar de *caja china*-clerus lopen en zichzelf aan hen opdringen door te praten ::::: *Jeetje, dat is nog eens een varken! Hoe lang duurt het nog volgens jullie? Pa, herinner je de keer dat het varken zo groot was* – ::::: het zou tien, twintig seconden duren eer de drie zelfingenomen farizeeërs weer zouden beginnen hun vieze gal over hem te spuwen... of hij kon het hele tafereel negeren... Het jarige jetje, Yeya, kon het duidelijk niet schelen of een non-persoon er al dan niet was. Het was geen moeilijk besluit.

Eenmaal in zijn kamer ging Nestor liggen om een dutje te doen. De enige half-behoorlijke slaap die hij de afgelopen vierentwintig uur had gehad, waren de drie uur toen hij was ingedut door het aroma en de neervallende kruimels van de pastelito's, toen hij in een hoek van twintig graden onderuit leunde in de bestuurdersstoel van de Camacho voor Ricky's met draaiende motor en de airco aan. Hij wist geen uitnodigender vooruitzicht dan weer *in te dommelen* ::::: hier in mijn eigen bed, waarin ik al lig uitgestrekt ::::: maar door de wending 'hier in mijn eigen bed' werd hij ongerust. Hij wist niet precies waarom, maar het gebeurde. Wat wilde 'mijn eigen bed' zeggen in een huis waar drie mensen je als een verrader zagen en de vierde zo vriendelijk was te zeggen dat ze bereid was je te vergeven voor je zondes tegen haar, tegen de drie anderen, tegen hun erfenis van alle nazaten van Moeder Cuba in Miami, en in feite overal ter wereld. Hij lag daar dus uitgestrekt in een regelrechte stamppot van afwijzing, stigma en schuld, en de ergste van deze drie was, zoals altijd, schuld... maar wat had hij moeten doen, de onvermengd *americano* brigadier McCorkle aankijken en zeggen: 'Nee, ik onderneem niets tegen een Cubaanse patriot! – al heb ik niet het flauwste idee wie hij verdomme is', om vervolgens als een man ontslag bij het korps te nemen? *Pruttel pruttel pruttel pruttel* deed de stamppot, terwijl vanuit de tuin de minder aangename lucht van het geroosterde varken boven hem zweefde, de luchtjes en de rauwe kreet af en toe, waarschijnlijk afkraken. De tijd verstreek langzamer dan die ooit in zijn leven was verstreken.

Na alleen-god-weet-hoe-lang kwam het geluid van de uitverkoren varkensroosteraars weer de casita in, mét hun diverse beschuldigingen, hoewel hij die genadig genoeg niet echt kon begrijpen. Het was ongeveer 13.15, en Yeya's feest zou om 14.00 beginnen. Ze moesten naar binnen om zich te verkleden. Niemand had hem daarover of over iets anders een woord gezegd. Waarom bleef hij eigenlijk? Hij bracht hen allemaal enkel in verlegenheid. Een van hun eigen mensen, vroeger een van hun eigen mensen in ieder geval, was in een slang veranderd... maar zich drukken voor Yeya's feest stond gelijk aan de familie verlaten, alle banden verbreken, en dat vooruitzicht kon hij zich niet voorstellen. Bovendien konden ze hem zo op korte termijn van nog iets beschuldigen, een bewijs hoe slecht hij was geworden. *Hij was hier in huis, en hij vond het te veel moeite naar haar feest te komen en haar zijn respect te betuigen.*

Ongeveer een halfuur later hoorde Nestor een hogesnelheids *klop-klop-klop* van Spaans door de gang komen van achter uit de casita. Ineens was hij bang dat ze met het feest zouden beginnen zonder het hem ook maar te vertellen. Nu was het duidelijk. Hij was onzichtbaar. Hij was verdwenen, wat hen betrof. Nou, er was één manier om het zeker te weten. Hij stond op uit bed. Met een impulsieve, onvoorzichtige vaart opende hij zijn deur. Drie meter verder en zijn kant op – daar kwamen ze – wat een lust voor het oog!

Ze hadden feestkleding aan gedaan. Van Yeyo's brede maar benige schouders hing, als van een rek, een witte guayabera neer die tegenwoordig te groot voor hem was. Zo oud ook dat de zoom die aan beide kanten van zijn borst omhoog en omlaag liep was beginnen te vergelen. Door het geval leek Yeyo een zeil dat op wind wachtte. Wat Yeya betreft, zij was een beeld... van god weet wat. Ze droeg ook een groot wit hemd, eentje met veel tierlantijntjes en omvangrijke mouwen die in smalle manchetten bij de pols eindigden. Het hemd hing tot haar heupen neer, uit een witte broek. De broek – Nestor blééf er maar naar staren. Het was een witte spijkerbroek... een strakke spijkerbroek aan haar bejaarde benen gekleefd... maar ook aan haar achterste, dat groot genoeg was voor drie vrouwen van haar lengte... aan haar onderbuik gekleefd, die onder het hemd opbolde – *gekleefd*! Maar boven alles was er de volmaakte blauwe bal haar die, afgezien van haar gezicht, haar hoofd in één wolk omsloot… Daarmee, met de spijkerbroek, een vreselijke rode jaap lippenstift over haar mond en een rondje rouge op iedere wang… was ze me een nummer.

Toen ze Nestor zagen, vielen ze stil. Ze staarden naar hem op de alerte manier waarop je naar een straathond staart… en hij staarde naar hen… en zijn gevoelens draaiden plotseling 180 graden om. Het kijken naar deze twee oude mensen die er op hun allerbest probeerden uit te zien voor een feestje… de ene zag eruit als een zeil dat net Hialeah was ingeblazen vanaf de baai… de andere zag er met de laag vallende witte vleesomhelzer uit als iemand uit de jeanstijd, of je *ineens* vijftig, zestig jaar terug was in de tijd…. het was zo triest, zo zielig dat Nestor ontroerd werd toen hij naar hen keek. Daar had ze je… twee oude mensen die eigenlijk niet hier wilden zijn… in dit land… in deze stad… helemaal afhankelijk waren van hun zoon en diens vrouw… werden afgesloten door een vreemde taal en gekmakende andere gewoontes… Eens waren ook zij jong geweest – al kon Nestor zich dat niet echt voorstellen – en toen ze opgroeiden waren hun dromen nooit zo donker geweest dat ze konden denken zo te eindigen… Hoe kon hij hen vanochtend zo hebben *gehaat* – of nu hij erover nadacht, dertig seconden geleden? Op dit moment voelde hij zich schuldig… Zijn hart was vol medelijden… Hij was jong en kon tegenslagen incasseren… zelfs de afstraffing die hij vandaag had gekregen… want zijn leven was nog maar net begonnen… en Magdalena zou komen.

Hij glimlachte naar ze. 'Weet je, Yeya? Je ziet er fantastisch uit! *Echt* fantastisch, bedoel ik!'

Yeya keek boos naar hem. 'Waar ben *jij* vanmorgen geweest?'

Daar begon ze weer!… Door de nadruk te leggen op *jij* in plaats van op *geweest*, maakte ze duidelijk dat het niet echt een vraag was… alleen weer een smetje op zijn naam.

Nestor zei: 'En ik vind je guayabera echt leuk, Yeyo. Je hebt die zeker laten *maken*?'

'De jouwe heb je zeker *niet* – '

Nestor onderbrak hem, zij het niet opzettelijk. Uit schuldgevoel en medelijden babbelde hij maar door. 'Weet je? Jij en Yeya passen bij elkaar!'

Yeyo deed zijn hoofd omhoog en keek Nestor eveneens boos aan. Hij wilde ook heel graag weer beginnen, maar het joch was bezig hem onder de vleierijen te bedelven.

Nestor zag het geen moment zo. Zijn hart was vol medelijden... en goede wil. Magdalena zou komen.

De gasten begonnen even na tweeën te arriveren... Geen wonder dat Mami een varken van honderd pond had besteld... Mijn god! Ze arriveerden in pelotons... bataljons... hordes... hele stambomen vol. Yeya stond hier bij Mami in de kleine woonkamer. De voordeur kwam er rechtstreeks op uit. Nestor draalde achter in het vertrek... de volle vier, vijf meter van de voordeur. Dit zou niet leuk worden... iedere stamgenoot zou gaan kakelen, tieren en van alle heerlijke roddel smullen... *in onze eigen familie!*... Niet te geloven dat Pa's neef Camilo zijn *zoon*, Nestor, dat heeft gedaan!... enzovoorts en zo verder... en verder en verder...

De eerste die arriveerde was zijn oom Pedrito, Mami's oudste broer, met zijn gezin. *Gezin?* Hij kwam met een godverdomd *volk!*... Oom Pepe en zijn vrouw, Maria Luisa, en Mami's moeder en vader, Carita en Orlando Posada, die bij hen wonen, en oom Pepe's en Maria's drie volwassen zonen, Roberto, Eugenio en Emilio, en hun dochter Angelina, en haar tweede man, Paco Pimentel, en de vijf kinderen die ze in totaal hebben, en Eugenio's, Roberto's, Emilio's vrouwen en kinderen en... verder en verder...

De volwassenen omhelsden Yeya en kusten haar, en zorgden anderszins voor veel gedoe rond haar... De kinderen mompelden erdoorheen en doorstonden natte smakken van Yeya's vuurrode jaap van een mond... en zeiden bij zichzelf: 'Brrrrr! *Ik zal* nooit zo'n kwijlende oude taart worden als *zij*'... maar vooral roken ze het varken dat werd geroosterd, en ze wisten wat *dat* was!... en zodra ze de vrijheid kregen, begonnen ze door de casita naar de achtertuin te rennen, waar ongetwijfeld Ik, Camilo tegen hen zou zeggen: 'Kindertjes, kom tot mij – om te zien hoe een *echte man*... een varken roostert.'

Een van de kleine jongens, een van tante Maria Luisa's kleinzoontjes of stiefkleinzoontjes, god mag het weten, zeven of acht jaar, vloog als een haas met hen mee tot hij ineens voor Nestor tot stilstand kwam. Hij keek met open mond naar hem op en staarde alleen.

'Hi!' zei Nestor, met de stem die je voor kinderen gebruikt. 'Weet je wat we daar buiten hebben?' Hij glimlachte de glimlach die je voor kinderen gebruikt. 'Een heel *varken*! Het is zooo groot!' Hij stak zijn armen als vleugels uit om te laten zien hoe kolossaal het was. 'Het is groter dan *jij* bent, en jij bent een grote jongen!'

De jongen veranderde op geen enkele manier zijn uitdrukking. Hij bleef alleen naar hem kijken, met zijn mond wijd open. Toen zei hij: 'Ben jij echt degene die het heeft gedaan?'

Dat bracht Nestor zo van zijn stuk dat hij uitstamelde: '*Wat* heeft gedaan? – *wie zei* – nee, ik ben niet degene die het heeft *gedaan*.'

De jongen verstouwde dit antwoord even en zei toen: 'Jij ook!' – en nam de benen naar de achterkant van de casita.

Er kwamen meer families, stammen, hordes, de bataljons. De helft van hen verscheen in de voordeur, ze zochten hem met de ogen, merkten hem op, fluisterden tegen elkaar – en wendden hun ogen af om nooit meer naar hem te kijken. Maar enkele van de oudere mannen vonden het, helemaal in Cubaanse stijl, hun plicht hun grote neuzen erin te steken en te zeggen waar het op stond.

De aangetrouwde neef van zijn oom Andres, Hernán Lugo, een echte branieschopper, kwam met een heel strenge blik op zijn gezicht naar hem toe en zei: 'Nestor, je denkt misschien dat het mij niet aangaat, maar het gaat mij *wel* aan, omdat ik mensen ken die nog vast zitten op Cuba – hen persoonlijk ken – en ik weet wat ze doormaken en ik heb geprobeerd hen te helpen, en ik *heb* hen geholpen, op allerlei manieren, dus ik moet je onder vier ogen iets vragen: goed, formeel gesproken hadden ze het recht te doen wat ze hebben gedaan, maar ik snap niet hoe *jij* je door hen ooit – *ooit* – als hun werktuig kon laten gebruiken. Hoe *kon* je dat doen?'

Nestor zei: 'Hoor eens, Señor Lugo, ik werd die mast in gestuurd om de kerel naar beneden te praten. De kerel zat boven op –'

'Jezus Christus, Nestor, je Spaans is te slecht om iemand uit *wat* dan ook te praten.'

Nestor zag rood, zag letterlijk een rood waas voor zijn ogen. 'Ik had vast u erbij moeten hebben, Señor Lugo. U was een grote steun geweest! U had in 24 meter touw kunnen klimmen, recht omhoog, zonder uw benen te gebruiken, om sneller omhoog te komen, en u had even dicht bij hem kunnen komen als ik en u had de paniek op zijn gezicht kunnen zien en in zijn stem kunnen horen en kunnen zien dat hij op het punt stond uit een bootsmansstoeltje te glijden van ongeveer *zo groot* en 24 meter zou vallen – en op dat dek als een pompoen zou ontploffen! En u had me kunnen vertellen dat deze kerel gek is geworden van paniek en dat hij eraan gaat als hij nog een minuut langer hierboven blijft! U had dat gezicht van vlakbij kunnen zien – en de stem kunnen horen, met uw eigen oren! Ooit een man gezien die zich niet kan beheersen, *echt* niet, bedoel ik? Een arme klootzak die het deksel van zijn eigen doodkist opendoet? Als u Cubanen wilt helpen… ga dan niet alleen op uw dikke reet zitten in een gebouw met airco! Kijk voor de eerste keer van uw leven eens naar de… de… de echte wereld! Doe iets, godverdorie! Doe iets behalve uw mond roeren!'

Señor Lugo keek nog één moment naar Nestor, toen liet hij zijn hoofd zakken en sloop verder de casita in.

:::::: *Verdomme*. Nu heb ik het echt gedaan. Ik ben degene die zich niet kan beheersen. De oude zak – hij gaat ze daarachter allemaal meteen vertellen: 'Oppassen! Blijf bij hem uit de buurt! Hij is een dolle hond!'… Maar – gezien de angst op zijn gezicht – was het dit bijna waard. ::::::

Hij had het gehad met al deze mensen. :::::: Zelfs als ze willen praten, beleefd of anderszins, zeg ik niets en ik ga ook niet weg. Ik zal hier zijn als Magdalena binnenkomt. ::::::

De pelotons, de brigades, de bataljons, de families, de stamleden, de termieten in de stamboom met wie het hier rond hem vol stond in de voorkamer… ze dronken bier regelrecht uit de fles en ze praatten zo hard als ze konden. Wat een afgrijselijke herrie. Lekker sfeertje… niemand wilde met hem praten, naar hem kijken of zich op een andere manier van zijn aanwezigheid bewust zijn, laat staan die erkennen.

:::::: Akkoord, als ik zo'n non-persoon ben dat jullie me niet eens zien, wat zou het jullie dan uitmaken als ik me door jullie heen een weg baan om bij de voordeur te komen? ::::::

Daarop begon hij door de menigte heen te dringen, smeriszonnebril over zijn gezicht, hij keek naar niemand, duwde bij de een van achter een schouder in zijn ribbenkast en bij de ander een elleboog in de – 'Oeeef!' – maag en mompelde 'even passeren, even passeren'. Hij stopte geen moment om achterom te kijken naar de stamleden die hij had geveld en genoot van hun ontstelde tegenwerpingen, de *Hé*'en, de *Au*'en, de *Hé, kijk uit*'en. :::::: Wat geeft het als ze me lomp vinden? Ze denken toch al ergere dingen over me. ::::::

Weer met zijn spieren paraderen bezorgde hem een grimmig genoegen, een hinderpaal voor zichzelf maar tegelijk bevredigend. Maar op het moment dat hij de voordeur uit ging – was er geen plezier over, grimmig of anderszins, en ook geen angst. Hij was leeg…

In de seconde die het hem kostte om zich, mét de smeriszonnebril, aan te passen aan de oog-bakkende dodelijk-betonnen zon van Hialeah, was hij zich bewust van een gestalte die hier midden over straat liep, maar hij kon geen details onderscheiden, alleen een silhouet.

In de volgende seconde een visioen – *Magdalena*.

Ze liep recht op hem af en keek hem in zijn gezicht met een bepaalde glimlach die hij altijd had geïnterpreteerd als een lokstem... naar onzegbare genoegens... de welving van haar lippen – *louter ondeugd*... de wijze waarop haar haar in zulke dikke zijden golven omlaag stroomde naar haar schouders... haar mouwloze witte zijden topje dat aan de voorkant zo diep uitschulpte dat hij de binnenste welvingen van haar borsten kon zien... en *meer*... en zijn lendenen zonden een bericht uit... haar volmaakt elegante benen en dijen en heupen, hij vond het allemaal prachtig, vereerde het, aanbad het.

Hij flapte uit: 'Manena – ik had het opgegeven!'

Magdalena glipte tussen Ik, Camilo's FUMIGADORES bestelauto en een pal daarvoor geparkeerde oeroude Taurus door en stapte het trottoir op, en de zon plofte vanaf de glinsteringen van de witte zijden amper op haar borsten en de golven van haar haar, lang genoeg, dik genoeg, zacht genoeg om – om – om... Ze liep tot ze geen meter van Nestor af was, ze had nog steeds de glimlach die... *alles* beloofde... en ademde snel.

'Het spijt me zo, Nestor! Ik had het haast niet gehaald! Ik was in het ziekenhuis. Ik heb van z'n leven nog nooit –'

'Ach, Manena –' Nestor schudde zijn hoofd en worstelde tegen de tranen.

' – nog nooit zo hard gereden! En er was geen plek om te parkeren, dus heb ik 'm daar zomaar laten staan.' Met een zwaaitje van haar hoofd wees ze ergens achter haar.

'Ach, god, Manena, als je helemaal niet was gekomen –'. Meer hoofdschudden, meer tranen op het randje waar zijn onderste oogleden bij de oogbol kwamen – in plaats van de woorden die hij niet kon zeggen. 'Manena, je hebt geen idee wat ik doormaak – mijn eigen familie, mijn eigen godverdomde familie!'

Hij tuurde op zijn horloge. '*Verdomme*! Ik kan niet te laat op het werk zijn.'

Hij bewoog naar haar toe. Hij *moest* haar in zijn armen houden. Hij slaat zijn armen om haar heen, en zij slaat haar armen om hem heen :::::: maar *verdorie*, ze heeft haar armen om mijn *rug*. Ze slaat ze altijd om mijn nek.:::::: Hij probeert haar te kussen, maar ze wendt haar hoofd af en fluistert: 'Niet hier, Nestor – er staan er een paar buiten –'

– waarschijnlijk het volk op het feestje. Ja, het klopt. Een paar hadden zich van het gazon aan de achterkant naar de oprit verspreid. Maar wat maakte dat uit?

Hij liet zijn schatje los en keek zonder omhaal op zijn horloge.

'*Verdorie*, Manena! Ik kom te laat voor mijn godverdomde dienst – en mijn auto staat vier straten verderop geparkeerd!'

'O – het spijt me zo, Nestor,' zei Magdalena. 'Ik heb alles in het honderd laten lopen – hoor eens, ik heb een voorstel. Zal ik je naar de plaats rijden waar je auto staat? Dat spaart je wat tijd.'

Zodra hij in de passagiersstoel zat, liet hij zijn smart de vrije loop. Zonder reden, zonder enige reden probeerde heel zijn familie – welnee, heel Hialeah! – van hem een verrader te maken! – een paria! Hij gooide het er allemaal uit.

Onder het rijden gebaarde Magdalena naar de rijen casitas die aan beide kanten voorbijrolden. 'Ach, Nestor.' Ze zuchtte zonder naar hem te kijken. 'Ik heb je dit eerder gezegd. Hialeah is Amerika niet. Het is niet eens Miami. Het is een – nou ja, *getto* is het woord niet, maar Hialeah is… Hialeah is een kleine doos, en we groeien hier op met het idee dat het een normaal deel van de wereld is. Maar dat is het niet! Je zit hier in een kleine doos! En iedereen hier is in je leven aan het roeren en in alles wat je probeert te doen aan het roeren en ze roddelen er gretig over, verspreiden verhalen en *hopen* dat je niet slaagt. *Heerlijk* vinden ze het als je niet slaagt. Zolang je in Hialeah *woont* en *denkt* zoals ze in Hialeah doen… zolang je ervan uitgaat dat trouwen de enige manier is om aan een of andere rotcasita te ontsnappen – wat voor leven is dat? Je laat je gewoon door hen *dresseren* zodat je ogen niet eens een leven buiten een casita in Hialeah kunnen *zien*. Ik weet wie er nu bij jou thuis zijn. Er zijn daar zo veel mensen binnen die familie van je zijn, een deel van jou, met jou verbonden – ze doen denken aan parasietplanten met al die *hechtranken* die zich om de stam wikkelen en vervolgens om de takken, en wanneer er geen ruimte maar aan de takken is, azen ze op de knoppen, de blaadjes en de twijgen, en inmiddels verkeert de boom volledig in een parasitaire staat –'

::::: parasitaire staat? :::::

' – of gaat dood. Luister naar me, Nestor. Ik ben heel, heel dol op je –'

::::: 'dol?':::::

' – en je moet nu uit deze val komen. Ik sprak gisteren met een arts uit Argentinië, en hij zegt –'

::::: Dit is het moment!::::: Ze waren nog geen straat van zijn auto vandaan. Hij tuurde weer op zijn horloge. De tijd werd kort. ::::: *Nu*! :::::

Nestor leunde over de armleuning, legde zijn hand op haar schouder en keek van dichtbij in haar ogen, op een zo *kleffe* manier dat je wel heel dom moest zijn om de bui niet te zien hangen.

'*¡Dios mío!*, Manena!… O, mijn god,' zei Nestor, 'we denken hetzelfde op hetzelfde moment. Ik zou niet verrast moeten zijn – maar het is ongelooflijk!'

Magdalena trok ineens haar hoofd terug.

'Schatje,' vervolgde Nestor, 'we zijn twee mensen met dezelfde – ik bedoel niet alleen dezelfde gevoelens maar dezelfde – nou ja, we zijn twee mensen die de dingen *op dezelfde manier zien*. Begrijp je wat ik bedoel?'

Niets in haar uitdrukking gaf aan dat ze het begreep.

'Ik heb hier de hele dag over nagedacht. Je weet dat we altijd zeggen "Het is gewoon niet het goede moment". Je weet toch dat we dat zeggen? Nou, ik zweer je, Manena, ik weet dat dit het wél is. Dit *is* het goede moment! Nu!… Manena… laten we trouwen – meteen – onmiddellijk! Laten we alles hier gewoon vaarwel zeggen!' – hij draaide met zijn wijsvinger in de lucht, alsof hij Hialeah, Miami, Miami-Dade County erbij wilde betrekken. 'Alles. Waarom nog langer op *het goede moment* wachten? Laten we het gewoon *doen* – meteen! Dan zijn we allebei van… *alles* hier af! Manena! Ik ga met *jou* weg – onmiddellijk. Wat vind je ervan? Ik kan onmogelijk meer van je houden – onmiddellijk. Jij en ik weten allebei wat het goede moment is – *nu meteen!*'

Even keek Magdalena alleen naar hem… leeg. Nestor kon niets aflezen aan die uitdrukking van haar. Uiteindelijk zei ze: 'Zo eenvoudig ligt het niet, Nestor.'

'Nee?' Hij schonk Magdalena de zachtste, meest liefdevolle glimlach die maar kon. 'Nog eenvoudiger is uitgesloten, Manena. We houden van elkaar!'

Magdalena draaide haar hoofd om. Ze keek niet naar hem toen ze zei: 'We kunnen niet alleen aan onszelf denken.'

'Jouw familie bedoel je? Het zal niet volkomen onverwachts voor hen komen. We zijn nu drie jaar samen, en ze weten vast – nou ja, ze weten dat we niet zomaar… je weet wel, alleen uitgaan.'

Nu keek Magdalena hem recht in de ogen. 'Het gaat niet alleen om hen.'

'Hoebedoelje?'

Ze aarzelde, maar ze bleef hem strak aankijken. 'Ik ga… ook met iemand anders om.'

Magdalena's auto veranderde in een afgesloten capsule. Nestor kon niets meer horen, op een geluid na dat zijn eigen hoofd begon te vullen… het klonk als de stoom uit die grote strijkijzers bij de stomerij.

Hij ging harder praten. 'Je zei net *ook*?'

'Ja.' Ze hield haar laserblik vol.

'En wat heeft verdomme dat *ook* te betekenen?'

'Je moet niet zulke taal gebruiken.'

'Goed.' Hij wierp haar een sardonische glimlach toe waarbij zijn boventanden te zien waren en draaide zijn voorhoofd tot linten van rimpels. 'Geef dan gewoon antwoord.'

De glimlach brak haar ruggengraat. Ze begon overdadig te knipperen. 'Ik bedoel dat ik, net zoals ik met jou omga, ook met andere mensen omga.'

Nestor wist één raspende lach uit te blaffen. De staalachtige Magdalena kwam plotseling in haar ogen terug. 'Ik wil niet tegen je liegen. Daarvoor houd ik te veel van je. Ik hou van je, dat weet je. Uiteindelijk heb ik besloten dat ik je alles *moest* vertellen. Ik heb nooit *iets* voor je *willen* verbergen. Ik wachtte alleen op het juiste moment… Nu weet je alles.'

'Ik weet… alles? Ik weet… *alles*? Ik weet dat je probeert me te slim af te zijn! Ik weet dat je me niet één kloteding hebt verteld –'

'Ik zei je toch, je moet –'

'Waarom niet? Omdat jij zo'n klotedame bent en kloteveel van me *houdt*? Heb je ooit van je leven ergere kolder gehoord?'

'Nestor!'

Hij zag de walging, de woede in haar ogen. Maar hij zag ook dat ze bang was om nog iets te zeggen.

'MAAK JE GEEN ZORGEN! IK BEN WEG!' Zo onbeheerst dat hij zelfs als hij het probeerde zijn stem niet kon dempen. Hij opende het portier, stapte uit, ging voor de auto staan en keek door de voorruit pal naar haar.

'DIT IS JE KANS! WAAROM RIJ JE GVD NIET OVER ME HEEN, DAN BEN JE ERVANAF!' Zo onbeheerst, en hij wist het en kon er niets tegen doen. Hij liep naar het raam van de chauffeur, Magdalena's raam, boog naar voren en drukte zijn gezicht vrijwel helemaal tegen het glas. 'JE HEBT

GVD JE KANS GEMIST… *CONCHA*!' Hij was zich vaag bewust van mensen op het trottoir aan de andere kant van de straat die stilhielden om te gapen, maar hij kon zijn stem niet temperen. Hij trok zijn hoofd terug, kwam overeind en schreeuwde Magdalena van ongeveer een halve meter toe. 'GA DAN! OPDONDEREN HIER! OPDONDEREN UIT HIALEAH! UIT MIJN OGEN!'

Dat hoefde hij Magdalena geen twee keer te zeggen. Ze gaf gas, de banden gilden, en de auto leek weg te *springen*, als een dier. Nestor volgde het beest elke millimeter van de weg met de ogen, zag hoe het op twee wielen de hoek om piepte, één vreselijk VRESELIJK SCHULDIG ogenblik dacht hij dat het zou omslaan ::::: O, MANENA VAN ME! KOST-BAARSTE SCHEPSEL TER WERELD! MIJN ENIGE LIEFDE! MIJN ENIGE LEVEN – WAT HEB IK NET GEDAAN?! IK HEB JE EEN *CONCHA* GENOEMD ZODAT HEEL HIALEAH HET KON HOREN! En nu krijg ik *nooit* de kans meer je te zeggen dat ik je *vereer*… dat jij mijn leven *bent*! ::::: maar goddank, de auto kwam weer recht en verdween.

Er waren meer mensen gaan stilstaan om te gapen. Hij kon hier maar beter zelf opdonderen. Hij stapte in de Camaro, maar in plaats van weg te rijden ging hij achterover in de stoel zitten. Pas op dat ogenblik besefte hij dat hij snel ademde, ongeveer naar adem snakte, en zijn hart in zijn ribbenkas raasde, alsof het dringend wenste op een betere plaats te zijn…

Door de voorruit zag hij alles wat hij achter zich had gelaten… kleine huisjes allemaal op een rij, die lagen te roosteren op een eindeloze droge betonvlakte… de schuld, de gedachte aan wat hij had weggegooid, de hopeloosheid; deze drie, hopeloosheid, moedwillige verspilling en schuldgevoel; maar het ergste daarvan was schuldgevoel.

# 5

## DE PISSENDE AAP

Maurice Fleischmann, die grote beer van een miljardair, maakte zijn manchetknopen los en schoof de mouw van zijn overhemd zo ver mogelijk omhoog, om de weg vrij te maken voor haar injectiespuit... en zoals altijd spande hij zijn spieren om Magdalena te laten zien dat onder al dat vlees berenkracht en macht zat... En zoals altijd zei Magdalena: 'Ontspant u zich alstublieft, mijnheer Fleischmann', en dat deed hij altijd. Blijkbaar was hij zich er niet van bewust hoe vaak ze deze zelfde openingszet hadden gespeeld.

Vaak deed hij er op dat moment een suggestieve opmerking bij, niet schandalig suggestief... alleen om de deur op een kier te krijgen. Dit keer zei hij: 'Hoor eens, je bent jong en mooi. Vertel me eens over je avonturen sinds de vorige keer dat ik je zag.'

Magdalena probeerde er altijd mee om te gaan of het allemaal heel geestig was. 'O, ik weet niet zeker of u daar wel tegen kunt, mijnheer Fleischmann.'

Hij lachte. *O, de badinage!* 'Stel me maar op de proef,' zei hij. 'Misschien ben je heelllll verrast!' Lachen, lachen.

*O, de badinage!* En o, wat misselijkmakend – want op dat moment doorboorde ze altijd zijn dikke arm met de spuit en pompte een dosis deprovan, een 'libidoremmer', in zijn bloedstroom... ter onderdrukking van zijn vlottende verlangen naar ieder knap meisje en zijn seksuele obsessies ... pornografie in zijn geval.

Het was eerlijk gezegd zo onvermakelijk dat Magdalena, omdat zij het minstens een keer of zes per dag deed, zonder ook maar te beseffen dat ze het deed, de plussen en minnen van deze nieuwe 'baan' die ze had begon op te tellen. Nadat ze haar graad als verpleegster had gehaald op EGU, Everglades Global University, had ze drie jaar in het Jackson Memorial Hospital gewerkt. Het afgelopen jaar was ze verpleegster geweest bij pediatrische chirurgie. Maar hoe kon ze het weerstaan toen een van de bekendste artsen hier, een van de grootste en bekendste ziekenhuizen van het zuiden – dr. Norman Lewis, de beroemde psychiater – zijn uiterste best had gedaan om haar aan te trekken voor zijn persoonlijke praktijk? De glamour ervan bracht haar van haar stuk. Hij had haar uit het 'getto' Hialeah gehaald, zoals zij het nu zag, en bracht haar in aanraking met de grandeur en opwinding van de ware wereld verderop. Over nog geen halfuur zou *60 Minutes* – en niet zomaar *60 Minutes* maar de ster van het programma, Ike Walsh – hier zijn om hem te interviewen over… de Porno Plaag.

Zodra Maurice Fleischmann was vertrokken en de deur naar het parkeerterrein van de Lincoln Suites achter hem dichtklikte, verliet dr. Norman Lewis zijn kantoor en liep hij haar kant op, met de stralende blik van een man die zijn lachen niet langer kon houden. Zodra hij bij haar was – *de ontploffing*. Hij begon zo hard te lachen dat hij zijn adem nauwelijks lang genoeg kon inhouden om de woorden naar Magdalena uit te hijgen.

'Maurice Fleischmann!' riep hij uit, terwijl hij zijn arm om haar middel sloeg. 'Moe de Eerste!… het voorname Gezicht van Miam*eeee ee ee ee eeaahhahAHHHH hock hock hock hock*' – hijg – '*hhhh*heeft een zijden pak aan van $ 8000 dat hij laatst heeft laten maken in Jermyn Street bij Savile Row-*oh-oh-oh-ohhahhhHHHH hock hock hock hock* kon niet laten me dat te *vertellen*! kon niet laten te pronken met het label*lllllahhahhaHAHH hock hock hock hock hock*' – hijg – en iedere keer dat hij hijgde verstevigde hij zijn greep rond Magdalena's middel een beetje meer. 'Hij verdient gvd de prijs van de week *ahhhHHHH hock hock hock hock*' – hijg – hij greep haar een beetje steviger – '"*zzzzzo verfijnd*" ahhHHHH hock hock hock hock*' – hijg – en een beetje *steviger* – 'honnnder dat mooie pak zit de grootste puinhoop die je ooit zag ag ag ag agahhHHHH' – hijg – en strakker – 'Je moet toegeven dat we hier een zo*ooohhh* hebben *wh wh whoeh*' – hijg – grijpt… en grijpt – en hij barstte in een liedje uit: 'Ooooo, we gaan naar de Hamburg Zoo – voor de olifant en de wilde kangaroeoe hock *hock hock hock!*' Hij probeerde zijn adem in te houden en zijn jool te bedwingen... wat mislukte. 'Je zou zijn kruis moeten zien!' – hijg – 'Zijn arme piemel – het is een rood gevalletje, en er zitten overal zo veel herpesblaren op, het is net of je neerkijkt op een trosje ballonnen! Alleen is het een blarentros van ballonnen *blaaaaAA-AREN AHHHHHH hock hock hock ahhhHHHH*!' – hijgen, puffen – 'Wat een prachtig menselijk exemplaar! Hij kan ze allemaal aan,' – hijg – 'hij kan ze allemaal aan*nnnock hock hock hock hock hock* ik zweer dat ik geen grapje wilde maken... ik probeerde niet leuk te zijn.'

De eminente dr. Lewis had zichzelf eindelijk in bedwang, maar hij bleef Magdalena's lichaam strak tegen het zijne houden, zij tegen zij. 'Arme sukkel... iedere keer dat hij masturbeert, wordt de herpes erger en komen er meer blarentrossen tevoorschijn – en als je denkt dat hij de wilskracht heeft om weg te blijven van internet en op te houden met het bekijken van die voortploeterende jongens en meisjes die van alles en nog wat in iedere opening van het menselijk lichaam steken – en op te houden met het martelen van zijn arme misbruikte piemeltje, droom je... Wacht even! Dit moet ik je laten zien! Ik heb een paar foto's gemaakt –'

Hij liet haar los en stormde zo'n beetje terug naar zijn kantoor. Het gelach van dr. Lewis – al dan niet om zijn eigen grappen–, zijn opgewekte humeur, zijn jongensachtigheid, zijn energie groeiden aan tot een tsunami die Magdalena hulpeloos wegvaagde... Moest hij haar echt deze intieme geheimen uit het leven van zijn patiënten vertellen? Maar wat waren haar hinderlijke kleine scrupules in vergelijking met héél dr. Norman Lewis? Ieder moment – *ieder moment!* – kon *60 Minutes* hier zijn om Norm het laatste woord te geven over de 'Porno Plaag' – *60 Minutes!* – en Norman was vreselijk opgewonden over iets totaal anders, een paar foto's van de geruïneerde lendenen van de arme mijnheer Fleischmann – alsof *60 Minutes* en Ike Walsh hem geen bal kunnen schelen – *geen bal*!

Magdalena was in paniek *voor* hem – en riep uit: 'Norman! Laat het me later maar zien! *60 Minutes* kan hier ieder moment zijn, misschien wel meteen!'

Dr. Norman Lewis bleef in de deuropening van zijn kantoor staan, draaide zich om en zei: 'O, maak je geen zorgen, schat, het kost ze een uur om alles op te stellen.' Hij glimlachte naar Magdalena met een bepaalde cynische draai van de lippen. 'Het is een stel vakbondselfjes. Wat ze ook doen, ze hebben er twee keer zoveel tijd voor nodig als gewone elfjes. *Zij* kunnen de pot op. Je moet naar Moe de Eerste *à la noue* kijken!'

'Maar Norman! Ike Walsh –'

'*Hij* kan ook de pot op. Hij is een schoolvoorbeeld van het Pissende Aap-syndroom.' Waarop hij zich omdraaide en zijn kantoor in ging.

*Zij* kunnen de pot op... En Zij betrof slechts het actualiteitenprogramma op televisie met de beste kijkcijfers. En *hij* kan de pot op... En Hij, Ike Walsh, was slechts de grootste ster van actualiteiten op televisie. 'De Grote Ondervrager' noemden ze hem. Magdalena was gefascineerd maar bang wanneer ze Ike Walsh op televisie zag. Het was een bullebak. Zijn specialiteit was om mensen te achtervolgen tot ze in de war raakten en emotioneel instortten. ::::: Maar mijn Norman schrijft hem af als een arme sukkel die aan het 'Pissende Aap-syndroom' lijdt. Wat is in vredesnaam het Pissende Aap-syndroom? ::::: Ze had hem daar nooit eerder over gehoord... Pissende Aap-syndroom...

Ze wist dat hij haast had, maar ze kon zich niet bedwingen. 'Norm!' gilde zij hem na. 'Wat is het Pissende Aap-syndroom?'

Dr. Lewis bleef in de deuropening van zijn kantoor stilstaan en draaide zich weer om. Hij zuchtte op een manier die aangaf: 'Ongelooflijk dat je niet weet wat het Pissende Aap-syndroom is.' Op een toon van misbruikt geduld zei hij: 'Ik neem aan dat je weet dat apen verschrikkelijke huisdieren zijn. Ja?'

Magdalena had nog nooit iemand *iets* over apen als huisdieren horen zeggen, maar ze knikte ja in plaats van te riskeren hem nog meer te ergeren.

'Maar laten we zeggen dat een man er toch eentje krijgt, een kleine aap, een leuke aap, een slingeraap bijvoorbeeld, ja?'

Magdalena was zo goed nog eens te knikken.

'Goed, als die aap een mannetje is – en zodra hij hoog genoeg kan komen – en ze kunnen overal in klimmen – dan begint hij op je hoofd te urineren. Ja?'

'Op je *hoofd* urineren?' vroeg Magdalena.

'Jawel. Op het hoofd van de man urineren. Het hoofd van de *man*. In vrouwen is hij niet geïnteresseerd. Hij urineert op het hoofd van de man en dan begint hij te grinniken en doet hij EE EE EE EE EE. Hij lacht je uit, hij spot met je, hij vertelt je wat een mietje je bent. Hij zal dag en nacht op je hoofd pissen... als je in bed diep in slaap bent, wanneer je opstaat om naar de wc te gaan, wanneer je je aankleedt om naar je werk te gaan of wat dan ook – *voortdurend*... En het heeft geen nut te proberen vriendjes te worden met het rotzakje, het heeft geen nut te proberen hem aan te halen of hem lief toe te spreken, het heeft geen nut te proberen in een goed blaadje bij hem te komen door hem geweldige apenfeestmalen voor te zetten, appels, rozijnen, selderie, hazelnoten, paranoten, al die dingen waarvan apen houden. Alles wat je probeert om hem mild te stemmen maakt het allemaal maar erger. Hij zal je voor een *hopeloos* fluitje van een cent verslijten. Ja? Het enige wat werkt is dat je het rotzakje grijpt terwijl hij zich aan het volvreten is en hem in het toilet gooit, en terwijl hij in het water aan het maaien is, gedesoriënteerd is en hij geen enkel houvast aan de toiletpot krijgt, omdat die zo glad is, pis *jij* op *hem*. Je pist hem helemaal onder. Die kloteaap gaat denken dat hij vast zit in een pisplensbui. Heel de hemel, heel de wereld is op hem aan het pissen. Er is geen lucht meer om te ademen, alleen pisgeuren. In het begin zal hij EE EE EE EE gaan doen – hij is zo woest als wat – en dan verandert de toon, het begint te klinken als een kreet om genade... en dan vertraagt het tot EE..... EE ..... EE..... EE, en dan zakt het decibelniveau, en blijft er alleen een zielig zacht gejammer over, ee..... ee..... ee..... ee, en de volgende dag ligt-ie als een poesje opgerold op je schoot en *smeekt*-ie je ongeveer hem aan te halen en lief toe te spreken. Je hebt hem laten zien wie hier de baas is. Je hebt hem laten zien dat *jij* de alfaman bent, niet hij. Zo zit het met die Ike Walsh van *60 Minutes* van je... Hij is een pissend aapje.'

Waarop hij verdween in zijn kantoor.

::::: *Ike Walsh is een pissend aapje*! En hij zou zo dadelijk worden *geïnterviewd* door Ike Walsh! ::::: Magdalena had Norm nooit eerder zoiets minachtends horen zeggen, ook al had ze hem vele malen naar tv-figuren in het algemeen horen verwijzen als beïnvloedbare en snel opgewonden kinderen 'die niet tot enige vorm van conceptueel denken in staat zijn'.

Het sleutelbegrip was momenteel 'snel opgewonden'. De actualiteitenrubrieken op tv wilden allemaal dolgraag de resultaten uitbuiten van een onderzoek van de National Institutes of Health waaruit bleek dat een verbluffende 65 procent van alle zoekresultaten op internet pornosites betrof. Het NIH – de Amerikaanse overheid! – waarschuwde voor een pandemie van pornoverslaving. Het was van ondeugend tot een nationale gezondheidscrisis uitgegroeid. 'Dicht bij het nulpunt,' zei Norman graag over de verhitte hersentjes van de tv-figuren. Aan de andere kant had hij er niets tegen in hun programma's te verschijnen. 'Zij buiten zogenaamde pornoverslaving uit,' zei hij – steevast deed hij er het 'zogenaamde' erbij – 'en ik buit *hen* uit.' Hij was er *geweldig* in! Magdalena wist dat zij behoorlijk bevooroordeeld was, maar Norman deed het fantastisch op televisie… zo kalm, zo welsprekend, zo goed op de hoogte… en toch zo goedgehumeurd… en zoals hij eruitzag – maar meent hij nu dat hij de hardste man op tv als een pissend aapje kan behandelen?

Op dat moment kwam Norman tevoorschijn uit zijn kantoor, blakend, stralend van enthousiasme. *God*, wat zag hij er goed uit! Haar *americano* prins! Blauwe ogen… golvend bruinachtig haar – ze beschouwde het liever als blond… lang, een beetje lijvig misschien, maar niet echt… dik. Hij was 42, maar hij had een sterk gezicht en de energie van iemand van 30… maak er maar iemand van 25 van. Haar vriendinnen waren haar altijd aan het gispen, uitfoeteren en waarschuwen dat hij bijna twee keer zo oud was als zij… maar ze konden zich geen voorstelling maken van Normans energie, kracht en levensvreugde. Wanneer zij beiden 's ochtends opstonden, allebei naakt – ze had nooit eerder zo met iemand geslapen – zag ze dat hij onder de goede gezonde… vulling… heel goed was gebouwd. *piep* Nestor was slechts 1,70 en stond *bol* van de spieren hier daar overal… bol!… zo *grotesk!*… *Normans haar*, zo dik en golvend en blond… *blond!*, hield ze vol… waardoor al die praatjes van Nestor over 'strak' en 'afgetekend' irrelevant werden. Ze woonde bij het *americano*-ideaal! Ze kon zich niemand voorstellen die zo duidelijk *niet Hialeah* was, zo ver *boven* Hialeah verheven, op een hoger, intellectueler niveau. De hele wereld ging voor haar open. Natuurlijk maakten de mensen in Hialeah graag hun *americano*-grappen. Maar in hun hart wisten ze dat buiten Miami de *americanos* het voor het zeggen hadden… het overal voor het zeggen hadden.

Inmiddels stond Norman achter haar bureau. Hij legde een foto voor haar neer. 'Kijk daar eens naar, dan begrijp je waarover ik het heb. "Mij komt de wraak toe," spreekt de Here, "Ik *zal* het vergelden." Dat is trouwens het motto van *Anna Karenina*. Maar goed, de zonde van onze grote beer is onanie, en vergelding *zal* zijn deel zijn.'

Zulk soort opmerkingen, zo terloops en voor Norman zo normaal, intimideerden Magdalena vreselijk. Ze had geen idee wat een motto was. Ze had een vage notie van Anna Karenina… iemand uit een boek? Over 'onanie' tastte ze volstrekt in het duister. Een zesde zintuig zei haar *motto* en *Anna Karenina* niet aan te roeren. Alles wat met schrijven, met literatuur te maken had, intimideerde haar het ergst. Het trof haar op haar zwakste plek, haar gebrek aan vorming over de boeken die je geacht werd te hebben gelezen, de kunstenaars met wier schilderijen je werd geacht vertrouwd te zijn, de grote componisten – ze wist *niets* – van welke componist dan ook. Ze had één naam gehoord, Mozart, maar wist absoluut niks over iets wat hij had gecomponeerd... Dus was op een of andere manier... '*onanie*' veiliger.

'Onanie?'

'Masturbatie,' zei dr. Lewis.

Hij veranderde van plaats achter Magdalena, die aan haar bureau zat, om de foto vanuit haar positie te kunnen zien. Hij legde zijn handen op haar schouders, liet toen zijn hoofd zakken tot zijn kin op haar schouder rustte en zijn wang de hare raakte. Ze ademde zijn eau de toilette in, die Resolute for Men heette. In Normans appartement in Aventura was er een gigantische badkamer met een enorm marmeren blad onder een geweldige spiegelwand, en wanneer ze 's ochtends naar *haar* wastafel ging, stond Normans kloeke, mannelijke flacon Resolute for Men naast *zijn* wastafel. De flacon was ontworpen om op een handgranaat te lijken... een zeer masculien voorwerp uiteraard, om een aangenaam parfum op het aangename, net geschoren gezicht en de nek van een man te sproeien *piep* de badkamer van de arme Nestor in de casita in Hialeah... het arme raamloze badkamertje in de gang dat hij moest delen met zijn ouders. Het was niet veel meer dan een kast met een op elkaar geperste toiletpot, badkuip en miniwastafel. Roest had zich door het email gevreten rond de warm- en koudwaterkranen van de wastafel. Een ongelukkige tint groene verf bladderde van de muren af. Zij en Nestor waren in de drie jaar dat ze bij elkaar waren geweest maar twee keer alleen in de casita geweest, beide keren liefst een halfuur. Meer dan eens waren ze half of helemaal naakt van zijn kamer naar die treurige badkamer gerend, doodsbang dat ineens iemand het huis binnen zou komen, zijn moeder, zijn vader, familie, buren, en hun verdorvenheid zou ontdekken. O, god, het was zo verdorven geweest – en zo onzegbaar opwindend.

En o, *god*! – het was zo vreselijk wat ze Nestor nu aandeed! Ze kon zijn vertrokken gezicht '*¡Concha!*' zien schreeuwen. Maar ze kon zich er niet toe brengen het als een belediging te beschouwen. Het was maar de gewonde schreeuw van een Latijnse man met een gebroken hart.

Niet één man, niet één echte Latijnse man, zou zomaar, als een geslagen hond, weglopen na een relatie als die van hen. Maar hoe had ze het kunnen vermijden? Ze had hem hoe dan ook moeten vertellen dat het voorbij was. Ze ging hem en Hialeah verlaten.

Zou ze die dag 'naast hem zijn gaan staan', als ze had geweten dat hij in grote moeilijkheden was geraakt door het arresteren van die Cubaanse leider van de ondergrondse en hem ongeveer aan de Cubaanse regering overdroeg? Tja, goddank hoefde zij die beslissing nooit te nemen. Ze had geen idee hoe het stond met Nestors 'carrière'. Wekenlang had ze slechts aan één ding kunnen denken: eindelijk helemaal ontsnappen aan Hialeah en 'de grote Cubaanse buik' daarvan, zoals zij het zag... wat vooral wilde zeggen het huis verlaten en Nestor verlaten. Goddank had ze dat allebei gedaan toen ze er nog het lef voor had!

Hialeah – die kleine Cubaanse capsule was Nestors hele leven. Ach, die dag zei hij wel dat hij ook weg zou gaan uit Hialeah, maar hij was alleen maar tijdelijk gewond. Het hele geval zou binnen de kortste keren overwaaien en vergeten zijn. Hij zou nooit meer zijn dan een smeris die zijn twintig jaar volmaakte om nadien – wat? Zijn lekker grote pensioen? Zijn leven zou zestien jaar na nu voorbij zijn, en dan was hij pas veertig. Het was treurig... maar in elk geval hoefde zij niet meer tegen hem te liegen... en te doen alsof er niets was veranderd. Ze zou hem eigenlijk moeten ontvrienden op Facebook. Het zou fout zijn als ze hem iedere dag, ieder uur naar haar gezicht liet staren, hem erover liet dagdromen en hem liet wegkwijnen vanwege iets wat hij nooit meer zou hebben. Dat zou wreed zijn...

::::: Maar toe nou, Magdalena, hou jezelf niet voor de gek! Dat is niet waarover je je echt zorgen maakt, wel... Er is een foto van jou en Norm op je pagina opgedoken, jou onbekend, en je was zo bang geweest Nestor overstuur te maken dat je de foto verwijderde zodra je wist dat die er was. Laten we van nu af aan de feiten onder ogen zien. Je wilt dat iedereen weet dat dr. Norman Lewis je vriendje is! Geef het maar toe! Eigenlijk *wil* je dat zijn foto heel je pagina vult als *60 Minutes* met de beroemde Ike Walsh begint. Ja toch? Je *wilt* dat ze weten dat jij die geweldige, blonde, blauwogige *americano*, die aantrekkelijke, beroemde Oudere Man bezit! ::::: Maar deze vrolijke gedachte bracht een nieuwe golf Nestorschuldgevoel op gang. Het was onvermijdelijk geweest dat heel de situatie zou eindigen zoals die was geëindigd... en beter vroeger dan later. Ze had geen enkele manier kunnen verzinnen om het hem te laten weten… geen enkele *pijnloze* manier… Beter zo, een snelle, schone ingreep. Ach, Nestor zou snel weer terug zijn aan de boezem van Hialeah, alsof er niets was gebeurd –

'Toe nou!' zei Norman. 'Je kijkt niet eens naar de foto!' Wat waar was. Hij liet zijn handen van haar schouders omlaag glijden over haar smetteloos witte verpleegstersuniform. 'En?'

Ze keek dus naar de foto, en… *uhnghhh*, het was zo *smerig*! Het was een kleurenfoto van het blote kruis van een man … Er zat overal uitslag op zijn lies en op zijn penis, die zwaar ontstoken was.

Magdalena zei: 'Dit is zo' – ze wilde 'walgelijk' zeggen, maar Norman leek om een of andere reden zo trots op zijn foto – 'dit is zo'n vreselijke foto.'

'Dat is niet zo,' zei dr. Lewis. 'Wat onze zeer rijke en invloedrijke Maurice Fleischmann zichzelf heeft aangedaan mag vreselijk zijn, maar het is geen vreselijke foto. Naar mijn idee is het een belangrijke foto, het soort documentatie dat erg waardevol voor ons vak is.'

'Dat is mijnheer Fleischmann?'

'Helemaal,' zei dr. Lewis. 'Kijk naar die lange dunne benen.'

'Waar komt die foto vandaan?'

'Die heb ik zo'n halfuur geleden zelf gemaakt en op de computer gezet.'

'Maar waarom is hij naakt?' vroeg Magdalena.

Dr. Lewis grinnikte. 'Omdat ik hem zei zijn kleren uit te trekken. Ik zei hem dat we een "zichtbare tijdlijn" van zijn progressie moesten maken. "Een zichtbare tijdlijn" zei ik tegen hem.' Hij grinnikte tot de rand van openlijk lachen. 'Ik zei ook dat ik wilde dat hij die foto meenam om er iedere keer wanneer hij geneigd is toe te geven aan zijn zogenaamde verslaving naar te kijken. Dát meen ik maar half serieus. Maar ik heb de foto vooral gemaakt voor mijn monografie.'

'Je monografie?' vroeg Magdalena. 'Wat voor monografie?' Ze aarzelde. Ze wist niet of ze meer van haar onwetendheid moest laten merken – maar ze zette toch door. 'Norman… ik weet niet eens wat een monografie is.'

'Een monografie is een verhandeling – je weet wat een verhandeling is?'

'In grote lijnen,' zei Magdalena. Ze had geen flauw idee, maar Norman had het op een toon gezegd die veronderstelde dat iedereen die kon lezen en schrijven het woord kende.

'Nou, een monografie is wat je noemt een zeer gedetailleerde, zeer geleerde verhandeling die je veel meer leert dan je eigenlijk wilt weten over een zeer bepaald onderwerp, in dit geval de rol van masturbatie bij zogenaamde pornoverslaving. Ik wil dat deze monografie zo gedetailleerd is, zo uitputtend, zo overvol... eigenlijk *bol*... van de documentatie, waaronder foto's zoals die van Mister Miami's kruis, dat je er migraine van krijgt als je ook maar probeert 'm te lezen. Ik wil dat dit werkje zo... *uitputtend* is dat iedere wetenschapper die het hele werkje leest – iedere wetenschapper, iedere arts, iedere psychiater, iedere medewerker aan een medische faculteit – ik wil dat de klootzak schreeuwt van de pijn door de last en de pietepeuterige klinische bijzonderheden, in hapklare brokken opgediend, waarmee dr. Norman Lewis hem heeft overstelpt.'

'Maar waarom wil je *dat* doen?' vroeg Magdalena.

'Omdat ik toevallig weet dat deze jaloerse etterbollen me een "Schlocktor" beginnen te noemen.'

Magdalena staarde alleen. Ze wilde niet nog een vraag stellen die op alle dingen wees die ze niet wist.

'"*Schlock*" is een Jiddisch woord dat goedkoop en slecht gemaakt betekent,' zei Norman, 'met name inferieur spul dat voor topklasse door moet gaan. Een Schlocktor is dus een dokter die laat zien wat een goedkope, oppervlakkige, nep-"deskundige" hij is door in televisieprogramma's als *60 Minutes* te verschijnen en ingewikkelde dingen te versimpelen zodat miljoenen imbecielen denken dat ze het snappen. Het is natuurlijk allemaal jaloezie. Mijn rechtschapen collega's zien zichzelf graag als ingewijden in exclusieve mysteriën in een ivoren toren die de idiote miljoenen nooit kunnen bestijgen. Iedere arts die op televisie komt en het minder mysterieus maakt is automatisch een goedkope apostaat' – Magdalena staarde zich maar door Normans *apostaat* heen – 'die de mysteriën inruilt voor een soort vulgaire roem. Mijn monografie zal hen keihard raken, zal... *hen*... te boven gaan. De titel zal zoiets zijn als "De rol van masturbatie bij pornoverslaving" – "verslaving" tussen aanhalingstekens – of misschien "De *factor* masturbatie bij pornoverslaving". "Factor" is tegenwoordig een heel geleerde komedie bij ingewijden in deze mysteriën. Hoe dan ook – masturbatie. Veel artsen, zelfs veel psychiaters snappen het niet. Niemand raakt zónder aan porno "verslaafd". Anders zou een arme sukkel als onze eminente Mister Miami het snel beu raken naar meisjes met pikken in hun monden te kijken. Maar als hij zijn hand aan zijn joystickje kan houden en klaar kan blijven komen, is er geen grens aan "pornoverslaving". Een lul – sorry voor de woordgrap – als Moe de Eerste mag dan weinig indruk maken, maar hij kan liefst achttien keer ejaculeren in één dag achter-de-computer-zitten en online naar die treurige rotzooi kijken. Achttien! Ik wed dat je nooit een man hebt gekend die zoveel in zich had! Nou, onze Maurice Fleischmann wel! En hij kan niet ophouden, zelfs niet wanneer zijn kruis er... *zo* uitziet.'

Magdalena bleef naar de foto staren, en het *was* een vreselijke foto, ongeacht wat Norm zei – maar intussen maakte hij de knoopjes los aan de voorkant van haar bescheiden, ingetogen verpleegstersuniform. Ze zit aan haar bureau als een vakvrouw, een verpleegster, wat het allemaal des te... *verdorvener* maakt... *60 Minutes* is waarschijnlijk onderweg naar de deur – *ieder moment*! Haar hartslag loopt op – terwijl Norman met een volkomen normale stem blijft praten. '...en hij zegt tegen zijn assistente dat hij niet mag worden gestoord, ongeacht wie er belt, zijn vrouw, een van zijn dochters – hij mag *niet* worden gestoord. Zelfs niet door haar, zijn assistente, en hij draait de rugleuning om van de grote, weelderige draaistoel die hij heeft, bekleed met het zachtste, roomachtigste leer, en wiebelt er zo ver in naar achteren als mogelijk, hij maakt zijn riem los, zijn rits open, laat zijn broek en zijn boxershort tot beneden zijn knieën glijden, en zijn arme geruïneerde bloederige lulletje steekt omhoog de lucht in, en dus doet hij het enige wat hij kan doen. Hij zet zijn tanden op elkaar en slikt de pijn in, rauw, en in een mum bereikt hij het krampje waarvoor hij tegenwoordig leeft – hij *vertelt* me dit allemaal echt!... alsof ik werkelijk al deze details *nodig heb* om hem te behandelen – *ikkkahhh*!' Waarop hij weer in een lachbui uitbarstte.

Magdalena zei: 'Weet je zeker dat je me al deze dingen over hem moet vertellen?'

Geen moment hield dr. Norman Lewis op met het liefkozen van haar borsten. *60 Minutes*! Ieder moment!

'Ahhahaaaaahh ik zou niet weten waarom niet,' zei dr. Lewis, die probeerde zijn lachen te bedwingen. 'Wij wij wij*zijnhhhhhhhhh hock hock hock wijijij* zijn allebei bevoegde vakmensen die hem behandelen, is het niet? *Hock hock hock hock hock hock ahhhHHH Hock hock hock*.'

Hij stond nog steeds voorovergebogen achter haar stoel. Nu bewoog hij om de stoel heen tot hij haar in de ogen kon kijken. Hij kuste haar en zoog heel zacht aan allebei haar lippen. Hij bleef praten alsof er in dit vertrek verder niets gebeurde, afgezien van een toelichting op de gedragssymptomen bij de patiënt Maurice Fleischmann.

'Op het moment dat hij klaarkomt, op het moment dat iedere man klaarkomt, verdwijnt – *verdwijnt*! – zomaar ineens iedere laatste neuron, iedere laatste dendriet van de opwinding die heel even geleden zijn geslachtsorgaan met bloed vulde, heel die monomane *lust* is vervlogen. Het is alsof die nooit heeft bestaan. Hij kan niet eens *begeren*, onze mannelijke Maurice Fleischmann. Hij is helemaal bij de les. Hij trekt zijn short weer omhoog, trekt zijn broek weer omhoog, doet de gulp dicht en maakt zijn riem vast, staat op en strijkt zijn kleren glad tegen zijn lichaam... en kijkt in alle richtingen het raam uit om te zien of *iemand* daarbuiten hem *misschien* heeft kunnen zien, en dan drukt hij op een knop, en zijn assistente, in het voorvertrek, neemt op, en hij zegt haar dat ze weer kan beginnen gesprekken door te schakelen, en hij is weer aan het werk, vraagt zich af hoe wat er net gebeurde... is gebeurd... Hij is weer aan het werk tot zijn gestel op krachten is, en deze tussenperiodes worden korter en korter, en zodra hij op krachten is, draait hij de draaistoel weer naar de deur en zit hij weer aan het scherm vastgenageld. Het is zo makkelijk, porno aanzetten. Hij hoeft niemand iets te betalen, of zijn naam en mailadres te verstrekken. Hij hoeft alleen maar te googelen, www.onehand.com in te tikken en op SEARCH te klikken en hij is weer in Xanadu, en zijn kleine Excalibur met blaren is weer verticaal en gretig, en hij heeft een seksmenu op het scherm, wat hij maar wil, anaal, fellatio, cunnilingus, coprofilie – ja, reken maar! – en heel zijn bestaan op aarde is één *verlangen* naar *de kramp*. Verder is niets echt! En de periode tussen bezoeken aan het huis van plezier worden korter en korter, en hij krijgt verder niets voor elkaar, en mensen beginnen te klagen dat ze geen afspraak meer kunnen maken met onze eminente heer Maurice Fleischmann. Natuurlijk niet! Hij is bezig zichzelf te vernietigen!'

Magdalena vroeg: 'En dit gebeurt allemaal op *kantoor*?'

'Het gebeurt *vooral* op kantoor,' zei dr. Lewis. 'Thuis zijn er allerlei problemen... en obstakels. Vrouw, kinderen, het volledige gebrek aan eenzaamheid. Ik bedoel, als onze knaap Maurice een kamertje zou inrichten waar hij *volledige* privacy had, alleen hij en zijn computer, zou dat allerlei verdenkingen wekken, en je kon er donder op zeggen dat zijn vrouw overal achter kwam. Geloof me, ze *zou* erachter komen.'

Een van dr. Lewis' handen, nog steeds in haar uniform, begint af te dalen, glijdt diverse kanten op over haar onderbuik. En dan glippen twee vingers, die nog maar net daar waren, onder het bovenste elastiek van haar slipje.

'En vergt het *zo veel tijd*?' vroeg Magdalena. Haar hart ging tekeer. De woorden kwamen er in een vreemde schorre fluistering uit.

Dr. Lewis leek zo'n probleem niet te hebben. 'O, zeker,' zei hij. 'Denk maar eens even na. Zijn cyclus heeft nu achttien keer per dag bereikt, vooral op kantoor. Hij heeft geen *tijd* meer voor andere dingen, en hij kan zich verder nergens op *concentreren*. Hij heeft alleen de periodes tussendoor dat hij energie opbouwt voor volgende krampen. Andere dingen – als hij ze niet op routine, op een mechanische manier kan regelen, gebeuren ze niet. Hij is in een andere wereld, zonder enige beheersing, en die wereld heet onanie.'

'Onanie.' Magdalena kon het alleen fluisteren… op schorre toon. Ze was zo opgehitst dat ze amper kon praten.

Ineens pakte dr. Lewis haar stoel op, met haar erin, en draaide die negentig graden weg van het bureau –

'Norman! Wat doe je!'

– en zette die pas weer neer tot er ruimte genoeg was dat hij voor haar kon komen en tussen haar benen stappen. Hij zei niets en zij zei niets. Hij keek omlaag naar haar, met een o zo vage glimlach. Zij keek recht naar hem omhoog. Dr. Lewis maakt de knoopjes los van zijn ik-ben-dokter-jas van wit katoen. Zijn kaki broek zwol op in het kruis, niet meer dan vijftien centimeter van haar gezicht. Hij begon zijn broek open te ritsen langzaam langzaam langzaam. Hij straalde een lepe lepe lepe glimlach naar Magdalena, als een volwassene die een klein meisje een cadeautje gaat geven dat ze altijd z-o-o-o-o graag heeft willen hebben. Langzaam langzaam langzaam leep de rits –

Een ratelend gerinkel op lage toon… Het betekende dat iemand op de bel bij de ingang drukte. Je kon de stemmen en het gelach van mannen buiten horen.

'Norman! Dat zijn *ze*! Dat is *60 Minutes*!'

'*Nu* – terwijl ze aan de deur staan!' De stem van dr. Lewis was ineens benauwder en ademlozer dan de hare. 'Doe het *nu*!'

'Nee, Norman! Ben je gek? Ik moet ze binnenlaten – en ik ben al halfnaakt! Er is geen tijd!'

'Dit *is* de tijd –' kwaakte dr. Lewis. 'Terwijl zij voor – de – poort staan –'

Hij had moeite weer op adem te komen. 'Duurt een eeuwigheid voor een moment als dit – ooit weer! Gewoon *doen!*'

Magdalena trok terug, ze schoof de stoel achteruit en sprong overeind. De knoopjes van haar verpleegstersuniform waren bijna tot onderaan open. Ze voelde zich volledig naakt.

Norman had nog steeds beide handen aan zijn rits. Hij staarde naar haar met een blik die inhield dat hij... gekwetst... verbijsterd... verraden was.

'Mijn god, Norman,' zei Magdalena. 'Volgens mij *ben* je echt gek.'

Het interview vond in Normans kantoor plaats. Er waren twee camera's, de ene gericht op Norman, de andere op de Grote Ondervrager, Ike Walsh. Ze zaten tegenover elkaar in de stoeltjes waarin gewoonlijk patiënten zaten. Omdat ze al flink paranoïde was over de woeste listen van de Ondervrager, vreesde Magdalena dat het idee was om te voorkomen dat Norman achter zijn grote bureau zou zitten, met het bijbehorende aura van autoriteit. Ze maakte zich grote zorgen over wat haar minnaar door toedoen van de Ondervrager kon overkomen. Uiteindelijk was Ike Walsh de professional. Hij had dit soort dingen voortdurend bij de hand. Als hij Norman zou vernederen – na alle grote woorden van Norman over de Pissende Aap, zou dat vreselijk zijn... Haar hart klopte razendsnel.

Ike Walsh was veel korter dan hij op televisie leek. Maar als je erover nadacht, zat hij in *60 Minutes* altijd. Wel maakte hij een nog dreigender indruk. Zijn altijd gebruinde huid, zijn smalle, staalachtige ogen, zijn hoge jukbeenderen, zijn brede kaken en lage voorhoofd, dat een steenachtige kleine klif vormde onder zijn manen dik, zwart haar, heel dik inktzwart – hij zag eruit als een *echte* woesteling, nauwelijks ingeperkt door beschaafde kleding, zijn jasje en dasje. Die smalle robotoogjes van hem knipperden niet één keer, maar die van Norman ook niet. Hij leek zich best op zijn gemak te voelen – in zijn patiëntenstoel. Hij toonde een vage, vriendelijke, gastvrije glimlach. Magdalena's hart bonsde nog sneller. Door zijn ontspannen houding leek Norman alleen onvoorzichtiger, kwetsbaarder, nog makkelijker af te maken.

Een of andere regisseur begon te tellen: '...zes, vijf, vier, drie, twee, een... we draaien.'

Walsh helde zijn hoofd naar één kant, zoals hij dat altijd deed wanneer hij iemand af ging maken. 'Goed, dr. Lewis, volgens u is pornoverslaving geen echte lichamelijke verslaving, zoals een verslaving aan alcohol, heroïne of cocaïne…'

Hij zweeg. Een rood lampje ging aan op de op Norman gerichte camera…

Norman sprak! 'Ik ben er niet van overtuigd dat verslaving aan alcohol, heroïne of cocaïne lichamelijk is in de zin die u denk ik bedoelt wanneer u lichamelijk zegt. Maar ga door alstublieft.'

Magdalena klemde haar handen heel strak samen en haalde diep adem. Norman had zijn gastvrije glimlach behouden maar die veranderd, o zo licht door zijn lippen vaneen te doen en zijn onderkaak o zo licht naar één kant te bewegen… en een o zo lichte knipoog aan die kant – een *knipoog*! – niet knipperen – als wilde hij zeggen: 'Ik betwijfel of je het *flauwste* benul hebt waarover je praat, maar dat ik wil over het hoofd zien. Ploeter dus maar door, mijn jongen.'

Walsh zweeg een paar tellen langer dan Magdalena zou hebben verwacht. Probeerde hij te beslissen of hij er ja of nee alcohol, heroïne en cocaïne bij moest betrekken?

Met zijn hoofd nog steeds naar één kant zei hij: 'Maar vier van de meest vooraanstaande psychiaters en neurologen van het land – ik heb de neiging te zeggen van de wereld – zijn het volstrekt niet met u eens.' Hij tuurde omlaag naar een paar aantekeningen op zijn schoot. 'Samuel Gubner van Harvard… Gibson Channing van Stanford… Murray Tiltenbaum van John Hopkins… en Ericson Labro van Washington University – die, zoals u ongetwijfeld weet, onlangs de Nobelprijs heeft gekregen – ze zijn alle vier tot dezelfde conclusie gekomen. Pornoverslaving, elke dag uren naar pornovideo's kijken op internet, leidt tot een chemische reactie die de pornogebruiker op precies dezelfde manier *tackelt* als harddrugs de druggebruiker *tackelen*. Het brein verandert op precies dezelfde manier. Deze vooraanstaande autoriteiten zijn het daarover alle vier 100 procent eens.' Nu ging de Grote Ondervrager zijn hoofd rechtop houden, stak zijn onderkaak bijna prognathisch naar voren, vernauwde zijn koude staalogen nog meer… en *sloeg toe*. 'En *u* vertelt me dus dat dr. Norman Lewis het beter weet en deze vier mannen – onder wie een Nobelprijswinnaar – het verkeerd zien. Ze zien het allemaal *verkeerd*! Dat wilt u me vertellen? Komt het daarop niet neer?'

Magdalena's hart sloeg een paar slagen over en leek haar ribbenkast in te glijden. ::::: O, arme Norman :::::

'AahhuhwaaaAHHHHHHock hock hock hock!' Norman kreeg zo'n luidruchtige lachbui als ze nooit van hem had gehoord. Hij stráálde, alsof hij niet vrolijker kon zijn. 'Ik ken alle vier de heren, en drie van hen zijn goede persoonlijke vrienden van me!' Hij begon te grinniken, alsof heel deze gedachtegang te rijk voor woorden was. 'Toevallig heb ik een paar dagen geleden met Rick en Beth Labro gegeten.' Hij grinnikte weer, leunde achterover in zijn stoel en straalde de grootste, gelukkigste grijns ter wereld uit, alsof alle planeten precies in de juiste stand stonden.

Magdalena kon niet geloven wat er over Normans lippen was gekomen! 'Een paar dagen geleden' was een massaal diner dat de American Psychiatric Association hield in het Javits Center in New York ter ere van 'Rick' Labro vanwege zijn Nobelprijs. Magdalena was de hele tijd bij Norman. Zijn 'etentje met Rick en Beth' bestond eruit dat hij ongeveer 214e stond in een rij van misschien vierhonderd mensen die stonden te wachten om 'Rick' de hand te schudden. Toen Norman 'Rick' uiteindelijk had bereikt, zei hij: 'Dr. Labro? Norman Lewis, uit Miami. Gefeliciteerd.' Waarop 'Rick' reageerde: 'Hartelijk dank.' En dat was het – 'etentje met Rick en Beth'! ::::::: Onze tafel was de lengte van een voetbalveld verwijderd van die van 'Rick en Beth'. :::::

, De Grote Ondervrager schakelde over op zijn beproefde stand van ondeugende ironie: 'Fijn dat u zo'n leuke avond had, dr. Lewis, maar dat was niet –'

*Beeengg*! 'AhhhHAHHHAHAHHH *Hock hock hock hock* "Leuke avond" is wel heel zacht uitgedrukt, Ike!' – Normans lach, zijn galmende stem, zijn 250 watt goede humeur overspoelden Ike Walsh. 'Het was een *fantastische* avond! Niemand kan een hogere pet op hebben van Rick dan ik – en overigens ook van Sam, Gibbsy en Murray!' ::::: *Gibbsy*? Ik geloof niet dat hij Gibson Channing ooit heeft *gezien*. ::::: 'Het zijn pioniers op ons vakgebieddahhhhHHHi*Hock hock hock*. Je bent een grappige vent, Ike! AhhhHHHH*Hock hock hock*!'

Zo te zien vond 'Ike' al deze dingen niet grappig. Zijn uitdrukking was leeg geworden. De lichten waren gedoofd in zijn staalachtige ogen. Hij leek naar een reactie te zoeken. Uiteindelijk zei hij: 'Goed, ik neem dus aan dat u erkent dat in vergelijking met deze vier autoriteiten uw –'

*Baaammmhhh!* Normans onverbeterlijke uitbundigheid overspoelde Ike Walsh weer. 'Nee, je *bent* grappig, Ike! Je bent *onbetaalbaar*, in mijn boek! Wat ik je moet vertellen, is dat ik de afgelopen *tien* jaar zogenaamde porno*verslaafden* heb behandeld, en het *is* een ziekte, een geestelijke storing, een heel ernstige in dit land, ook al heeft een en ander weinig te maken met het conventionele idee van verslaving. We hebben zojuist het protocol voltooid voor de grootste klinische test van zogenaamde pornoverslaafden die ooit is ondernomen.' ::::: Wat? Sinds wanneer? ::::: 'Maar die zal niet in de gebruikelijke laboratoriumomgeving plaatsvinden. We sturen iedere patiënt naar huis met het equivalent van een Holter-monitor, en dan krijgen we een gestage stroom realtime gegevens wanneer ze zich in volledige privacy overgeven – laten we het zomaar noemen – aan hun "verslaving". De resultaten zouden binnen achttien maanden monografisch moeten zijn.'

'Monografisch?' vroeg Ike Walsh.

'Ja. Een monografie is een verhandeling – je weet *wel* wat een *verhandeling* is, hè, Ike?'

'Jaaa...' zei de beroemde Ondervrager. Hij zei het een beetje voorzichtig, alsof hij bang was dat Norman hem in het nauw zou drijven en hem, als een schooljongen, zou vragen om een *definitie* van dit woord *verhandeling*.

Zo ging het door. Norman bleef de Grote Ondervrager bestoken met veertien, vijftien meter hoge golven geweldig goed humeur, vriendelijkheid, donderend gelach, en kilometers hoog enthousiasme, glinsterende, schitterende golven die rezen en dalen en de getijdenstroom maskeerden, de onderstroom van minachting die Ike Walsh wegspoelde naar hij wist niet welke diepte. Een van Walsh' specialiteiten was om over een geïnterviewde heen te praten die het gesprek een kant op voerde die hem niet beviel. Maar hoe liep je over torenhoge, absoluut overweldigende golven heen? Na 'Je weet *wel* wat een *verhandeling* is, hè, Ike?' kreeg Ike Walsh de greep op zijn eigen programma niet meer terug.

De Grote Ondervrager bracht de rest van het interview opgerold op Normans schoot door. Af en toe kwam hij overeind om een lekker dik zacht balletje van een vraag op te slaan... en Norman sloeg homerun na homerun na homerun.

Magdalena maakte zich nog steeds zorgen over wat er eerder, momenten voor de ploeg van *60 Minutes* arriveerde, tussen haar en Norman was voorgevallen. Er was iets raars aan, iets pervers. Maar mijn *god*, Norman was snel! Hij was briljant! En mijn *god*, hij was sterk! Hij was een echte man! Hij had de ergste, meest gevreesde interviewer van heel de televisie helemaal onder gepiest... en hem tot een mietje gereduceerd.

# 6

## HUID

Zijn kamer op de etage van de faculteit Frans aan de universiteit was een hotellobby in vergelijking met zijn werkkamer hier thuis, maar de kamer hier thuis was een juweeltje, een art-decojuweeltje, om precies te zijn, en art deco was Frans. Het vloeroppervlak was oorspronkelijk maar vier bij drie meter, en het leek nu krap omdat iemand aan beide kanten een stel borsthoge boekenplanken had ingebouwd van amboina-hout – *amboina!* – absoluut *verbluffend!* – tot vlak bij het bureau. Dit was gebeurd lang voor hij de woning had gekocht… met een hypotheek die hij nog steeds moeizaam *moeizaam!* afbetaalde… je kunt je niet *voorstellen* hoe enorm moeizaam het tegenwoordig ging! Hoe dan ook, zijn werkkamer thuis was Lantiers onschendbare heiligdom. Wanneer hij in zijn werkkamer thuis zat met de deur dicht, zoals op dit moment, waren *interruptions* van welke aard ook *absolument interdites*.

Hij zorgde er welbewust voor dat deze kamer er kloosterachtig uit-zag… geen snuisterijen, geen souvenirs, geen leuke dingetjes, en dat gold ook voor lampen… er stonden geen lampen op het bureau, er stonden geen lampen op de grond. Het vertrek werd helemaal verlicht door plafondlampjes… Sober, maar dit was elegante soberheid. Het was niet antibourgeois, het was *haut bourgeois*, gestroomlijnd. Achter Lan-tiers bureau had je een één meter twintig breed raam in de vorm van een paar… Franse… deuren die helemaal vanaf de grond tot de kroon-lijst van het plafond liepen, drie meter dertig hoger. De kroonlijst was zwaar maar glad – gestroomlijnd in plaats van bestaande uit drukke mengelingen van Vitruviaanse krullen, slingers, bandjes en kronkels die met *haut bourgeois* ontwerpen uit de negentiende eeuw ELEGANTIE uitdrukten, art deco *haute bourgeoisie* ELEGANTIE kwam in de plaats van het grote gebaar: ramen zo hoog als de muur... gladde zware kroonlijsten die het art-decomotto 'Elegantie door gestroomlijnde kracht!' uitschreeuwden. De enige stoel, afgezien van die achter Lantiers bureau, was een klein wit exemplaar van fiberglas, het werk van een Franse ontwerper met de naam Jean Calvin. Als je pietluttig wilde zijn, was Calvin een Zwitser, maar de naam, uit te spreken als *Col-vanhhh*, leerde je dat hij een Franstalige Zwitser was, geen Duitstalige, en Lantier verkoos hem als een Fransman te beschouwen. Uiteindelijk beschikte Lantier, ook al was hij Haïtiaan van geboorte en was hij tot hoofddocent Frans (en dat vermaledijde Creools) benoemd *omdat* hij Haïtiaans was, over bewijs dat hij eigenlijk een afstammeling was van de vooraanstaande De Lantiers uit Normandië in Frankrijk van minstens twee eeuwen geleden, misschien langer. Je hoefde maar naar zijn blanke huid te kijken, niet donkerder dan laten we zeggen een *café latte*, om te zien dat hij in wezen een Europeaan was... *Nou*, hij *was* eerlijk genoeg tegenover zichzelf om te beseffen dat zijn gretigheid om zich Frans te *voelen* tot zijn huidige financiële problemen had geleid. Dit huis was niet erg ruim of in enig ander opzicht groots. Maar het *was* art deco!... een echt art-decohuis uit de jaren twintig – een van een aantal huizen dat destijds werd gebouwd in dit noordoostelijke stuk van Miami, bekend als de Upper East Side... niet een zeer voorname buurt, maar solide hogere middenklasse... een heleboel Cubanen en andere latino zakentypes... blanke gezinnen hier en daar... en geen *Negs* en geen *Haïtianen*! – behalve dan de Lantiers, en niemand hier versleet de Lantiers voor Haïtianen... zeker de *Lantiers* niet, docent Frans aan de Everglades Global University met zijn gezin in een art-decohuis... Deze art-decohuizen golden als nogal bijzonder, art deco was in het Engels een verkorting van art décoratifs, de eerste vorm van moderne architectuur – en het was *Frans!* Hij wist dat de prijs ervoor hoog zou zijn – $ 540.000 hoog – maar het was *Frans!* – en op een heel stijlvolle manier. Nu, met een hypotheek van $ 486.000 op zijn nek, betaalde hij $3050 per maand – $ 36.666,96 per jaar – plus $ 7000 voor de jaarlijkse grondbelasting, plus bijna $ 16.000 aan federale inkomensbelasting, dit alles met een salaris van $ 86.442 – dat was dus inderdaad hoog... hij had het gevoel dat hij met één been houvast had op het klif daarachter en met het andere been houvast op het andere klif, heel ver daarheen, en daartussen was het bodemloze Ravijn van de Doem. Hoe dan ook, de stoel van Calvin had een vrijwel rechte rug en geen kussen. Lantier wilde niet dat een bezoeker zich hier op zijn gemak voelde. Hij wilde hier geen bezoekers. Punt. Dat gold ook voor zijn vrouw, Louisette, voor ze twee jaar geleden stierf... Waarom bleef hij minstens tien keer per dag aan Louisette denken?... terwijl íedere gedachte aan haar maakte dat hij diep moest inademen en uitademen in de vorm van een lange zucht?... en zijn onderste oogleden erdoor in twee vijvertjes met tranen veranderden?... zoals op dit moment –

*Beetjedraaien gerammel!* – hij had zelf geprobeerd de klink op een koopje proberen te repareren, verdomme, en de deur vloog open, en daar stond zijn dochter van 21, Ghislaine, *yeux en noir* verblindend helder van opwinding, lippen die probeerden niet het enthousiasme te verraden waardoor deze grote mooie *sphères* oplichtten –

– ja, de deur van zijn onschendbare heiligdom vloog open zonder zoiets als een klop vooraf, en daar stond Ghislaine... en hij hoefde het niet eens in zijn geest als een complete gedachte te formuleren want het was in zo veel verschillende situaties gebleken: waar het ging om het geluk van zijn mooie dochter, zo-blank-als-de-maan, smolten zijn patriarchale regels weg. Hij kwam onmiddellijk overeind uit zijn stoel en omhelsde haar... toen ging hij op de rand van zijn bureau zitten zodat ze tête-à-tête zouden blijven.

Ze zei in het Frans: 'Papa! Ik weet niet of ik het met je over South Beach Outreach heb gehad, maar ik denk erover mee te doen!'

Lantier moest glimlachen. :::::: *Denk erover* mee te doen... probeer: *dolgraag* meedoen!... Je bent zo doorzichtig, schattige, lieve, voorspelbare dochter van me. Wanneer je ergens opgewonden over bent, kun je het niet opbrengen eerst een lekker stalletje van koetjes-en-kalfjes te bouwen, wel. Je moet het er *nu!* uit gooien, niet. :::::: Waardoor zijn glimlach nog groter werd.

Ghislaine vatte het blijkbaar op als zo'n ironische glimlach van hem, waaraan hij zich in het verleden schuldig had gemaakt, en het was absoluut *niet* de manier om een kind te laten weten wat je vindt. Wanneer ze doorkrijgen dat je hen bespot, lokt dat de bitterste wrok uit. Ghislaine moest het als *zo'n* glimlach hebben opgevat, want ze ging op Engels over en praatte snel, dringend.

'O, ik weet dat het volgens jou te veel tijd gaat kosten. En het zal *meer* tijd kosten… Je gaat niet zomaar bij de armen op bezoek om een doos voedsel te brengen. Je blijft echt een poosje bij de gezinnen en probeert hun echte problemen te achterhalen, en die bestaan uit een heleboel meer dan *honger*. Dat is nu precies wat Nicole er zo *leuk* aan vindt! Serena ook! Je zit niet alleen je zomaar liefdadig te voelen. Je probeert hen te helpen hun levens *op orde* te krijgen! Dat is het enige waardoor hun levens mogelijk kunnen *veranderen*! Je kunt ze eten en kleren geven – maar alleen *betrokkenheid* kan een echt verschil maken!' Met een volkomen andere stem, een timide stemmetje, vroeg ze smekend: 'Wat vind je?'

Wat vond hij… Voor hij het wist, barstte hij uit in een: 'Wat ik vind? Ik vind dat het *geweldig* is, Ghislaine! Het is een *schitterend* idee! Het is *ideaal* voor je!'

Hij hield zich in. Hij praatte met zo'n ongeremd enthousiasme dat hij zich bijna blootgaf. Hij wilde haar dolgraag een sleutelvraag stellen. Hij dwong zichzelf rustig genoeg te blijven, te kalmeren… vervolgde toen op zakelijke toon: 'Is dit iets wat Nicole heeft geopperd?'

'Nicole en Serena, allebei! Heb je Serena ooit ontmoet? Serena Jones?'

'Mmmmm…' hij perste zijn lippen op elkaar en bewoog zijn ogen omhoog en naar één kant opzij in de ik-probeer-het-me-te-herinneren-stand. Het was niet echt belangrijk. 'O ja… volgens mij wel.'

Eigenlijk wist hij van niet. Maar hij herinnerde zich de naam Serena Jones ergens van… kon het uit een artikel in de *Herald* zijn geweest? Chique Anglo-gezinnen met banale namen als Jones, Smith of Johnson hadden de gewoonte hun kinderen, met name hun dochters, romantische, exotische of opvallende voornamen te geven als Serena, Cornelia of Bettina, of anders Oude Familie Afstamming voornamen als Bradley, Ainsley, Loxley, Taylor of Templeton. Hij had ooit een studente die Templeton heette, Templeton Smith. Ze was nooit gewoon muisgrijze onbenullige mevrouw Smith. Ze was *Templeton* Smith. Zijn geest was op één ding gericht: op chique gezinnen en op gezinnen die hun best doen om chic te worden. South Beach Outreach was een organisatie die voortdurend voorkwam op de societypagina's van de *Herald* en in de sectie 'Party's' van het tijdschrift *Ocean Drive*, alleen dankzij het maatschappelijk wattage van de families van de leden. Kijk maar eens naar de foto's – Anglo's, Anglo's, Anglo's met een zeker maatschappelijk cachet. Ghislaines vriendin Nicole, die ze op de universiteit had leren kennen, was geen WASP, strikt genomen, tenminste niet zoals Lantier het acroniem opvatte, namelijk White Anglo-Saxon Protestant. Maar in haar geval telde strikt genomen niet. Haar achternaam was Buitenhuys, dat is Nederlands, en de Buitenhuysens waren oud geld in New York, *gezalfd* geld in New York. Hij had geen idee of een van hen wist dat Ghislaine Haïtiaanse was. Het voornaamste was dat ze haar aanvaardden als iemand uit hun sociale milieu. De formele doelstelling van South Beach Outreach was om de achterbuurten in te gaan, zoals Overtown en Liberty City – en Little Haiti! – en goede werken onder de armen te verrichten. Ze zagen haar dus als een meisje dat beslist even *blank* was als zij! Even blank als *hij*, haar vader, haar zag! Het hoogtepunt zou zijn als zijn Ghislaine zich tussen de mensen in Little Haiti begaf. De overgrote meerderheid was zwart, *echt* zwart, zonder herkansingen. In Haïti *leek* een familie als de zijne, de Lantiers, niet eens op *echt* zwarte Haïtianen. Keurde hun geen blik waardig... kon hen niet eens *zien* tenzij ze lijfelijk in de weg stonden. Goed opgeleide mensen zoals hijzelf, met zijn doctoraat in de Franse letteren, waren zoiets als een ander soort *homo sapiens*. Hier in Miami waren zij bewust onderdeel van *de diaspora*... alleen al het woord wees op een vooraanstaande status. Hoeveel – de helft? – tweederde? – van de Haïtianen die in Miami en omgeving woonden waren illegale immigranten die de term *absoluut* niet op waarde wisten te schatten. Een overgrote meerderheid had nooit ook maar van enige *diaspora* gehoord... en hadden ze dat wel, dan hadden ze geen idee wat het inhield... en als ze wisten wat het inhield, konden ze het niet uitspreken.

Ghislaine – hij keek weer naar haar. Hij *hield* van haar. Ze was mooi, schitterend! Ze zou binnenkort aan de University of Miami afstuderen in de kunstgeschiedenis met gemiddeld een 9+. Ze kon moeiteloos... slagen... Hij hield dat woord, *slagen*, verborgen in zijn hoofd, onder een geniculatum laterale... Hij zou *slagen* nooit hardop uitspreken met Ghislaine erbij... en trouwens ook niet met iemand anders erbij. Maar hij *had* haar toch, eigenlijk heel vaak, verteld dat niets haar kon stoppen. Hij hoopte dat zij de boodschap over... *dat* ook had begrepen. In bepaalde opzichten was ze wereldwijs – wanneer ze het over kunst had bijvoorbeeld. Of het nu over de tijd van Giotto ging, de tijd van Watteau, de tijd van Picasso, of nu we het er toch over hebben de tijd van Bouguereau – ze wist *zoveel*! In andere dingen was ze helemaal niet wereldwijs. Ze was nooit ironisch, sarcastisch, cynisch, nihilistisch, minachtend of iets van dien aard, allemaal tekenen van de tarantula in slimme mensen, het rancuneuze dodelijke wezentje dat nooit vecht... dat alleen verschrikkelijk wil *steken* en je op *die* manier misschien vermoordt. ::::: Ik heb daarvan te veel in mijzelf. ::::: Ze gingen zitten. Ghislaine zat in de stoel van Jean Calvin. Hij zat aan zijn bureau. Het bureau, met een art-deconiervorm, de opstand, het schrijfblad van haaienvel, de fijntjes smaller wordende bolpoten, de ivoren tandjes die langs heel de rand liepen, de verticale lintjes van ivoor die door het makassarebbenhout liepen, was school-Ruhlmann, en niet van de grote Émile-Jacques Ruhlmann zelf; maar het was desondanks *heel* duur, in elk geval naar Lantiers begrippen. Net als de *heel* dure bureaustoel, met smaller wordende bandjes ivoor in alle vier de bolpoten.... Allemaal *heel* duur... maar Lantier had nog in de duizelingwekkende laat-alle-voorzichtigheid-varen-euforie verkeerd van net een huis te hebben gekocht voor *idioot* veel meer dan hij zich kon veroorloven. Wat was daar bovenop een *gestoord* hoge prijs voor zijn, de *maîtres* eigen bureau en eigen stoel?

Op dit moment zat Ghislaine in een ideale houding op die miserabele stoel... en toch was zij ontspannen. Hij keek zo objectief naar haar als hij kon. Hij wilde zichzelf niet voor de gek houden. Hij wilde niet het onmogelijke van haar verlangen... Ze had een leuke slanke gestalte en mooie benen. Dat moest ze zelf ook doorhebben, want ze droeg zelden jeans of een ander soort broek. Ze droeg een geelbruine rok – hij had geen idee van de stof – kort maar niet catastrofaal kort... een schitterende bloes met lange mouwen en van zijde – het leek hem in ieder geval zijde – de knoopjes aan de voorkant deels los, maar niet hopeloos ver... Ghislaine gebruikte nooit het woord *bloes*, maar dat was het voor hem. Vanuit de open kraag rees haar *ideale* ranke hals...

En haar gezicht – hier viel het hem moeilijk om objectief te zijn. Hij wilde haar als zijn dochter zien.

Wat hemzelf betreft – hij kon niet tegen de spijkerbroeken die meisjes droegen op college. Ze zagen er zo *banaal* uit. Hij kreeg het gevoel dat de helft van hen niet eens iets anders *bezat* om zichzelf onder het middel mee te bedekken. Dus kon hij niet veel doen tegen de spijkerbroeken. Maar die verdomd kinderachtige honkbalpetjes die jongens droegen op college – tegen die infantiele mode kwam hij in het geweer. Op een dag had hij aan het begin van een college gezegd: 'Mijnheer Ramirez, waar moet je heen om een pet zoals die van u te vinden? – die zo zijdelings past?... en mijnheer Strudmire... die van u loopt helemaal door tot uw nek en heeft die kleine uitsnijding van voren zodat we een stukje van de bovenkant van uw voorhoofd kunnen zien. Maken ze die zo, of laat u ze maken?'

Maar het enige wat hij uit mijnheer Ramirez en mijnheer Strudmire kreeg was onwillig half-grinniken, en van de rest van de aanwezigen, ook de meisjes, helemaal niets. Ze waren ironiebestendig. Op het volgende college hadden zij en vele andere jongens nog steeds die honkbalpetjes voor kleine jongens op. Hij zei dus: 'Dames en heren, van nu af aan mogen er tijdens dit college geen petjes of andere hoofddeksels worden gedragen, tenzij religieuze rechtzinnigheid dat vereist. Ben ik duidelijk geweest? Iedereen die een pet tijdens college blijft dragen, zal ik naar het kantoor van de rector moeten verwijzen.' Dat snapten ze ook niet. Ze keken alleen... verbaasd naar elkaar. Bij zichzelf zei hij: De *rector* – snap je? Dat heb je op de middelbare school, niet op de universiteit, en dit is de universiteit. Jullie zijn ironiebestendig, nietwaar? Jullie zijn kinderen! Wat doen jullie hier? Moet je jullie eens zien... het zijn niet alleen de honkbalpetjes, het zijn ook de korte broeken, de slippers en de shirts die tot onder jullie middel hangen, in sommige gevallen een heel eind daaronder. Jullie zijn teruggevallen! Jullie zijn weer tien! Nou, in elk geval hadden ze op college geen honkbalpetjes meer op. Misschien dachten ze dat er echt een rector *was* op EGU... en ik word geacht deze bijna-imbecielen iets te *leren*...

Nee, hij moest het maar niet met Ghislaine over al deze dingen hebben. Ze zou geschokt zijn. Ze was niet klaar voor... snobisme. Ze had de leeftijd, 21, dat een meisjeshart boordevol liefdadigheid zit en liefde voor de kleine luiden. Ze was nog te jong en te weinig wereldwijs om te horen te krijgen dat haar South Beach Outreach-medelijden met de armen eigenlijk een luxe was voor iemand zoals zij. Het wilde zeggen dat haar familie genoeg geld en aanzien had om zich Goede Werken te kunnen permitteren. Niet dat hij veel verdiende als hoofddocent Frans aan EGU, Everglades Global University. Maar hij was een intellectueel, een geleerde... en een schrijver... in elk geval had hij 24 artikelen in wetenschappelijke tijdschriften en één boek weten te publiceren. Het boek en de artikelen gaven hem hoe dan ook genoeg cachet om Ghislaine omhoog te duwen tot het niveau van South Beach Outreach... Mijn dochter helpt de armen!... Iedereen had van South Beach Outreach gehoord. Je had zelfs enkele beroemdheden, zoals Beth Carhart en Jenny Ringer, die erbij waren betrokken.

Hij staarde Ghislaines schouder over en het raam uit... naar niets... met een treurige uitdrukking. Hij had bijna net zo'n lichte huid als zij. Hij had kunnen doen waartoe zij nu in de gelegenheid was... maar hij stond *bekend* als Haïtiaan. Dáárom had EGU hem aangesteld. Ze hielden van de 'diversiteit' er een *Haïtiaan* bij te hebben... gepromoveerd aan Columbia... die Frans kon geven... en Creools. Jawel, Creools... ze wilden dolgraag een docent die Creools kon geven... 'de taal van de mensen'... waarschijnlijk sprak 85 procent van zijn landgenoten Creools en niets dan Creools. De rest sprak de officiële nationale taal, Frans, en nogal wat van de bevoorrechte 15 procent sprak een mengelmoesje van Creools en Frans. Hij bepaalde dat ze hier in dit huis alleen Frans spraken. Voor Ghislaine was dat een tweede natuur geworden. Maar haar broer, Philippe, hoewel pas 15, was al besmet. Hij sprak redelijk goed Frans, zolang het onderwerp niet verder ging dan waar iemand van 11 of 12 waarschijnlijk van op de hoogte was. Ging het wel verder, dan redde hij zich met iets wat niet ver boven Zwart Engels stond, namelijk Creools. Hoe had hij het überhaupt opgepikt? Niet in dit huis, nee... Creools was een taal voor primitieven! Geen twijfel mogelijk! De werkwoorden werden niet eens vervoegd. Niet 'ik geef, ik gaf, ik heb gegeven, ik had gegeven, ik zal geven, ik zou geven, ik zou hebben gegeven'. In het Creools was het *m ba*, en dat was het voor dit werkwoord... 'ik geef, ik geef, ik geef'... Je moest tijd en voorwaardelijkheid maar uit de context zien af te leiden. Deze stupide taal onderwijzen was voor elke universiteit wat Veblen 'moedwillige verspilling' noemde óf een van de eindeloze karikaturen die door de doctrine van politieke correctheid ontstonden. Het was zoiets als een cursus instellen en staf aantrekken om de bastaardvorm van de Mayataal te doceren die mensen in de bergen van Guatemala spraken –

Dit schoot allemaal in een mum door Lantiers gedachten.

Nu keek hij rechtstreeks naar Ghislaines gezicht. Hij glimlachte... om het feit te verdoezelen dat hij probeerde... objectief... haar gezicht te beoordelen. Haar huid was blanker dan van de meeste blanken. Zodra Ghislaine oud genoeg was om überhaupt woorden te begrijpen, was Louisette haar over zonnige dagen beginnen te vertellen. Directe zon was niet goed voor je huid. Het ergste van alles was een zonnebad nemen. Zelfs in de zon lopen was een te groot risico. Ze zou strooien hoeden met grote randen moeten dragen. Nog beter, een parasol. Kleine meisjes en parasols waren evenwel niet zo'n goede combinatie.

Maar als ze dan in de zon *moesten* lopen, zouden ze op z'n minst strooi-en hoeden moeten dragen. Ze moest er altijd aan denken dat ze een heel mooie maar heel lichte huid had die gemakkelijk kon verbranden, en ze zou er alles aan moeten doen om verbranden door de zon te ver-mijden. Maar Ghislaine had het heel snel door. Het had niets te maken met verbranden door de zon… het had te maken met *bruin* worden door de zon. In de zon zou een huid als de hare, haar mooie blanker-dan-blank-huid *in een mum* donker worden! Heel snel kon ze *Neg* wor-den… *in een mum*. Haar haar was zo zwart als maar kon, maar goddank kroesde het niet. Het had een beetje zachter mogen zijn, maar het was glad. Louisette kon zich er niet toe brengen stil te staan bij de lippen, want Ghislaines lippen neigden niet naar arterieel rood in het rode spectrum maar eerder naar een amberbruin. Toch waren het mooie lip-pen. Haar neus was ideaal dun. Nou ja… dat vettige, vezelige weefsel dat het neuspuntkraakbeen bedekt en voor die ronde hoopjes zorgt aan beide kanten van de neus bij de neusvleugels – o, *neuspuntkraakbeen*, zonder meer! Hij wist even goed als een anatoom waarover hij het hier had. Geloof het maar! Die van haar waren een beetje te wijd uitge-sperd, maar niet zo ver dat ze er niet blank uitzag. Haar kin had een beetje groter kunnen zijn, en haar kaak een beetje rechter, om de ronde hoopjes te compenseren. Haar ogen waren zo zwart als kool maar heel groot en fonkelend. De fonkeling lag voor een belangrijk deel aan haar persoonlijkheid, uiteraard. Ze was een gelukkig meisje. Louisette had haar al het vertrouwen van de wereld gegeven. ::::: Ach, Louisette! Ik denk aan jou, en ik wil huilen! Er zijn elke dag zoveel van dit soort mo-menten! Hou ik daarom zoveel van Ghislaine – omdat ik naar haar kijk en *jou* zie? Nou nee, want ik hield ook op deze manier van haar toen jij nog bij ons was. Het leven van een man *begint* pas als hij zijn eerste kind krijgt. Je ziet jouw ziel in de ogen van een ander, en je houdt meer van haar dan van jezelf, en dat gevoel is subliem! ::::: Ghislaine had het soort vertrouwen dat een kind alleen krijgt als haar ouders veel tijd met haar doorbrengen – *veel*. Sommige mensen zouden beweren dat een meisje als Ghislaine, dat zo aan haar familie hangt, elders naar een uni-versiteit moet en vroeg moet ontdekken dat ze een leven krijgt waarin ze in de ene onbekende omgeving na de andere komt, en ze zelf stra-tegieën moet verzinnen. Lantier was het daarmee niet eens. Al dat ge-praat over 'contexten' en 'levensstrategieën' en *onbekend* zus en *onbe-kend* zo – het was allemaal een concept zonder basis. Het was gewoon *faux*-psychologische gebakken lucht. Voor hem was het voornaamste dat de campus van de University of Miami maar 20 minuten van hun huis lag. Op iedere andere plek zou ze 'een Haïtiaans meisje' zijn geweest. O, het zou uitkomen, maar hier was zij niet 'dat Haïtiaanse meisje met wie ik een kamer deel' of enige andere vorm van die val waarin geldt 'als jij zegt dat ik *zus* ben, kan ik natuurlijk niet *zo* zijn'. Hier kan zij zijn wat zij is en is geworden. Ze is een jonge vrouw die er heel leuk uitziet... Al toen deze woorden zich in zijn geest vormden, wist hij dat hij haar op een tweede rang zette. Ze was niet zo mooi als een Noord-Europese blondine, een meisje uit Estland, Litouwen, Noorwegen of Rusland, en ze zou evenmin voor een Latijnse schoonheid worden versleten, ook al had ze enkele trekken met een latina gemeen. Nee, ze was zichzelf. Het zíen van Ghislaine die in zo'n ideale houding – Louisette! – in dat stoeltje zat, overtuigde je ervan dat Ghislaine en Philippe dit hadden aangeleerd toen ze te jong waren om er vraagtekens bij te zetten! Hij wilde overeind komen uit zijn anonieme Franse draaistoel om Ghislaine meteen te gaan omhelzen. *South Beach Outreach!* Het was bijna te mooi om waar te zijn.

*Wie is dat?*

De deur van Lantiers werkkamer was dicht, maar hij en Ghislaine keken op in de richting van de zijdeur, die op de keuken uitkwam. Er kwamen twee mensen de vier of vijf treden op die van buiten naar de keuken leiden. Philippe? Maar Lee de Forest, Philippes middelbare school, zou pas over ruim twee uur uitgaan. De stem klonk als die van Philippe – maar hij sprak Creools. Creools!

Een tweede stem zei: 'Eske men papa ou?' (Je vader hier?)

De eerste stem zei: 'No, li invèsite. Pa di anyen, okay?' (Nee, hij op de universiteit. Luister, we spreken hier met niemand over, oké?)

De tweede stem zei: 'Mwen konnen.' (Ik weet het.)

De eerste zei in het Creools: 'Mijn vader houdt niet van zulke kerels, maar hij hoeft er niks over te weten. Snap-je-wel, broeder?'

'Hij houdt ook niet van *mij*, Philippe.'

'Hoe jij dat weten? Tegen mij heeft hij niks gezegd.'

'O, tegen *mij* hij ook niks zeggen. Niet nodig. Ik zie 't aan de manier waarop-ie naar me kijkt – of *niet* naar me kijkt. Hij kijkt recht door me heen. Ik ben er niet. Snap-je-wel?'

Lantier keek naar Ghislaine. Het *was* dus Philippe. ::::: Philippe en zijn zwarte Haïtiaanse maat, God moge ons bijstaan, Antoine. ::::: En

Antoine had gelijk. Lantier hield er *niet* van naar hem te kijken of tegen hem te praten. Antoine probeerde altijd cool te doen en in perfect Zwart Engels te praten, met alle bijbehorende ongeletterde IQ-van-75 lettergrepen en klanken. Wanneer dat een te moeilijke linguïstische sprong was, viel hij terug op Creools. Antoine was een van die zwart-als-roet-Haïtianen – en ze waren talrijk – die *tablo* zeiden, Creools voor 'de tafel', en niet het flauwste benul hadden dat dit enig verband zou kunnen hebben met *la table*, Frans voor 'de tafel'.

Ghislaine had de uitdrukking van iemand die diep had ingeademd zonder uit te gaan ademen. Ze maakte een zeer bezorgde indruk. Lantier vermoedde dat het niet zozeer ging om wat de jongens hadden gezegd, want haar kennis van het Creools was vrijwel nihil. Het ging om het feit dat Philippe überhaupt Creools babbelde *chez* Lantier – en binnen gehoorsafstand van *Père* Lantier – en dan ook nog eens met een zeer donkere waardeloze Haïtiaan die haar vader niet in huis wilde... en zijn lucht inademde... en uitademde... waardoor die werd besmet, Franco-*mulat* lucht in *Neg* lucht veranderde.

Inmiddels waren de Creoolse jongens in de keuken, ze deden de koelkast en die-en-die la open en dicht. Ghislaine kwam overeind en ging naar de deur, ongetwijfeld om die open te doen en de jongens te laten weten dat ze niet alleen in huis waren. Maar Lantier gebaarde naar haar weer te gaan zitten en drukte zijn wijsvinger over zijn lippen. Onwillig en zenuwachtig ging ze weer zitten.

Antoine zei in het Creools: 'Zie je de blik op z'n gezicht als de smerissen hem bij de elleboog nemen?'

Philippe probeerde zijn nieuwe, diepe stem vol te houden, maar het was een hopeloze zaak. Hij gaf het dus op en zei in het Creools: 'Ze doen hem toch niks aan, denk je?'

'Kweenie,' zei Antoine. 'François is nu het voornaamste. Hij zit al in z'n proeftijd. We moeten er zijn voor François. Je doet toch met ons mee, hè? François, hij rekent op je. Ik zie je met de smeris praten. Wat zeg je, maat?'

'Ehhh... ik zeg... ik zeg François zegt iets in het Creools en iedereen lacht en Estevez, hij neemt François in een hoofdgreep,' zei Philippe.

'Weet je 't zeker?'

'Ehhh... ja.'

'Doet François eerst iets?'

'Ehhh... nee. Ik zie hem niet eerst iets doen,' zei Philippe.

'Je zegt alleen *Nee*,' zei Antoine. 'Snap-je-wel? Niemand maalt erom wat je niet ziet. François zegt dat-ie je nodig heeft, man. Alleen mensen met zijn bloed, zijn clubje is niet genoeg. Hij rekent op jou, man. Zou erg zijn als je twijfelt. Je *ziet*, man. Snap je? Dit is de tijd om te laten zien dat je een maat bent – of hem versmaadt. Gesnopen?'

'Maat' en 'versmaadt' zei hij in het Engels.

'Gesnopen,' zei Philippe.

'Goed. Je hebt het goede bloed, man! *Je hebt het goede bloed*!' zei Antoine met iets wat dicht bij vreugde kwam. 'Ken je Patrice? André? Jean – dikke Jean? Hervé? Die hebben ook het goede bloed!' Meer vreugde. 'Ze zitten ook niet in het clubje. Maar ze weten het, man! Ze weten wat Estevez met François heeft gedaan. Ze zeggen niet "als ik het goed heb" en al die onzin. Ze hebben het goede *bloed*!' Vreugde leek in op Philippe gericht lachen te veranderen. 'Zoals *jij*, broeder!'

Professor Lantier keek naar zijn dochter. Ze begreep niet waarover ze spraken, hun Creools ging zo snel. Dat was een goed teken. Creools *was* werkelijk een vreemde taal voor haar! Hij en Louisette hadden haar de goede kant op gestuurd! Daar zat niet *une Haïtienne* – in zijn hoofd sprak hij het op zijn Frans uit – zo keurig in dat stoeltje. Ze was een Française. Dat was zij van den bloede, een door en door Franse jonge vrouw van *le monde*, beschaafd, briljant, mooi – waarom richtte hij zijn oog dan op die vet-vezelige hoopjes aan beide kanten van haar neusvleugels? – evenwichtig, elegant, in elk geval elegant wanneer ze dat wilde.

Met een zachte stem, bijna fluisterend, zei hij tegen zijn gelukkig Creoolsvrije dochter: 'Er is vandaag iets voorgevallen op Lee de Forest. Dat maak ik ervan. In een les waar hij bij was.'

De twee jongens gingen de kant van zijn werkkamer op, Antoine was de enige die sprak.

Lantier duwt zichzelf dus overeind, doet de deur open en zegt opgewekt, in het Frans: 'Philippe! Ik dacht dat ik je stem hoorde! Je bent vroeg thuis vandaag!'

Philippe keek alsof hij net was *betrapt*... op iets wat allerminst leuk was. Net als zijn vriend, Antoine. Antoine was een stoer ogende jongen, zwaar maar niet te dik. Op dit moment had hij de gespannen uitdrukking van iemand die buitengewoon graag ergens anders zou zijn. Wat een sloddervossen waren het!... de spijkerbroeken zo laag over hun heupen getrokken dat je of je nu wilde of niet hun opzichtige boxershorts kon zien… hoe opzichtiger en lager, hoe beter, blijkbaar. De broeken van beide jongens eindigden in vijvers van denim op de grond, waardoor hun sneakers vrijwel helemaal werden verborgen, daarop zaten fluorescerende strepen die alle kanten op gingen… allebei in te-grote, te-losse T-shirts waarvan de mouwen neerhingen over hun elle-bogen en waarvan de onderkant over de jeans heen hing, maar niet ver genoeg om de lelijke boxershorts te verbergen… allebei met bandana's rond hun voorhoofd met 'de kleuren' van een of andere broederlijke beweging waar ze meenden bij te horen. Van hun uiterlijk – helemaal de Amerikaanse *Neg* – kreeg Lantier kippenvel. Maar hij was gedwon-gen een opgewekte uitstraling op zijn gezicht te klemmen en zei tegen Antoine, in het Frans: 'Ha, Antoine… dat is te lang geleden dat je voor het laatst bij ons was. Ik vroeg Philippe net: "Hoe komt het dat jullie vandaag zo vroeg uit school zijn?"'

'Papa!' zuchtte Ghislaine met zachte stem.

Lantier had onmiddellijk spijt van zijn woorden. Ghislaine kon niet geloven dat haar vader, die ze zo bewonderde, zoiets kon doen, spelen met deze arme, domme jongen van 15, alleen om de verbijsterde uit-drukking op zijn gezicht te zien. Haar vader wist dat Antoine geen woord Frans verstond, de officiële taal van het land waar hij tot zijn acht-ste was opgegroeid. Haar vader wilde haar en Philippe slechts duidelijk maken wat een Rugzakje – het eufemisme in de onderwijswereld – wat een Rugzakje-hersenen deze arme zwart-als-roet jongen had. Uiteinde-lijk had hij nooit om het verkeerde bloed gevraagd. Hij was geboren met die ellende. Zij kon niet geloven dat haar vader met een vraag was geko-men om het er een beetje dieper in te wrijven. Antoine kon moeilijk zo-maar gaan staan knikken. Hij was verplicht om iets te zeggen; 'Ik spreek geen Frans', op zijn allerminst. Maar de jongen stond daar met open-hangende mond.

Door de blik van Ghislaine voelde Lantier zich schuldig. Hij wilde het goedmaken door het zo te zeggen dat Antoine het kon volgen, en extra-opgewekt om te laten zien dat hij niet probeerde hem voor de gek te houden. Hij zei het dus in het Engels. Hij was vervloekt als hij tot het waardeloze Creools af zou dalen, alleen om het leven onnodig makkelijk te maken voor een jongen van 15 met verkeerd bloed, maar hij smeerde grote klodders goed humeur over zijn woorden en zo veel overdreven grijnzen. ::::: *Merde*! Overdrijf ik? Zal deze grote pummel denken dat ik de spot met hem drijf? :::::: Uiteindelijk besloot hij in het

Engels met: '...vroeg net aan Philippe: hoe komt het dat jullie vandaag zo vroeg uit school zijn?'

Antoine draaide zich naar Philippe voor een tip. Philippe bewoog o zo langzaam en onopvallend zijn hoofd heen en weer. Antoine leek in die seinen geen duidelijke boodschap te kunnen zien... een ongemakkelijke stilte. Hij zei uiteindelijk: 'Ze eh zeggen... Ze eh zeggen... Kweenie... Ze eh zeggen school gaat vandaag vroeg dicht.'

'Ze zeiden niet waarom?'

Deze keer draaide Antoine een goede 90 graden, zodat hij Philippe van voren kon zien voor een teken... enig teken hoe hij hierop moest reageren. Maar seinen van Philippe bleven uit, en Antoine moest op zijn oude stand-by terugvallen: 'Kweenie.'

'Ze hebben het jullie niet verteld?'

Hij *wilde* het blijkbaar niet vertellen, wat Lantier interesseerde... een beetje... Maar even afgezien daarvan kwam hij op Lantier over als een vijftienjarige Haïtiaanse jongen die probeerde een pseudo-onwetende Amerikaanse *Neg* te imiteren. Uiteindelijk mompelde Antoine: 'Naw.'

*Naw*... wat een prestatie!... Wat een vreselijke hansworst was hij! Hij draaide weer helemaal om naar Philippe. Heel zijn houding, zijn in-eengezakte rug, zijn armen die slap naast zijn heupen hingen waren een sein voor 'Help!'

En wat is *dat*? Onder aan zijn schedel was Antoines haar heel kort geknipt... en vervolgens zorgvuldig tot de blote huid geschoren, om de letter c te vormen en een paar centimeter verderop het cijfer 4.

'Wat betekent het c4?' vroeg Lantier, die nog steeds opging in zijn *opgewekte* nummer. 'Ik zag net een c en een 4 aan de achterkant van je hoofd.'

Ghislaine zuchtte er nog een '*Papahhh*!' uit.

Lantier glimlachte dus naar Antoine op een manier die vriendelijke nieuwsgierigheid moest voorstellen. Wat niet lukte. Nu hoorde hij Ghislaine een 'godnogaantoe' zuchten.

Antoine draaide zich om en keek vol haat naar Lantier.

'Betekent niets. Ze eh een paar, we zitten in c4' – tsjeefier – 'das-alles'... Diep vernederd... woest. *En je kunt me er maar beter niets meer over vragen.*

Lantier wist niet wat hij moest zeggen. Kennelijk moest hij niet meer op de c4-knop drukken. Hij richtte zich dus tot Philippe. 'Je *bent* heel vroeg thuis...'

'Jij ook,' zei Philippe. Het was een arrogante snauw, ongetwijfeld bedoeld om indruk op Antoine te maken. Het maakte indruk op Lantier, toegegeven... de indruk dat het onvergeeflijk, hopeloos brutaal was, een te uitdagende belediging om te laten zitten...

Maar Ghislaine zei: 'Ohhhh, Papa...' Deze keer smeekte ze hem met de intonatie die ze aan *'Papa'* gaf: *laat het toch zitten. Geef Philippe niet op z'n donder met Antoine erbij.*

Lantier staarde naar de twee jongens. Antoine was zwart... in alle opzichten. Maar Philippe had nog een kans. Hij was even licht als hijzelf was... net iets te donker om te slagen... maar niet te donker om hem ervan te weerhouden een vrijwel blanke aard te krijgen. Wat vereiste dat? Niets onbereikbaars... zich goed kunnen uitdrukken, een verfijnd accent... een licht Frans accent was ideaal bij het spreken van Engels of Italiaans, Spaans, zelfs Duits, Russisch – o, zeer zeker, Russisch... en het zou geen kwaad kunnen als het zou herinneren aan de banden van de Lantiers met de Lantiers van adel uit Normandië diverse eeuwen geleden. Maar Philippe was in een sterke stroom beland die precies de andere kant op ging. Toen ze net aankwamen uit Haïti, moesten Haïtiaanse jongens als Philippe en Antoine spitsroeden lopen, letterlijk! Amerikaanse zwarte jongens hadden hen onmiddellijk in de gaten en sloegen hen onderweg naar school en onderweg naar huis in elkaar. Sloegen hen in elkaar! Meer dan eens was Philippe thuisgekomen met striemen op zijn gezicht, kneuzingen. Lantier was vastbesloten tussenbeide te komen en er iets aan te doen. Philippe smeekte hem dat te laten – *smeekte* hem! Het zou het alleen maar erger maken, Papa. Toen kreeg hij het *echt* door. Dus alle Haïtiaanse jongens deden hetzelfde. Ze probeerden zich als ze het konden in Amerikaanse zwarten te veranderen... de kleding, de flodderige jeans, de zichtbare boxershorts... de manier van spreken, yo, bro, ho. En kijk nu naar Philippe. Hij had zwart haar dat even glad was als dat van Ghislaine. Wat hij er ook mee deed, het zou beter zijn dan wat hij er nu mee deed... namelijk het overal acht centimeter lang laten knippen en het laten kroezen om het *Neg* te laten lijken.

Nu al deze dingen door zijn hoofd gingen, vergat Lantier hoe lang zijn ogen op het gezicht van zijn zoon waren gericht... met teleurstelling, met het gepikeerde gevoel dat Philippe hem op een of andere manier verraadde.

Door de plotse stilte werd het een gespannen ogenblik.

Philippe staarde inmiddels terug naar Lantiers gezicht, niet louter boos maar schaamteloos, naar Lantier het opvatte. Antoine keek echter niet meer vol haat naar hem. Hij leek vooral het gevoel te hebben of hij verstopt zat in iemand anders toilet. Zijn oogbollen rolden even omhoog. Hij leek op zoek naar een persoontje met een wit gewaad en vleugels dat overvloog, met een staf zou zwaaien en hem zou laten verdwijnen.

Er was een Mexican standoff ontstaan. Hierbij staren de vijanden agressief naar elkaar zonder een spier te vertrekken of een geluid te maken. Uiteindelijk...

'*An nou soti la!*' zei Philipp in het Creools tegen Antoine met zijn luidste, diepste bariton, of liever gezegd bari-*tiener* bendestem ('Wegwezen hier').

Beiden keerden Lantier de rug toe zonder nog iets te zeggen, liepen met een pimp roll de keuken door... en verdwenen via de zijdeur.

Lantier bleef sprakeloos in de deuropening van zijn werkkamertje staan. Hij ging terug naar zijn bureau en staarde naar Ghislaine. Wat moest er gebeuren? Waarom zou in hemelsnaam een in wezen briljante, knappe Haïtiaan met een lichte huid, direct gerelateerd aan De Lantiers uit Normandië, zoals je broer, zichzelf in een Amerikaanse *Neg* willen veranderen? Die te grote flodderige broek bijvoorbeeld... de *Neg*-criminelen droegen ze in de gevangenis. De cipiers wilden niet de moeite doen een geïnterneerde de maat te nemen voor ze hem kleren gaven. Ze gaven hun gewoon kleren die zichtbaar groot genoeg waren, wat wilde zeggen dat ze altijd te groot waren. De kleine *Negs* op straat droegen ze omdat ze de grote *Negs* in de gevangenis idealiseerden. Dat waren hun helden. Ze waren *sleeeeecht*. Ze kenden geen angst. Ze joegen de Amerikaanse blanken en de Cubanen vrees aan. Als het nu alleen de stomme kleren waren, de idiote hiphopmuziek en het walgelijke Zwarte Engels, maximaal primitief, man. Maar Haïtiaanse jongens zoals je broer imiteerden ook stomme, idiote *Neg*-gewoontes. Dat was het *echte* probleem. De *Negs* vonden dat alleen 'mietjes' hun hand in de klas opstaken tijdens klasgesprekken, hard studeerden voor proefwerken, zich druk maakten over cijfers of onbenulligheden als beleefd zijn tegen leraren. Haïtiaanse jongens wilden ook geen *mietjes* zijn, om de dooie dood niet! – en dus begonnen ook zij school als een ongemak voor mietjes te benaderen. En nu valt Philippe terug van Frans op Creools. Je hebt hem gehoord! – maar jij hebt geluk. Jij spreekt het niet, en je hoeft je er niet druk over te maken dat je het verstaat... maar dat geluk heb ik niet. Ik versta wél Creools. Ik moet de vervloekte taal *doceren*. Wat moeten we doen wanneer het voor je broer tijd is naar de universiteit te gaan? Geen universiteit zal hem willen, en hij zal geen universiteit willen. Snap-je-wel, man?

Nadat dit ongeveer een halfuur was doorgegaan, besefte Lantier dat hij en Ghislaine het niet over Philippe hadden – want Ghislaine kreeg er over geen enkel onderwerp een woord tussen. Hij gebruikte haar oren alleen als een paar bakken waarin hij de pijn en de hulpeloosheid die hij voelde kon uitstorten... Deze eindeloze alleenspraak vol teleurstelling zou niets oplossen. Alleen zou Ghislaine er gedeprimeerd door raken en haar respect voor hem verliezen. In zijn hoofd kwam een axioma op: ouders zouden nooit iets aan hun kinderen moeten bekennen... *nul*! helemaal niets!

Maar hij kon er niet omheen zichzelf te bekennen... in een opkomende golf van schuld. ::::: Wat *is* Philippes probleem? Dat is toch zo duidelijk als wat? Zijn probleem is dat ik hem naar Lee de Forest liet gaan. Mijn prachtige art-decohuis valt toevallig onder een schooldistrict met de middelbare school Lee de Forest. Ik wist dat de school geen... geen... geen al te beste reputatie had. 'Maar zo erg kan het toch niet zijn?' bleef ik mezelf maar voorhouden. De *waarheid* is dat ik in de verste verte het geld niet heb om hem naar een privéschool te sturen. Iedere dollar die ik heb gaat regelrecht in de art-decomuil van dit huis, zodat ik me zo *Frans* kan voelen als ik wil... en *uiteraard* bezweek Philippe onder het gewicht van de Antoines en de François Dubois'en. Hij is geen stoere jongen. *Uiteraard* voelt hij zich wanhopig. *Uiteraard* grijpt hij ieder schild dat hij kan vinden. *Uiteraard* gaat hij op Creools over. En ik laat het... *uiteraard* gebeuren... O, god... uiteraard... in *mijn belang*. Wees dan in godsnaam een *man*! Verkoop het voor je zoon!... Maar het is al te laat, nietwaar... De huizenprijzen in Zuid-Florida zijn met 30 procent gedaald. De bank zou ieder dubbeltje dat ik ervoor kreeg inpikken, en ik zou *toch nog* bij ze in het krijt staan... Maar onder dat alles vang ik een glimp op van de bruut die op de bodem leeft: *Ik kan dit allemaal niet opgeven!*

Dus zei hij op de rand van tranen: 'Ghislaine, ik geloof... Ik moet *ehhh*... Ik moet colleges voor morgen voorbereiden, en ik geloof –'

Ghislaine liet hem niet doorploeteren. 'Ik ga naar de woonkamer om wat te lezen voor college.'

Toen ze eenmaal zijn werkkamer uit was, werden Lantiers ogen wazig. Blijkbaar had ze besloten dat ze hem beter een poosje gezelschap kon houden om te zorgen dat hij over deze wankele gemoedstoestand heen kwam die hem over de rand duwde.

Lantier *had* een paar colleges die hij moest voorbereiden. Een ervan was 'De triomf van de negentiende-eeuwse Franse roman'. Deze groep bestond niet uit de helderste neeltjes. Die waren in niet één groep op Everglades Global University te vinden.

'Papa, kom hier! Snel! Het is op tv!' schreeuwde Ghislaine vanuit de woonkamer. 'Vlug nou!'

Lantier haastte zich dus zijn werkkamer uit, de woonkamer in en ging bij Ghislaine op de bank zitten – *Merde!* – het vulsel kwam uit de naad van een van de grote vierkante kussens waarop hij zat, en hij herinnerde zich heel goed hoe duur stofferen is, en hij kon op dit moment niet zo veel geld aan een verdomde bank spenderen...

Dat is inderdaad de Lee de Forest High School op het televisiescherm... wat een toestand... het gejoel! het geschreeuw! het gezang! Wel honderd politiemensen, leek het, probeerden een menigte tegen te houden... een menigte met donkere gezichten, *Negs* en allerlei tinten bruin, *Neg* tot geelbruin, en daartussenin... ze joelden en jammerden, de menigte, allemaal jonge mensen – ze zien eruit als scholieren, behalve een groep zwarte scholieren – nee, dat kunnen geen scholieren zijn – ze zijn eerder in de twintig, voor in de dertig misschien. Een heleboel politieauto's blijkbaar, met zwaailichten op het dak die in epileptische opeenvolgingen van rood en blauw flitsen en verblindende halogeenlampen... ze doen pijn! de uitbarstingen van halogeenlicht! Maar dat weerhoudt Lantier er niet van een pijnlijke fractie van een seconde te signaleren hoe klein en ouderwets zijn tv is in vergelijking met de tv's die andere mensen hebben – plasma, wat dat ook mag zijn, geen grote lompe doos met buizen of wat er ook in zit en er aan de achterkant van het scherm uitstulpt als een lelijk, goedkoop plastic achterste... en verder heeft iedereen er een van 48 inch, 64 inch, waarvan dat ook de maat mag zijn – hij verwerkte dat minimoment en richtte zich op het scherm, waar het één groot tumult is... een lompe *brigade* van politiemensen, *een bataljon*... hij heeft er nooit zoveel bij elkaar gezien, ze proberen een menigte in toom te houden van joelende – dit *zijn* scholieren! – al die jonge *Negs* bruine en geelbruine jonge hoofden met hun monden wijd open ze jammeren moord moord uit hun kelen...

overal politieauto's... meer flitsende zwaailichten... De camera, waar de camera ook is, richt zich dichter op de actie... je kunt de oproervizieren van lexaanglas zien die de politiemensen hebben en de oproerschilden van lexaanglas... een frontlinie van *Neg*, bruin, *mulat, café au lait* jongens en *une fille saillante comme un boeuf* drukken terug tegen de schilden... ze lijken zo klein, tegenover de politiemensen, deze joelende middelbareschoolgroentjes –

'Qu'est-ce qui se passe?' (Wat is er aan de hand?) vraagt Lantier aan Ghislaine. 'Pourquoi ne pas nous dire?' (Waarom vertellen ze het ons niet!)

Alsof het afgesproken werk is, overstemt een vrouwelijke commentaarstem het gejoel – je kunt haar niet zien – en zegt: 'Ze willen de menigte blijkbaar ver genoeg terugdrijven – ze moeten de leraar halen – Estevez heet hij, naar verluidt – hij geeft maatschappijleer – ze moeten hem het gebouw uit halen, een politiebusje in en hem onderbrengen in een detentie –'

'Estevez!' zei Lantier tegen Ghislaine. 'Maatschappijleer – dat is Philippes leraar!'

' – maar weigeren te zeggen waar. Hun grote probleem op dit moment is veiligheid. De leerlingen zijn pas ongeveer een uur geleden weggestuurd. De lessen zijn voor vandaag gestaakt. Maar deze menigte scholieren – ze weigeren het terrein van de school te verlaten, en dit is een oud pand dat zonder aan veiligheid te denken is gebouwd. De politie is bang dat scholieren zullen proberen terug te gaan in het gebouw, en daar wordt Estevez vastgehouden.'

Lantier zei: 'Probeer hem daar maar eens uit te krijgen! De politie kan een menigte met zulke kinderen maar een poosje tegenhouden!'

'Papa,' zei Ghislaine, 'dit is geen directe uitzending! Dit moet allemaal vijf, zes uur geleden zijn gebeurd.'

'Ahhh... ja,' zei Lantier. 'Dat is zo, dat is zo...' Hij staarde Ghislaine rechtstreeks aan. 'Maar Philippe heeft niets gezegd over... al deze dingen!' Voor Ghislaine kon reageren, werd de stem op tv luider... : '*Ik geloof dat ze gaan proberen hem nu naar buiten te brengen. Die kleine deur daar, op de begane grond – die gaat open!*'

De camera zoomde in... zag eruit als een dienstingang. Bij het opengaan ontstond een kleine schaduw op het betonnen oppervlak... Er kwam een politieagent uit die alle kanten op keek. Toen nog twee... nog twee... en nog eens twee... toen persten zich er drie door de kleine

– nee, het waren geen drie politiemensen maar twee politiemensen die de bovenarmen vastgrepen van een potige, kalende man met een lichte huidskleur, zijn handen achter zijn rug, blijkbaar geboeid. Ook al was het haar op zijn bol schaars aan het worden, hij kon niet ouder zijn geweest dan 35. Hij liep recht overeind met zijn kin omhoog maar knipperde vreselijk vaak. Zijn borst bolde uit tegen een wit shirt waarvan de onderkant uit zijn broek leek te hangen.

'*Dat is hem!*' zei de tv-stem. 'Dat is de leraar, José Estevez! Een leraar *maatschappijleer* op de Lee de Forest High School! Hij is nu gearresteerd wegens het stompen van een leerling met een complete klas erbij, vervolgens heeft hij hem tegen de grond gewerkt, naar verluidt, en hem vrijwel verlamd met een of andere halsgreep! De politie heeft hem omsingeld met een soort – eh-ehhh – *falanx* om hem te beschermen tot ze hem in het politiebusje kunnen krijgen.'

– een vlaag gejoel, gejammer en scheldwoorden waarvan je maag omdraait –

'Ze hebben ontdekt dat hij het is, Estevez, de leraar die ongeveer twee uur geleden een van hun medeleerlingen heeft aangevallen!'

'Wat *is* dat voor shirt?' zegt Lantier, in het Frans.

De leraar en zijn legertje smerislijfwachten komen steeds dichter bij de camera.

Ghislaine reageert in het Frans: 'Volgens mij is het een guayabera. Een Cubaans hemd.'

De tv-stem: 'Ze zijn bijna bij het busje… dat u daar ziet. De oproerpolitie heeft het knap gedaan, deze grote en heel boze menigte leerlingen tegenhouden –'

Lantier kijkt Ghislaine weer recht in het gezicht en zegt: 'Philippe komt thuis van school, uit het leslokaal waar dit allemaal gebeurt, een leger van smerissen bezet het schoolplein en er is een stel van zijn eigen schoolkameraden bereid zijn leraar aan een boom op te hangen als ze hem te pakken kunnen krijgen – en Philippe wil er niet over praten, en zijn *Neg*-maat Antoine wil er niet over praten? Als ik het was geweest, zou ik er na al die jaren *nog steeds* over praten! Wat is er aan de hand met Philippe? Heb jij überhaupt enig idee?'

Ghislaine schudde haar hoofd en zei: 'Nee, papa… geen enkel.'

# 7

## DE MATRAS

::::: Besta ik?… En zo ja, waar?… O, man, ik leef niet… *nergens*… Ik *hoor* nergens… Ik ben niet eens een van 'mijn mensen' meer, wel? :::::

Nestor Camacho – weet je nog? – was aan het verdampen, desintegreren, uiteen aan het vallen – vlees van het bot, in gelatinepudding aan het veranderen, met een kloppend hart, aan het terugzinken in de oerdrab.

Nooit eerder had hij zich kunnen voorstellen dat hij… nergens aan was verbonden. Wie wel? Niet tot dit ogenblik, even na middernacht, toen hij tevoorschijn kwam uit de kleedkamer van de haven van de politie te water en naar het parkeerterrein begon te lopen –

*Agent Camacho!*

…en nu hoorde hij dingen. Er waren hier op het middernachtelijk uur alleen smerissen die klaar waren met hun dienst, en niet één smeris zou hem 'Agent' noemen, tenzij het een grap was. Helemaal alleen, op een te hete, te plakkerige, te soeperige, te zweterige, te slecht verlichte donkere septembernacht in Miami… had hij ooit het flauwste benul gehad van wat eenzaamheid inhield? Hij had niet geprobeerd zichzelf voor de gek te houden over wat hem de afgelopen vierentwintig uur was overkomen.

Precies vierentwintig uur geleden was hij hier, uit de haven, weggegaan, zwevend op het applaus van zijn medesmerissen, ontsteld door het besef dat de hele stad – *de hele stad!* – hem – *hem!* Nestor Camacho! – op tv had gezien bij het redden van een arme, paniekerige stuntel

154

boven in een mast van 21 meter die wankelde op de rand van de Halusische Kloof. Amper een kwartier later loopt hij zijn eigen huis binnen – en zijn vader staat pal achter de deur, woede paraat, buik uitgestoken, om hem uit de familie te gooien… en in één moeite door uit het Cubaanse volk. Nestor is zo ontdaan dat hij nauwelijks kan slapen, 's ochtends staat hij op en ontdekt dat de Spaanstalige media – wat in wezen wil zeggen de Cubaanse media – de afgelopen twaalf uur hetzelfde hadden beweerd: Nestor Camacho heeft zijn eigen familie en het Cubaanse volk verraden. Zijn vader beschouwt hem niet alleen als een non-persoon, hij gedraagt zich of hij niet meer lijfelijk aanwezig is. Hij gedraagt zich of hij hem letterlijk niet kan *zien*. Wie? Hem? Nestor? Hij is hier niet meer. Zijn buren, mensen die hij vrijwel heel zijn leven kent, draaien hem de rug toe, ze draaien zich letterlijk 180 graden om en laten hun hun achterkant zien. Zijn allerlaatste hoop, zijn redding, de enige band die hij nog heeft met het leven dat hij de afgelopen vijfentwintig jaar heeft geleid, dat wil zeggen heel zijn leven, is zijn vriendin. Ze gaan met elkaar om, ze gaan uit, wat vandaag de dag wil zeggen dat hij met haar naar bed gaat, en houdt met heel zijn hart van haar. Zij daagde dus iets meer dan acht uur geleden op, net voor hij naar zijn werk moest… om hem te melden dat ze tegenwoordig met iemand anders omgaat, uitgaat en ongetwijfeld de lakens deelt, en hasta la vista, mijn dierbare Beschadigde Zegeningen.

Om het compleet te maken begint de dienst, en zijn medesmerissen, die vierentwintig uur geleden als een stelletje cheerleaders om hem heen dromden, zijn – nou ja, niet kil geworden, maar wel afstandelijk. Niemand kleineert hem. Niemand gedraagt zich alsof dan wel insinueert dat hij iemand heeft verraden. Niemand gedraagt zich of hij het terug wil nemen, de lof die hij hem gisteravond heeft toegezwaaid. Ze zijn in verlegenheid gebracht, meer niet. Na vierentwintig uur hebben ze te maken met een stuk vlees dat bont en blauw is geslagen door de Spaanstalige radio, de Spaanse tv, de Spaanse krant – *El Nuevo Herald* – en zelfs vriendelijke zielen wenden kies hun ogen af.

De enige die een heel klein beetje verlangen toonde met hem te praten over heel de ellende was Lonnie Kite, zijn *americano* maat van de Safe Boat. Kort voor ze aan boord van de Safe Boat gingen om met de dienst te beginnen, nam hij hem apart en zei: 'Je moet het zo zien, Nestor' – Nes-*ter.* 'Ongeveer overal elders waar dat klootzakje boven in een mast had gezeten, zou iedereen alleen maar zeggen: "Die jongen van Camacho is Tarzan met een stel kloten waarmee je een gebouw kunt slopen." Jij hebt de pech dat het moest gebeuren met een stel toeschouwers op de Rickenbacher Causeway op een vrijdagmiddag tijdens het spitsuur. Ze komen allemaal hun auto's uit en gaan op de brug staan, en ze hebben de beste plaatsen in het theater voor een spelletje Cubaanse Vluchteling – de dappere kleine vent – die met Stomme Smeris strijdt. Ze snappen er geen bal van. Zonder al deze stomme mafkezen zou er geen mens in opstand zijn gekomen.'

De *americano* wilde hem opvrolijken, maar hij maakte Nestor nog treuriger. Zelfs de *americanos* wisten het! Zelfs de *americanos* wisten dat Nestor Camacho nu in de pan was gehakt.

Hij hoopte dat er tijdens deze dienst iets zou gebeuren, iets zo groots, een grote aanvaring bijvoorbeeld – er waren voortdurend aanvaringen, meestal met kleine boten – dat het zijn aandacht helemaal zou opslokken. Maar nee, het was het gebruikelijke werk… boten op drift en ze kunnen de motor niet starten… iemand dacht dat ze zwemmers in een vaargeul zagen… een of andere gek in een Cigarette Boat sjeest over het water en maakt enorme bochten om andere boten in zijn kielzog te laten schommelen… een stelletje dronkenlappen gooit op de baai flessen en onbekend afval in het water… dat was de vangst van de avond, en geen van deze dingen was ernstig genoeg om Nestor van zijn diepe zorgen af te leiden… en toen ze terugkeerden naar de haven was hij begonnen zijn tegenslagen op te tellen op te tellen op te tellen…

… en het tafereel voor hem legde zijn score – eenzaamheid – perfect was. Hij kwam bij het parkeerterrein van de haven. Minstens een derde ervan was nu op het middernachtelijk uur leeg. De verlichting van het parkeerterrein verlichtte niet echt veel. Het zorgde voor de zwakste mechanische schemering die je je voor kunt stellen. De palmbomen rond deze rand waren nauwelijks te onderscheiden. Hoogstens kon je een paar platte zwarte vormen zien. Wat de auto's op het terrein betreft, het waren niet zozeer vormen als wel zwakke donkere lichtschitteringen… vanaf een voorruit hier, een strip van chroom daar… een buitenspiegel verderop… een velg verderop… zwakke zwakke weerspiegelingen van zwak zwak licht… Met Nestors huidige gemoedstoestand was het erger dan helemaal geen licht… dit was licht van c-kwaliteit…

Louter uit gewoonte ging hij naar zijn Camaro toe… waarom?… waar zou hij de nacht doorbrengen?

Hij kon de Camaro alleen maar onderscheiden omdat hij exact wist waar hij die had geparkeerd. Hij ging er louter uit gewoonte naartoe. En daarna? Hij moest ergens heen rijden, zich uitstrekken en tien uur lekker slapen. Hij kon zich niet herinneren zich in zijn leven ooit zo moe en leeg te hebben gevoeld... opgebrand, uitgedroogd, leeggelopen... en waar moest die heilzame slaap plaatsvinden? Heel de avond had hij, iedere keer wanneer het even rustig was, vrienden opgebeld om te vragen om een plek, wat dan ook, zelfs lui die hij niet had gezien sinds de middelbare school, en de antwoorden waren allemaal zoals dat van Jesús Gonzalo, Jesús, zijn beste maat van het worstelteam, en hij zegt: '*Ehhhh* nou, ik *ahhhh* denk van wel, maar ik wil zeggen, hoe lang wil je blijven alleen vannacht toch? – want ik heb mijn neef Ramón gesproken – hij komt uit New Yersey – en hij zei dat hij misschien morgen naar de stad komt, en ik heb hem beloofd –'

*Zijn vrienden!* Zeker, de afgelopen drie jaar waren zijn vrienden vooral andere smerissen geweest, want alleen andere smerissen konden begrijpen wat je op je hart had, wat je moest doen, waarover je je zorgen maakte. Bovendien had je een elitepositie. Je moest gevaren trotseren die je oude vrienden zich niet konden voorstellen. Ze konden zich niet voorstellen wat het vergde om de Smerisblik uit te stralen en op straat mensen te commanderen... Hoe dan ook, het nieuws over wat hij had gedaan had zich kennelijk als een gas over de Cubaanse gemeenschap verspreid. Goed. Hij zou het een van de jongere smerissen uit de ploeg vragen. Hij had net het afgelopen halfuur zijn kans gehad in de kleedkamer... had de hele avond volop kansen gehad... maar hij kon het niet! Ze hadden het gas ook ingeademd!... Zijn eigen familie had hem zijn eigen huis uit gegooid...de *vernedering*! Naar een motel gaan? Een jongen uit Hialeah dácht niet eens aan die oplossing. Alleen om je hoofd een nacht in het donker te ruste te leggen zo veel geld neertellen? Het Cristy vragen? Zij stond aan zijn kant. Maar zou het bij een plek om te slapen blijven? Goed, eens kijken... er was altijd de Camaro nog. Hij kon altijd in zijn eigen auto gaan maffen. Hij probeerde het zich voor te stellen... Hoe zou je in hemelsnaam ooit horizontaal kunnen gaan in een Camaro? Dan moest je een kind zijn of een slangenmens... een tweede volstrekt slapeloze nacht... dat zou het enige resultaat zijn.

Ik woon nu... nergens... ik *hoor* nergens. De vraag kwam nog eens bij hem op: besta ik? De eerste paar keren dat het bij hem opkwam, was het met een zweempje zelfmedelijden. De paar volgende keren was het met een zweempje morbide humor. En nu… met een zweempje paniek. Ik doe het gewone, naar mijn auto toe gaan aan het eind van een dienst… en ik heb geen plek om heen te rijden! Hij bleef abrupt staan. Vertel me nu eens eerlijk… *Besta ik?*

'Agent Camacho! Hallo! Hierzo! Agent Camacho!'

Er was daar iemand op het parkeerterrein. Nestor tuurde in het zwakke elektro-schijnsel. Een lange blanke man rende zijn kant op langs een rij geparkeerde auto's.

'John! *hunh hunh hunh hunh* Smith! *hunh hunh* van de *Herald*!' schreeuwde hij. Niet bijster fit, wie je verdorie ook bent *hunh hunh hunh hunh*… zo hijgen na misschien 50 meter joggen. Nestor herkende de naam niet maar 'van de *Herald*' klonk goed. Als enige van alle media had de *Herald* minstens half aan zijn kant gestaan.

'Neem me niet kwalijk,' zei de man toen hij dichterbij kwam. 'Ik *hun-hunhunhunh* kon niets anders verzinnen om je te bereiken!'

Toen ze eenmaal tegenover elkaar stonden, herkende Nestor hem. Het was de journalist die met een fotograaf had staan wachten toen hij, de brigadier en Lonnie Kite in de Safe Boat terugkeerden naar de haven. Als hij welbewust een poging had gedaan, had hij er niet méér *americano* uit kunnen zien… lang… slap blond haar, helemaal glad… een puntige neus… 'Neem me niet kwalijk dat ik me opdring *hunh hunh hunh hunh*. Heb je mijn stuk vanochtend gelezen?' vroeg John Smith. 'Was ik eerlijk?' Hij glimlachte. Hij slikte. Hij opende zijn ogen als een paar dagbloemen.

Voor zover het Nestor betrof, had dit opdagen van John Smith op dit parkeerterrein om middernacht evengoed het soort verschijning kunnen zijn waaraan mensen die niet slapen en die niet bestaan ten prooi zijn… Maar hij had nog genoeg gezond verstand om niets achter deze *americano* met kindergezicht te zoeken. Hij wilde de *americano* vragen wat hij hier deed, maar hij kon er geen diplomatieke formulering voor verzinnen. Dus knikte hij alleen… alsof hij wilde zeggen, aarzelend: 'Ja, ik heb je stuk gelezen en ja, je was eerlijk.'

'Ik weet dat je waarschijnlijk *hunhunhunhunh* op het punt staat naar huis te gaan,' zei John Smith, 'maar heb je misschien een paar minuutjes? Er zijn een paar dingen *hunhunhunhunh* die ik je moet vragen.'

Door een griezelige vorm van opluchting kwam Nestors verdoofde centrale zenuwstelsel weer tot leven. Hij werd in elk geval weer met…

*iets* verbonden. Iemand, al was het maar een *americano* krantenverslaggever die hij niet eens kende, bood hem op z'n minst een alternatief aan voor de hele nacht rondrijden en tegen zichzelf praten. De zwerver in de Camaro! Dakloos in de dagbladen! Maar het enige wat hij zei, was: 'Waarover?'

'Nou, ik schrijf een vervolg op het stuk, en ik zou het verschrikkelijk vinden het te moeten schrijven zonder een reactie van jou te krijgen.'

Nestor staarde alleen naar hem. :::::: Reactie? Reactie waarop? :::::: Het woord leidde tot een onbenoemd gevoel van angst.

'Zullen we een kop koffie of iets gaan drinken en even zitten?'

Nestor staarde nog wat langer naar hem. Spreken met deze journalist met kindergezicht kon hem slechts in de problemen brengen, tenzij een of andere inspecteur, commandant of diensthoofd het goed vond. Aan de andere kant had hij vierentwintig uur geleden met deze vent gepraat, en dat was goed... en zolang hij met de pers praatte, *bestond* hij. Dat was toch zo? Zolang hij met de pers praatte, was hij... *ergens*. Zou je niet denken? Zolang hij in de pers verscheen *hoorde* hij op deze wereld... Je moest je fantasie gebruiken... Hij wist dat er geen inspecteur, commandant of diensthoofd op deze wereld was die dat zou begrijpen, laat staan het zou slikken. Maar misschien zouden ze *dit* begrijpen: 'Goeiegodalmachtig, inspecteur, ga eens in mijn schoenen staan. Ik ben volkomen alleen. Je kunt je niet eens voorstellen hoe alleen.' Het kwam allemaal op één ding neer. Hij had iemand nodig om mee te praten, niet in de zin van praten met een priester of iets dergelijks. Gewoon iemand om mee te *praten*... gewoon om het gevoel te krijgen dat hij weer bestond, nadat hij vierentwintig uur een vreselijke tol had betaald.

Hij staarde journalist John Smith heel lang en uitdrukkingloos aan. Hij knikte nog eens ja zonder een spoor van voldoening, om van enthousiasme maar te zwijgen...

'Is die tent wat?' vroeg de journalist. Hij wees naar de bar van Inga La Gringa.

'Daar is het te luidruchtig,' zei Nestor. Wat op zichzelf waar was. Wat hij niet zei, was dat de herrie afkomstig zou zijn van andere smerissen van de politie te water na hun dienst. 'Er is een tent die het Eiland Capri heet, in Brickell, bij de Causeway. Die zijn tot laat open en je kunt jezelf in elk geval horen praten. Maar het is een beetje aan de dure kant.' Wat hij niet zei, was dat geen smeris ergens in Miami na de dienst naar zo'n dure tent zou gaan.

'Geen probleem,' zei John Smith. 'De krant betaalt.'

Weg reden ze naar het Eiland Capri, allebei in hun eigen auto. Zodra Nestor het contact van de Camaro aanzette, blies de airco hem in het gezicht. Zodra hij de automaat in drive zette en wegreed, hoorde je de uitlaat. Door de combinatie van airco en kapotte uitlaat kreeg hij het gevoel dat hij vastzat in een van die bladblazers die zo luidruchtig zijn dat de mensen die ze voor zeven dollar per uur bedienen oordoppen moeten dragen… Hij zat vast in een bladblazer… vragen bliezen in zijn hoofd rond. ::::: Waarom doe ik dit? Wat levert het me op, afgezien van problemen? Waarop wil hij dat ik reageer? Waarom zou de krant betalen, zoals hij het formuleerde. Waarom zou ik deze *americano* vertrouwen? In één woord, waarom? Ik zou dit natuurlijk niet moeten doen… maar ik ben van alles wat telt in dit leven beroofd! Ik heb niet eens een voorgeslacht… Mijn godverdomde grootvader, de grote bediener van de sluisdeuren voor het waterbedrijf van Malecón, haalde de stamboom onder me neer… en ik weet niet eens waar ik moet slapen. Jezus, ik zou liever een gesprek hebben met een *slang* dan niemand hebben om mee te praten. :::::

Nestor en de journalist gingen aan de bar zitten en bestelden koffie. Het zag er heel luxueus uit, de bar in het Eiland Capri… Lichtjes van onder straalden omhoog door een assortiment drankflessen heen tegen een enorme spiegelwand. De stralen verlichtten de drankflessen… op een zeer aantrekkelijke manier, en de spiegelwand maakte de show twee keer zo mooi. De show liet Nestor duizelen, hoewel hij wist dat al deze flessen er waren ten behoeve van *americanos* van middelbare leeftijd die graag vertelden hoe een hamerslag ze de vorige avond hadden gekregen, hoe verpletterd en verwoest ze waren, en zelfs dat ze buiten westen waren geraakt en niet wisten waar ze verdorie waren toen ze wakker werden. Het *americano*-idee van een Man zijn was beslist anders dan dat van een latino. Maar toch was hij verrukt van de manier waarop de flessen hier in het Eiland Capri een lichtshow hielden, vanwege de weelde van het geheel. Hij was ook vermoeider dan hij ooit in zijn leven was geweest.

De koffie arriveerde, en John Smith van de *Herald* kwam ter zake. 'Zoals ik zei, maak ik een vervolgartikel over de man op de mast – hoe je de vent hebt gered – maar mijn bronnen beweren dat een heleboel Cubanen je allesbehalve als een held zien, maar je beschouwen als iets wat dicht bij een verrader komt'… waarop hij zijn hoofd overeind stak en naar Nestor keek met een uitdrukking die duidelijk vroeg: wat heb je daarop te zeggen?

Nestor wist niet *wat* hij moest zeggen... de koffie met de suiker die hij er op de Cubaanse manier in schepte was zalig; hij kreeg er honger van. Hij had tijdens de dienst niet genoeg te eten gehad. Het feit dat zijn bestaan, als dat was wat het was, andere mensen van de politie te water in verlegenheid bracht, benam hem de eetlust. John Smith wachtte op een antwoord. Nestor aarzelde of hij op dit alles al dan niet in moest gaan.

'Ik denk dat je het aan *hen* moet vragen,' zei hij.

'Aan wie?'

'Aan... ik bedoel... aan *Cubanen*, denk ik.'

'Dat heb ik gedaan,' zei John Smith, 'maar ze voelen zich bij mij niet op hun gemak. Voor de meesten van hen ben ik een buitenstaander. Ze willen niet veel zeggen... wanneer ik begin hun vragen te stellen over etnische attitudes, nationaliteiten en wat dan ook op dat gebied. Ze voelen zich niet op hun gemak bij de *Herald*, punt, wat dat aangaat.'

Nestor glimlachte, maar niet van plezier. '*Daar* heb je gelijk in.'

'Waarom moet je daarom glimlachen?'

'Omdat waar ik vandaan kom, Hialeah, de mensen zeggen "De *Miami Herald*" en in één adem "*Yo no creo*". Je zou denken dat de volledige naam van de krant *Yo No Creo el Miami Herald* was. Je weet wat "*yo no creo*" betekent?'

'Zeker, "ik geloof het niet". *Yo comprendo*. En ze doen hetzelfde met jou, Nestor.'

De journalist had hem nog niet eerder bij zijn voornaam genoemd. Het hinderde Nestor. Hij wist niet hoe hij het moest opvatten. Hij wist niet of de man sympathiek was of de voornaam gebruikte zoals je zou doen met iemand die onder je staat... een *fumigador* bijvoorbeeld. Heel wat klanten noemden zijn vader zonder omhaal Camilo. 'Ook in jouw geval draaien ze alles om,' zei de journalist. 'Wat jij hebt gedaan, wat ik – volgens mij maakte ik dat heel duidelijk in wat ik schreef – als een daad van grote moed en kracht beschouw, verdraaien zij tot een laffe daad!'

'*Laf*?' vroeg Nestor. Hij schrok ervan en het raakte een gevoelige snaar. 'Ze kunnen veel zeggen, *traidor* en dergelijke, maar ik heb niemand "laf" horen zeggen. Ik zou graag weten hoe iemand in hemelsnaam "laf" kan zeggen... Jezus Christus... Ik zou graag iemand anders zien die benaderde wat ik deed... "Laf."' Hij schudde zijn hoofd. 'Je hebt echt iemand dat woord horen bezigen, "laf"?'

'Ja. "*Cobarde*", zeiden ze... iedere keer.'

'*Ze*?' vroeg Nestor. 'Hoe weet je dat? Je zei dat ze niet met je praten.'

'Een paar praten wel met me,' zei John Smith. 'Maar daar heb ik het niet gehoord. Ik heb het op de radio gehoord, en niet één keertje.'

'*Wat* voor radio? Wie zei het?'

'De Spaanstalige zenders,' zei John Smith. '"*Cobarde*". Het waren geloof ik eigenlijk twee of drie zenders.'

'Rotzakken,' mompelde Nestor. Hij voelde zijn adrenaline protesteren. 'Wat zou er *cobarde* aan kunnen zijn? Hoe denken ze het *zo* te kunnen noemen?'

'Ze nemen niet de moeite veel te denken. Hoe redeneren ze, als je het zo kunt noemen? Ze zeggen dat het makkelijk is om een *pez gordo* te zijn en je als een *valiente* te gedragen, wanneer je alle andere *peces gordos* achter je hebt, het hele politiekorps, de Kustwacht, de *Miami Herald*.' Hij grinnikte. 'Ik denk dat ze dat *Yo No Creo El Miami Herald* er voor alle zekerheid bij zeggen. Je hebt niet naar de latino-radio geluisterd?'

'Ik heb geen tijd gehad,' zei Nestor. 'Als je eens wist hoe voor mij de afgelopen vierentwintig uur waren...' Hij stopte even. Hij voelde aan dat hij nu op link terrein kwam. '...je weet wel wat ik bedoel.'

'Vertel me maar wat er gebeurd is,' zei John Smith. Hij staarde Nestor inmiddels recht in de ogen met een intensiteit die niet bij John Smith hoorde. Nestor kreeg het gevoel dat dit de Journalisten Blik moest zijn, net zoals smerissen mensen troffen met de Smerissen Blik. Niet dat de twee gelijkwaardig waren. Hij staarde weg naar de drankflessenlichtshow. Iedere smeris met wie Nestor ooit over dat onderwerp had gepraat zag de pers als een stel mietjes. Nestor durfde te wedden dat de journalist die pal naast hem zat aan deze bar ook een mietje was. Er was iets met zijn zachte manier van spreken en al zijn goede manieren... Hij was het soort – bij de lichtste lichamelijke bedreiging kon hij instorten en wegrennen. Maar de oudere smerissen zeiden ook dat het net kleine spinnen waren, net zwarte weduwen. Ze konden bijten en je flink toetakelen.

Met dat in gedachten richtte hij zich nu op John Smith en zei: 'Ik weet niet of dat zo'n goed idee is.'

'Hoezo?'

'Nou, ik heb waarschijnlijk toestemming nodig voor ik me daarover uitlaat.'

'Wiens toestemming?'

'Dat weet ik niet precies, omdat ik nooit met de procedure te maken heb gehad. Maar ik heb op z'n minst een diensthoofd nodig.'

'Dat snap ik niet,' zei John Smith. 'Je hebt met me gepraat nadat je de zogenaamde leider van het verzet uit de mast had gehaald. Wiens toestemming had je voor je dat deed?'

'Van niemand, maar dat was an–'

Een ineens agressieve John Smith viel Nestor abrupt in de rede met: 'En wie schreef over jou het gunstigste verhaal waartoe heel de toestand leidde?... en het betrouwbaarste. Heb ik je op enige manier slecht behandeld?'

De man boorde op hem in met zijn Journalisten Blik.

'Nee,' zei Nestor, 'maar –'

De journalist trapte weer. 'Waarom denk je dan dat ik zou proberen je nu slecht af te schilderen? De mensen die je in de problemen brengen zijn van *El Nuevo Herald* – ik hoop dat je hebt gezien wat die zeiden' – Nestor wendde zijn ogen af, wiegde zijn hoofd langzaam naar voren, om een heel vaag ja aan te geven – 'en de latino-radio en latino-tv probeerden je de nek om te draaien!' vervolgde de journalist. 'En dat was gisteren niet voor het laatst. Daarmee gaan ze ook vandaag door. Wil je niet dat iemand aan jouw kant staat? Wil je alleen een piñata zijn waar het hele stel voortaan voor de lol op los kan timmeren? Ach, ik kan doorgaan en een mooi stuk schrijven met een analyse van wat je deed en waarom het absoluut noodzakelijk en humaan was. Maar dat zou maar een commentaar zijn, en dan niet eens door een commentator. Ik heb een paar bijzonderheden nodig die alleen jij kunt verstrekken.'

De ellende was dat deze journalist John Smith gelijk had. Het woord *cobarde* bleef in Nestors hersenen bonken. Zijn eergevoel schreef voor dat je zulke laster moest weerspreken. Mij komt de wraak toe, zegt de Heer – en wat gebeurt er intussen met je baan, grote wreker? Als hij er ten behoeve van de journalist alles uit gooit... zelfs als hij op geen enkele manier kritiek levert op het korps... een groot krantenartikel dat lang stilstaat bij Hemzelf vanwege een politieactie die zo veel publiciteit krijgt – hij heeft niet één geschreven protocol nodig om te begrijpen wat het korps daarvan zal denken. :::::: Maar voor iedereen – *ieder-*

*een* – moet één ding duidelijk zijn. Nestor Camacho is absoluut geen *cobarde*... rotzakken dat jullie zijn... maar dat kan ik niet zelf zeggen, wel? Dat moet het korps zeggen... en geen schijn van kans dat ze het doen. O, ze zullen hun besluit verdedigen om de vent uit de mast te halen, maar ze zullen niet gaan jubelen over de smeris die naar boven ging en het deed – :::::

Nestor besefte niet wat voor indruk hij op John Smith moest hebben gemaakt. Hij staarde niet naar John, maar in de spiegel achter alle verlichte drankflessen. Hij nam niet de moeite naar zichzelf te kijken, ook al was hij het daar in de spiegel. Hij liet zijn rechterhand over de knokkels van zijn linkerhand gaan en toen zijn linkerhand over de knokkels van zijn rechterhand en zijn rechterhand over de knokkels van zijn linkerhand en zijn linkerhand –

Pas nu besefte hij wat een toonbeeld van besluiteloosheid hij was. John Smith zei: 'Goed, Nestor, moet je horen, als jij mij de bijzonderheden geeft, beloof ik je dat ik je niet zal citeren of ook maar aangeven dat ik met je heb gesproken.'

'Ja, maar er zijn dingen waarvan alleen ik op de hoogte ben, en dan zou iedereen weten dat ik het was.'

'Luister,' zei John Smith, 'ik heb vaker met dat bijltje gehakt, en ik weet hoe het moet. Ik zal een heleboel andere bronnen vermelden. Hoe komen volgens jou grote artikelen over de politie in de krant? Ik heb het niet over puur nieuws dat er een misdaad is gepleegd. Ik heb het over insiderverhalen over hoe een grote misdaad is opgelost, wie wie verlinkte, dat soort dingen. Het zijn altijd smerissen die journalisten informatie geven waardoor de journalist een goede indruk maakt en journalisten die artikelen schrijven waardoor de smerissen een goede indruk maken. Beide partijen weten hoe ze de andere partij moeten beschermen. Het gebeurt heel de tijd, en dan bedoel ik *heel* de tijd. Als je niet een of andere weg hebt om je verhaal te spuien, zullen andere mensen, bijvoorbeeld van het gemeentehuis, jouw verhaal voor je vertellen... en geloof me, dat zal je niet bevallen. Voor hen ben je niet meer dan die... die... *muskiet* die zijn mede-Cubanen bijt. Luister, ik kan je je verhaal laten spuien – en duidelijk maken dat je *weigerde* mee te werken. Ik zal zeggen dat je niet op telefoontjes reageerde, wat nog zal kloppen ook. Eigenlijk klopt het al. Omstreeks halftien heb ik het bureau van de politie te water gebeld en gevraagd of ik je kon spreken, maar ze wilden me voor een persoonlijk gesprek niet met de Safe Boat doorverbinden.'

Met verontrusting in zijn stem zei Nestor: 'Je bedoelt dat ze al *weten* dat je met mij wilde spreken?'

'Uiteraard!' zei John Smith. 'Zeg, ik neem een biertje. Wil je er ook een?'

Een *biertje*? Hoe kon de man ineens aan een biertje beginnen te denken? Het verbijsterde Nestor. Hij vond het maar niks. Aan de andere kant... misschien zou een biertje zo slecht niet zijn. Misschien zou hij er een beetje door kalmeren, zou het de adrenalinestroom verdunnen. Als hij een ander soort drug had, zou hij die nu ongetwijfeld nemen... en een flesje bier was heel mild spul. 'Ehhh... ja,' zei hij. 'Ik neem er een.'

John Smith hief zijn hand om de aandacht van de barman te trekken. Terwijl hij de twee biertjes bestelde, begon Nestors wrok zich weer op te bouwen. ::::: Het is niet *zijn* hachje dat aan een zijden draad hangt, boven de rand. ::::: John Smith draaide terug naar Nestor en gedroeg zich of het gesprek in het geheel niet was onderbroken. 'Uiteraard!' zei hij. 'Als ik van plan ben een stuk over je te schrijven – en ze zullen dat stuk snel genoeg zien – probeer ik uiteraard je rechtstreeks te spreken. Het zou vreemd overkomen als ik dat niet deed. Dat is gewoon de standaardwerkwijze.'

De biertjes kwamen. Nestor wachtte niet op John Smith. Hij hield gewoon zijn flesje schuin en dronk... een lekkere lange slok nog ook... en een golf warmte kwam uit zijn maag omhoog, schoot door zijn hersenen en stroomde door heel zijn centrale zenuwstelsel... en het leek hem *inderdaad* te kalmeren.

Hij begon met het eind van de dienst vierentwintig uur geleden... en al de andere smerissen die wild enthousiast over hem waren en hem vertelden, op een schertsende smerissenmanier uiteraard, dat hij de hele stad in spanning had gehouden... en hij was naar huis gereden... als op vleugels... en pal achter de voordeur wachtte hem een grote verrassing.

'En daar is mijn vader. Hij heeft op me gewacht, en hij staat daar met zijn benen gespreid als een worstelaar en zijn armen zo gekruist –'

– ineens onderbrak hij zichzelf en beantwoordde John de Journalist zijn blik met de zijne... en hield dat vol gedurende een paar naar hij hoopte spannende seconden... Toen hij het spreken hervatte, was dat op een andere toon, een toon die precies bij de blik paste.

'Je herinnert je toch wat je me net beloofde over hoe je de dingen gebruikt die ik je ga vertellen?'

'Ja...'

'Dat je me zult dekken wat de bronnen betreft?' Hij verhevigde de blik.

'Ja...'

'Ik wil alleen zeker weten of we elkaar begrijpen.' Hij sloeg een paar slagen over... 'Ik zou heel kwaad zijn... als dat niet zo was.'

Waarop hij die bepaalde blik maximaal opvoerde. Pas toen had hij helemaal door dat het de Smerisblik was. Zonder een woord bracht die een boodschap over. Op dit gebied heers ik. Ik heb de oppermacht, en ik deins er absoluut niet voor terug je af te maken als het moet. O, je wilt weten wat er nodig is voor 'als het moet'? Nou, om te beginnen het *verbreken van een mondelinge afspraak*.

De bleke *americano* werd doodsbleek – in elk geval kwam het zo over bij agent Camacho. De lippen van journalist John Smith gingen een beetje uiteen... maar hij zei niets. Hij knikte alleen ja, en duwde zijn hoofd o zo bedeesd naar voren.

Voor Nestor het wist... zat hij daar in de weelderige gloed van de glanzende drankflessen in de bar van het Eiland Capri zijn hart uit te storten, zoals dat heet. *Alles* kwam eruit. Hij kon voor deze *americano* – die hij in zijn leven precies twee keer had gezien – niets verzwijgen. Hij had een overweldigende drang... niet om te biechten, want hij had niet gezondigd... *één biertje nog* maar om iemand, minstens een half-neutrale partij, te vertellen over zijn verdriet en vernedering, zijn verwerping door al zijn naasten – ineens! – in nog geen 24 uur! – en door duizenden van zijn eigen mensen, *één biertje nog* zijn mede-*cubanos*, die maar al te graag geloofden wat ze te horen kregen op dat allermachtigste orgaan, de Spaanstalige radio, en zelfs van dat ouderwetse medium waar niemand onder de veertig ooit naar omkeek, namelijk de kranten... zijn vader stond daar in zijn deuropening, die ook die van Nestor was, met zijn wijdbeense houding, als van een worstelaar, en zijn armen over zijn borst gevouwen – als van een *woedende* worstelaar... *één biertje nog* en buren die hij zijn hele leven had gekend draaiden hem hun rug toe zodra ze hem zagen komen... en, om het compleet te maken, zijn medesmerissen die hem 24 uur terug als een held hadden onthaald *één biertje nog*... en nu waren ze kil omdat ze in verlegenheid waren gebracht vanwege deze besmette man in hun midden... *één biertje nog* – *in cervisia veritas*... alles, *alles*, tot en met zijn mobieltje dat overgaat in zijn zak terwijl hij *zo dicht* bij een dodelijke val is van 21 meter boven een bootdek en probeert hand over hand een kabel van 30 meter af te gaan terwijl hij een man *met zijn benen* draagt... en dan begint de godverdomde telefoon te *piep-piep-piepen* vanwege sms'jes, en mensen – zijn eigen mensen – *cubanos* – beginnen moord moord naar hem te schreeuwen vanaf de Rickenbacker Causeway-brug... *alles*, ook de koude uitdrukking op Magdalena's gezicht toen hij *¡CONCHA!* naar haar begon te schreeuwen –

Drieënhalf uur lang goot Nestor zijn zorgen en zijn ziel tot de laatste druppel uit... en hij was er voor eeuwig mee doorgegaan als het Eiland Capri niet om 4.00 uur sloot. De twee jongemannen stonden nu op straat. Nestor voelde zich wankel. Zijn evenwicht was... weg. Zijn gang miste stabiliteit. Tja, geen wonder... de spanning van de afgelopen twee dagen... het gebrek aan slaap... het gebrek aan eten ook, als je erover nadacht. Hij dacht er niet over na, hij was bijna geveld na het ledigen van negen biertjes achter elkaar, plus een glas tequila, meer alcohol dan hij van zijn leven ooit op één avond op had.

*Maar de americano periodista* moest er wel over hebben nagedacht, want hij keek naar Nestor en zei: 'Je bent van plan nu naar huis te *rijden*?'

Nestor stootte een bitter lachje uit. 'Naar huis? Zoiets heb ik niet meer, een huis.'

'Waar wil je de nacht dan doorbrengen?'

'Ik weet het niet,' zei Nestor, alleen kwam het eruit als *Kweenie*. 'Ik ga wel in de auto slapen als het moet... Nee! Ik weet het... Ik rij naar Rodriguez en slaap op een mat op de sportschool.'

'En als het daar op slot zit?'

Nog een bitter lachje. 'Op slot? Niets zit op slot als je weet wat een smeris weet.' Zelfs Nestor snoof een vleug van zijn eigen smeris-braggadocio op.

'Nestor' – weer dat brutale voornamengedoe – 'volgens mij ben je te uitgeput om waar dan ook heen te rijden. Ik heb een slaapbank in mijn appartement, en ik woon hier maar vijf minuten vandaan, op dit uur. Wat vind je?'

Maakt hij een grapje? In het huis van een *americano periodista* slapen? Maar dat woord dat de *periodista* gebruikte... *uitgeput*. Alleen al door het hardop te horen uitspreken voelde hij zich nog erger uitgeput... uitgeput, niet geveld... niet geveld, afgemat... zich nooit zo afgemat gevoeld. Hardop zei hij: 'Misschien heb je gelijk.'

Nadien kon hij zich amper herinneren dat John Smith hem naar zijn appartement had gereden… of dat hij bewusteloos was neergevallen op de slaapbank in een nauw woonkamertje… of al het braken…

Toen Nestor wakker werd, vertrok uit het land van de bewustelozen, was het niet echt zo laat als hij had gehoopt. Er was alleen heel flauw daglicht te zien door het weefsel van een stuk jute dat als een provisorisch gordijn diende voor het enige raam van het vertrek. Hij had zich nooit in zijn leven zo ellendig gevoeld. Als hij zijn hoofd van deze sofa op moest tillen, zou hij weer bewusteloos raken. Dat wist hij zonder het ook maar te proberen. Een poel van pijn en misselijkheid had een hele hersenhelft overspoeld toen hij op die kant van zijn hoofd lag. Hij durfde die poel niet één graad te kantelen, anders – hij rook het al – *rook* het – zou het braaksel er als een raket uit spuiten. Hij herinnerde zich vaag dat hij net voor hij bewusteloos raakte heel het tapijt had ondergekotst.

Hij gaf het op en deed zijn ogen weer dicht. *Moest* ze dichtdoen, en weldra viel hij weer in slaap. Het was geen goede slaap. Hij werd telkens wakker, rusteloos. Het voornaamste was niet zijn ogen open te doen. Als hij alles op alles zette zou hij dan misschien weer in slaap vallen… hoe onrustig de slaap ook zou zijn.

Toen hij uiteindelijk definitief wakker werd, bestond het juten gordijn helemaal uit heldere lichtpuntjes. Het moest dicht tegen twaalven zijn geweest. Hij durfde zijn hoofd een paar centimeter op te tillen. Deze keer was het afschuwelijk, maar niet onmogelijk. Hij slaagde erin zijn benen over de zijkant van de bank te zwaaien, overeind te gaan zitten… en liet zijn hoofd tussen zijn benen zakken om meer bloed naar zijn hersenen te laten stromen. Toen hij zijn hoofd weer overeind bracht, plaatste hij zijn ellebogen op zijn knieën en bedekte zijn ogen met de handpalmen. Hij wilde dit krappe, stinkende, strogele vertrek verder niet hoeven te zien. Hij wilde niets doen, maar hij begreep dat hij op de een of andere manier de badkamer moest zien te bereiken.

Hij zuchtte luid, met als enige reden zichzelf te horen beweren hoe ellendig en verlamd hij zich voelde. Hij zuchtte nog een paar keer. Voor hij het wist, hoorde hij de vloer kraken door voetstappen. Wat een hok was dit… Aan de andere kant had hij niet eens zoiets als een *hok* om heen te gaan.

'Goeiemorgen. *Buenos días*. Hoe voel je je?'

Daar was John Smith… hij stond in de deuropening van de badkamer. Nestor tilde zijn hoofd net hoog genoeg op om hem van top tot teen te zien. De *americano* stond daar zo *americano* gekleed, het was ergerlijk… de kaki broek zo goed geperst dat je je vinger aan de vouw kon snijden… het blauwe conventionele overhemd, twee knopen open bij de hals en elke mouw precies twee manchetlengtes omgeslagen… allemaal gewoon zo, gewoon zo. Had Nestor het woord *bekakt* gekend en begrepen, dan had hij beseft waarom het hem zo irriteerde.

Maar het enige wat hij zei was: 'Ik voel me ellendig… maar ik denk dat ik het wel overleef.' Hij keek John Smith vragend aan. 'Ik dacht dat je aan het werk zou zijn.'

'Tja, omdat de bedoeling is een stuk over *jou* te schrijven, *ben* ik geloof ik aan het werk. Ik vond dat ik in elk geval in de buurt moest blijven tot je wakker was.'

*De bedoeling is een stuk over jou te schrijven.* In zijn wankele staat kwam dit idee hard bij Nestor aan. De moed zonk hem in de schoenen. Wat had hij gedaan? Waarom had hij de kerel afgelopen nacht al die… onzin verteld? Was hij gek?… al die persoonlijke onzin? Hij had de neiging het af te blazen – nu meteen! Maar toen overwoog hij hoe zwak dat op John Smith zou overkomen… vanochtend verzaken na zich helemaal aan de *americano* te hebben blootgegeven… vier uur lang, zijn hart helemaal uitgestort door zijn grote mond, en nu, met kater en bonzend hoofd… beginnen te jammeren en smeken: 'Ik neem het allemaal terug! Alsjeblieft, alsjeblieft, ik was dronken, meer niet! Je kunt me dit niet aandoen! Heb medelijden! Heb genade!' – en hierdoor, vooral door de angst, zwak, zielig en bang over te komen hield hij zijn mond nu dicht… de angst om bang over te komen! Dat alleen volstond om een Nestor Camacho ervan te weerhouden toe te geven aan… de Twijfels.

'Iemand moet je naar je auto terug rijden,' zei de *americano*. 'Het is tien, elf kilometer van hier, en ik weet niet zeker' – hij liet één wenkbrauw zakken en draaide zijn lippen die kant op in een licht spottende glimlach – 'ik weet niet helemaal zeker of je je herinnert waar het is.'

Dat was waar. Het enige wat Nestor zich kon herinneren was een bar waar de lichtshow zo weelderig leek… lichten van onder die de drankflessen vulden met een bruine, amberen en geelbruine gloed, en van hun gebogen oppervlak straalden duizenden sterrenstraaltjes af. Hij had niet kunnen zeggen waarom, maar de herinnering aan dat tableau van licht begon hem te kalmeren.

John Smith stelde voor te ontbijten. Maar Nestor walgde van de gedachte iets vasts te moeten verzwelgen. Hij hield het bij één kopje zwarte oploskoffie. Jezusnogaantoe, wat een slappe koffie dronken de *americanos*.

En toen zaten ze in John Smiths Volvo, op weg naar het restaurant Eiland Capri. John Smith had helemaal gelijk. Toen hij 's nachts wakker werd en toen hij net van de bank was opgestaan, herinnerde hij zich niet *waar* hij zijn auto had gelaten.

Ze reden via Jacinto Street en sloegen toen Latifondo Avenue in... en hoe meer hij erover nadacht, hoe meer hij ervan overtuigd raakte dat John Smith een goed iemand was. Afgelopen nacht had de *americano* hem letterlijk in huis gehaald... *van de straat!*... en hem van een slaapplaats voorzien... en zelfs had hij de hele ochtend gewacht om hem zo lang te laten slapen als hij wilde en hem naar zijn auto te rijden. Zijn angst voor wat deze lange bleke *periodista americano* zou schrijven begon te wijken. *Yo no creo el Miami Herald!*... maar John Smith had het bij het rechte eind over hoe de gevestigde macht zijn verhaal... zijn loopbaan... zijn *leven*! zou verdraaien op de manier die hen het best uitkwam, zolang hij geen stem had die het voor hem opnam... ook al moest dat op de bladzijden van de *Yo No Creo Herald* gebeuren.

'John,' zei hij – en toen zweeg hij even, omdat hij zichzelf had verrast. Hij had hem nooit eerder met zijn voornaam aangesproken, met geen enkele naam in feite. 'Ik wil je voor alles bedanken. Toen ik afgelopen nacht klaar was met mijn werk – van afgeknapt gesproken – was ik... was ik er slechter aan toe dan ik ooit in mijn leven ben geweest. Ik sta bij je in het krijt, en niet zomaar een beetje. Als er iets is wat ik voor je kan doen, moet je het maar zeggen.'

John Smith zei niets. Hij keek aanvankelijk niet eens naar Nestor. Hij keek nog steeds recht vooruit naar de weg toen hij ten slotte reageerde: 'Eerlijk gezegd *is* er iets. Maar ik dacht dat dit niet het goede moment was. Je hebt voor één dag wel genoeg om over na te denken.'

'Nee, ga je gang. Als ik iets voor je kan doen, doe ik het.'

Weer een lange stilte, en nu draaide John Smith zich naar Nestor toe. 'Nou... ik heb toegang nodig tot politiedossiers' – hij tuurde naar de weg en toen weer naar Nestor – 'om te zien wat voor informatie ze mogelijk hebben over een bepaald iemand, een man die in Sunny Isles woont.'

'Wie is het? Hoe heet hij?' vroeg Nestor.

John Smith zei: 'Nou... ik heb dit aan niemand verteld, behalve aan mijn redacteuren. Maar als ik gelijk heb, is het een groot verhaal. Hij heet Sergei Korolyov. Gaat er dan een belletje rinkelen?'

'Ehhmm… nee.'

'Je herinnert je die Russische oligarch niet – zo bleven ze hem maar noemen, een Russische oligarch – die Rus die een stelletje kostbare schilderijen aan het Miami Museum of Art heeft geschonken? Het was niet zo lang geleden… een stelletje Chagalls, Kandinsky's, en *ehhh* die Russische "Suprematist", zoals hij zichzelf noemde… zijn naam is me even ontschoten, maar het is een beroemde moderne kunstenaar. Hoe dan ook, het museum meende dat deze schilderijen tegen de zeventig miljoen dollar waard waren – *Malevitsj*! Zo heette die vent! – die zich een Suprematist noemde… Kazimir Malevitsj. Dit was zo'n goudmijn, het museum heeft de naam veranderd in het Korolyov Museum of Art.'

Nestor wierp John Smith een lange, verbaasde blik toe. De *americano* was hem kwijt zodra hij Vaargeul noemde of hoe de kunstenaar ook heette… en Kedinsky en Malayvitsj… en het Korolyov Museum of Art, nu we toch bezig zijn.

'Het punt is,' zei John Smith, 'dat ik een heel betrouwbare tip heb dat het allemaal vervalsingen zijn, al die schilderijen van zeventig miljoen dollar.'

'Dat kan niet waar zijn!'

'Nee, mijn bron is een heel serieuze vent. Hij is niet het type dat alleen roddel vertelt.'

'Heeft het museum hem *geld* gegeven voor deze schilderijen?'

'Nee, en dat is het grappige. Het waren pure donaties. Het enige wat hij eraan overhield was een diner en een heleboel vleierij.'

De fantasielichten dimden. '*Mierda*,' zei Nestor, 'als hij er geen geld aan overhield, weet ik niet of het zelfs wel een misdaad is. Dat zal ik iemand moeten vragen.'

'Ik weet het ook niet,' zei John Smith, 'maar het is in ieder geval een geweldig verhaal. Ik bedoel, ze waren er allemaal, de burgemeester, de gouverneur, Maurice Fleischmann, iedereen die meetelt in Miami, en ze probeerden elkaar allemaal te overtreffen in een oplichter met lof overladen. Ik moet denken aan Gogols stuk *De revisor*. Heb je het ooit – het is hoe dan ook een geweldig stuk.'

::::: Nee, ik heb *nooit* – bleke *americano* van me… ::::: Maar zijn wrevel zakte snel. Het was een vreemde vogel, die John Smith. Nooit was Nestor iemand tegengekomen die zulke andere instincten had dan hijzelf. De vent had geen druppel Latijns bloed in zijn aderen. Hij kon hem ook geen drie seconden als een smeris zien. Hij had iets zachts en zwaks. Dit soort vent – het was moeilijk je hem zo agressief voor te stellen dat hij ook maar een Smerisblik op kon zetten. ::::: Desondanks is hij, een *americano*, mijn enige hoop om te voorkomen dat de vloed *van mijn eigen mensen, mijn eigen familie! – me weg zal vagen*. :::::

Toen John Smith hem naar het Eiland Capri had gereden, herkende hij het oord amper. In de zon van het middaguur leek het er klein, grijs en doods. Wat had er ooit aantrekkelijk aan kunnen lijken? Het *blonk* niet… het was een goedkoop hokje, meer niet. Goddank, hij zag zijn Camaro.

Hij bedankte John Smith nog eens en beloofde zoveel mogelijk over de Rus te achterhalen. Toen hij uit de auto stapte, had hij een vreemd gevoel. Zo dadelijk zou John Smith wegrijden en hij, Nestor Camacho, zou dan verlaten zijn. *Verlaten* was het gevoel… het begon zijn centrale zenuwstelsel te bekruipen. Wat *raar* was dat. Hij had een onzinnige neiging de *americano* te vragen nog even te blijven… in elk geval tot de dienst begon in de haven van de politie te water. Ik ben eenzaam!… eenzamer dan ik ooit in mijn leven ben geweest! En door de dienst bij de politie zou het alleen maar erger worden. Toen de dienst gisteravond, om middernacht, eindigde, bekeken zijn 'kameraden', zijn 'broeders' hem of ze hoopten dat het niet hoefde. Terwijl het pas de eerste dag was na heel het gedoe met de man op de mast. Vanavond zouden ze zich afvragen waarom hij zich niet fatsoenlijk kon gedragen… en desintegreren… zoals alle fatsoenlijke ten dode opgeschreven mannen doen.

::::: O, spring toch gewoon in de rivier en verzuip, ellendige kleine *maricón* dat je bent! ::::: Hij had altijd met minachting naar mensen gekeken die zich in zelfmedelijden onderdompelden. Op dat moment verloren ze iedere waardigheid. En hier had je hem, Nestor Camacho, die zichzelf verwende met de perverse opluchting de strijd – en alle klootzakken – te vermijden, door het op te geven en half te hopen dat ze hem voor de derde keer onder zouden duwen. Hé, dan zou de pijn toch voorbij zijn?

Eigenlijk moest er iets vredigs zijn aan verdrinken… wanneer je eenmaal over de eerste schrik heen was dat je nooit meer zou ademen, nooit meer lucht zou binnenkrijgen. Maar de eerste schrik had hij al achter de rug, nietwaar? Waarvoor moest hij in feite leven? Zijn familie? Zijn vrienden? Zijn Cubaanse erfenis? Zijn beminden? De grote romantische liefde van zijn leven? Of misschien voor de goedkeuring van John Smith. Hij moest erom lachen... op een ranzige manier. John Smith zou het zéér goedkeuren dat hij voor de derde keer onderging. Dan kon hij nóg een roerend menselijk verhaal uit deze ellende persen. Nestor zag de pseudo-oprechte blik op John Smiths gezicht, alsof hij hier nog met zijn gezicht naar hem toe stond.

Die samenzweerderige, magere WASP! Alles om aan een verhaal te komen... zo oprecht is hij... Andere gezichten begonnen te verschijnen... levendig... levendig... gezichten voor een ogenblik langs de reling van de Rickenbacker Causeway Brug. Dat moment – een vrouw van in de veertig... hij had nooit van zijn leven een gezicht met meer haat gezien! Ze spoog naar hem. Ze tierde. Ze probeerde hem af te maken door dodelijke stralen af te vuren uit ogen die diep in haar vertrokken gezicht lagen. Hij kon het boegeroep van alle kanten op hem af horen komen, ook van onderaf, vanaf alle kleine bootjes die alleen waren verschenen om hem neer te schieten. En – wie... is... dit? ::::: Zo, het is Camilo el Caudillo! Hij staat pal voor me met zijn armen zelfvoldaan boven zijn buikje gekruist... en hier is mijn onnozel glimlachende moeder soppend van sympathie, ook al weet ze dat het woord van el Caudillo een Evangelie is... Yeya en Yeyo – hah! ::::: Dus ziet iedere levende generatie Camacho op hem neer als de Ultieme Verrader... Oom Andres' aangetrouwde neef Hernán Lugo, die het op zich had genomen tegen hem te preken op Yeya's verjaardagsfeest... Ruiz' vader, bij Ricky's, die zijn hoofd ongeveer 45 graden draaide zodat hij uit de zijkant van zijn mond kon zeggen *Te cagarste* – 'Je hebt alles ondergescheten, nietwaar, je zit zelf ook helemaal onder'... en aaahhh, het is mijnheer Ruiz die nu direct voor hem zit met zijn rug naar hem toe, hij gromt uit de hoek van zijn mond onder zijn glimmende kop. Zij allemaal, het hele stel, zouden hem met plezier zien ondergaan... sommigen, zoals zijn eigen familie, om de vlek eens en voorgoed te zien verdwijnen... anderen, zoals mijnheer Ruiz, om zulke geweldige, grof verfraaide verhalen te kunnen vertellen... 'Hij kwam binnensluipen met een donkere zonnebril, in de gedachte dat ik hem niet zou herkennen'... en u, Señor Comemierda Ruiz, u zou waarschijnlijk tegelijk graag een handje helpen... O, wat zou u genieten als ik nu gewoon door de stroom werd meegevoerd en me door de onderstroom helemaal naar de bodem liet brengen... nou –

Het gaat verdomme niet gebeuren!

Jullie zullen het allemaal te heerlijk vinden, en dat stuit me echt tegen de borst. Sorry, maar die voldoening krijgen jullie niet! En als het jullie niet bevalt, moeten jullie het mij niet verwijten. Verwijt het mijnheer Ruiz met zijn *te cagarste* bij het aanbreken van de dageraad. En wees dan zo vriendelijk jezelf in de maling te nemen!

'Jij diz mizzien grappig vinden,' zei mijnheer Yevgeni Eheheh – Nestor kon de achternaam niet onthouden – 'maar ik de vraag moeten ztellen. Wat jij van kunzt weten?'

Nestor had geen idee wat hij moest zeggen. Het was 15.15 uur. Zijn dienst begon over drie kwartier. Dit was zijn derde Craigslist-bezoek in de afgelopen drie uur – en hij moest dit appartement hebben. Door het te delen met de lange, benige, ietwat gebogen Rus voor hem kon hij het zich veroorloven... en hij moest het hebben! Hij kon niet nog een nacht overleven zoals afgelopen nacht, toen hij geen andere keus had dan zich als een zwerver laten opnemen – door een journalist van de *Yo No Creo el Herald*! Hij en deze Yevgeni waren aan het praten in de jammerlijk kleine vestibule tussen de twee kamertjes van het appartement... In de vestibule waren een kleine, smerige keuken geperst, een kleine, smerige badkamer, en de standaard kletterende met aluminium beklede voordeur die je in goedkope huurappartementen zoals dit aantrof. Yevgeni was kennelijk een 'grafisch kunstenaar'. Hij verwees naar het appartement, dat hij wilde delen, als zijn 'atelier'. Nestor wist niet wat een grafisch kunstenaar was, maar een kunstenaar was een kunstenaar, en hij woonde en werkte in zijn kunstatelier... en nu vraagt hij wat hij, Nestor, van kunst weet. Van kunst?! De moed zonk hem in de schoenen. ::::: *¡Dios mío!* Ik zou in een gesprek over kunst geen twee zinnen standhouden. Het is volstrekt zinloos iets anders voor te wenden. Verdorie! Kan hem net zo goed in de ogen zien en het als een man aanvaarden. :::::

'Wat ik over kunst weet? Om de waarheid te zeggen... niks.'

'Jaaaa!' riep Yevgeni uit. Hij hief zijn vuist tot schouderhoogte en pompte er met zijn elleboog mee, als een Amerikaanse atleet. 'Jij dit atelier willen delen? – het iz voor jou, mijn vriend!' Toen hij Nestors ontsteltenis zag, zei hij: 'Het nu niet goed gaan met grafizche kunzt en ik dit atelier moeten delen. De laatste die ik wil iz iemand die denkt van kunzt te weten, iemand die met me over kunzt wil praten, en dan wilie me adviez geven!' Hij legde een hand over zijn ogen en schudde zijn hoofd, en toen keek hij weer naar Nestor. 'Geloof me, ik kan me nietz ergerz voorztellen. Jij bent politieagent. Hoe zou je het vinden wanneer iemand binnenkomt en denkt dat hij allez weet of wil weten van de zmerizzen, en je moet hem vertellen... Jij binnen een week gek!'

Bovendien wilde hij niet bij de Russen in Sunny Isles en Hallandale wonen. Van hen zou hij ook gek worden. Hier, in dit atelier in Coconut Grove, voelde hij zich beter thuis. Het was ook niet verkeerd dat hij graag vanaf 's middags tot 's nachts werkte – en Nestor zou weg zijn, voor zijn dienst.

::::: Ideaal ::::: zei Nestor bij zichzelf. ::::: We zijn allebei vreemdelingen, jij uit Rusland, ik uit Hialeah. Misschien hebben we succes in Miami. ::::: Hij schreef meteen een cheque, liet Yevgeni zijn penning zien en nodigde hem uit het nummer van zijn penning te noteren. Yevgeni haalde zijn schouders op en zei daarmee: 'O, waarom die moeite?' Hij leek even gretig als Nestor om dit onderkomen te delen.

Dit was het soort onderwerp waarover de hoofdcommissaris nooit met iemand sprak... *nie*mand... Hij was per slot van rekening niet gek. Mensen zouden het sneller over hun seksleven hebben – soms, onder smerissen, kon je ze niet hun kop laten houden –, over hun geld, hun verschrikkelijke huwelijk, hun zonden in de ogen van God... *overal* over, behalve over hun status in deze wereld... hun plek in de sociale rangorde, hun prestige of hun grievende gebrek daaraan, het respect dat ze krijgen, het respect dat ze niet krijgen, hun jaloezie en rancune jegens mensen die zich overal waar ze verschijnen wentelen in het respect...

Dit ging allemaal in één *piep* door het hoofd van de hoofdcommissaris toen zijn chauffeur, brigadier Sanchez, in de officiële Escalade van de hoofdcommissaris voorreed bij het gemeentehuis. Het gemeentehuis van Miami was een merkwaardig klein wit gebouw dat apart stond op een rechthoekig oud stortterrein van tweeduizend vierkante meter die de Biscayne Baai instak. De Escalade daarentegen was een enorm beest, helemaal zwart, met donker gemaakte ramen en zonder iets wat aangaf dat het een politievoertuig was... enkel een lage zwarte stang over het dak met een rij schijnwerpers en zwaailichten, en een lampje op het dashboard, niet groter dan een quarter, dat een of andere onheilspellende röntgenblauwe straling verspreidde. Zodra ze stopten, *sprong* de hoofdcommissaris letterlijk uit de passagiersstoel voorin... voorin, naast brigadier Sanchez. Het laatste wat hij wilde, was dat de mensen dachten dat hij een ouwe lul was die rondgereden moest worden. Zoals zo veel mannen van half de veertig wilde hij er jong, sportief, viriel uitzien... en dus *sprong* hij en was hij in zijn verbeelding een leeuw, een tijger of een panter... een visioen van soepele kracht in ieder geval. Je zag niet zomaar iemand! Dat geloofde hij tenminste... hij kon het moeilijk aan iemand *vragen*, nietwaar? Hij droeg een zeer donkerblauw shirt in militaire stijl, een das, en een broek, zwarte schoenen en een donkere zonnebril die de ogen helemaal afsloot. Geen jasje; dit was Miami... tien uur op een septemberochtend, en de kosmische hittelamp stond hoog aan de lucht, en het was hier buiten al 31 graden. Aan beide kanten van zijn nek, die volgens hem zo dik als een boom leek, liep een rij met vier gouden sterren over beide kanten van zijn marineblauwe boord... een melkweg van in totaal acht sterren... en boven op die besterde boomstam zat zijn... donkere gezicht. Er waren 1 meter, 93 centimeter en 104 kilo van hem, met grote, brede schouders, en hij was onmiskenbaar Afrikaans-Amerikaans... en hij was de hoofdcommissaris van Politie.

Ja hoor, wat *staarden* ze, al die mensen die het gemeentehuis in en uit gingen – en hij vond het prachtig! De Escalade stond op de rotonde pal voor de ingang. De hoofdcommissaris stapte de stoep op. Hij hield even halt. Hij hief zijn armen naar opzij met gebogen ellebogen, duwde zijn schouders zo ver naar achteren als maar kon, en haalde diep adem. Hij wekte de indruk of hij zich *uitttttrekte* na in de auto opgesloten te hebben gezeten. Eigenlijk probeerde hij zijn borst volledig uit te laten puilen. Hij gokte erop dat dit hem dubbel zo indrukwekkend maakte... maar natuurlijk kon hij het moeilijk aan iemand *vragen*, nietwaar...

Hij was zich nog volop aan het strekken, rekken toen –

'Hé, hoofdcommissaris!' Het was een jongeman, maar overal stond gemeentehuis-voor-het-leven op hem geschreven... lichte huid, waarschijnlijk een Cubaan... die uit de ingang kwam, hem een glimlach vol eerbetoon toestraalde en zijn respect betuigde met een zwaai die begon bij zijn voorhoofd en half in salueren veranderde. Had hij het joch ooit eerder gezien? Werkte hij op het Bureau van – verdorie wat was het? In elk geval bewees hij eer... De hoofdcommissaris zegende hem met een goddelijke glimlach en zei: 'Dag, Grote Vent!'

Hij had amper zijn schouders in normale positie naar voren gerold toen een echtpaar van middelbare leeftijd hem passeerde – ze gingen het gemeentehuis in. Ook zij zagen er Cubaans uit. De man zwaaide zijn hoofd rond en zong uit: 'Hoe gaat het, hoofdcommissaris!'

Eerbewijs. De hoofdcommissaris zegende hem met een goddelijke glimlach en begunstigde hem met een 'Dag, Grote Vent!'

In snelle opeenvolging nog een 'Hé, hoofdcommissaris!', een 'Hoe-gaatie, hoofdcommissaris!' en vervolgens een 'Hi, Cy!' – een verkorting van Cyrus, zijn voornaam – en een 'Hou ons blij, Cy!', terwijl hij nog niet eens bij de deur was. De burgers leken ervan te genieten hun eer te betuigen met groeten die op Cy rijmden. Zijn achternaam, Booker, ging hun poëtische krachten te boven, wat ook maar beter was, zoals hij het zag. Want anders zou alles waarmee ze hem aanduiden, een bespotting zijn of een racistische of persoonlijke belediging... mooker, spoo-ker, kooker, hooker (gigolo, zwartjoekel, mannelijke hoer, hoer)... Ja, het was maar beter zo...

De hoofdcommissaris zei: 'Dag, Grote Vent!'... 'Dag, Grote Vent!'... 'Dag, Grote Vent!'... en 'Dag, Grote Vent!'

Eerbetoon! De hoofdcommissaris was deze ochtend in een uitste-kende stemming. De burgemeester had hem hier naar het gemeente-huis laten komen voor een beetje... 'beleidsoverleg'... in verband met die agent van de politie te water Nestor Camacho en dat man op de mast-gedoe. Hij brak in een grote glimlach uit, alleen voor zijn eigen plezier. Het zou amusant worden om de Oude Dionisio te zien kron-kelen. Wanneer de zaken slecht liepen voor de burgemeester of hem razend maakten, noemde de hoofdcommissaris hem in gedachten bij zijn echte naam, *Dionisio* Cruz. De burgemeester had er alles aan ge-daan de hele wereld hem gewoon alleen Dio te laten noemen, net zoals William Jefferson Clinton Bill was geworden en Robert Dole Bob was geworden. De burgemeester meende dat Dionisio, de naam met vijf lettergrepen voor de Griekse god van de wijn en de feestgangers, voor een politicus te ongebruikelijk en te overdreven was. Hij was maar 1,68 en had een zeer weelderige buik, maar hij had een enorme energie, de beste politieke antenne die er was, een luide stem en een egoïstische hartelijkheid waarmee hij een heel vertrek vol mensen kon overnemen om hen met huid en haar te verschalken. De hoofdcommissaris vond dat allemaal best. Hij maakte zich geen illusies over de politiek ter plaatse. Hij was niet de eerste Afrikaans-Amerikaanse hoofdcommissa-ris van de politie van Miami, maar de vierde. Het probleem zat niet in het Afrikaans-Amerikaanse electoraat, dat stelde niet al te veel voor. Het probleem zat in... rellen.

In 1980 werd een Cubaanse smeris beschuldigd van moord op een Afrikaans-Amerikaanse zakenman die al op de grond lag en was gearresteerd... hij zou op diens hoofd hebben geknuppeld tot het openspleet en je zijn hersenen kon zien. Twee medeagenten van de Cubaan getuigden tegen hem tijdens het proces en zeiden dat ze erbij waren en hem het hadden zien doen. Maar een jury met louter blanken bevond hem onschuldig, en hij vertrok zo vrij als een vogeltje uit de rechtszaal. Dit leidde tot vier dagen met rellen en een grote slachtpartij in Liberty City, de ergste ongeregeldheden in de geschiedenis van Miami en misschien in die van het hele land. In de jaren tachtig en daarna had je een hele reeks rellen in Miami. Steeds weer had je Cubaanse smerissen die ervan beschuldigd werden Afro-Amerikanen om zeep te hebben geholpen. Liberty City, Overtown en andere Afrikaans-Amerikaanse buurten werden brandende lonten en de bom ging altijd af. De laatste rel was maar twee jaar geleden geweest. Daarna had Dio Cruz besloten commissaris Cyrus Booker tot hoofdcommissaris te benoemen. Zien jullie wel? Een van jullie eigen mensen, niet iemand van ons, is de baas van heel het politiekorps.

Dat was nogal doorzichtig. Tegelijkertijd telde het korps vijf Afrikaans-Amerikaanse commissarissen – en de burgemeester had... *mij* gekozen. Dio Cruz had oprechte waardering en bewondering voor hem, verkoos de hoofdcommissaris... oprecht te geloven.

Maar vanochtend was, godzijdank, zijn maat en bewonderaar Dionisio zelf door zijn eigen mensen in het nauw gedreven. Gewoonlijk was *hij* het, de hoofdcommissaris. Buitenstaanders, gewoonlijk blanken, spraken vaak met hem in de veronderstelling dat zwarten – 'de Afrikaans-Amerikaanse gemeenschap' was tegenwoordig de verlichte term en blanken bezigden die alsof ze over een bed ontplofte gloeilampscherven liepen – 'vreselijk trots' moesten zijn dat 'een van hun mensen' nu aan het hoofd van het politiekorps stond. Nou, als ze zo trots op hem waren, hadden ze een gekke manier dat te laten merken. Iedere keer als een recruiter een jonge Afro-Amerikaan benaderde en opperde dat hij een geweldige smeris zou kunnen zijn – de hoofdcommissaris had dit soort missies zelf ondernomen – zei zo'n kerel: 'Waarom zou ik een verrader van mijn eigen mensen willen worden?' of iets wat daarbij in de buurt kwam. Eén joch was zo schaamteloos geweest de hoofdcommissaris pal in zijn zwarte gezicht te kijken en te zeggen: 'Vertel me eens waarom ik gvd de klote-Cubanen zou helpen mijn broeders in elkaar te slaan?' Nee, als hij enig respect genoot in de straten van 'de zwarte gemeenschap' was dat alleen omdat hij De Macht had... op dit moment. Hij had de macht van de Man... op dit moment. *Unghhh huhhhnh*... Je gaat geen herrie schoppen met de Opper-Verrader, man. Hij weet je te vinden en dan pleeg je zelfmoord door een politiekogel recht door je borst te krijgen, en ze vinden een vuurwapen op je lijk waarvan je niet eens wist dat je het had, en ze zeggen dat je dit wapen-waarvan-je-niet-eens-wist-dat-je-het-had op een smeris richtte, en je hun geen keus liet. Ze moesten uit zelfverdediging handelen. Je weet niet dat je zelfmoord pleegde. Maar dat deed je toen je dit wapen-waarvan-je-niet-wist-dat-je-het-had trok en het op het Zelfmoord Team richtte. Snap-je-wel – maar, verdorie, je luistert niet eens. Ach, sorry, maat. *Uitgesloten* dat je nu nog ergens naar luistert.

Het Cubaanse Zelfmoord Team... en wat werd hij daardoor? Ja hoor... de Opper-Verrader. Hij was blij dat deze keer de burgemeester zijn lul tussen de deur had.

Toen hij naar binnen ging voor het grote 'beleidsoverleg', tuurde hij toevallig omhoog naar de gevel van het gemeentehuis, en zijn glimlach werd zo groot dat de kijkers zich af konden vragen wat er volgens de hoofdcommissaris van politie zo grappig was. Het stadhuis van Miami was het gekste van alle stadhuizen van grote steden in het hele land, als je het Cy Booker vroeg. Het was een klein, witgepleisterd gebouw, met één etage, gebouwd in de Art Moderne-stijl, tegenwoordig art deco geheten, in de jaren twintig en dertig in de mode. Pan American Airways had het in 1938 gebouwd als terminal voor hun nieuwe vloot watervliegtuigen, die op hun bolvormige drijvers de Biscayne Baai gebruikten om te landen en op te stijgen. Maar het ging met de watervliegtuigen als een nachtkaars uit, de gemeente nam het gebouw in 1954 over en maakte er een Art Moderne-gemeentehuis van – en ze lieten het logo van Pan American Airways erop zitten! Jazeker! – en niet zomaar op één plek. Het logo – een wereldbol die hemelwaarts vliegt met Art Moderne-vleugels erop en wordt gelanceerd door de Art Moderne-stralen van de zon die eronder opkomt – dit typische Art Moderne-trekje, met een belofte van een stralende toekomst die aanbreekt doordat de Mens prometheïsch naar de sterren reikt, werd eindeloos herhaald en vormde een fries dat zich onder de kroonlijst om heel het gebouw heen wikkelde PAN AM PAN AM PAN AM PAN AM PAN AM. Het had iets magnifiek mafs... het gemeentehuis van een grote stad dat trots het logo toonde van een terminal voor watervliegtuigen van een inmiddels ter ziele gegane luchtvaartmaatschappij!... maar dit was Miami, en dat zei genoeg...

De vergaderruimte van de burgemeester boven leek ook al niet op de vergaderruimte van de burgemeester in enige andere grote stad. Het plafond was laag, en er was geen tafel, alleen een lukrake verzameling stoelen van wisselend formaat en comfort. Het leek eerder een enigszins aftandse kleine lounge bij een sportvereniging op leeftijd. Alle vertrekken hierboven, ook de eigen werkkamer van de burgemeester, waren klein en nauw. Ongetwijfeld hadden er vroeger de werkende-vaders in gezeten die bij het watervliegtuigengebeuren voor de boekhouding, de inkoop en het onderhoud zorgden. Nu was het het domein van de burgemeester. Een zin die veel ergernis wekte op gemeentehuizen in heel het land kwam in het hoofd van de hoofdcommissaris op: 'Goed genoeg voor de overheid.'

Toen hij dichterbij kwam, kon hij door de deuropening kijken. De burgemeester was er al, samen met zijn hoofd communicatie, zoals de pr-mensen op het gemeentehuis tegenwoordig werden genoemd, een lange, tengere man die Efraim Portuondo heette; hij had knap kunnen zijn als hij niet zo chagrijnig was... en Rinaldo Bosch, een kleine, peervormige man, pas een jaar of veertig of zo, maar zo kaal als een biljartbal. Hij was de gemeentesecretaris, een titel die niet veel voorstelde wanneer een man als Dionisio Cruz burgemeester was.

Zodra de hoofdcommissaris de deur bereikte, deed de burgemeester zijn mond wijd open, klaar om... hem, de treurige voorlichter en de kleine kale man met één hap te verzwelgen.

'Hééé, hoofdcommissaris, kom binnen! Ga zitten! Hou je adem in! Je kunt er maar beter klaar voor zijn! We hebben vanochtend een Godstaak te verzetten.'

'Is dat hetzelfde als Dio's taak?' vroeg de hoofdcommissaris.

Abrupte stilte... terwijl de translinguale logica van de kwinkslag in alle drie de Cubaanse hoofden contact maakte... God is gelijk aan Dios is gelijk aan Dio's...

Een korte lachbui van het hoofd communicatie en de gemeentesecretaris. Ze konden het niet inhouden, maar ze hielden het beperkt. Ze wisten dat Dio Cruz niet geamuseerd zou zijn.

De burgemeester wierp de hoofdcommissaris een kille glimlach toe.

'Oké, omdat je zo goed in Spaans bent, zul je wel weten wat *"A veces, algunos son verdaderos coñazos del culo"* betekent.'

Hoofd communicatie Portuondo en gemeentesecretaris Bosch hadden weer een korte lachbui en staarden toen de hoofdcommissaris pal aan. Uit hun grote, verwachtingsvolle ogen kon hij opmaken dat de oude Dionisio hem op zijn nummer had gezet, en ze dolgraag *jou en hem* ruzie zagen maken. Maar de hoofdcommissaris bedacht dat het beter zou zijn *geen* vertaling te krijgen. Hij lachte dus en zei: 'Hé, ik maak maar een grapje, mijnheer de burgemeester, ik maak maar een grapje, Dio... Dios... wat weet ik ervan?'

Het 'mijnheer de burgemeester' was gewoon een beetje milde ironie dat hij niet kon laten erin te stoppen. Hij noemde hem nooit 'mijnheer de burgemeester'. Wanneer hij alleen met de burgemeester was, noemde hij hem 'Dio'. Met andere mensen erbij had hij helemaal geen naam voor hem. Hij keek gewoon naar hem en sprak. Hij zou niet precies hebben kunnen uitleggen waarom, maar hij zag het als een fout ooit voor de oude Dionisio te wijken.

Hij zag dat de burgemeester deze gedachtewisseling toch beu was. Hij kon het niet uitstaan als hij niet won. Oude Dionisio pakte een stoel met een dit-is-ernstig-frons op zijn gezicht. Ze gingen dus allemaal zitten.

'Goed, hoofdcommissaris,' zei de burgemeester. 'Jij weet dat heel dit gedoe nergens op slaat, en ik weet dat het nergens op slaat. Deze agent, deze jongeman Camacho, krijgt opdracht de vent uit de mast te halen. Hij klimt dus naar boven en haalt de vent naar beneden, maar eerst moet hij een of ander enorm hoogwerkernummer opvoeren. Heel de toestand is op de tv, en nu is de helft van de stad aan het gillen dat wij op onze handen zitten terwijl een leider van het anti-Castro-verzet legaal wordt gelyncht. Daarop zit ik niet te wachten.'

'Maar we weten niet of hij dit inderdaad is,' zei de hoofdcommissaris. 'De Kustwacht zegt dat niemand ooit van hem heeft gehoord, en niemand ooit heeft gehoord van de verzetsbeweging die hij leidt, dat El Solvente.'

'Jawel, maar probeer dat al die mensen te vertellen die ons nu op de nek zitten. Die luisteren gewoon niet. Dit gedoe is als een soort paniek, als een rel of zoiets. Mensen geloven het – ze denken dat hij een klotemartelaar is. Als wij iets anders zeggen... dan proberen wij een of andere goedkope truc uit te halen, een soort doofpot.'

'Maar wat kunnen we anders doen?' vroeg de hoofdcommissaris.

'Waar zit die vent, die vent op de mast – waar zit-ie momenteel?'

'Hij wordt vastgehouden op een schip van de Kustwacht tot ze besluiten aan te kondigen wat ze gaan doen. Ze zullen waarschijnlijk een poos wachten om de zaak over te laten waaien. In de tussentijd laten ze hem geen woord meer zeggen. Hij zal onzichtbaar zijn.'

'Ik stel voor dat we hetzelfde doen met agent Camacho. Stuur hem ergens heen waar hij onzichtbaar zal zijn.'

'Waar bijvoorbeeld?'

'O… *ehmmmm*… Ik heb het! Stuur hem naar dat industriegebied de kant van Doral op,' zei de burgemeester. 'Daar gaat niemand heen, alleen om kolenkachels te laten repareren en apparaten voor grondverzet te laten smeren.'

'En wat moet Camacho daar dan doen?'

'Ach, geen idee… Ze rijden rond in patrouillewagens, ze beschermen de burgers.'

'Maar dat is een degradatie,' zei de hoofdcommissaris.

'Hoezo?'

'Omdat hij zo is begonnen. Hij was wijkagent. De politie te water is een van de speciale eenheden. Hij kan niet gedegradeerd worden. Dat is zoiets als zeggen dat wij het verkeerd deden en deze agent het heeft verkloot. Hij heeft niets verkeerds gedaan. Alles is volgens het boekje gegaan, volgens de vaste procedure… op één ding na.'

'En dat is…?' vroeg de burgemeester.

'Agent Camacho waagde zijn leven om die vent te redden. Hij deed iets geweldigs, wanneer je erover nadenkt.'

'Jawel,' zei de burgemeester, 'maar de vent had niet te hoeven worden gered als de agent hem niet had proberen te grijpen.'

'Ook als je dat gelooft, deed hij toch iets geweldigs. Hij sloot zijn benen 2 1 meter hoog in de lucht rond de vent en bracht hem heel het eind omlaag naar het water, terwijl hij hand over hand van de kluiverkabel af zwaaide. Je weet – je zult het niet leuk vinden, maar we zullen agent Camacho een medaille wegens moed moeten geven.'

'Wat!?'

'Iedereen weet dat hij zijn leven waagde om een man te redden. De hele stad heeft het gezien. Zijn medeagenten bewonderen hem allemaal, ongeacht wie zij zijn. Ze zien hem allemaal als bijzonder dapper, alleen zeggen ze dat nooit – dat is taboe. Maar als hem de medaille wordt onthouden, krijgt het meteen een politiek luchtje.'

'Jezus Christus!' zei de burgemeester. 'Waar ga je dit doen? In het grote auditorium in de Freedom Tower?'

'Nee… het kan in stilte gebeuren.'

Het hoofd communicatie, Portuondo, zei iets. 'Je pakt het zo aan: je brengt de dag na de ceremonie een persbericht uit met allerlei aankondigingen, benoemingen, verkeersbesluiten, noem maar op, en je vermeldt agent Camacho's onderscheiding ongeveer acht regels van onder. Dat gebeurt voortdurend.'

'Goed, maar we moeten de vent nog steeds onzichtbaar maken. Hoe pakken we dat aan als je geen wijkagent van hem kunt maken?'

'Het enige wat je kunt doen is hem horizontaal overplaatsen,' zei de hoofdcommissaris, 'naar een andere bijzondere eenheid. Je hebt de politie te water, je hebt cst – het Crime Suppression Team –, het swat-team, de –'

'Hé!' zei de burgemeester. 'Wat vind je van de bereden politie! Je ziet die lui nooit, behalve in het park. Zet hem op een godverdomd paard!'

'Dat lijkt me niet,' zei de hoofdcommissaris. 'Dat geldt als een horizontale overplaatsing met een *dip*. Dat zou nogal opvallen in een geval als dit… hem op een paard in het park zetten.'

'Heb je een beter idee?' vroeg de burgemeester.

'Jawel,' zei de hoofdcommissaris. 'Het swat-team. Dat is het meest macho van allemaal, omdat je altijd in de vuurlinie zit. Je moet knokken. Het zijn meestal jonge mensen, zoals agent Camacho; je moet een geweldige conditie hebben. De training – op een gegeven moment moet je vanaf de top van een gebouw met vijf etages op een matras springen. Ik maak geen grapje… een matras. Als je jezelf niet zover kunt krijgen, kom je niet in het swat-team. Je moet jong zijn om het te doen zonder gewond te raken, maar dat is niet het enige. Als je ouder wordt, begin je veel meer prijs op je hachje te stellen. Ik heb het honderd keer gezien bij het politiewerk. Je bent ouder, je hebt een hogere rang, je krijgt meer geld, de ambitie jeukt onder je huid. Alle instincten die je hebt houden je voor: "Je bent nu te waardevol, je hebt te hard gewerkt om hier te komen, je toekomst is zo verdomd schitterend. Hoe kun je dit allemaal ooit riskeren door zoiets idioots te doen, van vijf etages af springen… op een klotematras?"' De hoofdcommissaris merkte dat ze een en al aandacht waren, Dionisio Cruz, de pr-man Portuondo, en de kleine kale gemeentesecretaris. Ze staarden naar hem met de leuke grote onbedorven ogen van jongens. 'Jazeker… neerkijken op de matras vanaf de top van dat gebouw met vijf etages – het verdomde geval lijkt ongeveer even groot als een speelkaart en ook even plat. Als er op het dak daar een oudere man is die zo naar beneden kijkt, begint hij na te denken over… wezenlijke dingen, zoals ze het in de kerk noemen.' Ja hoor! Hij had alle drie de Cubanen in de ban. En dan nu de coup de grâce. 'Elk jaar wanneer de swat-kandidaten naar dat onderdeel van de training gaan… maak ik de sprong zelf. Ik wil deze jongens het gevoel geven: "Jezus Christus, als de hoofdcommissaris het doet, en ik zet mijn tenen op de rand van het dak… en ik kan mijn benen absoluut niet in de springstand krijgen… dan zal ik voor de rest van mijn leven als een zielig mietje zijn gebrandmerkt." Ik wil dat deze kerels niet *kunnen* falen.'

Even zei geen van de Cubanen een woord. Maar de burgemeester kon zijn emoties niet langer bedwingen. 'Ja, godverdomme!' riep hij. 'Dat is het! Als agent Camacho zo verdomd veel van actie houdt – breng hem meteen naar de top van het gebouw en wijs hem de matras!'

De hoofdcommissaris grinnikte ergens diep vanbinnen. ::::: Hebbes. ::::: Maar ineens ::::: Wel, verdorie! ::::: hij bedacht net iets, een belangrijk iets… en hij moest zo nodig met anderhalve minuut swat-teamverhalen en een hoofdrol voor zichzelf de burgemeester en de jaknikkers in jongetjes met stomverbaasde ogen veranderen… Hij liet zijn hoofd zakken en wiegde het van de ene kant naar de andere van de ene kant naar de andere, langzaam, en stamelde hardop: 'Verdorie!' Toen keek hij naar hen drieën en perste zijn lippen zo strak op elkaar dat het vlees eronder en erboven uitpuilde. 'De jongen zou ideaal zijn voor het swat-team, maar we kunnen het niet doen. We kunnen niet zomaar iemand naar het swat-team overplaatsen om politieke redenen. Ze zouden het meteen doorhebben. Iedere smeris weet wie Nestor Camacho is, in elk geval weten ze het nu. We hebben momenteel eenenveertig smerissen op een wachtlijst voor het swat-team. Het zijn allemaal vrijwilligers… en de concurrentie is hevig! Niemand kan gaan rommelen aan de werving voor het swat-team, ook de hoofdcommissaris niet.'

'Eenenveertig smerissen willen dit?' vroeg de burgemeester. 'Eenenveertig smerissen kunnen niet wachten om van vijf verdiepingen te springen en op een matras te landen om in aanmerking te komen te worden beschoten?'

De hoofdcommissaris begon tegen de zijkant van zijn voorhoofd te tikken met de pantomime die koppie-koppie aangeeft. 'Je geeft zelf het antwoord, Dio! "Kunnen niet wachten om te worden beschoten!" Zo zit dat! Je hebt een bepaald soort smeris die voor het spel zijn gekomen. Begrijp je wat ik bedoel?'

De burgemeester keek even mistroostig weg. 'Nou... het kan me niet schelen waar je agent Camacho neerzet, zolang je hem maar van het godverdomde water afhaalt. Oké? Maar waar – welk woord vind je ook alweer zo mooi? – *horizontale overplaatsing?* – waar die tv-acrobaat van je ook belandt door *horizontale overplaatsing*, hij moet die toer uithalen. Dat moet een van de voorwaarden zijn.'

'*Welke* toer?' vroeg de hoofdcommissaris.

'Die toer met de matras. Als hij actie zo godverdomd leuk vindt en hij het voor mij verkloot, moet je hem meteen het dak op sturen – en hem de matras wijzen!'

De volgende ochtend belde Nestor met zijn iPhone naar John Smith. 'John,' zei hij, 'heb je zin in een kopje koffie? Ik wil je iets laten zien.'

'Wat?'

'Ik wil het je niet zomaar vertellen. Ik wil het je laten zien, persoonlijk. Ik wil de glimlach op je gezicht zien.'

'Hé, je klinkt vandaag *vrolijk*. Toen ik gisteren vertrok, de blik op je gezicht – je had die moeten zien. Het leek of je je laatste vriend had verloren.'

Nestor: 'Het klopt helemaal wat je zegt. Maar ik werd het beu me boos te voelen, boos op alle mensen die me de rug hebben toegekeerd. Er is iets aan boosheid dat je stimuleert en de sappen laat stromen. Wil je weten wat ik gisteren heb gedaan tussen het moment dat je vertrok en dat de dienst begon? Ik ben op Craigslist gaan kijken en heb een appartement in Coconut Grove gevonden. Heb ik in drie uur op een zondagnamiddag gedaan. Boosheid is iets geweldigs als je *echt* boos wordt.'

'Dat is fantastisch, Nestor!'

'O, het is een hok, het is te klein, en ik deel het met een "grafisch kunstenaar", wat dat ook mag zijn, en ik moet luisteren naar alle gedrogeerde kinderen die rondhangen bij Grand Avenue tot ongeveer vier uur 's ochtends. Ze klinken als zwerfkatten. Ken je dat geluid, dat soort *gejammer*, geloof ik, dat katten voortbrengen als ze 's nachts buiten zijn... en ze jammeren om seks? Zo klinken deze kinderen. Ken je dat geluid?'

'Hé, we *zijn* vrolijk vandaag, nietwaar?' zei John Smith.

'Ik ben niet vrolijk – het is zoals ik je zei. Ik ben boos,' zei Nestor. 'Hé, waar zit je momenteel?'

'Ik zit op de krant.'

'Nou, kom dan van je gat af, ga weg uit het gebouw en dan spreken we elkaar in dat restaurant Della Grimalda. Het is vlak bij je in de buurt.'

'Ik weet het niet. Zoals ik zeg, ik zit op de krant – en ik schat je trouwens niet in als het Della Grimaldatype.'

'Dat klopt. Daar is het nu juist om begonnen. Niet één smeris is dit type, en ik *wil* niet dat er andere smerissen in de buurt zijn wanneer ik je laat zien wat ik heb.'

Lange zucht... Nestor merkte dat John Smith verzwakte. 'Oké, Della Grimalda. Maar wat wil je daar nemen?'

'Twee kopjes koffie,' zei Nestor.

'Maar Della Grimalda is een echt restaurant. Je kunt daar niet zomaar binnenlopen, gaan zitten en twee kopjes koffie bestellen.'

'Ik weet het niet helemaal zeker, maar een smeris lukt dit vast wel – en hij hoeft er geen dubbeltje voor te betalen.'

Toen John Smith in Della Grimalda aankwam, zat Nestor al gerieflijk aan een tafeltje voor twee bij een raam tussen alle versiering van de zaak – met een kop koffie. John Smith ging zitten, en een zeer aantrekkelijke serveerster bracht hem ook een kop koffie. Hij keek eens goed rond. Er waren slechts twee andere klanten in het hele restaurant, ongeveer veertien meter verderop, en ze waren duidelijk een grote maaltijd aan het afronden. Hun tafel glom van een regelrechte vloot met allerlei soorten glaswerk en eskaders hotelzilver.

'Nou,' zei John Smith. 'Ik moet het je nageven. Het is je gelukt.'

Nestor haalde zijn schouders op en pakte een harde envelop van 23 bij 27 onder zijn stoel vandaan. Hij overhandigde die aan John Smith en zei: 'Ga je gang.'

John Smith maakte de envelop open en haalde er een stuk karton uit dat diende als steun voor een grote foto, ongeveer 13 bij 23 centimeter. Nestor had zich erop verheugd Johns uitdrukking te zien wanneer het bij hem daagde wat hij in handen had. De bleke WASP stelde niet teleur. Zijn verbaasde ogen gingen omhoog van de foto en staarden naar Nestor.

'Waar heb je *dit* in hemelsnaam gevonden?'

Het was een opmerkelijk scherpe digitale foto, in kleur, van Sergei Korolyov aan het stuur van een schreeuwend-rode Ferrari Rocket 503 sportwagen – met Igor Drukovitsj in het kuipstoeltje naast hem. Igor had een opgestreken snor die aan beide kanten helemaal tot *hier* uitstak. Korolyov zag er, zoals gewoonlijk, uit als een echte ster, maar ieders oog zou zich meteen aan Igor hechten, Igor en zijn snor. Die snor was me wat. Hij steeg op vanaf ergens tussen zijn neus en zijn bovenlip en vloog helemaal naar *hier* – een verbluffende afstand – en hij had de uiteinden opgestreken en in punten gedraaid. Het was een grote man, waarschijnlijk dicht tegen de vijftig. Op de ik-ben-een-kunstenaar-manier droeg hij een zwart overhemd met lange mouwen, open tot zijn borstbeen, waardoor de wereld een blik op zijn grote behaarde borst kon werpen. Het was bijna een even grootse harige triomf als de snor.

'Weet je nog dat je vroeg of ik toegang voor je kon regelen tot politiearchieven? Deze foto is van het hoofdbureau van politie van Miami-Dade. Ze hebben 'm vier jaar geleden gemaakt.'

'Waarom waren ze in Korolyov en Drukovitsj geïnteresseerd?'

'Ze waren niet in hen geïnteresseerd als individuen. Dit weet je volgens mij vast niet, maar alle politiekorpsen in de streek doen het. Wanneer ze iemand in een auto zien en die lijkt verdacht of misschien alleen hoogst ongebruikelijk, dan laten ze die met een smoesje stoppen – ze gingen tien of vijftien kilometer harder dan de limiet, de kentekenplaat begint met bepaalde getallen, of de registratiesticker laat los – ieder verdomd ding – en ze controleren de identiteit en leggen die vast, en ze maken foto's zoals deze. Waarom ze Korolyovs auto lieten stoppen, weet ik eigenlijk niet. Alleen is die inderdaad bijzonder en wijst hij op een *hoop* geld.'

John Smith kon zijn ogen er niet van afhouden. 'Ongelooflijk!' bleef hij maar zeggen, en toen vroeg hij: 'Hoe ben je hier eigenlijk aan gekomen? Heb je zomaar de politie van Miami-Dade gebeld en ze gevraagd wat ze over Korolyov en Drukovitsj hadden, en dat hebben ze zomaar aan je gegeven?'

Nestor liet het gelukkige grinniken horen van een man die geheimen kent en jij niet. 'Nee, ze hebben het niet zomaar aan me gegeven. Ik heb een smeris gebeld met wie ik vroeger bij de politie te water werkte. Via de "kanalen" krijg je zoiets nooit te pakken. Je moet het broedernet op.'

'Wat is het broedernet?'

'Als je een broeder-agent kent, vraag je hem om een gunst, die verleent hij je als dat mogelijk is. Dat is het broedernet. Mijn mannetje heeft ook –'

'God, Nestor,' zei John Smith, die in de foto opging, 'dat is geweldig. Als het moment daar is en we moeten bewijzen dat Korolyov Igor heel de tijd kende – hier hebben we hem terwijl hij met hem aan het toeren is in zijn speelgoed van een half miljoen dollar. Momenteel hebben we wat meer informatie nodig over Igors persoonlijke leven. Ik zou hem graag op een – je weet wel – op een terloopse manier ontmoeten.'

'Nou, ik ging je net iets anders vertellen dat mijn mannetje tegenkwam. Dit staat niet in enig dossier. Eerlijk gezegd is het helemaal van horen zeggen, maar *het verhaal* wil – en je moet veel moeite doen Igor *niet* op te merken – het verhaal wil dat hij een stamgast is in een stripclub in Sunny Isles die Het Honingpotje heet. Heb je zin te proberen een snor te zoeken midden in een kudde hoeren?'

# 8

## DE REGATTA OP COLUMBUSDAG

Tweede week van oktober – en wat dan nog? De grote tropische koekenpan aan de hemel kookte nog steeds je bloed, schroeide je vlees, veranderde je oogbollen in pijnlijke migrainebollen als je naar iets bleef staren, ook al was het door de diep-in-de-nacht-zwarte zonnebrillen die ze allebei op hadden.

Voor in de cabriolet van dr. Lewis blies de wind door het haar van Magdalena. Maar de lucht was zo warm als soep. Het door je haar laten stromen was zoiets als je glas vullen uit de HEET-kraan. Norman had de zijramen omhoog en de airco zo hoog als mogelijk. Maar het enige wat ze eruit kreeg was zo nu en dan een slap sliertje koele bries op haar schenen ::::: Laat de airco op max maar zitten, Norman! Doe gewoon het dak er weer op, in godsnaam! :::::

Maar ze wist maar al te goed dat ze dit niet hardop moest zeggen. Norman had iets met… *panache*… een witte Audi A5 cabriolet met het dak eraf… en het dak moest eraf… het haar moest stromen in de wind… zijn vrij lange lichtbruine haar en haar heel lange donkere haar… kilometers haar dat achteruit stroomde vanaf de glanzende, de ogen helemaal afdekkende donkere zonnebrillen die ze allebei droegen… moesten zonnebrillen op – het moest allemaal, deduceerde zij, *panache* zijn.

Norman had haar twee maanden terug een lesje gegeven over *panache*. Destijds had ze niet gesnapt waarom. Eigenlijk had ze geen flauw idee wat *panache* was. Maar inmiddels kwam ze daar niet meer eerlijk voor uit en vroeg hem niet meer wat nieuwe woorden betekenden. Ze wachtte tegenwoordig en zocht deze termen op Google op. Aha… *panache*… de essentie ervan leek… op dit moment… dat als je niet in een Mercedes, een Ferrari, of op zijn aller-, allerminst een Porsche reed… je dat moest compenseren met *panache*. En als een bescheiden Audi A5, zoals hij bezat, *panache* moest hebben, moest-ie ontstellend wit zijn, moest het dak eraf zijn… moest er een heel knap stel voorin zitten met grote glanzende uitpuilende zwarte zonnebrillen… zodat het Jan en alleman duizelde van glamour en jeugd. Maar om die *panache* te bereiken, kon je geen enkel element weglaten, en het dak eraf laten was er een van.

Op dit moment was *panache* hier op de MacArthur Causeway moordend. Magdalena had het gloeiend. Net voor de Causeway bij Miami Beach kwam, stond er op een bord FISHER ISLAND. De afgelopen twee dagen moest Norman haar wel tien keer hebben verteld dat zijn boot in de jachthaven van Fisher Island lag en dat ze hun reis zouden onderbreken te Fisher Island Fisher Island Fisher Island voor de vaartocht vandaag helemaal naar Elliot Key vanwege de regatta op Columbusdag. Ze moest dit duidelijk heel belangrijk vinden… zo duidelijk dat ze niet durfde toegeven dat ook Fisher Island haar niets zei.

Norman sloeg van de Causeway af en ging van een talud af dat naar de aanlegplaats van een pont leidde. Door de grote witte romp van een pont die er al lag, minstens twee etages hoog, leek verder alles klein. Op de directe voorgrond vormden zich drie rijen auto's voor controle, blijkbaar door wachten in hokjes even verderop. Waarom reed Norman naar de achterkant van de langste rij? Moest ze het hem vragen – of zou dat slechts een immense dimensie van haar onwetendheid verraden?

Ze had zich geen zorgen hoeven te maken. Norman kon niet wachten het haar uit zichzelf te vertellen. 'Zie je die rij daar?' Hij stak zijn arm en zijn wijsvinger zo ver uit als maar kon, alsof de rij eerder twee kilometer dan een meter of vijf verderop was. De enorme midden-in-de-nacht-zonnebril verduisterde de bovenste helft van zijn gezicht, maar Magdalena kon zich een glimlachje zien vormen.

'Dat is het personeel,' zei hij.

'Het personeel?' vroeg Magdalena. 'Al het personeel moet die rijbaan nemen? Zoiets heb ik nog nooit gehoord.'

'Personeel, masseuses, personal trainers en kappers, neem ik aan.

Het eiland is privébezit. Het is van de mensen die er onroerend goed op hebben. Zij kunnen alle regels maken die ze willen. Het is hetzelfde als zo'n omheinde wijk, alleen is dit een heel eiland en vormt de pont de omheining.'

'Nou, ik heb nooit gehoord van een omheinde wijk met een rijbaan voor de lagere klasse,' zei Magdalena. Ze snapte niet waarom heel de situatie haar zo ergerde. 'En een verpleegster? Stel dat ik een patiënt had op Fisher Island?'

'Jij ook,' zei dr. Lewis, met een nog bredere glimlach. Hij leek van dit alles te genieten... met name van het feit dat hij haar op stang had gejaagd.

'Dan zou ik het niet doen,' zei Magdalena, lichtelijk hooghartig. 'Ik zou de patiënt niet aannemen. Ik ga me niet als "het hulpje" laten behandelen. Dat ben ik niet. Ik heb een vak. Ik heb te hard gewerkt om zo te worden behandeld.'

Normans glimlach werd hierdoor opgevoerd tot het grinnikstadium. 'Maar dan zou je je eed als verpleegster breken.'

'Akkoord,' zei Magdalena, 'maar jij dan? Als jij een huisbezoek moest afleggen op Fisher Island, zou jij dan in die rij gaan staan?'

'Ik heb nooit gehoord van een psychiater die op huisbezoek gaat,' zei Norman, 'maar het is niet volstrekt onwaarschijnlijk.'

'En zou je in die rij gaan staan?'

'Formeel gesproken wel,' zei hij. 'Maar ik zou natuurlijk helemaal naar voren rijden en zeggen "Dit is een noodgeval." Ik heb nog nooit van iemand gehoord die het lef heeft een dokter te vertellen dat hij het protocol moet volgen wanneer die zegt dat het een noodgeval is. Je hoeft je alleen maar te gedragen of je God bent. Dat zijn dokters wanneer het een noodgeval betreft.'

'Het probleem is dat je dit echt gelooft,' zei Magdalena nogal agressief.

'Hahhhʜʜʜʜockhockhock hock hock! Je bent grappig, Magdalena. Weet je dat? Maar je hoeft je geen zorgen te maken. Elke keer dat je naar Fisher Island gaat, ga je met mij meeeeuhuhhhuhock hock hock hock!'

'Haha,' zei Magdalena. 'Ik krijg een stuip, zo hard moet ik lachen.'

Daarvan werd Norman nog vrolijker. 'Ik heb je op de kast, nietwaar, liefje...' Afschuwelijk vond ze dat. Hij spotte met haar.

'Als je de eerlijke waarheid wilt weten,' zei hij, 'hoef ik niet voor God te spelen in de rij voor het personeel. Zie je die penning daarboven?' Het was een rond geval, ongeveer zo groot als een quarter maar niet zo dik, linksboven bevestigd aan de binnenkant van de voorruit. 'Dat is een penning voor equity-eigenaren. Deze rij is alleen voor equity-eigenaren. Je hoort nu bij de bovenklasse, meid.'

Magdalena raakte nog geïrriteerder. Ineens kon het haar niet meer schelen of Norman dacht dat ze onontwikkeld was of niet.

'En wat mag *equity-eigenaar* betekenen?'

Norman grijnsde pal in haar gezicht. 'Het mag betekenen en het *betekent* ook inderdaad dat je onroerend goed of vastgoed op het eiland bezit.'

Magdalena werd behalve geïrriteerd ook boos. Hij bespotte haar – en tegelijk bedolf hij haar onder woorden die ze niet kende. Wat was in hemelsnaam een penning? Wat betekende in hemelsnaam *vastgoed*? Was dat iets anders dan *onroerend goed*? Wat betekende in hemelsnaam *equity*? En als ze dat niet wist, hoe werd ze dan geacht te weten wat *equity-eigenaar* betekende?

Ze kon Wrok niet langer beleefd laten doen. 'Ik neem dus aan dat je me nu gaat vertellen dat je een *huisje* op Fisher Island hebt. Je bent gewoon vergeten me dat te vertellen, nietwaar?'

De antenne van de goede dokter leek deze keer echte woede te bespeuren. 'Nee, dat ga ik niet zeggen. Ik zeg alleen dat ik een penning heb en ik heb een equity-eigenaarlegitimatie.' Hij trok een kaartje uit het borstzakje van zijn overhemd, liet het éven aan haar zien, en stopte het weer in het zakje.

'Goed, als je geen huisje hebt, hoe ben je dan aan al dit spul gekomen... deze legitimaties... en waarom hoor je dan bij de "bovenklasse" zoals jij het noemt?'

De cabriolet reed een meter naar voren, kwam toen weer tot stilstand. Norman draaide haar kant op en schonk haar een lepe glimlach... plus een knipoog met een glinsterend oog. Het was het soort glimlach dat laat doorschemeren *Nu ga ik je een geheimpje vertellen.*

'Laten we het erop houden dat ik bepaalde afspraken heb gemaakt.'
'Hoezo?'

'O... ik heb iemand een grote dienst bewezen. Het is een geval van quid pro quo. Laten we het erop houden dat' – hij gebaarde naar de penning – 'dit het *quid* is voor het *quo*.'

Hij was zeer tevreden over zichzelf... *quid pro quo*... Magdalena herinnerde zich vaag de term te hebben gehoord, maar ze had geen idee wat die betekende. Het punt was bereikt dat iedere nieuwe term waarmee hij haar overviel haar wrok aanwakkerde. De ellende was dat hij niet vond dat hij haar met iets *overviel*. Hij leek te veronderstellen dat zij deze dingen wist omdat ieder ontwikkeld mens ze wist. Op een of andere manier maakte dit het nog erger. Zo werd het haar echt *ingepeperd*.

'Goed, mijnheer Bovenklasse,' zei ze. 'Dan wil ik het allemaal horen. Wat is dat voor rij naast ons?'

Hij dacht blijkbaar dat ze het nu grappig opvatte. Hij glimlachte veelbetekenend en zei: 'Dat zou je de haute bourgeoisie kunnen noemen.'

Dat stak haar werkelijk. Hij begon weer. Ze wist min of meer wat *bourgeoisie* betekende, maar wat mocht verdomme *oot* betekenen? Verrek maar! Waarom het er niet gewoon uit gooien?!

'Wat is verdomme –'

'Deze mensen zijn huurders, hotelgasten en bezoekers' – Normans uitbundigheid, zijn uit *joie de* Fisher Island voortkomende klassenindelingen duwden haar stem zonder meer opzij. Hij had haar nooit eerder een grof woord horen zeggen, niet eens een 'verdorie', en hij hoorde het deze keer ook niet. 'Als een van hen geen legitimatie kan tonen – laten we zeggen dat ze net aankomen om naar het hotel te gaan – dan laten ze hen niet door tot ze eerst naar het hotel bellen om te kijken of men ze verwacht.'

'Norman, heb je enig idee hoe –'

Walst over haar heen: 'Ze maken een foto van hem en een foto van zijn kenteken, zelfs als de vent een legitimatie van het hotel heeft. En ik zal je nog iets vertellen. Niet één gast van het hotel kan contant of met een creditcard betalen. Niemand op het eiland. Je kunt alleen dingen ten laste brengen... van je legitimatiekaart. Heel het eiland is één grote privéclub.'

Magdalena maakte een overdreven boos panoramisch gebaar, dat heel de plaats van handeling omvatte, en dat Norman verbaasde zodat hij lang genoeg zweeg om er haar een woordje tussen te laten krijgen.

'Nou, is dat niet leuk,' zei ze. 'We hebben een bovenklasse, middenklasse en een onderklasse'... *bim, bim, bim*... 'en mensen zoals ik zouden tot de onderklasse behoren.'

Norman grinnikte, omdat hij de ironie voor een grap versleet. '*Nahhhhh*... niet *echt* onderklasse. Eerder lagere middenklasse. Als je *echt* onderklasse bent, zoals een reparateur, een bouwvakker, een tuin-man, laten we zeggen, of iemand met een vrachtwagen of een van die auto's met belettering erop – ik weet het niet... pizza, tapijten, een loodgieter, wat dan ook – dan kun je helemaal deze pont niet op. Ze hebben er eentje die aan de andere kant van het eiland aankomt.' Hij gebaarde vagelijk naar het westen. 'Die vertrekt uit Miami zelf. Ik heb hem nooit gezien, maar ik meen dat het een soort grote oude open schuit is.'

'Norman... ik weet... gewoon niet... wat ik van je Fisher Island moet vinden –'

Ze reden weer. Dit keer bereikten ze een hokje. Een zwart-witte slagboom versperde de weg. Een geüniformeerde bewaker met een *revolver*! – nee, het was een scanner – stond voor de Audi, richtte het ding op de kentekenplaat en vervolgens op de penning. Toen hij Norman achter het stuur zag, brak een grote glimlach bij hem door en hij zei: 'Hé-é-é-é, dokter!' Hij kwam naar de kant van de chauffeur toe. 'Ik heb u op tv gezien! Jazeker! Geweldig was het! Welk programma was het ook weer?'

'*60 Minutes* waarschijnlijk,' zei dr. Lewis.

'Dat klopt!' zei de bewaker. 'Iets over – ik weet het niet meer. Maar ik zag u en ik zei tegen mijn vrouw: "Hé, dat is dr. Lewis."'

De goede dokter trok een ernstig gezicht en zei: 'Mag ik je vragen, Buck – ik hoop dat je dr. Lloyd hebt gebeld, zoals ik voorstelde.'

'Jazeker! Het was meteen opgelost! Ik weet niet meer wat hij me gaf.'

'Endomycine waarschijnlijk.'

'Hé, dat *was* het, endomycine!'

'Nou, ik ben blij dat het is opgelost, Buck. Dr. Lloyd is prima.'

Norman haalde zijn equity-eigenaarlegitimatiekaart uit zijn borst-zakje, maar zijn maat Buck wierp er amper een blik op. Hij wuifde hen de controlepost door en zong: 'Fijne dag nog!'

Dr. Lewis zette wat Magdalena inmiddels als zijn glimlach vol eigen-dunk herkende op. 'Je ziet dat Buck niet eens in zijn hokje keek. Hij wordt geacht op een scherm daar te kijken. Dat wordt geacht de foto van de eigenaar te tonen die in het systeem zit náást de foto die hij met de scanner maakt. Zo gaat het ook met het nummer op de penning en die in het systeem. Het zal je ook opvallen dat onze rij als eerste de boot op gaat, wat inhoudt dat we er aan de overkant als eersten af kunnen.'

Hij tuurde naar haar alsof hij op bijval wachtte. Ze kon geen gepaste reactie verzinnen. Het maakte toch niets uit? De pont naar het eiland van zijn dromen zou er iets meer dan zeven minuten over doen.

'Buck en ik zijn maatjes,' zei Norman. 'Weet je, het kan geen kwaad te weten hoe deze mensen heten en een beetje met hen te praten. Ze leggen het uit als respect, en met een beetje respect kom je heel ver in deze wereld.'

Maar Buck betekende voor Magdalena iets anders. Niet één latino heette Buck. Hij was door en door *americano*.

Op de pont stonden ze bijna vooraan in een van de equity-eigenaar-rijen geparkeerd. Voor Norman was dit stimulerend spul. 'Als je uit het raam leunt en langs die auto voor ons kijkt, kun je het eiland zien.'

Inmiddels interesseerde Magdalena het verdomde eiland geen bal meer. Om een reden die ze niet kon benoemen, riep heel het onderwerp haar vijandigheid op. Fisher Island... het zou haar geen biet kunnen schelen als het ineens naar de bodem van de Biscayne Baai zonk. Maar toch leunde ze het raam uit. Ze zag vooral de bumper van de zwarte Mercedes voor hen en de bumper van de geelbruine vooraan de rij naast hen. Tussen de twee bumpers door kon ze... iets zien. Ze nam aan dat het Fisher Island was... hoe weinig ze ook kon onderscheiden... Iets bijzonders leek het haar niet.

Ze trok haar hoofd weer naar binnen en zei: 'Ik krijg de indruk dat Fisher Island' – ze zou dolgraag met een bijtender woord op de proppen komen, louter om Normans statusgenot door elkaar te schudden, maar ze beheerste zich en zei – 'heel Anglo is.'

'O, ik weet het niet...' zei Norman. 'Volgens mij denk ik niet in zulke termen.' ::::: Geloof het maar niet. ::::: 'Ik hoop jij ook niet. Laten we niet doen of we ergens zijn waar je Anglo's en latino's moet gaan *tellen* om te zien of er verscheidenheid is. Latino's beheersen heel Zuid-Florida, in politiek opzicht, en ze hebben ook de meest succesvolle bedrijven. *Ik* zit er niet mee.'

'Natuurlijk niet,' zei Magdalena. 'Omdat *jullie* heel de rest van het land beheersen. Je ziet Zuid-Florida als een kleine versie van... van... van... Mexico, Colombia of zo.'

'Ho eens even!' zei Norman. Hij zond weer een grote glimlach uit. 'Nu ben ik dus *jullie*!? Heb ik jou ooit als *jullie* behandeld?'

Magdalena besefte dat ze haar beheersing had verloren. Ze was boos. Met het liefste stemmetje dat ze momenteel kon opbrengen: 'Natuurlijk niet, Norman.' Ze vlijde haar hoofd tegen zijn schouder en streelde zijn bovenarm met allebei haar handen. 'Het spijt me. Je weet dat ik het niet zo bedoelde. Ik ben zo gelukkig dat ik... dat ik bij jou ben... Vergeef je me? Het spijt me echt.'

'Er valt niets te vergeven,' zei Norman. 'We nemen geen zware bagage mee op dit reisje. Het is een prachtige dag. We gaan naar iets wat je meer gaat vermaken en verrassen dan wat je ooit hebt gezien.'

'En dat is?' Ze voegde er snel 'schat' aan toe.

'We gaan het water op... naar de Columbusdag Regatta!'

'Wat krijg ik te zien?'

'Dat ga ik je niet vertellen! Dit is iets wat je moet meemaken.'

Reken maar dat hun rij, de rij met de uitverkoren equity-eigenaren, er als eerste af mocht aan de overkant, het legendarische Fisher Island op. Norman kon zich niet inhouden het, de uitverkiezing, weer onder haar aandacht te brengen.

::::: Nou ja, dat is niet erg. Ik ga er geen punt van maken. Hij is als een kleine jongen zo opgewonden over deze dingen, deze sociale dingen. En op *60 Minutes* zag hij er zo zelfverzekerd uit. Werd in het hele land uitgezonden! :::::

Vanaf de aanlegplaats van de pont reden ze oostwaarts over een avenue die Fisher Island Drive heette. Norman had er plezier in uit te leggen dat dit in feite de enige straat op Fisher Island was. Jazeker! De enige! De weg liep in een grote lus heel het eiland rond. O, er waren een heleboel zijwegen, zoals zij kon zien, maar dat waren allemaal privéwegen die naar privéterrein gingen.

Het landschap was niet de weelderige tropische show die zij had gedacht. Er waren volop palmbomen... en volop zeezichten... maar waar waren alle landgoederen die zij zich had voorgesteld? Er was een handvol kleine huizen, die naar Norman had gezegd 'casitas' werden genoemd – *casitas*! Was zij naar het exclusieve Fisher Island gekomen om *casitas* te zien!?... al moest ze toegeven dat ze een beetje eleganter waren, als je een casita überhaupt elegant kon noemen, dan die in Hialeah.

Ze kregen een paar grote huizen te zien met mooie groene gazons en grote wallen met struiken en prachtige bloemen – bougainvilla's? – maar het eiland leek eigenlijk een groot appartemententerrein. Er waren een paar saaie moderne torenflats glas glas glas glas louter gevel louter gevel louter flitsende gevel, maar er waren ook een heleboel

minder hoge appartementencomplexen die er ouder en eleganter uitzagen... wit geschilderd... een heleboel hout... Je kon je voorstellen
dat ze deel uitmaakten van een tropisch paradijs, maar dat vergde wel
enige inspanning. En toen –

*Wow! Daar* had je wel een *landgoed!* Een enorme manor – was dat
het woord niet, *manor?* – boven op een heuvel, in een te groots en te
geweldig landschap om in je op te nemen vanuit het raam van deze
rijdende auto... enorme banyanbomen, bomen die er volstrekt pre-
historisch uitzagen, met hun gedraaide samengestelde stammen en
immense takken die hoger reikten dan enige boom die ze ooit had gezien –

Norman genoot er duidelijk van het allemaal te weten. Het oord was
een 'Vanderbilt estate' geweest, maar het was tegenwoordig het Fisher
Island Hotel en Resort. Norman gebaarde ernaar alsof het van hem
was. Het plezier dat hij aan dit gedoe beleefde, ergerde Magdalena.
Het maakte deel uit van... *iets*... wat ze niet kon uitstaan.

Niet ver voorbij het hotel bereikten ze de jachthaven van Fisher
Island. Nou, die *was* indrukwekkend. Meer dan honderd boten, vele
ervan echte jachten, waren afgemeerd op ligplaatsen – Norman sprak
van ligplaatsen – vele haast 35 meter lang, en een paar veel langer. Alles
straalde... geld uit... al had Magdalena geen flauw idee hoe ze het in
categorieën kon verdelen. Er waren zo veel medewerkers die aan boord
van de boten gingen en ervan af kwamen. Ze liepen over de houten...
*steigers?*... tussen de ligplaatsen. Er waren zo veel vlaggen, zo veel speelse
namen voor op de glanzende, grootse witte rompen gezet, *Honingbeer*,
*Gejaagd door de wind, Bel Ami*, zo veel mollige, minzame, slijmerige, met
juwelen getooide eigenaren – daar hield zij ze in elk geval voor – die
Norman zeer informeel, zeer hartelijk begroette met zijn *Hi Billy's, Hi
Chuck's, Hi Harry's, Hi Cleeve's, Hi Claiborne's, Hi Clayton's, Hi Shelby's,
Hi Talbot's, Hi Govan's* – ::::: maar het zijn toch allemaal Buck's en
Chuck's nietwaar? – *americanos!* Het hele stel! :::::

Op dat moment zei Norman: 'Hi, Chuck!' *Weer een Chuck! Chuck en
Buck!* Er kwam een grote, vlezige man met een rood gezicht aan... in
een werkhemd gestoken, de mouwen opgestroopt, en een honkbalpet,
allebei met het opschrift FISHER ISLAND JACHTHAVEN.

'Ha, hallo, dr. Lewis! Hoe hangt-ie? O, neem me niet kwalijk, mevrouw.' Hij had zojuist Magdalena opgemerkt, die achter Norman
stond. 'Bedoelde dat niet zoals het klonk.' *Bedwoelde da nie zoasjjtklonk.*

Zijn grote gezicht werd nog roder. Magdalena had geen idee waarover hij het had.

'Chuck?' vroeg Norman, terwijl hij in haar richting gebaarde. 'Dit is Magdalena, mejuffrouw Otero. En Magdalena?... Chuck. Chuck is de dokmeester.'

'Heel aangename kennismaking, mejuffrouw Otero,' zei Chuck.

Magdalena glimlachte vaag. Deze Chuck was niet zomaar een gewone *americano*. Hij was een volbloed. Hij was zo'n blanke armoedzaaier. Haar vijandige gevoelens kwamen weer opzetten.

Chuck zei tegen Norman: 'U gaat uit?' *Ojjt?*

'Dacht Magdalena haar eerste tochtje in een Cigarette Boat aan te bieden,' zei Norman. 'Nu ik eraan denk, misschien zit er niet veel meer in de tank. We gaan *ver*.'

'Geen probleem, dr. Lewis. Breng haar gewoon naar Harvey als u vertrekt.' *Breng d'r gewoon naarHarvie asufertrekt.* Zijn stem werkte Magdalena op de zenuwen.

::::: Er was ook nog nooit een latino geweest die Harvey heette. :::::

Chuck draaide zich om en schreeuwde: 'Hé... Harvey!'

Norman grinnikte, blies zijn wangen op, stak zijn armen uit naar opzij, boog ze bij de ellebogen, maakte twee vuisten en zei tegen Magdalena: 'Chuck is een monster, nietwaar?... en zo'n beetje de aardigste vent van de wereld.'

Magdalena voelde zich onpasselijk worden toen ze Norman in die monsterpose zag. ::::: Ja, en jullie zijn broeders, is het niet? ::::: Ze vroeg zich af of zij beiden, in vele opzichten zo verschillend, wel beseften dat ze tot dezelfde stam behoorden... ja, ze werd onpasselijk. Ze wilde alleen maar weg van Fisher Island.

Norman leidde haar een smalle houten steiger over en wees naar een boot op een van de ligplaatsen. 'Nou, dat is 'm... Het is niet de grootste boot in de jachthaven, maar ik geef je één ding op een briefje. Het is de snelste. Je zult het zien.'

Hij leek klein in vergelijking met alle andere boten, maar hij was mooi, modern, zeer gestroomlijnd. Je *zag* snelheid. Ze moest aan een cabriolet denken. Er zat geen dak op. En de cockpit was klein, als het interieur van een cabriolet. Helemaal voorin waren er twee kuipstoelen. Hoe noemden ze de bestuurder? Ze wist het niet echt. De piloot misschien? De kapitein? Achter de chauffeur had je twee rijen bruinleren stoeltjes met witte en donkerrode biezen. Maar zouden ze in zo'n open boot wel echt leer gebruiken? Het zag er in ieder geval als leer uit. Door de kleine cockpit leek de romp een stuk langer dan die was. De romp was wit, van voor tot achter had je aan beide kanten een bruine gestroomlijnde baan van vijftien à twintig centimeter, met een felrode omlijning. Boven, bij de voorkant, in de bruine baan, stond in witte letters, enigszins vet maar niet meer dan acht à tien centimeter hoog, met dezelfde rode omlijning: HYPOMANISCH. De letters helden scherp naar de voorkant.

'Zo heet het schip – de boot – *Hypomanisch*?'

'Dat is een soort grapje voor ingewijden,' zei Norman. 'Je hebt gehoord van manische depressie, hè?'

Kortaf: 'Ja.' Daarover werd ze pas echt boos. :::::: Ik ben een gediplomeerd verpleegster, en hij vraagt zich af of ik weet wat een manische depressie is ::::::

'Nou,' zei hij, 'ik heb een heleboel patiënten met een manische depressie gehad, bipolaire stoornis, en voor een man – er zijn ook een paar vrouwen geweest – ze zullen je dat vertellen wanneer ze in het hypomanische stadium zijn – *hypo* betekent lichter' :::::: O, erg bedankt dat je me laat weten wat *hypo* betekent :::::: 'wanneer ze in het stadium zijn voor ze rare dingen beginnen te doen en te zeggen, ze zeggen dat het totale verrukking is. Elk gevoel wordt uitvergroot. Iemand zegt iets wat een klein beetje grappig is, en ze krijgen een enorme lachbui. Een beetje seks? Eén klein orgasme, en ze geloven dat ze de *kairos* hebben ervaren, de alomvattende, opperste zaligheid. Ze hebben het gevoel dat ze alles kunnen en iedereen aankunnen die probeert hen te treffen. Ze werken twintig uur per dag en denken dat ze wonderen verrichten. Ze houden het verkeer op, en de vent achter hen begint te toeteren, en dan springen ze hun auto uit, schudden hun vuisten naar de vent en gillen "Plak die toeter toch op je kont om er *Jingle Bells* op te spelen, flikker dat je bent!" Een van mijn patiënten vertelde me dat hij dit deed, en de vent durfde niets terug te doen omdat hij dacht met een maniak van doen te hebben – wat hij uiteraard *was*! Dezelfde patiënt vertelde me dat als je hypomanie in een flesje kon stoppen om het te verkopen, je in een mum de rijkste man op aarde zou zijn.' Hij gebaarde naar de belettering op de boot. 'Zo zit het met mijn Cigarette Boat... *Hypomanisch*.'

'Cigarette?'

'Ze bestaan al een hele poos. Je hebt al die verhalen hoe men ze gebruikte om sigaretten te smokkelen omdat ze zo snel zijn. Maar ik weet niet welke idioot de moeite zou doen sigaretten te smokkelen.'

'Hoe snel?'

Norman schonk haar *die glimlach*. Hij was tevreden over zichzelf. 'Ik ga het je niet vertellen – ik ga het je *demonstreren*. Maar zie je hoe ver de romp achter de cockpit uitsteekt? Daar zitten twee Rolls-Royce-motoren in, allebei van duizend pk, voor duizenden ponden stuwkracht.'

Lange stilte –

::::: Maar dat is zoiets als tweeduizend pond, en tweeduizend pond is een ton... ik vraag me af of deze boot ook maar een ton *weegt*... en er is iets aan Norman dat niet... bijster stabiel is. Waarom laat ik mezelf hiermee in? Maar hoe moet ik hem dat vragen... :::::

– uiteindelijk: 'Maar wordt het dan niet moeilijk voor de... bestuurder? – is dat het woord? – om al die – ik wil zeggen zo veel kracht te hanteren?'

Norman schonk haar het soort samengevlochten-lippen-glimlach die zegt: 'Ik ken de einduitkomst al. Bespaar je de moeite van een heleboel indirecte vragen.'

'Maak je geen zorgen, meid,' zei hij. 'Ik weet wat ik doe. Als het je geruststelt, ik heb een vaarbewijs. Ik zou je geen getal kunnen geven, maar ik heb *heel wat* keren, *talloze* keren met deze boot in de baai gevaren. Ik zal een afspraak met je maken. We gaan varen, maar zodra het verkeerd voelt, kunnen we meteen omdraaien en teruggaan.'

Ze was niet gerustgesteld, maar zoals de meeste mensen had ze niet de moed om te zeggen dat ze bang was. Ze glimlachte flauwtjes. 'Nee, nee, nee. Alleen heb ik nooit gehoord van zo'n krachtige... speedboot?' ::::: Is *speedboot* een te zwak woord? Erger ik hem zo niet? :::::

'Maak je geen zorgen,' zei hij weer. 'Spring er maar in. We doen het rustig aan.'

Norman sprong er als eerste in, met één beweging over de reling, zijn hypomanische vaartuig in. Vervolgens ondersteunde hij haar galant toen zij over de rand klom. Hij nam het stuurwiel, pal achter de voorruit, en zij ging naast hem zitten. Het *voelde* beslist als leer...

Hij draaide het contact om en de motoren kwamen met een angstaanjagende brul tot leven voor hij gas minderde. Ze moest denken aan jongens met motorfietsen in Hialeah. Ze leken te leven voor het *gebrul*.

Norman liet de boot langzaam achter uit de ligplaats varen. De motoren maakten een zacht grommend geluid. Magdalena moest nu aan een vrouw denken die vroeger bij haar in de buurt woonde in Hialeah. Ze liet vaak een pitbull aan een lijn uit. De hond zag eruit of hij even zwaar was als zij. Het beest deed Magdalena aan een haai denken. Hersenen ontbraken geheel. Er waren alleen een stel ogen, een stel kaken en hij kon het bloed ruiken dat door de aderen van menselijke wezens stroomde. Uiteindelijk vermoordde hij een meisje van vijf door een arm helemaal uit de rotatorenmanchet te rukken en haar halve hoofd eraf te bijten. Hij begon met een wang, een oog, en een oor en duwde vervolgens zijn tanden door haar schedel. Nadien bekenden vele buurtgenoten dat ze even bang waren voor het breinloze beest als Magdalena. Maar niemand, ook zij niet, had de moed om eerlijk te zeggen dat ze doodsbang was voor de hersenloze pitbull.

En zo was het nu opnieuw gesteld met Magdalena toen de motoren van de hersenloze *Hypomanisch* diep gromden diep gromden diep gromden diep gromden diep gromden aan een lijn aan een lijn aan een lijn... en de *Hypomanisch* langzaam naar de uitgang van de jachthaven bewoog en naar Harvey de arme blanke Harvey de arme blanke Harvey de arme blanke...

Harvey de arme blanke pompte dus brandstof in de Cigarette. Zelfs door alleen naar de stationair lopende motoren te luisteren, was het Magdalena duidelijk dat ze een verbijsterende hoeveelheid diesel moesten verbruiken. Ze huiverde. Het beest was breinloos. Harvey de arme blanke was breinloos. De gediplomeerde kapitein van het vaartuig, dr. Norman Lewis, was niet breinloos, maar hij was wel onstabiel. Ze had dat afgeleid uit zijn gedrag voor het interview in *60 Minutes* – maar vervolgens was hij in het programma zelf ijzersterk en een briljante strateeg. Maar angst had nu in haar ogen zijn staat van dienst ondergraven. Als hij iets onstabiels uithaalde in deze belachelijk overdreven sterke boot, zou hij er zich niet met *praten* uit kunnen redden.

De toegang van de jachthaven, die in de Biscayne Baai uitkwam, was in feite een ruimte tussen twee van rotsen gebouwde muren die twee meter boven het water uitstaken en zich langs heel de jachthaven uitstrekten. Toen ze erdoorheen gingen, o zo langzaam, draaide Norman zich om, naar Magdalena toe, wees naar de muur en zei: 'Antistortzee!'

Het was haast een schreeuw. Zelfs bij deze snelheid moest Norman door de herrie van de motoren, plus de herrie van het scheepvaartverkeer op de baai, plus de wind, ook al stelde die weinig voor, zijn stem flink verheffen om te worden gehoord. Magdalena had niet het neveligste vermoeden van wat *antistortzee* kon betekenen, maar ze knikte gewoon. Inmiddels stonden de lege plekken in haar vocabulaire niet meer zeer hoog op de tobladder. Ze was niet bang de baai op de gaan. Haar vader bezat een van de motorbootjes die overal in Hialeah zo trots op aanhangwagens waren gezet. Ze tuurde door haar donkere bril over het water uit. Het was het gebruikelijke grootse zonnige dag zeeschap van de Biscayne Baai, met straaltjes schitterende zon die in zwermen o zo lichtjes over het oppervlak dansten... en toch werd ze somberder somberder somberder... Ze was overgeleverd aan een... *hypomaniak*! Dat was hij – *op zijn allerminst*! Hij meende onoverwinnelijk te zijn! Zo had hij de Grote Ondervrager gesloopt! Maar de zee was geen plaats om je onoverwinnelijk te voelen. En zij had *dit laten gebeuren*! Pure zwakheid! Zij was te gegeneerd geweest om te zeggen: 'Ik ben bang – en ik wil niet.'

Juist op dat moment wierp Norman, beide handen aan het stuurwiel, haar een duivelse blik toe en riep uit: 'Oké, meid – hou je stevig vast!'

Waarop de grommende motoren in een explosieve brul uitbarstten. De brul was geen geluid – het was een kracht. De kracht ging door haar lichaam heen, rammelde aan haar ribbenkast en schudde haar van binnenuit. Geen enkele andere indruk drong door. Ze had het gevoel dat als ze het uitschreeuwde de schreeuw haar mond nooit zou kunnen verlaten. De neus van de boot begon omhoog te komen. Zo hoog dat ze niet kon zien waar ze heen gingen. Norman wel, aan het stuurwiel? En zou dat ook maar iets helpen? Ze wist wat er gaande was, ook al had ze nooit eerder op een boot als deze gezeten. Dit werd geacht het... *grote moment* te zijn. Heel de boot voer op z'n achterkant. Nou, joepie. Dit werd geacht leuk te zijn. Meisjes werden geacht te schreeuwen van opwinding. Magdalena voelde zich net als in haar vroege tienertijd, toen jongens erop stonden te laten zien hoeveel lef ze aan het stuur van een auto hadden. Ze had zich alleen maar zenuwachtig gevoeld vanwege de volstrekt lege jeugd van de chauffeurs en de onbenulligheid van hun doelen als stuntrijders. Norman was 42, maar ze voelde zich net zo. O, volstrekt lege middelbare leeftijd! O, onbenullige doelen! Wanneer zou dit voorbij zijn? Joeg Nestors politie te water niet achter zulke idioten aan? Maar door te denken aan Nestor voelde ze zich ook leeg.

Uiteindelijk minderde Norman vaart en de neus kwam weer neer. Hij gilde naar Magdalena: 'Hoe was dat?! Met honderdzestien kilometer per uur over het water! Honderdzestien!'

Magdalena probeerde niet eens iets te zeggen. Ze glimlachte alleen. Ze vroeg zich af of haar uitdrukking net zo erg namaak leek als het voelde. Het voornaamste was niet het kleinste beetje vreugde te vertonen. Het kleinste beetje – en hij zou het *onvermijdelijk* nog eens proberen. De neus was weer neer, maar de *Hypomanisch* sneed niet als een mes door het water zoals de andere boten hier… Hij gleed niet zoals zeilboten gleden… Kijk *die* daar! Zo groot! Zou het een… jacht zijn? In Magdalena's verbeelding kon een jacht alleen een zeer grote boot met enorme zeilen zijn… Maar op deze schitterende dag waren alle zeilboten flitsen wit doek op een baai… vol schitteringen door de zonnestralen die van ieder golfje op het oppervlak van hier tot de horizon afsprongen… niet dat zij lang bij een afzonderlijk stukje ervan stil kon staan… Normans opvatting van rustig varen in zijn Cigarette Boat was 80 in plaats van 110 te gaan… nog altijd zo snel dat de boot schudt en springt… en langs springt… hypomaniakaal stuitert… en stuitert over het wateroppervlak… De hypomaniak aan het stuurwiel springt en stuitert over het wateroppervlak… *stuift* langs ieder vaartuig waarvan Magdalena een glimp opving. Normans glimlach vol zelfontzag nam zijn gezicht over. Hij hield beide handen aan het stuurwiel… Hij vond het heerlijk de boot *deze* kant en *die* kant op te sturen… *deze* kant om tegemoetkomende boten langs te gaan… *die* kant om de boten langs te gaan die hij bleef inhalen.

Niemand die ze in enige richting voorbijgingen, leek net zo blij als Norman met de wilde haast van de *Hypomanisch*. Ook zijn passagier niet. Alleen Norman… alleen Norman… Mensen op andere boten gluurden, keken dreigend, schudden hun hoofden, staken de middelvinger op naar de *Hypomanisch*, de onderarm, omhoog, omhoog, de duimen omlaag, en schreeuwden boos, afgaande op de uitdrukking op hun gezichten. Uiteraard konden de opvarenden van de *Hypomanisch* geen woord horen van wat ze zeiden. Zeker Norman niet, daar aan het roer van zijn Cigarette Boat. Bij het uitleven van zijn gelukkige fantasie leunde hij naar voren in zijn gestoffeerde bestuurdersstoel.

Toen kon hij niet langer weerstand bieden. Nog twee keer draaide hij naar Magdalena toe en schreeuwde: 'HOU JE VAST!'… met een grijns alsof hij wilde zeggen: 'Wil je meer sensatie? Dan ben je aan het juiste adres!' Nog twee keer gaf hij zo veel gas als maar kon. Nog twee keer ging de neus omhoog en de plotse krachten drukten Magdalena achteruit en dieper omlaag in haar stoel en gaven haar het gevoel een idioot te zijn om hieraan te zijn begonnen. Nog twee keer vloog de boot vooruit met hypomanische aandrift voor superioriteit en uitsloverij.

Nog twee keer vloog de boot met razende vaart langs boten die voor anker lagen. De tweede keer haalde de snelheidsmeter 130 kilometer per uur, en Norman stak een triomfantelijke vuist in de lucht en vuurde een vlugge blik Magdalena's kant op. Vlug, omdat zelfs de hypomaniak zijn oog níet langer van de vaarrichting af durfde te houden.

Toen hij uiteindelijk gas terugnam en de neus weer op het water zette, zei Magdalena bij zichzelf :::::: Draai alsjeblieft niet mijn kant op, en breek niet in die grote grijns uit met de woorden: 'Raad eens hoe hard we gingen!' en werp me dan niet een blik toe die smeekt om een reactie vol ontzag. ::::::

Hij draaide zich haar kant op met zijn grijns vol zelfontzag en zei: 'Ik kan het zelf niet geloven!' Hij gebaarde naar de wijzers voor zich. 'Heb je het gezien?! Hou ik mezelf voor de gek?! *Honderddertig kilometer per uur*! Ik heb zelfs nooit *gehoord* van een Cigarette Boat die deze snelheid haalde! Ik kon het *voelen*! Ik durf te wedden jij ook!' Hij straalde nog een gelegenheid tot ontzag-reactie haar kant op. :::::: Hij kan *alles* krijgen behalve dat, anders doet hij het weer. Hij gloeit van Trots. :::::: Ze schonk hem dus een verplichte doodgeboren glimlach, het soort glimlach waarvan iedere man zou bevriezen. Maar voor Norman was het niets meer dan een koel briesje.

De Cigarette Boat legde de 32 kilometer naar Elliot Key *in een mum* af. Ze wisten dat ze er waren, niet omdat ze het eiland konden zien... maar omdat ze het niet konden zien. Het eiland zelf werd overschaduwd door een ordeloze opstopping van boten, tot ongeveer een kilometer van het eiland vandaan... het leken er wel duizenden – *duizenden* – sommige waren voor anker gegaan, sommige waren op een of andere manier zij aan zij vastgesnoerd, liefst tien op een rij. Kleine rubberbootjes voeren rond tussen de grotere schepen... Wat was *dat*? Het bleek een kajak te zijn, met één jongen die bij de voorsteven stond en peddelde. Achter hem leunden een jongen en een meisje achterover, ze hielden allebei een plastic beker vast.

Muziek uit god weet hoeveel versterkte luidsprekers rolde het water over – rap, rock, running rock, disco, metro-billy, reggae, salsa, rumba, mambo, monback – en botste boven een harde en onophoudelijke ondertoon van 2000, 4000, 8000, 16.000 longen die riepen, schreeuwden, gilden, kijfden, lachten, vooral *lachten lachten lachten lachten lachten* de gekunstelde lach lachten van mensen die verkondigen dat *hier* de dingen gebeuren en wij er middenin zitten... Er waren gemotoriseerde boten met twee of drie lagen dekken, enorme boten en je zag, ver weg en dichtbij, de gestaltes van mensen die omhoog en omlaag wipten, naar alle kanten zwaaiden – dansten – en –

Norman had de Cigarette Boat inmiddels diep de chaos van de regatta in gestuurd en manoeuvreerde langzaam, o zo langzaam, met de 1000 pk motoren die gromden gromden gromden gromden o zo zachtjes zachtjes zachtjes... om die boot heen... tussen deze twee door... langs de rijen boten die zij aan zij waren vastgesnoerd, dichtbij, o zo dichtbij... keek op naar de mensen... die dansten en dronken en gilden en lachten lachten lachten lachten – wij zijn hier wij zijn hier waar de dingen gebeuren! gebeuren! gebeuren! gebeuren! op het ritme – altijd het ritme – van octofonische luidsprekers met elektro-uitstoten van ritmes, ritmes, reproritmes en de zangers, altijd meisjes, werden zelf niets meer dan ritmes... geen melodie... alleen reproritmes... contrabas, drums, beatgirls...

Hoe dichter ze bij het eiland kwamen – dat ze nog steeds niet konden zien – op hoe meer bij het breedste deel van de rompen samengesnoerde boten ze stuitten. Zo veranderden de boten in één groot dekfeest, ondanks de verschillende niveaus. Een meisje met een G-string bikini – zo veel blond haar! – waggelt over de smalle verbinding waar twee boten zijn verbonden en gilt – ze *gilt* waarom? omdat ze bang is? om te koketteren? om te flirten? louter uit enthousiasme te zijn *waar de dingen gebeuren*? – en jongens snellen toe, grijpen omhoog om haar te ondersteunen. Een ander meisje met een G-string bikini springt over de verbinding en komt op het andere dek neer. De jongens juichen met lichtelijk ironische geestdrift, en eentje blijft schreeuwen: 'Ik wil! Ik wil!'... en de luidsprekers boemerdeboemboemen van het *ritme ritme ritme ritme*.

::::: en waarmee meent Norman bezig te zijn? ::::: Voor de samengebonden rijen liet Norman ineens een uitbarsting van brandstof los, en de motoren van 1000 pk BRULDEN en iedereen op de dekken tuurde omlaag en juichte dronken en ironisch. Er waren ook allerlei kleine boten die tussen de botenmenigte door zigzagden... rubberbootjes, motorbootjes en heel vaak de kajak – diezelfde kajak! – de peddelaar voorop zong nu dronken... iets... en de vent en het meisje achterin strekten dronken het ene been en toen het andere... en Magdalena kan omlaag kijken en het meisje zien, dat op haar zij lag... en haar blote kont heeft het geweven stringachtige bandje van een G-string bikini in de spleet en de jongen, die een flodderige zwembroek draagt, heeft een arm onder haar hoofd en de hand grijpt haar schouder. Het zag er verdomd ongerieflijk uit, proberen onder in een kajak te gaan liggen... De helft van de meisjes die op de dekken dansten, alle dekken, droegen strings... die hun billen in een paar ideale meloenen spleten, precies rijp genoeg om te plukken... en dat meisje hier vlakbij, nog geen drie meter verder, die uit het water op de ladder klom van die twee-deks plezierboot – haar billen, haar achterkant, haar... haar... haar *reet* – geen ander woord drukt het zo goed uit – haar reet had haar rode string zo volledig verzwolgen dat Magdalena nauwelijks kan zien dat die überhaupt bestaat... Het water heeft het haar van het meisje opgerold tot een natte massa die over haar rug neerhangt tot ver onder haar schouderbladen, en door het water wordt het donker, maar Magdalena zou er alles om verwedden dat het eigenlijk blond is – *las gringas!* – wat zijn er veel op deze dekken! Hun blond haar stuitert wanneer ze dansen. Het blinkt wanneer ze hun hoofden wild bewegen om te gillen... te flirten... te lachen lachen lachen lachen op de dekken waar de dingen gebeuren... bij Elliott Key... bij deze seksuele regatta voelt ze zich ingesloten waardoor ze, ondanks alle verstandige overwegingen, hun allemaal – al deze *gringas!* – wil laten zien wat ze in huis heeft. Ze zorgt dat ze zeer recht gaat zitten in haar stoel van de Cigarette Boat, trekt haar buik in en buigt haar schouders terug waardoor haar borsten ideaal overeind staan, en ze wil dat al *esos gringos y gringas* naar haar staren en ze *wil* hen daarop betrappen... *die* daar!... *die* daar?... die verderop? –

Intussen voedt Norman de motoren weer met een slok brandstof, en ze BRULLEN deze keer echt, en hij begint kameraadschappelijk te glimlachen, naar niemand in het bijzonder te wijzen, te wuiven naar – lege ruimtes, voor zover zij kan zien, en de grote motoren te laten razen met een grotere, hardere brul dan ooit, om dan tot een rustig geluid te minderen.

Magdalena vroeg: 'Norman – waar... ben... je... mee... *bezig?*'

Een veelbetekende glimlach: '*Zul je wel* zien. Zorg maar dat je er verleidelijk blijft uitzien, zoals nu.' Hij stak zijn eigen borst vooruit in een bewonderende imitatie van haar. Magdalena was blij, of ze nu wilde of niet.

Ze waren aan het struinen ::::: waarnaar? ::::: langs de grootste rij tot nu toe. Magdalena telde dertien boten – of waren het er veertien? – allemaal nogal groot, en aan de ene kant, twee zeilboten, een ervan een schoener met enorme zeilen. Deze enorme rij wond Norman op. Hij begon helemaal los te gaan: van geen geluid via gegrom tot BRUL... de brede zelfverzekerde grijns... het wuiven naar denkbeeldige mensen...

Ze waren halverwege de rij toen een jongen op een dek schreeuwde: 'Hé, man! Heb ik je laatst niet op tv gezien?'

Norman zette een grote sympathieke glimlach op en zei: 'Zou kunnen!'

De jongen schreeuwde: '*60 Minutes*, nietwaar?'

Inmiddels kon Magdalena zien welke jongen. 'Je was scherp, man! Je had dat klootzakje echt... je had hem helemaal in de tang!'

Met wat Magdalena vanaf hier beneden kon onderscheiden, was het een knappe jongen – voor in de twintig? – met een kop lang, dik haar, naar achteren geborsteld in grote, door de zon gebleekte bruine, leeuwachtige lokken zoals die van Tarzan, en hij was zo ideaal bruin dat zijn lange witte tanden iedere keer wanneer hij glimlachte leken op te lichten. Hij glimlachte vaak. Hij was zeer in zijn sas dat een bekende tv-Schlocktor-dokter naar hem opkeek... hoe die ook mocht heten.

'Ik weet het!' schreeuwde de jongen. 'Dr. ... Lewis!'

'Norman Lewis!' schreeuwde Norman. 'Ik ben Norman... en dit is Magdalena!'

'*Ik wil*!' zei de jongen. Hij klonk dronken. Hij had een enorm blik in de hand.

'Ik ook!' zei een andere jongen.

Daar was Magdalena niet op uit. Het kwam spottend over.

Ironisch gefluit... Een flink groepje mensen had zich bij de reling verzameld. De zongebruinde jongen met de tanden schreeuwde naar beneden: 'Hé, dr. Lewis – Norman – willen jij en Madelaine soms –'

'Magdalena!' zei Norman.

'*Ik wil*!' zei de jongen. Hij was duidelijk erg trots op zijn retorische sprong met vage seksuele logica.

'Ik ook!' zei de andere jongen, en alle jongelui lachten. Ze waren met een hele meute daar op het dek.

'Willen jij en Magdalena soms –'

'*Ik wil*!' schreeuwden twee van de jongens bij de reling in koor, en anderen namen de kreet over: '*Ik wil absoluut*!'

' – naar boven komen om iets te drinken,' vervolgde de blonde jongen.

'Nou…' Norman zweeg, alsof zo'n uitnodiging nooit bij hem was opgekomen… 'Goed! Prima! Bedankt!'

De zongebruinde jongen zei dat hij gewoon moest omkeren, rond het eind van de rij moest varen en dan terug naar de achtersteven van Eerste Trek, waar een ladder was.

'Prima!' zei Norman. Hij keerde om met de Cigarette Boat, begon met een groot GEBRUL van de motoren, om snel in te houden tot een grom grom grom grom. 'Zolang ze je op tv zien, heb je een aura,' zei Norman. Hij was heel blij met dr. Norman Lewis. 'De herinnering vervaagt gewoonlijk snel, maar ik wist dat ik nog een beetje magie had – en ik had gelijk.' Hij zweeg even. 'Natuurlijk kon het geen kwaad dat ik de machtige *Hypomanisch* heb. Ze vinden Cigarette Boats prachtig, al die jongelui. Cigarette Boats maken… indruk op het water. Ik wist dat ik door die duizend pk in de motoren op te voeren hun aandacht zou trekken. En meid –' hij stak zijn lippen uit of hij haar een grote komische kus ging geven – 'jij kon ook geen kwaad! Zag je ze? Ze aten je levend op met hun ogen! Vond je dat *Ik wil*-gedoe niet geweldig? *Ik wil! Ik wil! Ik wil!* Er is niemand op die boot die ook maar bij jou in de schaduw kan staan. Laten we wel wezen. Je bent geweldig, meid.'

Waarop hij zijn hand op de binnenkant van haar dij legde.

'Norman!' Tegelijk had ze geen bezwaar tegen zijn interpretatie van het gejoel.

Zijn andere hand was aan het stuurwiel. Aandachtig staarde hij recht vooruit, alsof hij alleen werd beziggehouden door het nemen van de bocht met deze grommende Cigarette Boat.

'Norman! *Kappen!*'

Hij haalde dus zijn hand weg van haar dij – door hem de kant van haar heup op te laten glijden… en vervolgens zijn vingers over haar onderbuik te laten lopen en onder het bandje van haar bikinibroekje.

'*Kappen*, Norman! Ben je *gek*?!' Ze greep zijn vuist en rukte zijn hand omhoog. 'Verdorie, Norman –'

Ze zweeg ineens. Zijn vingers die onder haar slipje kropen, terwijl iedereen het kon zien – *zo grof*! En zo *kinderachtig*! Zo'n duik in *stoute jongen*-exhibitionisme! En dat alles naast zijn openlijke bekentenis dat hij, dr. Norman Lewis, de nationaal bekende psychiater, een hele rij boten op een vernederende, zelfonterende manier was afgestruind om zo'n gering, achterlijk doel te bereiken… onuitgenodigd op het dekfeestje verschijnen van een stel kinderen – *een stel kinderen*! Een stel jongens dat nog het tienertaaltje sprak, een stel meisjes dat naakt over bootdekken galoppeerde met *strings* die hun billen in twee verse meloenen sneden en in hun god wist wat verdwenen – en toch raakte ze er *opgewonden* van. Ze *voelde*… het begin van een wild bacchanaal met een hoofdrol voor haar eigen *geweldige* lichaam. Was deze zwarte bikini die Norman was gaan verkennen *klein genoeg* om de wellustige drang te vervullen om… iedere bewuste gedachte die haar weerhield… *op te geven?* Maar Bewuste Gedachten waren taaier dan ze had gemeend. Die hielden haar recht overeind. ::::: *Kappen… nu meteen!* :::::

'Kappen, Norman!' zei ze. 'Iedereen kan ons zien!'

Maar zij had zijn hand daar een tel te lang laten blijven, en haar *Kappen* had geen morele kracht, was louter sociaal decorum. Aan de manier waarop Norman haar bekeek, met een glimlachje dat om geopende lippen speelde, merkte ze dat hij iedere neuron van haar tegenstrijdige gevoelens had opgemerkt en besefte in wat een zwakke en kwetsbare toestand ze verkeerde.

Toen de *Hypomanisch* de achtersteven van de *Eerste Trek* bereikte, stonden er flink wat toeschouwers boven aan de ladder te wachten. Magdalena klom als eerste naar boven, met een nieuw koor van '*Ik* wil!' '*Ik* wil!' '*Ik* wil!' '*Ik* wil!' Ze voelde hoe hun ogen aan haar borsten zaten en haar onderbuik masseerden. Haar onderbuik was heel het eind tot haar schaamheuvel bloot, en stak heel licht uit, net genoeg voor een kleine welving. Ze konden hun ogen niet van haar afhouden!

'*Ik* wil!'

'*Ik* wil!'

'*Ik* wil!'

Zelfs dat was moeilijk te horen. Hier op de boot zelf BONKTE BONKTE BONKTE BONKTE het RITME het RITME het RITME uit de luidsprekers. Ze zag meisjes op het voordek met elkaar dansen… ongeveer naakt. Een hele kudde G-string-meiden!… met bandjes die in de spleten van hun konten verdwenen… Ze reden met blote konten op hun bekkenzadels, ze rukten met hun hoofden en lieten hun blonde manen vliegen – blonde *americanas!* – ineens had ze het gevoel in de val te zitten… in een vulgaire horde wildvreemden…

Jonge kerels in badkleding… een huid die eruitzag als vla, als flan… Latino jongens hadden spieren die je kon zien – maar ze besefte dat ze aan Nestor dacht – dus liet ze dat onderwerp vallen. Een kerel, hoe oud? – vijfentwintig? – een kerel met een huid van flan stond pal voor haar en hij zei: 'Hé, ben je met *hem*?'

Ze begreep dat hij Norman bedoelde, die achter haar de ladder op kwam.

Norman nam Magdalena bij de hand en ging meteen naar de vent die hen aan boord had gevraagd. Het bleek een lange, slanke man, voor in de twintig waarschijnlijk.

Hij droeg zo'n moderne ultralange zwembroek, overdekt met een trek-me-nergens-wat-van-aan Hawaï-bedrukking. Niettemin leek hij van zo dichtbij promotie te verdienen van jongen tot jongeman, in ieder geval in naam.

Toen hij Norman zag, viel zijn mond open, sprongen zijn ogen open en hij zei: 'Dr. Lewis! Dit is zo *cooool*! Ik heb u zojuist op *60 Minutes* gezien – en nu bent u... op *mijn boot*! Het is *zooooo coooool*!'

Het ontzag leek oprecht – en Magdalena zag zich oprechte dankbaarheid over Normans gezicht verspreiden in de vorm van een glimlach die zei: 'Dat lijkt er meer op.' Hij stak zijn hand uit, de jongeman schudde die en voelde zich verplicht te zeggen: 'Eigenlijk is dit niet echt *mijn* boot, hij is van mijn vader.'

Norman vroeg op de vriendelijkst mogelijke toon: 'En hoe heet je?'

'Ik ben Cary!' Dat was het – Cary. Hij hoorde erbij, bij de eerste generatie zonder achternaam. Een achternaam gebruiken vonden ze pretentieus... of anders een te nadrukkelijke hint naar je achtergrond... etnisch, raciaal, soms sociaal. Niemand gebruikte een achternaam tot je werd gedwongen een formulier in te vullen.

Norman zei: 'En dit is Magdalena, Cary.'

Cary liet die onvergelijkbare tanden flitsen en riep uit: '*Ik* wil! Heus, dat is een compliment!'

Gelach en '*Ik* wil' braken uit bij de menigte die zich rond hen had gevormd om de naar verluidt beroemde dr. Lewis te zien, wie dat ook mocht zijn.

'*Ik* wil!' Gelach.

'*Ik* wil!' Gelach.

'*Ik* wil!' Gelach.

'*Ik* wil!' Meer gelach.

'Ik wil *absoluut*!' Waarover een heleboel gelach.

'Dat is een *groot* compliment,' zei Cary. 'Heus waar!'

Een golf van verlegenheid... en zaligheid... Cubaanse meisjes verschilden in de meeste opzichten niet van *americana* meisjes. Elke dag stellen ze zichzelf... of hun vriendinnen... de helft van de tijd de vraag... 'Heeft hij me gezien? Wat *denk* je? Wat voor soort blik was dat, volgens jou?'

Magdalena kon niet één antwoord verzinnen dat... de zaligheid niet de nek zou omdraaien. Wanneer ze het openlijk als een compliment opvatte, zou ze overkomen als een onervaren onbenullige latina, en als ze probeerde een koelbloedig en grappig staaltje zelfkleinering ten beste te geven zou ze er afkomen als een naar schepseltje dat de jaloezie van anderen vreesde. Wijselijk deed ze het enige wat veilig was. Ze stond daar te blozen en de glimlach te bedwingen... en wat was het zalig!

De zon was een beetje gedaald, maar het kon niet later zijn geweest dan 17.30 toen Magdalena een koor van het ironische gejoel hoorde waarvan jongemannen schijnen te genieten... Ze waren op het dek van de volgende boot... en daar was ze... een blond meisje dat net het bovenstukje van haar bikini had uitgetrokken. Ze hield haar rug gebogen en haar armen wijd uitgestoken... met de bh bungelend aan een hand... en haar borsten puilden uit op een manier die zei: 'Het verstoppen en gluren is voorbij. Nu... *leven* wij!'

'Kom op!' zei Norman... met een schunnig blij gezicht. 'Dit moet je zien!' Hij nam haar bij de hand en liet haar snel naar de reling gaan om het beter te kunnen zien. 'Nu begint het!'

De blonde met de borsten slingerde een paar keer mild met haar heupen, om haar koor van bewonderaars te laten zien hoe strak haar pectorale wonderen waren... hoe ze uitstaken en de zwaartekracht tartten...

'*Wat* begint?' vroeg ze.

'De regatta is in wezen een orgie,' zei Norman. 'Dat wil ik je graag laten zien. Je moet zoiets in elk geval *één keer* zien.' Maar hij keek niet naar Magdalena toen hij het zei. Net als iedere man op de boot had hij alleen oog voor de bevrijde naakte borsten. *Zij* wierp blikken naar deze kant en die kant, verleidde, als een comédienne die de kokette vrouw speelde, probeerde uit alle macht de boodschap over te brengen: 'O, dit is maar een lolletje... ik gebruik de seks ironisch... je kunt dit niet serieus nemen'... terwijl ze haar heupen naar *deze* kant en *die* kant zwaaide... op komische wijze uiteraard, omdat dit niet serieus was...

maar genoeg om iedereen haar lichaam te laten zien in haar bruine string, heel dicht bij de kleur van haar huid.

Het meisje stopte ineens met haar kleine show, kruiste haar armen over haar borsten, vouwde dubbel van het lachen en richtte zich toen op, ze lachte nog steeds, bette haar ogen met de rug van haar handen, alsof het allemaal te grappig was geweest. Maar toen ging ze rechtop staan en schudde met haar borsten... maar zonder de slingerbewegingen... en ze glimlachte nu breed terwijl ze naar drie van haar *americana* vriendinnen ging die zich een ongeluk lachten. Een van hen bleef beide armen omhoog in de lucht steken zoals voetbalscheidsrechters doen wanneer een team heeft gescoord. Het blondje probeerde niet langer haar borsten met haar handen te bedekken. Ze poseerde met haar handen op haar heupen en bleef glimlachen terwijl ze met de drie meisjes sprak – wilde niet dat iemand dacht dat ze gêne voelde over wat ze had gedaan.

Het succes van het meisje leidde niet tot een golf van borsten ontbloten. Het begon lukraak. Magdalena en Norman bleven van boot naar boot gaan... van dek naar dek... dertien verschillende dekken... sommige *zo* hoog boven het water, en sommige *zo* hoog en sommige niet eens *zo* hoog en een paar niet veel hoger boven het water dan Normans Cigarette Boat. Norman bleef stoppen om te yakyakyakyakyak-yakyakyakhockhockhock-en met fans... eigenlijk geen fans... eerder mensen die net te horen hadden gekregen dat hij belangrijk was – en Magdalena stond erbij met een glimlach vol belangstelling en betrokkenheid op haar gezicht, maar toen raakte ze zo verveeld dat ze om zich heen keek en ... zag dat een meisje hier of daar... of *daar* – vier-, vijfhonderd meter verderop zelfs, op een dek op een volgende rij aan elkaar gebonden boten – het bovenstuk van haar bikini had afgedaan... zonder gejuich en gejoel te oogsten... en de zon daalde een beetje verder... en de jongens werden een beetje dronkener... zo dronken of zo aangestoken door lust dat ze de moed verzamelden om mee te doen met de meisjes die op het dek dansten. ::::: En daar is die kajak. ::::: Die koerste nog steeds tussen de boten door, verscheen opnieuw beneden hen. De roeier stond voorop overeind met een peddel, alsof het een gondola was. Het paar lag nog steeds samen achterin. Het meisje had het bovenstukje van haar string-bikini uitgedaan en lag op haar rug, met haar grote borsten te pronken. Ze had haar benen geopend. Een zweepje G-string bikini-stof bedekte haar amper. De jongen, die nog steeds zijn zwembroek aanhad, lag op z'n zij met beide benen rond de onderste helft van een van haar benen. *Todo el mundo* leek omlaag te staren om te zien of hij opgewonden was. Magdalena kon het niet bepalen... en toen waren ze weg... om hun *exhibición* aan andere boten te vertonen. Hier aan dek... rijpe meloenen... rijpe... Inmiddels, laat in de middag, waren alle dekken smerig... bezaaid met iedere mogelijke vorm van vuilnis en afval plus, hier en daar, plassen braaksel, soms nog nat, soms door de zon gedroogd... en overal weggegooide bierblikken en bierflessen en grote plastic bierbekers... iconische Solo-bekers... favoriet op bierfeesten en picknicks... met honderden weggegooid op ieder dek... Solo-bekers... met het traditionele stansen-en-ponsen rood... en in iedere andere denkbare kleur... bleekroze, maïsgeel, koningsblauw, marineblauw, aquablauw, chroomgroen, puce, fuchsiapaars, keldervloergrijs, vuilniszakbruin, iedere kleur behalve zwart... overal, ingedeukt, gescheurd, of op de zijkant liggend, intact... en iedere keer dat een boot schommelde, gewoonlijk dankzij het golvend kielwater van speedboten, rolden de flessen en de bierblikjes over het dek... de bierblikken met een goedkoop afgedankt gerammel van aluminium... de flessen met een goedkoop afgedankt hol gekreun... rolden rolden rolden over het platte vuilnis, de uitgetrapte sigaretten, de vlekken van gemorst bier, de gebruikte condooms, de braakselbeignets... kantelden kantelden kantelden over een bril met een kapot scharnier, een achtergelaten slipper... botsten botsten botsten tegen de slap geworden bekers en al snel waren de dekken aan het STAMPEN en BONKEN en de geluidsinstallaties werden harder en het RITME dreun RITME dreun RITME dreun RITME dreun RITME dreun RITME dreun en er deden meer meisjes hun bovenstukjes af en ze begonnen kleine strings die verdwenen in de spleten van hun enige *net nu! net op dit zeer strakke uitpuilende labiale moment rijpe meloenen... rijpe meloenen...* en ze begonnen... geen stapjes meer, geen lindy's en draaien meer zoals de meisjes met elkaar deden... nee, *begonnen*... te STAMPEN...

Ze kijkt naar Norman op... Hij is aan de grond genageld door het tafereel... gaat er helemaal in op... leunt naar voren... Zijn glimlach blijft krullen van vermaakt naar hongerig... *Hongerig* is hij!... Hij *wil* wel –

'Jeetje mina!' Het klonk als iets wat hij fluisterend wilde zeggen... Het was een *Jeetje mina* van opwinding. De opwinding had hem zo in de greep dat deze verstikte verklaring een uitroep was geworden, afgedwongen door een kikker in de keel. Hij praatte beslist niet tegen *haar*... Zijn glimlach was in pulseren veranderd... geamuseerd geprikkeld geamuseerd geprikkeld geamuseerd geprikkeld... Zijn ogen waren op een stel gericht amper een meter van hen vandaan – deze *americano*, lang, hoogblond haar, met een atletische bouw – deze *americano* stond achter een meisje RITME dreun RITME dreun RITME dreun VERHEFT bonk VERHEFT bonk VERHEFT bonk bonk bonken ACHTER haar BONK string VERHEFT het opgezwollen kruis van zijn zwembroek in haar billen BRONST bronst bronst bronst... zo hard, de voorkant van zijn zwembroek verdween vrijwel in dat rijpe ravijn... Ze leunde naar voren om het ravijn breder te maken, waardoor haar blote borsten neerhingen... bij iedere VERHEFT zwaaiden ze naar voren VERHEFT bonk VERHEFT string string string string ze slingerden naar voren en zwaaiden naar achteren –

*De americanos*! Niet dat Cubaanse jongens zo – maar de *americanos* zijn... honden in het park! Het idee van een heel dek vol jonge mannen en vrouwen die deden wat zo dicht het echte werk benaderde RITME dreun RITME dreun RITME dreun RITME dreun VERHEFT bonk VERHEFT bonk VERHEFT bonk VERHEFT bonk honden in het park VERHEFT bonk VERHEFT *stamp stamp stamp* stampten hun opgezwollen lullen zij het omlaag gehouden door hun zwembroeken in het kruis van de meisjes STAMP STAMP STAMP... deze *gringas* hadden net zo goed helemaal naakt kunnen zijn!... bikini's? Borsten alom STAMPEN. Het enige wat je kunt zien is het bandje van de string RITME dreun RITME dreun RITME dreun amper zichtbaar bij de heupen... verder naakte meisjes met kerels verheffen bonken die hen STAMPEN RITME string RITME string...

Werd donkerder... maar nog steeds gloorde licht aan de randen van de westelijke horizon – een paarse band van achteren verlicht door vervagend goud. Ze kon amper enig licht in het noorden zien waar Miami lag... ergens... of in het oosten en de oceaan verderop... maar nog genoeg licht om Magdalena te laten denken dat deze bonte krans van – wat? – duizend boten? – *op aarde* was... genoeg om haar te laten geloven dat Miami echt... daar was... en de oceaan echt daar *was*... en ze werkelijk nabij een bekend stukje aardrijkskunde *waren*, Elliot Key... ook al was er zo'n opstopping van boten. Ze had er slechts een glimp van opgevangen door tussen boten door te kijken... en dit *was* de Biscayne Baai waarop ze waren... Ze kon nog over de baai turen, ook al werd het licht zwakker en zwakker. Er leek op iedere boot een feest te zijn...

Groot gejoel. Mensen haastten zich. Dansende mensen begonnen zich ineens naar het achterdek te haasten.

Norman trok haar die kant op.

'Wat is er aan de hand?' Inmiddels moest je zelfs van korte afstand schreeuwen om te worden gehoord.

'Ik weet het niet!' schreeuwde Norman. 'Maar we moeten gaan kijken!'

Magdalena strompelde achter Norman aan, die haar hand stevig vasthield en haar voorttrok.

Veel opwinding op het achterdek. Mobieltjes gingen over. Twee ervan waren geprogrammeerd met LMFAO's 'I'm Sexy and I Know It' en Pitbulls 'Hey Baby'. Het *piep piep ge-piep* van binnenkomende sms'jes klonk overal.

Een jonge *americano* schreeuwde boven het algemene geroezemoes uit: 'Dit ge*loof* je niet!'

RITME dreun RITME dreun RITME dreun RITME dreun – toch kon Magdalena het nu horen... Van beneden die kant op, gejuich, geschreeuw, gefluit met twee-vingers-in-de-mond, gejoel en getier – altijd spottend, het getier, maar deze keer zo erg hard. Het tumult kwam hun kant op als een vloed... ten slotte zo dichtbij dat het de geluidsinstallatie terugsloeg... het tumult en het geluid van speedboten... die aanstormden –

De menigte tegen de reling was zo dik dat Magdalena niets kon zien. Zonder een woord te zeggen klemde Norman zijn handen aan beide kanten van haar middel, net onder haar ribbenkast, en tilde haar recht overeind tot zij haar benen rond zijn nek kon slaan en die als een kind over zijn borst kon laten bungelen... Gemopper van achteren: 'Hé, u bent *rommel rommel rommel rommel*!' Norman negeerde het. Het volgende moment –

– de speedboten... Achter de eerste, drie waterskiërs aan lange kabels... drie meisjes... drie meisjes met razende vaart voortgetrokken door een speedboot... alle drie *spiernaakt*... drie meisjes zonder ook maar iets aan, twee blondines, een brunette... lange *americana*-lijven! Uitgehongerd tot bijna ideaal!... Het bereiken van de rij van dertien aaneengesnoerde boten wond hen op... Alle drie namen ze één hand van de kabel af, draaiden hun bovenlijven vrijwel 45 graden, en gooiden hun vrije arm omhoog de lucht in met een gebaar van afstand doen... geweldig gejuich en gelach van iedere boot in de rij... spottend getier... maar zelfs de spot was opgetogen – en dolzinnig blij – Weer een speedboot. Deze trok –

– Jezus Christus! – een jonge man zo naakt als toen hij werd geboren – die de Columbusdag Regatta... *een enorme erectie* vertoonde... zo vol bloed, hij boog omhoog in een hoek van 15 graden... drie naakte maagden, met tieten alom!... de god Priapus, *de volle lul van de Jeugd alom*!... dit alles belicht door de korte gloedkoepel van de schemering.

Het gejuich van de samengebonden boten steeg in een oerschreeuw op, niet vanuit het hart maar vanuit de lies, dierlijke *whoooop*'s, *woo-woo-wooooo*'s, *hoot hoot*'s *hoooooot*'s, *arrrrgh*'s, *ah haaahh*'s *arrrghhHHHock hock hock* – die laatste bronst bronstbrul onmiskenbaar van Norman...

'Zag je dat? Zag je het, meid? Die vent brak iedere bekende regel van het centrale zenuwstelsel! Geen man kan de belasting van waterskiën op zijn benen aan, de quadriceps, de achillespees, de brede rugspier, de bovenarmspier – en toch zo'n erectie krijgen... het kan niet – maar het gebeurde zojuist!'

::::: Ach, de wetenschapper, de geleerde onderzoeker houdt zijn ogen gericht op de aller-uiterste grenzen van het bestaan van het dier mens. ::::: Magdalena vroeg zich af of Norman zelf besefte hoe vaak hij probeerde zijn eigen seksuele opwinding te verbergen achter deze dikke-murentheorie... terwijl hij zelfs nu de baai afkijkt voor een laatste wijkende glimp van de leuke jonge gekliefde billen van de waterskimeisjes in de seksuele watershow.

De show was voorbij, maar de *americanos*, zoals Norman, waren ontstoken in lust. Hun handen beefden en ze hadden grote moeite bij hun pogingen te sms'en op de toetsjes van hun smartphones. Hun telefoons gingen over in een wanklank van 'Hips Don't Lie', 'On the Floor', 'Wild Ones', Rihanna, Madonna, Shakira, Flo Rida, lachsalvo's op een bandje, gefloten Braziliaanse salsa's, allemaal doorzeefd met het abrupte *piep piep piep* en *alarm alarm alarm* van binnenkomende SMS'JES dreun SMS'JES dreun RITME dreun RITME dreun BONK dreun VERHEFT dreun RITME dreun DANSEN dreun NOG EENS dreun het DEK dreun DEK dreun ONTSTOKEN dreun LUST dreun LUST WHOOP WHOOP! woo-woo! – en ineens wil *todo el mundo* dolgraag naar een ander dek... *die* kant naar beneden! Norman grijpt Magdalena bij de onderarm en trekt haar, sleept haar, de stormloop in. Zo'n opschudding –

'*Norman*! Wat is –'

Hij wachtte het einde van haar vraag niet af. 'Ik weet het niet! We komen er wel achter!'

'Wat in hemelsnaam –'

'We moeten het *zien*!' zei Norman. Hij zei het alsof het de enige logische keuze was, gezien de golf van de menigte.

'Nee, Norman – je bent gek!'

Ze probeert terug te trekken en de andere kant op te gaan, draait zich om – ¡ALAVAO! Een horde mensen klautert en springt over de reling op dit dek en WHOOP WHOOP! WOO-WOOOO! stormt langs haar en klautert van deze boot op de volgende en van de *volgende* op de volgende – gaat *die* kant op, in HORDES! Magdalena gaf het op en rende met de rest en hunkerende Norman mee, ze worstelden zich over relingen en vielen op het volgende dek en worstelden overeind en vielen neer en stormden over dek na dek tot ze uiteindelijk een menigte konden zien die zich, gehakt en gesneden door lichten die over hen stroomden, in de allerlaatste boot in de rij verzamelde, de enige zeilboot, de schoener met de twee torenhoge masten. Maar waarom?

Magdalena wilde niet aan Nestor denken, maar Nestor drong binnen. ::::: God, die eerste mast is zo hoog... de hoogte van een kantoorflat... en Nestor was hand over hand naar de top geklommen. :::::

'Ik weet geloof ik wat dit allemaal voorstelllt hock hock hock!' zei Norman. Op een heel vrolijke manier ook. Zo vrolijk dat hij heel vanzelfsprekend zijn arm om Magdalena's schouders sloeg en haar dicht naar zich toe trok. 'Ohohoho, ja, ik geloof dat... ik... het... weet,' zei hij. Blijkbaar wilde hij dat zij zei: 'Wat? – mijn alwetende.' Maar ze ging hem de voldoening niet geven. *Zij* was hun aanzwellende contrecoup voor ze de boot op gingen niet vergeten.

Er brak enig namaakgejoel uit bij de jongens en meisjes die zich op het voordek van de schoener hadden verzameld. Het enorme hoofdzeil van de boot lichtte ineens op als een lampenkap – nee, als een scherm. Het zeil was ongeveer 90 graden gedraaid tot de mensen op het voordek een scherm te zien kregen, en het licht, besefte Magdalena nu, was een vanaf de voorsteven geprojecteerde straal. Er verscheen een beeld op het scherm – een stukje of deel van een mens? – maar er ruiste een vlaagje wind overheen, en Magdalena kon het niet onderscheiden. Het volgende moment ging de wind liggen en verscheen een enorm beeld – een stijve penis van twee meter lang op het enorme schoenerzeil en bijna zestig centimeter dik. Maar waar was het uiteinde, de eikel? Die was verdwenen in een grot – maar het kon niet de ingang van een grot zijn want het bleef zich maar uitbreiden en samentrekken rond de eikel, en omlaag en omhoog bewegen, omlaag en omhoog... *¡Dios mío!* Het waren de lippen van een vrouw! Op het hoofdzeil geprojecteerd! Haar hoofd was vier meter van wenkbrauw tot kin.

Magdalena's hart nam een duik... porno!... een pornofilm op gigantische schaal op een gigantisch zeil geprojecteerd... veranderde deze honderden *americanos* in zwijnen, op hol geslagen zwijnen die *eeeee uh eeeee uh* gilden en waarom? Porno.

En een van deze *americano*-zwijnen was dr. Norman Lewis. Hij stond pal naast haar op dit volle dek... en probeerde de kwijlende aanbidding te weerstaan die over zijn gezicht wil kruipen... ogen gericht op een schoenerzeil dat van hier... tot *huizenhoog* reikt... terwijl zwijnachtige lichamen opduiken, afdrijven en in elkaar binnendringen, sijpelen en glijden en kwijlen en zuigen en likken... vrouwenbenen met het formaat van een kantoorflat, opengespreid... wijd open... de grote schaamlippen zijn drie keer zo groot als de ingang van het Miami Convention Center... de pornodokter Lewis staat perplex... hij wil dat portaal *binnengaan* of wil hij dat zijn *ogen* binnengaan... perplex door de nieuwe melkweg van pornografie?

'Ik weet niet hoe jij erover denkt, Norman, maar mij zit het tot hier!' Hij hoort haar niet eens. Hij kwijlt in zijn eigen wereld.

Zij grijpt zijn elleboog en schudt eraan... stevig. Norman schrikt... nee, erger, hij is verbijsterd. 'Hoe kan iemand –'

'Laten we gaan, Norman.'

'Gaan...'

'Terug. Ik wil terug naar Miami.'

Verbijsterd: 'Terug? Wanneer?'

'Nu meteen, Norman.'

'Waarom?'

'*Waarom?*' zegt Magdalena. 'Omdat je er hier bij staat als een kwijlend kind van drie... een kwijlende pornoverslaafde –'

'Kwijlende *porno*verslaafde' – maar de woorden dringen niet echt tot hem door. Hij is zo ver heen, zijn ogen dwalen weer naar het zeil... het vier meter hoge hoofd van een vrouw die met haar een meter brede lippen probeert te knabbelen aan de dertig centimeter lange clitoris van een andere vrouw.

'*Norman!*'

'Ehhh, wat is er?'

'We *gaan*! En *daarmee uit*!'

'*Gaan*? De avond begint pas! Dit hoort bij de ervaring!'

'*Zij*' – Magdalena draaide haar hoofd in het rond om naar de rest van de menigte te wijzen – 'gaan deze fantastische – zielige – ervaring zonder jou beleven. Jij gaat weg!'

'Waarheen dan?' – maar hij had duidelijk geen echt begrip van wat zij beiden zeiden... Zijn ogen dreven weer naar het *zeil* –

'WE GAAN WEG, NORMAN, EN IK *MEEN* HET!'

Normans uitdrukking wees op een klein beetje meer aandacht voor haar, maar niet veel. 'Dat kan niet,' zei hij. 'We kunnen in het donker niet terug met de boot. Het is te gevaarlijk.'

Magdalena stond daar met een *Het is niet te geloven*-uitdrukking naar Norman te staren. Normans ogen waren alweer terug bij de uitvergrote lichaamsdelen. Er was een immense... bilspleet... op het scherm. Reuzenhanden waren de zijkanten uiteen aan het spreiden. De anus zelf vulde het enorme scherm, en was zo diep als een kloof in de bergen van Peru.

'Norman, als je me zoekt,' zei ze met een gespannen, staccato stem, 'ik ben in de boot en probeer een beetje te slapen.'

'Slapen?' zei Norman met een stem die zegt 'Hoe kun je ook maar aan zoiets *denken*?' Maar hij richtte zich nu eindelijk wel tot haar. Hij sprak op strenge toon. 'Moet je eens horen. Het is verplicht nachtwerk vanavond. Deze ervaring draait helemaal om nachtwerk! Als je je ogen openhoudt, krijg je dingen te zien die je nooit voor mogelijk had gehouden. Je krijgt een beeld van de mensheid zonder dat nog regels gelden. Je krijgt het gedrag van de Mens te zien op het niveau van bonobo's en bavianen. En daarop stevent de Mens af! In deze uithoek krijg je de toekomst te zien! Je krijgt een bijzondere voorvertoning van het dreigende *on*menselijke, volkomen dierlijke lot van de mens! Geloof me, pornoverslaafden behandelen is geen beperkt psychiatrisch specialisme. Het is essentieel in de strijd van *iedere* samenleving tegen degeneratie en zelfvernietiging. En voor mij volstaat het niet om gegevens te verzamelen door naar patiënten te luisteren die hun levens beschrijven. Deze mensen zijn zwak en niet al te analytisch. Anders hadden ze het niet zover met zichzelf laten komen. We moeten het *met onze eigen ogen* zien. En daarom ben ik bereid heel de nacht op te blijven – om deze ongelukkige zielen van binnenuit te leren kennen.'

*Jesu Christo*... dit was de dikste muur van theorie die ze Norman ooit had horen verzinnen! Een onneembaar fort!... en een onnavolgbare manier om iedere kritiek onderuit te halen.

Ze gaf het op. Wat had het voor zin met hem te redetwisten? Er was niets aan te doen.

Maar de strijd opgeven bracht haar geen vrede. Ze keek in het donker alle kanten op. Voor de zon onderging... was Miami daar geweest, in het noorden, ook al kreeg je er van hieruit aan de horizon iets ter grootte van een stukje van je pinknagel van te zien. Je kon Key Biscayne van hieruit niet zien, maar je wist waar het in het noordoosten lag. Florida City was heel ver weg in het westen... en overal om je heen was de immense zee zo zwart als de nacht... nee, *zwarter*... *onzichtbaar*... het beroemdste stuk oceaan in het land... verdwenen. Op dit moment had zij niet het geringste idee waar het noorden was, waar het westen was, geen enkel benul waar *zij* was. Er *was* geen rest van de wereld – alleen deze flottielje van verloederde gestoorden. En zij was hier een gevangene, gedwongen om naar de rottenis te kijken, de puisterige afscheiding van volledige vrijheid. Zelfs de hemel bestond uit volledige duisternis en één straal licht op een immens stuk doek waarop smerige lichaamsdelen sijpelden en glibberden... dat was het enige wat restte van het leven op Aarde, in essentie. Magdalena voelde zich meer dan gedeprimeerd. Er was iets mee wat haar bang maakte.

# 9

## SOUTH BEACH OUTREACH

Nestor voelde zich weer helemaal negen toen hij deze Duitse verrekijker gebruikte die door de Crime Suppression Unit werd verstrekt,
de JenaStrahls. O, de kinderlijke verwondering die dit geweldige apparaat opwekte! De *comemierdas* die hij momenteel in de gaten hield
zaten op de veranda van een gettokrot in Overtown een goede twee
blokken verderop. Met de JenaStrahls kon hij heel het eind van hier
de blinkertjes op hun oorlellen tellen. De kleinste, die met de lichtste
huid, die op een oude houten stoel zat, had één... twee... drie...
vier... vijf... zes... *zeven* blinkertjes aan één oor... zo dicht tegen elkaar dat ze elkaar raakten... vijf centimeter oor met zeven gaatjes...
een geperforeerde scheur-hier-streep op één klein oor, zo zag het
eruit. De andere man, een echte krachtpatser, minstens 115 kilo, misschien veel meer, leunde achterover tegen de voormuur naast een rij
tralies over een raam... de armen gevouwen, waardoor zijn verstren-
gelde onderarmen het formaat leken te hebben van zo'n varken dat ze
in Hialeah roosteren... hij had drie blinkertjes aan iedere oorlel. Allebei de mannen droegen op maat gemaakte honkbalpetjes – geen ie-
dere-maat-riempjes aan de achterkant! – met de kleppen nog zo plat
als op de dag dat ze ze kochten en nog met de bijbehorende Nieuw
Tijdperk-stickers bovenop. Beiden droegen maagdelijk witte NuKill-
sneakers zonder het allerminste vlekje vuil of viezigheid van de straten van Miami. Zowel de petten als de schoenen schreeuwden tegen
iedereen uit die van zulke details op de hoogte was en er jaloers op

was: 'Gloednieuw! Ik ben cool! – en ik kan me *Nieuw veroorloven* – iedere dag!'

*Hmmmmm...* vraag me af of deze twinkelende steentjes het echte werk kunnen zijn, diamanten... *Najjjjj...* dit leek in de verste verte geen grote actie. Al die juwelen in hun oorlellen geprikt. Ze hadden evengoed bordjes om hun nek kunnen hebben met de tekst: HÉ SMERISSEN! HOU ME MAAR AAN! Dit surveilleren was het gevolg van een tip van een informantje uit de onderwereld die iedere drugsdealer in Overtown verlinkte van wie hij ooit had gehoord, in een wanhopige poging te vermijden dat hij zelf voor de derde keer als dealer zou worden veroordeeld, waardoor hij twintig jaar in de gevangenis kon belanden.

Zonder zijn ogen van de twee mannen op de veranda af te wenden zei Nestor: 'Brigadier, heeft u al die blingbling gezien die in hun oren zit gestoken?'

'Zeker,' zei de brigadier. 'Ik heb daarover een keer gelezen. Alle inlanders vinden die troep prachtig. Het maakt niet uit of het Oeganda is, Yoruba, Ubangi of Overtown. Wat ze kunnen tatoeëren, tatoeëren ze. Op wat ze niet kunnen tatoeëren, steken ze al die glittertroep.'

Nestor huiverde... vanwege de brigadier. De brigadier zou zoiets alleen maar tegen een andere Cubaanse smeris durven te zeggen. Het korps voerde een hele campagne, *insusurro*, die erop was gericht de relaties met zwarte Amerikanen te verbeteren. In achterbuurten zoals deze, Overtown, en Liberty City, zagen zwarte mensen Cubaanse smerissen als buitenlandse indringers die op een dag als para's uit de lucht waren gevallen, het politiekorps hadden overgenomen en waren begonnen zwarte mensen te commanderen... zwarte mensen die altijd in Miami hadden gewoond... Ze spraken een vreemde taal, deze indringers. Ze deden er alles aan papierwerk te vermijden, want de formulieren waren in het Engels gedrukt. In plaats van al die moeite te doen, sleepten ze een zwarte verdachte gewoon aan de achterkant het gebouw uit en sloegen hem op z'n nieren tot hij bloed plaste en alles bekende wat de indringers wilden dat hij bekende. Die verhalen gingen in ieder geval in Overtown.

Nestor en de brigadier stonden geparkeerd in een ongemerkte auto, een drie jaar oude Ford Assist. Het was moeilijk om een lelijker ontwerp voor een tweedeursauto te verzinnen, maar het was Ford gelukt. De brigadier, Jorge Hernandez, zat achter het stuur, en Nestor zat op de passagiersstoel. De brigadier was maar zes of zeven jaar ouder dan

Nestor. Hij kende heel de geschiedenis van de man op de mast en vond dat Nestor het geweldig had gedaan. Dus voelde Nestor zich bij hem op z'n gemak. Hij kon zelfs een beetje met hem dollen. Het was heel anders dan de omgang met de *americano*-brigadier, die je er om de haverklap aan moest herinneren dat je Cubaans was – zoiets vreemds voor hem dat hij een leuk woord had, namelijk *Canadees*, dat hij kon gebruiken om straffeloos over jouw mensen tegen ander blank volk te praten.

De zij- en achterramen van de Assist waren zwartgetint. Maar deze dekking was niet goed genoeg als je verdachten met een verrekijker door de voorruit bekeek. Dus hadden ze zo'n groot zilverachtig zonnescherm over heel de voorruit gelegd. Ze haalden het scherm een heel klein beetje omlaag waar die de bovenkant raakte en staken de lenzen van de verrekijker door het gaatje.

Ze droegen allebei burgerkleren. Je had *burgerkleren* en je had *undercover*, en bij de Crime Suppression Unit – cst en niet csu geheten, en alleen God wist waarom – deed je gewoonlijk het een of het ander. Dat beviel Nestor. Je werd er een rechercheur door, ook al had je niet echt die rang. Als undercover probeerde je er als je prooi uit te zien, wat gewoonlijk inhield dat je eruit moest zien als een *comemierda* kakkerlak met een stoppelbaard van acht dagen, vooral van onder de kin, terug naar de hals, en boven alles een kop met haar dat je minstens een week niet had gewassen. Als je met schoon haar rondliep, hadden ze je onmiddellijk in de gaten. Daarmee vergeleken was in burger formeel. Nestor en de brigadier droegen spijkerbroeken, schone, met leren riemen en blauwe t-shirts, ingestopt… *Ingestopt!* – formeler kon je tegenwoordig als jongeman toch niet zijn? Nestor hield natuurlijk van de t-shirts. Hij droeg ze vanzelfsprekend altijd een maat te klein. Bij cst droeg je aan je riem een holster met een agressief ogende automatische revolver erin. Als ze in burger waren, droegen agenten van cst halsbanden van fijn gedraaid staal waaraan hun gouden badge neerhing op hun t-shirt, recht in het midden van de borst. Je móest ze wel zien. Het voordeel van in burger zijn was dat je een heel peloton smerissen in ongemerkte auto's naar een bepaalde locatie kon laten komen zonder dat in heel de buurt alarmbellen gingen rinkelen. cst was een bijzondere eenheid, zeker, een elite-eenheid, en Nestor stak er heel zijn leven in. Wat had hij verder voor leven? Hij was al maanden gedeprimeerd. Zijn vader en zijn eigen familie hadden hem tot een non-persoon uitgeroepen… nou ja, niet iedereen… zijn moeder belde hem nu en dan op en begreep waarschijnlijk niet eens dat haar troostwoorden hem grondig ergerden. Naar haar idee bestond lieve en tedere troost eruit dat je in feite zei: 'Ik weet dat je een verschrikkelijke zonde hebt begaan tegen je eigen mensen, mijn zoon, maar ik vergeef je en zal je nooit vergeten... hoewel verder iedereen in Hialeah je niet snel genoeg kan vergeten.'

'Wat doen ze nu?' vroeg de brigadier.

'Niet veel, brigadier,' zei Nestor, de ogen nog steeds tegen de verrekijker aan. 'Hetzelfde oude liedje. De kleine kerel wiegt heen en weer op de achterste poten van zijn stoel. De grote staat naast de deur, en af en toe zegt de kleine iets en dan gaat de grote voor een minuut of zo naar binnen en komt weer naar buiten.'

'En kun je hun handen zien?'

'Zeker, brigadier. U kent de JenaStrahls' – uitgesproken als Yayna-Strahls. Op een gegeven moment had een onderlegd lid van CST erop gewezen dat de Duitse J als Y werd uitgesproken en de E als A.

Louter door het uitspreken van de naam besefte Nestor scherp hoe vermoeiend het was langdurig door deze triomf van optische techniek te staren. Het beeld dat je kreeg was zo vergroot en tegelijk zo verfijnd dat als je het ding maar een halve centimeter bewoog je het gevoel kreeg of het apparaat je oogbollen uitrukte. De brigadier kon het niet langer dan een kwartier langer achter elkaar aan, en voor hem gold hetzelfde. Ze hadden een soort driepoot moeten hebben die je aan het dashboard kon bevestigen.

Nestor had altijd een hoop nieuwe ideeën over politiewerk, en Magdalena luisterde daar vroeger graag naar... naar zijn ideeën en naar zijn verhalen over de zee of op z'n minst de Biscayne Baai, toen hij bij de politie te water zat. Of ze deed alsof... wat waarschijnlijk wilde zeggen dat ze het werkelijk graag deed. Een van de dingen die hij altijd aan haar had bewonderd was dat zij een meisje was dat niet probeerde haar gevoelens te verbergen. Vleierij was iets wat ze echt verafschuwde. Ze beschouwde het als de Achtste Doodzonde. ::::: Ach, Manena! Tot de dag van vandaag besef je waarschijnlijk niet wat je me hebt aangedaan! Je kwam die dag niet naar Yeya's verjaardagsfeest om mij te *zien*. Je was niet eens benieuwd naar wat ik had doorgemaakt. Je kwam mij afmaken, zonder te waarschuwen. Je was een paar weken wat afstandelijk geweest, maar ik redeneerde dat graag weg, nietwaar... Heb ik je ooit verteld wat ik voelde toen ik naast je lag? Ik wilde niet zomaar je lichaam *binnengaan*... Ik wilde je zo volledig binnengaan dat mijn huid rond de jouwe zou zijn gewikkeld, en ze één zouden worden... in mijn ribbenkast zou jouw ribbenkast zitten... mijn bekken zou met jouw bekken verenigd zijn... voor altijd... mijn longen zouden iedere ademtocht van jou inademen... Manena! Jij en ik waren een kosmos! Die andere kosmos daarbuiten wentelde rond *ons*... Wij waren de zon! Het is nogal stom van me dat ik je niet uit mijn hoofd kan zetten. Ik weet zeker dat ik allang uit het jouwe ben verdwenen... ik en Hialeah... *Ik ga ook met iemand anders om*... Vanaf het moment dat je dat zei, wist ik dat het een of andere *americano* was. Daarvan ben ik nog steeds overtuigd... We hielden onszelf allemaal voor de gek in Hialeah, nietwaar – iedereen behalve jij. Hialeah *is* Cuba. Het wordt omringd door *meer* Cuba... heel Miami is van ons, heel de agglomeratie Miami is van ons. We bezetten het. We zijn Singapore, Taiwan of Hongkong... Maar ergens in ons hart weten we allemaal dat we eigenlijk niets anders zijn dan een soort Cubaanse vrijhaven. Alle echte macht, al het echte geld, alle echte opwinding, alle glamour is van de *americanos*... en nu besef ik dat je daar altijd bij hebt willen horen... wat kon je met dat alles ervan weerhouden – ::::::

Hij werd ineens alert doordat een nieuwe persoon verscheen in de ooguitrukkende JenaStrahl-vergroting van de wereld twee blokken verderop.

'Er komt nog iemand,' zei Nestor zacht, alsof hij tegen zichzelf sprak. Zijn ogen waren tegen de verrekijker gedrukt. 'Hij is net van achter het huis gekomen, brigadier. Hij gaat naar de vent in de stoel toe.' O, Nestor had die dag van de man op de mast zijn lesje geleerd. Nooit weer! Nooit weer zou hij meer dan één zin zeggen zonder er een 'brigadier' in te stoppen, een 'inspecteur' of wat er ook was vereist. Hij was tegenwoordig een van de grootste 'brigadier'-zeggers van heel het korps. 'Het is een... Jezus, ik kan u niet eens vertellen welk kleurtje hij heeft, brigadier, hij is zo'n zooitje'... zonder één moment zijn ogen van de JenaStrahls te halen.

'Kun je zijn handen zien?' vroeg de brigadier op een vrij dringende toon.

'Brigadier, ik kan zijn handen zien... De vent ziet eruit als een echte crackverslaafde... hij is voorovergebogen of-ie tachtig is... Haar ziet eruit of hij het met lijm heeft gekamd en er daarna op geslapen... Jezus, wat smerig... alleen al door er helemaal vanaf hier naar te kijken krijg je er jeuk van... De vent ziet eruit of iemand hem tegen de muur heeft gekwakt, brigadier, en hij sijpelt gewoon van...'

'Dat maakt allemaal niet uit,' zei de brigadier. 'Hou gewoon zijn handen in het oog.' De brigadier was ervan overtuigd dat drugsdealers geen hersenen hadden, zeker niet die hier in Overtown en de andere grote zwarte achterbuurt, Liberty City. Ze hadden alleen handen. Ze verkochten drugs, verborgen drugs, verstopten drugs, rookten drugs, snoven drugs, verhitten drugs op een velletje folie zodat ze de dampen konden inhaleren... allemaal met hun handen, allemaal met hun handen.

'Oké,' zei Nestor, 'hij praat met de kleine vent in de stoel.'

De brigadier leunde zo ver naar hem toe vanuit de chauffeursstoel dat Nestor begreep dat hij dolgraag zelf de JenaStrahls wilde overnemen. Maar hij wist ook dat hij het niet zou doen. Tijdens de overhandiging misten ze misschien iets met de handen van de smeerlap.

'Hij voelt in zijn zak, brigadier. Hij haalt er... een... dat is *een briefje van vijf dollar*, brigadier.'

'*Zeker* weten?'

'Ik kan de wenkbrauwen van Abraham Lincoln zien, brigadier. Ik maak geen grapje! De vent heeft een geweldig stel wenkbrauwen... Oké, hij overhandigt het nu aan de magere vent... De magere vent heeft het in zijn vuist gefrommeld... De grote vent nadert nu vanaf de deur... het is een grote rotzak die er gemeen uitziet... hij kijkt de crackverslaafde boos aan... Nu buigt hij naar voren achter de stoel van de magere vent. De magere vent stopt beide handen achter zijn rug... en nu kan ik hun handen helemaal niet zien.'

'Pak hun godverdomde handen, Nestor! Pak ze!'

Hoe zou hij dat verdomme moeten doen? Goddank, de magere vent houdt allebei z'n handen voor zich. 'Hij overhandigt de junk iets, brigadier –'

'Overhandigt hem *wat*?! Overhandigt hem *wat*?!'

'Hij overhandigt hem dit blokje, brigadier, gewikkeld in een stukje Bounty-keukenpapier. Lijkt *mij* crack.'

'Zeker weten? Waarom denk je dat het Bounty is?'

'Ik weet het zeker, brigadier. Het komt door de JenaStrahls. Ik *ken* Bounty. Hoe hebben de *americanos* het in Amerika ooit gered vóór Bounty?'

'De pot op met Bounty, Nestor! Waar is dat godverdomde gevalletje nu?'

'De junk propt het in zijn broekzak... Hij begint weg te lopen, brigadier. Hij gaat terug naar de achterkant van het terrein. U zou hem moeten zien. Hij heeft *enoooorme* problemen met het bewegingsapparaat.'

'Het gaat dus om een *koop* – nietwaar? Heel de situatie.'

'Ik zag de borstelige wenkbrauwen van Abraham Lincoln, brigadier.'

'In orde,' zei de brigadier. 'We hebben drie auto's nodig.'

De brigadier gebruikte de politieradio, hij sprak met hun baas bij CST en vroeg hem drie auto's te sturen, zonder merktekens, twee agenten per auto, dezelfde opstelling als bij de brigadier en Nestor in de Ford Assist. Eén eenheid zou langs het drugshuis rijden en op een oprit tussen twee naburige huizen parkeren, en meer dan waarschijnlijk, net zoals de brigadier en Nestor het hadden gedaan, een zonneschermvermomming gebruiken. Een tweede eenheid zou de steeg achter het huis in rijden om de achterkant te dekken – en te zien of ze de junk zagen die liep of hij een beroerte had gehad en die net iets in het huis had gekocht. Een derde eenheid zou naar de andere kant rijden – pal achter de brigadier en Nestor. De brigadier en Nestor zouden de inval leiden. Ze zouden pal voor het huis opdagen, zo dicht bij de veranda en de twee met blinkertjes bezaaide *cucarachas* als mogelijk. Alle acht smerissen zouden de auto's uit springen met de glimmende penningen op hun borst en de holsters vol in het zicht aan hun riemen met een machtsvertoon dat erop was berekend iedereen te ontmoedigen die dacht aan gewapend verzet.

Op dit moment werden de *cucarachas* met de piercings en de onbeholpen gang minder grappig… Nestor zou hebben gezworen dat hij de adrenaline echt kon *voelen* opkomen van boven zijn nieren en zijn hart tot racestand opvoeren. Als undercovers van CST ergens een paar dagen hadden gekocht en alles hadden uitgezocht, zou er waarschijnlijk een SWAT-team bij zijn geroepen. Maar dit leek een te onbenullig drugshandeltje om het zo hoog te spelen. Zo zag Nestor het evenwel niet helemaal, en waarschijnlijk de brigadier ook niet. Per slot van rekening was de brigadier geen idioot. Waar je drugs had, was de kans groot dat er wapens waren… en zij tweeën zouden als eersten naar binnen gaan… Juist op dit moment dacht Nestor onwillekeurig terug aan wat een astronaut in een documentaire op tv had gezegd: 'Voor iedere missie hield ik mezelf voor: "Ik ga eraan als ik dit doe. *Deze keer* ga ik eraan. Maar ik ga eraan voor iets wat groter is dan ikzelf. Ik ga sterven voor mijn land, voor mijn volk, en voor een rechtvaardige God." Ik heb altijd geloofd – en ik geloof nog steeds – dat er een rechtvaardige God is en dat wij, wij in Amerika, deel uitmaken van zijn rechtvaardige plan met de wereld. En dus ben ik, die ga sterven, vastbesloten eervol te sterven, met maar één angst: het niet kunnen waarmaken van, niet sterven voor het doel waartoe God me op deze aarde heeft gezet.' Nestor hield van deze regels, geloofde in hun wijsheid en dacht er op ieder moment aan wanneer het politiewerk gevaarlijk werd... Deed je dat voor de altijd oordelende ogen van een rechtvaardige God... of de ogen van een *americano*-brigadier? Nou, wees eens eerlijk.

Nestor hield de verrekijker nog steeds gericht op de twee zwarte kerels met de blinkertjesoren. In wat voor omgeving leefden zakkenwassers zoals zij? Overtown... overal vuilnis. De panden waren klein, en vele ontbraken er... afgebrand, gesloopt of misschien zijn ze gewoon ingestort door gebrek aan onderhoud... zou best kunnen. En overal waar je een leeg perceel had... vuilnis... geen *bergen* vuilnis... uiteindelijk zou *bergen* vuilnis de indruk wekken dat iemand zou terugkeren om het weg te halen... nee, dit waren lagen vuilnis. Het leek of een onvoorstelbaar grote reus opzettelijk een onvoorstelbaar grote emmer rotzooi over Overtown had leeg gekieperd, de onvoorstelbaar grote troep had overzien en was weggelopen terwijl hij mompelde o, laat ze maar verrekken. Het was bezaaid, overdekt met vuilnis, echt overal. Vuilnis verzamelde zich tegen de hekken, en de hekken waren... overal. Mocht er eerlijk geld te verdienen zijn in Overtown, dan moest het in de gaashekwerksector zijn. Eigenaren die het geld hadden lieten om iedere vierkante centimeter van hun terrein een gaashek zetten. Je kreeg het gevoel dat als je een meetlint pakte en daadwerkelijk ging meten, er in iedere straat anderhalve kilometer van was. Overal kon je een struik zijwaarts van onder een gaashek of erdoorheen zien groeien... niet een paar struiken, niet een groepje, niet een opstand, maar *één* struik, een zwerver die uit een lang vervlogen tijd was overgebleven van wat mensen vroeger een heesterhaag noemden... nu gewoon een onderdeel van het afval dat tegen het hek lag. Wanneer je afval zag dat werkelijk in die poepbruine vuilniszakken van vinyl was gestouwd, werd het waarschijnlijk uiteindelijk toch op straat gedumpt. De wasberen rukten de helft ervan open. Zelfs hier in de auto ving Nestor soms de stank op. Buiten, kokend in een tropische zon, benam het je de adem. Je had de hekken – en je had de ijzeren tralies. In Overtown zag je niet één raam op de begane grond zonder tralies ervoor. Nestor zag ze momenteel bij het krot van de zwarte kerels. Onder de veranda en tegen een zijkant was het bezaaid met vuilnis. Na een poos begonnen de krotten zelf op gestort vuilnis te lijken. Ze waren nog kleiner dan casitas en in erbarmelijke staat. Ze waren vrijwel allemaal wit geschilderd, en het wit was inmiddels groezelig, gebarsten, afgebrokkeld, aan het afbladderen.

De brigadier moest hetzelfde soort gedachten hebben gehad terwijl ze wachtten tot de andere eenheden zouden komen en positie zouden kiezen, want zonder enige aanleiding zei hij: 'Weet je, het probleem in Overtown is... Overtown. Die klootzakken van mensen hier – ze doen het gewoon *fout*.'

::::: Brigadier toch, brigadier toch! Je hoeft je over mij absoluut geen zorgen te maken, maar op een dag... op een dag... zul je vergeten waar je bent en maak je dat je uit het korps wordt gegooid. :::::

De radio kwam tot leven. De drie andere eenheden waren in de directe omgeving. De brigadier gaf hun hun instructies. Nestor voelde hoe heel zijn centrale zenuwstelsel weer werd opgefokt, opgefokt opgefokt opgefokt.

De brigadier klapte zijn zonneklep omhoog die het grote zonnescherm aan zijn kant op z'n plaats hield. 'Oké, Nestor, haal het weg en gooi het achterin.' Nestor klapte de klep aan zijn kant omhoog, pakte het grote scherm, vouwde het in de harmonicaplooien op en legde het achter zijn stoel.

De brigadier keek in zijn zijspiegel. 'Oké, Nuñez en García zitten in de auto achter ons.' Nestor voelde zijn zenuwstelsel opfokken opfokken opfokken opfokken om klaar te zijn om zonder aarzelen andere menselijke wezens aan te vallen. Dat was niet iets wat je kon *beslissen* te doen wanneer het zover was. Je moest – *al* hebben besloten... Hij had dat geen mens kunnen uitleggen.

De brigadier sprak via de radio met de baas. Er gingen geen dertig seconden voorbij voor de baas reageerde met een Q, L, R. 'We gaan, Nestor,' zei de brigadier zakelijk, 'en snel ook. Wanneer we er zijn, is de grote vent voor jou. Ik en de kleine vent bestaan niet. Je hoeft alleen die grote cózzuca te immobiliseren.'

Brigadier Hernandez reed langzaam en rustig met de Assist de twee blokjes naar het drugshol met de twee zwarte crackdealers. Hij stopte pal voor hen, deed het autoportier plotseling en wild open, sprong over het gaashek van het drugshol en landde op zijn voeten voor de veranda en de twee zwarte mannen – deed het allemaal zo snel dat Nestor de indruk kreeg dat het een gymnastische stunt was waarop hij had ge-oefend. :::: Wat kan *ik* doen?! Hij is dertig centimeter langer dan ik ben! Maar ik *moet* wel! :::: Er viel niets te beslissen. Beslissen? Uit het passagiersportier komen, om de voorkant van de auto heen lopen… drieënhalve stap, vier stappen naar het hek. Hij startte zoals je voor een sprint zou doen, reikte naar de bovenstang – *beet* – de sportschool van Rodriguez! – *sprong* met zijn 1 meter 70 over het hek – *haalde het*. Hij landde ongelukkig maar viel godzijdank niet. Houding was *alles* bij deze confrontaties. Hij wierp de twee mannen de Smerisblik toe. De Smerisblik had een simpele boodschap: *ik ben de baas*… ik en de gou-den penning die blinkend afsteekt tegen het donkerblauw van mijn T-shirt en de revolver in de holster aan mijn riem… kijk maar… Dit is onze stijl, de stijl van *wij zijn de baas*… intussen gebruikte je de Sme-risblik de hele tijd als een straal.

De twee zwarte mannen reageerden zoals kleine figuren in dit op-zicht, de laagste schakel van de drugsketen, de buurtdealer, altijd rea-geerden: *als we ons verroeren, zullen ze denken dat we iets te verbergen hebben. Het enige wat ons te doen staat is kalm blijven.* De magere zakte lichtelijk naar achteren in zijn houten stoel, intussen staarde hij de hele tijd naar de brigadier die pal voor hem stond, niet meer dan een meter verderop. De grote leunde nog steeds achterover tegen de voormuur. Er zat een getralied raam tussen hem en de voordeur.

De brigadier praatte al tegen de vent in de stoel: 'Wat doen jullie hier buiten?'

Stilte… Toen vernauwde de kleine man zijn ogen in wat ongetwijfeld een kalme uitdrukking moest voorstellen nu hij werd bedreigd en zei: 'Niks.'

'Niks?' vroeg de brigadier. 'Heb je een baan?'

Stilte… vernauwde ogen… 'Ik ben ontslagen.'

'Waar ontslagen?'

Stilte… zakte nog wat verder naar achteren in de stoel… vernauwde ogen… *heel* kalm… 'Waar ik werkte.'

De brigadier stak zijn hoofd een beetje overeind, hield zijn tong even in zijn wang en leefde zich uit in een geliefde vorm van smerisspot, na-melijk met een stalen gezicht de eigen woorden herhalen van een of andere kakkerlak die eromheen draaide: 'Je werd dus ontslagen… waar je werkte.' De brigadier staarde nu alleen naar hem met zijn hoofd nog overeind. Toen zei hij: 'We hebben klachten gekregen…' Hij beschreef met zijn hoofd een lichte boog, als om de indruk te wekken dat de klachten uit de buurt kwamen. 'Ze zeggen dat je... *hier* werkt.'

Nestor zag de grote o zo langzaam naar het getraliede raam bewegen, wat inhield ook naar de deur die een beetje open was blijven staan. De brigadier moest het ook hebben opgemerkt, uit een ooghoek, want hij draaide zijn hoofd een beetje naar Nestor en zei uit de zijkant van zijn mond: '*Manténla abierta.*'

Deze twee woorden brachten meteen een heel netwerk van gevolgtrekkingen op gang... en van Nestor werd verwacht dat hij het allemaal onmiddellijk begreep. Om te beginnen wist iedere Cubaanse smeris dat als je in Overtown of Liberty City tegen elkaar Spaans sprak met zwarte mensen erbij die lui paranoïde werden... en vervolgens woest. Bij de *insusurro*-campagne hadden alle latino-smerissen, en vooral de Cubanen, te horen gekregen het alleen te doen wanneer het absoluut noodzakelijk was. Alleen al de taalkeuze van de brigadier was dus een alarmsignaal. *Manténla abierta* betekende: open houden. Wat was er open? Slechts één ding van enig merkbaar belang: de voordeur – waar de grote man heen bewoog. En waarom was dat belangrijk? Niet alleen om het eenvoudiger te maken het huis te betreden en te doorzoeken – maar ook om het legaal te maken. Ze hadden geen huiszoekingsbevel. Ze konden alleen legaal naar binnen als zich een van twee situaties voordeed. De ene situatie was dat ze binnen werden gevraagd. Dit gebeurde verrassend vaak. Als een smeris zei: 'Vindt u het erg als we even rondkijken?' zei de amateurzondaar waarschijnlijk bij zichzelf: 'Als ik zeg "Ja, dat vind ik erg" zullen ze dat als een teken van schuld zien.' De zondaar zegt dus: 'Nee, dat vind ik niet erg', zelfs als hij weet dat het bewijs waarnaar de smerissen zoeken open en bloot ligt. De andere legale manier was bij een 'heterdaadje'. Als een verdachte door een deur zijn huis in rende om aan de smerissen te ontkomen, konden de smerissen hem door de deur het huis in volgen... bij een heterdaadje – maar alleen als de deur open was. Was-ie dicht, dan konden de smerissen hem niet forceren, ze konden niet inbreken – zonder een bevel. '*Manténla abierta*' – twee woorden maar. 'Nestor, laat die grote cózzucca die voordeur niet dichtdoen.' *Cózzucca* was de manier waarop vele latino's, ook als ze vloeiend Engels spraken, *cocksucker* uitspraken, 'klootzak'. *Cózzucca* was de manier waarop de brigadier het zelf uitsprak. Nestor hoorde hem. Hij had het twee minuten geleden hardop gezegd. *Cózzucca* lichtte op in de grote keten van smerislogica.

'Vertel me dan eens wat voor soort werk je hier doet.'

Stilte. Dat alles aangezet in de ene seconde voor de magere zei: 'Kweenie. Kwerknie. Ik zit hier gewoon.'

'Je zit hier gewoon?' vroeg de brigadier. 'Als ik je nu eens zei dat een of andere cózzucca je net vijf dollar gaf voor een klein pakje.' Hij bewoog zijn wijsvinger naar zijn duim om aan te geven hoe klein het was. 'Hoenoemjedat? Dat noem je geen werk?'

Zodra de grote man de vingervoorstelling van de brigadier zag over de drugsverkoop, begon hij zijwaarts te manoeuvreren, de tralies op het raam langs, naar de deur toe. Nestor manoeuvreerde van een meter afstand met hem mee. Zodra de brigadier de woorden 'geen werk' zei, snelde de grote man naar de deur. Nestor sprong de veranda op achter hem aan, en gilde 'STOP! *¡Manténla abierta!* De grote man was voor Nestor hem kon tegenhouden bij de deur. Maar hij was zo groot dat hij de deur een halve meter verder moest openen om er doorheen te kunnen. Nestor stormt op de deurstijl af... slaagt er net op het moment dat de grote man probeert de deur dicht te gooien in zijn voet tussen de lijst en de deur te krijgen. Doet verdomd zeer!... nu hij geen goede smerisschoenen met een leren zool draagt, maar CST-gymschoenen. De grote man trapt naar Nestors teen, probeert er dan op te stampen. Een adrenalinegolf gaat Nestors lichaam door. Nestor heeft de wilskracht de wilskracht de wilskracht de wilskracht, en hij groeit ongeveer 8 centimeter – net genoeg om zijn longen te gebruiken en te schreeuwen: 'Politie van Miami! Laat me je handen zien! Laat me je handen zien!' Het verzet aan de andere kant van de deur – is er ineens niet meer! Nestor knalt naar voren – de *ogen*! – hij ziet al die *ogen*! – in het donkere en tuberculeuze blauwe schijnsel van een tv in de milliseconden voor hij uitgestrekt op de vloer belandt. ::::: Waar is de grote kerel? Ik ben in het huis, zeer kwetsbaar. In de tijd dat het me kost weer overeind te komen, als de grote kerel een wapen heeft – wat is dit? – kan godverdomme niks zien!... Het is die CVS Cubaanse smeris supremo donkerste zonnebril met de goudstaaf van $ 29,95... van de zon buiten naar hier in het donker gedoken – ze hebben de ramen afgedekt zodat niemand naar binnen kan kijken – verdomde Cubaanse smeriszonnebril! Ik ben *binnen* en ik kan nog steeds niet zien; ik ben vrijwel blind. ::::: Hij begint overeind te klauteren... Het moment duurt duurt d u u r t een eeuwigheid maar zijn motorische reacties zijn verlamd verlamd v e r l a m d... het enige wat hij ziet zijn ogen ogen ogen o g e n... en de tuberculeuze gloed! Hij staat overeind – de ogen – wat is *dat* verdorie? Jezus Christus! Het is een *blank* gezicht! Niet zomaar een lichtgetinte zwarte vrouw maar zuiver *blank!*... die een zwart kind vasthoudt... wat *is* dit in hemelsnaam voor oord? :::::

– en dat alles raasde door zijn hoofd in de minder dan twee seconden sinds hij door de betwiste deuropening knalde – en hij kan *nog steeds* niet die zwarte gigant ontdekken die hij achternazat – ::::: ik ben nu alleen een groot vet doelwit... geen ander schild dan mijn gezag ... *ik ben een smeris* ::::: begint te brullen: 'POLITIE VAN MIAMI! LAAT ME JE HANDEN ZIEN! LAAT ME'

*– vier seconden –*

'JE HANDEN ZIEN!'... Baby's beginnen te huilen – Jezus Christus! *Baby's!*... Aan de ene kant, anderhalve meter verderop: een jongen en een meisje met een geelbruin gezicht, zes of zeven jaar ::::: ik kan ze niet *zien* ::::: doodsbang, ze houden hem de palmen van hun handen voor... gehoorzaam! WE LATEN JE ONZE HANDEN ZIEN!... Huilende baby's! Vrijwel vlak voor hem een grote mama met een jankende baby... een mama? – een jankende baby? – in een drugshol? Moet je haar eens zien! – ze is gaan zitten met de baby, maar haar uitpuilende buik blijf je zien... te veel voor de te strakke spijkerbroek waarnaar ze niet eens had mogen kijken... grijs haar gekruld in een of andere wil-jong-zijn-model... grote kaken, diepe rimpels op haar gezicht... agressief: 'Wa-probeerje te doen met mijn zoon? *Jullie altijd* – hij heeft niks gedaan! Hij heeft nooit één dag in de bak gezeten, en jullie –'

*– zes seconden –*

'vallen hier binnen –' Ze begint vol walging haar hoofd te schudden... Jezus Christus, het is geen drugshol hier, het is een godverdomde crèche! Het is een klein vertrek, een bouwval van een vertrek, smerig... geen licht... de ramen zitten dicht... twee borden op de grond, wat eten erop, achtergelaten... een meisje van omstreeks tien dat boven een ander bord neerhurkt... Jezus, ze eten op de grond... haast geen meubels... een kleine bank tegen de achtermuur met een ineengedoken dikke jongen met grote ogen erop... een oude tafel achterin en een televisie ergens *hier* met een schijnsel of die radioactief is... Verdomme! Nestor hoort een zachte stem zeggen: 'Smerissen kunnen de klere krijgen... ram de rotzakken in elkaar... jouw beurt,' 'kerel… Hij mept jou… of jij mept hem, de klootzak'… gevolgd door het gegier van banden en een harde klap… gebroken glas dat op de vloer rinkelt… 'Pak aan, varkens'… maar alle woorden met een zachte stem… Nestor zwaait zijn hoofd dat stuk van het vertrek op… de tuberculeuze blauwe gloed van een tv… twee jongens, elf of twaalf, misschien dertien of veertien… Nestor gaat hun kant op… 'POLITIE VAN MIAMI! LAAT ME JE HANDEN ZIEN!'… Wacht even, stomkop! De twee zwarte jongens zijn niet eens geïntimideerd… het blauwe schijnsel van het televisiescherm belicht hun jonge gezichten op de ziekelijkste manier denkbaar… De zachte stem weer, of iemand op de achtergrond een gesprek voert… 'De pot op, stelletje'

'smerissen met jullie vette reten! Komt er door jullie kloteneus weer uit!' Nestor werpt een blik op het scherm… een titel verschijnt: 'Grand Theft Auto Overtown'… 'Grand Theft Auto *Overtown*?'… wel van het videospel 'Grand Theft Auto' gehoord … maar dit *is* godverdomme Overtown!… Daar heb je die klotewereld waarin Overtown helden heeft! – dappere stuntrijders die geen zak geven om jullie smerissen en al jullie zogenaamde gezag! *Jij* kunt de klere krijgen, agent! De pot op met *jou*, agent! En deze twee kinderen – die staan paraat! Een of andere Cubaanse smeris komt binnen met een penning rond zijn nek, z'n supremo donkerste zonnebril en een holster aan zijn riem, hij schreeuwt: 'Politie van Miami! Laat me je handen zien!' en wat worden *zij* dus geacht te doen – ineenkrimpen? – kruipen? – om genade smeken? Hemel, nee. Ze keren meteen terug naar 'Grand Theft Auto Overtown'. Een paar mensen weten Overtown op waarde te schatten… een oord waar kerels lef hebben… en de verdomde buitenlandse invallers vertellen dat ze kunnen verrekken. Dat wist de maker van deze game in ieder geval. Ze zeggen hier op het scherm: we laten zien dat we lef hebben, vieze vuile Spaanse schijters! Grand Theft Auto Overtown!

*Nog een mama*! Ze zit op de grond met een doodsbang meisje… lijkt te oud om nog aan haar duim te zuigen, maar ze zuigt er uit alle macht aan… Deze mama is helemaal niet dik. Ze lijkt slank en breedgeschouderd… grijs haar dat aan de zijkanten is teruggetrokken… maar

ze *haat* de bezettingstroepen... Wat *is* dit voor oord?... Wie is verdomme ooit een drugshol binnengevallen vol vrouwen en kinderen?...
en huilende baby's!... en haatdragende kinderen die jou en jouw *gezag*
zo verachten dat ze voor je ogen Grand Theft Auto Overtown De
Smerissen Kunnen De Pot Op spelen... ogen en ogen en ogen – en
*daar* – het zuiver blanke gezicht weer – een jonge vrouw – bang –

*– achttien seconden –*

Stem achter hem bij de deur schreeuwt: 'POLITIE VAN MIAMI! LAAT ME
JE HANDEN ZIEN!' Het is brigadier Hernandez, die achter hem als
ondersteuning het krot binnenvalt... Moet het magere joch met de
lichte huid aan Nuñez hebben overgedragen... Brigadier Hernandez
schreeuwt: 'Nestor, *¿tienes el grueso? ¿Localizaste al grueso?*' (Heb je de
zwaargebouwde vent gevonden?)

'*¡No!*' zei Nestor. '*¡Mira a détras de la casa, Sargento!*' (Hou de achterkant van het huis in de gaten, brigadier!)

'Praat Engels, godverdomme!' Het is de grote mama. Ze staat overeind, houdt de baby nog vast, die zich een ongeluk jankt. Ze heeft de
bouw van een olieketel, de grote vrouw. Ze is het beu. Ze legt zich niet
langer neer bij jullie bezettingsleger. 'Jullie komen mijn huis niet in om
te brabbelen als een stel bavianen!'

'Dit is jouw huis?' brulde de brigadier.

'Ja, het is *mijn* huis – en het is –'

'Hoe heet je?'

' – het huis van deze mensen.' Ze zwaaide haar hand rond alsof ze er
iedereen in het vertrek bij betrok. 'Het is van de ge-meen-schap –'

*– dertig seconden –*

'Hoe *heet* je?' vroeg de brigadier. Hij boorde zijn heftigste Smerisblik
recht tussen haar ogen.

Maar de grote mama speelde het hard. 'Dasijntochjouwsakenniet?'

'De zaak is dat jij en je grote mond gearresteerd zijn, mama! Iedereen in dit vertrek is gearresteerd! Jullie verkopen hier buiten drugs!'

'*Druuuuugs* verkopen,' zei de grote mama met opperste spot. 'Dit is
een ge-meen-schapscentrum, man' – en de baby in haar armen kreeg
een nieuwe huilbui.

Van achteren klonk 'POLITIE VAN MIAMI! GEEN BEWEGING!' en '*Politie
van Miami! Geen beweging!*' in een merkwaardige atonale harmonie.

Het waren Nuñez en García die door de voordeur binnenkwamen. Nog twee baby's gingen huilen, drie in totaal dus. Het was verdomd desoriënterend. Hier had je de grote baritonstem van de strenge brigadier Hernandez die zei: 'Jullie zijn gearresteerd! Jullie verkopen drugs!' En in koor een reactie van huilende baby's, soms drie, soms twee... wanneer een van het trio in een angstaanjagende, krampachtige stilte vervalt – secondes verstrijken – komt ze er ooit nog uit of zullen haar longetjes barsten... en dan komt ze eruit – volledig opgeladen – om 'het is verdomme kindermoord' te schreeuwen... Hoe ga je om met zo'n opera? Hoe krijg je ieders smerisstijl-aandacht in een donker vertrekje vol mama's met een grote mond die kleine huilende woede-uitbarstingen in hun armen wiegen?

*Whuhhh* – Nestor ziet de tafel achter in het vertrek aan één kant tien, twaalf centimeter omhooggaan... *ping a ping a ping ping*, messen, vorken en lepels die op de grond glijden... De brigadier ziet het ook... springt erheen... Nestor springt er van de andere kant heen... Barst eronder vandaan – het is die grote klootzak die als een monster omhoog komt... 'Politie! VERROER JE NIET, STUK STRONT DAT JE BENT!' brult de brigadier... De reus aarzelt even om de dreiging in te schatten... hij ziet rood... maakt een beweging naar de brigadier... wil hem platknijpen als een insect... de brigadier maakt de flap boven zijn holster los met zijn wijsvinger – *Nee, brigadier!* – te laat! De gigant zit boven op hem, gaat op zijn keel af... het wapen – *zinloos* – de brigadier grist met beide handen in een poging de enorme vingers rond zijn nek los te wrikken. Nestor werpt zich *WHOMP* op de rug van de bruut. De man is *enorm*, hij is sterk, hij is haast vijftig kilo zwaarder dan Nestor... Nestor slaat zijn benen rond de onderbuik van de gigant en sluit zijn enkels samen... Hij moet zich als een dol aapje voelen in vergelijking met de gigant, die zijn armen heft om achter zijn schouders te grijpen om deze lastpost van zich af te slaan... bevrijdt de sergeant er net lang genoeg van te worden gekeeld zodat die kan beginnen het wapen uit de holster te trekken... 'Nee, brigadier!' zegt Nestor – steekt allebei zijn armen onder de oksels van de bruut en klemt zijn handen samen bij zijn schedelbasis!... O, Nestor weet het nog heel goed!... bij het worstelen op de middelbare school heette dit een 'dubbele nelson'... *niet toegestaan* omdat als je op de schedelbasis drukte je de nek van je tegenstander kon breken... O, natuurlijk weet hij het nog!... de beenklem heette 'figure-four'... de nelson en de figure-four – *klem* hem vast! – klem die klootzak vast tot hij niet meer kan bewegen!... duw het hoofd en de nek van de rotzak omlaag tot hij om genade wil smeken – maar er geen woord uit kan krijgen vanwege zijn verstikte keel... 'Unnnnggggh... unnnnggggghh'... Hij probeert wanhopig Nestors handen van de achterkant van zijn hoofd af te wrikken... bereikt niets... Nestor met zijn touwklimarmen van de sportschool van Rodriguez. De reus kan de pijn niet aan... *Unnnnggggghhhheeeee!...* *Unnnnnnggggggghhhhheeeeeee!...* Nestor voelt zichzelf naar achteren gaan... de reus is zich naar achteren aan het manoeuvreren voor een bodyslam van zijn kleine kwelgeest... hem verpletteren door hem onder al dat gewicht tegen de grond te krijgen... ze slaan allebei om... Nestor gebruikt zijn beenklem om greep op het lichaam van de reus te houden... ze vallen op de grond... niet de grote boven op de kleine maar naast elkaar. De reus rolt zich om, probeert op die manier Nestor onder zijn grote gewicht te verpletteren *kraak* maar iedere keer dat hij zich omrolt *kraak* Nestors beenklem houdt nog steeds. De reus rolt en rolt *kraak kraak* hij *kraakt* iedere keer dat hij zich omrolt gezicht omlaag op zijn buik... rolt op zijn buik *kraak* met het aapje bovenop, het aapje blijft vastgeklemd op zijn rug en staat op het punt zijn nek te breken – 'Brigadier, nee!' Brigadier Hernandez is los en op de been, met getrokken wapen, en probeert goed op de gigant te kunnen richten... te veel gekronkel en gedraai. :::::: Wie zal hij uiteindelijk raken? :::::: 'Nee, brigadier, niet doen! Ik heb hem!' Door de dubbele nelson klapt het hoofd van de gigant naar zijn borst toe... Zijn gekreun escaleert tot geschreeuw *uuunnngohohohohOGHOHHHH!...* een laatste verstikte schreeuw en ineens is hij gewoon een zak vet – hij heeft het zwaar... de gigant hijgt... probeert lucht te zuigen... begint met zijn benen te trappen... probeert zijn grote dijen te lanceren, alsof dat de greep van Nestors figure-four beenklem zal verbreken. Grote fout... verbruikte de allerlaatste restjes lucht in zijn longen... raspende geluiden, raspende geluiden... zielig kokhalzen en gejammer... snakt naar zuurstof... Nestor weet de grote stierenschedel omlaag te krijgen zo ver als zijn eigen armen reiken... De ogen van de gigant zijn glazig, zijn mond staat wijd open... hij klinkt als een enorm stervend wezen... Prima! 'Rollen maar, klootzak!' schreeuwt hij in het oor van de bruut en hij drukt nog harder op zijn nek... de stier probeert zich nog eens om te rollen voor enige verlichting... Nestor laat hem rollen *kraak* tot zijn al bloederige gezicht nog eens tegen de vloer wordt gestampt... en hij geeft alle hoop op –

*fffffttt* – en alle spiersamentrekking is weg uit zijn lijf. Hij verslapt... het is met hem gedaan... hij kan alleen nog op de grond liggen en zijn longen bij hun worsteling om lucht stervensgeluiden uit zijn strot laten persen.

'Oké, *uhhh* stommeling *uhhh uhhh uhhh*,' zegt Nestor, die zelf buiten adem is. O, wat zou hij vreselijk graag *mietje!* willen zeggen – om het hele vertrek zijn mannelijke verrukking te melden dat hij een bruut van honderdvijftien kilo in een hulpeloos mietje heeft veranderd!... Hij houdt zich aan de rand van de klif in – maar neemt dan de duik: 'Stom *mietje* dat je bent! Als ik *uhhh* je overeind *uhhh* laat komen *uhhh* moet je *uhhh* braaf zijn *uhhh uhhh uhhh* – brave jongen?'

De gigant gromt. Hij kan geen geluid meer voortbrengen. Nestor haalt zijn ineengeklemde handen weg van achter de schedel van de man en kijkt voor de eerste keer in het rond. De brigadier staat over hem heen en glimlacht... maar een glimlach die zegt: 'Geweldig – en volgens mij ben je misschien gek geworden.' Dat las Nestor erin. Hij deed zijn best om kalm te klinken en met een zachte, langzame stem te spreken. 'Brigadier... *unhh*... vraag Hector polsboeien *uhhh* voor me te halen... ik *uhhh*... ik *uhhh* geloof niet *uhhh* dat deze *uhhh uhhh uhhh uhhh* rotzak woord zal houden.'

Hector Nuñez kwam binnen met de polsboeien en ze bonden de polsen van de gigant achter zijn rug samen... Hij lag daar zomaar te liggen... Hij bewoog in het geheel niet, afgezien van het rijzen van zijn borst omdat zijn longen er alles aan deden de zuurstofvoorraad bij te vullen... Nestor stond nu overeind. Hij, Nuñez en de brigadier stonden boven hun grote gestrande walvis.

'Brigadier, laten we hem omrollen,' zei Nestor. 'Hoorde u iedere keer wanneer hij omrolde dat *kraak*-geluid?' Hij had het niet gehoord. 'Ik hoorde het iedere keer bij het omrollen wanneer hij onderop lag, brigadier. Alsof hij iets op zijn buik of zijn borst had dat dit krakende geluid maakte.'

Ze rolden de bruut dus om tot hij op zijn rug lag. De vent was zo zwaar en tegelijk zo ver heen dat ze er alle drie aan te pas moesten komen. Het was alsof je probeerde een zak cement van honderdvijftig kilo om te rollen. Zijn ogen gingen één keer open en hij keek wazig naar hen. Zijn gezicht miste iedere uitdrukking. Het enige onderdeel ervan dat werkte, was zijn mond. Hij hield die in opdracht van zijn longen open. Ergens diep in zijn keel maakte hij een zagend geluid.

'Valt je iets vreemds op?' vroeg de brigadier.

'Wat, brigadier?'

'Zijn T-shirt is ingestopt. Moet je hem zien. Dat is de eerste zakken-wasser in Overtown die ik in vijf, misschien tien jaar heb gezien met zijn shirt ingestopt.'

'Er zit iets onder,' zei Nuñez. 'Het lijken een soort... klontjes of zoiets.'

Nuñez en Nestor leunden over de man heen en begonnen het T-shirt uit zijn broek te trekken. Zijn buik was zo groot, zijn borst zwol zo hevig op en zijn T-shirt was zo ver in zijn broek gestopt – dat het eruit trekken een heel werk was. De man kwam eindelijk bij. Zijn ademhaling was gekalmeerd van dodelijke paniek tot niet meer dan razende angst.

'Kehhhlllzzahh,' bleef hij maar zeggen. 'Kehhhlllzzahh dat je bent.' Hij keek uit een ooghoek naar Nestor op. Met dat ene open oog vuur-de hij een paar dodelijke stralen af en begon te mompelen. 'Op een dag krijgjou... te pakken... slachtpartij... marteling...', beluisterde Nestor erin. Nestor voelde zich verteerd worden door iets wat hij nog nooit had gevoeld... de drang om te moorden... *moorden*... Hij liet zich naast het hoofd van de bruut op de knieën zakken, keek in zijn rood-boze ogen en zei met zachte stem: '*Wat* zeg je, teef? *Wat* zeg je?' Waarop hij zijn voorarm en elleboog op het kaakbeen van de bruut neerdrukte, hij bleef de druk opvoeren tot hij de tanden van de bruut in de wang die ze omsloot voelde snijden. '*Wat* zeg je, smerige kleine teef? *Wat* ga je doen?' – hij drukte door tot de man zijn gezicht van pijn begon te ver-trekken –

Een hand schudde aan zijn schouder. 'Nestor! In Jezus' naam, zo is het wel genoeg!' Het was de brigadier.

Een golf van schuld... Nestor besefte voor de eerste keer dat hij vreugde kon beleven aan het toebrengen van pijn. Nog nooit was hij van zo'n gevoel vervuld geweest.

Toen ze eindelijk het shirt eruit hadden gekregen, zagen ze frag-menten van iets. Nestors eerste gedachte was dat de bruut een goed-koop stuk geelachtig porselein onder zijn T-shirt had... en dat het was verbrijzeld en verkruimeld... maar waarom zou hij *dat* in godsnaam hebben verstopt? Bij nadere beschouwing leek het eerder een grote plak pindabrokken dat was gaan breken en kruimelen.

'Krijg nou wat,' zei de brigadier. Hij grinnikte vermoeid. 'Ik heb nooit meegemaakt dat iemand het probeert op zijn buik te verbergen. Weten jullie wat dat is?' Nestor en Nuñez keken naar het verkruimelde spul wat het ook was en vervolgens naar de brigadier. 'Dat is een plak crack... jazeker... De leverancier mengt het spul tot een soort, zeg maar beslag... en rolt het tot zo'n plak en bakt het, een soort korstdeeg of zoiets. Ze verkopen het aan de uilskuikens zoals we die hier hebben. Ze snijden ze tot 'rocks' noemen ze het en verkopen die voor tien dollar per stuk. Die grote zak heeft daar op z'n buik dus misschien voor $ 30.000 crack liggen. Ze kunnen al die kleine stukjes waar het is gebroken ook verkopen. Ze kunnen verdorie die kruimeltjes verkopen. Tegen de tijd dat zo'n crackverslaafde een nieuw stukje nodig heeft, maakt hij niet veel onderscheid meer.'

'Maar waarom zou hij 't op z'n buik verstoppen, brigadier, onder een T-shirt?'

'Snap je niet wat er is gebeurd?' vroeg de brigadier. 'Hij is buiten op de veranda, en daar komen ineens de smerissen. Hij zet het dus op een rennen. Hij wil de plak crack pakken en die verstoppen of gewoon lozen. De plak lag daar waarschijnlijk open en bloot op die tafel daar, die we zagen bewegen. Hij heeft de plak crack gepakt, zich onder de tafel verstopt, stak de crack onder het T-shirt en propte de voorkant van het T-shirt in zijn spijkerbroek. Bij de eerste gelegenheid die hij krijgt zet hij het op een lopen, de achterdeur uit om de crack hoe dan ook te lozen, zodat hij zelfs wanneer hij wordt gepakt hij zonder het spul bij zich wordt gepakt. Maar hij is een heethoofd, dit zwartje, en hij is een grote lul die van geen mens iets pikt. Dus toen ik hem een stuk stront noemde, was de grote lul in hem sterker dan zijn gezond verstand, aangenomen dat hij dat heeft, en hij wilde alleen mijn armen eraf trekken en ze op mijn reet duwen. Ik was bezig dat vuurtje op te stoken toen Nestor hier op zijn rug sprong.'

'Hoe deed je dat in vredesnaam?' vroeg Nuñez. 'Dit stuk vlees is twee keer zo groot als jij.'

Muziek *muziek* MUZIEK in Nestors oren! 'Ik deed *niets*,' zei dit toonbeeld van mannelijkheid gepast achteloos. 'Het enige wat ik hoefde te doen was, je weet wel, hem dertig seconden *neutraliseren*, dan zou-ie de rest zelf doen.'

Het rijzende, zagende geluid kwam nog steeds uit zijn keel... Moordlust sijpelde zijn oogbollen uit... Zijn haat tegen de Cubaanse indringers was inmiddels voor altijd in beton gegoten. Hij zou wat dat betreft nooit van gedachten veranderen. Hij was vernederd door een half zo grote Cubaanse smeris... en vervolgens wreven deze Cubaanse smeris en een andere het hem in door hem een *stuk stront* te noemen en variaties op *een stuk stront*.

'Waar is de andere lamstraal, brigadier, de magere met de snor?' vroeg Nestor.

De brigadier keek achterom naar de deur vanaf de veranda, de deur waardoor ze allemaal waren binnengekomen. 'García heeft hem. Hij staat daar in de deuropening, hij en Ramirez. Ramirez heeft het stuk stront te pakken dat de aankoop deed, de crackverslaafde.'

'Ja? Waar?'

'Hij vond hem liggend in de steeg, hij kronkelde rond door het vuilnis om te proberen het brokje uit zijn zak op te diepen.'

Nestor zag nu dat er zes smerissen van CST in het krot binnen waren, ze zorgden dat alle getuigen en mogelijke daders bleven waar ze waren. De drie baby's jankten nog steeds... *Het blanke gezicht...* Nestor zocht haar in de schemering van het vertrek... en vond haar met zijn ogen... haar blanke gezicht en de zwarte baby in haar armen... die bleef gillen... Hij zag haar niet al te goed, maar hij kon haar grote, wijd open – bange? – ogen onderscheiden in een blank gezicht dat hier niet hoorde... in een met vuilnis overdekt inferieur drugshol in Overtown... Het was een drugshol, zonder meer, waar in crack werd gehandeld. Het was moeilijk om dat serieus te nemen met alle vrouwen en kinderen en tierende baby's, maar misschien leek zijn grote overwinning, het vernietigen van het monster, even onwezenlijk en lichtgewicht voor hen, voor haar, zij met het blanke gezicht...

Nu begon de gebruikelijke procedure... met de gevangenen en de getuigen praten... afzonderlijk, een voor een, buiten het gehoorsveld van de anderen. Een fortuinlijke of gehaaide CST-agent kon op die manier goede, bruikbare informatie krijgen. Maar je zocht ook naar inconsistenties in hun verhalen...Waarom ben je hier? Waar kwam je vandaan? Hoe ben je hier gekomen? Ken je verder iemand in het vertrek? Weet je wie de twee kerels met de witte honkbalpetjes zijn? Nee? Nou, weet je wat ze hier doen? Nee? Wiens huis is dit dan volgens jou? Geen idee? Is dat waar? Je bedoelt dat je zomaar voor de aardigheid binnenvalt in huizen-zonder-te-weten-wie-de-eigenaar-is, zonder te weten wat er daar gebeurt, zonder te weten wie een van de overige bezoekers is? Ben je soms door de Hemel gezonden? Of heb je stemmen

gehoord? Een ongeziene hand heeft je geleid? Is het allemaal gene-
tisch?… enzovoorts.

Twee smerissen stelden zich buiten op, eentje aan de voorkant, eentje aan de achterkant, voor het geval dat een of andere verwarde bewo-
ner van het drugshol erin slaagde uit het krot weg te glippen en het op
een rennen te zetten.

Toen begon de ondervraging. De brigadier en Nuñez verwijderden de
plak crack en de brokken daarvan van de buik van de gigant. Zijn volle
gewicht rustte op zijn armen, die bij de polsen waren samengebonden.
Hij begon te klagen en de brigadier zei tegen hem: 'Hou je rotkop, mietje. Je bent niets waard. Mijn mietje ben je. Je wilde mij *vermoorden*, mietje? Je wilde me laten stikken? We zullen eens kijken wie wie laat stikken.
Laten we de stront door je kont schuiven tot het je mond uit komt. Mietje flikker dat je bent. Hij wil een smeris vermoorden – en hij is een met
driehonderd pond stront gevulde zak van een flikker.'

Met gekreun van inspanning tilden Nuñez en de brigadier de enorme man overeind in zittende houding. 'Ik wist niet dat zakken stront zo
zwaar waren,' zei de brigadier. 'Goed, hoe heet je?'

De man keek de brigadier een halve seconde met gloeiende haat aan,
liet toen zijn hoofd zakken en zei niets.

'Hoor eens, ik weet dat je een leeghoofd bent. Je bent stom geboren.
Laten we wel wezen. Je deed van *ooonga ooonga ooonga*!' De brigadier
hief zijn schouders en krulde zijn vingers omhoog onder zijn oksels in
een teken voor aap. 'Maar sindsdien heb je wel het een en ander geleerd, nietwaar? Inmiddels ben je opgegroeid tot een echte randdebiel.
Dat is een forse verbetering, maar je bent zo godverdomd dom dat je
geen idee hebt wat een debiel is, laat staan een *rand*-debiel. Waar of
niet?' De gigant hield zijn ogen dicht en zijn kin hing neer over zijn
sleutelbeen. 'Van nu af aan wil ik dat je iedere keer wanneer je 's morgens opstaat naar de spiegel gaat – je weet wat een spiegel is? Heb je
wel spiegels in het oerwoud? – ik wil dat je naar de spiegel gaat en zegt:
"Goeiemorgen, Klootzak met Stront-Smoel." Je weet wat *morgen* betekent? Heb je verdomme enig idee – over *wat dan ook*? – verdomme enig
idee, domoor? Weet je wat *domoor* betekent? *Kijk* naar me, stommeling!
Ik vraag je iets! Wat is verdomme je *naam*? *Heb* je een naam? Of ben je
zo stom, stommeling, dat je die verdomme vergeten bent? Je zit zwaar
in de stront, leeghoofd. We hebben genoeg crack op je grote dikke buik
gevonden om je drie keer levenslang op te bergen. Je gaat de rest van

je kloteleven doorbrengen met beesten die net zo stom zijn als jij. Je hebt erbij die helemaal geen hersenen hebben. Jij hebt volgens mij wel hersenen, of voor de helft. Tel eens tot tien voor me.' De gevangene bleef even treurig en ineengezegen als voordien. 'Goed, ik geef je een hint. Het begint bij *één*. Goed dan, tel tot drie. Je hebt van *drie* gehoord, nietwaar? Het komt na *één* en *twee*. Nu moet je tot drie voor me tellen. Wil je niet meewerken? Rot dan maar weg, stom klotebeest dat je bent!'

'Brigadier,' zei Nuñez. 'Laat mij met hem praten, goed? Neem even pauze, brigadier. Ga even afkoelen. Goed?'

De brigadier schudde vermoeid zijn hoofd. 'Goed. Maar vergeet één ding niet. Deze klootzak heeft geprobeerd me te vermoorden.' Toen liep hij weg.

Nestor liep meteen op het blanke meisje af... *¡Coño!* – wat was het donker in dit vertrek, nu alle ramen zo waren dichtgemaakt. Maar het gezicht van het meisje was zo wit dat ze in de schemering afstak als een engel. Hij was erg nieuwsgierig – waardoor hij besefte hoe doornat van het zweet hij was. Hij probeerde met zijn hand het zweet van zijn gezicht te vegen. Hij kreeg er alleen ook een handpalm door die nat was van het zweet. Het ergste was zijn T-shirt. Dat was drijfnat... en omdat het ook strak zat, kleefde het aan zijn huid. Heel zijn torso leek er nat door, wat in feite ook zo was. Kon het meisje er wel tegen dicht genoeg bij hem te staan voor een gesprek? – een zorg die ongeveer niets te maken had met de ondervraging die hij geacht werd te houden. Toen hij dichterbij kwam – dat zuivere blanke gezicht! – was ze even mooi als Magdalena maar op een heel andere manier. Met mannen in de buurt had Magdalena een uitdrukking die zo'n beetje zei: 'Ik weet *precies* wat je denkt. Laten we hier dus beginnen, goed?' Het meisje zag er volstrekt onschuldig en argeloos uit, een witte Maagd die zonder enig benul naar Overtown was gekomen. Ze had het zwarte kindje – een meisje naar bleek – nog steeds in haar armen. Het kind staarde naar Nestor met wat? – ongerustheid? – gewone nieuwsgierigheid? In elk geval huilde ze niet. Het was een knap kindje – ook al zoog ze aan een fopspeen met een *swee-oooop glug swee-ooop glug*-ernst. Nestor glimlachte naar haar om te zeggen: 'Laat de kindertjes tot mij komen en verbied hun dat niet, want ik ben hier op een vriendelijke missie.'

'Ik ben agent Camacho,' zei hij tegen de blanker dan blanke madonna. 'Het spijt me dat ik zo...' Hij kon geen aanvaardbaar bijvoeglijk naamwoord verzinnen om aan te geven dat hij *wist* hoe ellendig zweterig hij er moest hebben uitgezien. Zelfs 'nat' zou... zeg maar grof klinken. Hij hief dus zijn handen tot borsthoogte, draaide zijn vingers naar binnen in de richting van zijn borst en deed er hulpeloos schouderophalen bij. '...maar we moeten iedereen die heeft gezien wat er is gebeurd een paar vragen stellen. Zullen we de veranda op gaan?'

Het meisje begon erg te knipperen maar zei niets. Ze knikte een timide *ja* en volgde Nestor de veranda aan de voorkant op, met het kind nog steeds in haar armen.

Hier buiten op de veranda zag hij haar voor de eerste keer in het licht. ::::: *¡Dios mío!* Ze is zo *exótica*! ::::: Hij blééf maar staren. Hij bekeek haar heel aandachtig, veel sneller dan het duurt om dat te zeggen. Haar huid was even blank en glad als een bord van porselein – maar haar haar was zo zwart als zwart kon zijn... tja, recht, dik, glanzend, even weelderig naar haar schouders stromend als van een *cubana*, maar zo zwart als zwart kon zijn... en haar ogen... die wijd open van angst naar hem staarden – en daardoor des te prachtiger – en zo zwart als zwart kon zijn... maar in een porseleinblank gezicht. Haar lippen waren verfijnd en gewelfd op een bepaalde mysterieuze manier die Nestor – zonder goede reden – 'Frans' vond – Frans misschien, maar niet rood, eerder aubergine... geen lippenstift... ze bezondigt zich in het geheel niet aan make-up – maar wacht even! Dat is niet helemaal waar, hoor! Hij had net de oogschaduw gezien. ::::: Ze heeft de randen van haar onderste oogleden ermee bedekt! – waardoor haar grote ogen er echt uitspringen! En ga me niet vertellen dat ze zich daarvan niet bewust is... en hé, ga me niet vertellen dat ze zich er niet bewust van is hoe kort haar rok is – of was het gewoon *toeval* dat je zo haar prachtige lange benen goed zag, het soort benen dat ze elegant noemen... welke andere blanke *americana* zou *durven* te verschijnen in een lorrig drugshol in Overtown om zo met een stel elegante, verleidelijke benen te pronken? ::::: ...Maar ze ziet er momenteel niet uit of ze veel durft. Ze blijft knipperen knipperen knipperen knipperen... Ze blijft haar lippen uit elkaar houden, omdat ze snel ademt... waarbij haar borsten omhoog en omlaag gaan. Ze zitten onder een shirt, gemaakt van oxford, grof geweven, formeel, alleen het bovenste knoopje open, wat neerkomt op niet eens *proberen* sensueel te zijn – zelfs zo goed verborgen zijn ze wat Nestor betreft perfect, die borsten... en op een of andere manier raakt haar zichtbare angst echt het hart van Nestor... Protector Nestor... Hij voelde voor haar onmiddellijk wat hij voor Magdalena had gevoeld op de dag dat hij haar het eerst zag op Calle Ocho. Hij was een smeris en zij was een jonge maagd. Hij was een *ridderlijke* smeris – maar toch 100 procent smeris in zijn binnenste. Niet dat Magdalena ook maar een minuut bang had geleken. Toch was het gevoel de sterke ridderlijke strijder te zijn die toezag op de jonge maagd eender.

'Hoe heet je?' vroeg hij.

'Ghislaine.'

'*Jee-len*... hoe spel je dat?'

'G, h, i, s, l, a, i, n, e.'

'G, *H*?'

Ghislaine, met een *H*, knikte ja, en Nestor sloeg zijn ogen neer, alsof hij naar de notities keek die hij net had gemaakt, draaide zijn lippen omhoog, en schudde zijn hoofd op een oudesmeriswijze die betekent: 'Het leven is al zo moeilijk. Waarom doe je dan *tontos* zo veel moeite het lastiger te maken?'

Tegen een of ander stuk tuig zou hij op dit punt hebben gezegd: 'Heb je een achternaam?' Maar in het geval van haar, de exotische Ghislaine, zei hij gewoon: 'Wat is je achternaam?'

'Lon-te-ay,' zei ze, zo klonk het voor hem in elk geval. Ze schermde met haar hand haar gezicht af tegen de zon.

'Hoe spel je dat?'

*Sweee-ooooop glug sweee-ooooop glug* – zoog het kind in haar armen aan rubber.

'L, a, n, t, i, e, r. Het is Frans, zoals Bouvier.'

::::: Wat is een bouvier? Met een beetje pech was het iets wat *todo el mundo* geacht werd te weten. :::::

Maar voor hij dat of iets anders had kunnen vragen, zei deze Ghislaine met het roomblanke gezicht: 'Ben ik... gearresteerd?' Haar stem brak toen ze aan het 'gearresteerd' toe was. Haar lippen beefden. Ze zag eruit of ze zou gaan huilen.

Ahhh, de strijder voelde zich nu erg ridderlijk... een beetje edel zelfs. 'Nee, helemaal niet,' zei hij vrij verheven. 'Het hangt er helemaal van af waarom je hier bent. Dat moet je me vertellen. En laat mij *jou* één ding vertellen: het zal beter voor je zijn als je me de volle waarheid vertelt.'

Zij keek met haar grote ogen in zijn ogen op en zei: 'Ik ben van South Beach Outreach.'

*South Beach Outreach*... 'Wat is South Beach Outreach?' vroeg hij.

'We zijn vrijwilligers,' zei ze. 'We werken samen met de kinderbescherming. We proberen gezinnen in arme buurten te helpen, met name kinderen.'

'*Gezinnen?*' vroeg Nestor op een toon van smeris-straatwijsheid. 'Dit is een crackhuis. Ik zie een hoop crackverslaafden' – zodra de woorden over zijn lippen waren, besefte hij dat het een grove overdrijving was, alleen uitgesproken om indruk te maken op dit roomblanke jonge ding – 'en crackverslaafden hebben geen gezinnen. Ze hebben gewoontes, en verder dan dat *denken* ze niet. *Gezinnen?*'

'Tja, mijnheer, u weet hierover meer dan ik, maar ik denk – dit is niet de eerste keer dat ik hier ben geweest, en ik weet dat ze kinderen hebben, sommigen, en dat ze om hen geven.'

Nestor kwam niet eens tot het 'dan ik'. Hij hoorde niets meer na 'mijnheer'. *Mijnheer?* Hij wilde niet dat zij hem een *mijnheer* noemde. *Mijnheer* hield in dat zij hem ver weg, onbenaderbaar en saai vond, net als ze zou doen wanneer hij een stuk ouder was dan zij. Maar hij kon haar moeilijk zeggen hem Nestor te noemen, nietwaar…. 'Agent' zou beter zijn dan 'mijnheer', maar hoe kon je haar – of wie dan ook – op dat punt corrigeren zonder de indruk te wekken bezeten te zijn van protocol?

Hij moest het dus laten bij: 'Als dat een gezin is, waar is de moeder dan?'

Bevend: 'Haar moeder heeft in een drugsverslaafdenkliniek in Easter Rock gezeten sinds zij' – ze keek omlaag naar de baby – 'werd geboren. U kent Easter Rock?'

'Jazeker,' zei Nestor. Hij kende het, en hij was verbaasd. Easter Rock was een beter soort afkickkliniek voor een beter soort mensen. 'Hoe kon ze zich Easter Rock veroorloven?'

'Wij – South Beach Outreach, bedoel ik – kwamen tussenbeide. Ze waren voorbereidingen aan het treffen haar in een strafinrichting voor verslaafden te stoppen.'

'Hoebedoelje "kwamen tussenbeide"?'

'Het was vooral onze voorzitster, Isabelle de la Cruz. Ze kent een heleboel mensen, neem ik aan.'

Zelfs Nestor had van Isabella de la Cruz gehoord. Haar man, Paolo, had een groot scheepvaartbedrijf. Isabella de la Cruz dook altijd op in de krant op die groepsfoto's waar iedereen in een rij opgesteld staat te grijnzen om redenen die niemand weet.

'En hoe pas jij in heel dit plaatje?' vroeg Nestor.

'Ik ben een vrijwilligster,' zei Ghislaine Lantier. 'Het is onze taak om… zeg maar… op kinderen te letten uit *ehhh*… probleemgezinnen. Ik heb een hekel aan het woord "disfunctioneel". In heel veel gevallen verblijft het kind, zoals in dit geval' – ze tuurde weer omlaag naar haar kleine pupil – 'bij een familielid, gewoonlijk een grootmoeder, maar het kan ook een pleeggezin zijn. Zij verblijft bij haar grootmoeder, de mevrouw die u al heeft ontmoet.'

'Je bedoelt toch niet de grote vrouw die de brigadier bleef voorhouden dat hij kon ophoepelen – hem het maar lastig bleef maken…'

Ghislaines bevende lippen weifelden naar een halve glimlach. 'Ik vrees van wel.'

Nestor tuurde het donkere drugspand in. Daar had je haar, ongeveer drie meter de deur in, de mama met de grote mond. In die schemering herkende Nestor haar het eerst aan haar grote mama-omvang. García was haar aan het verhoren… was de bedoeling. Je kon zien dat alleen zij sprak. ::::: Wat heeft ze voor geval in haar handen? Een klote iPhone! Dit wordt geacht het allerarmste deel van Miami te zijn – maar iedereen heeft een iPhone. ::::::: Hij draaide zich weer terug.

'Maar *jij* houdt haar vast, Ghislaine, niet de grootmama met praatjes.'

'O, ik gunde haar even rust. Ze moet ook voor twee kinderen van een van haar dochters zorgen. Vijf in totaal dus. Mijn taak is om een paar keer per week te controleren of ze inderdaad worden verzorgd, in verschillende opzichten – toezicht, aandacht, genegenheid, medeleven… u weet wel…'

Nee, hij wist het niet. Nestor werd geïntimideerd door de taalbeheersing van Ghislaine. Ze kon woorden spuien als *toezicht*, *aandacht* en wat de rest ook mocht zijn, alsof het de natuurlijkste zaak van de wereld was. Magdalena was intelligent, maar zo kon zij niet praten. Dit meisje had ook maniertjes bij het praten die Nestor intimideerden, want ze klonken *gepaster* dan hoe hij hetzelfde zou hebben gezegd. Ze zei: 'het kind, *zoals in dit geval*', in plaats van 'zoals dit hier'. Of ze zei: 'de mevrouw die'. Wie zei dat in hemelsnaam in Overtown? 'Bij haar grootmoeder, *de mevrouw die u al heeft ontmoet*,' zei ze, in plaats van 'u bekend.'

'Goed, je bent vrijwilligster voor South Beach Outreach. Woon je in South Beach?'

'Ik hoorde er toevallig over. Ik woon in een studentenflat van de University of Miami.'

'Je studeert daar?'

'Ja.'

'Nou, ik heb een echt adres en telefoonnummer nodig, voor het geval we je moeten bereiken.'

'Me bereiken?' Ze leek even bang als in het begin.

'Dit is een ernstige zaak,' zei Nestor. 'We hebben daarbinnen al drie zakkenwassers gearresteerd.' Hij gebaarde naar het interieur van het krot.

Ghislaine staarde alleen naar hem... lange stilte... vervolgens, heel bedeesd: 'Ze zijn jong. Misschien is er hoop.'

'Weet je wat ze daarbinnen uitspoken?'

Nu perste ze haar lippen zo hard samen dat je ze niet meer kon zien. Heel haar lichaamstaal gaf aan: ja, ze had geweten wat ze uitspookten. De lange stilte ook... 'We informeren uitsluitend naar de behoeften en omstandigheden van de kinderen. Over andere dingen vellen we geen oordeel. Anders zouden we nooit – '

'*Behoeften* en *omstandigheden*?!' zei Nestor. Hij schoot met een stijve arm uit en wees naar het interieur van het krot. 'Er wordt hier in *crack* gehandeld, jezusnogaantoe!'

'In elk geval zijn ze op deze manier bij hun eigen vlees en bloed. Dat lijkt mij zo belangrijk!' Voor de eerste keer had ze haar stem harder laten klinken. 'Haar grootmoeder' – ze keek weer omlaag naar het kind in haar armen – 'zit daarbinnen, hoe slecht de omgeving ook is. Half-broers van haar zijn daarbinnen. Haar *vader* is daarbinnen, ook al moet ik toegeven dat hij niets met haar te maken wil hebben.'

'Haar *vader*?'

Ghislaine leek banger dan ooit. Opnieuw bevend: 'Ja... U heeft net... met hem gevochten.'

Nestor was sprakeloos. 'Jij – dat stuk – vlees en bloed? – denk je – deze – geen greintje fatsoen in zijn lijf! – "ontbeert ieder affect" zoals ze bij het om zeggen – hij is een godverdomde *crack*-dealer, Ghislaine! Hij kan voor de lol evengoed haar hoofd afrukken' – Nestor wierp een blik op het kind – 'als naar haar kijken! Het is een *beest*! Jezus Christus!'

Ghislaine liet haar hoofd zakken en begon naar de vloer van de veranda te staren. Ze ging haar woorden inslikken en half mompelen. 'Ik weet het... Hij is vreselijk... Hij is er trots op de verwekker van kinderen te zijn, maar hij wil niets met hen te maken hebben... Dat is wat vrouwen – hij is zo grof – hij is een grote enorme –' Ze keek op naar

Nestor en zei: 'Ik kon het niet geloven toen u hem eronder kreeg – en zo snel.'

Muziek... hoorde Nestor getokkel van muziek?... het geroffel van een ouverture? 'Deze idioten mogen dan "enorm" zijn, toch zijn het randdebielen,' zei hij, een citaat van de brigadier zonder bronvermelding. 'Alleen een randdebiel probeert door het vuil te rollen met een smeris uit Miami,' zei hij, bescheiden lof over heel het korps sprenkelend in plaats van die zelf in te pikken. 'Wij krijgen ze er niet onder. We laten hen zichzelf eronder krijgen.'

'Maar toch – hij moet twee keer zo groot zijn als u.'

Nestor bestudeerde haar gezicht. Ze was blijkbaar volkomen oprecht. En ze zorgde voor muziek... zorgde voor muziek... Wat zou hij zeggen? *Op een dag, wanneer dit allemaal achter de rug is, zou ik graag eens met je praten over heel dat gedoe met de kinderbescherming.* Waag het erop! Hou je emoties niet in! *Ongelooflijk dat iemand een grote zakkenwasser als hij in de buurt van een kind...*

... Hij zou zeggen: *Zullen we eens koffie gaan drinken?* En zij zou zeggen: *Dat is een goed idee... Bij South Beach Outreach hebben we nooit een gelegenheid naar de dingen te kijken vanuit het perspectief van het politiekorps. Ik heb vandaag iets belangrijks geleerd. Criminologie is één ding. Maar werkelijk de misdaad ervaren waar de banden de weg raken is heel anders. Een zo grote en sterke man onderwerpen als de man die u net onderwierp – met alle criminologie van de wereld schiet je in dat geval niets op. Als het zover is, kun je het of kun je het niet!*

Of iets dergelijks... en de muziek zou zich langzaam opbouwen, zoals een orgel bij dat aanzwellend akkoord waardoor je ribbenkast gaat beven.

# 10

## DE SUPER BOWL VAN DE KUNSTWERELD

Het was december, wat in Miami Beach slechts de allervoorspelbaarste meteorologische betekenis heeft. Stel je een prentenboek voor met dezelfde foto op iedere bladzijde ... iedere bladzijde... het middaguur onder een smetteloze wolkeloze helderblauwe hemel... op iedere bladzijde... een tropische zon waardoor die zeldzame oude verschijningen, voetgangers, veranderen in stompachtige, abstracte zwarte schaduwen op het trottoir... op iedere bladzijde ... eindeloze zichten op de Atlantische Oceaan, *eindeloos* wil zeggen om de zo veel straten, als je onder een bepaalde hoek tussen de blinkende rozeachtige boterkleurige flatgebouwen door gluurt die de glinsterende zee afsluiten voor stomme pummels die naar Miami Beach komen met het idee dat ze gewoon naar de kust kunnen rijden om de stranden te zien en de luie ligstoel & parasol-mensen en de kabbelende golven en de oceaan die fonkelt en schittert en zich naar de horizon uitstrekt in een volmaakte boog van 180 graden... als je *precies op de goede plek* gluurt, kun je om de zo veel straten een schamele, balpenvullingdunne, verticale glimp van de oceaan opvangen – *piep* – en weg is-ie... op iedere bladzijde... een glimp – *piep* – en weg is-ie... op iedere bladzijde... op iedere bladzijde...

Maar op het middaguur, of 11.45 om precies te zijn, van deze bepaalde decemberdag waren Magdalena en Norman binnen... in het eminente, zij het *jeuk-moet-krabben* gezelschap van Maurice Fleischmann, samen met Marilynn Carr, zijn 'A.A.' zoals hij haar noemde...

een afkorting van art advisor, kunstadviseur. Hij was dat zelfs als haar bijnaam gaan gebruiken... 'Hé, A.A., kijk hier eens naar'... of wat dan ook. Met waardigheid, voor zover dat mogelijk was, probeerden zij vieren hun plaats te behouden in een rij, min of meer, minder een rij en meer een schermutseling bij de balie van een Iranese luchtvaartmaatschappij. Zo'n tweehonderd ongedurige lieden, de meesten mannen van middelbare leeftijd, van wie er elf aan Magdalena waren aangewezen als miljardairs – *miljardairs* – twaalf als je Maurice zelf meetelde, waren als maden aan het kronkelen vanwege het vooruitzicht van wat zich aan de andere kant bevond van een glazen wand van twee centimeter vlak na een klein portaal, Ingang D van het Miami Convention Center. Het Convention Center nam een hele straat in Miami Beach in beslag. Een gewoon mens kon jarenlang langs Ingang D lopen zonder zich van het bestaan ervan bewust te zijn. Daar ging het allemaal om. Gewone mensen *wisten niet* en *mochten niet* weten dat miljardairs en talloze negencijfermiljonairs daar als maden kronkelden... een kwartier voor het moment van geld en mannelijke strijd van Miami Art Basel. Ze hadden allemaal een *drang*.

*De maden!*... Op een dag, toen ze zes of zeven was, was Magdalena op een dood hondje gestuit, een bastaardje, op een trottoir in Hialeah. Een ware zwerm insecten wroette in een grote jaap in de bil van de hond – alleen waren dit eigenlijk geen insecten. Ze leken meer op wormen, kleine, korte, zachte, doodsbleke wormen; en ze waren helemaal niet zo ordelijk als een zwerm. Het was een friemelende, glibberende, kronkelende, wriemelende, in de knoop geraakte, worstelende troep maden die over en onder elkaar heen woelden in een koppige, of eigenlijk koploze razernij om bij het dode vlees te komen. Ze kwam er later achter dat het onthoofde larven waren. Ze *hadden* geen koppen. Ze hadden alleen de razernij. Ze hadden geen vijf zintuigen, ze hadden er één, de *drang*, en de *drang* was het enige wat ze voelden. Ze waren volkomen blind.

Moet je eens naar hen kijken!... de miljardairs! Het lijkt wel een menigte koopjesjagers die zich om middernacht voor de Macy's hebben verzameld voor de 40 procent korting uitverkoop na Kerstmis. Nee, zo goed zien ze er niet uit. Ze zien er ouder, groezeliger en uitgebluster uit... het hele stel bestaat tenslotte uit *americanos*. Ze dragen voorgewassen in-het-zitvlak-flodderige jeans, te grote T-shirts, te grote poloshirts die er aan de onderkant uit hangen om ruimte voor hun buikjes te maken, te strakke kaki broeken, *lee*-lijke verkreukelde enkelhoge wollen sokken van rubbermat zwart, schilderklus groen en vieze-dweil bruin... en gymschoenen. Magdalena had nooit zo veel oude mannen gezien – ze waren vrijwel allemaal van middelbare leeftijd of ouder – met gymschoenen aan. Kijk maar – *daar* en *daar* en *daar* verderop – niet zomaar gymschoenen maar echte basketbalschoenen. En waarom? Ze denken waarschijnlijk dat ze er door heel dat tienerkloffie jonger uitzien. Zijn ze wel goed wijs? Ze bereiken alleen dat hun in elkaar gezakte ruggen, scheve schouders en met vet gevulde buiken... en kromme ruggengraten, naar voren gebogen nekken, uitgerekte wangen en pezige halskwabben... meer opvallen.

Om de waarheid te zeggen maakte Magdalena zich over al die dingen niet bijster druk. Ze vond het grappig. Vooral was ze jaloers op A.A. Deze *americana* was knap, jong en, dat sprak bijna vanzelf, blond. Haar kleding was verfijnd en toch heel simpel... en heel sexy... een volmaakt eenvoudige, verstandige, zakelijk aandoende mouwloze zwarte jurk... maar kort... eindigde dertig centimeter boven haar knieën en toonde volop van haar fijne mooie dijen... maakte dat je de indruk kreeg naar *heel* haar fijne mooie lijf te kijken. O, Magdalena twijfelde er geen seconde aan dat ze sexyer was dan dit meisje, ze betere borsten had, betere lippen, beter haar... lang, vol, glanzend haar in tegenstelling tot het geslachtloze korte blonde kopje van deze *americana*, gekopieerd van dat Engelse meisje – hoe heette ze ook weer? – Posh Spice... Ze wilde alleen dat ze ook een mini-jurk aan had gehad, om met *haar* blote benen te pronken... in plaats van deze slanke witte broek waardoor ze vooral pronkte met de diepe kloof van haar ideale kontje. Maar dit 'A.A.'-meisje had nog iets anders. Ze was *ingewijd*. Het adviseren van rijkelui, zoals Fleischmann, over welke dure kunst ze moesten kopen was haar beroep, en ze wist alles over deze 'beurs'. Als iemand het 'Miami Art Basel' noemde, met het idee dat het de volledige naam was, liet ze je op een zeer beleefde manier weten dat het officieel Art Basel Miami Beach was... en dat ingewijden het niet bekortten tot 'Miami Art Basel'. Nee, ze spraken van 'Miami Basel'. Ze kon zestig *ingewijde* grapjes per minuut spuien.

Net nu zei A.A.: 'Ik vraag haar dus – ik vraag haar waarin ze is geïnteresseerd en ze zegt tegen me: "Ik ben op zoek naar iets avant-gardistisch... een Cy Twombly bijvoorbeeld." Ik denk: Een *Cy Twombly*? Cy Twombly was avant-garde in de jaren *vijftig*! Hij is een jaar of wat terug gestorven, geloof ik, en de meeste van zijn tijdgenoten zijn ook heen of onderweg! Je bent geen avant-garde wanneer je hele generatie gestorven of stervende is. Je kunt geweldig zijn. Je kunt iconisch zijn, zoals Cy Twombly dat is, maar je bent *geen avant-garde*.'

Ze richtte dit allemaal niet tot Magdalena. Ze *keek* geen moment naar haar. Waarom aandacht, laat staan woorden verspillen aan een of ander niemandje dat waarschijnlijk toch van niets weet? Het ergste was dat ze gelijk had. Magdalena had nooit van Cy Twombly gehoord. Ze wist evenmin wat *avant-garde* wilde zeggen, al kon ze het zo'n beetje afleiden uit hoe A.A. het gebruikte. En wat betekende *iconisch*? Ze had niet het flauwste benul. Ze wedde dat Norman het ook niet wist, geen woord begreep van wat miss Zo-Zakelijk sexy A.A. zojuist had gezegd, maar Norman zorgde voor het soort uitstraling waardoor mensen dachten dat hij *alles* wist over *ieder* onderwerp waarover *wie dan ook* sprak.

*Iconisch* was een woord dat overal om hen heen was beginnen op te duiken, nu er nog slechts minuten te gaan waren voor het magische uur, 12.00. De maden waren gretiger tussen elkaar aan het wroeten.

Ergens heel dichtbij zei een man met een hoge stem: 'Oké, misschien is het geen *iconische* Giacometti, maar het is wel degelijk een *geweldige* Giacometti, maar nee-ee-ee —' Magdalena herkende die stem. Een hedgefondsmiljardair uit Greenwich? – Stamford? – een plaats in Connecticut in ieder geval. Ze herinnerde zich hem van het BesJet-etentje twee avonden geleden.

En een vrouw zei: 'Koons zou momenteel op een veiling *onderuit-gaan!*'

' – Hirst, als je het mij vraagt. Hij is zo over de middag als een dode vis na een kwartier in de zon.'

' – wat zei je zojuist? Prince is pas geflopt.'

' – de vis die daar bij Stevie's met z'n ingewanden van veertig miljoen ligt weg te rotten?'

' – iconisch, m'n reet.'

' – zveer het, "weg-geautomateerd" vas vot ze zei!' (' – zweer het, "weg-geautomatiseerd" was wat ze zei.') Magdalena kende die stem heel goed, van gisteravond tijdens het etentje dat Michael du Glasse en zijn vrouw, Caroline Peyton-Soames, in de Ritz-Carlton gaven. Ze herinnerde zich zelfs zijn naam, Heinrich von Hasse. Hij had miljarden verdiend met het maken van... iets met fabrieksrobots?... was dat wat ze zeiden? Wat hij verder ook deed, hij had een halfjaar geleden zo veel miljoenen aan kunst uitgegeven op Art Basel in Zwitserland dat mensen op vrijwel elk feestje waar zij, Norman en Maurice waren geweest over hem hadden gepraat.

' – gaan zo zien! Een uitbraak van mazelen, schat!'

' – en geen tijd om eens goed te kijken!'

' Je ziet het – vindt het mooi – *verkocht*! Dat is het enige…'

'Art Basel in Basel?' A.A. was weer aan het woord. 'Ben je ooit in Basel *geweest*? Alleen Helsinki is erger. Er zijn geen eetgelegenheden! Het eten is in de verste verte niet zo goed als hier. De vis smaakte of die op de achterkant van een Honda was gebracht, en de prijs –'

' – moet zijn handen van mijn adviseur afhouden, in Jezus' naam.'

' – denk dat je een kwartier bedenktijd hebt, maar vijf minuten later –'

' – de prijs ligt twee keer zo hoog als hier. En Basels zogenaamde historische hotels? Ik zal je vertellen wat er historisch is – de wasbakken in de badkamers! Aaaagh! Zo ouderwets zijn ze. Begrijp je wat ik bedoel? Je kunt iemand ze een week lang dag en nacht laten schrobben, en dan zijn ze nog steeds even grijs als iemands oude bedlegerige grootmoeder met slechte adem. Geen plankruimte en van die oude grijze, in de muur geschroefde metalen bekers waarvan ze verwachten dat je je tandenborstel erin zet. Het is gewoon –'

'*Wat* ben ik?'

' – wat ik zei. Je bent onbeschoft. Geevme het telefoonnummer van je moeder! Ik ga haar over jou inlichten!'

'Wagaje eraan doen – Poetin halen om een isotoop in mijn cappuccino te doen?'

Zo heimelijk als mogelijk liet Fleischmann zijn hand naar het kruis van zijn broek zakken om te proberen aan zijn jeukende herpespuisten te krabben. Maar hij kon het nooit heimelijk genoeg doen om Magdalena om de tuin te leiden. Minstens iedere twee minuten vuurde Fleischmann een van zijn 63-jarige *blikken* op haar af… zwanger van betekenis… en lust. Normans diagnose luidde dat dit precies hetzelfde was. De betekenis *was*… lust. Louter het zien van een prachtig meisje als zij was live porno voor een pornoverslaafde als Fleischmann… beter dan een stripclub. Hoe grof ze ook waren, Magdalena vond die blikken *heerlijk*. Deze zwangere blikken vol lust die zij van ieder soort man afdwong – ze vond het *heerlijk, heerlijk, heerlijk*. Eerst keken ze naar haar gezicht – Norman zei dat haar *veelbetekenende* lippen extase suggereerden, ook al had ze niet de flauwste glimlach. Vervolgens keken ze naar haar borsten – haar op een of andere manier *perfecte* borsten. Ze was er zich *voortdurend* van bewust! Vervolgens zag ze hen haar kruis zoeken... en *wat* verwachtten ze daar te vinden, in godsnaam?

Iedere oude man in deze krioelende madenplaag... als ze de moeite deed heen en weer te lopen en haar heupen voor hen te draaien... hun weelde... ze zouden *smelten*! Ze droomden erover... zich neer te laten in... *haar*.

Het was of een van die feeën uit sprookjesboeken waarvan kinderen zo houden met haar stafje over Miami had gezwaaid... en – *toverflits*! – het in Miami Basel had veranderd... De betovering duurde niet langer dan een week, één magische week iedere december... wanneer de Miami Basel 'kunstbeurs' in het Miami Convention Center werd gehouden... en chique lieden uit alle hoeken van de Verenigde Staten, Engeland, Europa, Japan, zelfs Maleisië, zelfs China, Hongkong en Taiwan, zelfs Zuid-Afrika, *todo el mundo*, uit de lucht neerkwamen in zwermen privévliegtuigen... om kostbare eigentijdse kunst te kopen... of de chique lieden te *zien* die het kochten... zich onder te dompelen in hun geestelijke sfeer van kunst en geld... dezelfde lucht in te ademen als zij... om kort te gaan, te zijn *waar de dingen gebeuren*... tot de fee een week later weer met haar stafje zwaaide en – *toverflits*! – ze verdwenen... de kunst uit alle hoeken van de wereld, de privévliegtuigen uit heel de wereld, de chique lieden die uit alle hoeken van de wereld uit de lucht waren neergedaald, en – *poef*! – ieder spoor van verfijning en raffinement was weg.

Maar op dit moment waren al deze wezens betoverd door de fee.

Miami Basel zou pas overmorgen opengaan voor het publiek... maar voor de *ingewijden*, voor de *insiders*, was Miami Basel al drie dagen een aaneenschakeling van cocktailparty's, etentjes, afterparty's, heimelijke cocaïnebijeenkomsten, opgewonden roddel geweest. Vrijwel overal werd de status lekker een beetje opgevijzeld door de aanwezigheid van beroemdheden – uit de wereld van de film, de muziek, de tv, de mode, de sport zelfs – die niets van kunst wisten en geen tijd hadden om zich ervoor te interesseren. Ze wilden alleen zijn... *waar de dingen gebeurden*. Voor hen en voor de insiders was Miami Basel voorbij zodra het eerste achterlijke lid van het gewone publiek een voet in de zalen zette.

Magdalena zou, zonder Maurice Fleischmann, ook achterlijk zijn gebleven. Ze had nooit ook maar van Miami Basel gehoord voor Maurice haar, samen met Norman, uitnodigde voor de beurs… opgejut door Norman. In psychiatrische kringen stond men zeer afkerig tegenover omgang met een patiënt. De effectiviteit van een psychiater hing er voor een niet onbelangrijk deel van af dat hij zich een goddelijke status aanmatigde ver boven de positie van de patiënt, hoe die ook mocht zijn. De patiënt moest afhankelijk zijn van zijn betaalde god, niet andersom. Maar Norman had Maurice in de ban. Hij dacht dat 'herstel' van zijn 'ziekte' helemaal afhing van Norman, ondanks het feit – of misschien dankzij het feit – dat Norman hem bleef voorhouden dat hij niet aan een ziekte maar aan een zwakheid leed. Voor Maurice was het een nogal bijzondere ervaring Norman overal mee naartoe te nemen, want Norman was vaak op tv en werd door vele mensen in Miami als een beroemdheid beschouwd. Niemand zou vermoeden dat Fleischmann een patiënt van Norman was. Het waren twee bekende mannen die in dezelfde kringen, op dezelfde hoogte verkeerden. Wat zou daar opmerkelijk aan zijn?

Elke dag hadden Fleischmann en diens chauffeur, een kleine Ecuadoriaan die Felipe heette, Norman en Magdalena opgepikt bij de Lincoln Suites, na Normans laatste afspraak, in een grote zwarte Escalade suv met donkergetinte ramen. De eerste stop op de eerste dag was het openingsevenement voor insiders – een cocktailparty die bekendstond als Duur in het Donker. Een man die Roy Duroy heette hield dat feestje ieder jaar in het hotel dat hij bezat, De Lukraak, aan Collins Avenue, niet zoveel zuidelijker dan de Lincoln Suites. De Lukraak was typisch zo'n hotel uit de veelgeprezen South Beach Retro Hausse. Een slimme ontwikkelaar als Duroy kocht een klein, vaag hotel, gewoonlijk van tachtig of meer jaar oud, zorgde voor een likje verf en een paar computeraansluitingen op de kamers, veranderde de naam van het Lido of De Branding in iets grappigs en hips als De Lukraak, en riep het uit tot een art deco architectonisch juweeltje. Nu had je een klein, vaag *juweeltje*. De achterkant van het pand maakte alles goed. Je had uitzicht op een inham van de oceaan. Duroy had er een hoop grote parasols neergezet met magenta, witte en appelgroene strepen. Heel kleurig, die parasols, en Duur in het Donker was al volop aan de gang toen Maurice, Norman en Magdalena arriveerden. Honderd, tweehonderd insiders van Miami Basel verdrongen zich rond de tafeltjes onder de parasols, drinkend, of ze krioelden tussen de parasols, drinkend. Iedereen dronk en droeg bij aan een lawaaierige branding van hard praten, *ha ha ha ha ha's!* en *schreeuw schreeuw schreeuw geschreeuw!*

Op Magdalena maakte het grote indruk dat louter de aanwezigheid van Maurice voor reuring zorgde. Roy Duroy zelf snelde onmiddellijk toe en omhelsde hem onstuimig. Zijn vleierij dwarrelde als rozenblaadjes op Maurice neer. Een grote projectontwikkelaar, Burt Thornton geheten – zelfs Magdalena had hem op tv en in de kranten gezien – snelde toe en likte haast Maurices mocassins van alligatorvel. Er kwamen zo veel mensen op Maurice toegesneld dat hij zonder vijftien centimeter te bewegen een uur op de plaats stond waar hij het kleurige parasollandschap had betreden. Magdalena had altijd geweten dat Maurice een miljardair was met 'invloed'. Desondanks had zij Normans foto van Maurices kruis dat wegrotte van de herpespuisten nooit uit haar hoofd kunnen zetten. Maar nu, bij Duur in het Donker, keek ze naar een Maurice *el Grande*.

Intussen was Norman een beetje aan het mokken. Tot nu toe had niemand hem herkend. Hij had zelfs zijn lachen*nnahHAHock hock hock*-strategie om aandacht te trekken opgegeven. Hij mopperde tegen Magdalena dat Roy Duroy alleen maar Maurices steun wilde voor een of andere maffe droom om van De Lukraak een keten te maken, en Burt Thornton wilde enkel dat Maurice tussenbeide kwam om North Tryron Street Global ervan te weerhouden beslag bij hem te laten leggen vanwege een enorme lening voor een project dat geen succes was geworden.

Vervolgens stapten zij drieën weer in de grote zwarte Escalade om zich naar het High Hotel te begeven, ook in South Beach, waar BesJet, dat privévliegtuigen verhuurde aan bedrijven en de superrijken, een cocktailparty hield... deze keer nog luidruchtiger, de brullende branding... het harde praten, de *ha ha ha ha's*! het *gillen gillen gillen gegil*!... Magdalena stond versteld. In het vertrek ontdekte ze twee filmsterren, Leon Decapito en Kanyu Reade. Geen twijfel mogelijk! *Leon Decapito en Kanyu Reade*! – in levenden lijve! ::::: Leon Decapito en Kanyu Reade... en *ik*... we zijn te gast op dezelfde cocktailparty. ::::: Maar zelfs sterren als zij hadden onmogelijk meer aandacht kunnen krijgen dan BesJet aan Maurice besteedde. De directeur van BesJet snelde naar hem toe, en flitste met iedere tand die hij in zijn grijns kon persen. Toen ze elkaar de hand schudden, klemde de directeur zijn linkerhand over hun verbonden vingers, als om een gelofte te bezegelen. Hij moest Maurice wel vijf keer hebben verteld dat morgen de honderdzeventigste vlucht van BesJet zou landen met Miami Basel als specifieke bestemming. Hij wist ongetwijfeld dat Maurice zijn eigen vliegtuig had. Hij wilde alleen de goedkeuring van Maurice, want in Miami leek die van Maurice, bij alle grote meneren die zich privévluchten konden veroorloven, *de* goedkeuring. Norman werd echt nors. Ze gingen van het feestje van BesJet naar een chic, duur restaurant dat Casa Tua heette voor een groot diner gegeven door *Status*, het nieuwe blad dat erg populair was geworden omdat het klassementen maakte van mensen op alle terreinen van het leven die je je kon voorstellen.

Nooit eerder was de status van Magdalena zo opgevijzeld door een stap over een drempel en door een deur... en zodra ze de eetzaal binnenstapte, tussen honderd of meer mensen, ontdekte ze de befaamde gezichten van Tara Heccuba Barker!... Luna Thermal!... Rad Packman!... Ze kon er maar niet over uit. Ze ademde dezelfde lucht in als zij! Maar de mensen van *Status* konden over hen onmogelijk meer ophef maken dan ze over Maurice deden. In zijn toespraakje noemde de hoofdredacteur van *Status* Maurice *twee keer*...

Op den duur, na het eten, had Norman mazzel. Een vrouw met een vollemaansgezicht herkende hem en haalde er een stel anderen bij, en al snel was Norman de ster van een grote groep praters die de eminente dr. Lewis graag over porn*nnahh*HAHA*Hock hock hock*-verslaving wilden horen. Voor het voorbij was hadden zich in geen tijd acht à negen mensen rond hem verzameld.

Magdalena, die naast Maurice stond, werd, bij verstek, overspoeld door een groepje praters dat bestond uit Maurice en drie van zijn hovelingen, allemaal mannen van middelbare leeftijd. De enige die Magdalena herkende was Burt Thornton, die vaak op tv opdook... een of ander fiasco met onroerend goed... of iets dergelijks... De andere twee waren Iemand Herman en Iemand Kershner. Maurice oreerde over de valkuilen van 'gepiramidiseerde hypotheekbetalingen', wat naar zij aannam het probleem van mijnheer Thornton was. Ze had zich nooit zo misplaatst gevoeld. Ze was bang geweest een kik te geven, ook als ze had geweten waar ze het in hemelsnaam over hadden. Maar ze was nog banger om het groepje te verlaten en haar geluk te beproeven in een vertrek vol oude mensen die inmiddels op de been waren en zich voorbereidden op hun vertrek naar een of andere *wat gebeurt er* après-party party. Een groepje hield stil toen ze bij het gezelschap van Maurice Fleischmann kwamen, een man kwam op hem af – 'Maurice!' – en omhelsde hem in de mannelijke versie van de luchtkusjes van vrouwen onder sociale gelijken. Ze namen afscheid, en ::::: *¡Dios mío!* Ik heb in mijn leven nog nooit zo'n adembenemende man gezien! ::::: Maurice begon aan een snel rondje voorstellen. 'Sergei, dit is Burt Thornton… Burt, dit is Sergei Korolyov.'

'Aangename kennizmaken, mijnheer Zornton.'

'O, het genoegen is *aan mijn kant!*' zei Burt Thornton.

Sergei Korolyovs Europese accent – was het Russisch? – maakte hem voor Magdalena alleen nog adembenemender. Hij zag er jong uit, tenminste in deze menigte – half de dertig? Hij was zo lang als een meisje maar kon kopen, en *die bouw*. En knapper kon een man niet zijn. Een rechte kaak, verbijsterende blauwe ogen – en zijn haar was een dik lichtbruin met een paar blonde lokken, in lange golven achteruit gekamd. Het was *romantisch*. En zo charmant, zoals hij glimlachte en de klank van zijn stem toen hij 'mijnheer Zornton' begroette en die twee woorden, 'Aangename kennizmaken', liet klinken alsof hij het echt meende. Net voor Maurice hem voorstelde aan mijnheer Herman ::::: hij keek naar mij – en dat *gebeurde* niet zomaar! ::::: Net toen hij werd voorgesteld aan mijnheer Kershner ::::: hij deed het nog eens! Nu *weet* ik dat hij het meent! :::::

Maurice moest het ook zijn opgevallen, want hij zei: 'O, en Sergei, dit is Magdalena Otero.' De adembenemende man draaide naar Magdalena toe. Hij toonde dezelfde beleefd-charmante glimlach. Hij stak zijn handen uit als om de hare te schudden – en boog, tilde haar hand op, gaf een luchtkusje aan de rug ervan en zei: 'Miss Otero.' Maar toen hij opstond, had hij een lichte toespeling aan de glimlach toegevoegd, en hij goot zijn ogen veel te lang in de hare – toen vertrok hij met zijn gezelschap. ::::: *¡Dios mío, mío, mio!* :::::

Magdalena fluisterde tegen Maurice: 'Wie *is* dat?'

Maurice grinnikte. 'Iemand die vriendjes met je wil worden, geloof ik.' Er volgde een briefing.

Norman was ook blij. Inmiddels beseften ze eindelijk wie hij was. Wat een opkikker! Zo'n opkikker dat Norman bereid was naar een afterparty te rijden die gehouden werd door iets wat het Museum van het Moment heette, in het Design District, daar zou een performancekunstenares genaamd Heidi Schlossel een performance houden onder de titel *Ontneukt*. Iedereen bij het etentje van *Status* had het erover. Magdalena had nooit gehoord van het Museum van het Moment, het Design District, performancekunst of performancekunstenaars, laat staan van eentje die Heidi Schlossel heette. Norman was maar marginaal beter geïnformeerd; hij had van het Design District gehoord, al wist hij niet waar het was. Maurice, inmiddels een erkende belangrijke figuur op Miami Basel, wilde er dolgraag heen.

Magdalena nam Norman terzijde. 'Dat performancekunstgeval – het heet *Ontneukt*. We weten niet wat het is. Wil je werkelijk het risico lopen' – ze wees achter zich in de richting van Maurice – 'hem naar zoiets mee te nemen?'

'Het is een museum,' zei Norman. 'Het zal toch wel meevallen?'

Weer in de Escalade… naar het Design District, dat op een terrein met verlaten pakhuizen en fabriekjes bleek te liggen. Het Moment Museum was een puinhoop… en te klein voor alle insiders van Miami Basel die er samenstroomden… In de zaal daar, die maar half het aanvaardbare formaat had, stonden honderden versleten zwarte banden opgestapeld tegen een muur. Op een klungelig, onbeschilderd houten bordje stond een tekst:

#### INHEEMS AFVAL VAN DE DAG
*– Verzameling Moment Museum*

Een ritme van een bandje galmde door een geluidsinstallatie: BOEMtsjilla BOEMtsjilla BOEMtsjilla BOEMtsjilla… Vanachter een berg smerige zwarte banden komt een lange figuur in het zwart gestapt. Ze heeft een krijtachtig witte huid… en lang zwart haar dat neervalt op de opgevulde en geplooide schouders van de universitaire toga die ze draagt, zo eentje waarin je afstudeert. Maar deze is erg groot en zwaait neer over de vloer. Ze glimlacht niet.

Ze staat daar zo'n dertig seconde bewegingloos, zonder een kik te geven. Waarschijnlijk is dit Heidi Schlossel.

Ze brengt haar handen naar haar hals en maakt een soort gesp los. De toga valt plotseling van haar schouders, helemaal, *bons*. Het ding moest wel een ton hebben gewogen.

Nu stond ze spiernaakt voor een grote plas zware zwarte stof… kaarsrecht. Haar gezicht was een leegte… Ze zag eruit als een van de ondoden uit een horrorfilm… zonder iets aan.

Magdalena fluisterde tegen Norman: 'Laten we weggaan – nu!' Ze knikte in de richting van Maurice. Norman schudde alleen zijn hoofd… Nee.

De spiernaakte vrouw leek vijftien jaar te oud en vijftien pond te zwaar om deze rol te spelen, wat het ook was. Ze begon te spreken met de dode stem van de ondoden. 'Mannen hebben mij geneukt... ze hebben me geneukt, me geneukt, me nog eens geneukt, te vaak geneukt –'... en zomaar door met dit Ik was een Neukende Zombie-gedicht – tot ze zomaar ineens een duim en twee vingers in haar vagina stak, er een stuk worst uit trok, ze als het ware tot leven kwam en 'Ontneukt!' schreeuwde – en er kwam nog een worst uit, die aan de eerste vastzat – 'Ontneukt!' – en nog een en nog een – 'Ontneukt!' en 'Ontneukt! enzovoorts. Magdalena kon niet geloven hoeveel aan elkaar vastzittende worsten de vrouw in haar vaginale holte had weten te proppen!

Maurice had zijn hand over zijn kruis geklemd. Maar in plaats van er met zijn hand over te wrijven wiegde hij zijn lichaam heen en weer onder zijn hand... om niet te worden betrapt.

Magdalena stootte Norman aan en fluisterde aan de luide kant: 'Maurice!' Norman negeerde haar. Zijn ogen waren gericht op mevrouw Schlossel. Deze keer nam Magdalena dus niet de moeite het achter fluisteren te verbergen. 'Norman! Kijk naar Maurice!'

Norman wierp haar een boze blik toe... maar keek naar Maurice. Eerst staarde hij alleen... rekende... rekende... toen slaakte hij een diepe, zelfverloochende zucht en sloeg zijn arm rond Maurices schouders... teder... leunde dicht naar hem toe en zei... met een stem die je voor een kind zou gebruiken... 'We moeten nu gaan, Maurice.'

Als een gehoorzaam kind dat weet zijn ouders te hebben teleurgesteld, stond Maurice op en liet zichzelf het Museum van het Moment uit leiden.

Maurice zweeg... en deed boete... maar Norman was chagrijnig. Hij bleef zijn hoofd maar heen en weer schudden, zonder naar een van hen te kijken.

'Wat scheelt eraan, Norman?' vroeg Magdalena.

'Er zou een geweldige afterparty moeten zijn in een galerie hier in de buurt, de Linger, in Wynwood, waar dat ook mag zijn.' Hij bleef zijn hoofd schudden. 'Maar ik neem aan dat het voorbij is.'

Later vroeg Magdalena rond en kreeg te horen dat men bij de Linger, een grote galerie, hun 'privécollectie' van fotorealistische pornografische schilderijen wilde vertonen, wat *fotorealistisch* ook betekende, en beelden van homo-orgieën.

Waarom was er zo veel porno in deze zogeheten avant-gardekunst, vroeg Magdalena zich af. Wat was in hemelsnaam de reden? Hoe rechtvaardigden ze het in godsnaam?... En wie was er meer ontdaan over het allemaal niet te kunnen zien, de patiënt... of de dokter?

Maar gisteravond leek het of er niets was gebeurd. Hier stortten zij drieën, Maurice, Norman en zijzelf zich in een volgende ronde feestjes en recepties voor een etentje... en het etentje was gisteravond niet zomaar iets. Michael du Glasse en zijn vrouw, Caroline Peyton-Soames, hadden het georganiseerd. *Michael du Glasse* en *Caroline Peyton-Soames*!... het stel met de meeste glamour in Hollywood, als je het Magdalena vroeg... een diner voor honderd mensen in de Ritz-Carlton... en Magdalena Otero, kort voordien uit Hialeah, was hun gast... en één subliem en onvergetelijk moment hadden hun rechterhanden die van haar aangeraakt.

Waarschijnlijk over vijf minuten zou een paar deuren in de glaswand opengaan, en zouden deze oude mannen, deze oude maden, de eerste keus hebben uit de schatten die aan de andere kant lagen... Miami Basel!... Twee uur lang zouden deze maden, en zij alleen, de exclusieve toegang hebben tot heel het gebeuren... wat in godsnaam 'heel het gebeuren' ook was...

' – *op*sodemieteren? Sodemieter *jij* op, jij dikke –'

'AhhggghHAHAHHHHock *hock hock hock*zie je die dikke man proberen tussen die twee mensen door te glippen? Raakte klem tussen hen*nnnaaagghHAHHHHock hock hock*! Kon z'n grote buik er niet door krijgen*nnnahhHock hock hock*!'

Maurice Fleischmann keek uitdrukkingsloos naar Norman. Toen keek hij om zich heen naar de andere wriemelende maden om te achterhalen waarom Norman zo in*nnnock hock hock* was uitgebarsten. Het lukte hem niet. Het onthutste hem. Maar Magdalena snapte het inmiddels. Norman kakelde wanneer hij zich onzeker voelde, met name als er mensen bij waren door wie hij zich defensief of minderwaardig voelde – Fleischmann bijvoorbeeld. Het was een manier om de conversatie van hen over te nemen. Iedereen, zelfs een echte meneer als Fleischmann, moest wel een hart van steen hebben om geen glimlach en wat gegrinnik te produceren, en mee te spelen met een grootmoedige kerel die wordt weggevaagd, aangegrepen, verlamd door een lachbui vanwege... god mag weten wat. Waarom zou hij zich druk maken over de conversatie met Fleischmann – nu hij Fleischmanns arme pornogekke geest al beheerste? Waarom? – Magdalena begon het allemaal door te krijgen. Het was *erg* belangrijk voor Norman om zijn boot in een oord als de jachthaven van Fisher Island te hebben – maar hij bezat daar geen onroerend goed. Maurice Fleischmann liet het gebeuren. Of Normans aanwezigheid tussen de belangrijkste vip's van *alle* vip's op Miami Basel, de rijksten der rijken, de waarschijnlijkste van de waarschijnlijk beste klanten, de diepste duikers – ze gleden allemaal over en onder elkaar om de eerste keus te hebben uit de wonderen van 8.500 vierkante meter kunst te koop. Wat deed Norman hier? Maurice Fleischmann liet het gebeuren.

Mot helemaal vooraan in de rij... de grote os *leutert* een eind weg, boos, zo te zien... een stapel banden – van vet – vormt zich iedere keer als zijn kin omhoogkomt aan de achterkant van zijn nek. :::::: Moet je eens kijken wat hij aanheeft!... een gewoon wit T-shirt, zo eentje dat als ondergoed is bedoeld. Kijk hem toch!... het zit over zijn gezwollen buik gerekt... waardoor die op zo'n grote plastic strandbal lijkt... het hangt uit zijn spijkerbroek, een heel grove Big Boy BodiBilt spijkerbroek. ::::::

Magdalena tikte Norman op de arm. 'Norman –'

'Ja, dat is hem,' zei Norman. 'Maar wacht even... Deze kerel is te gekkk*HahhhHAHAHock hock hock*!'

Onwillekeurig merkte Magdalena op dat hij, toen hij aan zijn kakel toe was, zijn kleine voorstelling niet langer in haar richting opvoerde, maar in die van Fleischmann.

'Een seconde terug probeerde de dikzak vier of vijf plaatsen naar voren te dringen... en *nuwwwahHHHHock hock hock is* hij de voorste!'...

Fleischmann lijkt verdoofd. Hij veinst niet eens een glimlach vanwege Normans gekakel. Hij is ongerust. Hij gaat opzij en kijkt.

'Hé, A.A.,' zegt Fleischmann, 'kom eens hier. Is dat Flebetnikov niet?'

'Ja hoor,' zegt ze, 'helemaal.' Fleischmann leunde dicht naar A.A. toe en dempte zijn stem: 'Die dikke rotzak. Hij weet dat ik belangstelling heb voor de Doggsen – en kijk hem eens. Hij heeft letterlijk mensen opzij geduwd met zijn grote dikke sumo-pens, en nu staat hij tegen de deur aan.'

A.A. dempte haar stem: 'En dus gaat hij zelf achter de Doggsen aan? Denk je niet –'

'Hij heeft miljarden dollars en hij is een Poetin-schurk en "Daarom ga ik alles pakken wat *jij* wilt hebben, gewoon om *jou* te laten zien dat je tegen mij geen kans hebt".'

'Wie is dat?' vroeg Norman.

Fleischmann was duidelijk ontstemd dat Norman een vertrouwelijk gesprek onderbrak. 'Misschien heb je over Russische oligarchen gehoord.' Toen richtte hij zich weer tot A.A. en zei: 'Nou, het enige –'

Het was het 'misschien' dat aankwam bij Norman. Hanteerde Fleischmann toevallig de geduldige knorrige toon die je tegenover sufferds aanslaat? Norman weigerde ook maar één moment zich daarbij neer te leggen.

'*Over* hen gehoord?' zei hij. 'Probeer eens *van* hen gehoord *ahaa-ahhhHAHAHAH*ock *hock hock*! Drie verschillende psychiaters hebben me er als consulterend geneesheer bij gehaald voor deze types. Heb ik over hen *gehoordddeeaaahHAAAH*ock *hock hock*!'

Magdalena *wist* dat het een leugen was.

'Nou, ik betwijfel zeer of je ooit consulterend geneesheer bent geweest voor zo'n irritant exemplaar,' zei Fleischmann kortaf. Waarschijnlijk vroeg hij zich af hoe hij de greep op het gesprek had verloren.

Zonder nog een woord liep Fleischmann weg van Norman, naar een muur van de hal, en haalde hij een mobieltje uit een binnenzak van zijn colbert. Hij keek achterom om te zien of niemand hem kon afluisteren. Hij sprak vier of vijf minuten met iemand. Toen hij terugkeerde bij het gezelschap, was hij in een betere stemming.

'Met wie heb je gebeld, Maurice?' vroeg Magdalena.

Fleischmann wierp haar een flirterige verlegen-jongenglimlach toe. 'Wil *jij* niet weten!'

Op dat moment werd de hele madenmeute stil. Vanuit het niets was er een vrouw aan de andere kant van de glaswand verschenen, een blonde, beenachtige, kraakbeenachtige *americana* die er probeerde jong uit te zien in een Art World Black kachelpijpbroek en een Art World Black t-shirt met diepe v-hals. Godzijdank hing er een Miami Basel PERSONEELSPAS aan haar nek. Die bedekte genadiglijk een deel van het borstbeenlandschap waar haar gleufje zou moeten zitten. Ze haalde de glazen deuren van het slot, zette een kille glimlach op en gebaarde de hal in. De maden bleven stil, griezelig genoeg, toen ze aan het grote geduw door de deur begonnen.

Flebetnikov *knalde* erdoorheen als een enorme kurk. Hij verloor zijn houvast even in de gang die volgde en moest een sprongetje maken om zijn evenwicht terug te krijgen. Zijn grote T-shirtomhulde buik bewoog alle kanten op. Hij leidde de troep... met beide ellebogen uitgestoken, als om te zorgen dat niemand hem inhaalde. Het viel Magdalena voor het eerst op dat hij kennelijk basketbalschoenen droeg. Ze keek omlaag naar Fleischmanns voeten. Hij had ook gymschoenen aan!... bruine gymschoenen, vrijwel dezelfde kleur als zijn popeline broek... niet zo opdringerig als bij de Rus, maar toch gymschoenen... Vlug! De Kunstwereld in! Sneller!

Inmiddels wrongen zij zich alle vier, Magdalena, Fleischmann, Norman en A.A., de deur door. De kraakbeenachtige vrouw in Art Black was wijselijk achteruit gestapt, uit de weg van de opgepompte ouwe zakken. Het was niet helemaal een stormloop... niet een totaal verlies aan beheersing zoals dringen... maar Magdalena kon de druk voelen... Een man was zo dicht achter haar dat ze hem snorkend hoorde ademen nabij haar oor. Ze werd meegesleurd in een golf van ouwe zakken die er dolgraag *in* wilden, wat *er* ook was.

Een gangetje kwam uit op de grote expositiezaal. De ruimte moest op zich al het formaat van een huizenblok hebben gehad... het plafond was – wat? – twee etages hoog? – drie etages? – geheel in het duister. De lichten zaten beneden, als de lichten van een stad – de lichten van ongelooflijk lange rijen, straten, lanen met stands – van galerieën uit alle hoeken van Europa, Azië en de Verenigde Staten... het moesten er honderden zijn! Kunst te koop! Een gigantische bazaar... lag daar zomaar, voor hen uitgespreid, de belangrijkste maden... Allemaal voor hen!... Je ziet het! Vindt het mooi! *Verkocht*!

De klont razende oude mannen begon uit elkaar te vallen... ze begonnen hun stemmen terug te krijgen, maar ze werden allemaal overschreeuwd door een bulderende stem net voorbij de ingang.

'Uiddeweg, imbeciel! Ik jou en jouw papier verpletter!'

Het was Flebetnikov. Hij probeerde zijn grote buik langs een bewaker te manoeuvreren, die tussen hem en alle onweerstaanbare schatten verderop stond... De bewaker droeg een donker blauwgrijs uniform met allerlei soorten smerisdubbelgangerinsignes erop, een blinkende penning inbegrepen. Magdalena herkende het type in één oogopslag... Niet zomaar een bewaker maar een klassieke simpelmans uit Florida... dik rossigblond stekeltjeshaar... vlezige, stevige... enorme onderarmen staken als een stel hammen uit zijn shirt met korte mouwen... In de ene hand hield hij een officieel ogend document voor Flebetnikovs gezicht omhoog.

Flebetnikov mepte het opzij en drukte zijn gezicht regelrecht in dat van de simpelmans. Hij brulde met zijn diepste stem, waarbij hij speeksel sproeide: 'Nou ga jij uiddeweg! Boegrijp jij?' Waarop hij de muis van zijn hand tegen de borst van de simpelmans drukte, alsof hij wilde zeggen: '– en ik meen het! Je gaat nu voor me opzij of ik gooi je opzij!'

Grote fout. Sneller dan Magdalena had gedacht dat hij kon bewegen, boog de simpelmans de hand die aan hem zat in een of andere greep waardoor Flebetnikov, zijn stem, zijn lijf, zijn ziel in de klem raakten. Gaf geen kik. Hij leek instinctief te begrijpen dat je hier een goede oude plattelandsjongen had die met plezier een dikke Rus bewusteloos sloeg en hem rauw lustte.

Magdalena draaide zich naar Fleischmann en Norman toe – maar die liepen niet meer naast haar. Ze waren een meter of zo verderop. Fleischmann porde Norman met zijn elleboog in de ribben, ze keken naar elkaar en grijnsden. A.A. liep voor hen, met verschrikkelijke vaart, vermoedelijk op weg naar de Jeb Doggsen om de voorsprong veilig te stellen nu de bewaker Flebetnikov bang had gemaakt en hem tegen had gehouden.

Maden krioelden en glibberden overal met hun adviseurs, ze repten zich naar de stands van hun dromen. Daar! – een partijtje duwen!... Leken de twee hedgefundsmanagers – ergens uit Connecticut? – had Fleischmann verteld... Inmiddels nog verder voor Magdalena een *HahaHHHHock hock hock hock* gekakel, en Norman die omkijkt naar de twee mollige pugilistjes... maar geen Fleischmann. Hij en zijn A.A., miss Carr, zijn een en al zaken en staan op het punt een stand te betreden. Een grote, hartelijke made – Magdalena herinnerde zich hem uit de rij – komt van opzij, glimlacht en zegt: 'Hoe gaat het, Marilynn?' A.A. kijkt een fractie van een seconde naar hem met een behoedzame blik die niet vraagt *wie* maar *wat* is dit... wezen?... dat haar aandacht op een cruciaal moment als dit aanvalt, belaagt? Ze negeert hem.

Norman volgt hen de stand in en gaat naast hen staan... hen, en een lange man met grijs haar, hoewel hij niet heel oud lijkt, en griezelige bleekgrijze ogen als de spleetogen van een husky of hoe die honden ook mogen heten die nabij de Poolcirkel sleetjes door de sneeuw voorttrekken.

A.A. zegt: 'Je kent Harry Goshen vast, nietwaar, Maurice?'

'Nee, ik vrees van niet,' zegt Fleischmann. Hij wendt zich tot de man met de griezelige ogen, gunt hem een kil glimlachje en ze schudden elkaar de hand.

Zo bleek, die ogen... ze zien er spookachtig en sinister uit... Hij droeg ook een bleekgrijs kostuum en een lichtblauwe das... de enige man met een jasje en een dasje die Magdalena de hele dag had gezien... zwarte schoenen zo grondig gepoetst dat de plooi tussen de tenen en de welving van de voet glom. Het moest de eigenaar van de galerie zijn... of op zijn allerminst een verkoper... Rijke verzamelaars, had ze net gezien, droegen vodden en gympies.

Fleischmann, A.A. en Pool-ogige Harry Goshen stonden voor een rij solide dozen van esdoornhout, allemaal een centimeter of acht hoog en met een lengte van alles tussen de twintig en zestig centimeter, niet beschilderd, niet gebeitst, maar met zo veel heldere lagen lak gelakt dat ze je toeschreeuwden. Deze Harry Goshen opende het deksel van een grote... helemaal bekleed, ook het deksel, met chocoladekleurige suède... en tilde er een grote, ronde plaat van transparant melkglas uit van misschien vijf centimeter dik... je kon aan de spanning op Harry Goshens handen, armen en houding zien dat het verdomde ding zwaar was. Hij draaide het in een hoek van ongeveer 45 graden... het doorschijnende glas baadde in het licht en daar, op een of andere manier diep in het glas gegraveerd... delicaat gegraveerd tot in de fijnste details –

'Een soort, je weet wel, art deco,' zei A.A. tegen Fleischmann.

– in bas-reliëf waren een jonge vrouw met lange, welvende lokken –

A.A. hield een of andere foto omhoog. 'Lijkt veel op hem, vind je niet?'

– en een jongeman met korte, welvende lokken... aan het neuken... en je kon 'alles zien', zoals dat heet, en 'alles' baadde in doorschijnend licht.

Norman was zo opgewonden dat zich een dwaze grijns over zijn gezicht verspreidde, en hij leunde ver voorover om van zo dichtbij mogelijk naar 'alles' te kijken. Fleischmann leek volkomen verbijsterd. Hij bleef met zijn ogen van het pornografische graveerwerk naar A.A.'s gezicht gaan en weer naar het glas en nog eens naar A.A.'s gezicht... *Wat word ik* geacht *te vinden, A.A.?*

Bleekgrijs-ogige Goshen haalt een ronde plaat uit een volgende glazen doos... draait die tot... *daar*!... het een man en een vrouw worden ... die op een andere manier ontucht plegen... nog een plaat... anaal...

nog eentje... drie personen, twee vrouwen en een man die ontucht plegen in anatomisch gezien onmogelijke combinaties... nog eentje... twee vrouwen en twee mannen... die ontucht plegen... vingers, tongen, monden, complete onderarmen verdwenen in smerige plaatsen... Fleischmann keek inmiddels als een razende van het in licht badende glas naar Marilynn Carr... heen en weer... Tijd is alles... ieder moment kunnen hier *anderen* zijn... Flebetnikov, om precies te zijn... Magdalena komt dichterbij... Fleischmann kijkt naar zijn A.A.... pleit... Ze draait haar hoofd een heel klein beetje, wat nee betekent... Magdalena kan haar horen zeggen... met de allerzachtste stem: 'Geen iconische Doggsen'... Nog eentje... ontucht... Fleischmann kijkt als een razende naar Marilynn Carr. Zonder een woord knikt ze haar hoofd een heel klein beetje omhoog en omlaag... wat ja! betekent... Fleischmann draait zich onmiddellijk naar de spookachtige husky toe, die met een spookachtig zachte stem zegt: 'Drie.' Fleischmann draait zich naar Marilynn Carr toe, kijkt wanhopig naar haar... Ze knikt weer langzaam met haar hoofd omhoog en omlaag... Wanhopig draait Fleischmann zich naar de spookachtige Goshen toe en mompelt van diep in zijn keel: 'Ja.'... en Goshen plakt een rode stip op de gelakte doos met de plaat erin... Nu kijkt hij heel snel heen en weer... fluistert, geeft wanhopig tekens... Goshen zegt: 'Tweeënhalf.' Fleischmann, hees: 'Ja.'... nog een rode stip op nog een gelakte doos... Amper 45 seconden zijn verstreken.

Een kreet! Een brul! Daar komt-ie. Flebetnikovs met t-shirt gestoffeerde romp moet losgeraakt zijn. Hij beent deze kant op. Hij is woedend, hij brult in het Russisch, voor wie het horen wil... brult vervolgens in het Engels: 'Nog gat in zijn neus hij vil, deez klootzak!'... Goshen doet alsof hij het niet hoort of dat het hem eenvoudig niet interesseert... Een dolle Rus gaat *deze* reeks niet onderbreken! Flebetnikov gromt en brult en zweert *nog* gat in de klootzak zijn neus te stoppen. Hij komt dichterbij. Fleischmann lijkt kalmer, maar hij zet nog meer vaart achter zijn actie... nog een rode stip ('drieënhalf')... nog een rode stip ('één')... rode stippen rode stippen rode stippen ('twee', 'vier' voor de scène met de orgie, goeie god!... dan 'negen één zeven' –) ... al die rode stippen. ::::: Dat moeten ze bedoelen wanneer ze het over de 'mazelen' hebben. :::::

Als deze getallen betekenden wat Magdalena begon te geloven wat ze betekenden, had Fleischmann zojuist in nog geen kwartier 17 miljoen dollar uitgegeven, ofwel 17 miljoen minus 83.000 als je aannam dat 917 $917.000 betekende. En als Marilynn Carr, met haar fraaie blanke dijen en Engelse jongenskop, 10 procent kreeg van de handelaar, de spookachtige husky, en 10 procent van de koper, Fleischmann, had zij zelf zojuist $3.400.000 binnengehaald, als je aannam dat Normans uitleg over de commissies correct was geweest.

Flebetnikovs Russische gebrul kwam steeds dichterbij.

A.A. zei tegen Fleischmann: 'Zullen we hier weggaan? Ik *ken* Flebetnikov. Hij is geen rationeel iemand.'

Voor de eerste keer sinds heel dit gedoe begon, glimlachte Fleischmann: 'En al de lol mislopen?'

Fleischmann stond erop op Flebetnikov te wachten. Hij stond pal voor de ingang van de stand. A.A. maakte een erg zenuwachtige indruk. Fleischmann was ineens hét toonbeeld van geluk.

Flebetnikov verscheen, brullend in het Russisch. Een lange, donkere, bezorgd-kijkende man liep naast hem.

'Dat is Lushnikin,' fluisterde A.A. tegen Fleischmann. 'Hij is de kunstadviseur voor de meeste oligarchen.'

Flebetnikov gromde als een beer. Hij brulde tegen Lushnikin in het Russisch… iets wat eindigde met 'Goshen'. Voor het eerst merkte hij Fleischmann op. Hij leek perplex; voorzichtig ook. Schuldig misschien?

'Kameraad Flebetnikov!' galmde Fleischmann. 'Belangstelling voor Doggs?' Met zijn duim wees hij naar de stand achter hem. 'Had ik ook. Maar al het goede spul is al weg. Op Miami Basel moet je snel zijn. Je ziet het! Vindt het mooi! *Verkocht!*'

Uit Flebetnikovs uitdrukking kon je niet opmaken of hij het sarcasme al dan niet opmerkte. Hij knipperde. Hij leek van zijn stuk gebracht. Zonder nog één woord draaide hij zich om, ging de stand in en schreeuwde: 'Lushnikin! Lushnikin!'

Fleischmann vertrok, hij grinnikte bij zichzelf, ongetwijfeld met de rode-stippenwoestenij en nederlaag die de Kameraad in de stand wachtte voor ogen. Norman zat Maurice praktisch op de hielen, Norman en A.A. Norman had een vage glimlach op zijn gezicht, een innerlijke glimlach, bij wijze van spreken. In zijn gedachten was hij gewoon door te zijn waar het allemaal gebeurde in een rijk man veranderd, voor zover Magdalena er iets van begreep. Hij keek niet eens om te zien waar zij was, zo diep was hij in zijn fantasiewereld. Hij had tien of twaalf meter de rij afgelopen voor hij zich van haar bestaan bewust werd. Hij wilde niet van zijn roemruchte vrienden gescheiden worden, maar hij treuzelde lang genoeg om zijn hoofd alle kanten op te laten draaien. Toen hij haar in de gaten kreeg, wenkte hij haar met een grote zwaaibeweging van zijn arm... maar zonder op haar te wachten. Hij draaide zich op één hiel om en liep door in Fleischmanns roemruchte kielzog.

Omdat ze niet wist wat ze anders moest doen, begon Magdalena achter hem aan te lopen. In de stands nabij de ingang aan allebei de kanten... rode stippen. Het was verbijsterend. Zo veel stukken waren zo snel verkocht... Rode stippen, rode stippen, rode stippen... 'De uitbraak van mazelen'... ach, natuurlijk – daarover hadden ze gepraat! Alle rode stippen... in het geval van Fleischmann goed voor 17 miljoen dollar. Wie wist hoeveel meer miljoenen al die andere rode stippen vertegenwoordigden?! Toen begon ze ervan te walgen. Kijk hoe oppervlakkig en buitensporig spilziek deze mensen waren! Deze *americanos*! Kijk hoe Fleischmann bijna 17 miljoen dollar uitgaf aan zeven obscene stukjes glas... 17 miljoen in 13 of 14 minuten, uit angst dat een dikke Rus als eerste de hand zou leggen op dit idiote spul... allemaal voor de show!... een persoonlijke demonstratie van 17 miljoen dollar... Norman had daarvoor geen oog... Hij ging erin op. Een klein Cubaans meisje dat Magdalena heette bestond niet meer, wel? Norman had haar uit zijn hoofd gezet. Haar verontwaardiging rees op als een vuur. Het werd *brandstichting*. Het gaf haar een grimmige voldoening het vuur te voeden. Die *rotzak*. ::::: Norman, je likt de hielen van mensen met geld. Je ziet niet hoe ordinair er met geld wordt gesmeten, wel? *Mij beledigd!* Waarom zou ik hem nog langer dulden? :::::

Onwillekeurig, ongevraagd dienden zich vier dingen aan in het Gebied van Wernicke in haar hersenen: haar BMW... die op naam stond van dr. Norman Lewis omdat hij, strikt genomen, de eigenaar was; haar salaris... dat ze ontving in de vorm van een door dr. Norman N. Lewis getekende cheque; haar appartement – haar huis, zoals ze het nu beschouwde – eigendom van dr. Norman Lewis; het extra geld dat ze steeds weer nodig had om niet achter te raken bij het afbetalen van haar studielening... er werd wonderbaarlijk in voorzien door dr. Norman N. Lewis... De rebelse trek in haar vervaagde snel.

Ze wierp haar trots af en marcheerde mee naar de viplounge. Er was een rij 1 meter 20 hoge modulaire afscheidingen gemonteerd om iedereen die dezelfde lucht wilde inademen als heel belangrijke personen te dwingen aan één kant door een opening te gaan waarbij aan het ene uiteind een bewaker stond. Weer zo'n forse simpelmans. Stel dat hij haar niet zou binnenlaten? Hij was net een karikatuur van dit slag. Hoe moest het wanneer hij het haar lastig maakte?

De man wierp een vluchtige blik op het gelamineerde vippasje om haar hals en wuifde haar door. Deze straalde Interesseert Me Geen Bal uit.

Het enige symbool van iemands verheven status in de FIZ (Fuggerzberuf Industriellbank van Zürich) vipruimte was het enkele feit dat je er überhaupt in mocht. Verder was het oord alleen een zee van wat in vakkringen 'horecameubilair' heet, simpele moderne stoelen en tafeltjes van zoveel mogelijk plastic. De heel belangrijke mensen daarbinnen konden gaan zitten, een stoel pakken, een drankje halen, en oorlogsverhalen vertellen over de gevechten op Miami Basel over gewilde artikelen, wat inhield heel belangrijke roddels uitwisselen.

Ver weg in de zee zat Magdalena aan een tafeltje met Fleischmann, A.A. en Norman, die zij nu nadrukkelijk negeerde. Zo veel zelfrespect was ze zichzelf in ieder geval verschuldigd, vond ze. Madame Carr was ineens de gangmaker. Magdalena vroeg zich af of Norman of zelfs Fleischmann enig idee had waarom, met de keus uit 3.400.000 mogelijke antwoorden. Op dit moment was ze een vraag aan het beantwoorden van Norman... Norman, die Magdalena eens had voorgehouden: 'Let op met het stellen van vragen. Vragen stellen is de duidelijkste manier om je onwetendheid te laten blijken.' Maar wat daar ook van zij, Norman had een vraag gesteld en Marilynn Carr zei: 'Hoe heeft Doggs geleerd met glas te werken? Hij bewerkt geen glas of iets anders. Heb je gehoord van kunst Zonder Handen en kunst Vrij van Vaardigheid?'

'O, vermoedelijk heb ik er wel van gehoord – maar nee, niet echt,' zei Norman slapjes, of slapjes voor Normans doen.

A.A. zei: 'Niet één avant-gardekunstenaar hanteert nog materialen, of instrumenten.'

'Hoezo, *instrumenten*, A.A.?' vroeg Fleischmann.

'O, je weet wel,' zei ze, 'verfkwasten, klei, mesjes, beitels... dat is allemaal uit de Manuele Periode. Weet je nog, schilderen? Dat lijkt zo jaren vijftig. Weet je nog, Schnabel, Fischl, Salle en heel dat stel? Ze lijken nu allemaal zo jaren vijftig, ook al beleefden ze hun vijftien minuten in de jaren zeventig. De nieuwe kunstenaars, zoals Doggs, kijken naar al die mensen of ze uit een andere eeuw komen, wat ook zo is, wanneer je strikt bent. Zij gebruikten hun handen nog voor visuele trucjes op het doek, en die waren leuk en aangenaam en vielen bij de mensen in de smaak, of ze waren lelijk en verbijsterend en waren voor de mensen "een uitdaging". *Een uitdaging*... Godnogaantoe –' Ze moest glimlachen en schudde haar hoofd, alsof ze wilde zeggen: 'Toch niet te *geloven* hoe het vroeger ging?!'

'Hoe *doet* Doggs het dan?' vroeg Fleischmann. 'Dat heb ik geloof ik nooit echt gevraagd.'

'Het is echt fascinerend,' zei A.A. 'Hij kreeg, Doggs dus, die callgirl te pakken, Daphne Deauville, de vrouw die de gouverneur van New Jersey zijn baan kostte? – en vanwege dat wapenfeit kreeg ze een baan als columniste bij *City Light* in New York? Ik kon het niet *geloven*! Maar goed, Doggs laat een fotografe komen om een paar foto's van hem te maken... nou ja, haar suf te *neuken*' – het was de laatste tijd gewaagd chic voor vrouwen geworden om *neuken* te zeggen in gesprekken – 'en doet allerlei dingen... en stuurt de foto's naar Dalique, en Dalique laat hun elven de foto's in drie dimensies in Daliqueglas reproduceren, maar Doggs heeft de beeldjes nooit aangeraakt – nooit. Hij heeft in het maken ervan geen enkele hand gehad. En als hij de foto's heeft aange-raakt, was het alleen om ze in een envelop te stoppen en met FedEx naar Dalique te sturen, al weet ik zeker dat hij hulp heeft om zulke din-gen te doen. Zonder Handen – dat is tegenwoordig een belangrijk con-cept. Er is geen sprake van een of andere kunstenaar die zijn zoge-naamde vaardigheden gebruikt om mensen te bedriegen. Er is geen sprake van een handigheidje. Het gaat helemaal zonder handen. Daar-door wordt het uiteraard *conceptueel*. Op die manier verandert hij iets wat een manuele kunstenaar zou gebruiken voor het scheppen van... een *effect*... in iets wat je dwingt er in diepere zin over na te denken. Het is bijna of hij een vierde dimensie heeft uitgevonden. En daarmee heb je het allerbeste, het allermodernste werk van heel de opkomende ge-neratie. Vrijwel ieder afzonderlijk stuk van Doggs op deze tentoonstel-ling is iconisch. Iedereen die een van de jouwe ziet, Maurice, zal zeggen: "Mijn god! Dat is Doggs aan het begin van zijn klassieke periode", want ik ben ervan overtuigd dat dit voor zijn werk geldt. Het is avant-garde, en tegelijk is het klassiek. Dat soort werk komt niet iedere dag op de markt! Geloof me!... Maurice... je hebt... deze keer... echt *gescoord*.'

Echt *gescoord*... Fleischmann keek erg blij, maar zijn glimlach was de verbijsterde glimlach van iemand die zijn eigen geluk niet kan verklaren. Hij had duidelijk geen woord begrepen van A.A.'s uitleg. Daardoor voelde Magdalena zich beter, want zij had er ook geen woord van begrepen.

In plaats van daar zomaar verbijstering ter waarde van 17 miljoen dollar te gaan zitten lijken, stond Fleischmann op, verontschuldigde zich bij A.A. en zei dat hij meteen terug zou komen. Fleischmann was ingesloten door andere tafeltjes, en dus stond Magdalena op en verplaatste haar stoel om ruimte voor hem te maken. Ze keek eens om zich heen. Haar hart maakte een sprongetje in haar ribbenkast. Daar was *hij*, ongeveer vier tafeltjes achter haar stoel – de Rus die ze zo kort, zo *grondig!* had ontmoet na het etentje gisteravond – en hij *staarde haar recht aan*. Ze was zo verward en opgewonden dat ze niet wist wat ze moest doen. Wuiven? Naar zijn tafeltje rennen? Een ober roepen om een briefje te brengen? Een bloem? Een zakdoekje? Haar kleine hartjeshalsketting? Voor haar geest ophield met tollen, had hij zich weer naar de zes of zeven mensen aan zijn tafeltje gedraaid. Maar ze wist het *zeker*. Hij had *haar pal* aangestaard.

Wat? Nu was het Norman. Hij stond op en vroeg A.A. of zij toevallig wist waar er een herentoilet was. ::::: Misschien wil hij hier gewoon niet zitten terwijl ik zwarte stralen naar hem uitzend. ::::: A.A. wees ver weg *die* kant op, de kant waar Fleischmann heen was gegaan. 'Het is in de BesJet-lounge,' zei ze. 'Deze lounge heeft er geen.'

Zonder ook maar een blik naar Magdalena ging hij ook *die* kant op. Nu waren er alleen de twee vrouwen, A.A. en Magdalena, tegenover elkaar aan het tafeltje, zonder idee wat ze tegen elkaar moesten zeggen.

Boven Magdalena's hoofd ging een lampje branden. Dit was haar kans! Toen ze ging zitten, was haar rug naar de Rus toegekeerd. Maar A.A. zat met haar gezicht naar hem toe. Tot nu toe had A.A. geen woord tegen haar gezegd. Ze had niet eens naar haar gekeken. Nu stond Magdalena op en zond A.A. een vreselijk grote glimlach toe. Was het een grijns? In elk geval was ze vastbesloten het strak vol te houden. Ze manoeuvreerde rond het tafeltje naar A.A. toe, mét de glimlach, de grijns, zo strak boven en onder haar tanden dat die als een grimas begon te voelen. A.A. wekte de indruk in de war te zijn. Nee, het ging verder. Ze was beduusd. Magdalena's aanpak week zo af van wat A.A. verwachtte. Dit domme kleine meisje dat met de beroemde pornodokter was verschenen... Magdalena had dat allemaal in haar gezicht gelezen, dat en haar wens dat het domme kleine meisje het juiste zou doen

– zo vriendelijk zijn te stoppen met naar haar te grijnzen en van haar vandaan te blijven... en te verdampen. O, Magdalena kon dat alles *en* meer lezen binnen die omlijsting van kortgeknipt blond haar, met aan de ene kant een scheiding, aan de andere kant pal over haar wenkbrauw en oog geborsteld... maar er was nu geen terug meer, wel... niet na zo veel uitgestreken grijnzen... en dus trok ze er een stoel bij, de stoel waarop Fleischmann had gezeten, pal naast die van A.A... tot hun hoofden amper 61 cm van elkaar af waren... maar wat moest ze zeggen? *Zonder Handen* sprong in haar hoofd op –

'– Miss Carr – Marilynn – mag ik "Marilynn" zeggen?'

'Uiteraard' – met een afstandelijke blik die zei: 'Zeg maar wat je wilt en val daarna door een gat in de grond. Goed?'

'Marilynn' – Magdalena was zich ervan bewust dat haar stem een klank had gekregen die zij nooit eerder in haar schedel had gehoord – 'wat je zei over kunst Zonder Handen, dat was *zo-o-o-o* fascinerend! Waarom is het zo belangrijk?'

Alleen al dat iemand haar vanwege haar vakkennis benaderde, haalde wat kilte weg van A.A.'s gezicht. Maar vervolgens slaakte ze een grote zucht, de zucht van iemand die weet dat ze aan iets begint wat moeilijk is en... nutteloos. 'Tja,' zei A.A., 'ken je de uitdrukking "Alle grote kunst gaat over kunst"?'

'Ne-e-e-e...' Magdalena handhaafde de gepaste glimlach en grootogige fixatie van iemand die een grote dorst naar kennis heeft en de bron heeft gevonden.

Nog een met verveling beladen zucht. 'Het houdt in dat een effect bij de beschouwer bereiken niet volstaat. Het moet een, bewuste, reflectie zijn op de kunst –' Ze hield abrupt op. Ze leunde naar Magdalena toe op een intieme, vertrouwelijke manier. 'Trouwens, vind je het erg als ik *jou* iets vraag? Wat is je relatie – waarvan ken je je vriend dr. Lewis? Iemand zei dat hij een vooraanstaande psychiater is... pornoverslaving of zoiets?'

Magdalena wist niet wat ze moest zeggen. Ze was zijn vriendinnetje? Ze waren gewoon vrienden? Ze werkte voor hem? Op dit moment deed het er niet toe. Het voornaamste was dat ze direct in de gezichtslijn was van de Rus, Sergei Korolyov. Als hij zijn interesse in zijn eigen tafelgenoten lang genoeg staakte om naar haar te kijken, wilde ze dat hij een jonge vrouw te zien kreeg die gelukkig was... op het vrolijke af... verwikkeld in een vertrouwelijk gesprek aan haar tafeltje, duidelijk een deel van haar groep, wie dat ook waren, volkomen op haar gemak in de geestelijke omgeving van viplounges... en de inner circles van de Art Basels van de wereld... om kort te gaan, een mooi schepseltje dat *hoort*, thuis is *waar de dingen gebeuren*.

'O, ik werk voor hem,' zei ze A.A. 'Ik ben psychiatrisch verpleegster.' Klonk beter dan alleen *verpleegster*.

'En dus heeft hij je zomaar uitgenodigd voor de vipopening van Miami Basel?' vroeg A.A. 'Leuke baas.' Ze keek Magdalena in de ogen met een onoprechte, suggestieve glimlach.

::::: Rotwijf! Hoe moet ik *daarop* reageren?! :::::: Haar hersenen digi-googelden voor een antwoord en vroegen zich tegelijk af of ze er net zo zenuwachtig uitzag als ze zich voelde. Na een te lange stilte: 'Volgens mij had mijnheer Fleischmann de vippassen. Hij is zo-o-o-o gul!'

'Ja, dat is hij,' zei A.A. 'Maar hoe dan ook, dr. Lewis –'

'En hij vertrouwt echt op *jouw oordeel*,' zei Magdalena.

'Wie?'

'Mijnheer Fleischmann. *Dat* kan iedereen zien!' Magdalena was bereid alles te proberen om de conversatie weg te leiden van Norman. En *goddank!* zorgde vleierij voor een *oprechte* glimlach op het Engelse jongenskopgezicht van deze vrouw.

'Dat mag ik *hopen*!' zei A.A. 'Weet je, hij heeft het vandaag heel goed gedaan.'

'Ik zou willen dat ik *half* zoveel van kunst wist als jij, Marilynn. Een *tiende*. Een *honderdste*. Ik moet toegeven dat ik voor vandaag nooit van Jed Doggs had gehoord.'

'Jeb,' zei A.A.

'Jeb?'

'Je zei "Jed". Het is *Jeb* Doggs. Hij is het "kunstenaar in opkomst" inmiddels ontstegen, en wat mij betreft is hij ook het "ster in opkomst" wel ontstegen. Hij heeft het gemaakt. Hij heeft echt de kracht. Ik ben heel blij voor Maurice... en *hij* zal heel blij zijn wanneer hij ziet in wat voor opgaande lijn Jeb Doggs zit.'

::::: Het is me gelukt! Ik heb dit ijdele kreng van Norman en mezelf af gekregen, en op haarzelf. :::::

Uit een ooghoek zag ze dat Korolyov van de anderen aan zijn tafeltje wegdraaide om te kijken ::::: niet naar mij ::::: naar iets *daar*. Toen hij terugdraaide, stopte zijn hoofd halverwege. ::::: Hij staart *mij* recht aan... hij staart nog steeds... staart *nog steeds*! :::::

Magdalena kon het niet langer koelbloedig spelen. Ze verbrak het oogcontact met A.A., ook al bewogen A.A.'s lippen nog steeds. Ze keek hem recht aan. A.A. keek *haar* recht aan. ::::: Maar ik moet de kans grijpen! ::::: Ze zette een glimlach op die wilde zeggen: 'Ja, ik *ben* het, het meisje van wie je de hand te lang vasthield!... en ja, doe het met alle plezier nog een keer!'

Korolyov glimlachte terug op een manier die Magdalena zei: 'O, maak je geen zorgen. Doe ik.' En hij hield die glimlach een aantal tellen te lang op zijn gezicht. Magdalena perste haar lippen samen op een manier die wilde zeggen: 'Ik barst van emotie en verwachting! Schiet alsjeblieft op!'

Korolyov draaide zich weer naar het gezelschap aan zijn tafeltje terug... en A.A. zei: 'Een vriend van je? Sergei Korolyov? Vat dit niet verkeerd op, maar ik kan me geen tweede verpleegster voor de geest halen die zo veel zwaargewichten kent. Ik bedoel er niets mee, maar het valt me op dat jij en Fleischmann Magdalena en Maurice zijn'... nog een suggestieve glimlach.

::::: Wat ben ik *stom*! Waarom moest ik haar vertellen dat ik Normans verpleegster was? Waarom moest ik haar ook maar zeggen dat ik *verpleegster* was? Waarom heb ik niet gewoon gezegd: 'O, we zijn vrienden'... en haar daarvan het hare te laten denken? Nu moet ik gaan zeggen: 'Nou, ik werk inderdaad voor Norman – maar we gaan ook met elkaar uit.' Uitgaan! *Uitgaan* is tegenwoordig een eufemisme voor *neuken*. Stom! Stom! Maar dat is de enige uitweg! A.A. heeft haar gezicht regelrecht in het mijne gestoken. Nu ze zover is – met die *giftige* blik op haar gezicht, en ze welft haar wenkbrauwen op een manier die betekent: 'Zeg, waarom duurt het zo lang? Ik heb je een simpele vraag gesteld. Wat probeer je te verbergen?' *Verdomme!* en nog eens *Verdomme!* Nou... vooruit dan. :::::

'Ehh... het is zo dat ik voor dr. Lewis – Norman – werk, zoals ik zei. Maar we gaan ook met elkaar uit –'

– een gefluisterd 'Ahhhhh...' kwam uit A.A.'s mond. Ze kon het niet inhouden... een onbedwingbaar *ahhhhh* << Ik heb heel erg beet!>> –

' – en Norman en –' Magdalena zweeg één tel. ::::: 'Mijnheer Fleischmann' of 'Maurice'? *Ehhh...* Maurice. ::::: 'Norman en Maurice zijn goede vrienden, en zodoende heb ik ook hem leren kennen.'

A.A. glimlachte supergiftig naar Magdalena... *Nu heb ik je te pakken, nietwaar!...* O, Magdalena wist wat *zij* dacht. <<Aha! De grote sexpert neukt dus zijn eigen verpleegster suf! Nou heb ik een verhaal!>>

Net op dat moment... *Godzijdank*. Daar kwamen Norman en Maurice terug, ze zigzagden tussen de tafeltjes door. Ze leken erg vrolijk, erg opgetogen over iets. Een ogenblik geleden wilde zij dat ze lang genoeg wegbleven om de knappe Rus iets te laten ondernemen. Nu – wees dankbaar voor kleine dingen! De twee mannen waren terug en daardoor zou er een ander onderwerp aan de orde komen, een ander onderwerp dan dit << De goede dokter neukt zijn stoute verpleegster >>.

'Je raadt nooit wie ik tegen het lijf liep in de BesJet vipruimte!' Maurice was een en al vreugde. Hij grijnsde en zijn ogen gingen heen en weer van A.A. naar Magdalena en van Magdalena naar A.A., ze flonkerden – nee, meer dan dat... ze straalden, blonken, glommen. 'Flebetnikov! Woest was-ie! Hij gromde! Hij brulde! Je had hem moeten horen! Een of andere verdomde dienstklopper – dat woord gebruikte hij, *dienstklopper* – hoe komt hij op *dienstklopper*? Zijn Engels is zo slecht – een of andere verdomde dienstklopper van een bewaker hield hem tegen. "Een of andere verdomde, stomme *simpelmans*" – ik weet ook niet waar hij *simpelmans* heeft opgepikt – en zo ging hij maar door over "een of andere verdomde, stomme simpelmans". Hij had nog geluk dat er niet een of andere verdomde, stomme simpelmans verscheen om hem eens op zijn grote, dikke buik te trimmen. Toen hij eindelijk van de simpelmans af was, vertelde hij me, was al het topspul weg. "Alle het topzpul vaz veg!"'

'En wat zei je?' vroeg A.A.

Norman viel in: '*AahhhHAHHock hock hock* je had 't moeten horen*nnahhhock hock hock*, Maurice*eeegghehehehahhhHAHAaghhhock hock hock*! Hij vertelt de vent – hij zegt: "Jeetje, wat erg! Ik ga proberen iemand uit het bestuur te vinden." *ahhhHAHHHock hock hock*! "In wiens werk was je geïnteresseerd?" vraagt hij de vent. "Niet uitmaak. Iz allemaal veg!"' Norman moet natuurlijk demonstreren dat hij even goed is in een Russisch accent als Maurice. '"En heb di*tt-t-t-t-tAHHHH hock hock hock*!" Dan slaat Maurice zijn arm om de schouders van de vent en zegt: "Wat vreselijk! Wat sp*PPPAHAHAH*ijt me dat!" Wat sp*PPAHahahAAAH*ijt hem dat! Ik dacht dat je een paar *traantjes* ging plengen voor he-m*aahhhHAHAHAHAHAHock hock hock hock*!'

'Maakt niet uit,' zei Fleischmann. 'Maar hij verdiende niet beter. Hij is het soort vent dat maar blijft duwen, blijft duwen, blijft duwen – net zoals hij iedereen opzij duwde tot hij als eerste door die deur was.'

Magdalena merkte dat ze meevoelde met de dikke man. Maurice

Fleischmann, met zijn connecties overal, hij had de macht om met één telefoontje een of andere grote simpelmans met deze grote beer van een Russische miljardair te laten afrekenen. Terwijl ze nadacht had ze haar ogen laten zakken. Ze merkte de lange figuur die achter Fleischmann verscheen pas op toen hij haast bij hun tafeltje was. Ja, het was hem, eindelijk, de Rus, Sergei Korolyov. Ze kon in een heel kort moment van fibrilleren een golf adrenaline haar hart voelen prikkelen. ::::: Verdomme! Waarom heeft hij zo lang gewacht? *Nu* neemt hij een besluit... nadat Maurice en Norman terug zijn! Nu volgt alleen het gebruikelijke wanneer mannen met een hoge dunk van zichzelf elkaar tegen het lijf lopen. Ze gaan de hele tijd proberen niet volstrekt overduidelijke manieren te verzinnen om te pronken. *Vrouwenrechten?* Laat me niet lachen. Vrouwen bestaan niet wanneer dergelijke mannen elkaar ontmoeten... tenzij ze zelf toevallig sterren van enig soort zijn... We zijn er alleen. We vullen alleen ruimte op. :::::

'Maurice!' zei Korolyov op de hartelijkst mogelijke manier. 'Ik had moeten weten je hier te zien!' Waarop hij Maurice op de mannelijke manier omhelsde die je bij Europese mannen ziet – als ze min of meer van hetzelfde sociale niveau zijn. Toen gebaarde hij zo'n beetje de kant van de tentoonstelling op. 'Iets gezien wat je beviel?'

'O, een paar dingen,' zei Maurice met een veelbetekenende glimlach om zonneklaar te laten blijken dat *O, een paar dingen* bedoeld was als een uitgelezen stukje understatement. 'Maar laat me je eerst voorstellen aan mijn beste A.A., Marilynn Carr, mijn kunstadviseuse. Als je *wat dan ook* wilt weten over hedendaagse Amerikaanse kunst... *wat* dan ook... moet je met Marilynn praten. Ze heeft vandaag geweldig goed geholpen. Ze heeft de zaak *gered*! A.A... Sergei Korolyov.'

'O, dat weet ik!' zei A.A., terwijl ze opstond en Korolyovs uitgestoken hand in allebei haar handen nam. 'Wat een eer! U heeft ons – Miami – onze eerste kunstbestemming gegeven!'

Korolyov giechelde en zei: 'Dank je. Maar je overdrijft.'

'Nee, ik meen het!' zei A.A. 'Ik was bij het diner die avond in het museum. Ik hoop dat u weet hoeveel u voor de kunst in Miami heeft gedaan – die schitterende, schitterende Chagalls!' ::::: Slijmt de man helemaal onder, eist al zijn aandacht op, pronkt... *O, die schitterende Chagalls!*... en ik weet niet eens wat een Chagall is. :::::

Ineens een verschrikkelijke gedachte ::::: Misschien is hij eigenlijk verschenen om kennis te maken met A.A. Moet je haar zien! Zij heeft zijn hand in haar hand – *allebei* haar handen – en ze laat maar niet los! :::::

Magdalena bestudeert zijn gezicht of er aanwijzingen zijn. ::::: Godzijdank! Hij heeft voor A.A. alleen formele beleefdheid op kamertemperatuur over. :::::

Intussen is Maurice verstard van ongeduld, beide ellebogen sluiten zijn armen in rechte hoeken ter hoogte van zijn middel... gefrustreerd vanwege deze onderbreking in zijn verplichte rondje kennismaken. Uiteindelijk snijdt hij A.A.'s geslijm af door met een luide stem te zeggen: '– en Sergei, dit is dr. Norman Lewis. Je herinnert je Norman wel van een paar avonden terug bij Casa Tua?'

'Jazeker!' zei Korolyov. 'Iemand aan onze tafel zei dat ze u net op tv had gezien. U had het over – ik weet niet meer wat ze zei.'

'Nogmaals dag, mijnheer Korolyov!' Norman was heel opgewekt. 'Ik weet niet over welk programma ze het had, maar waarschijnlijk ging het over verslaving. Dat is gewoonlijk het onderwerp.' ::::: *Gewoonlijk... welk programma... waarschijnlijk!...* Moet onderstrepen dat je *voortdurend* op tv bent, nietwaar, Norman! ::::: 'Ik sta voor de hopeloze plicht de mensen te vertellen dat zoiets als verslaving niet bestaat, medisch gezien. Ze weigeren het te geloven! Ze geloven veel liever*rraahhhHA-HAHAHock hock hock hock* – geloven dat ze ziek zijn*nahHAHock hock hock hock*!'

Maurice wilde niet bij dat onderwerp blijven hangen. Hij haastte zich Korolyovs aandacht op Magdalena te richten.

'En je zult je Magdalena herinneren, Sergei.'

'Uiteraard!' zei Korolyov. 'Zeer zeker.' Hij stak zijn hand uit; en zij de hare. Hij hield haar hand veel te lang vast zonder nog een woord te zeggen. Hij wierp haar dezelfde blik toe als hij vanaf zijn tafeltje had gedaan, met dezelfde boodschap, alleen schonk hij haar er deze keer grote teugen van in haar ogen... voor hij zei: 'Het is heel leuk u nog eens te zien', op een volstrekt toonloze, beleefde manier.

Daarna draaide hij zich weer naar Maurice toe en greep in een colbertbinnenzak. 'Laat me jullie mijn kaartje geven. Ik weet niets van hedendaagse Amerikaanse kunst. Ik heb er alleen over gelezen... Jeb Doggs enzovoorts...' ::::: Wist hij op een of andere manier al over de 'triomf' van Maurice? ::::: '...maar ik weet wel iets over negentiende-eeuwse en vroege twintigste-eeuwse Russische kunst. Dus mocht er iets zijn waarmee ik jullie misschien kan helpen... en laten we in elk geval contact houden.'

Hij stak een kaartje uit in de richting van Maurice, en Maurice pakte het met zijn vingers aan. Hij stak er eentje uit in de richting van A.A. en zij pakte het met haar vingers aan... *O, enorm bedankt slijm enorm slijm slijm enorm.* Korolyov stak er eentje uit in de richting van Norman, en Norman kakelde, hield net een regelrechte *hock hock hock hock* lach in en pakte het aan. Toen stak Korolyov er eentje uit in de richting van Magdalena en ze reikte omhoog, en hij liet het kaartje tussen haar vingers omlaag glijden, legde het op haar palm en drukte het haar hand in met zijn vingertoppen, die hij verankerde met zijn duim op de rug van haar hand, en schonk teugen en teugen en teugen van zichzelf in haar ogen ::::: veel te lang! ::::: voor hij zich wegdraaide.

En dat gedoe met het kaartje ::::: Nu *weet* ik het... Dat *gebeurde niet zomaar*! ::::: de serotonine overspoelde haar bloedsomloop, zonder dat er op korte termijn een mogelijkheid was dat die werd opgenomen. Vanaf dat ogenblik begon zij iets te verzinnen verzinnen verzinnen verzinnen bekokstoven bekokstoven bekokstoven bekokstoven om hem terug te zien.

Norman had niets ongewoons gemerkt. Maar Maurices lustantenne moest hebben getrild, want ongeveer tien minuten later zei hij: 'Heb je Korolyov eerder ontmoet?'

'Alleen gisteravond,' zei ze en ze deed haar best achteloos te blijven klinken, 'toen je me voorstelde.'

Sergei Korolyov – *hij was echt adembenemend!*

# I I

## GHISLAINE

Het kostte enige moeite een shirt met lange mouwen te vinden om die befaamde – ze waren vandaag letterlijk in het nieuws – Nestor Camacho-spieren van hem te verhullen. Maar het moest gebeuren. Toen herinnerde hij zich een geruit flanellen shirt dat hij had weggestopt op de plank in de kast die hij en Yevgeni deelden. Natuurlijk was een van flanel gemaakt shirt met lange mouwen en een donker ruitjespatroon niet niet niet de ideale keus op een warme warme warme Miami-halogeenhittelampdag als vandaag... maar het was de beste optie. Het was echt heel lelijk en liet het uit zijn broek hangen om eruit te zien als een voerzak vol bescheidenheid... dit allemaal omdat hij begreep dat het artikel in de *Herald* vanochtend overal waar zijn maten van cst hem vandaag te zien kregen de Godzilla in het vertrek zou zijn. Het stuk stond op de voorpagina, met een kleinere versie van de foto van hem met zijn shirt uit na het Mast-incident.

Inderdaad waren Nestor, Hernandez, Nuñez en Flores, ook een smeris bij de eenheid, net in een box bij Kermit's gaan zitten, het kleine snelbuffet even verderop in de straat nabij de grote cvs – als je erover nadacht leek ieder tentje in Miami even verderop in de straat bij een of andere grote cvs te liggen – hoe dan ook, ze waren net in de box gaan zitten toen Hernandez vroeg: 'Wie is die John Smith, Nestor? Wat kost het trouwens om een pr-mannetje in te huren?'

*Oeeef!* Die trof Nestor recht in de maag. Maar hij slaagde erin koeltjes te liegen, op gehuichelde toon: 'Voor zover ik weet, brigadier, is het gewoon een vent die echt talent herkent wanneer hij dat te zien krijgt.'

Een goeie. Nuñez en Flores lachten waarderend. Brigadier Hernandez niet. 'Ja, maar hij kreeg het niet te zien. Hij was er niet bij. Maar dat zou je nooit zeggen als je dit –' Hernandez pakte een exemplaar van de *Yo No Creo el Herald* op of het een giftig voorwerp was en begon er hardop uit voor te lezen. 'De touwklimsmeris, de 25-jarige Nestor Camacho, nauwelijks drie maanden geleden onderscheiden met de eremedaille van het politiekorps omdat hij, lijfelijk, een in paniek geraakte Cubaanse vluchteling omlaag haalde van bovenuit een 21 meter hoge schoenermast, bezorgde gisteren medesmerissen – en een stel verdachten in een crackpand in Overtown – een verrassing – nou, een leuke *verrassing*' – waarderend gegiechel van Nuñez en Flores – 'met een nieuwe krachttoer. Camacho en zijn partner, brigadier Jorge Hernandez, jammer genoeg zelf geen legende wanneer het hem zo uitkomt –' Meer gegiechel van Flores en Nuñez, en Hernandez glom vanwege zijn pas ontdekte talent voor humor –

Nestor onderbrak hem. 'Hé, toe nou, brigadier, dat staat er niet!'

'Kerel, misschien heb ik het verkeerd gelezen,' zei Hernandez. Hij las verder: 'Camacho en zijn partner, brigadier Jorge Hernandez, nog altijd een maagd in het Land van de Legenden – probeerden –'

Nestor liet zijn ogen tot in zijn schedel rollen en kreunde: 'Doe-me-een-lol...'

' – probeerden TyShawn Edwards, 26,' vervolgde Hernandez, 'en Herbert Cantrell, 29, allebei uit Overtown, te arresteren in verband met beschuldigingen wegens drugs, toen de zaken een fatale wending namen. Volgens de politie had Edwards, 1,96 meter en 125 kilo, beide handen om Hernandez' nek om hem te wurgen, toen Camacho, 1,70 meter en 75 kilo, op Edwards' rug sprong en hem in een worstelgreep nam die "figure-four met dubbele nelson" heet. Hij bleef als bij een rodeo op Edwards zitten tot deze snakkend naar adem instortte. Nuñez bond Edwards' handen achter zijn rug en rondde de arrestatie af. Camacho schrijft het toe aan een onorthodox trainingsprogramma –'

Nestor interrumpeerde: 'Oké, brigadier – BRIGADIER! We *snappen* het, we *snappen*, het!' Nestors wangen gloeiden van schaamte.

'*Jij* snapt het natuurlijk,' zei Hernandez, 'maar hoe zit het met Nuñez hier, met Flores en de rest van de eenheid? De meesten van hen lezen de *Yo No Creo el Herald* niet. Wil je het hun *onthouden*?'

Hij ging door met het hardop lezen van het artikel... en genoot enorm van Nestors onbehagen. Nestors wangen gloeiden zo dat hij aannam dat zijn gezicht één brandende rode bal moest zijn. Toen raakten Nuñez en Flores echt in de stemming. Ze begonnen te joelen... 'Wooop! Wooooop!'... toen de bijzonderheden van Nestors triomf zich begonnen op te stapelen.

'Hé, brigadier!' zei Flores. 'Wat is er met u gebeurd? Het laatste wat ik hoorde was dat een grote *neger* zijn handen rond uw nek had, en dan horen we niets meer. Was u uitgeschakeld of zo?' Nuñez, Flores en de brigadier bleven maar lachen.

Flores zei tegen Hernandez: 'Waar heeft die vent volgens u al die bijzonderheden vandaan? U weet wel, zoals het rodeoritje van die grote rotzak en zo.'

Hernandez keek naar Nestor en zei: 'Nou...?'

*Mierda*... Nestor wist niet of het *Nou...?* een beschuldigende lading had of niet.

'Niet naar *mij* kijken,' zei hij. 'Ze zeiden me meteen na dat Mastgeval een paar vragen te gaan beantwoorden. Commandant Castillo stond erbij. Maar niemand heeft me gezegd over dit geval vragen te gaan beantwoorden. Waar halen deze kerels die bijzonderheden over politieverhalen vandaan? Ze hebben het altijd over "volgens de politie", "de politie zei", of "volgens een zegsman van de politie"... ik bedoel, wie is een "zegsman van de politie"... en wie is aan het woord wanneer er staat "de politie zei"? Is het Openbare Zaken? – en hoe komen *zij* aan de bijzonderheden? De agenten bellen die op de zaak zitten? Ze moeten het *iemand* vragen. Begrijp je wat ik bedoel?'

::::: Het waren geen echte leugens, wel... maar als Hernandez, Nuñez of Flores het me op de man af vragen? Kan ik deze lui gewoon blijven bedotten? Waarschijnlijk leest niemand van hen ook maar de *Herald*. Maar stel dat ze een sommetje maken... John Smith plus John Smith plus John Smith. ::::: Helemaal afgezien van het feit dat hij zich paranoïde voelde, voelde hij zich schuldig.

Net op dat moment kwam er een vibratie uit de linkerborstzak van zijn geruite flanellen hemd. Nestor diept het mobieltje op uit zijn zak en zegt: 'Camacho.'

Een meisjesstem aan de andere kant: 'Spreek ik met agent Camacho?'

'Ja, ik ben agent Camacho.' Hij gebruikte het 'agent Camacho' om de brigadier, Nuñez en Flores te laten merken dat dit een dienstgesprek was.

'Agent Camacho, Ghislaine Lantier hier. We hebben gisteren gepraat?'

'Ehhh... natuurlijk.' Het geluid van haar stem gaf hem een oppepper die hij zichzelf niet had kunnen uitleggen. Het gebeurde gewoon.

'Ik zou u waarschijnlijk niet moeten bellen, omdat dit niet uw verantwoordelijkheid is, maar ik... ik heb raad nodig.'

'Waarover?' Hij zag haar alsof ze pal voor hem stond... de bleke, bleke huid, het donkere haar, de grote, wijd open, onschuldige... angstige ogen... en haar benen. Haar benen verschenen ook in zijn hoofd.

'Het heeft niets te maken met wat gisteren is gebeurd. Het is nogal ingewikkeld, en ik kon verder niemand bedenken om op te bellen, en toen zag ik dat grote artikel over u in de *Herald* vanochtend, en ik dacht laat ik het proberen. Ik heb uw kaartje nog. Tot ik vanochtend de krant las had ik geen idee dat u dezelfde agent was die ik op tv die vluchteling uit de top van een mast naar beneden had zien dragen.'

En de engel zong! Nestor zei: 'Wacht even.' Hij dekte het mobieltje met zijn andere hand af en zei tegen zijn maten: 'Ik moet dit telefoontje aannemen. Ik ben zo terug.'

Waarop hij opstond uit de box, de deur uit liep, het trottoir op. Hij zei in het mobieltje: 'Ik ga alleen naar een plek waar het iets rustiger is. Er was daar binnen te veel herrie.'

*Een plek* was de grote cvs verderop in de straat. Er was een zwaar paar automatische schuifdeuren van plaatglas bij de ingang. Ongeveer twee meter binnen had je een tweede paar, waardoor er een soort vestibule was. Nestor leunde tegen een zijmuur en zei tegen Ghislaine Lantier: 'Sorry dat ik je liet wachten, maar dit is veel beter.'

'Beter' had evenwel niets met de herrie te maken. 'Beter' verwees naar hoe hij door het gesprek van dit meisje verlost was van Hernandez' vragen over zijn relatie met John Smith. Zinloos het met een flagrante leugen te proberen, bijvoorbeeld ik ken de man niet eens. Wie wist hoeveel mensen hem met John Smith hadden gezien op de avond dat ze naar het restaurant Eiland Capri waren geweest en hij onuitgenodigd in John Smiths appartement had geslapen? Ineens had hij een duister visioen: een onderzoek van het korps naar het samenspannen van een smeris en een *periodista*. Toe nou! Een smeris van 25 van de laagste rang die zonder enige toestemming van hogerhand informatie naar de pers doorspeelde? *¡Dios mío!* Steeds somberder scenario's begonnen door zijn gedachten te glijden. Hij klampte zich helemaal vast aan dit gesprek met Ghislaine Lantier... in een luchtsluis bij de cvs.

'Wel, je zei dat je raad nodig hebt,' zei hij haar, 'maar het gaat niet over gisteren. Dat is correct?'

'Ja... het gaat over – ik neem zo'n risico door dit ook maar aan te roeren bij u, bij een politieagent! Maar op een of andere manier weet ik dat ik u kan vertrouwen. Kon ik het mijn vader maar vertellen... ik bedoel, ik zal het hem *vertellen*, maar ik kan het niet zomaar, u weet wel, in zijn schoot werpen en zeggen "Hier!" Ben ik een beetje te volgen?'

'Ehhhh... nee,' zei Nestor lachend. 'Je hebt me niet eens verteld waarover het gaat. Kun je me *iets* vertellen?'

'Ik geloof niet dat ik dit via de telefoon kan uitleggen. Is er een plek waar ik u kan treffen? Toen we praatten nadat u had gevochten – ik kan het niet uitleggen, maar ik wist dat u sympathiek was. Ik wist dat u daar niet alleen was om mensen te arresteren. Het was een *gevoel* dat ik had –'

Nestor viel haar in de rede. 'Dat is goed, zullen we ergens koffie gaan drinken, dan kun je ontspannen en me het hele verhaal vertellen. Oké?' Goed idee, maar vooral wilde hij haar met de karakterontleding laten ophouden. Ze was begonnen hem een gevoel te bezorgen... hij wist niet wat – al dit gepraat over hoe aardig hij was geweest... 'Vandaag kan ik niet. Mijn dienst gaat zo beginnen. Morgen misschien?'

'Eens kijken... ik heb tot één uur college.'

'College?'

'Hier op U. Miami. Daar ben ik nu.'

'O ja, dat zei je. Oké, ik zie je daar om kwart over één. Waar ben je dan? Mijn dienst begint om vier uur, maar dan zou je genoeg tijd moeten hebben...'

Nestor was welbewust bezig alles zo te plannen. Hij hield één oog op zijn horloge. Hij wilde hier in deze lawaaierige luchtsluis bij cvs blijven tot hij er zeker van was dat zijn maten bij Kermit's zouden moeten vertrekken om aan de dienst te beginnen. Een van hen zou voor zijn rekening moeten opdraaien, waarschijnlijk Hernandez. Maar het was alleen voor één koffie... en hij zou hem verdorie terugbetalen. Het voornaamste was om niet nogmaals in die vervloekte discussie te belanden.

Het meisje bleef kletsen over waar ze elkaar op de campus konden treffen... en O god ze hoopte dat ze geen vreselijke fout maakte, want per slot van rekening *was* hij politieagent. Het was niet zoiets als naar een advocaat stappen, maar zij kon het zich niet veroorloven naar een advocaat te stappen... en de woorden bleven uit haar zenuwbundel komen, en al vrij snel luisterde Nestor maar half. Wel bleef hij haar benen zien... haar benen en haar huid van albast. Hij was amper op tijd voor de dienst.

Kort voor één uur de volgende middag, Nestor was net in zijn Camaro de campus van de University of Miami op gereden voor zijn afspraakje, of wat het ook was, met Ghislaine Lantier. :::::: ¡Santa Barranza!:::::: Hij had geen verleden met het ontlenen van esthetisch genot aan parken en tuinen, maar nu kon het zelfs hem niet ontgaan :::::: Dit oord is iets heel bijzonders! ::::::

Een welig groen gazon bedekte iedere centimeter van de campus en rolde over enorme afstanden almaar door, zo leek het Nestor vanuit de chauffeursstoel van de Camaro. Het was allemaal zo weelderig groen en uniform dat je zou denken dat God het met kunstgras moest hebben aangelegd. Rij na soldaatachtige rij koningspalmen met gladde heel bleekgrijze stammen zorgden in goddelijke lanen voor supergrote zuilengangen aan beide kanten van de paden. De lanen liepen door Gods eigen grasveld naar de ingang van ieder gebouw van belang. Door deze grootse toegangswegen gingen de meest gewone witte Moderne en van dakpannen van klei voorziene Koloniale gebouwen er schitterend uitzien. Toch waren de lanen slechts het opvallendste onderdeel van deze bomenshow. Er leken honderden – duizenden? – lage schaduwbomen te zijn, die voor welig groene varenbladachtige parasols zorgden met een diameter van vijf meter of meer... en ze waren overal... ze waren schaduwen voor lommerrijke terrassen en zonnefilters voor exotische en rijk bloeiende bedden tropische bloemen. *Welig* was het woord, jawel. Je zou denken dat er in Coral Gables per jaar net zo veel regen viel als in Oregon.

Het was lunchtijd, en studenten kwamen de gebouwen uit, en begaven zich hier en gingen naar daar.

:::::: Ze zien eruit als leuke kinderen die een fijne tijd hebben... met hun T-shirts, korte broeken, spijkerbroeken en slippers. Ze zijn slim, zij of hun ouders. Ze zijn op weg dingen te leiden. Deze kinderen die nu – *hier* – over de campus lopen, lijken misschien niet veel voor te stellen, maar ze doen allemaal mee! Ze krijgen uiteindelijk alle diploma's die jij had *moeten hebben*. Zelfs bij het politiekorps moet je tegenwoordig een graad hebben van vier jaar universiteit als je iets wilt bereiken. Om commandant te worden, moet je die graad hebben, en het is een enorme, *enorme* plus in de competitie voor inspecteur. Zonder die letters bij je naam, kun je niet eens *hopen* hoger te komen dan brigadier. :::::

Nestor stapte op het gas, en de opgepepte motor van de Camaro maakte een geweldig agressief geluid als protest tegen de onrechtvaardigheid van het leven. Hij reed hard over de San Amaro Drive naar de Richter Bibliotheek, de grootste bibliotheek op de campus, en zijn bespreking, zijn politieonderzoek, zijn wat-dan-ook, zijn afspraakje met Ghislaine.

Hij had kunnen weten dat Richter een zuilengang van palmen zou hebben. Goddank. Het voorkwam dat het gebouw, dat zich wijd uitstrekte maar slechts twee verdiepingen had, er als een opslagplaats uitzag. Hij was tien minuten te vroeg. Ghislaine had gezegd dat ze elkaar voor het gebouw zouden treffen. Hij parkeerde dus onmiddellijk aan de straatzijde van de zuilengang en keek zo'n beetje naar de mensen die het gebouw in liepen en eruit kwamen. Af en toe daagde iemand op die er ouder uitzag. Hij bleef zich maar afvragen wat deze... bespreking... eigenlijk voorstelde.

Amper een minuut voor 1.15 uur komt er een meisje de bibliotheek uit – een visioen! – met alleen een strohoed met een zwart lint en een rand zo breed als een parasol, een ingetogen shirt met lange mouwen – en *verder niets!* Ghislaine! ::::: Je *ziet dingen*, idioot dat je bent. Dwaas, je ziet alleen wat je *wilt* zien. ::::: Nu beseft de dwaas dat een witte korte broek de onzegbare genietingen afdekt die zo'n trilling in zijn lendenen hebben veroorzaakt... Zoals bij de helft van de meisjes die hij sinds zijn komst hier heeft gezien, is haar korte broek *kort*. Loopt tot nog geen drie centimeter onder haar kruis door. ::::: Al die geile genietingen daarin. Maar haar mooie blanke benen, zo glad als albast, zijn echt, en de stromingen lopen door – ¡kap er in godsnaam mee, Camacho! :::::

Nu loopt ze zijn kant op door de zuilengalerij. Pas wanneer ze heel dicht bij de Camaro is, beseft ze dat *Nestor* aan het stuur zit. Ze glimlachte... vaag... eerder vanwege de zenuwen dan vanwege iets anders, als hij een maatstaf is.

'Hi!' zei Nestor. 'Spring er maar in.'

Ze keek naar de glimmende 'dubs' van de auto, dat was de naam die autogekken zoals Nestor gebruikten voor de speciaal vervaardigde barokspaken waarop de velgen van de Camaro zich mocht beroemen. Het fantastische ontwerp ervan was voorzien van chroom zodat wanneer de auto reed iedere wenteling van de wielen de levens van toeschouwers met duizend flitsen vanaf duizend gewelfde vlakken liet oplichten – of anders de chauffeur stigmatiseerde als een protserige kleine crimineel. Eerlijk gezegd leek Ghislaines leven er niet door op te lichten. Ze keek naar deze opzichtige spaken – letterlijk *opzichtig* – alsof spaken, net als tatoeages, vleugjes criminaliteit verspreidden.

Toen ze net in de passagiersstoel was gegleden, moest ze haar benen dubbelklappen voor ze rechtop kon zitten, en de korte broek werd hoog genoeg opgeduwd om het vlees van haar heupen te ontbloten – :::::: O, toe nou, Nestor! Je gedraagt je als een dertienjarige die zojuist het eerste kolken van al dat gedoe in zijn bekken heeft gevoeld. Het zijn alleen een stel benen – oké? – en jij bent een smeris. ::::::

Hardop zei hij: 'Voel je je vandaag beter?' Hij sloeg een vrolijk toontje aan, het toontje dat suggereert *Natuurlijk voel je je beter, nu je tijd hebt gehad erover na te denken.*

'Niet echt,' zei ze. 'Alleen ben ik heel dankbaar dat u hierheen komt.' Wat een open, onschuldige, angstige ogen had ze!

'Waar wil je heen voor de koffie?' vroeg Nestor. 'Er zou hier een "food-court" of zoiets moeten zijn.'

'Dat is zo...' Maar ze zei het heel aarzelend.

'Wel, kies jij maar. Het maakt mij niets uit.'

'Starbucks?' – alsof ze iets bepleitte wat hij waarschijnlijk zou afwijzen.

'Oké, prima,' zei Nestor. 'Ik ben nog nooit in een Starbucks geweest. Dit is mijn grote kans.'

De Starbucks bleek op de begane grond te zijn, in een galerij die door de bibliotheek heen liep, van voor tot achter. Het was de enige commerciële instelling in de omtrek. *Het legendarische Starbucks!*

Binnen... wat een afknapper... Er was niets bijzonders aan de zaak. Het verschilde maar weinig van Ricky's – goedkope stoelen en tafeltjes, net als bij Ricky's... suikerkorrels die niet weggeveegd op de tafelbladen lagen, net als bij Ricky's... geplastificeerde papieren bekertjes, papieren servetjes, wikkels, de stokjes om de koffie mee te roeren, net als bij Ricky's... een toonbank zo hoog als de meisjes die erachter werkten, net als bij Ricky's... Maar twee dingen waren anders... Eén, geen pastelito's en zodoende geen zalig aroma... Twee, de zaak zat stampvol mensen, maar tussen al het gekwebbel en geklets hoorde hij geen woord Spaans.

Nestor en Ghislaine raakten beklemd in een ware opeenhoping van mensen die wachtten tot ze iets aan een toonbank konden bestellen. Nestor keek toevallig naar de grote glazen vitrine waar hij naast stond – en wat was *dat* in hemelsnaam? Op die planken stonden niet alleen koek en gebak, ze hadden ingepakte etenswaren... dingen als wraps met kip en sla, sesamnoedels met tofoe, dragonkipsalade op achtgranenbrood, Mallorca zoet brood. Toen ze eindelijk de toonbank om te bestellen hadden bereikt stond Nestor er, grootmoedig, op voor beide kopjes te betalen. Hij overhandigde een briefje van 5 dollar – en kreeg *een klap*! Hij kreeg een dollar en twintig cent terug. Dit grootmoedige gebaar had hem $3,80 gekost! Eén negentig voor een kopje koffie! Je kon aan Calle Ocho een kop Cubaanse koffie krijgen, waarschijnlijk stukken beter dan dit spul, voor vijfenzeventig cent! Niemand kon een zwaardere opdoffer van de prijs van een kopje koffie krijgen dan een smeris. Hij ging voor naar een rond tafeltje met een licht gekleurd blad... en suikerkorrels erop. Woest kwam hij overeind en kwam terug met een papieren servetje. Demonstratief veegde hij de suiker eraf. Argeloze Ghislaine met de wijd open ogen wist niet wat ze van hem moest denken. Zomaar ineens besefte Nestor dat hij zijn eigen vader was geworden... Geduld op een grafmonument. Hij kalmeerde en ging met Ghislaine aan het tafeltje zitten. Maar hij blijf zo verbitterd over de prijs van koffie in deze zaak dat hij naar Ghislaine keek alsof *zij* de godverdomde prijzen hier had vastgesteld. Op een abrupte we-zijn-hier-voor-zaken en ik-heb-niet-de-hele-dag-toon snauwde hij het er ongeveer uit: 'Goed, vertel me wat je dwarszit. Wat is er aan de hand?'

Ghislaine was ontsteld door de transformatie van haar aardige ridder in een gewone, standaard, slecht gehumeurde, opdringerige smeris. Nestor zag het onmiddellijk aan haar gezicht. Haar ogen waren nu wijd open van angst. Ze leek moeite te hebben haar lippen in bedwang te houden – en Nestor ervoer een diepe golf van schuld. Geduld op een grafmonument, een glimlach voor het leed – in de vorm van... een te prijzig kopje koffie!

Bedeesd, o zo bedeesd zei Ghislaine: 'Ik maak me zorgen over mijn broer. Hij is vijftien, en hij zit op de Lee de Forest High School.'

'*Tsssss*,' Nestor ademde door zijn tanden uit, wat voor een zacht fluitend geluid zorgde. ::::: *Dios mío*... een leuke beleefde blanke jongen van 15 uit een goede familie die op de Forest zit. Ik denk er liever niet aan wat die arme jongen doormaakt. Ik weet niet wat erger is, de *neger*-bendes of de Haïtiaanse bendes. :::::

'U kent de Forest?' vroeg ze.

'Iedere smeris in Miami kent Lee de Forest High School.' Hij deed zijn best het met een hartelijke glimlach te zeggen.

'Dan weet u over de bendes,' zei Ghislaine.

'Ik weet over de bendes.' Weer een gezicht vol hartelijkheid en vriendelijkheid.

'Goed, mijn broer – hij heet Philippe. Hij is altijd een leuke jongen geweest... u weet wel, rustig, beleefd en leergierig – en hij deed vorig jaar op zijn oude school aan sport.' ::::: Die grote onschuldige ogen van haar! Louter door die blik op haar gezicht schaam ik me voor mezelf. Daar was alleen een kopje koffie voor nodig. ::::: 'Als je hem vandaag zag,' vervolgde ze, 'zou je denken dat hij bij een of andere Afro-Amerikaanse bende hoorde. Dat is niet het geval, volgens mij, maar heel zijn attitude zegt van wel... de flodderige broeken die hij zo laag draagt dat je denkt "Nog een paar centimeter en weg is-ie"... en de bandana rond zijn hoofd met "de kleuren"? En hij paradeert op een bepaalde manier zoals bendeleden lopen.' Ze wiegde om het na te doen in haar stoel van de ene kant naar de andere. 'En zoals hij *praat*! Iedere zin begint met "man". Het is *Man* zus en *Man* zo. En alles is *cool* of het is niet *cool*. Hij zegt voortdurend dingen als: "Oké, man, vind ik cool." *Stuk voor stuk* dingen waarvan mijn vader gek wordt. Mijn vader is docent, hij geeft Franse literatuur aan EGU. O, en ik vergat het allerergste – mijn broer is begonnen met zijn nieuwe "vrienden" Creools te praten! Dat vinden ze heel cool, want dan kunnen ze de leraar pal in zijn gezicht beledigen! De leraren hebben geen idee wat ze zeggen. Zo zijn eigenlijk alle problemen op de Forest begonnen! Mijn vader laat ons thuis geen Creools spreken. Philippe heeft het opgepikt van andere leerlingen op Lee de Forest.'

'Wacht even,' zei Nestor. 'Creools is Haïtiaans, nietwaar?' Ghislaine knikte ja... heel langzaam. 'Je zegt dus... dat je *broer* een *Haïtiaan* is?'

Ghislaine slaakte een diepe zucht. 'Ik had het gevoel' – ze zweeg en zuchtte. 'Ik geloof dat ik nu alles net zo goed kan uitleggen, want het hoort er allemaal bij. Ja, mijn broer is Haïtiaans, en mijn vader is Haïtiaans, en mijn moeder was Haïtiaans, en ik ben Haïtiaans. We zijn allemaal Haïtiaans.'

'Jij bent... *Haïtiaans?*' vroeg Nestor, die geen betere formulering wist te bedenken.

'Ik heb zo'n lichte huid,' zei Ghislaine. 'Dat denkt u toch?'

Ja, inderdaad... maar Nestor kon geen tactvolle manier bedenken om erover te praten.

'Er zijn een heleboel Haïtianen met een lichte huid,' zei Ghislaine. 'Nou ja... niet een *heleboel*... maar een behoorlijk aantal. Juist daarom vallen we niet op bij de mensen. Onze familie, de Lantiers, stamt af van een Generaal Lantier, een van de leiders van de Franse strijdkrachten die als eersten Haïti bezetten in 1802. Mijn vader heeft er veel over uitgezocht. Hij heeft mijn broer en mij gezegd het onderwerp niet ter sprake te brengen... dat we Haïtianen zijn, bedoel ik. Niet dat hij zich ervoor schaamt Haïtiaan te zijn, helemaal niet. Maar het is gewoon zo dat wanneer je in dit land zegt dat je Haïtiaan bent de mensen je meteen een etiket op plakken. "Aha, dat ben je dus, Haïtiaan." Wat wil zeggen dat je niet *dit*... of dit kunt zijn... of in staat bent *dit* of *dat* of iets anders te doen. En als je de mensen vertelt dat je Frans bent, geloven ze je gewoon niet, omdat ze zich niet kunnen voorstellen dat iemand die geboren en getogen is op Haïti toch Frans is. Maar zo zit het wel met de Lantiers.'

Nestor was van z'n stuk gebracht. Hij wist niet wat hij ervan moest denken. Hij was erop voorbereid geweest dat zij een of andere zeldzame paradijsvogel zou blijken te zijn, vanwege hoe ze eruitzag... *Haïtiaans?* – en ze beweert dat ze Frans is?

Ze glimlachte voor de allereerste keer naar Nestor. 'Staar me niet zo aan! Snapt u nu waarom mijn vader ons vertelde het onderwerp niet ter sprake te brengen? Zodra je het wel doet, zeggen mensen: "O, je bent Haïtiaans... een van *hen*... en we kunnen niet op je rekenen voor wat het ook mag zijn." Kom op, geef het maar toe. Ik heb gelijk, nietwaar?'

Waardoor Nestor naar haar moest glimlachen, deels omdat glimlachen gemakkelijker was dan te proberen een of ander toepasselijk verhaaltje op te hangen... en deels omdat door die glimlach van haar haar gezicht helemaal opklaarde. Ze werd een ander iemand ::::: *stralend*... is het woord, maar ze is tegelijk kwetsbaar... ze heeft de armen van een beschermer om haar heen nodig... en wat een stel benen! ::::: maar hij vond het slecht van zichzelf dat hij daaraan ook maar dacht! Zij had het *zuivere* soort aantrekkelijkheid... en er was nog iets anders ook... Ze was zo *slim*. Hij zei dat aanvankelijk niet met zo veel woorden tegen zichzelf. De dingen die ze wist, het vocabulaire dat ze gebruikte... het bouwde zich allemaal geleidelijk op terwijl ze sprak. Niemand die hij kende zou ooit zeggen: 'Hij paradeert op een bepaalde manier'... Ze zouden misschien 'paraderen' zeggen... wie weet... maar geen van hen zou ooit de wending 'op een bepaalde manier' gebruiken of een kleinigheid als 'dat is niet het geval'. Hij had niet één vriend die ooit 'niet het geval' zei. Ze zeiden allemaal 'dat is niet zo'. De zeldzame keren dat hij 'niet het geval' hoorde, leidde dat tot een inwendige reactie die hem een 'vreemd' of 'aangedaan' gevoel bezorgde, ook al wist hij, als hij erover nadacht, dat 'niet het geval' grammaticaal gewoon correct was.

'Maar goed,' zei Ghislaine, 'ik moest het u vertellen, omdat het de kern van de zaak raakt van wat er op de Forest is gebeurd. Mijn broer was bij die les.'

'*Ja?* – toen de leraar die jongen tegen de grond sloeg?'

'Toen hij *naar men zegt* "die jongen" tegen de grond heeft geslagen, inderdaad. "Die jongen" is een grote, stoere Haïtiaanse knaap die François Dubois heet. Hij is de leider van een of andere bende. Alle jongens zijn doodsbang voor hem... en ik vrees dat bij "alle" mijn broer is inbegrepen. Ik weet zeker dat het net andersom is gegaan. De leraar, mijnheer Estevez, is een grote man, maar ik ben er zeker van dat dit joch van Dubois *hem* tegen de grond heeft geslagen... en om het verdoezelen, begint Dubois jongens onder druk te zetten de politie te vertellen dat het allemaal begon toen de leraar, mijnheer Estevez, *hem* neersloeg. En mijn arme broer liet zich daarvoor lenen. Ik ben ervan overtuigd dat het zo is gegaan. Philippe wil wanhopig graag bij de stoere jongens in de smaak vallen... Inmiddels heeft deze Dubois Philippe en vier andere jongens ingeschakeld hem te steunen wanneer de politie komt. De rest van de klas zegt dat ze niet weten wat er is gebeurd, ze hebben het niet gezien. Op die manier wisten ze hun snor te drukken. Op die manier hoefden ze niet te liegen tegen de politie, terwijl ze tegelijk niet de toorn van Dubois en zijn bende hoefden op te wekken.' *De toorn opwekken.* 'Een leraar die een leerling slaat – dat is momenteel een heel ernstige zaak. Niet één leerling, niet één, zegt dat Dubois mijnheer Estevez heeft geslagen. Mijnheer Estevez heeft dus niet *één* getuige die hem steunt, terwijl Dubois er vier of vijf heeft. Voor je het wist, kwam de politie de school uit met mijnheer Estevez. Ze hadden zijn handen achter zijn rug geboeid.'

'En wat is er volgens Philippe gebeurd?'

'Hij weigerde er met mij of met mijn vader over te praten. Hij zei dat hij nooit heeft gezien wat er is gebeurd en hij er niet over wilde praten. Ik had meteen door dat er iets aan de hand was. Ik bedoel, de meeste jongens kun je – als er zoiets sensationeels op school gebeurt als dit, of zelfs als het *niet* sensationeel is – niet laten zwijgen. Het enige wat we uit hem hebben gekregen, was dat de hele toestand begon toen dat joch van Dubois iets tegen mijnheer Estevez in het Creools zei, en alle Haïtianen in de klas begonnen te lachen. Mijnheer Estevez –'

'Wacht even,' zei Nestor. 'Hij wil er niet over praten – hoe weet je dan dat hij moet liegen voor dat joch van Dubois, hij en de vier andere jongens.'

'Mijn vader en ik hebben hem afgeluisterd toen hij in het Creools praatte met een jongen uit de klas, Antoine heet hij, iemand uit de *posse* van Dubois, zo noemen ze dat geloof ik. Ze wisten niet dat er iemand anders in huis was. Ik ken geen Creools, maar mijn vader wel, en ze hebben de vier andere jongens genoemd.'

'Wie waren dat?'

'Ik weet het niet,' zei Ghislaine. 'Gewoon andere jongens uit de klas. Ik had nooit van een van hen gehoord. Ze zeiden alleen de voornamen...'

'Weet je die nog, de voornamen?'

'Ik herinner me er eentje, want ze noemden hem "Fat Louis". Ze zeiden het in het Engels... "Fat Louis", dikke Louis.'

'En de andere drie?'

'De andere drie? Ik geloof – ik weet nog dat er een Patrice heette. Dat is me bijgebleven... en de andere twee... allebei de namen begonnen met een H... dat weet ik nog wel... hmmm... Hervé en Honoré!... Dat was het, Hervé en Honoré.'

Nestor pakte een klein notitieboekje met spiraalband en een balpen uit zijn borstzak en begon de namen op te krabbelen.

'Wat doet u?'

'Ik weet het niet precies,' zei Nestor. 'Ik heb een idee.'

Ghislaine keek omlaag en draaide één hand rond de vingers van de andere hand. 'Snapt u waarom ik aarzelde hierover met een politieagent te praten? Voor zover ik weet, bent u verplicht al deze informatie door te geven aan – nou ja, aan wie u ook rapporteert, en misschien is dat al genoeg om Philippe in moeilijkheden te brengen.'

Nestor begon te lachen. 'Je broer verkeert op dit moment niet in gevaar, ook al zou ik een *keiharde* smeris zijn. Om te beginnen komt wat je me tot nu toe hebt verteld niet eens tot het niveau van geruchten. Ik zou me alleen baseren op de fantasie van zijn zus. Bovendien heeft ons korps geen bevoegdheid voor wat er op Lee de Forest of enige andere openbare school in Miami gebeurt.'

'Waarom niet?'

'De scholen hebben hun eigen politiekorps. Het is van begin af aan niet onze zaak geweest.'

'Dat wist ik niet. Ze hebben hun *eigen politiekorps*? Waarom?'

'Wil je geruchten van mijn kant horen?' vroeg Nestor. 'Officieel zijn ze er om de orde te handhaven. Maar als je het mij vraagt, zijn ze er vooral om de schade te beperken. Ze worden geacht slecht nieuws in de doofpot te stoppen voor het naar buiten komt. In dit geval hadden ze geen keus. Het geval was op een rel uitgelopen, en het was uitgesloten het in de doofpot te houden.'

Ghislaine zei niets. Ze keek alleen naar Nestor – maar haar blik werd een pleidooi. Ten slotte zei ze terwijl ze hem diep in de ogen keek: 'Help me alsjeblieft, Nestor.' *Nestor*! Geen agent Camacho meer. 'Jij bent mijn enige hoop – zijn leven dreigt te worden verwoest... voor het ook maar is begonnen.'

Ze straalde weer op dat ogenblik, ze straalde als welke engel Nestor zich ook kon voorstellen. Hij wilde zijn armen om haar heen slaan en haar beschermer zijn. Hij had geen idee wat hij haar moest zeggen. Hij wilde haar alleen maar vasthouden en haar ervan verzekeren dat hij aan haar kant stond.

Met de meest geruststellende uitdrukking die hij kon produceren, stond hij op. Hij keek op zijn horloge en zei: 'Ik moet gaan. Maar je hebt mijn nummer. Je kunt me ieder moment bellen, en ik bedoel *ieder* moment.'

Ze liepen naast elkaar de Starbucks uit. Ze hadden ongeveer dezelfde lengte. Hij draaide zijn gezicht dicht naar het hare toe. 'Ik heb al een paar ideeën, maar ik moet het een en ander nakijken.'

Hij legde zijn armen om haar schouder en trok haar terwijl ze verder liepen dichter naar zich toe. Het moest op een vaderlijke omhelzing lijken, het teken voor 'Laat je hoofd niet hangen, meisje. Niet zo tobben.' Zijn wenkbrauwen liet hij een mysterieuze welving maken. 'In het ergste geval kunnen wij altijd... *iets*... doen.' Hij gaf *wij* het gewicht van het complete politiekorps mee.

Ze keek naar hem met een blik waarmee je een held kunt zalven. Hij dacht, eerlijk gezegd, aan haar benen, en keek omlaag om er, naast de zijne, een ogenschijnlijk toevallige blik op te werpen. Zo lang, stevig en bloot... Snel en resoluut kuiste hij zijn gedachten.

'Hoor eens,' zei hij. 'Is het mogelijk dat ik met Philippe praat, zonder dat het lijkt of ik een politieagent ben die hem vragen stel over een zaak?'

Ghislaine begon weer met haar vingers te draaien. 'Volgens mij kun je er op een middag gewoon toevallig zijn, bij ons thuis bedoel ik, wanneer hij naar huis komt uit school – zoiets?'

'Naderen rechts van u bestemming,' zei die vrouw van ergens boven in het GPS-wolkje. Goed, het was allemaal van de computer, die vrouwenstem, maar toch – ::::: hoe krijgen ze het voor elkaar? ::::: Zoals die keer in Broward toen hij op een glad wegdek in een slip was geraakt en uiteindelijk achteruit een rivier in reed. En hij zit daar met het water over de bumpers van de Camaro heen, zich af te vragen hoe hij hieruit moet komen, en die vrouw zegt met de kalmst denkbare stem: 'Route wordt opnieuw berekend.' En in een mum is ze terug en ze vertelt hem vijfhonderd meter stroomopwaarts over de rivierbedding te rijden en links af te slaan waar de resten van een oude verharde landweg het water in steken – en hij rijdt exact vijfhonderd meter door een rivier en slaat links af – en het lukt! Ze had gelijk! Hij was eruit! ::::: Maar hoe krijgen ze het voor elkaar? :::::

Nu vertraagde hij bij haar zoals-ik-zeg, en de huizen begonnen langs te drijven, het soort huizen dat ze lang geleden in de twintigste eeuw pleegden te bouwen... al dat witte pleisterwerk, die kleikleurige ronde dakpannen enzovoorts. De percelen waren klein en slechts een paar huizen waren meer dan acht meter breed... maar er waren volop hoge schaduwbomen, wat erop wees dat het een oud stuk was... Met de zon bijna recht boven je hoofd wierpen de bomen vlekkerige schaduwen op het pleisterwerk en op de gazons aan de voorkant. De huizen stonden nogal dicht bij de straat. Maar toch waren de gazons welig groen, en er waren struiken en schitterende bloemen, fuchsia's, lavendel en gele irissen, helder rode petunia's... Mooie buurt! Het was een eind in noordoostelijk Miami, de zogeheten Upper East Side... een heleboel betere latino's en Anglo's hier – en een heleboel latino-, en Anglo-homo's nu we het erover hebben... Meteen oostelijk aan de andere kant van Biscayne Boulevard had je Little Haiti, Liberty City, Little River, Buena Vista, Brownsville... Nestor kon zich indenken dat de latino's en de Anglo's van de Upper East Side God iedere dag dankten voor Biscayne Boulevard, die hen afschermde van de woeste streken.

'Bestemming bereikt,' zei de ongeziene Koningin van de magische GP Hemel.

Nestor reed naar het trottoir en keek naar rechts. ::::: Wat is *dat*? Ghislaine woont... *daar?!* ::::: Hij had nooit zo'n huis gezien... Het had een plat dak waarvan je alleen de rand kon zien... muren van wit pleisterwerk met twee smalle stroken zwarte verf ongeveer dertig centimeter onder het dak, heel het huis rond... enkele tientallen hoge smalle ramen, naast elkaar aangebracht om een enorme welving te krijgen die aan één kant van het huis begon, eromheen zwaaide en zo haast de helft van de gevel in beslag nam. Hij stond zich daar maar te vergapen tot een voordeur openging en haar stem klonk:

'Nestor! Hi! Kom binnen!'

Zoals Ghislaine glimlachte! Haar geheel onverhulde vreugde toen ze naar hem toe snelde! Hij wilde daar staan met zijn borst opgezet zoals de prins in *Sneeuwwitje* en haar zijn armen in laten rennen! Daar was ze dan! Ghislaine! – in haar shirt met lange mouwen en haar korterdan-korte korte broek, mooie lange benen bloot! Pas op het laatste moment slaagde hij erin zich in te houden. ::::: Het is om politiewerk begonnen, verdorie, niet om haar aan de haak te slaan. Niemand had toestemming voor dit politiewerk gegeven, maar – maar waar *slaat* dit allemaal op? :::::

Nu stond ze pal voor hem, ze keek hem in de ogen en zei: 'Je bent tien minuten te vroeg!' – alsof dat de liefdevolste hulde was die een vrouw ooit aan een man had betoond. Hij was sprakeloos.

Tot zijn verbazing pakte zij z'n hand – maar niet om die vast te houden, alleen om die te schudden, en ze zei: 'Kom op! Laten we naar binnen gaan. Wil je misschien ijsthee?' – intussen straalde ze een glimlach uit van de zuiverste, meest weerloze liefde, zo kwam het in elk geval bij Nestor over.

Binnen bracht ze hem de woonkamer in, overgoten met licht dat naar binnen stroomde door de immense reeks ramen. De andere muren bestonden, van boven tot onder, uit planken met boeken, alleen onderbroken door een deur en ruimtes voor drie reuzenposters waarop mannen met hoeden stonden, Europese posters, te oordelen aan de hoeden waarvoor ze reclame maakten: 'ChapeauxMossant', 'Manolo Dandy', 'Princeps S.A. Cervo Italia'...

'Kijk gerust rond!' zei Ghislaine. Haar toon was van een onverklaarbare opwinding. 'Ik haal ijsthee voor ons!'

Toen ze terugkwam met de ijsthee zei ze: 'Nou, wat vind je?'

Nestor zei: 'Ik... ik weet niet wat ik moet zeggen. Dit is het meest... verbijsterende huis dat ik ooit heb gezien.' Hij was begonnen met 'ongebruikelijk' te zeggen.

'Tja, het is door en door Papa,' zei Ghislaine. Ze liet haar ogen op een nogal schertsende *wat-doe-je-eraan*-manier rollen. 'Het is allemaal art deco, binnen en buiten. Weet je wat art deco is?'

Nestor zei: 'Nee.' Hij schudde zijn hoofd licht. Hier had je weer een van die dingen waardoor hij zich zo – *ummmmm*niet zozeer onwetend als wel onbeschaafd voelde, met Ghislaine in de buurt.

'Nou, het is een Franse stijl uit de jaren twintig van de vorige eeuw. In het Frans is het *Les Arts Décoratifs*. Dat betekent heel veel voor Pa, dat het Frans is. Ik weet zeker dat dit de belangrijkste reden is dat Pa het huis heeft gekocht. Het is niet erg groot, en zo deftig is het niet, maar het is een origineel art-decohuis. Deze leunstoelen en de salontafel, het zijn authentieke stukken art-decomeubilair.' Ze gebaarde naar een van de stoelen en zei: 'Zeg, zullen we gaan zitten?'

Ze gingen dus allebei in de art-decoleunstoelen zitten. Ze dronk wat thee en zei: 'Alleen al deze stoelen hebben Pa een *fortuin* gekost. Het is zo dat Pa belieft' ::::: *belieft* ::::: 'dat Philippe en ik niet vergeten dat we van origine Frans zijn. We mogen thuis alleen Frans spreken. Ik wil zeggen, Creools – Pa verfoeit' ::::: *verfoeit* ::::: 'Creools, ook al geeft mijn vader Creools op EGU. Hij zegt dat het *zo-o-o-o-o* primitief is dat hij er niet tegen kan. Dus toen Philippe thuiskwam van school en Creools sprak met een joch als die jongen Antoine, die opgroeide zonder iets anders te kennen dan Creools... en Philippe duidelijk geaccepteerd wilde worden door deze, neem me niet kwalijk... *imbeciel* – kwam dat bij Pa vreselijk hard aan. En toen Philippe tegen Pa iets terugzei in het Creools om indruk te maken op deze imbeciel... toen was Pa helemaal verpletterd. Ik bedoel, ik *hou* van Papa, en dat zul jij ook doen wanneer je hem hebt leren kennen' ::::: 'wanneer ik hem heb leren kennen' – hoezo...? ::::: 'maar volgens mij is Pa een *heel klein beetje*' – ze stak een duim en een wijsvinger voor zich uit tot ze elkaar *bijna* raakten – 'een heel klein beetje snobistisch. Ik kon bijvoorbeeld zien dat Papa niet wilde laten merken hoe opgewonden hij erover was dat ik mij bij South Beach Outreach heb aangesloten.' ::::: *mij* heb aangesloten, niet *me* heb aangesloten :::::: 'Ik geloof echt dat hij opgewondener was –'

'Wat vindt Philippe van zijn Franse *origine* en alles?' zei Nestor. Hij had haar niet willen afsnijden, maar hij had geen geduld met Papa's snobisme, South Beach Outreach en de rest van dit sociale gedoe.

'Philippe is pas vijftien,' zei Ghislaine. 'Ik betwijfel of hij er überhaupt iets van vindt, bewust tenminste. Op dit moment wil hij een *Neg* zijn, een zwarte Haïtiaan, zoals Antoine en deze Dubois, en *zij* willen op van die Amerikaanse zwarte bendeleden lijken, en ik weet niet *waarop* Amerikaanse zwarte bendeleden willen lijken.'

Ze spraken dus over Philippes problemen, scholen en bendes.

'Deze stad is zo verdeeld in nationaliteiten, rassen en etnische groepen,' zei Ghislaine, 'en je kunt dat proberen uit te leggen aan iemand van vijftien, zoals Philippe, maar hij luistert toch niet. En weet je? Zelfs als hij het begrijpt, zal het toch geen –'

Ghislaine *sssttt*sloot ineens haar lippen met haar wijsvinger en draaide naar de achterkant van het huis toe… en luisterde… Nauwelijks meer dan fluisterend tegen Nestor: 'Ik geloof dat het hem is, Philippe. Hij komt altijd door de keukendeur binnen.'

Nestor keek die kant op. Hij kon iemand, waarschijnlijk Philippe, iets zwaars op de keukentafel horen ploffen… en een koelkastdeur opendoen.

Ghislaine leunde naar hem toe en zei met dezelfde fluisterende stem: 'Hij pakt altijd iets kouds te drinken zodra hij thuiskomt van school. Als hij denkt dat Papa er is, pakt hij een glas sinaasappelsap. Als hij weet dat Papa er niet is, zoals vandaag, pakt hij een Coca-Cola.'

*Dreun*. De koelkastdeur ging dicht. Ghislaine keek behoedzaam die kant op voor ze zich weer naar Nestor toe draaide. 'Papa probeert niet om Coca-Cola uit huis te weren, maar iedere keer dat hij Philippe er eentje ziet drinken, zegt hij: "Net of je vloeibaar snoepgoed drinkt, nietwaar." Of iets dergelijks, en Philippe wordt er gek van. Hij kan er niet tegen. Wanneer Papa dingen zegt die grappig zijn bedoeld, durft Philippe niet te lachen… want de helft van de tijd heeft Papa er een soort… een soort *subtiel sarcasme* in verwerkt waarmee hij te kampen krijgt. Hij is pas vijftien. Soms denk ik dat ik Papa er iets over zou moeten zeggen.' Ze keek nogal onderzoekend naar Nestor, alsof hij wijze raad zou kunnen geven.

Nestor glimlachte naar haar met alle warmte die hij in een glimlach kon stoppen... glimlachte eigenlijk een paar tellen te lang. 'Hangt van je vader af,' zei hij. *Hangt van je vader af?* Wat had *dat* te betekenen?... Het betekende dat hij was afgeleid... Hij hield van de uiterst kwetsbare, onbeschermde blik op Ghislaines gezicht... een blik die leek te zeggen: 'Ik lever mijn oordeel aan dat van jou over.' Toen ze zo voorover leunde, was haar gezicht amper vijfenveertig cm van de knieën van haar gekruiste benen af. Haar korte broek was behoorlijk kort. Haar mooie benen waren kwetsbaar, een vleselijke manifestatie van onbeschermde onschuld. Hij wilde omhelzen – ::::: Kap ermee, idioot dat je bent! Is het niet erg genoeg dat je besloten hebt je neus in een zaak van de Schoolpolitie te steken? Het enige wat je nu moet doen – ::::: Hij zette dit gedoe met denkbare vleselijke aantrekkelijkheden uit zijn hoofd. Maar zijn glimlach en zijn blik veranderden geen moment. Die van haar ook niet... tot zij haar lippen een beetje begon samen te drukken... Nestor interpreteerde het als: 'We kunnen niet alles zeggen wat we op ons hart hebben, wel?'

*Pop!* Die opzwellende luchtbel verdween zodra ze haar broer de keuken uit hoorde komen. Ze kwam uit de stoel overeind en zei: 'Philippe, ben jij dat?'

'Ja.' Je kon horen dat de jongen probeerde zijn 15-jaars-stem tot een mannelijke bariton omlaag te krijgen.

'Kom eens even hier,' zei Ghislaine. 'Er is iemand met wie je zou moeten spreken!'

Een stilte... vervolgens: 'Goed.' Op een of andere manier slaagde hij erin zijn stem nog lager te krijgen, op zoek naar het allerdiepste punt van de modder van voorgewende verveling.

Ghislaine welfde haar wenkbrauwen en rolde haar ogen omhoog. *Het spijt me, maar we moeten ons hier gewoon bij neerleggen.*

Philippe, een lange maar vreselijk magere jongen, kwam de woonkamer in lopen met een langzame wiegende tred die Nestor onmiddellijk als de Pimp Roll herkende. Het kruis van zijn spijkerbroek hing ongeveer tot op zijn knieën... de taille zat rond zijn heupen... waardoor je ongeveer 22 centimeter van een boxershort met fel gekleurd patroon zag. Erboven een zwart T-shirt met een opzichtige gele belettering, er stond UZ MUVVUZ, een *neg* zogeheten rasta-rapgroep waarvan Nestor vagelijk weet had. Een stripachtig plaatje onder het UZ MUVVUZ nam je mee in de gapende muil van een alligator, een en al tanden, en regelrecht de donkere keel van het beest in. De jongen, Philippe, rondde dat af met een bandana om zijn voorhoofd in schreeuwende tinten groen, geel en rood, doorschoten met wit... al deze nogal gedateerde zwarte-straatjongensmodeartikelen tooiden een lichaam dat de kleur had van café au lait... en een bende-bandana die het kinderlijke hoofd van een tiener bekroonde! De jongen had een fijngevoelig gezicht, fijngevoelig voor een Haïtiaan in ieder geval, in Nestors ogen... bijna de lippen van een Anglo... maar een beetje te brede neus... Het was een lief gezicht... zelfs nu hij de kamer overzag met zijn wenkbrauwen op oogniveau over zijn neus gevouwen en zijn kaakbeenderen vreemd gedraaid in een poging tot een rot-op-frons... het was *toch* een lief gezicht.

Ghislaine kwam overeind en zei: 'Philippe, ik wil je aan agent Camacho voorstellen. Je herinnert je toch dat ik het met je over agent Camacho had?... en dat grote stuk in de krant – het voorval in Overtown toen ik daar met South Beach Outreach was? Daarvoor is agent Camacho hier.'

Inmiddels stond Nestor overeind, en Philippe keek hem pal aan. De uitdrukking van de jongen was volledig veranderd. Maar wat ging er eigenlijk ineens door zijn hoofd? Hij was... op zijn hoede?... of alleen verbaasd?... of in de war?... of misschien verbijsterd door de bijzondere spierenshow in marineblauw clair-obscur die nu voor hem stond? Bij het handen schudden zei Nestor: 'Ha, Philippe!' met alle Smerischarme waartoe hij in staat was. Smerischarme was de andere kant van de medaille van de Smerisblik. De Smerisblik werkte omdat de smeris het zelfvertrouwen had van iemand die weet dat hij De Macht heeft en het officiële groene licht die te gebruiken – en *jij* niet. Smerischarme werkte om dezelfde reden. Ik heb De Macht – en *jij* niet – maar ik heb momenteel alleen de intentie om warm en aardig te zijn, omdat je tot nu toe mijn goedkeuring hebt. Stralende Smerischarme werd door een simpele burger doorgaans als een cadeautje gezien, een geschenk van een man die gerechtigd is tot geweld. Nestor zag hoe heel de houding van de jongen met een volstrekt onbewuste dankbaarheid veranderde.

Aanvankelijk staarde Philippe alleen naar Nestor, perplex... ineens geen *basso profundo*... maar een bedeesde tienertenor die moeizaam genoeg moed verzamelde voor de woorden: 'Jee... ik zag je gisteravond online!'

Nestor bleef Smerischarme uitstralen. 'Heus?' zei hij.

'Er was een foto van jou en een foto van die grote kerel met wie je hebt gevochten. Hij was *echt* groot! Hoe vecht je tegen zo iemand?'

'Ooo, dat is niet echt vechten,' zei Nestor. 'Je probeert de vent niet te verwonden. Je rolt alleen door het vuil, zodat je hem kunt arresteren.'

'Door het *vuil* rollen?'

'Zo noemen ze het,' zei Nestor, '"door het vuil rollen". Het kan op de vloer zijn, zoals in dit geval, of op een trottoir of midden op straat – dat gebeurt heel vaak – en heel vaak is het werkelijk door het vuil, maar het heet allemaal "door het vuil rollen".'

'Maar die vent was zo *groot*!' zei de jongen.

'Dat kan het eenvoudiger maken,' zei Nestor. 'Heel wat van de echt grote kerels laten zichzelf dik worden, omdat ze dan nog groter worden. En ze weten niet wat trainen is. Ze willen alleen *groot* lijken.'

'Trainen?'

'Ze blijven niet in conditie,' zei Nestor. 'Ze doen niet aan hardlopen. Meestal tillen ze niet eens gewichten. Dat gold voor deze grote vent. Het enige wat je hoeft te doen is een vent als hij vasthouden en hem zichzelf laten uitputten. De vent is niet in vorm, en hij rukt die dikke bast van hem alle kanten op, om te proberen los te komen, en hij raakt buiten adem, en hij zuigt lucht, en heel snel is het met hem gedaan. Het enige wat je hoeft te doen is hem vastklemmen, en die kerel doet al het werk voor je.'

'Maar hoe klem je hem vast? Die vent was *echt* groot.'

'Iedere agent gebruikt zijn eigen grepen, maar volgens mij is een eenvoudige oude figure-four plus een dubbele nelson het enige wat je in de meeste gevallen nodig hebt,' zei Nestor zo nonchalant als hij kon. Toen legde hij de 'figure-four' en de dubbele nelson aan Philippe uit.

Inmiddels had Philippe zijn *Neg*-bendelidpose helemaal laten vallen. Hij was gewoon een jongen van 15 die werd gefascineerd door lef-verhalen uit het ware leven. Ghislaine zei: 'Zullen we gaan zitten?' Dat deed Philippe met alle plezier... hij die, door zijn optreden en stemgeluid, duidelijk had gemaakt dat hier naar de woonkamer komen waar *Iemand aan wie ik je wil voorstellen* – een volwassene ongetwijfeld – ongeveer het laatste was wat hij wilde. Nestor gebaarde naar de leunstoel waarop hij had gezeten, Philippe ging daar zitten, en Nestor ging op de bank zitten. Hij deed niet eens een poging achterover te leunen. Hij zat op de voorste rand van het zitkussen en boog zich naar Philippe toe.

Ze begonnen te kletsen, vooral over aspecten aan het politiewerk waarnaar Philippe altijd nieuwsgierig was geweest, en Nestor begon Philippe dingen te vragen over wat hij deed en zijn interesses, en maakte opmerkingen over hoe lang Philippe was... en vroeg zich af of hij ooit aan sport had gedaan. Philippe gaf toe dat hij erover had gedacht een proefwedstrijd te doen voor het basketbalteam op zijn middelbare school, maar er om die en die reden van had afgezien, waarop Nestor vroeg: 'Op welke middelbare school zit je?'

'De Forest,' zei Philippe. Hij zei het toonloos.

'Meen je dat,' zei Nestor, 'de Forest?'

Ghislaine nam het woord: 'Het is zo dat Philippe in die klas zat van dat incident, toen de leraar een leerling aanviel, en er waren demonstraties, en ze hebben de leraar gearresteerd. Philippe was erbij toen het gebeurde.'

Nestor keek naar Philippe. Philippe leek bevroren. Zijn gezicht was een blinde muur. Zijn lust om verder op het onderwerp in te gaan was duidelijk nihil.

'O, dat herinner ik me,' zei Nestor. 'Iedere smeris herinnert zich dat. De leraar – hoe heet-ie? – Estevez? – wordt verdacht van zware mishandeling,' zei Nestor. 'Dat is een *stuk* ernstiger dan gewone mishandeling. Hij kan voor *lange* tijd achter slot en grendel gaan.'

Philippe... nog steeds een blok ijs.

'Ik herinner me nog dat ons korps reageerde toen het telefoontje binnenkwam, net als Miami-Dade, Hialeah en Doral. Het moet een hele toestand zijn geweest, al die smerissen overal vandaan... sirenes, flikkerende lichten, megafoons – dat moet me iets zijn geweest. Ik neem aan dat ze het allemaal heel serieus nemen, dit gedoe van leraren die leerlingen mishandelen. Maar goed, uiteindelijk heeft de Schoolpolitie heel het geval afgewikkeld. Wij hebben er helemaal niets mee te maken, maar ik herinner me dat ik er vraagtekens bij zette. Hoe is het begonnen, Philippe? Jij was erbij. Wat was de aanleiding?'

Philippe staarde alleen naar Nestor – staarde zonder enige uitdrukking – en toen hij uiteindelijk reageerde klonk hij als een zombie: 'Mijnheer Estevez riep François, zo heet hij, in de klas naar voren en François zei iets in het Creools, en iedereen begon te lachen, en mijnheer Estevez werd kwaad en verstikte François zo' – hij imiteerde een hoofdgreep – 'en gooide hem op de grond.'

'En dat heb je allemaal gezien?' vroeg Nestor.

Philippes mond viel een beetje open en hij keek nu angstig. Hij had geen idee wat hij moest zeggen. Je kon ongeveer de rekensommen, de kansen, de risico's, de leugens in zijn hoofd zien zieden. Hij kon zich er niet toe brengen iets te zeggen. Ten slotte knikte hij langzaam en licht zijn hoofd omhoog en omlaag, blijkbaar om ja te zeggen zonder ja te zeggen.

Nestor zei: 'De reden dat ik dit vraag is – ken je leerlingen in je klas' ::::: tijd om voluit te gaan ::::: 'die Patrice Légère, Louis Tremille – "Fat Louis" noemen ze hem –, Honoré Buteau en Hervé Condorcet heten?'

Nu ging Philippes uitdrukking voorbij bevroren, naar pure angst. Dit bezoek van een smeris, zogenaamd in verband met de onschuldige aanwezigheid van zijn zus in een crackpand, kwam ineens griezelig direct *zijn* kant op. Opnieuw viel het hem ongemakkelijk om ja of nee te zeggen. Hij bedacht een ander antwoord dat meteen twijfel over zichzelf opriep:

'*Ehhh*… ja?' zei hij.

'De reden dat ik het vraag,' zei Nestor, 'is dat ik sprak met een re- chercheur van de Schoolpolitie die ik ken, en hij vertelde me dat een van die jongens zijn verhaal had herroepen en ze denken dat de andere drie dat ook zullen doen. Ze hadden alle vier in eerste instantie gezegd dat de leraar, Estevez – hoe zei je ook weer dat hij heette? François? – dat Estevez deze François had aangevallen, maar nu zeggen ze dat het andersom was. Estevez had de jongen – François? – pas in een hoofd- klem genomen nadat de jongen *hem* had aangevallen, uit zelfverdedi- ging. Als dat waar is, dan hebben deze vier jongens zichzelf een heleboel diepe ellende bespaard… Snap je?… Ze konden al vervolgd worden omdat ze tegen politiemensen over deze kwestie hebben gelogen. Maar dat blijft hun bespaard, als ze nu de waarheid spreken. Heb je enig idee wat er gebeurd zou zijn als ze bij hun oorspronkelijke verhaal waren ge- bleven en tijdens een proces onder ede hadden getuigd? ¡Dios mío! Dan zouden ze schuldig zijn geweest aan meineed *en* aan liegen tegen poli- tiemensen! Ze zijn allemaal zestien of zeventien. Ze kunnen als volwas- senen worden berecht, en dan heb je het over behoorlijke gevangenis- straffen. En denk eens aan de leraar, Estevez! God weet wat voor effect de gevangenis op hem zou hebben! Hij zou járen worden opgesloten met een stelletje bendeleden die ieder affect ontberen.'

Hij zweeg en keek Philippe nors aan. Hij wachtte tot hij zou vragen wat 'het ontberen van affect' betekende. Maar Philippe was te verbijsterd om wat dan ook te zeggen. Daarom ging Nestor maar door om het hem te vertellen.

'De helft van de proleten in de gevangenis ontbeert affect. Dat wil niet alleen zeggen dat ze goed niet van kwaad kunnen onderscheiden en het hun geen bal kan schelen – ze hebben ook geen enkel gevoel voor andere mensen. Schuld, mededogen, verdriet kennen ze niet – tenzij je hun iets onthoudt wat ze willen. En vier jongens van de Forest? – tieners? – ze rukken kinderen zoals zij hun broek af, en – Jezus-almachtig! Nou ja, het heeft geen zin op de details in te gaan, maar geloof me, je hebt geen idee hoe gelukkig deze jongens zich mogen prijzen dat ze de waarheid in dit vroege stadium hebben verteld. Als ze later betrapt waren, *Oeiiii!*' Nestor schudde zijn hoofd en zei met een knorrig lachje: 'Ze zouden nadien niet eens een leven *hebben*. Ze zouden alleen maar in- en uitademen!' Nog een knorrig lachje... 'O, en wat vind je trouwens van de leraar, mijnheer Estevez?'

Philippes mond van 15 jaar viel open... en er kwamen geen woorden uit... *pijn*... Hij haalde een paar keer diep adem... en zei uiteindelijk met een zachte, hoge stem van vijftien jaar: 'Ik geloof... dat hij... wel meeviel.'

'Philippe!' zei Ghislaine. 'Je hebt me verteld dat je hem heel *aardig* vond!'

'Wat vonden Patrice, Fat Louis, Honoré en Hervé van hem?' vroeg Nestor.

'Ik... Ik weet het niet.'

Nestor zag dat Philippe zich voor iedere vraag schrap zette. Misschien had hij al te veel druk op hem gezet. 'Ik probeerde me alleen voor te stellen dat ze in een rechtszaal zeven meter van hun leraar, mijnheer Estevez, zitten en hem naar de gevangenis sturen. Ik zou het zonder meer afschuwelijk vinden als ik zelf in die positie verkeerde.' Hij keek omlaag, schudde zijn hoofd en rondde af met een sombere *Zo zal het leven wel zijn*-glimlach op zijn lippen gedraaid.

'Ik moet nu weg,' zei Philippe. Hij was geen bariton in de dop meer. Hij was gewoon een angstige jongen met een overweldigende drang in lucht te veranderen. Niemand kan lucht zien.

Hij keek naar zijn zuster als om te vragen of het goed was dat hij uit de stoel opstond en vertrok. Ghislaine gaf hem geen hint in de ene of de andere richting. Nestor besloot het zelf te doen. Hij stond op en straalde een hoge dosis Smerischarme naar Philippe uit. Die haakte meteen in op de hint en sprong ongeveer van de stoel overeind. Nestor bood hem zijn hand… als een geschenk, stralend… Ik heb De Macht – en *jij* niet – maar ik heb momenteel alleen de intentie om warm en aardig te zijn, omdat je tot nu toe mijn goedkeuring hebt… terwijl ze elkaar de hand schudden. Nestor zei: 'Fijn je gesproken te hebben, Philippe!'… en voerde de druk een beetje op… Philippe verwelkte als een pioen. Hij wierp Ghislaine het soort paniekerige blik toe die zegt: 'Help me!' – en ging toen terug naar de keuken. Geen pimp roll deze keer.

Ze hoorden de keukendeur die naar buiten leidde open- en dicht-gaan. Ghislaine ging erheen om zeker te weten of Philippe weg was… voor ze naar de woonkamer terugkeerde voor het post mortem.

'Hoe ben je aan de achternamen van die vier jongens gekomen?' vroeg Ghislaine. 'Patrice, Louis Jean – wat waren de andere twee?'

'Hervé en Honoré.'

'Zag je de blik op Philippes gezicht? Hij moet hebben gedacht dat de politie al alles weet over deze zaak! Maar serieus, hoe ben je aan hun achternamen gekomen?'

'Zo moeilijk was dat niet,' zei Nestor. 'Ik heb een vriend bij de Schoolpolitie. We zaten vroeger samen bij de politie te water. Ik zag dat het je broer een flinke schok gaf.'

'En… hoe zit het met Philippes rol?'

'Hij heeft de schrik te pakken,' zei Nestor. 'Hij wilde geen woord over heel de kwestie zeggen. Ik vermoed dat hij bang is voor die knaap die erbij is betrokken, die Dubois. Mijn vriend zei me dat het een slechte knaap is, met een heel lang jeugdstrafblad. Daarom wilde ik hun allemaal laten weten dat ze iets veel ergers hebben te duchten dan deze knaap.'

'Hun *allemaal* laten weten?' vroeg Ghislaine.

'Nou, je weet zelf dat het eerste wat je broer gaat doen is op deze vier jongens afstappen om hun te vertellen dat de smerissen het over hen hebben, en dan niet alleen smerissen van de Schoolpolitie, en dat een van hen op zijn verhaal is teruggekomen. Elke jongen zal natuurlijk zeggen dat *hij* het niet was, maar ze… je weet wel… ze gaan zich af-vragen wie de verrader is. Als ik het goed zie, zal ieder beginnen met ieder ander te wantrouwen, en ze zullen zeggen: "Hé, staat mij dat te wachten als ik lieg om Dubois te beschermen? Het zal erger zijn dan wat Dubois me kan aandoen." Ik denk ook dat het zal helpen als ze over die leraar, Estevez, beginnen te praten en wat *hem* te wachten staat. Het kan hun niet allemaal aan affect ontberen! Ik merk dat Philippe niet zo is.'

'Ik *weet* dat hij niet zo is,' zei Ghislaine. Ze zweeg... beheerst... diep in gedachten... barstte toen uit in: 'Hij ontbeert iets ergers, Nestor! Het ontbeert hem aan moed! Hij is een kind! Hij *kruipt* voor... waardeloze *delinquenten*! zoals Dubois! Hij vreest hen meer dan de dood zelf – en zodoende wordt hij aangetrokken door hun grove stoerheid en wil hij bij hen *in de smaak vallen*!... Ik weet zeker dat ze hem uitlachen zodra hij verdwenen is, maar hij buigt voor alles wat zij vinden. Vreest hij het idee te worden gearresteerd wegens meineed? Vreest hij de gruwelijke dingen die hem in de gevangenis kunnen overkomen? Weet hij hoe schuldig hij zich zal voelen als hij helpt mijnheer Estevez in de gevangenis te krijgen? *Ja!* – dat beseft hij allemaal. Maar al deze dingen zijn *niets* in vergelijking met zijn angst voor de stoere kerels, die Dubois en heel de rest. Hij verheerlijkt hen omdat ze stoerder en agressiever zijn dan hij is! En nu siddert hij bij de gedachte aan de onbeschrijflijke verschrikkingen die hem te wachten staan als hij hen verraadt. Het is erger dan onbeschrijflijk – het is onvoorstelbaar! In zijn gedachten is het de allerergste verschrikking!... Hij is maar een arm klein kind, Nestor, een arme kleine jongen!'

Haar lippen begonnen zich samen te persen en bij de hoeken naar beneden te draaien... de huid op haar kin trilde naar boven tot die een kronkelende vijg leek... haar ogen begonnen te lekken...

::::: Ja? Nee? Prima als ik mijn arm om haar heen sla om haar te troosten – ja toch? Ja... om haar te troosten. ::::: Dus deed hij het.

Ze stonden naast elkaar terwijl zijn arm over haar rug ging. Haar hoofd hing naar beneden, maar toen tilde zij het omhoog tot ze hem pal in het gezicht keek van niet meer dan vijftien centimeter weg. Nestor draaide de arm die hij rond haar had van een nou-nou-komt-wel-goed-gebaar tot een echte omarming. Waardoor haar gezicht nog dichter bij het zijne kwam. Haar uitdrukking was een oerkreet om hulp.

'Niet zo tobben. Als ik me over het bendelid moet ontfermen, die Dubois, dan doe ik dat ook wel,' zei Nestor met zachte stem, maar heel groothartig.

Terwijl haar ogen nog steeds op zijn gezicht waren gericht, zei Ghislaine amper boven fluisteren één woord: 'Nestor...' Haar lippen gingen een beetje uiteen.

De lippen hypnotiseerden hem. ::::: Kappen, Nestor! Dit is een politieonderzoek, god nog aan toe! Maar ze geeft me een open uitnodiging! Meer dan wat ook heeft ze troost en bescherming nodig. Ja toch?... Ja. Het is gewoon een manier om haar beheersing te herstellen. Ja toch?... Ja! ::::: Hij bracht zijn lippen zo dicht naar de hare dat ze nu maar één oog had, in het midden van haar voorhoofd, vrijwel boven haar neus –

Geluid van een sleutel in het slot van de voordeur, amper tweeënhalve meter van waar zij stonden. *Oei!* Hun hoofden schoten uit elkaar. Nestors bezwarende arm trok zich van haar zij terug naar – *pats!* – de zijne.

De deur ging open. Een lange, slanke man, een Philippe van 50 leek het... stond voor hen... geschrokken en beschaamd... Nestor voelde zich net zo, geschrokken en gegeneerd... Alle drie verstijfden ze voor een fractie van een seconde... *vreselijke* gêne! De man droeg een lichtblauw overhemd, open bij de boord, maar op het hemd een marineblauwe blazer. Hij belichaamde in de blazer de dodelijke schrik van iedere jongeman: Waardigheid!

Ghislaine liep behoedzaam op het ijs: 'Pa, dit is agent Nestor Camacho! Agent Camacho is hier – maar je bent net Philippe misgelopen! Hij is net een paar minuten geleden vertrokken!'

::::: Wat moet *dit* allemaal voorstellen? 'Ja, we zijn nu alleen, maar we zijn niet lang alleen geweest' – Jezusallemachtig! probeert zij dat te zeggen? :::::

Wanordelijk schoten de conclusies door Lantiers hoofd ::::: Mijn god, *die* agent Camacho! We hebben een ster in ons huis! Hij is beroemd! Waarom staat hij zo dicht bij mijn dochter – *centimeters* van haar vandaan? En waarom zijn hun gezichten zo vuurrood? Waarom zijn ze zo beschaamd? Wat moet ik doen? Hem snel de hand schudden? Philippe was erbij?... Wat maakt dat uit? Hem in huis verwelkomen? De beroemde agent Camacho bedanken... *waarvoor?*... Heeft hij zijn hand op mijn dochter gelegd? Is de lummel hier aan het rotzooien? Waarom heeft niemand me verteld dat hij zou komen? Moet je hem eens zien... de met bodybuilding verkregen zwellingen in de hoogsels van zijn poloshirt. Hij heeft een medaille gekregen! Ze blijven maar artikelen over hem schrijven in de krant en hem op televisie vertonen met zijn heldendaden. Hij is *belangrijk!* Maar geeft hem dat het recht om met Ghislaine te rotzooien? Zij is een kind! Hij is een godverdomde Cubaanse smeris! Een Cubaanse *smeris*! Wat doet hij hier? Een *Cubaanse smeris*! Waarom staat ze zo dicht bij hem? – een *Cubaanse smeris*! *Qu'est-ce que c'est? Quel projet fait-il? Quelle bêtise?* Wat is er aan de hand?! :::::

# 12

## JIUJITSU-JUSTITIE

Zo rond 18.30 uur ontsloot Magdalena de deur van haar omslagartikel, haar baard – namelijk het appartement dat ze officieel met Amélia deelde – zette een stap naar binnen en *EHHhhhnnnnggghhhhhssss*te een stuk luider en langer dan haar bedoeling was. Ze hoorde een man praten in de woonkamer: 'Maar wacht eventjes... ik wil niet eens *suggereren* dat er iets illegaals aan is – hoewel ik –' Een tweede man viel hem in de rede: 'Maar dat doet nauwelijks ter zake, wel. Een fout – een *blunder*, om uw term te gebruiken – van deze –' Zodra ze de verongelijkte, doordringende toon hoorde waarop de eerste man zei 'ik wil niet eens *suggereren*', besefte Magdalena dat Amélia alleen naar een of ander avondactualiteitenprogramma keek op die grote plasma-tv van haar.

De stemmen werden ineens gedempt tot een amper hoorbaar hoorblubblub mompel mompel mompel en een enkel *wonk wonk wonk* van gelach en meer mompeldemompeldemompeldemompel, en Amélia verscheen in de deuropening in haar T-shirt, spijkerbroek en balletslippers met haar hoofd naar één kant geheld en haar lippen aan de andere kant omhoog gedraaid, tot ze haast haar oog afsloten, haar manier om aan te geven 'Spot op komst' – en zei: 'Wat was *dat*?'

'Wat was *wat*?' zei Magdalena.

'Die *kreun* die ik hoorde, ¡*Dios mío!*'

'O, dat was geen *echte* kreun,' zei Magdalena, 'het was een zuchtkreun.'

'Een *zucht*-kreun...' zei Amélia. 'Ik snap het... Wil dat zeggen dat die uit het hart kwam?'

Magdalena rolde haar ogen omhoog in de ten-einde-raad-stand en zei nogal bitter: 'Ja, uit het hart of ergens daar beneden. Ik weet wel een paar plaatsen.'

Ze liep pal langs Amélia heen, de woonkamer in en lanceerde haar lichaam ongeveer, achterste eerste, op de bank en zucht-kreunde weer: 'Ahhhunnngggghhhh.' Ze keek op naar Amélia, die pal achter haar naar binnen was gegaan. 'Het is Norman... ik weet niet hoeveel ik nog van dokter Geweldig kan slikken', waarop ze aan een gedetailleerd relaas begon over Normans gedrag op Art Basel, 'hij duwde Maurice Fleischmann ongeveer met zijn neus in de porno om te zorgen dat hij macht over hem blijft houden en hem kan gebruiken voor zijn eigen zielige pogingen z'n status op te vijzelen, en het is zo onethisch – eigenlijk is het *erger* dan onethisch... het is *wreed* wat hij Maurice aandoet –'

Inderdaad waren op het tv-scherm drie van precies het soort doodernstige betweters waaraan ze had gedacht toen ze hen vanuit de hal hoorde... de onvermijdelijke donkere kostuums en diverse amplitudes schaars haar op hun koppen, koppen die vastbesloten waren je te verlammen met plechtige opinies over politiek en openbaar beleid. De tv had zo'n groot scherm dat hun armen, benen en lippen, die voortdurend bleven bewegen, groot genoeg leken om daar in de kamer bij je te zijn. Ze straalden een saaiheid uit waarvan tot Magdalena slechts het vaagste gegons doordrong, goddank, nu ze verklaarde: 'Normans liefde voor Norman zou ook gênant zijn als hij het subtiel speelde, en Iets Subtiel Spelen is niks voor Norman. Soms wil ik gewoon kotsen.'

Ze was er zich slechts perifeer van bewust toen de pakken verdwenen en een reclamespotje begon. Een man van ergens in de veertig met golfkleren springt op de vloer van een woonkamer alsof hij een basketbal is *doeba doeba doeba doeba*, terwijl een vrouw, iets jonger, en twee kinderen naar hem wijzen en huilen van het lachen *doeba doeba doeba doeba*. De springende man verdween, een feit dat Magdalena alleen opmerkte omdat het scherm veel lichter werd. Ze ging helemaal op in de regatta op Columbusdag – 'Norman *snakte* er gewoon naar te worden herkend als de grote pornodokter en liet zich op een van die boten uitnodigen.' Ze wierp slechts de snelste blik op wat er op het scherm was opgelicht, te weten een tweede reclamespotje, een tekenfilmpje met dertig of veertig varkens met vleugels, ze vlogen in een militaire formatie onder een stralend blauwe hemel, vervolgens verlieten ze één voor één de formatie en doken ze als duikbommenwerpers neer, waarop één naam het scherm overneemt: ANASOL, en Magdalena was Amélia aan het vertellen dat de meisjes de strings uit de spleten van hun reten haalden en de jongens hun korte broeken uit deden en ze op z'n hondjes neukten, regelrecht op het dek, met iedereen erbij, 'en Norman probeert me over te halen het bovenstukje van m'n bikini uit te doen, en ik wist dat hij het daarbij niet zou laten'. Ze was zich er maar even van bewust dat er een presentator van het nieuws op het scherm verschijnt. Een verslaggever van het televisienieuws is in een of andere vervallen sportschool en houdt een microfoon omhoog naar een lange man van ongeveer vijfendertig met een heleboel spieren. Magdalena was zich vaag bewust van een aantal kerels, tegen de twintig, voor in de twintig die achter hen rondliepen... Had niet oninteressanter kunnen zijn... Het enige waarin zij was geïnteresseerd was om Amélia te vertellen hoe Norman daar op het dek zat, hij was tussen veertig of vijftig andere mensen ingeklemd, 'vooral mannen die eruitzien of ze zelf pornoverslavingstherapie nodig hebben – en heel vlug, bedoel ik – en daar zit de bekende pornopsychiater tussen hen – ongelooflijk. Het was griezelig. Ze projecteren pornofilms op de *enorme* zeilen van een boot – *enorm* – en ¡*Dios mío!* Norman is het ergste van hen allemaal! Hij heeft die tentpaal onder zijn zwembroek, en het is zo zichtbaar! Van een pornoverslaafde gesproken! Hij is helemaal in de ban – ja, op die enorme zeilen leken al die erecties gigantisch, en wanneer de meisjes hun benen spreidden, leek het of een man er staande binnen kon lopen. Ongelooflijk!' Magdalena had zo'n aandrang om ieder detail aan Amélia te melden dat ze het niet eens merkte toen hetzelfde soort boot, een schoener met heel hoge masten en omvangrijke zeilen, op het scherm verscheen. Heel hoog in de hoogste mast zijn twee figuurtjes aan het worstelen, en de grotere klemt zijn benen rond het middel van de kleinere, die dood dreigt te vallen, en begint hand over hand van de kluiverzeilkabel af te zwaaien. Hij draagt hem omlaag, naar het dek toe en naar de camera toe, en nu kun je het gezicht van de redder zien –

'Magdalena!' zei Amélia. 'Is dat je vriendje niet?'

Magdalena keek voor de eerste keer echt naar de tv. '¡*Dios mío!* Nestor!'

Wat ze zag, benam haar de adem... Ze had dit destijds niet op tv gezien. Ze was die dag te druk bezig met de moed vergaren haar moeder op haar nummer te zetten en Hialeah vaarwel te kussen... en nu was ze niet in de stemming voor één seconde met Nestors grote triomf… maar haar nieuwsgierigheid kreeg de overhand: 'Amélia, wil je dat harder zetten?'

Precies volgens Amélia's instinct; ze was met de afstandsbediening het geluid al harder aan het zetten. Op het scherm komt Nestors gezicht recht op hen beiden af, zijn gezicht en het gejoel, het gefluit, het gevloek dat neerdaalt vanaf de Causeway in de hoogte, een regelrechte storm van Spaans, Engels en god weet welke andere talen. ::::: Geweldig! Zijn eigen mensen haten hem! Wat maakt het dan uit dat hij zo veel publiciteit krijgt – ja toch?… ja!… Dat oude Hialeah gedonder – je schudt het van je af of je raakt er volkomen in verstrikt tot het je helemaal verstikt… en Nestor hoorde erbij, nietwaar, er *heel erg* bij… Hoe *durven* deze *americanos* zijn reputatie te redden en te proberen een soort held van hem te maken? Hoe *durven* ze te suggereren dat ik misschien de verkeerde keus heb gemaakt en een… *beroemdheid* heb opgegeven? :::::

'*¡Caramba!*' zei Amélia. 'Wat is-ie schattig, dat vriendje uit Hialeah van je!'

Magdalena werd stil, prikkelbaar en kortaf. 'Hij is mijn "vriendje" *niet*, uit Hialeah of elders.'

Amélia had haar op de kast en kon het niet laten door te gaan. 'Oké, hij is niet je vriendje uit Hialeah. Maar je moet toegeven dat hij echt een stuk is!' Die krantenfoto van Nestor met zijn shirt uit is op het scherm. 'Hij kan poseren voor zo'n beeld van een Griekse god of zoiets.' Amélia's gezicht straalde echt van de plaaglust. 'Je wilt er zeker niet nog eens over nadenken, Magdalena? Of misschien kun je hem en mij koppelen.'

Magdalena's mond viel open, maar ze was sprakeloos. Ze wist geen enkel weerwoord te verzinnen. Ze besefte dat haar gezicht onbeweeglijk was geworden, en ze kon er niets aan doen. ::::: Erg bedankt, Amélia! *Heel* erg bedankt… Wat lief van je alles wat ik voel onder woorden te brengen… O, dankjewel dat je het me allemaal inpepert.:::::

Een armada van tekenfilmvarkens met vleugels vliegt met ongelooflijke vaart… zo snel dat witte pufjes wolk langsrazen tegen een zonnige helderblauwe hemel… dit alles op de krijgshaftige muziek van Wagners *Walkürenritt*… Eén voor één beginnen de vliegende varkens de formatie te verlaten en duiken ze als duikbommenwerpers naar een doel beneden dat niet te zien is. Een diepe baritoncommentaarstem zegt: 'Glad... sterk... snel werkend... en *altijd op het doel af*... Dat belooft.... ANASOL'... Gelijktijdig vult het woord ANASOL het scherm.

'Anasol...' zei Yevgeni. 'Wat is de Anasol?'

'Geloof me, dat wil je niet weten,' zei Nestor. 'Het is een soort crème.' Hij en Yevgeni zaten voor een tv in het atelier van Yevgeni. Het was ongeveer een halfuur na middernacht, en Nestor was net klaar met zijn dienst van vier tot middernacht bij de Crime Suppression Unit. Ze keken naar het plaatselijke nieuws, voor het eerst om 18.00 uitgezonden en nu op het middernachtelijk uur opnieuw.

*Piep* het zogeheten nieuwsteam was terug, drie mannen en een vrouw die aan een misschien vijf meter breed welvend tv-modernistisch bureau zaten, waar ze het nieuws van een apparaat af lazen... ze giechelden alle vier en trokken gezichten om te laten zien wat een geestige, collegiale tijd ze onder elkaar hadden gehad tijdens de onderbreking voor de reclame... ook gaven ze aan dat het nu tijd was voor het lichte, persoonlijke eind-van-de-uitzending-gedeelte. De nieuwslezer zegt: 'Ja, Tony, ik begrijp dat het nieuws in Miami een beetje is gaan kronkelen, of is het een knoop?'

Tony van het economische nieuws schudt zijn hoofd van de ene kant naar de andere: 'Toe nou, Bart, wist je al dat dit verhaal over touwen gaat en de economische kant van touwklimmen, of heb ik gewoon heel veel geluk?'

Hij boort zijn ogen in het afleesapparaat en vervolgt: 'Touwklimmen, alleen je armen gebruiken en niet je benen, was minstens duizend jaar lang een populaire sport in Europa en Amerika, tot ongeveer vijftig jaar geleden, tot in 1932 de Olympische Spelen het lieten vallen, en scholen en universiteiten dat voorbeeld snel volgden. Het leek voor altijd over en uit... Tot het door een man hier in Miami tot leven werd gebracht ... wat voor opschudding zorgde in de bloeiende fitnesssector in Zuid-Florida. De opschudding is sindsdien alleen maar heviger geworden.'

Nestors hart versnelde tot de grootste waakzaamheid. ::::: *¡Dios mío!* Dit verhaal kan toch niet de kant heen gaan waar het lijkt heen te gaan?! :::::

Zeker kan dat! Op het scherm komen videobeelden van een jongeman die hand over hand in een touw klimt langs de 21 meter hoge voormast van een schoener. Naar boven gedraaide gezichten op het dek en in kleine bootjes en naar beneden gedraaide gezichten vanaf een naburige brug kijken heel opgewonden en ongerust toe, ze juichen, joelen, schreeuwen god weet wat. Een telescooplens zoomt op de klimmer in. Hij draagt de vormeloze korte broek en het shirt met korte mouwen van een agent van de politie te water van Miami, maar er zit volop vorm, enorm veel vorm aan zijn schouders en bovenarmen. Door de telescoopcamera krijg je zijn gezicht volkomen duidelijk te zien –

Nestors hersenen en heel zijn centrale zenuwstelsel waren verdoofd door iets wat veel sterker is dan opwinding, te weten noodlottige spanning. :::::: Dat ben ik, inderdaad, maar *¡Dios mío!* – Het lot veegt me naar... *Wat?* ::::::

Tony van het economische nieuws zorgt voor het commentaar: 'En dit is een agent van de politie te water van Miami, Nestor Camacho heet hij, tijdens een actie waarbij hij in de katrolkabel klimt van de eenentwintig meter hoge voormast van een plezierschoener op de Biscayne Baai – u ziet daar de Rickenbacker Causeway – voor de *redding*, noemen sommigen het – *arrestatie, deportatie en naar zijn ondergang sturen*, noemen vele van Camacho's Cubaanse landgenoten het – van het figuurtje dat u net kunt onderscheiden, hij zit in een bootsmansstoeltje helemaal in de top van de mast.'

In een kort, sterk bewerkt stuk krijg je op de videobeelden ::::::*mij!* :::::: te zien en :::::: *ik* :::::: hoe ik :::::: *mijn* :::::: prooi grijp en hem over de kabel in veiligheid breng.

Met zijn perifere zicht merkte Nestor dat Yevgeni met maximale intensiteit naar :::::: mij :::::: staarde. Maar hij durfde de blik niet te beantwoorden. Hij had het al moeilijk genoeg de trilling van verrukking te beheersen die door zijn zenuwstelsel schoot.

De commentator, Tony, zegt: 'Iedere bodybuilder in Zuid-Florida – en daar zijn er heel veel van – heeft maar één ding gezien bij deze "redding"... of "arrestatie"... noem het hoe u wilt... en dat is de fysiek en de pure kracht van deze jonge smeris uit Miami.' De van de *Herald* afkomstige foto van Nestors blote bovenlichaam is kort te zien.

'Sindsdien,' vervolgt Tony van het economische nieuws, 'is ontzag in de fitnesssector omgeslagen in een rage. Vier dagen geleden heeft dezelfde jonge agent, Nestor Camacho, weer een verbijsterende krachttoer verricht: hij arresteerde deze 1,98 meter lange, 125 kilo zware verdachte van drugshandel die bezig was een medeagent te wurgen in

Overtown.' Op het scherm zie je een krantenfoto van een kolossale, verslagen, wazig kijkende TyShawn Edwards. Hij houdt zijn hoofd omlaag en zijn handen zijn achter z'n rug geboeid nadat hij is gearresteerd door drie smerissen uit Miami, die naast hem dwergen lijken. 'De run op touwen bij fitnessliefhebbers begon zodra de jonge smeris naar de top van de mast klom – maar ze kunnen geen touwen vinden om heen te rennen en in te klimmen. In heel het stedelijk gebied van Miami schijnt er maar één goed touwklimmerstouw te zijn – en dat is in de sportschool waar Nestor Camacho de afgelopen vier jaar heeft getraind. De sportschool ligt in Hialeah en heet – bent u er klaar voor? – "Rodriguez' Ñññññññooooooooooooooo!!! Qué Gym"... Inderdaad, "Rodriguez' Ñññññññooooooooooooooo!!! Qué Gym". Earl Mungo van Kanaal 21 is nu paraat in Hialeah bij mijnheer Jaime Rodriguez in de sportschool.'

*Piep.* Daar is hij op het scherm, Rodriguez, hij staat naast de televisieverslaggever, Earl Mungo. Het ineens nieuwswaardige touw, met een diameter van vier centimeter, hangt – prominent – misschien tweeënhalve meter achter hen. Aangetrokken door de aanwezigheid van een televisieploeg heeft zich een menigte verzameld van vooral gespierde bodybuilders, klanten van Rodriguez, drie rijen dik. Rodriguez draagt een zwart, mouwloos T-shirt, zo strak dat het lijkt of het erop is geschilderd.

Earl Mungo zegt: 'Jaime, heb je enig idee wat een tumult dit touw hier heeft teweeggebracht in de fitnesscentrumsector in Zuid-Florida?'

'O, man, vertel mij wat. Het is waanzinnig! Het zit hier overvol met sportschoolfanaten uit heel Zuid-Florida!' Gelach. 'En ik kan wel vertellen dat sinds Nestor laatst die reus heeft uitgeschakeld het uit de hand is gelopen. Er willen zo veel mensen bij deze sportschool dat ik meisjes voor kantoor moest inhuren om alles binnen de perken te houden, en dan heb ik het nog niet over de nieuwe trainers. Ik kan je wel vertellen dat ik soms het idee heb dat het hier een gekkenhuis is.' Waarderend gelach en gefluit van de jongens. Een schreeuwt: 'Hé, leve het Gekkenhuis!' Meer gelach.

'Waarom is touwklimmen nu precies zo'n geweldige oefening?'

'Je moet vijf of zes oefeningen met gewichten combineren om de resultaten te krijgen die je van touwklimmen kunt krijgen, en ook dan krijg je ze nog niet allemaal. Je gebruikt je biceps – dat is denk ik duidelijk – maar het is ook een fantastische training voor een grote spier waarover een heleboel mensen nooit hebben gehoord omdat je hem niet kunt zien. Hij heet de brachialis, en hij zit onder de biceps. Als je die goed traint, dan kun je *echt* je spierballen tonen.' Hij tilt zijn arm op en zijn spieren lijken een grote steile rots. 'Het is erg moeilijk de brachialis te ontwikkelen als je alleen met gewichten werkt, maar met touwklimmen oefen je de spier heel de weg omhoog. Nestor heeft hier vier jaar achter elkaar met dit touw getraind, en man, ik kan je wel vertellen, dat het zeg maar *heeft geloond*!'

Earl Mungo zegt stralend in de camera: 'Goed, Tony, Bart, dat jullie het weten – touwklimmen *heeft zeg maar geloond*! Voor bodybuilders is het zoiets als de komst van de iPhone. Iedereen moet het *hebben*. En het begon allemaal waar ik nu sta – in Hialeah, bij Rodriguez – het spijt me mannen maar ik moet het toch één keer proberen: Rodriguez' Ñññññññooooooooooooooo!!! Qúe Gym!'

De nieuwslezer was nog de overgang naar het volgende onderwerp aan het voordragen toen Yevgeni met een eerbiedige, verbijsterde, zachte stem zei: 'Nestor, ik heb *geen* idee – al die tijd heb ik geen idee jij bent... wie jij bent... de politieman die die man uit de mast haalde. Ik heb je met eigen ogen op tv gezien en dan kom je hier in levende lijve, en ik heb nog steeds geen idee dat jij het bent! Je bent beroemd! Mijn huisgenoot – mijn *huisgenoot*? – ik woon met een beroemd iemand samen!'

Nestor zei: 'Ik ben niet beroemd, Yevgeni. Ik ben gewoon een smeris.'

'Nee –'

'Ik deed gewoon wat me was opgedragen te doen, en als dat goed uitpakt, is de smeris een "held"... voor zo'n tien minuten. Hij is niet beroemd. "Beroemd" is iets anders.'

'Nee, nee, nee, nee, Nestor! Je hebt het net gezien! Beroemd is een hele sector op stelten zetten! Beroemd is het icoon zijn voor een heleboel mensen!'

'Nou, bedankt... geloof ik,' zei Nestor, die slechts een vaag idee had wat *icoon* betekende. Hij richtte één laatdunkende zwaai van zijn hand naar het tv-scherm, dat en een grijns, en draaide zich er toen helemaal van weg. 'Ze moeten alles opkloppen, dat stelletje apen.' ::::: Liegen uit bescheidenheid is niet echt liegen, wel... Het heeft iets royaals... en attents... maar stel dat die apen zojuist de waarheid hebben verteld?... Kan ik dat bewijzen met het materiaal dat ze zo hebben aangepast?... Een *icoon*? Dat moet ik googelen. :::::

Zodra hij alleen was, deed hij dat. Hij bleef er maar over denken. Het was kwart voor twee toen hij naar bed ging.

Hij viel meteen in slaap, en zijn dromen voeren langs op een grote golf serotonine.

*¡Caliente! Caliente, schat... Heb volop fuego in yo' caja china... Wil zeggen dat je er een stuk Slang in moet doen... Valt niet over te twisten... Slang weet dat je opbrandt zonder 't spul...* – Bulldog was halverwege het liedje toen Nestor erin slaagde te verrijzen van diep, diep in een hypnopompische mist en te beseffen dat *Probeer maar niet te ontkennen* die mannelijke stem zijn iPhone was op de grond naast zijn matras –

– Hoe *laat* is het? *Want Slang weet dat je het dolgraag probeert te kopen.* De oplichtende wijzers op het klokje op de grond zeiden 4.45 uur. *Maar Slang geeft het alleen voor niks* en voor ongeveer de vijftiende keer hekelde hij zichzelf dat hij de telefoon ooit met een liedje had geprogrammeerd *Aan zijn favoriete liefdadigheid, snap-ie?* Wie zou er om 4.45 uur bellen?! Waarom?! *Slangs favoriete liefdadigheid.* Hij slaagde erin zichzelf op één elleboog te stutten *Dat ben ik* en het juiste *Dat ben ik, snap-ie?* en het juiste *En dat ben ik* knopje te vinden *Yo yo!* en *Yo yo! Mismo!* erop te drukken –

'Camacho.' Zo nam hij altijd op. Waarom tijd verspillen aan heel de rest?

'Nestor...' Het was de stem van een latino. Die geen 'Nes-*ter*' zei. 'Dit is Jorge Hernandez – brigadier Hernandez.'

'Brigadier...'

'Ik weet dat het vroeg is,' zei de brigadier, 'en ik heb je waarschijnlijk wakker gemaakt, maar dit zul je wel willen weten.'

Daardoor werd Nestor helemaal wakker. Hij kwelde zijn hersenen, in een poging te bedenken wat hij in godsnaam in het holst van de nacht zou willen weten. Hij was sprakeloos.

De brigadier ging door. 'Je moet opstaan en online gaan. Ga naar YouTube!'

'YouTube?'

'Ken je Mano Perez, van Moordzaken? Hij belt me ongeveer een minuut geleden, en hij heeft die krant te pakken gekregen die vandaag uitkomt – en hij zegt: "Je bent op YouTube! Jij en Camacho!" Ik viel ongeveer uit m'n godverdomde *bed*! Dus ik ga naar YouTube – en het is waar! Het godverdomde geval gaat over *mij*!... en *jou*, Nestor.'

Nestor voelde volts door zijn maag gaan. 'Dat meen je niet!' Zelfs in de hypnopompische mist voelde hij zich onmiddellijk een stommeling. Brigadier Hernandez die hem om 4.45 uur belt om een grapje te maken?… uitgesloten. 'U en ik, brigadier? Wat is er met ons?'

'Herinner je die grote *comemierda negro* die we hebben gearresteerd in dat *comemierda* crackpand in Overtown. Nou, een of andere klootzak daar had een mobieltje en heeft een of andere klotevideo gemaakt. Je kunt zien dat het een mobieltje is omdat het allemaal schokkerig is en nogal wazig. Maar je kunt mij en jou goed zien, de smeerlappen! Er zit de stem van een kerel bij, om te zorgen dat je weet hoe wij heten en wat een stelletje gemene Cubaanse rotzakken wij zijn, dat we die arme *negro* martelen die op de vloer ligt met zijn van pijn vertrokken gezicht, en jij en ik, we hebben die zwartjoekel gekneveld zodat-ie geen spier kan bewegen –'

::::: Jezus Christus, brigadier, ik hoop verschrikkelijk dat ze niet op video hebben dat u 'zwartjoekel' zegt. :::::

'– ik bedoel hij ligt daar maar en ze hebben dat jij in de klotevent zijn oor schreeuwt: "*Wat* zeg je, teef? *Wat* zeg je? *Wat* zeg je, smerige kleine teef?" Dan hebben ze mij als ik zeg: "Nestor, in Jezus' naam, zo is het wel genoeg!" Ze laten het klinken of jij hem martelt en ik je ervan weerhoud hem om zeep te helpen. Dan gaan ze door over vrouwen en kinderen in dit "vermeende crackpand" dat eigenlijk een kinderdagverblijf is. Ik wil zeggen, *verdomme* – en de klootzak die dit allemaal zegt, krijg je nooit te zien.'

*Schuld* … een golf van schuld overspoelde Nestor. In zijn herinnering was dat moment – *het gevoel*… de verschrikkelijke emotie – het verlangen om te moorden – de *waanzin! Vermoorden*!… Hij kon de omstandigheden niet op enige rationele manier zien… alleen de *schuld*…

' – en dan hebben ze mij, ik zeg,' vervolgde de brigadier, 'ik zeg: "Hij is een heethoofd, en hij is een grote lul van een zwartje die van *geen* mens *ooit ook maar iets* pikt." De laffe zak noemt dat een "wrede en lasterlijke" poging zwart taalgebruik te imiteren – *wreed en lasterlijk!* – en ik suggereer dat zwarte mensen onwetende primitieven zijn. Jezus! Dat is nog wel het minste! De grote makaak heeft net geprobeerd me te *vermoorden!* Hij had allebei zijn handen rond mijn klotenek en probeerde mijn luchtpijp te verbrijzelen. Ik had mijn wapen al getrokken toen jij hem besprong. Wat eigenlijk inhoudt dat ik bereid was om hem in koelen bloede te doden toen jij me afleidde – me *afleidde!* – bovendien had ik hem een zwartje genoemd. Wat is daar nou zo erg aan? Ik sprak tegen jou, niet tegen hem, en hij had me nooit kunnen horen. En zwartje betekent – ik weet niet wat het verdomme betekent. Het is gewoon een woord. Ik was hem niet aan het uitvloeken en hem een minkukel aan het noemen, wat hij ook is.'

::::: Brigadier, u heeft het *nog steeds* niet door, wel? U moet met alles kappen – met minkukels, makaken en iedere ander woord dat u voor *los negros* heeft. Denk er niet eens aan! – en zeg het al helemaal niet hardop, niet eens tegen mij. ::::: Maar wat Nestor zei, was: 'De vent wilde u wurgen, brigadier! Wat zeggen ze over al die dingen?'

'Daarvan laten ze *niets* zien! Ze geven niet eens aan dat er misschien een *reden* voor is dat deze enorme zwarte stier zo plat op zijn gezicht eindigt, bewaakt door twee smerissen, behalve dan dat de twee smerissen Cubanen zijn. Je wordt geacht te concluderen dat de enige *reden* is dat Cubanen wrede rotzakken zijn die ervoor leven met *los negros* te sollen, ze te mishandelen, ze af te zeiken, ze apen en stukken stront te noemen en ze vervolgens als apen en stukken stront te bejegenen. En het heeft geen zin de mensen te vertellen dat ze zich in ons moeten verplaatsen, want ze hebben niet het *flauwste* benul wat het is om met een van deze enorme gorilla's door het vuil te rollen. Geloof me, Nestor, bij de dageraad staan we tot onze knieën in deze ellende en om twaalf uur tot aan ons middel…'

'Brigadier, u moet ophouden zo te praten, zelfs tegen mij, want later laat u het uit uw mond vallen en dan zit u diep in de stront. *Wij zitten* diep in de stront.'

'Ik weet het. Je hebt gelijk. Het is godverdomme als gorgelen met cyaankali… maar we moeten nu iets verzinnen. We hebben een pr-man nodig. Hoe *vind* je verdomme ook maar een pr-man?… zelfs als je een pr-man kunt *betalen*, wat ik niet kan. Ik weet niet hoe het met jou staat.'

'Zullen we regelrecht naar de hoofdcommissaris gaan?' vroeg Nestor.

'Dat is niet grappig, Nestor.'

'Ik doe geen poging grappig te zijn, brigadier. Het is geen slechte vent, ik heb een halfuur of zo met hem gepraat toen ze me van de politie te water naar CST hebben overgeplaatst.'

'Al was hij de heilige Franciscus zelf! Wat gaat-ie doen? Hij is *un negro*, Nestor! Waarom hebben ze hem volgens jou tot hoofdcommissaris benoemd?… Zodat de broeders kunnen zeggen: "Hé, we hebben nu godverdomme de baas van de pliesie, schat. Die zal nu aan *onze* kant staan! Hij zal met *ons* rekening houden!'"

::::: Jezus! Al die kletspraat van de brigadier! Over *oplossen* gesproken… Hij is vastbesloten zichzelf op te lossen! ::::: Hardop zei hij: 'Waarom gaan we niet gewoon undercover, brigadier?'

'Waarover heb je het verdorie, Camacho?!'

'Zo zien ze ons niet, brigadier. Zo lossen we *onszelf* op.'

'Doe niet zo –'

'Ik maak maar een grapje, brigadier, ik maak maar een grapje. Waar zullen we afspreken?'

'Ehhh…' Lange stilte… 'Verdorie… kom maar naar het hoofdbureau, zoals gebruikelijk, en dan praten we in de auto. En kijk achter je. Niemand steunt je in dit geval. Nadat de zon op is, zal de lust een grapje te maken je wel zijn vergaan.'


Nestor drukte op de BEËINDIGEN-knop en bleef op één elleboog op de matras leunen. Hij voelde zich catatonisch. Zijn ogen richtten zich op een niet-bestaand punt in ijle lucht. ::::: Ik glijd door een spleet… een parallel universum in! O, laat het toch los, Nestor. ::::: *Parallel universum* was een term die hij had gehoord op een van die zware Dread Purple Dimension-spookseries op televisie. Parallel ik geen dread purple dimensies, Camacho. Hij was geschrokken en bang, om de simpele waarheid te zeggen.

YouTube YouTube YouTube YouTube… zijn bange kant wilde niet eens naar het godverdomde geval kijken… maar de rest van hem rukte hem van de matras af en sleurde hem een meter over de vloer via de vuile kleren, de vuile handdoeken, de diverse lege dozen, het stof en de haarballen… naar zijn laptop. Hij ging op de grond zitten en leunde met zijn rug tegen de muur… en mijn god, meteen op de homepage… daar is hij, in het crackpand. Het fascineert hem zichzelf op dat schermpje te zien… De zegevierende Nestor!! Het grote lijf van de bruut ligt met het gezicht omlaag op de vloer. ::::: Moet je eens kijken! De bruut is twee keer zo groot, maar ik ben de overwinnaar! Ik zit zijdelings op zijn rug… *Kijk!* Ik heb hem in de dubbele nelson en de figure-four geklemd. Mijn handen zitten ineengestrengeld achter zijn nek, en ik stamp uit alle macht zijn gezicht tegen de grond. Mijn god! :::::

Zijn spieren waren al opgepompt, vol bloed, door de worsteling met de bruut. Nu verzamelt hij, daar op het schermpje van de laptop, de laatste onsjes kracht die hij heeft om het hoofd van de bruut tegen de grond te drukken, zijn gezicht plat te stampen. ::::: Ik ben... *opgepompt!* ::::: Door de enorme druk van de dubbele nelson is de nek van de bruut naar voren gebogen, zo ver dat Nestor, als hij het echt had gewild, die nek had kunnen breken. Je kunt dat zelfs op het schermpje van de laptop zien, het gezicht van de bruut is onherkenbaar verwrongen – van *de pijn!* Zijn mond staat open. Hij wil schreeuwen. Maar nog liever wil hij zuurstof. Het enige geluid dat aan zijn angstige lichaam van 125 kilo ontsnapt is: 'Urrrrrrrunhhh... urrrrrrrhunhhh... urrrrrrrrunhhh!' Klinkt als een stervende eend. Ja! Een kwakende eend. Nog dertig seconde maximale druk – meer was er niet nodig geweest! Morsdood, gij zwarte bruut! Nestor is helemaal in de ban van het zien van zijn triomf op dat schermpje. Geweldig! Nestor was zich niet bewust geweest van de uitdrukking op zijn eigen gezicht toen het werkelijk gebeurde. ::::: Mijn god! Heb ik mijn tanden echt zo ontbloot? Heb ik echt zo lelijk, boosaardig gegrijnsd? :::::

Nestor is helemaal in de ban en kan zijn ogen niet van zichzelf op het scherm afhouden. Hij ziet – en hoort – hoe Nestor Camacho protesteert *uhhh uhhh uhhh.* Hij is zelf buiten adem *uhhh uhhh uhhh* en vernedert de gigant zo luid als hij kan: 'Oké, stommeling *uhhh* dat je bent *uhhh uhhh uhhh mietje!*' Hij herinnert zich dat hij wilde dat het hele vertrek wist dat hij de bruut totaal had verpletterd. Hij ziet zichzelf naar voren leunen tot hij vijf, zes centimeter van het oor van het beest af is om er direct in te schreeuwen: '*Wat* zeg je, teef? *Wat* zeg je?'

Waarop het moreel van Nestor instort. Hij wil het venster sluiten... Van nu af aan wordt het alleen maar erger, nietwaar!... Wat heeft hij gedaan?... Hij weet wat er volgt... en daar komt het... De scheldwoorden, van hemzelf, van de brigadier, beginnen zich in een woest dolgedraaid tempo op de hoop botten te stapelen – en de hoop vat vlam. Nestor gooit in de brandstapel met knekels een: '*Wat* zeg je, smerige kleine teef?'

Pas op dat moment, nu hij naar het scherm van de laptop kijkt, heeft Nestor het helemaal door. Pas op dat moment begrijpt hij, met zo veel woorden, hoe slecht dit allemaal is... deze YouTube wereldwijde kennismaking met Nestor Camacho!

En wat krijgt de wereld te zien op deze video? Waar begint het You-

Tubeverhaal? De wereld krijgt een zwarte gevangene te zien die met zijn gezicht naar beneden ligt, inert, hulpeloos, gekweld door de pijn, die moeite doet om maar de volgende ademtocht te halen, op een manier *urrrrrrunh* kreunt zoals nooit eerder een menselijk wezen heeft gekreund, gearresteerd en aan de genade van twee Cubaanse smerissen overgeleverd. Een van hen is op de rug van de gevangene geklommen en flitst een wrede 32-tandengrijns omdat hij geniet van het vooruitzicht de nek van zijn gevangene met een dubbele nelson te breken. De andere is een halve meter van hem af neergehurkt en is bereid zijn hersenen eruit te knallen met een .44 kaliberrevolver. Beiden vernederen hun zwarte gevangene, spotten met zijn mannelijkheid, noemen hem een dierlijke debiel. Staat er geen grens op hoe ruw deze twee Cubaanse smerissen willen zijn tegen een arme zwarte man die, voor zover de kijker weet, niets heeft gedaan?... En zo *begint* de YouTube-versie... en eindigt naar alle waarschijnlijkheid ook zo.

Geen enkele verwijzing naar de leven-op-dood-crisis die aan deze walgelijke 'schending' vooraf is gegaan, niet eens een hint dat deze misbruikte zwarte man in feite een sterke, jonge crackpandschurk van 115 kilo is, niets om het enigszins geloofwaardig te maken dat hij de hele toestand op gang heeft gebracht door zijn enorme handen rond de nek van de brigadier te vouwen, dat hij hem binnen één seconde zou vermoorden door diens luchtpijp te verbrijzelen, dat diens leven alleen werd gered door de prompte reactie van agent Camacho die zichzelf op de rug van de bruut wierp en die, ook al weegt hij maar 73 kilo, een paar worstelgrepen uitvoerde op de 125 kilo crackpandschurk, door het vuil en de vuilballen met hem rolde tot het de bruut volstrekt ontbrak aan adem, kracht, wilskracht, moed en mannelijkheid... en het opgaf... als een mietje. Hoe kan iemand doen alsof hij niet beseft dat zelfs een smeris, als de dood dreigt, een adrenalinestroom ervaart die eindeloos veel sterker is dan alle ketenen van beleefde conversatie en onmiddellijk probeert zijn moordenaar in de dop te overladen met iedere walgelijke reactie die in zijn hersenstam opwelt vanuit zijn diepste, donkerste, meest verwrongen haatgevoelens? Hoe kan iemand, zelfs wie heel mild en sedentair is, dat níet begrijpen?!

Maar niets op YouTube meldt een dergelijk iemand hoe de eerste helft van het verhaal verliep, de *cruciale* helft... *Niets!* En zonder die eerste helft wordt de tweede helft fictie! Een leugen!

*En geloof me, Nestor, bij de dageraad staan we tot onze knieën in deze ellende en om twaalf uur tot aan ons middel.* Want het is al aan het stijgen, terwijl het buiten nog donker is.

En het was buiten *nog* donker om 6.00 uur toen de hoofdcommissaris, die altijd vroeg opstond, op zijn persoonlijke lijn een telefoontje kreeg van Jorge Guba, een van Dio's regelneven, die zei dat de burgemeester hem over anderhalf uur op het gemeentehuis verwachtte voor een bespreking. *Halfacht?* Ja. Had de hoofdcommissaris YouTube al gezien?

De hoofdcommissaris nam dus een kijkje op YouTube. Eigenlijk keek hij er drie keer naar. Toen sloot hij zijn ogen, liet zijn hoofd zakken en masseerde met één hand zijn slapen... zijn duim drukte op de ene slaap en zijn middel- en ringvinger op de andere. Toen zei hij hardop, fluisterend: 'Net wat ik nodig had, nietwaar?'

Knorrig wekte hij zijn chauffeur, Sanchez, en vroeg hem de auto in gereedheid te brengen. Toen ze om 7.20 de rotonde voor het kleine Pan-Am-kliekjegemeentehuis op reden – één blik, en hij werd meteen knorriger. Hij, en wie verder ook, werd voor de ingang van het gemeentehuis opgewacht door een peloton van de zogenaamde media, een man of tien, als daklozen gekleed, maar alle microfoons en notitieblokken in hun handen en vooral twee vrachtwagens met uitschuifbare satellietzenders die een volle zeven meter in de lucht staken voor een live-uitzending verleenden hun gewicht. De hoofdcommissaris was deze keer niet zo opgewekt toen hij uit de grote zwarte Escalade stapte. Hemel, hij kon niet eens diep inademen en zijn enorme zwarte hoofdcommissarisborst maximaal uitsteken voor de zogenaamde media als muggen om hem heen zwermden. *Mishandeling door de politie* en *racistische laster* waren de twee termen waarmee ze hem bleven bijten met hun jengelende muggengezoem toen hij zich tussen hen door een weg baande, zonder een woord, en het gemeentehuis in.

Net wat hij nodig had, nietwaar?

De mannensportschoollounge van een vergaderzaal van de burgemeester was dichtbevolkt met meer van zijn regelneven: zijn pr-man, Portuondo, en zijn gemeentesecretaris, Bosch, zoals voordien... plus Hector Carbonell, de officier van justitie ::::: officier van justitie? ::::: en zijn twee grijze eminenties, Alfredo Cabrillo en Jacque Díaz, allebei advocaten die Dio vanaf de rechtenstudie kende en op wie hij regelmatig een beroep deed wanneer hij belangrijke besluiten ::::: belangrijke besluiten? ::::: moest nemen. Met de burgemeester erbij waren het er zes. Het hele peloton bestond uit Cubanen.

Dio was zijn gebruikelijke uitbundige zelf toen de hoofdcommissaris het vertrek binnenkwam. Grote glimlach en 'Aaaaay. Hoofdcommissaris! Kom binnen! Pak een stoel!' Hij wees naar een luie stoel. 'Ik geloof dat je iedereen in het vertrek kent... Toch?' De overige vijf Cubanen hadden voor de hoofdcommissaris 33 graden-glimlachjes over. Toen ze allemaal waren gaan zitten op de wirwar van luie stoelen en leunstoelen in het vertrek, kreeg de hoofdcommissaris een raar gevoel. Toen besefte hij dat de stoelen van de burgemeester en de regelneven in een hoefijzerpatroon waren opgesteld... een slordig hoefijzer, maar wel een hoefijzer... en hij was midden tussen de punten van de hoefijzers gezet... met aan beide kanten een grote ruimte tussen hem en de volgende stoel. De burgemeester zat recht tegenover hem in een leunstoel met rechte rug aan de top van de welving van het hoefijzer. De stoel van de hoofdcommissaris moest een kapotte veer hebben, want zijn achterste zonk zo diep weg dat hij amper over zijn knieschijven heen kon kijken. Dio leek, in zijn leunstoel, op hem neer te kijken. Het koor had kille blikken op hun koppen... geen enkele glimlach. De hoofdcommissaris had het idee in een gezonken dok te zitten, tegenover de grimmige gelaten van een jury.

'Ik neem aan dat iedereen weet waarom we hier zijn?'... De burgemeester speurde zijn peloton af... een heleboel *ja*-geknik... toen keek hij rechtstreeks naar de hoofdcommissaris.

'Wat is er toch met jouw jongen Camacho?' vroeg hij. 'De knaap is een eenmansrassenrel.' Hij maakte geen grapje. 'Wie heeft-ie nog niet op de pik getrapt? De Haïtianen misschien? En het is niet zo dat hij commissaris is of ook maar districtscommandant. Hij is gewoon een smeris, jezus nog aan toe, een smeris van 25 met een bewezen bekwaamheid mensen in enorme aantallen woest te maken.'

De hoofdcommissaris wist wat er hierna zou komen. Dio ging eisen hem eruit te gooien. De hoofdcommissaris had dit gevoel niet vaak... dat hij niet zelfverzekerd was... Op zijn goede dagen wogen zijn zelfvertrouwen en charisma op tegen Dio en heel zijn bende Cubanen. Hij was bij schietpartijen betrokken geweest, echte vuurgevechten. Hij had zijn leven gewaagd om smerissen te redden over wie hij het bevel had, óók Cubanen, god weet het. Hij had twee medailles voor moed. Hij was nadrukkelijk aanwezig. In dit vertrek zouden twee Cubanen naast elkaar moeten staan om even brede schouders te krijgen als de zijne... drie Cubanen om een nek te produceren die even breed was als de zijne... veertig of misschien wel vierhonderd Cubanen om zijn bereidheid te krijgen je eigen hachje te riskeren voor wat juist is... Hij sprong echt van dat dak van vijf verdiepingen op een matras die van daarboven zo groot als een speelkaart leek. Om maar te zeggen waarop het staat, hij was een man... en dat was verder niemand in dit vertrek. Zijn zelfvertrouwen, zijn vitaliteit, de bepaalde *blik* die hij in zijn ogen had. In dit strijdperk deed het er niet toe welk kleurtje hij had. Hij straalde dat zeldzaamste en stralendste van alle aura's uit... onwillekeurig *aanschouwde* iedereen... *de Man*! Maar op dit moment zagen ze hem niet zo... Dat was hem wel duidelijk... Op dit moment zagen ze alleen *un negro*... en die verdomde *negro* zat in de nesten, want als die *negro* niet *un negro* was, *nuestro negro*, *onze* neger, die doet wat hij van ons moet doen, had hij niet eens het recht in dit vertrek te zijn... Geen van Dio's jongens had het ook maar gewaagd een wenkbrauw te vertrekken... zelfs Dio niet... maar hij wist wat ze dachten, ze keken nu naar... de zoveelste zwarte nietsnut in een pak.

Dat was een ruggensteun voor de hoofdcommissaris. '*Wat er is* met Camacho?' vroeg hij en hij staarde de burgemeester met 300 watt in de oogbollen. 'Omdat je ernaar hebt gevraagd' – in het koor werden nu vele wenkbrauwen vertrokken; ze hadden de hoofdcommissaris nooit eerder op sarcastische toon tegen de burgemeester horen spreken – 'het korte antwoord en het lange antwoord en het antwoord daar tussen in luiden dat hij een verdomd goeie smeris is.'

Het werd stil in het vertrek. Toen zei de burgemeester: 'Oké, Cy, hij is een verdomd goeie smeris. Dat moeten we dunkt me van je aannemen. Jij bent uiteindelijk de hoogste smeris in deze stad, jij bent de hoofdcommissaris. Wat is dan het probleem? We hebben hier jouw verdomd goeie smeris, en hij en een andere smeris zijn op YouTube betrapt op het beledigen van een burger uit onze Afrikaans-Amerikaanse gemeenschap, ze noemen hem een dier, een zwartje, een beestachtige debiel zonder hersenen –'

'Het is een drugsdealer, Dio!' De stem van de hoofdcommissaris klonk luid en raakte een paar niet al te waardige noten.

'En dan mag Camacho deze verdachte – deze Afrikaans-Amerikaanse *verdachte* – benaderen alsof hij een lid is van een ras van beesten, een stelletje dieren? Ik hoop niet dat je me dat voorhoudt, Cy.'

'Maar je moet naar de *context* kijken, Dio, heel de –'

'De context is dat jouw godverdomd goede smeris heel onze Afrikaans-Amerikaanse gemeenschap op de pik trapt! Als dat een goede context is, dan hebben we een *groter* probleem. En dat probleem is leiderschap. Wat zou het anders kunnen zijn?'

Daardoor werd de hoofdcommissaris afgekapt – zozeer dat hij geen woord kon uitbrengen. Wat gebeurde er in hemelsnaam ineens? Hij zette zijn baan op het spel, heel zijn carrière, vanwege een of andere Cubaanse smeris van 25 met de naam Nestor Camacho? En dat was *mannelijk* zijn? Na vijftien jaar hard werken, 110 procent geven, je leven wagen, over racisme heen stappen als was het een verkeersdrempel op de weg naar roem, een leider van mannen worden, je riskeert het allemaal... voor een of ander Cubaans joch? Maar hoe kon hij zich hieruit redden... zonder te laten merken dat Dio met één zin zijn kruis zo hard had geraakt dat het zogenaamde *Toppunt van Man* een mietje was geworden?

En Dionisio wist dat de strijd voorbij was, met die ene klap, nietwaar... want hij liet nu het sarcasme vallen en sprak op een sussende, helende toon. 'Hoor eens, Cy, toen ik je tot hoofdcommissaris benoemde, vertrouwde ik volstrekt op je bekwaamheden, je moed, en een hoop andere dingen waardoor je een geboren leider zou zijn, en dat vertrouwen heb ik nog steeds. Je hebt nooit iets gedaan waardoor ik het gevoel kreeg het verkeerde besluit te hebben genomen... en een van die andere dingen was mijn hoop dat we met jou als onze hoofdcommissaris allerlei fouten te boven konden komen die in het verleden waren gemaakt. Ik hoopte bijvoorbeeld onze Afrikaans-Amerikaanse gemeenschap te laten zien dat ze vroeger inderdaad misschien aan het kortste eind hadden getrokken, maar dat ze nu niet alleen iemand zouden krijgen die voor hun belangen zou opkomen... ze zouden ook de Man zelf krijgen. Dat is een goede zaak, en het is ook een krachtig symbool. Nou, toen met dat geval van de man op de mast heb ik je gezegd Camacho een poosje in de ijskast te zetten. En wat deed je? Je gaf hem een medaille en een "horizontale overplaatsing", en niet naar een paard in het park, want de enige mensen die hij daar kon ergeren zouden de godverdomde ratten en eekhoorns zijn. Nee, dat zou een horizontale overplaatsing met een "dip" zijn, zei je volgens mij.' De burgemeester was zich weer aan het kwaad maken, en liet de lijn van zijn sarcastische vechthond los. Hij leek door te hebben dat de hoofdcommissaris was uitgeteld. 'In een situatie als deze gaat het niet over één persoon. Begrijp je wat ik bedoel? Je wilt voor een van je mannen opkomen, en dat valt te prijzen. Maar momenteel hebben wij, jij en ik, de verplichting op te komen voor honderden, duizenden, tienduizenden mensen die de finesses niet kunnen volgen. Begrijp je wat ik bedoel?'

De hoofdcommissaris merkte dat hij *ja* knikte... en besefte onmiddellijk dat hij dit een seconde terug ook had gedaan, gedwee *ja* had geknikt... Ze moesten zich verbazen over de jiujitsu-overtuigingskrachten van hun leider... *Zomaar ineens* bezorgt hij de Zwarte Superman ongeveer de almacht van een gerookte oester – *zij* dat waren de regelneven. Ze staren allemaal. Ze kijken niet kwaad. Nee, ze zijn gefascineerd, als kleine jongens. Ze hebben de beste plekken in huis... om de Ongelooflijk Krimpende Hoofdcommissaris te zien... krimpen. Onze Dionisio Cruz gaat geen zee te hoog! Slechts 1 meter 67, maar hij kan iedere Super*negro* van 1 meter 93 die hem voor de voeten loopt aan. Daarom is hij... de *caudillo*. Hij beschuldigt *el negro* nergens van, hij bedreigt *el negro* nergens mee... tenminste niet in enige vorm die je als bewijs kunt aanvoeren... hij spant alleen zijn net, en in een mum... *Hebbes!... el negro* zit in het net, spartelt... slaat in het luchtledige... gevangen in een net van woorden.

'Ze weten alleen,' vervolgde de burgemeester, 'dat hier die jonge smeris is, deze knaap – wat? – vier jaar bij het korps? – en overal waar hij verschijnt, volgen de Vier Ruiters... Racisme, Chauvinisme, Etnische Laster en... *ehhh*...' Tot dat moment had hij het geweldig gedaan. Nu zat-ie klem. Hij kon geen vierde plaag te paard verzinnen. '...*ehhh*... en heel de rest,' besloot hij, slapjes. 'Begrijp je wat ik bedoel?'

Wat een kolder! Hij kon hier toch niet *ja* gaan zitten knikken over zulke praatjes! Hij zei dus: 'Nee, Dio, ik begrijp het niet, Dio.' Maar het kwam er even slapjes uit als het *ehhh... en heel de rest* van kleine Dionisio. Het kwam er even zwak uit als zijn eigen *ja*-geknik. Hij stopte er geen *hart* in... Het was heel edelmoedig, een van zijn mannen verdedigen, nog een met een lage rang ook... maar was het echt edelmoedig als zo alle dingen die je voor je echte broeders kon doen op het spel werden gezet?

::::: Het leek wel of Dio mijn mail aan het *lezen* was. :::::

'Hoor eens, Cy, het punt is niet of Camacho een goede of een slechte smeris is. Wat dat betreft geloof ik je graag. Oké? Maar hij is iets groter dan zichzelf geworden. Hij is een symbool geworden van iets wat iedereen in deze stad in de ziel raakt. Je loyaliteit, die ik bewonder, doet niets aan de situatie af. Ik twijfel er niet aan dat de knaap er destijds niet eens aan dacht. Maar feiten zijn feiten. In de afgelopen paar maanden heeft hij tweemaal gezorgd dat hele gemeenschappen witheet worden... Dat ze zich vreselijk opwinden... Hij heeft hen als vuil behandeld. Denk je niet dat je korps het werk beter af kan zonder de diensten van deze jongen van 25?'

::::: Ik vroeg me al af wanneer hij dit eindelijk aan de orde zou stellen. En of ik wanneer het zover was mijn hakken in het zand zou zetten. :::::

'Ja, ik begrijp wat je bedoelt,' merkte hij dat hij zei. Maar hij zei het met een zucht, als een man die – zonder het te willen uiteraard – zwicht voor het noodlot. 'En het zint me niet.' Dat gedeelte kwam er slechts gemompeld uit.

Inmiddels waren de uitdrukking en de toon van de burgemeester vaderlijk geworden. 'Cy, ik wil je een paar dingen over deze stad vertellen. Het zijn dingen die je waarschijnlijk al weet, maar soms is het goed ze hardop te horen. Ik weet dat het goed voor *mij* is... Miami is de enige stad ter wereld, voor zover ik kan zien – ter *wereld* – met een bevolking van meer dan 50 procent recente immigranten... *recente* immigranten, immigranten uit de afgelopen vijftig jaar... en dat is een ramp, wanneer je erover nadenkt. Wat krijg je dan? Je krijgt dan – ik had het hierover laatst met een vrouw, een Haïtiaanse dame, en ze zegt tegen me: "Dio, als je Miami echt wilt begrijpen, moet je allereerst één ding begrijpen. In Miami haat iedereen iedereen."'

De pr-man, Portuondo, giechelde alsof de Baas een grapje maakte. Dio wierp hem een verwijtende blik toe en vervolgde: 'Maar daarbij kunnen we het niet laten. Wij hebben een verantwoordelijkheid, jij en ik. We kunnen de mensen in Miami – niet samensmeden, want dat gaat niet lukken, niet zolang wij leven. We kunnen ze niet smeden... maar we kunnen ze wel kneden... *kneden*... Wat *bedoel* ik daarmee? Ik bedoel dat we ze niet kunnen *vermengen*, maar we *kunnen wel* een veilige plek regelen voor iedere nationaliteit, iedere etnische groep, ieder ras, en zorgen dat ze allemaal op gelijke hoogte staan. Begrijp je wat ik bedoel?'

De hoofdcommissaris begreep er geen snars van. Hij wilde zeggen dat hij van zijn levensdagen niet zulke kolder had gehoord, maar hij kon zich daar niet toe brengen. Wat was er met de Oude Hoofdcommissaris gebeurd? Hij wist het, maar hij wilde het niet onder woorden brengen, niet eens in zijn eigen hoofd. Wat was er gebeurd... gebeurd op het moment dat Dio zei: '...dan hebben we een groter probleem. En dat probleem is leiderschap.' De rest van de intrige speelde zich in een flits in het hoofd van de hoofdcommissaris af. Het enige wat Dio hoefde te doen was hoofdcommissaris Booker de laan uitsturen en zeggen: 'We hebben hem een functie gegeven waarin leiderschap is vereist en hij kon niet eens voor zijn eigen mensen zorgen. Een echte leider zou een sfeer scheppen waarin dit soort dingen niet gebeuren, niet kunnen gebeuren. Ik ga dus een nieuwe hoofdcommissaris benoemen, iemand die sterk genoeg is om de geestelijke sfeer hier te veranderen, een echte leider... en hij zal *ook* uit onze Afrikaans-Amerikaanse gemeenschap komen.'

*Afrikaans-Amerikaanse gemeenschap, mijn reet.* De hoofdcommissaris vroeg zich af of hij dan wel een van de andere Cubanen hier die naar hem staarden om geen heerlijk moment te missen van dit meesterstukje van een pak rammel met de lippen – hij vroeg zich af of *iemand* Dionisio, Toonbeeld van Democratie, ooit eerder de term *Afrikaans-Amerikaans* had horen uitspreken... behalve dan met een tv-camera erbij of een of andere schildwacht van de pers. De hoofdcommissaris was iedere keer dat 'Afrikaans-Amerikaans' uit de mond van blanke hypocrieten als Dio kwam een hekel aan de term beginnen te krijgen. *Blank?* Iedere Cubaan in dit vertrek beschouwde zichzelf als blank. Maar zo zagen echt blanke mensen hen niet. Ze zouden eens een beetje bij Pine Crest moeten rondhangen, bij de Coral Beach Yacht Club, of op een of andere bijeenkomst van de Villagers of Coral Gables. Dan zou hun krullend haar een klap krijgen! Voor de echt blanke jongens waren zij allemaal bruine mensen, kleurlingen, alleen een paar tinten lichter dan hij.

*Begrijp je wat ik bedoel?* De hoofdcommissaris kwam deze keer niet met een ja-knikje. Deze keer schudde hij zijn hoofd heen en weer. Het was een *nee*, zijn slingerende hoofd, maar het was een slingerende slinger en een mat *nee*, zo onbeduidend dat de oude Dio er géén notitie van nam. 'Dat brengt ons dus bij de vraag wat we met agent Camacho aan moeten,' zei de burgemeester. 'Hij is voor half Miami een splinter in het oog. Weet je waar dat vandaan komt? Uit de Bijbel. Een splinter is zoiets als een stofvlokje dat in het oog komt. Het is maar een stofvlokje, maar het irriteert. Het irriteert echt. In de Bijbel lijken de mensen de helft van de tijd bezig met het verwijderen van splinters. Je gaat niet dood aan een splinter, maar je krijgt er wel een zeer slecht humeur van. Begrijp je waar ik heen wil?'

::::: Nee ::::: maar deze keer nam de hoofdcommissaris niet de moeite te reageren, op geen enkele manier. Hij was zich er pijnlijk van bewust wat voor indruk hij op de andere Cubanen in het vertrek moest hebben gemaakt. Hij had zichzelf geleidelijk achteruit laten zakken in de dieptes van de stoel. Hij ging dus overeind zitten en duwde langzaam zijn schouders naar achteren in een halfhartige poging deze Cubaanse bruintjes te laten zien dat hij nog steeds een enorme borst had. Maar het was een heel halfhartige duw. Hoeveel langer kon hij het zich veroorloven zich zo door de burgemeester te laten betuttelen voor hij al zijn aanspraken op mannelijkheid zou verliezen – óf overeind zou komen, de twee meter naar waar de burgemeester zat zou lopen, hem met één hand aan zijn kop met haar uit zijn stoel zou *sleuren* en hem met de palm van zijn hand op zijn bruine smoelwerk zou timmeren, en dan met de rug van zijn hand de palm en dan de rug de palm de rug de palm de rug palm rug palm rug palm rug palmrugpalmrug tot dat bruine gezicht rood ziet als een halfrauwe gehaktbal en hij snikt omdat hij totaal vernederd is door een Man –

::::: – ja hoor, Superman… Moet je me eens vertellen wie hier in werkelijkheid met zijn sprakeloze mond openhangend zit te zitten. :::::

'Hoe verwijderen we dan dit duo, Camacho en de brigadier, Hernandez, uit het oog van het publiek? Ik heb vaker met dit bijltje, schelmen eruit gooien, wat de omstandigheden ook mogen zijn, gehakt dan jij. En ik kan je vertellen dat er geen aardige manier is om het te doen. Je moet meteen zeggen waar het op staat: "Deze twee hebben zich als racisten laten kennen, en we kunnen zulke mensen niet in ons korps hebben." Zo moet je het aanpakken. *Pang! Pang!* Het is pijnlijk, maar het gaat snel. Eén zin – nee, twee zinnen – en het is voorbij.' Hij begon zijn handpalmen naar boven en beneden te klappen zodat ze elkaar schampten op de *ziezo, dat hebben we opgelost, nietwaar, en het is helemaal achter de rug*-manier. Toen drukte hij zijn lippen op elkaar en gaf de hoofdcommissaris een knipoogje, als om te zeggen: 'Ben je niet blij dat we dit geregeld hebben?'

Het was de knipoog die het 'm deed… dat knipoogje… met die knipoog had Dionisio een te diepe inbreuk op de mannelijkheid van de hoofdcommissaris gemaakt. Alle regelneven van Dionisio zaten met een uitdrukkingsloos gezicht intens van deze vernedering te genieten. Die Oude Dionisio is me er eentje, nietwaar? *Klik klak klik klak klik klak* hij heeft de schaar gepakt en hij heeft *el negro de branieschopper* in geen tijd in kleine onbeduidende stukjes geknipt.

Dat knipoogje – die zelfvoldane uitdrukkingsloze blanke Cubaanse gezichten – de hoofdcommissaris had het gevoel dat hij zijn eigen lichaam door astrale projectie had verlaten en een ander schepsel aanschouwde toen hij snauwde: 'Dat kunnen we niet doen, burgemeester Cruz.'

Het was geen uitroep. Het kwam er met een kokend geluid uit. Het 'burgemeester Cruz', in plaats van Dio of Dionisio, zei dat het tijd werd om ernstig te worden.

'Waarom niet?' vroeg de burgemeester.

'Het zou het moreel van heel het korps op het spel zetten.' De hoofdcommissaris wist dat het zwaar overdreven was, maar het was nu gezegd, en de hoofdcommissaris drukte door. 'Iedere smeris die ooit met een van die smerige crackverslaafden heeft moeten vechten en met hem door het vuil moest rollen of een wapen moest trekken, zal zich zodra hij erover hoort helemaal in Camacho en Hernandez verplaatsen. Ze kunnen allemaal de adrenaline voelen pompen. Ze kennen allemaal het gevoel te moeten vechten voor hun leven, omdat ze niet weten met wie ze knokken, en ze weten allemaal dat ze zichzelf niet zijn wanneer het voorbij is. Ze kennen allemaal het gevoel van angst die in pure haat omslaat. Er is geen tussenweg. Als je alles op video zet wat smerissen tegen dit tuig zeggen wanneer ze hen eindelijk in bedwang hebben en ze genoeg adem hebben om überhaupt iets te zeggen, zou iedereen in Miami totaal verbijsterd zijn over die band. Dat is gewoon de aard van het beestje, want hou jezelf niet voor de gek, op dat moment ben je een beest.'

Het werd stil in het vertrek. Het was schrikken van de felheid en schaamteloosheid van de hoofdcommissaris. Na een paar tellen kwam de burgemeester weer tot leven. 'Dus jij zit er niet mee wat deze twee smerissen over Afro-Amerikanen zeggen... als de Afro-Amerikaan met de hoogste rang in deze stad?'

'Ja, ik zit wel met de *woorden*,' zei de hoofdcommissaris. 'Ik heb sinds ik vier of vijf was voortdurend naar die smeerlapperij moeten luisteren, en ik ken de neiging te gaan moorden. Maar ik heb ook in de schoenen van smerissen als Camacho en Hernandez gestaan – vele malen. En ik

weet dat iedere lage gedachte die je ooit in je hoofd had – dat het dier
in je die waarschijnlijk hardop gaat uitspreken. Hoor eens, Dio, deze
kwestie speelde zich af in een crackpand. Je *moet* bang zijn wanneer je
zo'n pand betreedt, want waar je drugs hebt heb je ook wapens. De
gang van zaken was dat de grootste vent in het huis probeerde brigadier Hernandez te wurgen. Hernandez trok zijn wapen en zou de vent
hebben neergeschoten, alleen sprong Camacho op de rug van de vent
en rolde met hem door het vuil, en toen was Hernandez bang dat hij
ook Camacho zou raken. Camacho neemt de vent in een soort worstelgreep en blijft op hem zitten tot hij geen brandstof meer heeft en
het opgeeft. Als hij Camacho van zijn rug af had kunnen krijgen, zou
hij hem om zeep hebben geholpen en bovendien zijn kop er hebben af-
gerukt. Daarvan blijkt niets als je alleen afgaat op een bandje met wat
ze zeiden.'

'Oké. Oké,' zei de burgemeester. 'Je punt is duidelijk. Maar mijn punt
is dat we hier een grote Afrikaans-Amerikaanse bevolking hebben, en
dat ze hier al lang zitten. Een geval als dit kan tot een nieuwe rel leiden. Ze beginnen een rel altijd vanwege dezelfde kwestie, het straf-
rechtsysteem. Dat gaat zolang ik het voor het zeggen heb niet gebeuren. Die Camacho en Hernandez van jou... ze *gaan*, Cy... voor het heil
van de stad.'

De hoofdcommissaris begon zijn hoofd van de ene kant naar de
andere te zwaaien, en staarde intussen de burgemeester voortdurend
recht in de ogen. 'Kan ik niet doen,' zei hij. 'Kan ik niet doen.' Hij
kookte weer.

'Je laat me hier verdomd weinig ruimte... Hoofdcommissaris Booker...' De plotse vormelijkheid van de burgemeester was onheilspel-
lender dan die van de hoofdcommissaris. Hij had er meer ruggensteun
voor. 'Er moet *iemand* weg.'

*Smeerlap!* Door deze ging de hoofdcommissaris onderuit... geveld
en uitgeteld... Hij voelde zijn verzet verslappen... Deze baan was het
hoogtepunt van heel zijn leven... zijn gezin meegerekend. *Hoofdcommissaris van politie in Miami* – hij had nooit van zoiets gedroomd toen
hij vijftien jaar geleden een jonge smeris werd... een jonge *zwarte* smeris... en nu leidde hij het politiekorps in een grote Amerikaanse stad...
dankzij die man daar, Dio... en nu bracht hij Dio in de positie hem van
die hoge top af te moeten gooien, en het was een heel eind naar beneden... voor de *ex*-hoofdcommissaris, voor hem en zijn salaris van

$ 104.000 en zijn huis in Kendall... dat $ 680.000 kostte... wat hij nooit had kunnen klaarspelen als de UBT Bank hem niet aan een hypotheek van $ 650.000 had geholpen met een bijna minimale rente van 1,2 procent... wat ze nooit hadden gedaan, *nooit*, als het niet belangrijk voor hen was gunsten te verlenen aan burgemeester Cruz... die beslag zouden leggen voor je *rommelhypotheek* kon zeggen... die hem *in een mum* zouden degraderen van de Man, hoewel Zwart, tot de zoveelste zwarte klaploper met een rommelhypotheek... Hij zou zijn kinderen van de Lorimerschool moeten halen... en naast dat alles zou hij zich ook laten stigmatiseren, veel plezier, als een verrader van zijn eigen volk. O, daarvoor zou Dio wel zorgen. Hij is geen genie, Dio, zoals de wereld een genie omschrijft, maar hij is beslist een genie als het om het redden van zijn eigen hachje gaat... en een genie in het elimineren, als dat moest –

– en in die microseconde van besef troffen al deze gedachten hem ineens, in één flits van vele neuronen, en *mmmmmaaaaiden* al zijn geloften en zijn moed in één keer neer –

– maar niet zijn vervloekte ijdelheid. O nee, geen seconde. Zijn nieuwe gelofte was om niet als een doodgewone slappeling over te komen bij Dio's Cubaanse koor, deze bruintjes, deze potpalmen... zijn jury. O, ze zouden het heerlijk vinden de Grote Man, de hoofdcommissaris, de *gran negro*, voor de oude Dionisio te zien kruipen zoals *zij* kropen. Ze zouden het *heerlijk* vinden.

Zijn geest begon te hollen... en toen had hij het... in elk geval had hij iets. 'Nou,' zei hij, 'laat me je alleen één raad geven.' ::::: Zie je wel, ik heb ingebonden zonder het zo te hoeven formuleren! *Ik ben* degene die *hem* raad geeft! ::::: Hij zei hardop: 'Camacho en Hernandez... ze er hiervoor uitgooien? – ze zonder meer ontslaan? De bond wordt laaiend, en de bond wordt geleid door twee echte schreeuwlelijken, en dat zijn allebei Cubanen. Ze zullen deze zaak een maand aan de gang houden, ze zullen er echt een hel van maken, ze zullen zorgen dat zwarten' ::::: ik ga verdomme geen 'Afrikaans-Amerikanen' zeggen en net als zij de indruk wekken of ik over gebroken glas loop ::::: 'van een heel regiment Cubanen de middelvinger krijgen. Begrijp je wat ik bedoel?' ::::: Jezus, zei ik zojuist echt *begrijp je wat ik bedoel?* ::::: 'Wat volgens ons beter werkt, is wat wij "hen ontheffen van dienst" noemen. De smeris moet zijn wapen opgeven en moet bureauwerk gaan doen, en we kondigen dat zeer nadrukkelijk aan – één keer. En iedereen heeft het meteen door – iedereen. Iedereen beseft dat als je een smeris zijn wapen en penning afpakt dat zoiets als een openbare castratie is. Later weet niemand en interesseert het niemand of hij nog bestaat. Hij verdwijnt. Hij is een levende dode.' Hij staart de burgemeester nog langer in de ogen. Hij probeert de oprechtste man te lijken die ooit heeft geleefd.

De burgemeester kijkt naar de gemeentesecretaris en naar Portuondo, de pr-man. Ze proberen het wel, maar de regelneven kunnen geen enkele aanwijzing vinden voor wat ze nu denken. Ze staren gewoon naar hem terug als vijf mokken op een plank.

Ten slotte draait de burgemeester zich weer naar de hoofdcommissaris. 'Goed. Maar er zwaait wat als ze niet verdwijnen. Begrijp je wat ik bedoel?… Als ik ook maar een kik van een van beiden hoor, gaat er iemand anders verdwijnen. En je… *begrijpt*… wat ik bedoel.'

Twee uur later, dat wil zeggen omstreeks 10.30 uur, had in het kantoor van dr. Norman Lewis niets verder uit Magdalena's gedachten kunnen zijn dan YouTube of haar vroegere vrijer uit Hialeah, Nestor Camacho. Voor haar waren al haar jeugdjaren geweken in een vaag en vager, versleten, verworpen, vernederd verleden. Deze ochtend was zij helemaal vol van de stralende dageraad van…*hem* in haar leven. *Hij* had haar en Norman uitgenodigd voor een etentje op vrijdag, nog maar een paar dagen na vandaag, bij Chez Toi. Je had geen restaurants in Miami die deftiger waren dan Chez Toi, dat had Norman haar in elk geval verteld. Ze had er nooit eerder van gehoord. Chez Toi!! Norman ging er op een toon van sociaal-religieus ontzag over door. O, hij was ook opgewonden, Norman, maar in de verste verte niet zo opgewonden als *zij*.

Soms sloeg haar hart letterlijk, *letterlijk*, sneller, alleen door de gedachte eraan… dat wil zeggen aan *Sergei*. Ze kon het werkelijk onder haar borstbeen voelen versnellen uit angst in *zijn* ogen te falen… Wat moest ze aan? Ze bezat niet één draad kleding die indruk zou kunnen maken op die Chez Toi-mensen… of op *hem*. Ze zou gewoon *à la cubana* moeten gaan… volop *cubana*-gleufje moeten vertonen… haar oogkassen moeten veranderen in nachtclubzwarte poelen waarin twee glanzende bollen drijven… haar lange haar zo vol als zij en Fructis-shampoo, conditioner en een Conair-haardroger voor elkaar konden krijgen tot haar schouders laten neerhangen… haar jurk, wat voor jurk dan ook, enkel en alleen moeten veranderen in een laagje folie rond haar borsten, haar middel, haar heupen, haar 'kont' – en haar bovendijen… alleen de *boven*dijen… minstens 46 cm boven de knie… Ze zal heel deze productie op stilettohakken nog eens 15 cm optillen. Sexy – dat was het idee. Gooi het op… het Lichaam! Laat seks alle verfijning opzij schuiven die zij niet had.

Of zou ze er alleen goedkoop en kitscherig uitzien? Haar stemming daalde. Wie *was* zij eigenlijk? Wie werd zij geacht te zijn bij dit eersteklas etentje, niet meer dan een personeelslid van dr. Lewis, de gulle dr. Lewis die personeel meenam naar dit soort gebeurtenissen? Of zou ze de andere kant moeten opgaan en moeten suggereren dat er veel meer *was* dan dat en daarmee Sergei en de wereld laten weten dat een beroemdheid als Norman Lewis verzot op haar was, als zuster of anderszins?

*Daaaalen*, deed haar zelfvertrouwen weer. Misschien hield ze zichzelf voor de gek over heel de situatie… Sergei had niet één *woord* gezegd dat op enige echte belangstelling wees, niet één *gesproken woord*… Hij had louter *een bepaalde blik* in haar ogen gegoten en heimelijk zijn vingers in haar handpalm gedrukt… Misschien gedroeg hij zich gewoon zo tegen vrouwen, een chronische flirt… Ja, maar zó met je vingers de handpalm van een meisje drukken – was zo vreemd dat het iets moest betekenen… en hij had *die bepaalde blik* niet één keer, maar drie keer in haar ogen gegoten… en haar hart bonst door, bonst door, bonst door onder haar borstbeen, bonst zo luid dat – stel dat Norman het werkelijk kon horen? Ze was paranoïde aan het worden… Ze moest op geen enkele manier laten merken dat ze ook maar naar de avond uitkeek. Iedere keer wanneer Norman het erover had, had ze zich enorm ingespannen om onverschillig over te komen.

Ze had een tijdschrift uit de wachtkamer open liggen op haar bureau maar ze had er amper een blik in geworpen; zo was ze verdwaald in sprookjesland – dat enkel bestond uit vrijdagavond, Sergei Korolyov en Magdalena Otero – dat ze niet in de gaten had dat Norman de swamikamer uit was gekomen en nog geen twee meter van haar bureau stond.

'Moet een geweldig tijdschrift zijn,' zei hij.

Magdalena keek op, van de wijs gebracht, alsof ze was betrapt. 'Nee hoor,' zei ze. 'Ik zat hier te denken – aan iets anders.' Ze liet het onderwerp snel vallen, sloeg haar agenda open en zei: 'Je volgende afspraak is over een kwartier, om elf uur, met een nieuwe patiënt, Stanley Roth. Ik heb de afspraak zelf gemaakt, maar ik heb geen idee van wat hij doet.'

'Hij is trader voor een of ander nieuw hedgefonds, Vacuüm geheten,' zei Norman. Hij glimlachte. Hij vond 'Vacuüm' geestig. 'Ik heb met hem aan de telefoon gesproken.'

'Vacuüm?' vroeg Magdalena. 'Als van een vacuümpomp?'

'Jazeker,' zei Norman gnuivend. 'Een stel jonge kerels. Je moet lachen wanneer ik je het probleempje van mijnheer Roth vertel –' Hij brak die gedachte af. 'Wat *is* dat tijdschrift?'

'Het heet –' Ze moest het zelf eens goed bekijken. '*La Hom*?... *Loam*?'

Norman pakte het op en bekeek het. 'Het is "*Lom*",' zei hij en hij wees naar de titel onder aan een bladzijde, *L'Homme*. 'Het is Frans. "De Man". Moet je deze kerels eens zien,' zei hij en hij hield een van de bladzijden omhoog. 'Alle mannelijke modellen zijn tegenwoordig zoals deze twee. Ze zijn allemaal broodmager. Ze zien eruit of ze ernstige proteïnedeficiëntie hebben. Ze hebben van die ingezakte wangen en een baard van zes of zeven dagen, en die sombere, gluiperige blik, alsof ze net zijn vrijgelaten na vijf jaar in een extra beveiligde gevangenis, en in die tijd hebben ze aids opgelopen doordat ze voortdurend in hun gat zijn geneukt door andere gevangenen. Ik snap het niet. Haal je hiermee jongemannen over de kleren te kopen die door deze prachtexemplaren worden geshowd? Of misschien is eruitzien als een homo die aan aids lijdt tegenwoordig in de mooodde*ahhHHHH*ock hock hock hock... Ze zien eruit als die uitgemergelde jongemannen die Egon Schiele pleegde te schilderen. Ze zien er allemaal zo zwak en ziekelijk uit of ze bewusteloos gaan raken, in elkaar zakken en onder je ogen in een hoop botten sterven.'

Magdalena vroeg: 'Wie? Zie je Sheila?'

'Het is Duits,' zei Norman. 'S, c, h, i, e, l, e. Egon Schiele. Hij kwam uit Oostenrijk.'

'En hij is beroemd?' vroeg Magdalena... treurig... Al dat kunstgedoe dat de *americanos* zo belangrijk vonden...

'Jazeker,' zei Norman. 'Ik bedoel dat hij denk ik beroemd is als je wat van vroeg twintigste-eeuwse Oostenrijkse kunst weet, zoals ik. Ik vind echt –' Hij brak abrupt af wat hij ook wilde gaan zeggen en wendde zijn ogen af. Hij keek ineens somber. Hij leek verdrietig op een manier die Magdalena nooit eerder had gezien.

'Ja,' zei hij, 'ik weet iets van twintigste-eeuwse Oostenrijkse kunst, inderdaad. Via die prentenboeken van $75, zoveel weet ik ervan. Twintig jaar geleden ontdekte ik voor het eerst Schiele en Gustav Klimt en, o, Richard Gerstl en Oskar Kokoschka en heel dat stel. Ik had op een veiling die fantastische Schiele voor $25.000 kunnen kopen. Maar ik studeerde medicijnen, en ik had helemaal *helemaal* geen $25.000 om aan een "kunstwerk" te besteden. Ik leefde zo'n beetje van de hand in de tand. Dat ging nog acht jaar zo door toen ik coassistent was en arts in opleiding. Uiteindelijk begin ik mijn eigen praktijk, ga ik een beetje verdienen en raak ik boven jan, en die Oostenrijkers – ik kijk omhoog en ze draaien in een baan om de aarde! Een jaar of wat geleden werd datzelfde schilderij voor vijfentwintig *miljoen* verkocht. Terwijl ik niet keek, was het *duizend keer* in prijs gestegen.'

Hij zweeg... Hij keek op een behoedzame, aarzelende manier naar Magdalena die leek te zeggen *Ik weet niet of ik het ja of nee met jou over al dit gedoe moet hebben*. Hij moest besloten hebben *Wat kan het me verdomme schelen*, want hij ging ermee door.

'Weet je,' zei hij, 'mensen dachten vroeger dat dokters rijk waren. Als je woonde waar de dokters woonden, wist je dat je in de beste buurt van de stad zat. Dat is niet meer zo. Je kunt niet echt geld verdienen als je voor een honorarium werkt. Artsen, advocaten – wij krijgen een honorarium voor de tijd die we aan een geval besteden, zoveel per uur. Net als vioolleraren en timmerlieden. Je gaat op vakantie, je gaat jagen, je gaat slapen – dan krijg je geen honorarium. Nou, vergelijk dat eens met iemand als Maurice. Het doet er niet toe of hij slaapt, dagdroomt, tennist, op een cruise gaat, of nu we het er toch over hebben, wat hij meestal doet: proberen een middel te vinden om minstens één vinger en zijn duim rond zijn stijve penis te krijgen zonder op een van zijn rauwe, jeukende, stekende herpesblaren te drukken. Zelfs wanneer hij het ergste doet wat hij in zijn situatie kan doen, heeft hij zijn bedrijf, American ShowUp, dat dag en nacht voor hem werkt. Ze verzorgen de expositiestands, de draaiende platformen, de podiums, de tenten, de stellages voor alles wat je kunt verzinnen vanaf autoshows en medische congressen tot en met gewone conferenties. Geloof me, als je 80 procent van die markt in de Verenigde Staten hebt, zoals Maurice, dan zijn dat bij elkaar miljarden. Daarom moet je een *product* hebben. Daarom doe ik aan al die tv-programma's mee. Het gaat niet alleen om de publiciteit. Je moet toegeven dat ik het niet slecht doe op tv. Ik kan me voorstellen dat ik voor een omroep een programma zoals die dr. Phil zou maken. Hij verdient een fortuin met dat programma. Zo heeft hij iets om te verkopen. Hoe meer tv-zenders het programma overnemen, hoe meer geld hij verdient. Hij werkt niet meer voor honoraria. Hij is nu een merk. Hij gaat slapen, hij gaat op vakantie naar Istanbul, en het merk doet nog steeds zaken terwijl hij niet kijkt. Ik zie ook een paar goeie bijproducten, zoals e-books, zelfs boeken van papier – je weet wel... gedrukt, zeg maar.'

Magdalena was verbijsterd, geschokt. 'Wat zeg je nou toch, Norman! Je hebt een... een... roeping – je hebt iets wat zoveel... zoveel beter is dan wat... die dr. Phils hebben, die van zichzelf een *personage* op televisie maken. Dokters – ook verpleegsters – ik herinner me de dag dat ik mijn rechterhand opstak – dokters en verpleegsters, we leggen een eed af om onze levens aan de zieken te wijden. Ik herinner me die dag omdat ik er trots op ben. Tv-dokters negeren de Eed van Hippocrates. Ze wijden zich aan geld verdienen en een beroemdheid zijn. Wanneer ik aan "Dokter Phil" denk... ik vraag me af wat hij zijn kinderen vertelt wat hij doet... aangenomen dat hij kinderen heeft.'

Norman leek gekastijd. Misschien voelde hij zich zelfs schuldig, wat niet in zijn aard lag. Nee hoor – helemaal niet. Kalm – voor Normans doen – zei hij: 'O, ik weet zeker dat hij hun vertelt dat hij op deze manier zo veel meer mensen kan helpen, mensen in heel het land, mensen op heel de wereld – of misschien gaat hij tot het einde en zegt hij "genezen", niet zomaar de hele wereld helpen maar die genezen. Als mijn ouders me zoiets hadden verteld toen ik zes of zeven was, had ik hen maar al te graag geloofd... Je hebt in ieder geval gelijk, Magdalena.' Ook dat zei hij niet al te vaak. Misschien voelde hij zich *inderdaad* schuldig. 'Ook al verschijn je maar af en toe op tv, zoals ik, dan nemen je collega's, andere artsen, je dat kwalijk. Ik dacht vroeger dat het pure jaloezie was. Nu weet ik het niet meer zo zeker. Ik vermoed dat het deels te maken heeft met die eer – maar het zijn hoe dan ook jaloerse rotzakken.'

'Maar zie je het dan niet?' vroeg Magdalena. 'Het *gaat* om eer. We doen dit niet voor het geld, jij en ik. We doen het voor de eer. Er komt iemand als Maurice binnen, en hij heeft een verslaving die zijn leven geleidelijk verwoest. Daar is hij, een miljardair – en voelt hij zich daardoor veilig? Hij is een wrak! Vorige week op Art Basel moet ik hem wel honderd keer hebben zien proberen over zijn kruis te wrijven zonder dat iemand het merkte. Hij is zielig... en hij is volledig van jou afhankelijk. Wat is meer waard, al zijn geld of dat jij mensen kunt genezen? Hij is hier beneden' – ze liet één hand zakken en hield de handpalm parallel aan de vloer en hield de andere hand er een meter boven – 'en jij bent hier boven. Het doet er niet toe hoeveel geld *jij* hebt. Jij bent dr. Norman Lewis. Je hebt een *gave*. Dat zie je toch wel?'

Norman knikte een vaag *ja*, keek omlaag naar de grond, en zei geen woord. Was dit bescheidenheid in het licht van de hoge plaats in het leven van de Mens die zij hem zojuist had toegedicht? Maar ze had hem nooit eerder door bescheidenheid overmand zien worden. Inmiddels had hij zijn ogen omlaag gericht... waarop? Op het kamerbreed tapijt blijkbaar. Het was uitstekend, praktisch, met een bosgroene achtergrond en een ruitjespatroon met witte streepjes. Niet slecht... en misschien vijf tellen aandacht waard.

'Waaraan denk je, Norman?'

'O... nergens aan...' Hij keek nog steeds niet naar haar, en zij had zijn stem nooit zo horen doven.

Een verachtelijke gedachte drong haar hoofd binnen. Zo verachtelijk dat ze besloot er helemaal niet aan te denken. Maurice kwam drie keer per week bij Norman, wat bijna $3000 per week aan honorarium betekende. Voor zover zij kon zien, was er bij Maurice niet de minste verbetering, en in sommige opzichten was hij achteruitgegaan. Zijn kruis met melaatsheidblaren was een ramp. Maar het was allemaal zo verachtelijk dat ze er gewoon niet aan ging denken. Waarom zou ze proberen Norman in analyseren te overtreffen? Norman was misschien wel de bekendste psychiater van het land. Hoe kon ze het wagen kritiek op hem te hebben... en zich zelfs af te vragen of Norman uit eigenbelang Maurice zo'n eindeloze therapie liet ondergaan? Maar dat was het verachtelijke ervan! Hoe kon ze haar fantasie zo op hol laten slaan? Ze zou het niet doen. Voor ze het wist zou ze zich beginnen af te vragen wie het meest profiteerde van deze arts-patiëntrelatie. Hoe was het Norman gelukt een aanlegplaats te krijgen voor zijn Cigarette Boat in de beroemde jachthaven van Fisher Island?... Maurice... Hoe was het hem gelukt bij de allereersten in de rij te staan voor de dwaze bestorming op de openingsdag van Art Basel? Maurice. Hoe was het hem gelukt uitgenodigd te worden voor een etentje bij Chez Toi door een van de toonaangevende figuren in de kunstwereld van Miami, Sergei Korolyov?... Omdat Sergei hem in het gevolg van Maurice had gezien op Art Basel... Iedereen die niet door had dat Norman een schaamteloze streber was zou wel blind moeten zijn.

Ze dacht over een manier Norman op dat onderwerp in te laten gaan, zonder dat het al te doorzichtig was. Het was helemaal niet misplaatst dat ze dat zou vragen – en ze deed het dus ook. 'Norman,' zei ze, 'denk je dat Maurice er vrijdagavond zal zijn?'

Het was alsof ze op het knopje drukte waardoor Norman weer áán ging. 'Jazeker! Hij heeft het er al met me over gehad. Hij gelooft dat deze Korolyov een belangrijke nieuwe vriend kan zijn. En hij vindt Chez Toi *geweldig. Jawel jawel.* Het heeft het soort cachet dat volgens Maurice heel belangrijk is. Ik ben er geweest en ik begrijp hoeveel indruk het op iemand als Maurice maakt.'

'Casjee?' vroeg Magdalena.

'Je weet wel, het is zeg maar... een reputatie of een bepaald sociaal niveau.'

'Casjee,' zei Magdalena op een doodse toon.

'Ze hebben een zwarte lidmaatschapskaart, en als je die hebt, kun je naar de cocktaillounge boven. Anders kun je niet naar boven.'

'Heb jij een lidmaatschapskaart?'

Norman zweeg even. 'Nou... eigenlijk... nee. Maar ik ben in de lounge geweest.'

Magdalena vroeg: 'Ben je daar vaak geweest?'

'Tot op zekere hoogte.' Norman zweeg weer, en zijn uitdrukking werd aarzelend, wat niet in zijn aard lag. 'Nu ik erover nadenk... twee keer, meen ik.'

'Met wie ging je mee?'

Lang zwijgen... een frons... uiteindelijk: 'Met Maurice.'

'Allebei de keren?'

Langer zwijgen... leeglopende frons: 'Ja.' Norman keek haar scherp aan. Op een of andere manier was Magdalena een ondervraagster geworden die hem had betrapt, niet op een leugen... maar op de zonde van verzwijgen... alles verzwijgen dat zou wijzen op zijn afhankelijkheid van Maurice – zijn patiënt. Hij veranderde van koers en monterde weer op. 'Maar ik ken Maurice veel beter dan de meeste mensen, misschien wel beter dan *wie ook.* Iedereen in Miami wil bij Maurice in de buurt zijn, de kunstverzamelaars, de kunsthandelaren – *kunst-*handelaren! Ik wil maar zeggen, geloof het maarrr*ahHHHHock hock hock hock*! – de museumdirecteuren, de politici, ieder soort zakenman dat je kunt verzinnen – zeer zeker ook onze nieuwe vriend, Korolyov. Weet je nog hoe Korolyov zich naar Maurice haastte op Art Basel? Hij kuste ongeveer zijn schoenen, als een kleine Russische horige. Ik wil maar zeggen, Maurice heeft het invloedrijkste netwerk in Zuid-Florida.' Hij glimlachte breed, keek toen met grote ernst in Magdalena's ogen. 'Daarom moeten wij – jij *en* ik – er alles wat in ons vermogen ligt aan doen om Maurice van deze verschrikkelijke zwakheid te verlossen, deze verslavende zwakheid. Zwakheid zou niet verslavend moeten worden, maar het gebeurt wel. Je hebt het juist geformuleerd, Magdalena, hij wordt er een *wrak* door. We kunnen dat niet laten gebeuren. Hij is niet zomaar een rijk en machtig man. Hij is ook een fatsoenlijke man, die zich erop toelegt goede dingen voor heel de samenleving te doen. We moeten ons werk afmaken, Magdalena! Daarom probeer ik ook buiten onze sessies bij hem te zijn. Ik had het gevoel dat het *belangrijk* voor me was bij hem te zijn op Art Basel, ook al zouden de meeste psychiaters dat nooit doen. Een heleboel opwindende dingen in deze stad zijn als Art Basel. Ten diepste zijn ze volkomen amoreel. De mensen daar hebben geen probleem met pornografie, zolang het een "beschaafde" *origine* heeft.'

::::: *origine?* :::::

'Maurice had in dat drijfzand kunnen wegzinken en we hadden hem nooit meer gevonden. Maar we hebben dat niet laten gebeuren, Magdalena. We zijn daar tot het einde bij hem gebleven.'

Het gekke... misschien het *goede* is... dat hij het woord voor woord gelooft, dacht Magdalena. Hij is volkomen oprecht. Plichtsgetrouw weerde zij iedere alternatieve interpretatie af.

# 13

## A LA MODA CUBANA

Het was ongeveer vijf minuten voor het middaguur toen de brigadier en Nestor drie straten vanaf de Starbucks liepen en het hoofdbureau van politie bereikten op East Second Avenue N.W. 400. Ze hielden hun smeriszonnebril op, ook al dompelde die de hal, de wachtruimte, in de laatste vage stervende momenten van de schemering... maar niet zo donker dat ze niet alle smerissen naar hen zagen kijken en hen taxeren.

De brigadier zei: 'De eerste van deze sukkels die probeert me iets te flikken bijt ik z'n kloteneus af.'

Het korps bleef enige dreigende slurfafsnijding bespaard omdat een jonge *cubana* genaamd Cat Posada – unh huhhh, *Cat* – uit het niets verscheen – althans het niets voor twee mannen die een schemerleven achter hun smeriszonnebril leidden, hun een volmaakte Girl from Ipanema-glimlach schonk – van *ahhhhhh* – en zei dat ze met haar mee moesten komen. Blijkbaar was de hoofdcommissaris slim genoeg om te weten dat niets de woede van een jongeman sneller laat afkoelen dan de charmes van een knap meisje.

In de lift omhoog oefende Nestor hoe hij op de hoofdcommissaris wilde overkomen: *ik ben een echte smeris*... schouders naar achteren, in militaire stijl, uiterst correcte houding, hoofd naar achteren, kin omlaag. Hij was niet al te zeker van de kin omlaag... er gebeurde dan iets raars met zijn lippen – en juist op dat ogenblik keek de brigadier en zei: 'Wat is er met *jou* aan de hand?' Nestor besloot dat hij maar punten bij de mooie Cat Posada zou verspelen als hij dat onderwerp met haar erbij zou aanroeren... Waarom zou hij zich er druk over maken? *Gewoon*. Waarom maakte hij zich druk over hoe hij overkwam op kerels in de hal met videospelletjes die hij nooit terug zou zien... op het meisje aan de kassa bij Starbucks... op twee jonge zwarte kerels die gisteren op straat zijn kant op kwamen en zich met hun eigen zaken bezighielden? Probeerde hij zo stoer over te komen zodat ze er niet eens aan *dachten* hem lastig te vallen? Half je leven was je je aan het afvragen hoe je op die of die volkomen vreemde overkwam...

Toen ze op de tweede etage kwamen, ging mooie Cat de brigadier en Nestor voor in een lange, te smalle, te donkere gang met aan beide kanten kantoortjes, de deuren open... zodat je de bureaucratische radertjes zag, van wie velen hen meteen als de twee racistische smerissen van YouTube zouden herkennen... Hij vatte iedere blik op als beschuldigend staren. *Un negro* medewerker keek zijn kant op – niet meer dan dat – keek zijn kant op. Hij voelde zich vreselijk beschaamd en vals veroordeeld. Hij wilde stoppen en *uitleggen... het is helemaal niet zo gegaan! – niet in* mijn *geval!*... Ze kwamen bij een kantoor ver weg in de hoek, en adembenemende Cat – mannen zijn vreselijk! Zelfs onder druk van iets ernstigs, iets wat hij vreesde, bleef Nestor haar zien als mooie, adembenemende Cat – en misschien wilde ze later koffie gaan drinken? De sublieme Cat gebaarde hun even te wachten terwijl zij naar binnen ging, en ze hoorden haar zeggen: 'Hoofdcommissaris, brigadier Hernandez en agent Camacho zijn er.' Toen de stralende Cat naar buiten kwam, glimlachte ze naar hen, de onweerstaanbare Cat, en gaf aan dat ze naar binnen moesten. Zij liep de andere kant op zonder om te kijken *plop* ging de fantasie.

Nestor werd van zijn stuk gebracht door de uitdrukking van de hoofdcommissaris. Hij zat aan zijn bureau en had zelfs amper opgekeken toen Nestor en de brigadier naar binnen liepen. Nu keek hij *wel* op en richtte zijn wijsvinger als een revolver op een paar stoelen met rechte rug die naast elkaar, pal voor zijn bureau stonden.

'Pak een stoel,' zei hij op een niet bijster gastvrije manier.

Stoelen met rechte rug... het kantoor bevond zich op een hoek en had grote ramen met een uitzicht op... niet veel zaaks. Het was een stuk kleiner en minder imposant dan Nestor het zich in zijn hoofd had voorgesteld.

De hoofdcommissaris leunde achterover in zijn grote draaistoel en staarde hen alleen een ogenblik zonder uitdrukking aan, en dat ogenblik werd langer w e r d  l a n g e r... Nestor werd zich er scherp van bewust hoe groot de man eigenlijk was... en hoe donker zijn gezicht... en daardoor, plus door het donkere marineblauwe uniform van de hoofdcommissaris, werd Nestor zich hyperbewust van het wit van zijn ogen. Hij leek sterk genoeg om een volledig andere orde van *Homo sapiens* te zijn. Een smerishemel van gouden sterren, vier aan beide kanten, liep over beide kanten van zijn boord, wat de machtige nek van de hoofdcommissaris officieel maakte.

Ten slotte sprak de hoofdcommissaris. 'Hebben jullie tweeën enig idee wat er de afgelopen zes uur of zo aan de gang is vanwege jullie kleine verrichtingen op YouTube?'

Hij had het 'YouTube' nog niet eens uit zijn mond voor de brigadier, ogen in lichterlaaie, interrumpeerde: 'Het spijt me, hoofdcommissaris, maar dat waren géén "kleine verrichtingen"! Dat was het verrichten van mijn plichten! En een of andere... *rotzak*... probeert me kapot te maken door een... een... een *vervalste* versie van die *eh eh eh illegale* video op YouTube te zetten!'

Nestor was verbijsterd. ::::: God nog aan toe, brigadier, u bent gek! U bent een geval van insubordinatie op twee benen. :::::

De hoofdcommissaris was ook verbijsterd. Wat voor schaamteloos – waarop hij over het bureau leunde en in het gezicht van de brigadier brulde: 'Je wilt me vertellen dat het geval nep is? Dat jij het niet eens bent? Of iemand je woorden in de mond legt? Of dat een of andere *rotzak* probeert je kapot te maken? En op een of andere manier kan hij je stem vervalsen en je laten tieren als een godverdomde Ku Klux Cubaanse mafkees? Wie *is* deze gemene *rotzak*, brigadier? Dat zou ik heel graag weten!'

'Moet u horen, hoofdcommissaris, ik zeg niet wat ik zeg. Dat geval op YouTube is niet wat ik zeg... begrijpt u? Ik zeg dat de rotzak erop zet wat ik zeg maar hij zegt niet dat hij het stuk heeft weggesneden waardoor ik zeg wat ik zeg!'

Brullend: 'Kop dicht, Hernandez! Het interesseert niemand een reet wat jij zegt te hebben gezegd. Wat je hebt gezegd staat op het klote wereldwijde web, en je hebt er geen doekjes om gewonden, en heb je überhaupt enig idee waartoe dat racistische stukje van jou op YouTube allemaal heeft geleid? Weet je hoeveel andere sites, blogs en nieuwsdiensten de klotevideo hebben opgepikt?'

'Het is geen stukje van *mij*, hoofdcommissaris –'

'Wat is er met jou aan de hand, Hernandez? Ben je doof? Ben je maf? Weet je niet wat *kop dicht* betekent?'

Het 'Hernandez' is een linkse hoek op zijn ribben. Jorge Hernandez is niet langer 'brigadier'. Dat valt hem op, meer dan de uitbrander. Hij zit kaarsrecht, stijf in de stoel met rechte rug, zijn mond open terwijl de hoofdcommissaris zegt: 'Ik krijg sinds zes uur vanochtend de hele tijd telefoontjes, mails, sms'jes, klotetweets, en het godverdomde geval was toen pas een paar uur uit – en die mails en tweets komen niet alleen uit Overtown, Liberty City en Little Haiti. Ze komen uit heel de god-verdomde wereld! Ik krijg gezeik uit Frankrijk van "Jullie met al jullie vrome praatjes over mensenrechten, vrijheid en ga maar door – en nu zien we wat het Amerikaanse strafrecht eigenlijk voorstelt" – dat is het soort *gezeik* dat ik krijg, Hernandez, en wat *ik* krijg –'

Hernandez – die vent is te erg! Hij probeert nog eens in de rede te vallen! 'Hoort u eens, hoofdcommissaris, ze kunnen dat niet zeggen, want –'

Hij maakt de zin nooit af. Hij is verlamd door de blik op het gezicht van de hoofdcommissaris. De hoofdcommissaris zegt geen woord. Hij glimlacht onheilspellend, het soort ik-sla-je-volkomen-verrot-glimlach die zegt: '*Flikkertje dat je bent! Zodra je dit buiten het officiële niveau om wilt regelen, zeg het dan maar, dan gaan we naar buiten en ik zal je colon ascendens als een tulband rond je kop draaien.*' Met een bestraft gevoel hield de brigadier zijn kop.

Op zachtere, kalmere toon zei de hoofdcommissaris: 'En wat ik krijg is niets in vergelijking met wat de burgemeester krijgt. Het is daar god-verdomme overstroomd van het gezeik. Dit is een topper op internet. Dit is geen foto vanaf een meter of tien van politieagenten die over een of andere arme rotzak op de grond gebogen lijken te zijn en op hem inbeuken met hun gummiknuppels, zonder dat je weet waarom en zonder dat je weet wat ze zeggen. Deze keer was de camera dichtbij, vlak bij jullie tweeën, en pikte ieder woord op wat jullie zeiden, en niet alleen de woorden maar ook de uitdrukking op jullie gezichten toen jullie ze uitspraken, en jullie gezichten spraken boekdelen, duidelijker dan jullie woorden.'

De hoofdcommissaris zweeg op een... veelzeggende manier. Hij staarde, niet al te vriendelijk, de brigadier aan en vervolgens op de-zelfde manier Nestor. 'Heeft een van jullie tweeën wel eens aan een toneelstuk meegedaan? Je weet wel... op een podium?'

Geen van beiden zei iets. Uiteindelijk schudde de brigadier *nee* met zijn hoofd, en Nestor deed hetzelfde.

'Dat dacht ik al,' zei de hoofdcommissaris. 'Het was dus geen grote acteerprestatie. Jullie tweeën gaven voor heel de klotewereld een echt staaltje raciale onverdraagzaamheid weg, nietwaar, een mooi welgemeend staaltje.'

De hoofdcommissaris keek hen dreigend aan, maar nu wilde Nestor met alle geweld iets zeggen. ::::: Maar dit is volstrekt onrechtvaardig! U heeft niet gelet op wat ik in feite heb gezegd! U kunt me niet zomaar op één hoop gooien met de brigadier! Heeft u geen enkel idee hoe heel deze zaak is begonnen? U bent niet een of andere onbenul van een werkende vader die het geval bekijkt en denkt dat het allemaal begon met twee Cubaanse smerissen die de grote zwarte kolos plat op de vloer gooien en hem dan gewoon voor de lol voor van alles en nog wat uitschelden?! :::: En toen brak Nestors touw: 'Dat is niet rechtvaardig, hoofdcommissaris' – zijn stem werd luider, de kant van schreeuwen op – 'want ik zei alleen –'

'Jij ook, Camacho! Kop houden! Jullie moeten allebei *luisteren*, heel goed luisteren naar ieder woord wat ik zeg.' De hoofdcommissaris zweeg. Hij leek te overleggen of hij Nestor al dan niet echt moest aanpakken. Hij moest hebben besloten van niet. Toen hij opnieuw begon, had zijn stem een toon van bot redeneren gekregen. 'Hoor eens, ik weet dat op de video alles is weggesneden dat verklaart wat jullie zo ver heeft gedreven. Ik ken de drang een of ander onderkruipsel te vermoorden dat net heeft geprobeerd mij te vermoorden want ik heb veel vaker met dat bijltje gehakt dan jullie. Ik weet wat het is als je de rotzak wilt bedelven onder iedere belediging die je uit je mond kunt krijgen. Heb ook met dát bijltje gehakt. Maar jullie tweeën moesten op de godverdomde trom slaan, nietwaar. Jullie moesten met het ergste soort onverdraagzaamheid in het Amerika van vandaag op de proppen komen. Jullie moesten met een godverdomde *encyclopedie* op de proppen komen van de beledigingen die de gevoelens van zwarten gegarandeerd het zwaarst treffen. En ook met dát bijltje heb ik gehakt. Ik *slik* die ellende niet meer, en ik zal ieder bot in het lijf breken van elke gek die zoiets tegen mij zegt, vanaf het opperarmbeen tot de heupholte tot het tongbeen. Ik zal gegarandeerd *elke* blanke sukkel die probeert die ellende over me heen te gieten naar de kloten helpen.'

Nestor snakte – *snakte* – ernaar het uit te schreeuwen. ::::: Maar *ik* was het niet! Ik zei niks verkeerds! ::::: Twee dingen weerhielden hem... Eén: hij was erg bang voor de hoofdcommissaris en wat die zou doen. En twee: als hij begon te proberen de schuld op de brigadier af te schuiven... zou hij worden uitgestoten – door deze kerels, de broederschap, het politiekorps, Hernandez, Ruiz, zelfs *americanos* als Kite en McCorkle van de politie te water, en jazeker, zelfs door de hoofdcommissaris. ::::: Ik zou dit soort getier niet meer van mijn pa, mijn *papi*, slikken, maar ik slik het wel van deze grote zwarte man aan dat bureau. Smerissen zijn mijn hele leven, de enige mensen die ik tegenwoordig heb. En stel dat 60 seconden na nu blijkt dat de botbrekende woede van de hoofdcommissaris slechts een aanloop is om ons, mij en de brigadier, aan de dijk te zetten, eruit te gooien, te dumpen als een paar dooie vissen die onder invloed zijn geraakt? :::::

De volgende woorden uit de mond van de hoofdcommissaris waren: 'Maak je geen zorgen, ik ga jullie er niet uit gooien, ik ga jullie niet degraderen. Ik denk dat ik jullie wel begrijp. Jullie zijn twee smerissen...' Hij zweeg even, als om dat te laten bezinken. 'Wat jullie verder ook zijn – en jij bent waarschijnlijk een keiharde onverbeterlijke racist, Hernandez – jullie hebben allebei medailles wegens moed, en die worden niet zomaar uitgedeeld om het moreel te verbeteren. Maar wat we op korte termijn moeten doen, dat is niet zo begripvol en vergevingsgezind ten aanzien van de menselijke zwakheid.'

Hij glimlachte licht toen hij 'menselijke zwakheid' zei. Het was zijn eerste welwillende glimlach sinds hij met dit betoog was begonnen. Oké, dacht Nestor ::::: maar wat zou er grappig moeten zijn aan 'menselijke zwakheid', tenzij de hoofdcommissaris wil laten merken dat hij beseft een onzinnige uitdrukking te hebben gebruikt? En wie was 'wij' – of was het gewoon weer een van die onzinwoorden die politici zo graag gebruiken als een manier om te zeggen: 'Je kijkt hier niet zomaar naar één man, je bent in aanwezigheid van de Macht.' :::::

'We zullen jullie van dienst moeten ontheffen,' zei de hoofdcommissaris. 'Zoals ik zei, is dit wat we op korte termijn dienen te doen. Het is geen permanente aangelegenheid. Jullie zullen als gebruikelijk worden betaald.'

Nestor keek naar de brigadier. De brigadier had zijn lippen samengeperst en hield zijn kaakspieren dicht geklemd. Hij leek enige kennis te hebben van wat 'ontheven van dienst' inhield die Nestor niet had.

Nestor verzamelde genoeg moed om te vragen: 'Hoofdcommissaris... kunt u me vertellen wat dat precies inhoudt? We verschijnen en doen bureauwerk?'

'Nee,' zei de hoofdcommissaris, 'als je ontheven bent van dienst verricht je helemaal geen werk.' Het gezicht van de hoofdcommissaris was opnieuw een steen.

'Helemaal geen werk?' Aan het eind van de vraag merkte Nestor dat hij niet langer naar de hoofdcommissaris, maar naar de brigadier keek. Op een of andere manier had hij het gevoel – alleen dat, een gevoel – dat de brigadier hem een directer antwoord zou geven.

De brigadier keek naar de hoofdcommissaris met een bijna brutaal glimlachje.

'Nee, je verricht helemaal geen werk,' zei de hoofdcommissaris. Zelfde steenachtige uitdrukking. 'En je hoeft niet te verschijnen. Je zult elke dag thuis van 8.00 uur tot 18.00 uur beschikbaar moeten zijn voor telefoontjes.'

'Telefoontjes om...' Nestor kon zich niet lang genoeg beheersen om de vraag af te maken.

'Nergens om,' zei de hoofdcommissaris. 'Je moet alleen beschikbaar zijn voor de telefoontjes.'

Nestor keek uitdrukkingsloos, catatonisch naar hem.

'En je levert je penning en je dienstrevolver in.'

::::: Inleveren?... mijn penning en mijn dienstrevolver?... en niets doen? :::::

'Jullie kunnen ze evengoed aan mij overhandigen... nu.'

Nestor keek naar de brigadier, die naar de hoofdcommissaris keek met een berustende draai op zijn lippen. Hij had het de hele tijd geweten, nietwaar? Nestor was meer dan verbijsterd. Hij was weer verschrikkelijk bang.

Amper een uur nadat Camacho en Nestor uit zijn kantoor waren vertrokken, bracht Cat Posada de hoofdcommissaris een persoonlijk bezorgde brief en welfde haar wenkbrauwen op een manier die zegt: 'Hé! Wat hebben we hier?!'

De hoofdcommissaris had dezelfde reactie, maar liet dat pas merken toen zij het vertrek uit was. ::::: God, zij is wel een *stuk*, Miss Cat Posada – en op *dat* pad zet ik geen stap. ::::: Hij keek nog eens naar de brief, schudde zijn hoofd en zuchtte. Het adres van de afzender was in de linkerbovenhoek met balpen geschreven, en de naam was Nestor Camacho. Hij had nooit meegemaakt dat een agent die was ontheven van dienst amper een uur later in beroep begon te gaan. :::::: Slechte zet, Camacho. Je kunt niets zeggen wat het niet erger zal maken. ::::::

Hij sneed de envelop open en las:

*Geachte hoofdcommissaris Booker,*
*Met hoogachting, kan een agent die van dienst is ontheven informatie door-*
*geven die hij kreeg voor hij van dienst werd ontheven? Hopend dat het*
*zo is, aanvaard alstublieft met hoogachting het volgende in de zaak van*
*de leraar José Estevez die werd gearresteerd na een twist op Lee de Forest*
*Senior High School.*

:::::: Het joch hoogacht me half dood en zijn taalgebruik is verschrikke-lijk. :::::: Maar terwijl het joch voortblunderde, begon hij wel iets zinnigs te zeggen. Namelijk dat de leerling, François Dubois, die naar men beweerde door Estevez was aangevallen, de leider van een bende was en dat hij en de bende minstens vier leerlingen hadden geïntimi-deerd zodat ze valse informatie zouden verstrekken aan de agenten die de zaak onderzochten. Hij gaf hun namen en zei: 'Twee van hen zijn zestien, en twee van hen zijn zeventien. Het zijn geen "stoere knapen", het zijn geen bendeleden' – hij had *stoere knapen* tussen aanhalings-tekens gezet, ongetwijfeld omdat hij geen deftiger term had kunnen bedenken – 'het zijn maar "jongens". Ze zijn al bang dat ze grote pro-blemen krijgen door valse verklaringen. Ons korps zal hen snel zo ver krijgen de waarheid te vertellen.' De taal werd almaar rampzaliger, maar de potentie van deze informatie viel bij de hoofdcommissaris in de smaak... zeer in de smaak.

Hij nam niet eens de moeite Cat Posada via de intercom op te roe-pen. Hij gilde gewoon door de deur: 'Miss Posada! Haal inspecteur Verjillo voor me!'

Godzijdank had hij Camacho verkeerd ingeschat. Hij ging niet in beroep. Hij was gewoon een smeris.

Magdalena bewaarde haar geklede kleding op haar officiële adres, het appartementje dat ze met Amélia Lopez huurde aan Drexel Avenue. Ze had vaak en openlijk... en *luid* verklaard dat ze Hialeah en het Cubaanse leven van Hialeah de rug had toegekeerd, als haar moeder het tenminste kon horen. Maar er was nog steeds genoeg katholieke opvoeding in haar om de schone schijn op te willen houden. Stel je voor dat een oude vriendin of een familielid… of haar vader of moeder, al zouden die het niet wagen… toevallig een of ander afschuwelijk verdrietig verhaal kwamen ophangen om Amélia zo ver te krijgen ze in het appartement binnen te laten. Ze wilde dat het leek of ze daar werkelijk woonde. Bij Norman thuis bewaarde ze vooral haar witte ik-ben-een-verpleegsterjurkjes en wat weekendachtige kleding, spijkerbroeken, matrozenbloesjes, bikini's, topjes, shorts, zonnejurken, katoenen vestjes en dergelijke.

Het toeval wilde dat ze zich op vrijdag in haar slaapkamerkast bevond – *in* haar kast in het deugdzame appartement – en zich in geweldig grote haast probeerde aan te kleden, tot nu toe was ze slechts gehuld in een slipje en in paniek keurde ze twee rekken vol hangende kleren af, keurde af, keurde af, ze ging luider en luider mompelen… 'O, mijn god… het is toch ongelooflijk… het hing pal naast *dit.*' *Afgekeurd afgekeurd afgekeurd.* 'O, *verdomme*… niet eens één… Chez Toi… Wat is mijn –'

'*Dios mío, qué pasa,* Magdalena?' En daar stond Amélia in de deuropening, met een T-shirt en een spijkerbroek aan. Magdalena keek niet eens op. Geen van beiden had er moeite mee de ander spiernaakt te zien of zo goed als, wat nu voor Magdalena gold.

'Ik kan niets vinden om aan te trekken. *Lo es qué pasa.*'

Amélia moest grinniken. 'Wie *wel*! Waar ga je heen?'

Amélia was een knap meisje uit Peru, maar niet zo knap als *zij*… ze had een rond gezicht met grote donkere ogen en kilometers glanzend donker haar. Ze had ongeveer Magdalena's lengte, maar een klein beetje dik bij de enkels. Eén ding aan haar benijdde Magdalena evenwel echt: Amélia was ontwikkeld, in elk geval vergeleken met alle andere verpleegsters die zij kende. Amélia was zesentwintig. Ze was afgestudeerd aan EGU voor ze ook maar aan de verpleegstersopleiding dacht. Op een of andere manier *wist* ze gewoon dingen… ze kon verwijzingen volgen… Ze was echt volwassen, in Magdalena's ogen tenminste… echt volwassen echt volwassen echt volwassen – en Magdalena antwoordde: 'Een gelegenheid die Chez Toi heet.'

'*Een gelegenheid die Chez Toi heet,*' zei Amélia. 'Je rommelt niet maar wat aan wanneer het op *een gelegenheid* aankomt, hè!'

'Ben je er ooit geweest?'

'Ik? Ik zou het niet eens proberen. Het is onmogelijk te reserveren, en de prijzen zijn waanzinnig. Met wie ga je? Laat me raden... je vriend dr. Lewis.'

'Yep.' Magdalena voelde zich vreemd genoeg treurig over de bevestiging zonder precies te weten waarom. Om welke reden dan ook was ze deze seksuele band met haar werkgever vervelend en beschamend gaan vinden. 'Je hebt me door... maar je wilt me toch wel helpen? Ik kan niets vinden dat er geschikt uitziet voor zo'n gelegenheid. Ik bezit gewoon geen chique jurken.'

Amélia ging zelf de kast in terwijl Magdalena buiten bleef staan met haar armen onder haar borsten gevouwen. Ze begon snel hangertjes achteruit te trekken, het ene na het andere, in een machineachtig tempo *klak... klak... klak... klak.* Toen hield ze op en keek ze van diep in de kast naar Magdalena.

'Weet je wat?' zei ze. 'Je hebt gelijk. Je hebt niks. Als ik jou was, zou ik een andere kant op gaan.'

'Welke andere kant?' vroeg Magdalena. 'Norman kan hier iedere minuut zijn.'

'Ik heb een idee,' zei Amélia. Ze kwam uit de kast tevoorschijn met een hangertje met een kort zwart rokje.

'*Dat*? Dat is maar een simpele katoenen rok. Gekocht bij Forever 21. Komt maar tot *hier.*' Ze legde de rand van haar hand amper tot halverwege haar dij.

'Wacht even, dan laat ik het je zien. Je zult er geweldig uitzien!' Ze lachte op een lichtelijk ondeugende manier. 'Je zult het prachtig vinden!' Ze rende ongeveer naar haar kamer terwijl ze over haar schouder gilde: 'En een bh mag je vergeten!'

In een mum was ze terug met een grote glimlach op haar gezicht en in haar hand wat Magdalena een korset leek, maar dan een korset van zwarte zijde met twee zwarte zijden cups aan de bovenkant. Onder elke cup liepen drie rijen van wat ritssluitingen leken naar de onderkant van het gevalletje.

'Wat is *dat*?' vroeg Magdalena. 'Het lijkt wel een korset.'

'Het *is* net zoiets als een korset, wanneer puntje bij paaltje komt,' zei Amélia. 'Het is een *bustier.*'

'Een *bustjee*? O ja, ik heb gehoord van bustiers, maar ik geloof dat ik nooit iemand er eentje heb zien dragen.'

'Doe dit gewoon aan met je zwarte rokje – en je ziet er supersexy uit!'

'*Meen* je dat?' Magdalena staarde naar het gevalletje. 'Ik weet het niet, Amélia. Ze zullen denken dat ik een *hoer* ben.'

'Bustiers zijn erg in de mode. Ik kan je wel tien bladen laten zien.'

'Wat draag ik eroverheen?'

'Niks! Dat is het nou net! Eerst lijkt het een soort lingerie. Zie je al die lijntjes met nepritsen? Maar dan zie je dat het van zijde is gemaakt, en het bedekt je vanaf het middel, even goed als een baljurk – *beter*, als je weet wat vandaag de dag alle modellen dragen.'

Magdalena keek zeer aarzelend. 'Ik weet het niet...'

'Hoor eens, Magdalena, hoe *wil* jij eruitzien, als een *cubana* die voor *americana* wil doorgaan met een keurige jurk uit de uitverkoop van een goedkoop winkelcentrum?'

Dat kapte Magdalena af. Ze was sprakeloos... en liep in haar hoofd alle mogelijkheden als een rekenwonder door. 'Ik weet het niet... Ik weet het gewoon niet...' Ze maakte van haar handen strakke gefrustreerde vuistjes. 'En Norman kan hier iedere seconde zijn, en dat Chez Toi is niet zomaar iets.'

'Je moet de beste *jou* spelen,' vervolgde Amélia, 'en dat is *a la moda cubana*! Alleen nog een paar dingen. Heb je een gouden halsketting? Je weet wel, niets opzichtigs.'

'Ik heb er *één*.'

Magdalena draaide zich om en opende een bureaula. Ze haalde een halsketting tevoorschijn waarvan een gouden kruisje neerhing.

'Een kruisje!' zei Amélia. '*Perfect*! Je weet in feite niet hoe perfect. Dit duurt geen seconde,' zei Amélia. 'Doe gewoon het rokje aan en doe de *bustier* aan, en je bent *klaar*! Ik rits de achterkant wel dicht.'

Magdalena liet zich in een grote zucht van wanhoop gaan maar deed het toch, en Amélia ritste de achterkant dicht, die zo laag was uitgesneden dat haar rug tot zo'n 15 centimeter boven het middel bloot bleef.

'Nu moet je de halsketting om doen.' Magdalena deed de halsketting aan.

'Perfect!' zei Amélia. 'Nu moet je jezelf in de spiegel komen bekijken.'

Magdalena was geschokt door wat ze te zien kreeg. De bustier had haar borsten zo hoog opgeduwd dat een zeer zichtbaar gleufje was ontstaan en ze bovenaan een beetje werden gerond.

'O, mijn god,' zei Magdalena. 'Ze lijken zo groot.'

'We zijn uit op groot,' zei Amélia. 'Je ziet er *fantastisch* uit. En dat kruisje? Zei ik het je niet? *Perfectie*.'

Het kruisje lag op haar boezem waar het gleufje begon.

'Je lijkt wel een maagd op een heuvel met uitzicht op het speelterrein van de duivel, Magdalena! Gewoon vertrouwen hebben. Het is helemaal jouw avond, Magdalena, helemaal! Veel glimlachen. Glimlach desnoods naar lege plekken op de muren. Heel Chez Toi zal naar jou toe komen, niet jij naar Chez Toi. Weet je wat je geheim zal zijn? Je maakt je opwachting *a la moda cubana*. Je hoeft niet te *acteren*... of je dit of dat bent. Niemand zal zo op haar gemak zijn, zo veel vertrouwen hebben als jij!'

De fluiter begon boven op Magdalena's bureau te fluiten, en Amélia sprong ongeveer uit haar vel... het was de beltoon van Magdalena's mobieltje... Nestor had die voor haar ingesteld – het geluid van een man die een wijsje floot, maar niemand begreep welk wijsje. Hij vond het heerlijk met dat soort dingen te spelen. Zijn eigen telefoon ging over met een of ander hiphopliedje. Wat was het ook alweer? O ja. 'Caliente! Caliente, schat... Heb volop fuego in yo' caja china' – maar Magdalena kreeg er helemaal geen nostalgische steek van. Ze voelde er alleen door wat een *baby's* ze waren geweest... met hun heimelijke *in en uit, in en uit, in en uit* altijd op zoek naar het lege bed van een of andere vriend dat niemand zou ontdekken... Ongelooflijk wat een kinderen zij allebei waren geweest... die leefden voor *in en uit, in en uit, in en uit* – 'Hallo?'

'Magdalena, ik dacht dat je beneden zou wachten!' Norman natuurlijk. 'Er is geen parkeerplaats.' Norman, boos en chagrijnig.

'Ben zo beneden!' Magdalena draaide zich om, om zichzelf nog eens in de spiegel te bestuderen. Ze begon haar hoofd te schudden. 'Ik *weet* het gewoon niet, Amélia...'

'Ik weet het *wel*!' zei Amélia. 'Chez Toi heeft jou *nodig*. Ze hebben een beetje seks *nodig*, en die komt in een heel schattige verpakking! Er zit een kruisje tussen je tieten!'

Magdalena staarde nog steeds naar het schepseltje in de spiegel, nog steeds verbijsterd over zichzelf. '*Oh, Dios mío*, Amélia!' Er zat een trillertje in haar stem. 'Hopelijk heb je gelijk! Er is trouwens geen tijd om me te verkleden. Norman maakt me af!'

'Je bent een plaatje, Magdalena, een *plaatje*. Gewoon twee dingen niet vergeten. Je bent weer maagd geworden. Je bent een maagd met een kruisje op je hart! Je bent jonger, knapper en zuiverder dan alle andere vrouwen bij Chez Toi. Niet vergeten – en vertrouwen hebben. Jij bent *beter* dan zij... de snobs...'

Toen ze de lift uit stapte en naar Normans auto liep, was haar moed, die maar een beetje was toegenomen, verdwenen. Waar was ze mee *bezig*? Een *maagd*... ja, een maagd die haar best deed om eruit te zien als een slet... met een bustier. Wat een *dwaas* was ze!

Maar zodra ze het portier van Normans Audi opende, kreeg hij een grote wellustige glimlach en zei: 'Wauwww, moet je *jou* eens zien! Chez Toi kan de pot op! Laten we regelrecht naar mijn huis gaan!'

Magdalena liet zich in de passagiersstoel glijden. 'Weet je zeker dat het niet té is?'

'*Jij bent* té, Magdalena!' Hij bleef naar haar loeren. Norman was niet de beste maatstaf ter wereld. ::::: Hij is half gestoord wanneer het over seks gaat, mijn eminente pornoverslavingpsychiater. ::::: Toch was het bemoedigend. Haar uitmonstering was in elk geval geen totaal duidelijke ramp. ::::: Heb vertrouwen! Nou, nog niet. Maar misschien als ik alles op alles zet. :::::

Toen ze door Lincoln Road reden, vroeg Norman: 'Heb je dat geval op YouTube gezien?'

'Wat voor geval?'

'Je moet het bekijken! Er is een video van die twee smerissen uit Miami boven op een zwarte kerel – zij zijn blank – ze hebben die zwarte gevangene op de grond liggen met zijn handen achter zijn rug gebonden, en ze zitten boven op hem, duwen hun ellebogen tegen zijn hoofd en schelden hem op alle manieren voor *neger dat je bent* uit die je je kunt voorstellen! Je *moet* het bekijken.'

*Iets moeten bekijken?* Eerlijk gezegd besteedde Magdalena nauwelijks aandacht aan wat hij zei. De enige vraag was: wat zal *hij* ervan vinden? Zal *hij* vinden dat ik er als een sletje uitzie... of was de reactie van Norman geloofwaardig? Ze keek omlaag naar haar boezem. Er was niets veranderd. Je zag... alles.

Ze arriveerden bij Chez Toi en droegen de Audi aan de parkeerwachter over. Magdalena vroeg: 'Is dit het? Een heg?'

'Dit is het,' zei Norman. 'Het is achter de heg.' Ze waren maar een paar stappen van een ligusterheg vandaan die drie meter hoog moet zijn geweest. Een *enorme* ligusterheg. Het geval was bovenop heel nauwkeurig, volkomen gelijk, geknipt. Er was een poort doorheen gemaakt... een rechthoek van ruim 2 meter hoog en 1 meter 20 breed en minstens een meter diep... een tot het laatste geknipte ligusterblaadje volmaakte rechthoek. De duisternis viel snel in, en in de schemering kon je de heg gemakkelijk aanzien voor een kanteel, een dreigende muur van solide metselwerk.

'Ik zie niet eens een bordje.'

'Er is niet één bordje,' zei Norman op de toon van iemand die *deze dingen weet*.

Magdalena's hart begon te razen. Ze was weer helemaal met iets fundamentelers bezig. Ze was weer helemaal in wanhoop ondergegaan. Stel nou dat ze zichzelf compleet voor de gek hield! Wat had Sergei vorige week tegen haar gezegd? *Niets!* – niet één persoonlijk woord! Louter de beleefde, betekenisloze dingen die fatsoenlijke mensen geacht worden te zeggen wanneer ze aan je worden voorgesteld. Ze had heel dit geval gebouwd op blikken, glimlachen en gebaren die misschien wel of misschien niet enig gevoel van zijn kant hadden onthuld. Hij had zijn lange, zoekende, suggestieve blikken in haar ogen gegoten... *drie keer*. Maar veronderstel dat ze niet naar iets *zochten*, en ze niet iets *suggereerden*? Veronderstel dat ze alleen lang waren volgens *haar* klok? Te laat om het *nu* uit te vinden! Hier was zij, en daar was hij, vermoedelijk, ergens aan de andere kant van die heg... en zij was nog steeds aan boord van een dolle vlucht, duiken, stijgen, duiken, stijgen stijgen tot de volgende wat-alsjes haar een fatale duik lieten maken en de volgende vage hoop haar eruit trekt... en zo was het zeven dagen met haar gegaan op ieder moment dat ze wakker was –

'Maar hoe weet om het even wie dan dat het er is?' vroeg Magdalena.

'Om het even wie's weten het niet,' zei Norman. 'Het is geopend voor het publiek, maar het is als een privéclub. Tenzij je het weet of iemand een goed woordje voor je heeft gedaan, is het erg moeilijk er te reserveren. Geen bordjes hebben hoort... je weet wel... bij het aura van de zaak.'

Magdalena had geen idee wat een 'aura' was... maar dit was niet het moment om naar omschrijvingen te vragen. Ze stonden pal voor de onwaarschijnlijke poort, een rechthoek die door een één meter dikke ligusterheg was gekapt met een precisie waardoor een simpele steenhouwer zou bezwijmen van jaloezie. Twee stellen snaterden in het Engels met hun pret maximaal opgevoerd. Toen liepen zij en Norman door deze precies, preuts geknipte formele haagweg en – daar was Chez Toi, Jouw Huis, pal vóór hen. Magdalena wist dat het restaurant letterlijk in een huis zat, maar haar verbeelding had een villa gebouwd. Dit was geen villa. Zoveel was zelfs nu de duisternis inviel duidelijk.

Naar de maatstaven in Miami was het een oud, oud huis, een van de weinige overgebleven exemplaren van een stijl die zo'n honderd jaar geleden in de mode was geweest, Mediterranean Revival. Bijna heel de voortuin was nu een terras en je zag zacht kaarslicht op de tafels van mensen die buiten aten. Boven was er meer kaarslicht, in de ouderwetse lampen die van de takken van grote sleedoorns neerhingen. Het kaarslicht verrichtte wonderen voor de witte gezichten van de Anglo's... die overal waren... Ze leken íedere stoel hier buiten te bezetten. Hun stemmen zorgden voor gezoem en gekabbel... geen van beide rauw.

Het was prachtig hier buiten, maar ¡*Dios mío!* wat was het ¡*heet!*

Ze bevonden zich in de entree van wat eruitzag als iemands grote oude huis, gerieflijk maar beslist niet luxueus... nabij, maar niet pal naast de oceaan... en zeker niet wat Magdalena in het meest vooraanstaande restaurant van Miami had verwacht te zien. Recht voor hen was er een trappenhuis, maar zonder een grootse geronde reeks leuningen en relingen. Aan beide kanten een gewelfde deuropening... gewelfd, maar geen welvingen die iemand zich tien seconden later zou herinneren... en toch verspreidde zich van onder een ervan het luidruchtige zoemen en kwekken, het gegil en de bassos profundissimos van gelach, de irrationele verrukking van stervelingen die weten dat ze waren gearriveerd *waar dingen gebeuren*. Iedereen die het één keer had gehoord, zoals Magdalena op Art Basel, zou dat geluid voortaan altijd herkennen.

Aan één kant, bij een console, overlegde een maître d' met zes klanten, vier mannen en twee vrouwen. De dienaar, d.w.z. de maître d', was onmiddellijk te herkennen. Hij was de als een heer geklede persoon. Zo leek het tegenwoordig toe te gaan. Hij droeg een crèmekleurig kamgaren tropenkostuum en een stropdas in het donkerste aubergine. De andere vier mannen, de klanten, droegen geen colberts. Naar de hedendaagse mode, zelfs onder oudere mannen als zij, droegen ze overhemden met open boorden, des te beter zag je hoe de diepe rimpels naast hun neuzen afdaalden naar hun halskwabben, hun onderkinnen, en die ouverture van de oude dag, een paar pezen van harpsnaar-formaat aan beide kanten van de adamsappel. De maître d' verwees hen allemaal naar het terras, en haastte zich vervolgens naar Norman en Magdalena met een aardige glimlach en 'Bonsoir, monsieur, madame'. Meer Frans bleef uit, tenzij je de naam van het restaurant meetelde. 'Welkom bij Chez Toi.' Hij had een aardige glimlach – en had niet wat een klein meisje uit Hialeah in een chique zaak als deze instinctief vreesde, namelijk de houding van *maître de votre destin*, je lot. Norman noemde Korolyov en zijn gezelschap, en de maître d' zei dat ze iets dronken in de bibliotheek, zoals hij het noemde. Hij leidde hen naar de gewelfde deuropening van het verrukte lawaai.

*Mijnheer Korolyov...* Magdalena bracht haar handen bij elkaar en voelde ze echt beven. Inmiddels waren zij en Norman in het verrukte vertrek. Mannen en vrouwen gebaarden naar alle kanten om dingen te benadrukken en lieten hun ogen rollen alsof *Van zoiets had ik nooit gehoord* of anders *Mijn god, hoe is zoiets mogelijk?*... en vooral zoveel lachen dat de wereld kon zien dat zij stuk voor stuk een wezenlijk deel waren van deze opgetogen bijeenkomst van de halfgoden. Magdalena had toen ze Chez Toi binnenliep bij Venus, de Godin van de Verleiding, gezworen dat ze kalm, zelfs afstandelijk zou blijven, alsof ze de mannen in dit vertrek kon aanvaarden of afwijzen. Maar ze bleek op te gaan in de overweldigende staat van gekte ter plaatse. Haar ogen *snelden rond snelden rond snelden rond*... zochten naar... *hem*. In de bibliotheek, zoals de maître d' ernaar had verwezen, hingen planken met boeken, echte boeken, aan de muur, waardoor het restaurant nog sterker de geestelijke atmosfeer kreeg van *chez-toi*, bij-je-thuis, maar de ruimte leek vooral als een kleine eetzaal te worden gebruikt. De tafeltjes waren achteruit getrokken naar de muren om mijnheer Korolyov en zijn gezelschap meer ruimte te geven om te kletsen, te zwetsen, te petsen bij hun drankjes, nu, op het uur van het aperitief... maar waar is *hij*? Stel dat hij hier *niet* is, en dit hele –

– ineens was Norman niet meer aan haar zij en begaf hij zich de razende menigte in.

'Norman!'

Norman hield even stil, draaide zich om met een schuldige glimlach op zijn gezicht en hield zijn wijsvinger omhoog met het gebaar dat zegt: '*Maak je geen zorgen, het duurt maar even.*'

Magdalena was geschokt... en raakte toen in paniek... Wat moest zij, een meisje van 24 dat hier tussen al deze oude mensen stond – ze zijn allemaal zo oud! – en zo blank! – en zij is een klein Cubaans meisje, een verpleegster die Magdalena Otero heet, in een bustier geperst waardoor haar vrijwel blote borsten als twee grote porties vlaai in hun gezichten werden geduwd!

En toen was ze woest. Toen Norman zijn wijsvinger hief, zei hij niet ik ben zo terug... welnee... bewust of niet zei hij ik ben Nummer Eén en ik heb iemand gezien die onmetelijk veel belangrijker is dan jij en, sorry, ik moet hem met mijn Befaamde Dr. Porno-charme bewerken nu ik hem in het oog heb!

Wat moest zij nu? Hier staan als een hoer op afroep? Mensen wierpen al blikken op haar... of lag het alleen aan de bustier en haar borsten? ::::: *Godverdomme, Norman!* ::::: Ze herinnerde zich wat Amélia had gezegd. Altijd vertrouwen uitstralen... als je niemand hebt om tegen te praten, zet dan een glimlach vol vertrouwen op. Ze zette een glimlach vol vertrouwen op... maar op een of andere manier was hier in je eentje staan met een glimlach vol vertrouwen geen enorme verbetering in vergelijking met hier in je eentje staan met een lang gezicht... *Ahh!* Ze zag een schilderij aan de muur het dichtst bij haar, een groot schilderij... moet wel 1,20 bij 90 zijn geweest... Ze zou bezig lijken als ze het ging bestuderen... Ze ging ervoor staan... twee halfronde vormen, een in een simpel zwart en de andere in een simpel wit, geschilderd op een beige-grijze achtergrond. De twee vormen stonden los van elkaar met een scheve hoek... ::::: *Ayúdame, Jesús*... Je moest gestoord zijn om deze *mierda* werkelijk te gaan staan bestuderen... Zelfs de oude gekken die op Miami Basel miljoenen voor deze idiote nonsens betalen zijn zo achterlijk dat ze er werkelijk naar *kijken*. ::::: Ze gaf het op, draaide zich om en stond met haar gezicht weer naar dit vertrek toe *waar* de dingen gebeurden. Nog steeds heerste dolzinnig lachen ... *gil! gil! gil! gil!* gingen de vrouwen *ha! ha! ha! ha!* gingen de mannen... maar juist op dat moment kwam er, van de overkant van het vertrek, een lach waarvan ze allemaal omvielen 'aahaaᴀᴀᴀʜоск hock hock hock'... en Magdalena staarde die kant op, laserde door al het verrukte gelach heen tot ze Normans grote kop omhoog en omlaag zag bewegen voor een vrouw, een heel opvallende vrouw – dertig? – maar wie wist dat nog? – mooie huid, o zo mooi... dik donker haar met een scheiding in het midden en nadrukkelijk van haar voorhoofd af gekamd... hoge jukbeenderen, magere rechte kaken, lippen zo rood als robijnen, ogen zo stralend en hypnotiserend blauw als de blauwste diamanten*ehhhhHAGGH-HHOCKhock hock hock hock*... Ze had de robijnen en de diamanten verzonnen om meer medelijden met zichzelf te hebben en bozer te zijn op Norman, maar de lach*hhfoghhhHHHоck hock hock hock* was echt, maar al te echt, harteloze ongevoelige rotzak dat je bent! *Ben zo terug* – ja hoor, je bent zo terug, zodra je hebt aangepapt met een of andere *americana* met haar zo donker als midden in de nacht en een huid zo wit als sneeuw! Wij *hebben* geen sneeuw, wij Cubanen, zoals jij, in je wijsheid, misschien weet –

'Miss Otero!'

Het was een stem van achteren, een stem met een accent. Ze draaide zich om, en het was *hem – de* hem... even knap en toverprinsachtig en allerlei andere dingen die zij een volle week had gedroomd. In een *piep* van onvoorstelbare snelheid gingen Sergei's ogen omlaag, inspecteerden haar borsten die uit de bustier dreigden te springen – en piepten weer omhoog.

Dat ontging Magdalena niet... en het beviel haar... en in dat ogenblik verdwenen Norman en de woede die hij bij haar had opgeroepen. *Zomaar ineens. ¡Mirabile visa!* zoals een van de nonnen, Zuster Clota, pleegde te zeggen *¡Een wonder om te zien! ¡Het verhevene zelf!* Maar het volgende moment, klaarwakker in de droomloze echte wereld, daalden de liefdesbommenrichtster uit Hialeah en haar verheven zelf en stortten te pletter, zoals het de hele week was gegaan door alle gedachten over de persoon voor haar. Waarom had hij haar op dit ogenblik benaderd?... toen er alleen een arm schepsel was te zien, een sociaal buitenbeentje, helemaal in haar eentje, dat probeerde het te verhullen door een bijzonder stompzinnig schilderij aan een muur te 'bestuderen'. O, het was duidelijk. Hij wilde haar o zo vriendelijk redden uit haar sociale flop. Wat een verschrikkelijk soort afspraakje was dit! Wie was zij in zijn ogen?... Een of ander dwaas sukkeltje dat zijn medelijden nodig had! Het was vernederend – *vernederend!* – zo vernederend dat iedere rol vervloog die zij had willen aannemen... een flirt, een vamp, een discipel van Aesculapius, de god van de geneeskunst, genadige moeder voor de zwaar beladenen verpletterd onder de lust, groupie van geweldige oligarchische Russische filantropische kunstverzamelaars. Dus zonder eropuit te zijn reageerde ze met volstrekte eerlijkheid... haar kaken werden slap, waardoor haar mond openviel en haar lippen vaneen gingen...

Sergei ging door met haar helemaal met zijn charme te begieten, alsof dat zou helpen. 'Ik ben zo blij je hier te zien, Magdalena!'

Er was al een andere gast bij zijn schouder, glimlach gericht om zijn aandacht in te pikken zodra zijn lippen zouden ophouden te bewegen.

Sergei leunde dichter naar Magdalena toe en zei met gedempte stem: 'Ik had op Miami Basel amper een kans met je te praten.' Hij *piepte* nog eens de snelste, soepelste oogbeweging op haar bustierboezem.

Inmiddels knabbelde Magdalena, puur van de zenuwen, aan de nagel van haar pink. Door de intieme manier waarop hij zijn stem dempte kwam er weer rood bloed en de lijfwacht daarvan, pose, in haar lichaam. Ze kon het letterlijk voelen. Langzaam haalde ze de pinknagel uit haar zenuwachtige knabbelaars en liet ze de hand neerkomen op het gespleten midden van haar buste in bustier. Ze zorgde dat haar lippen glimlachten op een bepaalde, o-zo-vermaakte manier... en zei o zo zacht en rokerig: 'O, dat herinner ik me...'

Inmiddels hadden zich drie mensen bij Sergei gevoegd, hun glinsterende ogen wilden graag in de zijne kijken. Een van hen, een kleine gluiperd van een man met één kant van zijn overhemdboord ingestort op zijn nek omdat het de bedoeling was dat je er een stropdas bij droeg, was zo gauche hem op de schouder te tikken. Sergei liet zijn ogen hopeloos rollen voor Magdalena en zei hardop: 'Wordt vervolgd –' en liet zijn hovelingen hun gang gaan en hem bedelven. Zijn ogen gunden zich één laatste kleine haastige hogesnelheidsportie van haar boezem.

Magdalena was weer alleen, maar deze keer vond ze dat niet erg. Ze zat er in het geheel niet mee. Er was maar één ander iemand in heel Chez Toi, en nu wist ze dat hij interesse had...

Weldra keerde Norman terug van de andere kant van het vertrek. Toen ze hem zag, deed hij dat kunstje met strakke lippen en hakkelend hoofd dat mannen doen voor ze zeggen: 'Ik zweer het, schatje, ik heb mijn uiterste best gedaan.'

'Hoor eens, het spijt me, ik zag iemand die ik had geprobeerd te pakken te krijgen en ik wist niet zeker of ik nog een kans zou krijgen met hem te praten, en ik had nooit gedacht –' Zijn stem vertraagde toen hij zag dat Magdalena aardig, vriendelijk naar hem glimlachte.

'Je hebt hem dus gesproken?'

'*Ehhh*, ja.'

Ze glimlachte maar om dit kleine sekseleugentje. Wat maakte het in godsnaam uit? Ze zei: 'Ik ben zo blij, liefje.'

Hij keek op een wonderlijke manier naar haar, alsof zijn radar ironie detecteerde. Waarschijnlijk lag dat aan het 'liefje'. Op een of andere manier was Norman niet het type dat in Magdalena's hart koosnaampjes opriep. Hij bestudeerde haar gezicht. Als hij dat goed deed, zag hij dat ze werkelijk gelukkig was. Gezien de omstandigheden had ook dat hem kunnen verwarren.

Aanstonds verscheen de maître d' in het crèmekleurige tropenkostuum in de deuropening van de bibliotheek en zei met een luide maar zeer opgewekte stem: 'U kunt aan tafel!'

Sergei stond ook in de deuropening, pal naast hem. Hij glimlachte naar zijn kudde en zwaaide zijn kin omhoog in een grote boog die leek te zeggen, *Volg mij!* Dat deden ze, en zo mogelijk namen het zoemen en het kwekken, de gillen en haha's nog toe. Ze marcheerden door de lounge naar... het andere vertrek.

Norman was geweldig onder de indruk. Hij leunde naar Magdalena toe en zei: 'Weet je? Hij heeft deze hele verdieping overgenomen, en er zijn maar twee verdiepingen!'

'Ik denk dat je gelijk hebt,' zei Magdalena, die te gelukkig was om al te veel te denken over iets wat iemand anders op dit moment te zeggen had.

Ze keek omlaag naar haar eigen schitterende boezem. En dan te bedenken dat ze *bang* was geweest voor wat de bustier voor haar plaats in de Betere Kringen en de wereld zou gaan doen!

Nu perste de kudde zich door de deuropening in een geënergetiseerde massa, belust op ieder druppeltje sociale zalving dat in het andere vertrek wachtte. Ze had nog nooit zo'n eetzaal als deze gezien. In overeenstemming met het motief van Chez Toi was er niets verhevens aan. Maar het was spectaculair... op de eigen terloopse manier. De muur tegenover de ingang was helemaal geen muur. Het was een toog over bijna heel de lengte van het vertrek, en voorbij de toog bleek je recht in de legendarische keuken van Chez Toi te kijken. Die was enorm. Zeven meter glimmend – *glimmend* – koper... potten, pannen, allerlei keukenbenodigdheden hingen in een rij aan haken in de keuken maar kwamen laag genoeg om de eters te verbluffen. De chefs en de souschefs en de rest van een leger in wit met toques blanches op hun hoofden marcheerden de keuken rond om voor dit te zorgen en dat na te zien... en op knoppen te drukken, viel Magdalena op. Op knoppen drukken? Jazeker. Computers regelden de roosterovens, de bakovens, de grills... zelfs de open koekenpannen, de koelkasten, de plankrotatie in de voorraadkasten... Niet erg Oud Huis-achtig, maar iedereen leek bereid zijn ogen af te wenden van deze indringing van eenentwintigste-eeuwse Amerikaanse digitalisering in het oude op hout werkende analoge fornuis. De koperen kunstshow en het marcheren van de toques blanches volstonden als achtergrond.

Een tafel van één massief, simpel stuk kastanjehout beheerste het vertrek. Nee, *vulde* het vertrek. De tafel was ongeveer zeven meter lang en een twintig breed en liep helemaal van *hier*… naar *daar*. Het was het soort kolos dat goed was om te hebben op een boerderij in het dorsseizoen wanneer alle werklieden binnenkwamen in hun overalls hongerend naar alle pannenkoeken met ahornstroop die ze op konden en alle koffie en nog niet gefermenteerde appelcider die ze op konden voor ze weer naar buiten gingen. Het oppervlak van deze tafel riep niet zulke taferelen op. Het was een podium voor een gezelschap, een zwik, een wonderbaarlijke, hemelse constellatie van groot en klein glaswerk, in groepen gerangschikt, sprookjespelotons, wolken, bruisende doorkijkbubbels, voor iedere plaats aan tafel, glazen zo fijn, zo doorzichtig, glanzend en glimmend van de lichtweerspiegelingen, met zulke sublieme kundigheden van de glasblaaskunst opbollend dat het zelfs voor een meisje van 24 dat tot voor kort in Hialeah had gewoond leek dat wanneer je er eentje met het allerkleinste vorkpuntje aantikte het op heel hoge toon '*Kristal!*' zou zingen, E# boven de hoge C. Naast iedere engelachtige reeks glazen lagen parades tafelzilver, zulke overweldigende regimenten bestek dat Magdalena zich niet kon voorstellen waarvoor het allemaal werd gebruikt. Op iedere plaats lag een tafelkaartje dat duidelijk met de hand door een professionele kalligraaf was vervaardigd. Nu volgde een tussenspel waarbij de gasten rondwipten en ver omlaag bogen, intussen kwetterden ze door, op zoek naar de hun toegewezen stoel… veel-in-het-rond-geloop… Sergei stelde zo snel als hij kan zo veel mogelijk mensen aan elkaar voor… waarbij hij ervoor zorgde op een speciale manier naar Magdalena te glimlachen wanneer hij haar aan mensen voorstelt… allemaal oude mensen, tenminste oud in haar ogen. Het is een verbijsterende toestand… de namen worden slechts lettergrepen die het ene oor in en het andere uit gaan. Toen het allemaal achter de rug was, bleek Magdalena vier stoelen van Sergei af geplaatst, die zat aan het hoofd van de tafel. Meteen rechts van hem zat een Anglo-vrouw, waarschijnlijk in de veertig, Magdalena vond haar erg knap, maar gemaakt. Links van Sergei was er – *Oh, Dios mío!* – een beroemde Cubaanse zangeres – beroemd onder Cubanen in ieder geval – Carmen Carranza. Ze zat er in vorstelijke houding bij, maar ze was niet meer zo jong. Ook was ze geen geschikt model voor de jurk die ze aan had. Die dook helemaal naar het borstbeen neer, wat niet de satyrs prikkelde maar de gezondheidsfanaten. Waar was al het collageen gebleven – het collageen in de binnenwelvingen van haar nauwelijks-aan-

wezige borsten? Waarom had ze bodymake-up aangebracht op het benige gebied tussen de borsten – een vroege inval van leeftijdsvlekjes?
Tussen de zangvogel op leeftijd en Magdalena in zat een oude man met
weinig haar, Anglo, met kaken en wangen die opgeblazen leken – *ideaal*.
Amper een rimpel in zijn gezicht; en een roze dat ideaal als rouge was
versierde het op jukbeenhoogte. De ouwe jongen droeg een kostuum
en een stropdas; en ook niet zomaar een pak. Het was gemaakt van
seersucker met roze streepjes – met een gilet. Magdalena kon zich niet
herinneren dat ze er een man werkelijk een had zien dragen. En de
stropdas – die zag eruit als een hemel vol siervuurwerk dat alle kanten
op vloog, in alle denkbare kleuren. Hij intimideerde haar vanaf het moment dat haar oog op hem viel. Hij was zo oud, verheven en formeel,
en toch zou ze vroeger of later met hem moeten *praten*... Maar hij
bleek uitermate *amistoso y amable* te zijn. Hij bekeek haar niet alsof zij
een of ander onhandelbaar meisje was dat om onverklaarbare redenen
op een etentje bij Chez Toi was beland.

De oude man, Ulrich Strauss, blijkt juist aardig te zijn, geestig, heel
slim en allerminst neerbuigend. Het etentje begint met een welkomst-
toost van Sergei en het vermelden van de eregasten, de nieuwe directeur van het Korolyov Museum of Art, Otis Blakemore, uit Stanford,
twee stoelen rechts van Sergei gezeten, en Blakemores vrouw – Mickey
noemen ze haar – die links naast Sergei zit. ::::: *Dios mío*, zij is de knappe
vrouw met het opgestoken haar met wie Norman zojuist in de bibliotheek flirtte... en zij is geen *americana* maar een *cubana*. ::::: De obers
beginnen wijn te schenken en Magdalena, die geen drinkster is, is deze
keer maar al te blij iets te kunnen nemen om haar zenuwen te bedaren.

De tafel is zo lang – er zitten 22 mensen aan – en relatief smal, en er
is zo veel opgewonden conversatie, dat het haast onmogelijk is te horen
wat andere mensen zeggen van meer dan drie of vier stoelen verderop
of aan de andere kant van de tafel. Magdalena knoopt een vermakelijk
gesprek aan met mijnheer Strauss over Art Basel. Mijnheer Strauss is
een hartstochtelijk verzamelaar van antieke meubels en van figuratieve
beelden op klein formaat uit de 17de, 18de en 19de eeuw, zegt hij. Hij
vraagt Magdalena hoe zij Sergei heeft leren kennen... een opstapje om
uit te vinden wie dit sexy kleine meisje met een korset is – d.w.z. wat is
haar status? Ze zegt alleen dat ze Sergei vorige week op Art Basel heeft
leren kennen.

Je bent dus geïnteresseerd in hedendaagse kunst.

Niet echt, ze was daar gewoon met 'een paar mensen'.

Wat vond je ervan?

Niet veel, om eerlijk te zijn. Ik vond het lelijk – opzettelijk! En het was zo pornografisch! Ze beschrijft het een en ander op een algemene, nette manier. Wijn aan het werk.

Strauss vertelt haar Tom Stoppards *mot* over hoe 'Verbeelding zonder vaardigheid ons Moderne Kunst schenkt'. Dan vervolgt hij met te zeggen dat hedendaagse kunst als een bespottelijke poets zou worden beschouwd wanneer verder briljante mensen haar niet naar een hoger plan hadden getild... en zodoende gaat er een *hoop* geld in om.

Nog een glas wijn en Magdalena vertelt over wat ze zag: zogenoemde kunstadviseurs die rijke oude mannen bij de neus leiden en hun voorhouden: *discussieer* er niet met ons over. Wil je de allernieuwste smaak hebben of niet? Magdalena is in ieder geval nuchter genoeg om Fleischmann of diens adviseuse niet bij naam te noemen.

Strauss zegt te weten dat Sergei er precies eender over denkt en alleen naar Art Basel gaat om van het circus te genieten. De nieuwe directeur van het Korolyov Museum of Art heeft een nogal conservatieve smaak en een geleerde benadering. De Chagalls die Sergei schonk zijn ongeveer het meest vérgaande op het gebied van moderne kunst waarbij hij zich nog behaaglijk voelt.

Aan haar en Sergei's kant van de tafel wordt over van alles en nog wat gepraat. Ze hebben het over het pak slaag en de racistische mishandeling van een zwarte verdachte door twee blanke agenten op YouTube. 'Blanke' agenten, geen 'Cubaanse', want niemand wil de zangvogel of de andere belangrijke Cubanen aan tafel beledigen, dus Magdalena heeft geen reden zich af te vragen of Nestor erbij betrokken zou kunnen zijn.

Ze praten over de twist tussen de burgemeester en de hoofdcommissaris van politie.

Ze praten over de aanhoudende problemen op Haïti.

Ze praten over de heropleving van de onroerendgoedmarkt.

Magdalena is niet alleen te verlegen om mee te praten, ze heeft ook geen idee waarover ze het hebben. Ze slaat dus maar nog wat wijn achterover.

Dan komen ze over Art Basel te spreken. Mijnheer Strauss vertelt over geruchten over handelaren en kunstadviseurs die samenzweren om grote figuren van hedgefondsen en anderen tientallen miljoenen af te troggelen.

Mijnheer Strauss zegt: 'Mijn vriendin Miss Otero kan jullie vertellen hoe het werkt. Ze was erbij.'

Hij draait zich naar haar toe, in de veronderstelling dat ze voor iedereen zal herhalen wat ze hem heeft verteld. Plotseling houden al deze volwassenen aan dit eind van de tafel hun kop, en zijn ze allemaal op Miss Otero gericht... eveneens op haar borst, maar ze willen ook dolgraag weten wat zij te zeggen heeft – dit jonge ding dat naakt lijkt met haar kleren aan.

Magdalena voelt druk van alle kanten. Ze weet dat ze zou moeten weigeren, maar hier is Sergei, en verder mijnheer Strauss en de anderen. Ze kijken haar pal aan en verwachten *iets*... of is zij gewoon een verdwaald meisje zonder een hersencel op haar naam? Tegelijk is haar enige echte bewijs uit de ervaring met Fleischmann afkomstig... en ze wil beslist niet dat Maurice – en Norman – erachter komt wat zij over dat onderwerp te zeggen heeft. Ze zullen haar niet horen van zo ver weg aan hun eind van de tafel... maar stel je voor dat ze er na de maaltijd of zoiets lucht van krijgen? Maar ze kan er niet zomaar als een bang kind bij zitten!... Niet met Sergei in de buurt!

Ze steekt dus van wal... met een gepast bescheiden stem... maar alle elf mensen aan dit eind beginnen naar voren te leunen om haar te horen... deze kleine *stoot*!... ze hebben zich afgevraagd wat er in haar omgaat, misschien wel niets, terwijl ze van boven het borstenwerk voor zich uit staart. Ze verheft haar stem een beetje, en heeft het gevoel of ze luistert naar iemand anders die praat. Maar haar drie glazen wijn hebben geholpen, en ze begint half-vlot te praten.

Ze verwijst even, luchtig, naar alle pornografie die in de bloedstroom van Miami Basel is geïnjecteerd...

::::: Ik heb al te veel gezegd! Maar al deze mensen staren naar me! Ik kan toch niet zomaar ophouden en in een pop veranderen?! Steeds meer van hen zijn opgehouden met tegen elkaar te praten – zodat ze naar *mij* kunnen luisteren! Dus hoe kan ik zomaar ineens... *mijn kop houden*? Dit is mijn moment om *tevoorschijn te komen*. Om hun *respect* af te dwingen! :::::

Ze beseft niet goed op hoeveel mensen 'steeds meer' neerkomt.

– Wanneer ze bij het gedeelte over *een bepaalde verzamelaar* komt die om de tuin is geleid door zijn kunstadviseuse ::::: Ik moet *onmiddellijk* ophouden! Dit is een privévertrek, en niemand maakt geluid... alleen ik. Maurice zit *vlakbij* aan het andere eind van de tafel! Norman zit vlakbij! Maar dit is *mijn moment*! Ik kan het niet... opofferen ::::: ze duikt verder, roekeloos ::::: kan me niet bedwingen ::::: ze laat de kunstadviseurs klinken als pooiers die een stevige prijs vragen voor... extase – *extase*! – de opperste *opwinding* bekend te staan als een speler, een *playa*, in deze magische markt, die uit gebakken lucht in elkaar lijkt te zijn geflanst. Wat stelt al die zogenaamde kunst voor waarvoor ze op Art Basel een vermogen vragen? Verbeelding zonder vaardigheid schenkt ons moderne kunst. Dan draait ze zich bescheiden, ingetogen, naar haar buurman toe en vraagt: 'Wie zei je ook alweer dat dit zei?' Ze heeft het verschrikkelijke besef dat heel de tafel is stilgevallen. Ze heeft Maurice, de kunstenaar wiens werk hij koopt... en Miss Carr, zijn adviseuse, niet bij name genoemd, maar Maurice en Norman zijn niet gek.

Ze werpt hun een blik toe. Ze zien er allebei verbijsterd uit, of ze zonder aanleiding een stomp op hun neus hebben gekregen. Toch kan ze gewoon niet... *ophouden*, wel... niet met Sergei erbij en haar nieuwe vriend, mijnheer Strauss. Het enige wat ze kan bedenken is het onderwerp kunstadviseurs te laten vallen – en over te gaan op het dwaze gedrang van de rijken op de openingsdag van Art Basel om bij de stands te komen van de kunstenaars die ze volgens de adviezen moeten waarderen. Dit roddelachtige vertoogje blijft ze doorspekken met relativerende opmerkingen als 'ik heb het niet over alle verzamelaars' en 'maar sommige kunstadviseurs zijn volstrekt integer – dat weet ik wel', maar het is te laat. Fleischmann móet wel doorhebben dat dit sappige verhaal over *hem* gaat. Norman ook. En hij zal woest zijn. Norman denkt dat hij op de vleugels van Maurice sociaal op kan stijgen – en hier doet zijn eigen verpleegster... haar best het allemaal kapot te maken!

Sergei straalt. Hij vindt alles wat ze aanroert prachtig! Dat was sensationeel! *Zij is* sensationeel!

Ze moet de rest van het etentje doorstaan terwijl ze zit te gloeien van schuld en schaamte wegens wat ze zojuist over Maurice heeft gezegd, ook al heeft ze zijn naam nooit genoemd. Zuster Clota's meisjes plegen nooit zo'n verraad. Ze voelt zich zo schuldig dat ze niet kan genieten van de aandacht waarmee iedereen aan haar eind van de tafel haar nu graag wil overladen. De ene vraag na de andere! *Wat een interessante jonge vrouw*! En... *als je bedenkt wat we dachten toen we haar in het begin zagen*!

Door de aandacht voelt Magdalena zich alleen maar ellendiger. Schuld! Schuld! Schuld! Schuld! Hoe kon ze dit Maurice aandoen? Norman zal razend zijn... *met recht*!

Zodra het etentje voorbij is, staat ze op en gaat regelrecht naar Sergei toe. Ze glimlacht en steekt haar hand uit alsof ze haar dank betuigt... en kijk haar eens: hét toonbeeld van een beleefde, gepast dankbare gast.

Sergei is hét toonbeeld van een hoffelijke gastheer. Hij neemt de hand die zij aanbiedt in allebei zijn handen... en met een volstrekt fatsoenlijke glimlach en een volstrekt beleefde uitdrukking op zijn gezicht zegt hij tegen haar alsof het protocol volgens het boekje was: 'Hoe kan ik je bereiken?'

# 14

## MEISJES MET GROENE STAARTEN

De vermeende habitat van Igor Drukovitsj' vermeende sekshabitude, Het Honingpotje, was het laatste pand in een haveloos winkelgalerijtje in een nietszeggende straat in de buurt van Collins Avenue in het noorden van Sunny Isles, waar Miami Beach versmelt met het vasteland. Het pand zag eruit of het als een opslagplaats was gebouwd... groot, saai, kleurloos, en met maar één laag. Maar ervoor stond een verblindend helder van achteren belicht plastic bord – een enorm geval, minstens 8 meter breed – met HET HONINGPOTJE eroverheen geschreven in een oplichtend bloedoranje schrift omlijnd met rode en gele neon. Deze opwindende, opzichtige productie was op een losstaande stalen zuil gemonteerd van ongeveer drie etages hoog. Als het donker was kon niemand die over Collins Avenue reed zich inhouden te gapen:

**HET HONINGPOTJE**

Enorm enorm enorm stralend stralend stralend schel schel schel was dat bord maar het was ook meer dan dertien meter boven de grond. De stuk of tien mannen die hier buiten bij de ingang van de club stonden werden door iets meer verlicht dan de gebruikelijke vage elektro-schemering die buiten in het nachtleven van Miami en omstreken overheerste. Het *iets meer* was een elektro-zweem van boven waardoor al deze blanke gezichten de ziekelijke kleur van ranja kregen...
Ziekelijk extreemverdunde ranja, zo zag Nestor het, die net samen

met John Smith was aangekomen. Ziekelijk? Het kon niet veel ziekelijker ogen dan pal voor hem, op John Smiths mooie blanke gezicht. Jammer voor John Smith… maar het werkte ook jammerlijk uit op Nestors zenuwen. Wat wist hij in hemelsnaam van stripclubs? Je had er 143 van in de omstreken van Miami – het was een complete klote-*sector*! – maar Nestor Camacho was er nooit in zijn eentje binnen geweest. Hij had John Smith heel de weg hierheen vermaakt met smerisverhalen over deze rare tenten. Jammer genoeg waren het niet *zijn* verhalen, want hij had de indruk gewekt dat hij deze vorm van ontuchtig hol van binnen en van buiten kende. Hij was zich dat bewust toen hij de verhalen vertelde. *IJdelheid! IJdelheid!* ::::: Een echte smeris die het stripclubwereldje niet kent? Ik wil zeggen, *toe nou*! ::::: In het ergste geval kon hij zich misschien met *bluf* redden… Tenslotte had John Smith vanaf het allereerste begin toegegeven dat hij nooit in een smerig hol als dit of wat dan ook was geweest.

Ze stonden dus voor Het Honingpotje om de strategie te bespreken. 'We zijn hier niet om naar al het gedoe te kijken dat je hier hebt,' zei Nestor. Mijnheer Zaken zijn Zaken. De leider. 'We zijn hier op zoek naar een Rus met een grote snor, met de naam Igor Drukovitsj.' Hij kwam met een snel luchtsculptuurtje: hij stopte zijn wijsvingers en de toppen van zijn duimen onder zijn neus en liet ze helemaal tot zijn oren doorschieten. 'Het enige wat we in de zaak doen is kijken of Igor Drukovitsj er is. Afleiding verboden. Is het plaatje duidelijk?'

John Smith knikte ja en zei toen: 'Weet je *zeker* dat je hier geen problemen door krijgt? Wil "ontheven van dienst" niet zeggen dat je helemaal geen politiewerk mag doen?'

Eerst dacht Nestor dat John Smith koudwatervrees had gekregen nu hij hier echt voor de deur van een stripclub stond… in dit desoriënterende ranja-halfduister… Als hij, Nestor, zich op het laatste moment terugtrok, zou dat hem, John Smith, behoeden voor de schande dat zelf te doen.

'Maar ik doe hier geen politiewerk,' zei Nestor. 'Ik ga hier geen penning laten flitsen. Eerlijk gezegd hebben ze me mijn penning afgenomen.'

'Maar sta je niet onder een vorm van… huisarrest, is het geloof ik?'

'Ik word geacht van 8.00 tot 18.00 thuis te zijn. Na zessen kan ik alles doen wat ik wil.'

'En dit is wat je wilt?'

'Ik heb je gezegd dat ik je zou proberen te helpen met Korolyov, en hier zijn we dan. Zo ver zijn we in ieder geval.' Uit een zijzak haalde hij een gelamineerd exemplaar van de foto van Igor in een auto met Korolyov, de foto die hij via het broedernet had gekregen van de politie van Miami-Dade. 'In ieder geval weten we hoe de vent eruitziet, en we weten dat ze elkaar kennen. Dat is geen slecht begin.'

De ingang naar Het Honingpotje was een simpele werkmanachtige schuifdeur, met gemak vijf meter breed, die eruitzag of hij er al lang had gezeten voor het pakhuis was omgebouwd tot Het Honingpotje. Meteen als je binnenkwam, was er een glaswand met een stel glazen deuren die uitkwamen op wat de vestibule van een bioscoop leek.

Zodra de leider en zijn volgeling met ranjagezicht binnenkwamen, begon RITME-*unngh bonk* RITME-*unngh bonk* RITME-*unngh bonk* RITME-*unngh bonk* hun centrale zenuwstelsel binnen te RITMEËN en te *bonken*. Het was geen snel ritme en niet vreselijk hard, maar wel genadeloos. Het veranderde nooit en hield nooit op met RITME-*unngh bonk* RITME-*unngh bonk*. Het moest worden opgewekt door een muziekpartituur, maar je kon die niet horen in deze kleine ommuurde ruimte die als kassa diende... een gewelfde balie... erachter een buikige blanke man van veertig of zo, gekleed in een wit poloshirt met een oranje Honingpotjelogo op het borstzakje geborduurd. Het was de kassier. John Smith gaf hem veertig dollar voor hen beiden. De man deed zijn best joviaal te zijn. Hij glimlachte en zei: 'Veel plezier, mannen!' De glimlach zag eruit als een doorsnee streep, die in de hoeken omhoogging. Nestor ging voorop door de deur de club zelf in... RITME-*unngh bonk* RITME-*unngh bonk* RITME-*unngh bonk* en inderdaad, er zat muziek achter het ritme, muziek van een bandje. Momenteel zong een meisje met een tienerstem: 'I'm takin' you to school, fool, an' if *you* don' *get it*, I don' give it, an' if I don' give it, you don' *get it*. Get it, fool? You cool with that?' Maar na een paar tellen deed het liedje er niet meer toe. Het werd opgezogen door het RITME-*unngh bonk* RITME-*unngh bonk*.

*Zwaai* – Nestors en John Smiths hoofden draaiden zich gelijktijdig. Vele ogen die naar hen keken! Aan de zijkant, bij de deur waar ze net door waren gegaan, had je een bar, met een tussenwand van twee bij tweeënhalf als afscheiding van de rest van de club. Het zat er vol vrouwen, jonge vrouwen met opgekrikte blanke benen, opgeduwde blanke gleufjes, blanke oogbollen van driehonderd watt – blanke meisjes en *alleen* blanke meisjes, hun blanke gezichten versierd met de dellerige zwarte kunsten van eyeliner, oogschaduw, wimperverf, met zwart overladen oogleden... blanke meisjes met alleen voor *blanke* klanten libido's-te-huur... *¡Dios mío!* probeer blank, zwart, bruin en geel eens in een zaak als deze te vermengen! Je zou het geen uur volhouden! De zaak zou ontploffen! Het enige wat rest, zijn bloed en seksuele brokstukken –

'Hoe gaat het, jongens?' Een grote vlezige man, dicht tegen de vijftig, materialiseerde vanuit de duisternis... gekleed in het Honingpotjepoloshirt met een gelamineerd kaartje vastgespeld aan de borstzak. Daarop stond het oranje Honingpotjeschriftlogo en de tekst ASSISTENT OPERATIONS MANAGER.

'Er is volop plek –' Daar hield hij op en staarde naar Nestor. Hij fronste zo ingespannen dat zijn wenkbrauwen samentrokken als twee spiertjes die de bovenkant van zijn neus grepen. '*Héééé*... ken ik jou niet?'

::::: Dat vervloekte YouTube weer! Deze baard van acht dagen stoppels – *wat een vermomming*, hè! ::::: Maar inmiddels was Nestor strategisch voorbereid. 'Dat zal wel,' zei hij. 'Hoe lang werk je hier al?'

'Hoe *lang* ik hier al *werk*?' Hij leek het een schaamteloze vraag te vinden. Hij deed één oog dicht en nam met het andere Nestor op. Geef ik deze lastpost een mep of laat ik hem deze keer lopen omdat hij zo duidelijk geen idee heeft? Dat laatste, moest hij hebben besloten, want na de onheilspellende stilte zei hij: 'Twee jaar ongeveer.'

'Dan is het dat,' zei Nestor. 'Ik kwam hier vroeger vaak met mijn vriend Igor.' Hij bespeurde een gepijnigde blik op John Smiths gezicht. 'Ken je Igor? Een Rus? Grote snor?' Met zijn vingers maakte Nestor weer een luchtsculptuurtje van Igors snor. 'De helft van de tijd heb ik geen idee waarover hij het heeft. Snap je? Maar hij is een geweldige vent'... Hij glimlachte en schudde zijn hoofd op een Goeie Ouwe Tijdmanier. 'Weet je of hij hier nog steeds komt?'

'Als het de vent is die je volgens mij bedoelt,' zei de man, enigszins gerustgesteld, 'ja, hij komt hier nog steeds.'

'Kan niet waar zijn!' zei Nestor, ogen wijd open... een gelukkige jongen. 'Is hij vanavond hier?'

'Ik weet het niet. Ik ben net binnen.' Hij gebaarde vagelijk naar binnen. 'Er is volop plek.' <<< BEAT-*unngh bonk* BEAT-*unngh bonk* BEAT-*unngh bonk* BEAT-*unngh bonk* BEAT-*unngh bonk* >>>

John Smiths bleke gezicht was geërgerd. Hij bleef zijn kaken dichtklemmen en vervolgens zijn lippen samenpersen. 'Ik weet niet of dat zo'n geweldig idee was, Nestor, Igors naam laten vallen en die vent vertellen dat je hem kent. Stel dat hij over een halfuur binnenkomt, en de vent hem vertelt dat iemand hier naar hem heeft gevraagd.'

Nestor zei: 'Nou, de vent – zag je de titel die hij heeft, hier in grote letters op zijn borst geprikt, Assistent Een of andere Manager? Als je het mij vraagt, staat er aan alle kanten UITSMIJTER op hem geschreven.'

John Smith glimlachte o zo licht en zei: 'Was dat een toespeling op –'

Maar Nestor kapte hem af: 'De vent bekeek me met de YouTube-blik. Snap je? Dus ik moest hem een andere reden geven waarom hij me herkent. Misschien had ik Igors naam niet moeten noemen, maar nu weten we dat hij hier nog steeds komt.'

John Smith zei fluisterend, maar niet erg fluisterend: 'Dat *wisten* we al.'

Nestor zei: 'Toe nou, John! Niet zo voorzichtig zijn. Soms moet je de dingen oppoken.'

John Smith wendde zijn blik af en reageerde niet. Hij was niet blij.

Hun ogen begonnen zich aan het duister aan te passen. Ze konden nu zien dat de lichtgloed op de muur aan de andere kant van een podium kwam. Op dit moment was de show duidelijk... *bezig*. <<< BEAT-*unngh bonk* BEAT-*unngh bonk* BEAT-*unngh bonk* BEAT-*unngh bonk* >>> Mannen verdrongen zich aan de rand van het podium, ze juichten, joelden, schreeuwden, maakten rare geluiden. Nestor en John Smith zagen hen in silhouet. Ze leken één enorm koloniedier dat kronkelde, kromp en klopte van lust... en hun uitzicht *versperde*.

Uit het duister kwam een meisje opgekrikt op hakken van vijftien centimeter, zij helemaal, haar lange blonde haar, haar zweempje zwarte string *cache-sexe*, haar ragdunne shirt met lange mouwen, wijd open, waardoor je een groot deel van haar borsten zag. Ze liep recht voor hen langs, nog geen twee meter weg – ze leidde een jonge Anglo – half de twintig? – aan de hand. Het enige wat hij aan had was een tanktopje – *een tanktopje!* – dat uit een smerige blauwe spijkerbroek hing en een honkbalpetje dat hij achterstevoren droeg. De flinke bobbel in het kruis van de spijkerbroek probeerde hij duidelijk niet te verbergen. John Smith leek verbijsterd – helemaal in de ban. Hij kon zijn ogen niet van hen afhouden tot ze verdwenen door een brede deuropening aan de muur aan de andere kant waar een uitsmijter op wacht leek te staan. Boven de ingang was er een klein maar nogal chic bordje waarop stond: '*Privé* CHAMPAGNERUIMTE *voor uitgenodigde gasten*'. Je kon het koppel niet meer zien, maar John Smiths ogen bleven op de deuropening gericht. Het was alsof die hem helemaal in zijn lekkere kleine Sunny Isles-verslaving hield.

Nestor schudde zijn hoofd. 'Hoor eens, John,' zei hij, 'dit is een *strip-club*. Snap je? Er zijn hier meisjes zonder kleren aan. Oké? Maar *wij* moeten aan het werk. Wij zijn maar naar één lekker lijf op zoek, dat van Igor.'

Inmiddels waren hun ogen gewend aan het raken aan de nachtclub-duisternis die zich voor hen uitstrekte, helemaal tot aan de theaterlich-ten – maar er waren geen theaterstoeltjes. Het publiek zat op wat een meubelshowroom leek met de lichten uit… banken, muurbanken, twee-persoonsbankjes, salontafels zonder een bepaalde ordening gerang-schikt. Het enige meubilair dat je werkelijk kon zien, waren tien of twaalf barkrukken die aan één kant het podium omrandden.

Terwijl hij zich een weg baande door het diepe duister van het meu-bellandschap, verbaasde Nestor zich erover hoeveel amper geklede meisjes over de mannen leunden die achterover hingen in al die meu-bels. Vrouwen, álle vrouwen waren welkom in Het Honingpotje, voor zo ver Nestor wist, maar hij zag alleen het soort meisje dat erop was in-gesteld om – *riiiiits* – een rits open te ritsen, iedere draad die ze aan had uit te doen en het allemaal in een hoopje op de grond te laten val-len. Meer meisjes dan hij zich ooit had kunnen voorstellen deden hier hun vangsten op de bekleding van de Meubelland-lounge, en haalden ze binnen naar die deur toe, de deur die John Smith zo obsedeerde. Een heleboel knappe vieze meisjes – maar geen Igor.

Een show was net afgelopen. Prima; verschillende hoge krukken aan de rand van het podium waren verlaten. Wanneer je eenmaal zat, was het als zitten aan een eettafel… en het podium was de tafel waar je als het ware alle sappige vieze meisjes voor je ogen kon inspecteren, met je lippen smakken… en dan kon gaan *eten… alles opeten.*

Nestor keek naar hun mede-eters op de barkrukken… Geen bijster deftig stel. In een club droeg je vrijetijdskleding, maar deze types waren afgedaald tot het peil van hemden en t-shirts met belettering erop. Bij de helft leken dollarbiljetten uit hun vingers te groeien. Nestor had het pas door toen hij serveersters drankjes zag brengen bij deze hoogzit-ters. Hoe sjofel ze ook waren, ze gooiden briefjes van één dollar op de dienbladen van de meisjes als fooi. Er was een regelrechte groene storm. Vooral om een schutkleur te hebben bestelden Nestor en John

Smith bier. Het meisje kwam terug met de twee biertjes en een rekening van $17,28. De Schatkist, John Smith, gaf het meisje een biljet van vijftig dollar. Ze bracht vier vijfjes, wat muntgeld... en *twaalf* briefjes van één dollar terug, voor het geval ze het protocol niet door hadden, dat inhield: als het beweegt, geef het een fooi. John Smith gaf haar er vier van de twaalf.

De stem van een lichaamloze ceremoniemeester – ze konden niet bepalen waar die vandaan kwam – kondigde met de vrolijke ernst van dat vak aan: 'En nu, dames en heren, een warm welkom voor... NATASHA!'

Wat applaus en gefluit, en RITME *bonk* RITME *bonk* RITME *bonk* en een meisje, de aangekondigde Natasha, ging rond de paal zwaaien aan de andere kant van het podium. Zoals de vorige danseres was Natasha een blondje, nog knap ook, niet adembenemend maar knap genoeg voor dit publiek... en ook goed genoeg voor John Smith. Hij kon zijn ogen niet van haar afhouden... Libido-loze Nestor Camacho wél... hij bleef de mannen afspeuren die naar het podium begonnen te komen om het van dichterbij te kunnen zien... 'Natasha' droeg een felgeel kostuum dat eruitzag als een soldatenpakje voor een kleine jongen. De militaire boord van het jasje zat dicht rond haar hals. Twee rijen grote witte knopen liepen over de voorzijde die 8 of 10 cm boven haar navel ophield... in die navel een kleine blinkende gouden piercing... De broek begon er 8 of 10 cm onder en reikte slechts tot de bovenkant van haar dijen. Haar benen leken onmogelijk lang, trippelden op een paar gele schoenen met hoge hakken... Nestor zag het allemaal alleen in periferzicht. Zijn hoofd was een andere kant op gedraaid... op zoek naar een man met een opgestreken zwarte Russische snor... 'Natasha' zwaaide alle kanten op. Ze zwaaide met de paal pal in haar kruis en haar benen aan beide kanten ervan. *Riiiitsss* – met één *rits* opende ze het hele jasje en haar borsten schoten eruit. Die waren niet heel groot, maar groot genoeg voor dit publiek. Ze glimlachte suggestief terwijl ze RITME *bonk* STOOT *bonk* NEUK *bonk* SLINGER *bonk* ZWENGEL ERAAN *bonk* en op andere manieren rond de paal zwaaide.

Ten slotte zwaaide ze van de paal af en ging ze over het podium RITME *bonk* RITME *bonk* SLINGER *bonk* STOOT ERMEE *bonk* Nestors en John Smiths kant op. Het interesseerde Nestor geen bal. Hij keek in het gezicht van een stel mannen die door de lust in ouwe bokken waren veranderd... Jezus nog aan toe... een danseres, ons meisje... *riiiiits!* – maar de ritsen aan de zijkanten van de soldatenjongensbroek waardoor die eraf zou moeten vallen – 'Natasha' wist ze niet aan de praat te krijgen RITME *bonk* RITME *bonk* RITME *bonk* ze moest ophouden en zich er met één been tegelijk uit worstelen RITME *bonk* RITME *bonk* de audio nam geen notitie van het probleem. Het werd een beetje penibel. Maar het wachten waard! Dit publiek was niet veeleisend… Inmiddels, waar de broek had gezeten… niets, helemaal niets… een volstrekt naakt kruis, zelfs ontdaan van schaamhaar… wegge-Braziliaanse-waxed… waardoor de weg vrij was voor de ster van de show, haar pudenda. Waardoor voor dit publiek alles wel best was. Met alleen nog haar wijd open soldatenjongensjasje aan, stootte ze met haar pudenda en zwengelde ze met haar pudenda en gooide ze haar armen naar achteren en het kleine gele jasje vloog af en RITME *bonk* KRUIS *bonk* KONT *bonk* SPLEET *bonk* PERI *bonk* NEUM *bonk* ze zinkt pal voor John Smith neer op het podium en kruipt naakt op handen en voeten rond… in dit geval haar knieën en ellebogen… Haar kont is als die van een baviaan of chimpansee opgeduwd in de richting van John Smith, wat een vol zicht biedt op het perineum en de verboden plooien daarvan, spleten, kieren, kloven, gespleten meloenen, lokkende labiae, gonoporiën – heel de vlezige boog. RITME *bonk* RITME *bonk* PODIUM *lichten* RAAK *spot* PORNO *spot* LUST *spot* PERI *spot* NEUM *spot* RITME *bonk* RITME STAMPT MANNEN snellen naar VOREN STEKEN dollarBILJETTEN IN de SPLEET in haar achterste… John Smith staat weer paf… wijd open ogen, openhangende mond… Nestor zoekt de gezichten af van de mannen die voor het podium samendrommen… een opgestreken snor… een opgestreken snor… dat is het enige waarnaar *hij* zoekt… Een grote chauffeur van de stadsbus van Miami Beach in uniform doet op een ironische manier 'Toet toet toet toet!' maar hij is duidelijk opgezweept tot grijnzend genot door wat hij ziet… reikt over John Smiths schouder heen om zijn niet één maar twee ééndollarbiljetten in de spleet te krijgen… Oké, tijd voor meer schutkleur… Nestor steekt zijn arm uit over John Smith en stopt *drie* dollar in de spleet… en ten slotte John Smith – voorzichtig – eerbiedig? – voor het altaar van de Duivel? – deponeert hij een dollarbiljet in de SPLEET in 'Natascha's' REET, en RITME *bonk bonk* RITME *bonk bonk* RITME *bonk bonk* TODO el MUNDO heeft DOLLAR BESTEMMING SPLEET in REET. De servEERSTER LAAT alles VERANDEREN in DOLLARS GERICHT AAN de SPLEET van de REET van een MOOI meisje of MIJN dienblad. Iedere man die ZO RITME bevoorrecht is een plaats *bonk* aan de rand te hebben ziet het als een ERE-zaak om een dollarbiljet in de SPLEET te STEKEN *bonk* van haar REET. In de kortste KEREN zit de hele SPLEET PROPVOL DOLLARBILJETTEN, en veel meer zitten er klem RITME tussen de *bonk* biljetten die RITME in de *bonk* spleet zelf zitten... tot het RITME mooie meisje eruitzag alsof *bonk* er een of andere grote groene pauwenstaart uit de SPLEET in haar achterste kwam. RITME *bonk* RITME –

Zodra de muziek ophield, keek ze John Smith in de ogen, *direct*... pal in de ogen... nog steeds op haar handen en knieën pal voor hem... met haar blote borsten die ongeveer in zijn gezicht neerhingen... en *knipoogde*. Toen kwam ze overeind en begon ze naar de coulissen te lopen. Twee keer draaide ze zich om om nog eens naar hem te knipogen. Haar houding was voortreffelijk. Haar gang was koninklijk, niet te snel en niet te langzaam... Ze zou het toonbeeld van een beschaafde jonge vrouw zijn geweest, als ze niet spiernaakt was geweest met een slordige hoop dollarbiljetten IN DE SPLEET VAN HAAR REET GEKLEMD. Niet één keer greep ze naar achteren om het los te maken of schonk ze er op een andere manier aandacht aan. Waarom zou ze haar waardigheid bezoedelen? Halverwege het podium begonnen de biljetten er uit eigen beweging uit te vallen. Maar waarom zou ze achteromkijken naar het groene kielzog dat zij had laten ontstaan? Twee mannetjes, Mexicanen, als je op Nestor af mocht gaan, kwamen onmiddellijk met veger en blik tevoorschijn om de dollarbiljetten te verzamelen. Vele ervan waren op het podium geworpen door mannen die, desparaat om de spleet te bereiken, er genoegen mee namen ze haar kant op te mikken.

John Smiths bleke gezicht was rood geworden. Was hij beschaamd? Was hij opgewonden? Nestor had geen idee. Hij had geen mening over bleke welopgevoede *americanos* als John Smith. Wat hemzelf betreft, hij bevond zich te diep in zijn Dal van de Schaduw om geprikkeld te raken door hoeren met banieren van geld die uit de SPLETEN van hun RETEN vlogen. En dát waren ze, stuk voor stuk, HOEREN.

– RITME *bonk* RITME *bonk* RITME *bonk* RITME *bonk* het RITME *bonk*

Nestor wierp amper een blik op haar. Hij keek naar de mannen die nog voor het podium verzameld waren. Net onder dat stel – en hij *daar*? Nestors ogen waren gericht op een zwaargebouwde man met een zwart overhemd waarvan de knopen tot halverwege openstonden, zodat je beter zicht had op zijn grote vette harige borst. Hij had geen grote snor... slechts een onverzorgd exemplaar dat nauwelijks voorbij zijn mondhoeken kwam... maar door dat opengeknoopte zwarte overhemd en die grote slonzige vertoning van borsthaar moest Nestor onmiddellijk denken aan de foto van Igor die hij van de smerissen uit Miami-Dade had gekregen. Hij kon die foto dromen... het zwarte hemd, de harige borst, zelfs de manier waarop de diepe geulen die aan beide kanten van zijn neus begonnen langs zijn lippen omlaag liepen en met zijn onderkin versmolten... de scheve draai van de lippen die waarschijnlijk *cool* moest lijken.

Hij leunde naar John Smith toe. 'Misschien zie ik dingen, want de vent heeft maar een kleine snor, maar ik zou zweren dat het Igor is!'

Hij draaide terug om het John Smith te laten zien – *mierda!* – de man was weg.

*Oeioei*. Een schare een beetje aangeklede meisjes kwam op hen tweeën af. Een blondje – wat was het toch met deze kosmos van blondjes? – bereikte als eerste John Smith. Ze droeg een denim jurkje met een bovenstuk als het borstje van een overall... denim ophouders over de schouders... alleen droeg zij niets onder het borstje en puilden haar tieten er aan de zijkanten uit. Je zag ook de onderste welving van haar tieten, waar die bij haar borst kwamen. Het jurkje zag eruit als – *één ruk!* – en het is uit!... alleen een poeltje stof op de vloer. Ze schudde hem de hand – door op de binnenkant van zijn dij te tikken, hem een grote suggestieve glimlach toe te werpen en te zeggen: 'Hi! Ik ben Belinka! Heb je lol?'

*Waar was die vent? Nestor ving weer een glimp van hem op... praatte gezellig met een uitsmijter.* John Smith was momenteel niet in staat aan hun missie te denken. Het enige waaraan hij kon denken was wat zich zijn dij had toegeëigend... zijn *binnen*-dij... niet ver van – Het bleke blanke gezicht van mijnheer John Smith bloosde het bloedigste rood dat Nestor ooit had gezien. Hij had geen antwoord op haar vraag, alleen 'Unnh hunnnh.' Nestor genoot enorm van zijn nood, maar hij durfde er niet lang bij stil te staan – *waar is die vent nu heen? Een halve seconde geleden was hij daar!*

'Ik wed dat je *meer* wilt!' zei 'Belinka'.

John Smith zweeg, met de mond vol tanden. Uiteindelijk wist hij uit te brengen – zijn stem bang van schaamte – 'Ik... denk het wel...'

*Ik denk het wel.* Het was zo slap, Nestor vond het prachtig, maar hij keek er niet naar. *Ieder moment...* hij doorzocht Meubelland... *ieder moment* –

Het volgende ogenblik voelde hij een hand op de binnenkant van zijn eigen dij.

'Hi! Ik ben Ninotchka! Ik zie dat je –'

'Hi,' zei Nestor, zonder naar haar te kijken. Zijn ogen bleven op Meubelland gericht. 'Wat voor soort naam is Ninotchka?' zei hij passief.

'Het is Russisch,' zei ze. 'Waar kijk je naar?'

'Je komt uit Rusland? Echt waar?' zei hij. Zijn ogen bleven op Meubelland gericht.

Lange stilte. Ten slotte: 'Nee, maar mijn ouders wel... Wat zoek je daar toch?'

'Ben je hier opgegroeid?' vroeg Nestor – en hij keek nog steeds niet naar haar.

Opnieuw stilte.

'Nee,' zei ze, 'ik ben in Homestead opgegroeid.'

Hij glimlachte bij zichzelf. :::::: Dat is het eerste ware woord dat je hebt gezegd! Homestead is zo gewoontjes, niemand die aan het liegen is zou zichzelf ooit uit Homestead laten komen. :::::: Tegen haar zei hij niets.

De hoer had er genoeg van. Hij speelde een spelletje met haar, spotte met haar. Er was er nog eentje die dat kon. Ze liet haar hand een beetje verder naar boven glijden op de binnenkant van zij dij en vroeg: 'Hoe heet jij?'

'Ray,' zei Nestor.

'Kom je hier vaak, Ray?' vroeg de hoer.

Nestor bleef gewoon mensen afzoeken die rondliepen in het wat-een-glamour-verdomme-nachtclub-duister.

'Weet je, je hebt een heel grote nek, Ray.' Waarop ze haar hand van zijn dij tilde en die om zijn geslachtsdeel heen legde ... zachtjes maar helemaal. 'Een heel, heel grote nek,' zei ze. Ze glimlachte spottend naar hem. 'Je nek wordt *groter*... Wat zou je zeggen van een grote, natte kus op je nek?'

Uit de zijkant van zijn mond, helemaal op één toon: 'Nee, dank je.'

'O, toe nou,' zei ze. Ze begon zijn kruis te strelen en zei: 'Ik voel het gewoon.'

Nestor draaide zich voor de eerste keer naar haar toe – en keek haar aan. 'Ik zei nee, dank je, en dat betekent nee, dank je.'

De Smerisblik. 'Ninotchka' trok haar hand terug en durfde geen kik meer te geven. Nestor werd onmiddellijk weer waakzaam. Hij keek naar de verste muur, waar hij en John Smith de club waren binnengegaan... Ineens – een elektrische ruk in zijn hartslag. ::::: Jezus Christus! Daar is hij, achterin, naast de bar... de vent met het zwarte overhemd... ik zweer bij God dat het *hem* moet zijn... Hij heeft een meisje aan zijn arm, letterlijk aan zijn arm... lijkt wel een keurige zondagswandeling, alleen is zij een half-aangeklede stripper, en daar vlakbij is *de deur*! :::::

Nestor draaide rond op de zetel van zijn opgekrikte kruk en sprong op de grond. 'Ninotchka' was zo bang dat ze haar lichaam achteruit gooide en 'Belinka' raakte die over John Smiths dij leunde. *Bam!* Beide meisjes belandden met hun achterste op de vloer en hun voeten in de lucht. John Smith zat versteend op zijn hoge kruk. Hij staarde naar Nestor, met open mond.

'Ik zie de vent!' zei Nestor. 'Gaat naar *die deur* toe! Kom op,' zei hij over zijn schouder tegen John Smith en hij kreeg hem *piep* even te zien... hij zat rechtop op de barkruk – *stijfbevroren*. Meubelland. ::::: Moet *rennen*! ::::: Maar in de sofa-zee van Meubelland... te veel vet gestoffeerd meubilair te holderdebolder neergezet... te veel mannen met hun benen uitgespreid terwijl ze achteroverleunden in de gestoffeerde golven... te veel hoeren met uitgestoken achterste omdat ze met hun hoofd over de klanten stonden gebogen... te veel salontafeltjes die de overgebleven vloerruimte verstopten... zijn enige hoop was om over mannenbenen heen te *springen*... om de hoerenkonten heen te *zigzaggen*... over salontafels te *vliegen*... *baf!*... hij was weg...

De in hun pluche golven weggezonken klanten – ze zijn geschrokken... ze zijn beledigd... ze zijn woest – en ze zijn ook niet bepaald het aller-chicste publiek van Miami-Dade County! – zwart overhemd, harige borst!... Nestor draait zijn hoofd een fractie van een seconde – ::::: Het is *hem*! – Ik ben er zeker van! Ik *weet* dat het Igor is! Igor bijna zonder snor! ::::: Een bijna aangeklede hoer heeft hem bij de arm! Ze lopen *om* Meubelland heen het achterdeel in waar hij en John Smith waren begonnen!... Ze zijn op weg naar *de deur*!

De deur bereiken vóór Igor werd plotseling het dringendste probleem waarmee hij ooit in zijn leven had gekampt. Het ogenblik voor hij zijn hoofd weer naar voren draaide, versnelde hij... *Jezus Christus!*... Hij zou tegen hen op knallen!... drie mannen en twee hoeren die tegenover elkaar zaten aan een salontafel... geen ruimte, geen kans om op tijd te stoppen... Maar één mogelijkheid – hij *sprong* over de salontafel... scheerde aan deze kant langs een hoer en langs een grote dikzak aan die kant... 'FUILE KJUITZAK!' Het is de dikzak... ::::: Waar komt *hij* vandaan!... Hij is oud, maar wat heeft hij een stem! :::::

... 'FLIKKER!'... Het is een van de hoeren...

'SMEERLAP!'... Een andere man... bedwelmd door de lust...

... Inmiddels zijn ze allemaal overeind gekomen en schreeuwen... 'KLUNGEL!'... 'SUKKEL!'...

Stampvol adrenaline, de *springende vliegende* klungel ::::: Hoe kunnen ze *mij* zo noemen?! ::::: haalt de andere kant van Meubelland... *Die deur* is – wat zou 't zijn? – tien meter verder... *O verdorie* – een uitsmijter... en hij is weg bij *de deur*... hij komt recht op me af... hij is een kilometer breed... groot plat gezicht als iemand uit Samoa... Geen kans dat ik om hem heen kan... de Smerisblik?!... De bruut staat pal voor hem, verspert hem de weg –

'Waarom die grote haast, Grote Jongen?' *De stem* had de kerel zeker.

*De Smerisblik?* Nestor had ongeveer een halve seconde om te beslissen – *bam!* – deze was lastig! Geen schijn van kans! Kon een smeris zijn die na zijn werk bijkluste... Voor zijn besluit ook maar de vorm van woorden in zijn hoofd kon aannemen, keerde hij de ware Nestor Camacho binnenstebuiten. Hij deed alsof hij terugdeinsde en wees naar het tumult in Meubelland... Met een hoog stemmetje, doodsbenauwd, bibberend, bang: 'Ze vermoorden elkaar daar! Ze zijn gek geworden! Was er bijna geweest!'

De grote uitsmijter bekeek Nestor. Hij geloofde hem niet per se – maar de opschudding in Meubelland was een groter probleem... Geschreeuw van 'NEE DEZE ZOOI', 'NEE, LAAT JIJ DAT!'... 'GETSIE!'... 'MAGERE ZAK DIE JE BENT!'... Zo veel kreten dat de ene de andere smoorde... Al deze opschudding... 'Je blijft *daar*!' zei hij tegen Nestor. Hij bleef zijn vinger naar de vloer prikken waar Nestor stond. 'Je *verroert* je niet!' En toen ging hij slingerend het tumult tegemoet met een grote gorillapas... Hij hield zijn armen en zijn handen een goede anderhalve gorillavoet van elke heup af... *Grote Man* – nu was hij ongeveer vijf King Kong-passen Meubelland in... basso profundo... hij brult, *brult*: 'Oké! Waar gaat *dit* in hemelsnaam allemaal over?!'

'Die KLUNGEL!'

'Die KLOOTZAK!'

'Die SMEERLAP!' schreeuwden ze als antwoord en ze wezen voorbij de Grote Man de kant op die Nestor was gegaan.

*Zomaar ineens* begon Nestor de tien of vijftien meter naar de deur te rennen *te rennen*… naar het hol van de wellustige lendenen… en kijk!… pal voor hem… amper een stap van de deur… *hij*… zwart overhemd… hij staat stil, hij en zijn hoer, om naar het tumult in Meubelland te staren.

' – was *die* kleine *imbeciel*!'

' – zakkenwasser raakte me hier met zijn elleboog!'

'Askniena achter was gesprongen, had die klootzak –'

' – ben hier niet gekomen om helemaal te worden ondergezeikt door een stel –'

' – wassermis met jou, smeerlap? Asjullie met z'n allen gewoon die lulletjes laten lopen –'

Knokgeluiden BAM! BAF! EGGGGHUH!

::::: Lullen MEERVOUD? :::::

'AFGELOPEN! RUSTIG GODVERDORIE! IK HAK JE KLOTEHOOFD ERAF EN SCHIJT IN JE LUCHTPIJP ALS JE ME NOG EEN KEER EEN –'

Igor ::::: Nu *weet* ik dat dat 'm is! Ik weet dat *hij* het is! ::::: *Igor!* Hij heeft één arm rond het middel van de hoer… Ze zijn amper twee stappen van *de deur*. Ze *stoppen*. Hij kijkt naar het feestje in Meubelland. Wat daar ook gaande is, hij vindt het *prachtig*… zozeer dat hij aan haar blijft trekken, hard, tegen zijn dij en zijn borst aan… telkens weer… Zij glimlacht alleen en neemt het en neemt het en neemt het en neemt het en neemt het MASTURBEREN MASTURBEREN MASTURBEREN MASTURBEREN Wat is er met hem aan de hand? Hij lijkt wel dronken – maar dat is prima! Gewoon *daar blijven, niet bewegen!* Nestor begint te sprinten… hij sprint voor alles wat hij waard is over de vloer van een stripclub. TE LAAT! Igor – als het hem is – en het meisjes stappen *de deur* in en verdwijnen… ¡*Coño!* Nestor komt sidderend tot stilstand… Hij is gedwarsboomd gedwarsboomd gedwarsboomd… maar wat weerhoudt hem ervan *gewoon naar binnen te gaan*? Hij bekijkt de deur. Er *is* geen deur *als zodanig*. Drie stappen de deuropening in is er een gecapitonneerde muur. Er is niets wat hem ervan weerhoudt binnen te lopen, maar hij kan niet eerst naar binnen kijken. Hij kijkt over zijn schouder… ¡*Coño!* Daar komt de uitsmijter, terug naar zijn post. ::::: Hoe kan ik daar binnen komen? ::::: Zijn ogen kijken de onmiddellijke omgeving af… Drie meter verderop – wat is *dat*? Het achterste van een hoer! Hij ziet haar van achteren terwijl ze over een man op een sofa leunt – een roze korte korte broek heeft ze aan, zo kort dat allebei haar billen er half uit zijn gesprongen... *billendécolletage*, John Smiths term, en nu snapt Nestor het. Ze zijn eruit gesprongen als omgekeerde borsten. Ze had een mouwloos shirt aan gemaakt van een dunne glanzende stof in vrijwel dezelfde tint roze... geplooide armgaten... twee grote ovaalvormige openingen aan de achterkant. Waarvoor? – om te laten zien dat ze geen bh droeg? Alleen God wist het... Haar torso was licht gedraaid... *die* kant op... Maar natuurlijk! Ze had één hand aan de binnenkant van de dij van haar slachtoffer.

Geen tijd voor subtiliteiten en protocol. Nestor leunde naast haar neer. Hij zette de innemendste glimlach op die hij kon opbrengen en zei: 'Hi! Wil niet storen, maar ik heb een lapdance nodig. Ik heb *echt* een lapdance nodig.'

Ze handhaafde haar greep op de dij van de andere vent, draaide haar hoofd naar Nestor toe en keek hem spottend aan... toen, als afweer, sceptisch. Het was een brunette met geverfde blonde lokken in haar haar – bij Het Honingpotje was het blond zijn, ongeacht hoe je daar komt! We geven je een naam uit Rusland of Estland... maar je moet je eigen blonde haar meenemen, je sexy extase-uitdrukking en onstuimige schaamlippen.

Hij kon de cijfers 0, 1, 1, 0, 0, 0, 1, 0 in haar hoofd horen klikken. <<< Ik ben bezig met oneerbare voorstellen aan die vent op de sofa... hij ziet er rijk uit... maar hij is er nog niet op ingegaan... en ineens is daar die vent die naast me neerleunt – en hij *biedt zich aan*!... ziet er netjes uit... hij is jong, hij is gretig 0, 1, 1, 0, 0, 1, 0, 0, klik klik klik klik >>> Nu deed ze iets met haar ogen en haar lippen waardoor ze er ondeugend uitzag. Ze draaide haar hoofd Nestors kant op tot hun wangen elkaar bijna raakten. Met een zachte maar eigenlijk nogal mooie stem zei ze: 'Weet je wat voor soort mannen ik leuk vind? *Gretige*! Zou ik niet moeten doen –'

Waarop ze haar vrije hand in Nestors staande dij legde – en daar hield alsof ze niet van zins was hem te laten begaan – ooit – en haalde haar andere hand weg van de dij van de vent op de sofa. Nestor kreeg hem voor het eerst goed te zien. Hij zag er bijna gedistingeerd uit... had een grijze baard... nauwgezet geknipt... een dikke kop grijs haar, goed verzorgd, een ga-naar-kantoor-overhemd met de knoopjes bij de boord open, geen jasje, geen dasje... een bleekbruine broek waaraan je kon zien dat die *stukken* duurder was dan een kaki broek... Waarom zou zo'n man naar zo'n zaak komen en naar de smeekbedes van een hoer luisteren? Zelfs Nestor besefte dat het een naïeve vraag was.

Het meisje keek naar haar prooi op de sofa, zette haar ondeugendste en wellustigste uitdrukking op en zei: 'Goed, hier blijven! Ik ben zo terug!' – waarop ze overeind kwam en haar hand tussen Nestors benen vandaan liet glijden. De man keek stomverbaasd naar haar en Nestor. Maar Nestor wist dat hij geen woord of iets anders zou zeggen om de aandacht op zijn echte – wat inhield fatsoenlijke – persoon te vestigen.

Ze nam Nestor stevig bij de hand en leidde hem de vier of vijf meter naar *de deur*. De uitsmijter was weer op zijn post. Hij bekeek Nestor van onder tot boven, twijfelend, maar als je in handen was van een bonafidehoer werd je legitiem. Ze leidde hem – nog steeds aan de hand – om de gecapitonneerde muur heen. Nestor bleek zich te bevinden in wat een lange, nauwe, groezelige en vaag verlichte kleedkamer leek met een rij hokjes pal voor zijn neus. Hij had het gevoel dat hij zijn hand uit kon steken en ze aanraken, hoewel ze in werkelijkheid bijna twee meter weg waren... Het was een eindeloze rij goedkope afscheidingen ongeveer anderhalve meter uit elkaar en misschien dertig centimeter hoger dan een toilet op een luchthaven... en in plaats van deuren hadden de hokjes donkerbruin en geelbruin gestreepte gordijnen van transitester plus een kamerbreed industrieel tapijt in een grillig weefsel van donkerbruine, lichtbruine en geelbruine streptolon waarin je met een bijl geen deuk kreeg... allemaal nogal versleten maar op z'n minst een poging tot binnenhuisarchitectuur bij Het Honingpotje. Dezelfde RITME *bonk* RITME *bonk*-muziek die in de rest van de club stampte, sloeg je mals in dit overvolle vertrek met laag plafond en een totaal gebrek aan ramen. In de intervalletjes tussen de RITME's en de *bonken* kon Nestor vlakbij menselijke geluiden horen, geen woorden maar geluiden... van achter de gordijnen van de hokjes... *unhh, ahhh ahhh, ooom-muh, ennngh ohhhhunh*... allemaal het gekreun van mannen – niet van de meisjes – gekreun dat soms de grens naar betekenisloze woorden-stroom overschreed... *ohhhja ohhhja, door*gaan *door*gaan *door*gaan, *ja ja ja ja, rukkk* harder *rukkk* harder, ik *kom*, ik *kom* en dan terug naar een heleboel *unhhh uhnnn ahhh ahhh oooweh oooweh oooweh*-geluiden. Nestor hoorde ze allemaal met intense interesse aan.

Het meisje keek naar hem op met de wellustigste glimlach die hij ooit in zijn leven had gezien, en in woorden die uit haar mond gleden alsof het geil, glad, gesmeerd ging: 'Hoe heet je?'

'Ray,' zei Nestor. 'En jij?'

'Olga,' gleed uit haar mond.

'Olga... ik heb hier vanavond zo veel Russinnen gezien. Je hebt helemaal geen accent.'

Alsof ze hem de sleutel naar het Paradijs aanbood: 'Ik ben Russisch van mijn moeders kant. Ik ben hier opgegroeid.' Haar lippen kregen de contouren van onzegbare verrukkingen. 'Je kent waarschijnlijk de... ehhh... richtlijnen al. Een instaplapdance is vijfentwintig dollar, niet aanraken. Met aanraken wordt het duurder, afhankelijk van *wat*. En natuurlijk, wat het ook is, vooraf betalen. Wil je nog steeds een instap lapdance, Ray?'

'Geweldig,' zei Nestor. 'Fantastisch!' Hij diepte vijfentwintig dollar... van John Smiths geld... uit zijn zak, en zij stopte het in een zijzakje van haar roze korte broek.

'Okeeeee... bedankt,' zei 'Olga' en ze nam zijn hand en leidde hem naar een hokje waarvan het gordijn was opengetrokken. Het interieur was net groot genoeg voor wat een bed van ledikant-formaat leek, samengesteld uit een onderstel, een matras en een zelfstrijkende geelbruine sprei... een modernistische fauteuil gemaakt van een geraamte van fiberglas met een donkerbruin zitkussen... zonder leuningen... een bijpassende kruk met een bruin kussen, en achterin een formica plank met een wasbak en twee kranen... en eronder een kast met twee deuren... Vlak voor 'Olga' het gordijn dichtschoof, hoorde Nestor een man veel luider en veel opgewondener kreunen dan wie dan ook tot nu toe.

'O, *govno*... o, *govno*... o, *govno*... o, *govno*... o, *govno*!'

En toen het gekreun van een vrouw, niet *zo* hard maar hard genoeg om boven het RITME *bonk* RITME-*unngh bonk* RITME *bonken* enzovoorts uit te komen... kreunende *zuchten* waren het, die eindigden in verlengde ademloze zuchten die gingen van '*Ahhhhh... ahhhhh... ahhhhh*'... en toen begonnen ze te versnellen... '*Ahhh... ahhh... ahhh*' en toen nog sneller... '*Ahh.. ahh... ahh... ahh...*'

Net als het O, *govno* O, *govno* O, *govno* O, *govno* van de man.

Toen een schokkende zucht van het meisje die ging van *ahh ahh ahh ahh ahh* en in een meer dook van *snikken snikken snikken* O, god *snik snik snik snikkkkk ungh ungh ungh* O, god, o god o god-d-d-d...

De man bekroonde dat met 'O *govno* O *dermo* O *govno* DERMO DERMO DERMO! BOZHE MOY! GOSPODI...' Aan het eind klonk hij zo luid als een tenor in de opera.

'Olga' was weggedraaid van de ingang. Eén beweging van haar hand en haar shirt viel op de grond, toen haalde ze diep adem en zonk terug in Nestors richting om haar tevoorschijn gesprongen borsten te vertonen.

Nestor glimlachte blij naar haar als om te zeggen: 'O, mooi. Dat is leuk' – niet meer dan dat, want hij was al bij het gordijn, hij trok het een centimeter of vijf open... zodat hij meer geknor kon beluisteren dat in diverse hokjes hoorbaar was... Hij zou zweren dat hij een man hoorde klagen: 'Wabedoelje dat ik niet tot het eind mag?' Hij moest tegen zijn hoer hebben gepraat, want hij zei: 'O, laat dat! Ga me niet je klote-*regels* staan te vertellen – of *geen* kloteregels!'

Een andere man schreeuwde blijkbaar vanuit zijn hokje naar de opera-climaxman, want Nestor hoorde Climaxman terug gillen: 'Zo *praat* jij niet tegen mij, worm dat je bent!' Hij klonk flink dronken. Zijn tegenstander gilde: 'Wie denk je godverdomme dat je bent!' En de grote stem zei: 'Jij niet eenz weten willen. Jij daar beneden, een worm, en ik hier boven! Ik ben kunztenaar!'

Gejoel, gesis, doe-me-een-lollen en andere uitroepen van sarcastische kleinering.

'Jij je kop houden! Jij me niet geloven! Ik ben in een muzeum!'

'Hé, hou eens op, mannen! Wat is daar in hemelsnaam aan de hand?' Het was de uitsmijter. Hij klonk of hij woest was. Het werd rustig.

'Olga' met de blote borsten zei: 'Wat sta je daar toch bij het gordijn, Ray? Ik dacht dat je zo'n zin had in een lapdance.'

'Dat is ook zo,' zei Nestor, 'maar ik meende net iets te horen.'

'Olga' staarde naar hem, de borsten bloot en sprakeloos.

:::::: Hij ziet er precies uit als Igor met een miezerige snor. Hij praat met een Russisch accent. Hij zegt dat hij in een museum is. Zo kun je het ook formuleren! ::::::

John Smith wachtte voor *de deur*. *Wat was er met hem gebeurd?* Hij stond daar met een groot blauw oog. Zijn blauwe blazer was met stof en vuil besmeurd en hij had een grote natte vlek op een revers.

'*¡Dios mío!* Wat is er gebeurd?'

'Ik probeerde je bij te houden in Meubelland – en ze hebben het op mij afgereageerd.'

Nestor floot tussen zijn tanden. 'Ik hoorde achter me iets gebeuren en zag een uitsmijter die kant op gaan – maar ik had geen idee dat jij het was. Je ziet er een beetje... toegetakeld uit, geloof ik. Ben je... wel in orde?'

'Ik overleef het wel... alleen zijn er drie rotzakken die ik graag zou vermoorden. Hoe ben je erachter gekomen?'

'Hij is onze man, John.'

'Hoe weet je dat?'

'Laten we weggaan bij deze godverdomde deur,' zei Nestor, 'en dan zal ik het je allemaal vertellen.'

Het van achteren belichte drie etages hoge bord van Het Honingpotje zorgde voor een elektrische schemering hier op straat voor de striptent. Het was een kunstmatige schemering, maar licht genoeg voor Nestor en John Smith om zowel de club als de ingang van het parkeerterrein erachter in de gaten te houden vanuit de Camaro... als Nestor maar, al was het slechts een paar centimeter, het spTotal-zonnescherm omhoog deed dat de voorruit afdekte. spTotal was het favoriete merk van het Aanhoudingsteam... *¡Coño!* Alles spande samen om hem die dag opnieuw te laten beleven toen hij en Hernandez dat godverdomde crackpand in Overtown in de gaten hielden.

Nestor had de Camaro achteruit de oprit in gereden van een winkel aan de overkant van de straat, Joekel XStimulans, op dit moment dicht, want het liep tegen 3.00 uur... John Smith was nu een soldaat, maar van surveilleren werd hij nog steeds onrustig. Hij was bang dat Igor op een of andere manier was vertrokken zonder dat ze hem hadden gezien, of misschien was er een uitgang waarvan ze geen weet hadden... of misschien kon Igor, omdat hij zo'n vaste klant was, in Het Honingpotje blijven slapen als hij er zin in had... misschien waren er meisjes bereid met hem te blijven spelen... Misschien zus en misschien zo... maar Nestor was één ding duidelijk geworden door het werk bij de Crime Suppression Unit: je moest leren hoe je op actie moest *wachten*. Zonder dat je hart uit je ribbenkast probeerde te breken moest jij of een superieur beslissen welk plan het meest kansrijk was en de discipline hebben eraan vast te houden... zoals Hernandez het surveilleren in Overtown had gepland... *¡Coño!* Waarom bleef hij er maar aan denken? Daar had je het. Dat was zijn Diepe Tobben.

Maar nu zaten hijzelf en John Smith in zijn Camaro de prooi op te wachten... en John Smith was geen brigadier Hernandez.

'Stel dat hij helemaal niet naar huis gaat,' zei John Smith. 'Veronderstel dat hij naar het huis van een vriendinnetje gaat of zoiets? Wat doen we dan?'

'Misschien bestaat er wel iemand die drie, vier avonden per week in een of andere stripclub zit en dan om drie of vier uur 's morgens zijn vriendinnetje gaat opzoeken, maar de kans is volgens mij niet al te groot. Deze vent lijkt me een beetje zielig. Zijn idee van een liefdesleven is *Het Honingpotje*?'

'Het hoeft geen vriendinnetje te zijn,' zei John Smith. 'Dat was maar een voorbeeld. Het zou een –'

'Kijk eens, John, *alles* is dus mogelijk. Wat leid je daaruit af? Helemaal niets. Je moet beginnen met wat *waarschijnlijk* zal gebeuren en daarvan uitgaan. Hoor eens, dit is een heel goede avond geweest! Dit is de eerste keer dat we *enig* contact met de vent hebben gehad. Nu weten we hoe hij er in werkelijkheid uitziet.'

'Ik snap nog steeds niet hoe je dat deed,' zei John Smith.

'Ik zweer, het was dat zwarte overhemd dat hij van voren open draagt. Hij had hetzelfde overhemd aan op die foto die we van de smerissen van Miami-Dade County hebben. Hij is net vijf of zes uur bezig geweest met wat hij in hemelsnaam belieft te doen in een pand vol hoeren. Ik zie hem niet heel het eind terugrijden naar Wynwood om halfvier 's ochtends. Laten we zien waar hij *wel* heen gaat.'

John Smith zakte terug in de passagiersstoel, slaakte een zucht en sloot zijn ogen.

Ongeveer een halfuur later kwam er een zwaargebouwde kerel in een zwart overhemd dat van voren open stond, waardoor je het enorme terrein van zijn harige borst zag, in zijn eentje Het Honingpotje uit. Nestor porde John Smith in zijn ribben en zei: 'Nou – daar is onze knaap.'

John Smith zat laag in de stoel en bekeek Igor Drukovitsj. 'Jezus! Volgens mij staat hij nogal wankel op zijn benen.'

De man ging het parkeerterrein van Het Honingpotje op. Nestor startte de Camaro, met de lichten uit.

Er was niet meer dan een minuut verstreken toen John Smiths samenzweerderig-gedempte stem zei: 'Wat is hij aan het doen? Stel dat hij gewoon over het terrein loopt en aan de andere kant eraf?'

John Smith staarde naar de uitgang van het parkeerterrein en nog een aantal minuten kroop voorbij.

Eindelijk kwam er een Volvo, de grote, de Vulcan, van het parkeerterrein tevoorschijn. Nestor moest twee keer kijken om te zien of de harige borst reed.

Nestor nam rustig zijn tijd om het zonnescherm op te vouwen… intussen zei hij: 'Wil je weten wat mij de ergste manier lijkt –'

John Smith, verbijsterd: 'Hij gaat harder!'

' – om aan je eind te komen? Overreden worden door een Volvo Vulcan of een Cadillac Escalade. Waarom zou ik je niet –'

' – Jezus! – hij is bijna bij die bocht in de weg en wij zijn nog niet eens –'

' – kunnen vertellen. Het zou verdomd vernederend zijn. Zoveel weet ik wel.'

'Nestor!'

'Rustig aan. Ik moet hem de bocht laten nemen voor ik de lichten aan doe en hem begin te achtervolgen. Anders zal hij zich afvragen waarom hij het terrein af rijdt en er autolichten aangaan die hem beginnen te volgen.'

'Maar hij zal verdwijnen.'

'Ja, voor ongeveer vijf seconden. Daar – hij is de bocht net door. Moet je *dit* zien.'

Nestor deed de lichten van de Camaro aan en reed er langzaam de weg mee op... toen schoot hij Het Honingpotje langs met een goeie uitslovers-uitbarsting van Camaro-versnelling. Hij was in één hartslag bij de bocht in de weg... vertraagde in de bocht... en inderdaad, ongeveer 50 meter voor hen was de Volvo Vulcan... De omtrekken van het geval leken op te lossen in het donker... maar met de achterlichten kon je je niet vergissen. Ze waren enorm, zaten 60 cm hoger dan bij iedere normale auto en waren in extravagante lichtbanden om de hoeken heen geslagen. Nestor kon er zo ver achterblijven en toch in het spoor ervan blijven. Igor en de Vulcan reden in oostelijke richting... maar slechts een kilometer... Igor sloeg links af en reed naar het noorden over de A1A, de kleine snelweg die pal langs de kust liep. Er was vrij veel verkeer, en Nestor kon Igor van dichterbij volgen zonder te worden opgemerkt. De groene snelwegborden leken zijn kant op te drijven. Aanvankelijk was hij vertrouwd met de plekken waar hij langs reed... Miami Gardens Drive... Northeast 192nd Street... Northeast 203rd Street... Aventura... Golden Beach... de Gulfstream Park Renbaan... Ze reden langs een groot Russisch restaurant dat Tatyana's heette... en toen zwaaiden Igor en de Vulcan naar links over een brede boulevard... er begonnen meer Russische namen in de schemering van de diepe nacht op te duiken... de Kirova Balletacademie... de St. Petersburg Turkse en Russische Baden... het Ouspensky Cultureel Centrum, dat eruitzag als zomaar een winkelpui... Vladims Verf en Lijf... Ivana's Nagels en Spa. Igor bleef in westelijke richting rijden in westelijke richting. Waar ging hij in hemelsnaam heen?

Door waar ze nu langs reden kreeg Nestor het gevoel of ze een ander land in reden. Er was hier midden in de nacht iets vreemds en spookachtigs aan de wegbermen, amper zichtbaar in een diepe, onstabiele schemering die ontstond door passerende koplampen en snelwegverlichting op dermate hoge metalen palen dat hun schijnsel zwak was... Bij alle zaken behalve de 7-Eleven was het donker, zo leek het... Speeder Olie verversen en Onderhoud... Dierenpleziersalon... i.h.v.p., te weten het Internationale Huis voor Pannenkoeken... Vier Kerels Verf en Lijf... Spanky's Cheese Steak Fabriek... Tara Estates Manses voor Actieve Volwassenen... Supercuts... Smokey Bones bbq and Grill... Huisdierensupermarkt... Little Caesars Pizza... Applebee's... Wendy's... Desoto Luke's Actieve Volwassenen, dat bleek te bestaan uit een paar simpele bakstenen appartementsgebouwen met kleine terrassen en binnenplaatsen... nog een 7-Eleven, verlicht... Carver Toyota, met een terrein vol auto's vaag verlicht door twee lampen erboven... Olde Towne Bingo...

'Waar zijn we?' vroeg John Smith.

'Broward County,' zei Nestor, 'maar ik weet niet waar precies. Ik ben nooit eerder zo westelijk geweest.'

'Dit is echt vreemd!' zei John Smith, een ongewoon opgewekte John Smith. 'En weet je waarom? We zijn zojuist een vreemd land binnengereden... dat Amerika heet! We zijn niet meer in Miami. Je *voelt* het toch wel? Een of andere Rus die Igor heet leidt ons de vs binnen!'

Nestor analyseerde dit idee op sporen anti-Cubaanse belediging, ook al had hij even eerder hetzelfde rare gevoel gehad... Nou, John Smith was zelf een rare. Hij belichaamde duidelijk in levenden lijve een schepsel waarvan ieder had gehoord maar niemand in Miami ooit had gezien, de wasp, de blanke Angelsaksische Protestant. Rationeel begreep Nestor dat John Smiths grapje over 'een vreemd land... de vs' onschuldig was. Emotioneel had hij er nog steeds een hekel aan, onschuldig of niet.

West west en westelijker bleef Igor gaan in zijn kolos met de felle achterlichten. Meer lage bakstenen appartementsgebouwen dreven langs... 'Hampton Court... Actieve Volwassenen Begeleid Wonen'...

'Actieve Volwassenen Begeleid Wonen,' zei John Smith. 'Toe nou, je moet het *geweldig* vinden!' Hij draaide zich, om Nestors reactie te zien.

Nestor deed zijn best geen enkele reactie te tonen. Hij kon het niet precies in woorden doordenken. Als John Smith zo opgewekt was, wekte die ergernis bij hem op. De opgewektheid kwam altijd voort uit een gevoel van superioriteit. John Smith kon ideeën... baseren... op zoiets banaals als deze tweederangsweg... 'We zijn zojuist een vreemd land binnengereden... de vs.'... Dat soort denken was een talent waarover Nestor niet beschikte. Ironie ging altijd ten koste van iemand anders... van hemzelf, waarschijnlijk... Was het niet allemaal een kwestie van opleiding? John Smith had op een universiteit gezeten met een intimiderende naam... Yale... Op dat moment voelde Nestor haat jegens iedereen die ooit op een universiteit met een intimiderende naam had gezeten... Het waren allemaal mietjes, wanneer je heel eerlijk was... maar vervolgens zat het Nestor dwars dat het misschien geen mietjes waren...

West west west reed Igor met de Vulcan tot hij een oord bereikte dat West Park heette, daar sloeg hij rechts af en ging noordwaarts over een minder brede weg... voorbij Utopia... voorbij Deauville Abbey... opnieuw lage bakstenen appartementsgebouwen... 'Actieve Volwassenen Pensioen Vrijetijd Begeleid Verpleeghuis en Terminaal Château'...

'Dit soort oorden – je hebt ze hier overal,' mompelde Nestor.

'Na een tijdje word je er bang van,' zei John Smith.

Nu slaat Igor links af en rijdt *verder* naar het westen.

'Waar gaat-ie in hemelsnaam heen?' vroeg Nestor. 'Naar de Everglades?'

Onder de Florida Turnpike-tolweg door gingen Igor en zijn Volvo Vulcan, nog steeds in westelijke richting... maar spoedig ging hij langzamer rijden en sloeg een soort oprit in. Nestor en John Smith wisten waar hij heen ging, want zelfs voor ze de gebouwen zelf konden zien... Zelfs van vijftig meter afstand zagen ze het onvermijdelijke door mensenhand gemaakte meertje... de koplampen van de Camaro waren net helder genoeg om de fonteinen te kunnen onderscheiden die omhoog geiserden in het midden van het water.

Nestor vertraagde amper en reed langs het oord rechtdoor.

'Wat doe je?' vroeg John Smith.

'Ik wil niet vlak achter hem naar binnen rijden,' zei Nestor. 'Ik ga omdraaien en rijd het oord van de andere kant binnen.'

Je had niet meer dan een glimp nodig om te zien dat je hier je stenen basale Actieve Volwassenenhuisvesting had. Op een metalen bord op een paal naast de afrit stond de naam 'Alhambra Lakes'. Aan één kant kwam de toegangsweg uit op een groot parkeerterrein... stampvol auto's... vaag verlicht door een paar lampen op hoge palen. Igors

Vulcan was er net op gereden. De appartementsgebouwen waren de allerbasaalste die ze tot nu toe hadden gezien. Bij de eerste aanblik leken het twee grimmige stevige kubussen van baksteen… allebei met twee etages… slechts versierd door de onvermijdelijke balkonnetjes en de glazen schuifdeuren… geen struiken of enige andere tuinkundige of boomkundige versiering, zelfs geen hoopvolle palmboom of wat.

'Waar slaat *dit* volgens jou allemaal op?' zei John Smith… met een achterwaartse knik in de richting van Alhambra Lakes.

'Daar rijd ik in,' zei Nestor. Hij reed de wegberm op… keerde toen… gaf zo plotseling gas met de Camaro dat John Smiths hoofd achteruit werd gegooid… maar moest bijna meteen afremmen om de afrit naar de Actieve Volwassenen te kunnen nemen… en daar stond de Volvo Vulcan, in een parkeerplaats gemanoeuvreerd. De achterlichten waren uit, maar de binnenverlichting was aan.

'Ik rijd erlangs,' zei Nestor, 'maar niet naar hem kijken. Niet eens in zijn richting kijken. Ik ga langzamer rijden, alsof we aan het zoeken zijn naar een plek om te parkeren.'

Voor ze bij de Vulcan waren… was daar het gedrongen mannetje, Igor, die de grote achterklep van de Vulcan opende.

'Niet kijken,' zei Nestor. 'Of misschien je hoofd een beetje de andere richting op draaien.'

Wat ze deden. Nestor probeerde niet eens met zijn perifere zicht te kijken. Toen ze het eind van de rij auto's bereikten, waren ze heel dicht bij het eerste gebouw, en hij kon door een brede, open toegang kijken die eruitzag als een soort tunnel. Aan het andere eind, in de richting van de binnenkant, meer beroerde hoge verlichting.

'Moet een binnenplaats zijn,' zei John Smith.

Nestor keerde en reed langzaam langs de andere kant van de rij. Toen ze bij de voorkant van de Volvo Vulcan kwamen, was de binnen-verlichting uit.

'Hij loopt de kant van het gebouw op,' zei John Smith.

'Wat draagt hij in hemelsnaam?' vroeg Nestor. 'Dat grote platte geval.'

'Ik weet het niet,' zei John Smith. 'Ziet eruit als een portfolio. Je weet wel, het portfolio van een kunstenaar.'

'Ik ga daar aan het eind weer keren. Kijk of je kunt ontdekken waar hij heen gaat.'

Nestor maakte de draai heel langzaam en reed weer langs de andere kant terug.

'Daar is hij,' zei John Smith. 'Hij gaat die ingang in, waar we net langs reden.'

Nestor ving slechts de geringste glimp van Igor op terwijl hij verdween in de tunnel of hoe het ook werd genoemd. Hij zette de Camaro midden op het parkeerterrein stil.

'Wadenkje dat-ie hier doet?' vroeg Nestor. 'Besef je dat we ongeveer in Fort Lauderdale zitten... en zo westelijk als wat? Ik snap het niet. En volgens jou heeft hij een atelier in Wynwood?'

'Het is niet zomaar een atelier, Nestor, het is een heel appartement, en het is heel mooi. Ik ken een heleboel kunstenaars, ook succesvolle kunstenaars, die een moord zouden plegen voor zo'n optrekje.'

'Ik... snap... dit... niet,' zei Nestor.

'Tja... wat doen we nu?'

'We *kunnen* op dit moment niet veel doen,' zei Nestor. 'Het is na vieren. We kunnen hier niet zomaar midden in de nacht gaan ronddolen.'

De koplampen van de Camaro waren nog steeds op het gebouw gericht... Stilte... Toen zei John Smith: 'We zullen in de ochtend terug moeten komen, wachten tot hij vertrekt en dan kijken wat we kunnen doen...'

Stilte... de koplampen van de Camaro verlichtten doelloos een deel van een rij auto's... het terrein was stampvol... De Camaro was bijna tien jaar oud, en Nestor bedacht dat hij nu, als de motor stationair liep, het chassis kon voelen trillen.

'Het is al vroeg in de ochtend,' zei Nestor. 'Een vent als Igor – ik zie hem niet tot drie uur 's ochtends uitgaan naar een stripclub en dronken worden, en dan om zes uur opstaan. Je hebt al die troep gezien die hij uit de Vulcan laadde. Hij kwam niet zomaar langs voor een bezoekje.'

'*Ehmmmm*... je zult wel gelijk hebben,' zei John Smith. 'We moeten trouwens naar huis om ons te verkleden. We moeten een serieuze indruk maken wanneer we daar naar binnen gaan.' Hij knikte in de richting van het gebouw dat Igor in was gegaan. 'Heb je een colbertje?'

'Een colbertje?... Ja, ik heb er *eentje*... Hoort bij een blauw kostuum.'

'Geweldig!' zei John Smith. 'Wil je me een groot plezier doen? Doe het kostuum aan en leren schoenen.'

'Ik weet niet of het me ook nog maar past. Ik heb het van voor – nou ja, het moet drie, vier jaar terug zijn.' Nestor beleefde heel het vernederende voorval meteen nog een keer... Mami die met hem naar de herenafdeling van Macy's ging... hij stond daar als een houten klaas... Mami en de verkoper bespraken – in het Spaans – hoe ver omlaag *dit* zou moeten en hoe ver omhoog *dat* zou moeten... tegen hem zeiden ze maar twee keer iets... Mami zei: '*¿Como te queda de talle?*', en de verkoper zei: '*Dobla los brazos y levanta los codos delante*'... en hij die maar één zorg had... de vreselijke mogelijkheid dat iemand die hij kende hem zo zou zien.

'Voor je begon te trainen bij Rodriguez?' John Smith glimlachte.

'Wel... ja,' zei Nestor.

'Awww... gewoon je uiterste best doen, Nestor. Je kunt je erin wurmen.'

'Ik neem aan dat het volgende is dat je me een stropdas om wilt laten doen,' zei Nestor, met een beetje sarcasme in zijn stem.

John Smiths ogen lichtten op. 'Hé, heb je er een?'

'Jaaa...'

'Omdoen!' zei John Smith.

'Ik doe het ook!' zei John Smith. 'We moeten een *serieuze* indruk maken! Dat gebouw wemelt van de Actieve Volwassenen. Weet je? Die zullen het niet waarderen als we opdagen of we klaar zijn voor een bezoek aan Het Honingpotje. Zelfs een getikte artiest als Igor zal het niet waarderen. Wij zijn *serieuze* mannen!'

# 15

## DE KLETSKOUSEN

Zeven uur later, 10.30 uur, reden Nestor en John Smith... of strikt genomen reed John Smith... nog een keer het parkeerterrein van Alhambra Lakes op, deze keer in John Smiths gloednieuwe tweedeurs-Chevrolet Assent. John Smith meende dat het onbeschoft zou zijn om Nestors Camaro overdag op een parkeerplaats voor Actieve Volwassenen te zetten. De Camaro was een muscle car uit een tijd toen muscle cars nog muscle cars waren, en was zo woest gepimpt dat-ie z'n kop in het gezicht van een Actieve Volwassene zou duwen en snauwen: 'Ik ben een jeugdige crimineel. Ga je daar moeilijk over doen?'

Natuurlijk – *hah!* – zei John Smith niet 'onbeschoft' of iets wat daarbij in de buurt kwam. Hij drukte het in zorgvuldig verdoezelende, vriendelijker woorden uit, maar op deze moordend-stralende dag ergerde Nestor zich aan John Smiths goede manieren... zijn manieren, en nog een stuk of tien andere dingen. Nog steeds in het airco cocon van de Asset bewogen ze langzaam naar het gebouw toe waarin Igor afgelopen nacht was verdwenen. In schreeuwend zonlicht zoals dit leek het oord nog erger dan het in het donker had geleken. Rond heel de onderkant was er een lapje woeste kale grond, ooit ongetwijfeld vol welige groene struiken. Hier en daar rond de rand van het parkeerterrein zag je een palmboom hier... en twee daar... en dan een gat... en drie daar... gat... dan nog een eenzame palmboom... Je moest voortdurend aan afgebroken tanden denken. De palmen waren slap en bleek... op de bladeren zaten vlokleurige vlekken. De ijzeren balkonnetjes en de aluminium frames voor de schuifdeuren op de gevel van het gebouw zagen eruit of ze ieder moment konden neerkomen en op een hoop eindigen.

John Smith wees en zei: 'Hé, kijk eens... Igors Vulcan is weg.'

Niets aan de hand. Voor ze hem aanspraken, moesten ze veel meer weten... bijvoorbeeld wat hij hier afgelopen nacht had gedaan... en wat en waar al het spul was dat hij naar binnen had gesleept. John Smith keerde aan het eind van de rij auto's en parkeerde in het meest afgelegen gedeelte, dat voor bezoekers.

Toen ze de auto uit stapten, was Nestor erg geïrriteerd. Hij trok het colbertje aan van het kostuum dat John hem had aangepraat en duwde de stropdas omhoog. Het colbertje was te klein, wat hij al wist. Bovendien drong John Smith erop aan dat Nestor een 24 centimeter lange, 9 centimeter brede en 4 centimeter dikke dosismeter – een apparaat om geluidsniveaus te meten – in een binnenzak van zijn colbertje stopte. Als iemand hen aansprak, moest Nestor de dosismeter tevoorschijn halen en zou hij, John Smith, uitleggen dat ze geluidsniveaus aan het opmeten waren. Een te strak kostuum dat aan één kant *uitpuilde* door een apparaat van 0,8 kubieke decimeter – geweldig. Voor hij zijn eerste stap had gezet, voelde hij de binnenkant van zijn overhemd-boord doornat van het zweet worden... en er sijpelde zweet door zijn colbertje, waardoor grote donkere halve manen onder zijn oksels ont-stonden. Het pak, de das, zijn zwarte leren smerisschoenen... hij zag eruit als een echte *guajiro*... John Smith daarentegen had een lichtgrijs pak aan dat perfect paste, een wit overhemd, een marineblauwe das met een of ander saai, fatsoenlijk motiefje erop, en zwarte leren schoe-nen die netjes en nauw genoeg waren om mee te gaan dansen. Hij ge-droeg zich alsof hij er helemaal niet mee zat... de verdomde WASP... Toen moest hij het erin wrijven: 'Nestor!... je ziet er geweldig uit! Als je wist hoe goed je eruitzag in een kostuum, zou je nooit iets anders dragen!'

Nestor had de WASP nooit eerder in zo'n vrolijke stemming gezien. Dus stak hij zijn middelvinger naar hem op. Maar John was in zo'n goede stemming dat hij zich daarover een bult begon te lachen.

Heel de hemel was de bleekblauwe koepel van een hittelamp. Nestor had nog geen dertig meter gelopen voor hij het zweet echt voelde stro-men. Het was zo stil op het parkeerterrein dat hij hun voetstappen op het asfalt kon horen. Toch waren vrijwel alle parkeerplaatsen voor de bewoners bezet. Net op dat moment kwam er een krakende, grommende, slippende-versnellingen-, kapotte-zuigerbus, het kleine doosachtige soort, wit geschilderd, van de weg af aankreunen. De spatborden flakkerden in grote welvingen op als de vleugels van een pelikaan in de vlucht. De bus stopte niet ver van Nestor en John vandaan. Op het dak stak van voren naar achteren een bord van 30 centimeter hoog de lucht in: WINKELEN EN NEUZEN KOOPBUS! Het bleek een busdienst die groepen mensen van hun Actieve Volwassenen en Begeleid Wonen-tehuizen naar winkel-centra en terug bracht. De chauffeur sprong eruit. Moet je zien hoe bruin hij is! – een broodmagere jonge Anglo die eruitzag of zijn huid net uit de looierij kwam! Hij haastte zich naar de andere kant... om een heleboel oude dames te helpen bij het uitstappen, afgaande op de stem-men. Ze klonken niet vermoeid. Ze klonken opgewonden.

'...maar *zo'n*... *uitverkoop* heb ik nog nooit gezien...'

'...wie heeft er in hemelsnaam vier nodig? Maar *kaik* in deze bood-schappentas – ga je gang, kijk gerust!...'

'...niet eens al mijn bonnen gebruikt...'

'...al over een halfuur? Dan kun je de citroenmeringue maar beter vergeten...'

'...ja, maar één kassa open en *zo'n*... *rij*... dat je...'

'..."*Attentie klanten*", om de twee minuten "*Attentie klanten*" – krijg er ongelooflijke migraine van!...'

'...duwen duwen duwen, het lef van sommige mensen zoals ze duwen...'

'...*neu hoor!* Walgreen's heeft betere aanbiedingen!...'

'...meringue kwart over elf, misschien krijg je het voor elkaar! Ik, ik moet om kwart over elf opstaan en mijn pillen innemen...'

...Dit alles met muzikale begeleiding – een *ritme* in elk geval – een onregelmatig metaalachtig ritme om precies te zijn... *rinkel rinkel*... *rammel rammel rammel*... *rinkel*... *rammel*... *rinkel rinkel rammel*...

Toen Nestor en John dichterbij kwamen, zagen ze de oude dames het gebouw in gaan, een flink aantal ondersteunde zichzelf met aluminium looprekken die *rinkelden* en *rammelden rammelden* en *rammel rammel rammelden*... Slechts twee oude mannen... Minstens de helft van de oude dames, zelfs degenen met de looprekken, droeg boodschappen-tassen... Walgreens... Walmart... cvs. ... Wynn-Dixie... Marshalls... JCPenney... Chico's... het Gat... Macy's... Zeeën van Ideeën... Shop-Rite... Bananenrepubliek... Inburgeraar...

Thuis! Ze kwamen weer thuis met de buit! Het elan van een stel scherpschutterjagers die terugkeerden van de velden was wat ze hadden.

'Wat heeft al dat *meringue* te betekenen?' vroeg Nestor.

'Geen idee,' zei John Smith. 'We laten ze allemaal naar binnen gaan en bedaren voor *wij* naar binnen gaan.'

*Okeeeeee*... 'de journalist'... De hele dag had John Smith deze operatie geleid. Hij was de rol van commandant gaan spelen. Misschien weet 'de journalist' het op dit terrein het beste... Nestor betwijfelde het, maar hij was in hoge mate afhankelijk van John Smith. Welke andere bondgenoot had hij? Goed dan... laat hem dit op *zijn* manier regelen.

Ze stonden dus voor de gebouwen. John Smith gebaarde dat hij zijn dosismeter tevoorschijn moest halen. Hoewel Nestor al doorweekt was van het zweet, moest hij toegeven dat John gelijk had... de kostuums... het apparaat... niemand zou hen waarschijnlijk identificeren als een stel verdachte jonge boeven dat aan het rondhangen was bij een appartementsgebouw voor Actieve Volwassenen en niets goeds in de zin had. Twee keurig geklede jongemannen was wat zij waren, twee jonge heren die bereid waren al deze kleren te dragen terwijl de hittelamp in de hemel maximaal aan het worden was... ze moesten een serieuze taak hebben, anders zouden ze niet hier *zijn*.

Toen tot John Smiths genoegen de weg eenmaal vrij was, was het een minuut of wat na 11.30 uur. De grote vooringang was geen ingang in enige officiële architectonische zin. Het was alleen een drie meter hoge, tien meter lange gang waar twee kanten van het gebouw bij elkaar kwamen.

Godzijdank... geen portiersloge of iets anders om te controleren wie naar binnen of naar buiten ging. John Smith en Nestor liepen zonder meer naar binnen en bleken aan de rand van een binnenplaats te staan, omgeven door de vier zijkanten van het gebouw die bij elkaar kwamen en zo een vierkant vormden. Net als de buitenkant was het binnenplein van Alhambra Lakes het verbrande restant van wat eens een volledig tuinlandschap moest zijn geweest met palmbomen, struiken en bloemen... en precies in het midden een vierkante vijver met een sleetse fontein die zwakjes één uitgeputte straal water tot ongeveer een meter boven het oppervlak van de vijver spoot. Op de eerste en tweede etage staken brede platen beton uit de binnenmuren, heel het binnenplein rond, ze vormden een wandelgang, een bovenmaats looppad als het ware, en een achterveranda voor ieder appartement op de etage. Een open trappenhuis verbond alle drie niveaus voor het geval je niet de lift wilde nemen waar ze toen ze binnenkwamen langs waren gelopen.

'We zullen de lift naar de bovenste etage nemen,' zei John Smith, terwijl hij met zijn wijsvinger een grote lus in de lucht beschreef, 'en vervolgens naar de eerste verdieping toe werken en vervolgens hier naar de binnenplaats, goed?'

Ze hadden de lift voor zichzelf toen ze naar boven gingen. Boven, op de tweede etage, kwamen ze in de wandelgang... en in een harde, ongezonde mechanische herrie. Aan de andere kant was een onderhoudsman met een bruine huid en een overall het looppad aan het schoonmaken met een industriële stofzuiger. Van ergens beneden kwam het rinkelende rammelende geklingel van een stel aluminium looprekken. Vlakbij... het te harde gebral van televisies in de appartementen... maar er waren op deze etage geen bewoners buiten in de noenzon. John Smith ging langzaam langs de appartementen aan deze kant en Nestor volgde met de 'sonar-audiometrische monitor'... ::::: Wat ben ik – een inheemse drager? ::::: Ergens in een appartement stond een tv-programma zo hard dat je ieder woord kon horen... 'Maar hij is *vijf jaar* haar gastro-enteroloog geweest!' zegt de onmiskenbare soapseriestem van een jonge vrouw. 'En *nu* wordt hij *verliefd* op haar? – terwijl ze haar billen spreidt voor een *colonoscopie*? *Mannen!*' – ze begint ieder woord met snikken te beladen – '*Mannen – mannen – mannen-eh-eh-eh-eh* – onder de gord-eh-eh-eh-el leiden ze een totaal ander leven!' Naast de deur, op de vloer van het looppad, stond er een kikker van gietijzer, lichtgroen geschilderd. De kikker was maar ongeveer 30 cm hoog, maar ook ongeveer 30 cm breed en 38 cm lang... waardoor hij er enorm en zwaar uitzag. Aan beide kanten van de deur zat een raampje. John Smith en Nestor zorgden ervoor niet nieuwsgierig te zijn en naar binnen te kijken. Het volgende appartement was eender, op het programma na dat binnen stond te bulderen voor wat het waard was, een of andere komische serie met het ergerlijkste lachbandje dat Nestor ooit had gehoord... en naast de deur stond een 60 cm hoge holbewoner van gietijzer, met armen en schouders als van een gorilla. Hij zag er zwaarder uit dan de kikker. In het volgende appartement... Godallemachtig!... wat? – een programma op Discovery Channel? – een stel brullende leeuwen, niet zomaar eentje maar hoe noemen ze dat? – een 'troep'? Het geluid moest op maximaal staan, want tussen de leeuwen en de industriële stofzuiger had Nestor het gevoel dat de herrie hier in deze Actieve Volwassenen hoop bakstenen hem had verlamd... Naast deze deur een grote pot rode geraniums, echt een massa geraniums... die namaak bleken te zijn.

John Smith moest vlak bij Nestor komen om zichzelf verstaanbaar te maken. 'Let op die... *dingen* naast de deuren, wat het ook zijn' – hij wees in de richting van de bloempot – 'of er iets is dat "kunstenaar" zegt, goed?'

Nestor knikte. Hij was het al beu bevelen van John Smith te krijgen. Wie dacht hij ineens te zijn geworden, de grote speurneus?

Ze bekeken nog twee appartementen. Hetzelfde verhaal... John Smith kwam weer dicht bij Nestor en zei: 'Ik heb nooit gehoord van mensen die de tv zo hard zetten. Zijn ze soms doof?'

'Ze hebben aluminium looprekken, in godsnaam,' zei Nestor. 'Als zij niet doof zijn, wie dan wel?' Hij zei het niet met een glimlach. Hij merkte dat John Smith geen enkel idee had waar de verwijtende ondertoon vandaan kwam. Dus voelde Nestor zich schuldig.

Het was zo'n herrie op dit looppad dat Nestor en John Smith pas beseften dat er twee mensen achter hen liepen tot ze vlakbij waren... twee oude dames. Eentje leek vreselijk klein. Haar rug was zo ver over haar looprek gebogen dat haar ogen ongeveer op de hoogte zaten van Nestors ribbenkast... en zo druipend dat ze voortdurend tranen lekten. Het haar dat ze nog had was blond geverfd en opgekamd in gesponnen rondjes die de indruk van dik haar moesten wekken, maar Nestor kon er recht doorheen kijken tot de huid van haar schedel. Ineens voelde hij zich verteerd door medelijden en een wild verlangen haar te beschermen. De andere oude dame stond overeind met de hulp van een stok. Haar haar was wit en dunde zo erg uit dat het aan de ene kant meer een kale plek leek. Maar ze had een heleboel extra pondjes vastgehouden en ze had een groot rond gezicht... en ze was niet verlegen. Ze stapte regelrecht op John Smith af en vroeg: 'Kan ik u helpen? U zoekt misschien iets?'

De manier waarop ze het zei – het was een geweldige persoonlijkheid. John Smith noemde een of andere verdraaide naam... 'Gunnar Gerter'?... en... gebaarde in Nestors richting en zei: 'Dit is mijn technicus, mijnheer Carbonell.'

::::: *mijn technicus* :::::

'We verrichten metingen naar de herrie,' zei John Smith... Hij gebaarde in de richting van de dosismeter die Nestor vasthad ::::: als een lakei :::::

'Hahhh!' Ze liet een sardonisch lachje horen. 'In *dit* oord? Herrie? Meer herrie dan mij lief is. Weet je wat je moet zijn om herrie te maken? Levend.'

John Smith glimlachte. 'Daar heb ik geen verstand van. We hebben hier heel hoge resultaten.' Nu gebaarde hij naar de industriële stofzuiger en toen naar het appartement waar ze voor stonden. Tv-spelprogrammagejuich gilde van binnen. Voor de vrouw toe kon komen aan vragen als *Waarom? Wie heeft jullie gestuurd? Waarvandaan?* zei John Smith: 'Misschien kunt u me trouwens iets vertellen. We hebben jullie beeldjes naast de deuren bewonderd. Hebben jullie hier een of andere kunstenaar die ze maakt?'

'*Hughhhh*' – een laatdunkend gnuiven van het over haar looprek gebogen oude dametje. Ze had een schelle en verbazend krachtige stem – '*Kunstenaars*? We hebben hier *één* kunstenaar, zo noemt hij zich tenminste zelf. Ik, ik heb nooit iets gezien van zijn hand. Hij zorgt hier vooral voor stank. De lucht die uit zijn appartement komt is vreselijk, vreselijk. Zijn jullie van Milieu?'

*Milieu*? Nestor kon zich niet voorstellen wat ze bedoelde, maar John Smith vertrok geen spier. 'Ja, *inderdaad*.'

De vastberaden vrouw met de stok zei: 'O, eindelijk komt er toch iemand! Je zou doodgaan van de stank. We klagen al drie maanden over deze vent. We klagen en klagen en er komt geen mens. We laten berichten achter en niemand belt. Wat hebben jullie daar voor de berichten, een antwoordapparaat of zo'n vuilniszak, zo eentje van plastic, met een kleur die ik niet zal noemen.'

Het oude dametje met het looprek viel haar in de rede. 'Toe nou, Lil. We moeten naar de eetzaal toe – naar de merengue.'

'*Merengue*? Het is niet *merengue*, Edith. Merengue is een of andere dans. Het is mer*ingue*, citroenmeringue.'

'Ik weet 't, ik weet 't, maar als we niet gaan, is het op, en vandaag is de enige dag dat ze het hebben.'

'Edith… en vandaag is het de enige dag dat Milieu hierheen komt. Soms blijft er trouwens wat over. Dahlia kan wat voor ons bewaren. Ze stopt ze in haar tas.'

'*Hughhhh*! Hoor je *dat*?' vroeg de vastberaden vrouw. Ze wees naar beneden naar de onderste lagen.

Inderdaad hoorde je een steeds luider percussieconcert van *rinkel rammelrammel rinkel rinkel rammel*, nog harder dan dat Nestor en John Smith uit de Winkelen-en-Neuzen-Koopbus hadden horen komen. Een heleboel mensen met aluminium looprekken probeerden ergens snel heen te gaan.

'En daar horen niet eens de mensen bij,' zei Edith, 'de mensen die naar beneden gaan en een halfuur in de rij staan voor de eetzaal op merenguedag opengaat, zoals Hannah en mijnheer Cutter doen.'

Het vastberaden exemplaar, Lil, nam niet eens de moeite het *merengue* te verbeteren. Ze was bezig met tegen John Smith te praten. 'Er is zo'n... *stank* in dit oord, je kunt het zelfs hier ruiken. Ruiken jullie het?... Ruiken! Ruiken! Ruik nou eens goed!'

Ze was zo bazig dat Nestor inhaleerde en eens goed rook. Hij rook niets ongebruikelijks. Edith, de kleinere vrouw, zei: 'Mijn dokter zegt dat het toxisch is... *toxisch*... Zoek het op, *toxisch*. Het is de reden dat ik niet goed eet, dat ik niet slaap. De dokter verdubbelt mijn dosis visolie iedere week. Zelfs mijn haar stinkt van de lucht die overal hangt.'

'Waar is dit appartement?' vroeg John Smith.

'Pal onder *mijn* appartement,' zei Lil en ze wees omlaag naar de rij deuren op het looppad. 'Zo'n... *stank* komt omhoog, wat ik ook doe.'

'Bij mij ook,' zei Edith, 'maar bij Lil is het erger.'

John Smith zei tegen Lil: 'Heeft u ooit geprobeerd er met hem over te praten?'

'Geprobeerd? Ik heb voor zijn deur gekampeerd. Van een lucht gesproken! Je kon ruiken hoe de stank uit zijn deur kwam. Met buren heeft hij weinig op. Ik heb hem gezien, maar ik heb hem nooit naar binnen zien gaan of naar buiten komen. Hij moet het in het donker doen. Ik heb hem nooit in de eetzaal gezien. Ik hoor hem beneden in zijn appartement. Maar niemand kent zijn telefoonnummer of zijn mailadres. Ik ga naar beneden en bel bij hem aan, ik klop op zijn deur, en hij reageert niet. Ik stuur hem een brief en hij antwoordt niet. Ik bel dus naar jullie, en *jullie* doen *geen zier*. En het gaat niet alleen om mij en Edith. Iedereen op zijn verdieping moet die stank inademen. Het is zoiets als gifgas of nucleaire straling. Het is maar goed dat niemand hier meer kinderen heeft. Die zouden worden geboren met één arm, zonder neus, met een tong die niet tot hun voortanden komt of met hun darmen in hun borst, en ze zullen alles op een maffe manier doen en praten met hun navels en denken met hersenen die op de plaats van hun zitvlak zitten. Als je je ogen dichtdoet, zie je het voor je. Proberen *jullie* het. Proberen *jullie* met hem te praten.'

John Smith en Nestor keken naar elkaar... onthutst. Toen wist John Smith een glimlach te produceren en zei: 'Ik weet niet eens hoe hij heet.'

'Hij heet Nikolai,' zei Lil. 'Zijn achternaam begint met een K, maar daarna zijn het allemaal v'en, k'en, y'en en z'en. Het klinkt of ze een botsing op een kruispunt hebben gehad.'

John Smith en Nestor keken naar elkaar. Ze hoefden het niet hardop te zeggen. 'Nikolai? Geen Igor?'

'Wilt u me een plezier doen?' vroeg John Smith. 'Breng ons erheen, naar zijn appartement, zodat we weten om welk appartement het precies gaat.'

'*Hahhh* – u heeft geen gids nodig!' stak Edith van wal. 'U heeft misschien een *neus*?'

'Edith heeft gelijk,' zei Lil. 'Maar ik breng u er toch heen. We hebben al te lang gewacht op iemand van Milieu.'

Dus stapten ze alle vier, ook *rinkel rammel rammel rinkel* Edith met haar looprek in de lift, en Lil bracht hen naar 'Nikolais' deur op het looppad van de eerste etage. Naast de deur stond een 60 centimeter hoog metalen beeld van een lange man die in een groet zijn rechterarm uitstak, de palm naar beneden.

John Smith leunde naar Nestor toe en zei: 'Dat is Voorzitter Mao, alleen was Voorzitter Mao eerder zoiets als 1 meter 58. Daar is hij 1 meter 85. Igor is... raar.'

::::: Hoe weet hij deze dingen? :::::

De lucht – die was sterk, akkoord... maar niet onaangenaam, als je het Nestor vroeg. Het was terpentine. Hij had altijd van de lucht van terpentine gehouden... maar misschien zou je het als je er op dit looppad naast moest wonen en dag en nacht iemand anders terpentinedampen moest opsnuiven heel snel beu raken.

John Smith liep zes of zeven deuren op het looppad *deze* kant op... en zes of zeven deuren *die* kant... en kwam terug bij 'Nikolais' appartement.

'Ja, het is overal heel sterk,' zei John Smith. Hij keek naar Lil: 'We moeten er naar binnen en precies achterhalen wat de bron is voor we iets kunnen doen. Hoe kunnen we naar binnen? Ideeën?'

'De manager heeft een sleutel van ieder appartement.'

'Waar is de manager?'

'*Hahhh*!' zei Edith. 'De manager is hier nooit!'

'Waar is hij?' vroeg John Smith.

'*Hahhh*! Wie zal het zeggen? Dus valt Phyllis in en vervangt hem. Ze zegt dat ze het leuk vindt. Phyllis Snel naar haar Zin noem ik haar.'

'Wie is Phyllis?'

'Ze is een bewoonster,' zei Lil.

'Een bewoonster valt in voor de manager?'

Lil zei: 'Een manager is hier wat een bewaarder – een huisbewaarder – in New York is. Een conciërge met een titel is wat de manager is.'

Nestor liet zich voor de eerste keer horen: 'U komt uit New York?'

Edith, niet Lil, beantwoordde de vraag: '*Hahhh*! Iedereen *hier* komt uit New York of Long Island – heel de stad is naar hier verhuisd. Wie *denkt* u dat in deze oorden wonen, mensen uit *Florida* misschien?'

'Phyllis heeft dus de sleutel?'

'Als iemand de sleutel heeft,' zei Lil, 'dan heeft Phyllis die. Zal ik haar bellen?' Ze haalde haar mobieltje tevoorschijn.

'Heel graag!' zei John Smith.

'Nikolai – ze denkt om te beginnen niet dat hij vijfenvijftig is. Phyllis dus,' zei Edith. 'Hij kan er niet onderuit soms naar het kantoor te moeten. Phyllis weet hoe hij eruitziet. Hij heeft een grote snor die zo ver uitsteekt, maar ik heb hem lang niet gezien. Je moet vijfenvijftig zijn, en je mag geen huisdieren en kinderen hebben om een flat te mogen kopen.'

Lil had hun al de rug toegekeerd om privacy te hebben. Het ene ding dat Nestor haar duidelijk hoorde zeggen was: 'Zit je? Ben je er klaar voor?... Milieu is hier.'

Lil draaide zich naar hen toe en klapte haar mobieltje dicht. Ze zei tegen John: 'Ze komt naar boven! Ze kan ook niet geloven dat Milieu er is.'

In een mum verscheen een lange, benige oude vrouw – Phyllis. Ze keek met een lang gezicht naar John Smith en Nestor. Lil stelde haar aan hen voor. Godzijdank herinnerde Lil zich Nestors nieuwe achternaam, 'Carbonell', want hij was die al vergeten. Phyllis' frons veranderde van een frons in een glimlach vol vernietigende minachting.

'Jullie hadden maar drie maanden nodig om hierheen te komen,' zei ze. 'Maar misschien is dat wat jullie bij de overheid "snel reageren" noemen.'

John Smith sloot zijn ogen, spreidde zijn lippen tot een vlakke grijns en begon zijn hoofd in de ja-stand te knikken om de gedachte over te brengen: *Ja, ja, het komt hard aan, maar ik moet toegeven dat ik precies weet wat u bedoelt.* Vervolgens opende hij zijn ogen, wierp haar een volstrekt oprechte blik toe en zei: 'Maar wanneer we hier zijn, zijn... we... *hier*. U begrijpt wat ik bedoel?'

Nestor huiverde en zei bij zichzelf: ::::: Niet te *geloven*. ::::: Nu begreep hij wat je moest kunnen om krantenjournalist te zijn: verhalen ophangen en hartgrondige leugens.

Toch moest het Phyllis met haar gezicht van steen een beetje hebben gerustgesteld, want ze keek hen beiden met slechts milde minachting aan, haalde een sleutel tevoorschijn en maakte de deur van het appartement open.

Die kwam uit op een keuken, een kleine smerige keuken. De schalen en blikachtige messen, vorken en lepels met de resten er niet eens afgeschraapt van ongeveer een week, waren wanordelijk opgestapeld in de gootsteen. Niet thuis te brengen vlekken, viezigheid en vuiligheid van ongeveer een week zaten overal op het aanrecht aan allebei de kanten van de wasbak en op de vloer. Een klein vuilnisvat zat zo vol gepropt met afval van ongeveer een week, inmiddels gelukkig opgedroogd, dat het deksel bijna niet meer dicht kon. De woning was zo smerig dat voor Nestor de doordringende terpentinelucht een zuiverende werking had.

Phyllis leidde hen vanuit de keuken naar wat ongetwijfeld als een woonkamer was bedoeld. Recht voor de glazen schuifdeuren aan de buitenmuur stond een grote, donkere, antiek uitziende houten ezel. Er stond een lange industriële werktafel naast met aan beide uiteinden een rek met metalen laden. Het bovenblad was bedolven onder de tubetjes, vodden en god mag weten wat verder nog, plus een rij koffiekannen waar de lange, slanke stelen van penselen uitstaken. De ezel en de tafel stonden op een stuk met verf bespat dekzeil van minstens 2 bij 2 meter. Dat was de enige vloerbedekking in het vertrek. De rest was onbedekt hout... waaraan al heel lang geen aandacht was besteed. Het oord leek half atelier en half opslagruimte, vanwege de dozen en materialen die in niet-waarneembare orde tegen een van de zijmuren stonden opgestapeld... rollen doek... grote dozen, lang, breed, maar slechts 8 à 10 centimeter diep... Nestor vermoedde dat ze voor ingelijste schilderijen waren... een diaprojector boven op een klein metalen statief van ongeveer een meter hoog… een vochtvreter… en meer dozen en kannen…

Nestor nam dit alles in één blik in zich op. Maar Lil, Edith, Phyllis en John Smith gingen volkomen op in iets anders. Aan de andere muur hingen twaalf schilderijen, zes in de ene rij en zes in een rij eronder. De vrouwen giechelden.

'Moet je deze eens zien, Edith,' zei Lil. 'Deze heeft twee ogen aan dezelfde kant van zijn neus en kijk hoe groot die voorgevel is! Zie je dat? Zie je het? Ik heb een kleinzoon van zeven die het beter kan. Hij is niet zo klein dat hij niet weet waar de ogen zitten!'

De drie vrouwen begonnen te lachen, en Nestor moest ook lachen. Het schilderij bestond uit de dikke, onbeholpen omtrek van een man en profil met een kinderlijk-enorme neus. Beide ogen zaten aan deze kant ervan. De handen leken wel vissen. Er was geen poging tot schaduw of perspectief gedaan. Er waren alleen meer dikke, onbeholpen zwarte omtrekken waardoor met effen kleuren ingevulde vormen ontstonden… en geen poging om een ervan van de andere te laten verschillen.

'En die *ernaast*,' vervolgde Lil. 'Zie je die vier vrouwen daarzo? Van geteisterd gesproken! Zie je dat? Ze hebben de ogen op de juiste plek – maar de *neus*! Arme zielen, ze hebben neuzen die boven een wenkbrauw beginnen, en dan helemaal tot de kin van een normaal meisje naar beneden gaan, en de neusvleugels lijken een tweeloops-geweer-dat-je-kop-eraf-wil-blazen!'

Meer lachsalvo's.

'En kijk eens naar die *daarzo* boven,' zei Edith. Die bestond alleen uit verticale kleurenstrepen… het moeten er een stuk of tien zijn geweest… en niet eens mooi gelijk. En waarom waren zo waterig? 'Lijkt wel of ze op een of andere manier in het doek zijn gesijpeld.'

'Ik denk niet dat het geacht wordt een schilderij te zijn,' zei Phyllis. 'Hij haalde gewoon de verf van zijn penselen af volgens mij.'

Ze zei het op een volstrekt Phyllis-achtige manier. Phyllis maakte geen grappen, maar Lil, Edith en Nestor moesten toch lachen. Ze hadden allemaal veel lol met het bespotten van de ontspoorde Rus die denkt dat-ie een kunstenaar is.

'*Hahhh*, zie je die daar?' vroeg Edith. 'Die arme *kluns*, hij pakt een liniaal en hij maakt dat kruis *daarzo* dat ieder moment kan omvallen en hij kijkt ernaar en zegt "*Shmuck!*"' – ze tikt zichzelf op het voorhoofd met de muis van haar hand – '"Ik geef het op!" en hij schildert de rest ervan gewoon wit-je-moet-het-hem-nageven. Het is beter dan dat knet-tergekke kruis!'

De drie vrouwen lachten en lachten, en Nestor kon een binnenpretje ook niet onderdrukken.

Ze kijken naar *die* met alle lintwormen-die-uit-de-piemel-zijn ge-sprongen, en naar *die* met de handen-die-twee-bossen-asperges-lijken, en die op het eind *daarzo* – lijkt-een-stapel-opengewrikte-oesters-die-high-zijn, en vergeet die niet! – die eronder – *Gekluisterd te Collioure*. *Gekluisterd* moest betekenen dat je over heel het geval lijm smeerde, dan kieperde je er een zak vol diverse kleuren confetti op, en je had een schilderij!... en tegen de tijd dat ze toe zijn aan die *daarzo* met de lap-jessprei-alleen-kan-hij-geen-rechte-lijn-tekenen-en-valt-het-helemaal-uit-elkaar... en die met een kruik bier en een doormidden gesneden tabakspijp... en die *daarzo* – lijken twee aluminium naakten-met-schroef-tepels... en die ernaast lijken-drie-aluminium-mannen-die-speelkaarten-opeten... en ze lachen tot de tranen komen, ze schudden hun hoofden, trekken gezichten, glimlachen sardonisch of kijken op-zettelijk debiel met openhangende monden en hun oogbollen zo ver omhoog gerold dat ze vrijwel verdwijnen. Edith wordt zo meegesleept dat ze, al is ze nog steeds ineengedoken, leunt ze nog steeds op haar looprek, er in een uitbarsting van dolle pret in slaagt haar voeten om-hoog en omlaag te stampen. Zelfs de doodserieuze Phyllis met haar stalen gezicht kan zich niet inhouden. Ze breekt uit haar ijzeren cap-sule met één lachsalvo – 'Honnnkkuhhh!'

Lil zegt: 'Een *kunstenaar* moet hij voorstellen en beter dan *dat* kan hij niet? Ik zou ook in het donker komen en gaan! Ik zou mijn gezicht niet aan de mensen willen laten zien!'

Nog een rondje onbeheersbaar gelach... zelfs Nestors professionele vastberadenheid zakt in elkaar en hij lacht ook. Hij kijkt naar John Smith om te zien hoe die reageert... en John Smith is zich nergens van bewust. Hij had net zo goed helemaal alleen kunnen zijn. Hij heeft zijn kleine smalle notitieboekje met spiraalband en zijn trucbalpen gepakt, en hij is bezig met het één voor één bekijken van de schilderijen en aan-tekeningen maken.

Nestor loopt steels naar hem toe en vraagt: 'Hé John, wadoeje?' John Smith doet alsof hij hem niet heeft gehoord, haalt een kleine camera uit een binnenzak van zijn colbert en begint de schilderijen één voor één te fotograferen. Hij loopt tussen de vrouwen door alsof hij niet beseft dat ze er zijn... Lil leunt omlaag naar het niveau van Edith en zegt met een zachte stem: 'De grote man.'

Toen liep hij langs hen terug, de ogen op het achterschermpje van de camera gericht. Hij was in trance door het ding. Hij keek niet eens op toen hij bij Nestor kwam. Met zijn rug naar de drie vrouwen toe liet hij zijn hoofd zakken, ogen op zijn notitieblokje gericht, en zei: 'Weet je waarnaar je kijkt op die muur?'

'Nee. Iemands kinderdagverblijf?'

'Je kijkt naar twee Picasso's, een Morris Louis, een Malevitsj, een Kandinsky, een Matisse, een Soutine, een Derain, een Delaunay, een Braque en twee Légers.' Voor de eerste keer tijdens deze les hief John Smith zijn hoofd ver genoeg om Nestor recht aan te kijken. 'Goed kijken, Nestor. Je kijkt naar twaalf van de meest perfecte, meest subtiele vervalsingen die jij of iemand anders ooit onder ogen zal krijgen. Maak je geen zorgen. Deze zijn niet van "Nikolai". Ze zijn van een *echte* kunstenaar.'

Daarop knipoogde John Smith zelfverzekerd en geruststellend naar Nestor.

::::: Loop naar de pomp, jij die mij geruststelt. Je probeert je als een *echte* rechercheur te gedragen. :::::

Om aan de veilige kant te zijn, was Magdalena een uur te vroeg naar de praktijk gekomen, om 7.00 uur. Ze had hier zo stijf als een lijk in haar witte uniform gezeten... tot op zekere hoogte althans. Het hart van dit lijk ging 100 s.p.m. en was op weg naar tachycardie. Het meisje was op het ergste voorbereid.

Gewoonlijk arriveerde het Ergste omstreeks 7.40, twintig minuten voor de praktijk openging, om voor zichzelf door te nemen waarover de patiënt van acht uur had gejengeld en gemauwd... Hij vertelde Magdalena vaak zich niet te kunnen voorstellen dat hijzelf ooit zo zwak zou worden te gaan jammeren bij iemand zoals hij, op een podium zou gaan staan als de ster van een tragedie voor een publiek van één persoon... die je $ 500 per uur moest betalen om op te dagen*nnn AHGGAHHHhahahock hock hock!*

Maar dit is geen gewone ochtend. Vanochtend gaat zij het doen. Ze blijft dat zichzelf voorhouden. *Zeg nu nee!* Wat zou het voor goeds kunnen brengen om het te blijven rekken? *Doe het, doe het! Zeg nu nee!*

Op een gewone ochtend arriveerden zij tweeën naast elkaar gezeten op de voorstoelen van zijn witte Audi cabriolet op de praktijk. Het dak moet omlaag van hem en niks te maken met het haar van een grote meid... Vanuit zijn appartement met twee wasbakken in de badkamer wat hij chic vindt... waar ze hadden gedoucht... zich vervolgens hadden aangekleed en hadden ontbeten.

Ze had niet precies voorbereid wat ze zou zeggen, want het viel niet te voorspellen in welke variant van vervelend en onhebbelijk hij zou verkeren. Ze herinnerde zich Normans verhaal over 'de pissende aap'. Hij had de moraal van dat verhaal goed gebruikt toen hij moest afrekenen met een pissende aap met de naam Ike Walsh van *60 Minutes*. Als je het tot de essentie terugbracht, was de moraal: zorg dat de aap niet kan bewegen zodat hij niet bovenop kan komen. Maar was dat de enige tactiek die ze méé had, een fabel over een aap? Haar hart versnelde en ze wanhoopte over *iedere* manier om te voorkomen dat Norman haar zou neerhalen wanneer hij maar wilde. Norman was lichamelijk groot en sterk, en hij was opvliegend... niet dat hij haar ooit ruw behandelde... en de minuten tikten weg.

Ze moest rustig worden... en dus probeerde ze niet meer aan Normans grillige, van zichzelf vervulde ego te denken. Ze probeerde zich op de directe omgeving te richten... de onderzoekstafel, wit, schoon, met een hoeslaken dat zo goed op de matras paste dat het oppervlak strak was... de bleke beige-grijze stoel waarop de patiënten gewoonlijk zaten voor hun Lust-Nie-Meer-injecties, hoewel langere mensen soms liever op de rand van de onderzoekstafel zaten wanneer zij hun hun spuitjes gaf... Maurice Fleischmann bijvoorbeeld. ::::: Toe nou, Magdalena! ::::: Zij kon Norman moeilijk uit haar hoofd zetten wanneer ze haar gedachten naar Maurice liet afdwalen. Je had hier met een van de machtigste mannen in Miami te maken. Alle mogelijke mensen *sprongen* op wanneer hij verscheen... sprongen op om *alles* te doen om hem blij te maken... sprongen op om te zorgen dat hij de beste stoel in het vertrek had... zwichtten voor wat hij maar te zeggen had... grijnsden hem toe... lachten om al zijn woorden die heel misschien humoristisch bedoeld konden zijn...

...terwijl Norman hem als een hond leidde. Norman had de Grote Man ervan overtuigd dat alleen Norman Lewis, M.D., P.C., iets kon doen om hem uit de duisternis van de vallei van de schaduw der pornografie te leiden. Hij liet Norman zelfs meedoen aan zijn sociale rondes, die langs de zeer rijken voerden. Magdalena had het van begin af aan vermoed, maar inmiddels *wist* ze dat het waar was: Norman zorgde dat Maurice nooit van zijn verslaving aan pornografie af zou komen... denk maar aan de manier waarop hij Norman ermee confronteerde op Art Basel... Norman *moest* Maurice in zijn ellendige toestand houden... door Maurice gingen alle deuren open die dicht zouden blijven voor iedere doorsnee pornografieverslaving swami. Ze besloot op dat moment om *sterk te zijn*... en Maurice met zo veel woorden *precies* te vertellen wat er aan de hand was... wanneer *dit* –

...het slot van de buitendeur ging open... Inderdaad, het was 7.40. ::::: Nu, denk erom, je hebt hem heel tijdig ge-sms't om te zeggen dat je de nacht thuis zou doorbrengen... en er is geen reden waarom hij niet zou begrijpen dat 'thuis' betekent in *mijn eigen appartement* dat ik met Amélia deel. Wat is er zo verkeerd aan erheen te gaan en een tijdje bij te praten over wat Amélia heeft gedaan? Ik heb je niet horen suggereren dat we gingen trouwen of iets dergelijks, wel?... Nee, dat moet je niet zeggen... Je moet er niet eens op zinspelen dat je overwogen hebt je nog verder in zijn geperverteerde leven te verstrikken – nee! – en je moet niet eens suggereren dat hij pervers is, god nog aan toe... Toe nou! Kappen! Het is uitgesloten iets te plannen wat je tegen Norman gaat zeggen... Denk er alleen om dat je hem niet op jou moet laten pissen ::::: –

Nog een klink draait, wat inhoudt dat hij nu in de praktijk zelf is. Magdalena's hart is op hol geslagen. Ze had nooit geweten dat je hier voetstappen kon horen. De vloer bestond slechts uit een betonplaat bedekt met streptolon tapijt. Desondanks kon zij Norman dichterbij horen komen. Zijn schoenen maakten een vaag *krab*-geluid. Magdalena hield zich voor heel kalm en onverstoorbaar te zijn. Zodoende zat ze erbij als iemand die wachtte op executie... *krab... krab... krab...* hij kwam dichterbij. ::::: Ik kan hier niet zomaar zitten te zitten, alsof hij mijn polsen heeft vastgesnoerd aan de stoelleuningen en ik me in mijn lot heb geschikt. ::::: Ze kwam overeind en liep naar de bleek beigegrijze kast – alles was bleek beigegrijs in deze praktijk – waar de injectiespuiten en doseringen antilibidoserum werden bewaard en schoof ze rond op een plank om een bezige indruk te maken... *krab... krab... KRAB... Uhohhhh...* geen *krab* meer. Hij moest nu in de deuropening staan, maar ze zou zich niet omdraaien om te kijken. Een paar seconden verstreken... en niets. Het leek een eeuwigheid...

'Nou... goeie morgen,' zei de stem, niet vriendelijk en niet onvriendelijk... Het was slechts kamertemperatuur.

Ze draaide zich om, alsof ze verrast was – en had daarvan onmiddellijk spijt. Waarom zou ze verrast zijn? 'Goeie morgen!' zei ze... ::::: Verdorie! Dat was een beetje boven kamertemperatuur. ::::: Ze wilde niet warm en hartelijk klinken.

Ze vond Norman er gaaf uitzien. Hij droeg een geelbruin gabardine kostuum dat ze niet eerder had gezien, een wit overhemd en een bruine stropdas met een onzalig schilderachtige opdruk met kabouters – het moeten er wel tien zijn geweest – die omlaag skieden van een steile bruine helling. Hij glimlachte zonder iets te zeggen. Het was het soort glimlach waarbij de bovenlip is opgeheven zodat je de tweepuntige oogtand kunt zien. Ze kreeg een flink oog vol van de tand voor hij zei, met een glimlachje waarin ze ironie probeerde te ontdekken: 'Ik wist niet zeker of je vanmorgen hier zou zijn.'

'Waarom zou ik er niet zijn?' Ze wilde het achteloos laten klinken, maar besefte onmiddellijk dat het strijdlustig klonk.

'O, herinner je je het niet meer? Je hebt me gisteravond laten zitten. Nogal onhoffelijk.'

'Onhoffelijk?' vroeg Magdalena. 'Wat wil dat zeggen?' Eigenlijk was het een raar soort opluchting ronduit te moeten toegeven dat ze niet wist waarover deze mensen het hadden.

'Je had het me gisteren op z'n minst kunnen vertellen voor je ervandoor ging.'

'*Ervandoor* ging!' zei Magdalena. 'Ik heb je een *sms'je gestuurd*!'

'Ja, om ongeveer tien uur 's avonds. Je hebt me één armzalig sms'je gestuurd.' Norman begon een beetje opgewonden te raken. 'Waarom heb je me niet opgebeld? Bang dat ik zou *opnemen*? En toen ik jou belde, had je de telefoon uit staan.'

'Amélia is vroeg naar bed gegaan, en ik wilde haar niet wakker maken. Daarom heb ik de telefoon uitgezet.'

'Exceptioneel attent,' zei Norman, 'exceptioneel attent. O, *exceptioneel* wil in dit geval hetzelfde zeggen als *bijzonder*, oké? Heb je wat aan *bijzonder*? Nee? Een te duur woord? Maak er dan "heel" van. Oké? "*heel*" attent. Oké?'

'Je hoeft... er niet zo over te praten, Norman.'

'Hoe laat ben *jij* naar bed gegaan, schatje? En waar? Of hoef ik er ook niet *zo* over te praten?'

'Ik heb je al verteld –'

'Je hebt me al absoluut niets verteld wat ergens op slaat. Dus waarom probeer je niet eerlijk te zijn en me te vertellen wat er godverdorie mis is?'

'Gebruik niet zulke woorden als je met me wilt praten, oké? Maar omdat je het hebt gevraagd, zal ik iets aan de orde stellen wat ik eerder niet met je heb besproken. Weet je dat je de gewoonte hebt om een ruimte te vullen tot er geen lucht meer over is?'

'O hohhh. "Een ruimte vullen tot er geen lucht meer over is!" Wat doen we ineens literair. Wat moet die *metafoor* voorstellen?'

'Wat is een met –'

'Wat is een meta… *foor*, ja? Ik dacht dat we vanochtend in de literaire modus stonden. Wat is een "modus"? Oké, laten we er maar "bui" van maken. "Bui" begrijp je wel?'

Zijn lip was nog hoger opgetild waardoor je zijn boventanden zag. Hij leek een grommend dier. Magdalena werd er bang van, maar ze was nog banger dat de pissende aap haar zou overweldigen en haar aan god wist wat zou onderwerpen, want hij had nu een heel hoofd vol woede. Ze gluurde de praktijk rond. Het was nog geen acht uur in de ochtend. Was er iemand anders in dit gebouw die iets zou horen? ::::: Niet zo bang zijn. *Doe het* gewoon – :::::

– en ze hoorde zichzelf zeggen: 'Je zei dat ik eerlijk moest zijn en je moest vertellen wat er mis is. Oké, wat er mis is ben… *jij*. Je vult een ruimte… en mij, tot *hier*' – ze legde de rand van haar platte handpalm tegen haar keel – 'met seks, en ik bedoel ook niet het plezier van seks. Ik bedoel *geperverteerde* seks. Ik vind het *ongelooflijk* dat je die arme Maurice meenam naar die pornografische kunstvoorstellingen op Art Basel en werkeloos toezag en hem die *regelrechte, pure* porno liet kopen van die Jed Hoe-hij-ook-mag-heten en hem daaraan *miljoenen* liet uitgeven. Ik vind het *ongelooflijk* dat je dolgraag naar die orgie wilde, de regatta op Columbusdag, maar ook nog eens wilde dat *ik* meedeed, en als ik het had gedaan had jij het ook gedaan. Ik vind het *ongelooflijk* dat ik me zelfs tot dat "rollenspel" heb laten overhalen dat je me hebt opgedrongen zodra we begonnen samen te wonen, de keer dat je me die zwarte koffer had laten dragen die zo hard was als een stuk e-eh-eh-ehh – fiberglas en we deden alsof ik per ongeluk op je hoteldeur klopte en je mij liet *onteren*, zoals jij het noemde, je mijn kleren liet afrukken en je het bandje van mijn slipje liet lostrekken om het van achteren met me te doen. Ik vind het *ongelooflijk* dat ik je dat liet doen, en twee dagen lang heb ik geprobeerd mezelf wijs te maken dat dit "seksuele vrijheid" is! *Vrijheid* – godnogaantoe – *si ahogarme en un pozo de mierda es la libertad, encontré la libertad.*'

Norman zei geen woord. Hij keek naar Magdalena alsof zij hem plotseling een tweevingerige fatale karatestoot in zijn adamsappel had gegeven, en hij haar nu navorste om te proberen het waarom te achterhalen. Toen hij eindelijk iets zei, was het met een zachte stem... met zijn boventanden bloot maar zonder een glimlach. 'Je hebt dus maar nagelaten dit allemaal eerder aan de orde te stellen – wat *is* dit allemaal voor kolder?'

'Ik heb je gezegd –'

'O, ik snap het, je bent te netjes voor dit soort praatjes. Maar weet je? Je bent ongeveer even netjes als de laatste keer dat je me pijpte. Maar wéét je!?'

'Jij zei dat ik eerlijk moest zijn.'

'En dit is jouw idee van eerlijk zijn? Dit is jouw idee van – *wat* dan ook. Ik weet niet *wat*, maar het is iets klinisch ziekelijks!'

'"Klinisch ziekelijk"... is dat een medische term? Vertel je tegen Maurice dat dit zijn probleem is? Hij is "klinisch ziekelijk"? Jij *wilt* dat Maurice ziek blijft, nietwaar? Jij *wilt* dat hij etterblaren heeft – ja toch?! Anders zal niemand jou door de vipdeur bij Art Basel binnen laten, je een ligplaats voor je Cigarette Boat op Fisher Island bezorgen, of je bij Chez Toi binnenlaten of hoe heet die speciale bovenverdieping, de Chez Toi Club of zoiets, met de zwarte kaart?'

'Godverdomme –'

'Je hebt er niet genoeg aan een vooraanstaande tv-Schlocktor te zijn, wel? Neeee, je wilt aanzien, nietwaar? Je wilt –'

'*Loeder* dat je bent!'

' – bij de beau monde horen! Ja hoor! Je wilt op alle feestjes worden uitgenodigd! Dus hou je voor de arme Maurice vast aan de diagnose "klinisch ziekelijk" tot –'

Norman maakte een dierlijk geluid en voor Magdalena wist wat er gebeurde, had hij haar bij de bovenarm gegrepen, net onder de schouder, en rukte haar omhoog aan haar arm en rukte haar lijf aan de arm naar zijn lijf toe. Halfsissend, halfgrommend zei hij: 'O, ik heb een diagnose voor jou, loeder... je bent een loeder, *loeder*!'

'*Ophouden!*' zei Magdalena. Het was bijna een schreeuw. Ze was op dat moment doodsbang. De dierlijke klank van zijn stem – hij noemde haar een *loeder* – hij gaf haar ervan langs – '*Loeder*!' – rukte haar deze kant op – '*Loeder!*' – en die kant – '*Loeder!*' – en deze keer gilde zij de bloederigste gil die zij ooit in haar leven had gegild! 'Ophouden!' Norman zwaaide zijn hoofd rond alsof hij iets zocht ::::: de rotzak! Hij wil weten of niemand merkt wat hij doet! ::::: In die fractie van een seconde verslapt Normans greep... Magdalena rukt zich los... meer gillen gillen gillen gillen gillen gillen terwijl hij *loeder dat je bent* brult – 'Loeder! – *waag het niet* – loeder dat je bent!' – hij is vlak achter haar!... ze *gooit* zichzelf op de dwarsstang van de deur die op de binnenplaats om te parkeren uitkomt en strompelt het zonlicht in, auto's rijden rond voor een parkeerplek, een man op een passagiersstoel roept: 'Gaat het?' en blijft niet lang genoeg stilstaan om het te achterhalen, maar het houdt Norman in ieder geval tegen. Zelfs die door seks bezeten kolos vol egoplasma durft het niet aan dat men hem als een gek een openbaar parkeerterrein op ziet rennen om een gillend meisje dat half zo oud is als hij lijfelijk te overweldigen. Toch rent zij gebukt door de rijen geparkeerde auto's door zodat hij haar hoofd niet boven het dak van een auto ziet uitkomen en woest genoeg wordt om... holt gebukt... snakt naar iedere volgende ademtocht... nooit in haar leven zo bang geweest te sterven... haar hart bonst in haar borst. ::::: Waar moet ik heen? Ik kan niet naar mijn appartement... *hij* weet waar dat is!... Hij is in een beest veranderd! :::::

Ze is bij de auto... hurkt er diep naast neer... het portier! ::::: Stap in! Doe 'm op slot! ::::: ...ze begint haar hand in – en een verschrikkelijke hitte begint naar haar schedelholte te stijgen, de voering van haar schedel te verbranden... ze heeft haar handtas niet! In haar razende race om te ontsnappen heeft ze die in de onderzoekskamer laten liggen... haar autosleutels en de afstandsbediening en haar sleutel van het appartement... haar betaalkaarten... geld... mobieltje... *rijbewijs!* – haar enige identiteitsbewijs op deze aarde afgezien van haar paspoort, maar dat ligt in het appartement, en *hij heeft nu de sleutel*! Hij heeft *alles*, zelfs haar make-up... Ze durft hier niet naast haar auto te blijven hurken... hij kent de auto! Stel dat hij –

– holde gebukt tot ze eindelijk de uitgang aan de andere kant zag... Zelfs toen durfde zij er niet regelrecht doorheen te lopen... Er keken mensen naar haar, een jonge verpleegster in het wit die een parkeerterrein af holt... heel diep gebukt... Kijk haar eens! Zo jong, en ze is *gestoord* of ze heeft een *beroerte*! Dat meisje heeft *veel* hulp nodig... en wie gaat haar die geven?... Niet naar mij kijken.

Noen op weer een eendere dag in Miami, de hemel een bleekblauwe withete koepel die meedogenloze warmte en verblindend licht neerstraalt op alle winkelende mensen op Collins Avenue en hen korte schaduwen op het trottoir laat werpen... die ze zelfs nauwelijks kunnen zien, hun maculaire-degeneratie-tartende brillen zijn te donker... tot er iets is waardoor ze hun ogen willen openen om te *kijken*. Een jongeman met een soort wit sporthemd en een blauwe spijkerbroek is net steels naar een gebouw gelopen, waarvan de schaduw om twaalf uur liefst 45 cm breed is. Hij heeft een grote cvs-boodschappentas in de hand. Gehaast tilt hij, daar in de schamele schaduw, de cvs-tas op, houdt hem ondersteboven en begint hem over zijn hoofd te trekken. Nu zien de gapers dat er een tweede boodschappentas in de eerste zit gepropt... plus een witte handdoek die eruit wil vallen. Gehaast trekt hij de handdoek eruit en legt die boven op zijn hoofd, zodat de handdoek zijn gezicht, zijn oren, in feite alles tot aan zijn schouders omhult, en vervolgens trekt hij de boodschappentassen, de ene in de andere, over de handdoek, en nu kunnen de gapers amper een paar centimeter van de handdoek uit de tassen zien steken. Ze kunnen zijn hoofd helemaal niet zien. Dan zien ze hem een mobieltje uit zijn spijkerbroekzak halen dat hij onder de tassen en de handdoek laat glijden. Wat stelt dit voor?... een halvegare – niemand heeft een idee.

Onder de handdoek en in de tassen gaat het mobieltje over, '*¡Caliente! Caliente, schat... Heb volop fuego in yo' caja china...*' en de man in de tas zegt: 'Camacho.'

'Waar ben je?' zegt de stem van brigadier Hernandez. 'Onder een matras?'

'Hé, Jorge,' zegt Nestor, 'goddank dat jij het bent! Heb je een seconde? Laat me al deze troep weghalen... Zo beter?'

'Ja, je klinkt nu halfnormaal. Ik hoor verkeer. Waar ben je in hemelsnaam?'

'Op Collins Avenue. Ik doe al deze troep over mijn... mijn...' ::::: ik ga niet 'hoofd' zeggen. Dat zal hij erg raar vinden ::::: 'over de telefoon zodat ze niet weten dat ik niet thuis ben.'

'Gesnopen,' zei Hernandez. 'Ik doe zo'n beetje hetzelfde – maar ze moeten weten dat geen mens nog een vaste telefoon heeft, alleen een mobieltje – maar het maakt niet uit. Heb je het nieuws gehoord?'

'Nee... en wil ik dat ook maar? Ik herinner me de laatste keer dat je me belde met "het nieuws".'

'Deze keer wil je het misschien *wel*, ik weet het niet – hoe dan ook, ze hebben zojuist onze crackdealers laten lopen! De kamer van inbeschuldigingstelling wil hen niet laten vervolgen!'

'Dat meen je niet!'

'Het is zojuist gebeurd, Nestor, misschien een halfuur terug. Het is overal op internet.'

'Hen niet *laten vervolgen* – waarom niet?'

'Kun je dat niet raden, Nestor?'

Nestor wilde zeggen: *door jou en je 'zwartjoekel'-gelul*, maar hij hield zich in. 'Jij en ik?' was het enige wat hij zei.

'Goed gezien. Meteen raak. Hoe kunnen ze in hemelsnaam twee aardige jonge heren uit Overtown vervolgen wanneer de twee agenten die hen arresteerden racisten zijn? Snap je? Ze hebben ons niet eens laten getuigen, Nestor, terwijl het *onze zaak* was!'

Stilte. Nestor was verbijsterd. Hij kon de gevolgen niet overzien. Ten slotte zei hij: 'Dit houdt in dat er géén proces komt, nietwaar?'

'Inderdaad,' zei Hernandez. 'En als je wilt weten wat ik vind, wil ik God daarvoor wel danken. Ik verheugde me er niet op in het getuigenbankje te zitten, en een of ander kostuum vraagt me: "Zo, brigadier Hernandez, hoe racistisch zou u zichzelf noemen? Maar een klein beetje, erg of ergens in het midden?"'

'Maar hoe zal het korps dit opvatten?'

'O, die zullen zeggen: "Goed, dan is het officieel. De kamer heeft gesproken. Deze twee fanaten op pootjes hebben ons een zaak gekost. Wie heeft er behoefte aan een stel parasieten als zij?" Zonder ons zouden ze niet eens een zaak hebben gehad. Maar je begrijpt wel in hoeverre ze dat mee zullen laten wegen.'

'Ik dacht dat de overwegingen van de kamer geacht worden geheim te zijn.'

'Ja... *geacht* worden. De enige meningen die men geacht wordt te geven is "vervolgen" of "niet vervolgen". Maar je hebt de tv, de radio, iedereen die dit gedoe op internet zet – de leden van de kamer, ze worden geacht het niet te doen, maar ze gaan praten met de rotzakken. Het lijkt erop of ze het al hebben gedaan. Als je het mij vraagt, worden we genaaid.'

'Heeft iemand je gebeld, iemand van het korps, de districtsleiding of zoiets?'

'Nog niet, maar dat komt wel... dat komt wel...'

'Ik weet niet hoe het met jou staat,' zei Nestor, 'maar ik kan niet zo-maar staan wachten tot de bijl valt. We moeten iets *doen*.'

'Oké, vertel mij wat. Weet je één ding wat we kunnen doen zonder het erger te maken?'

Stilte. 'Geef me wat tijd. Ik bedenk wel iets.' Het enige waaraan hij op dat moment kon denken was Ghislaine. Ghislaine Ghislaine Ghislaine… Hij dacht niet eens aan wat zij eventueel voor hem kon doen als getuige die hem zou steunen door te verklaren dat wat hij ook gezegd mocht hebben over die grote vleeshomp in het crackpand het gebeurd was in de hitte van een gevecht op leven en dood. Nee, hij dacht enkel aan haar mooie bleke knappe gezicht.

'Ik zal de maker van die met een mobieltje gemaakte video vinden, wie het ook is, de eerste helft ervan te pakken krijgen en laten zien wat er echt is gebeurd.'

'Jawel,' zei Hernandez, 'maar dat heb je al geprobeerd.'

'Jawel, nou, we proberen het nog eens, Jorge. Ik ga een heel verweer in elkaar draaien.'

'*Bueee-no, muy bueee-no,*' zei Hernandez op een toon die Nestor als een hopeloos naïef joch bestempelde. 'Maar je stemt het met mij af… goed? Je moet oppassen wat je overhoop haalt bij al dat in elkaar draaien. Begrijp je wat ik zeg? Bekijk het eens van deze kant. In ze-kere zin zijn we beter af. De klotezaak is voorbij. We hoeven niet in een of andere rechtszaal te zitten om voor van alles en nog wat te worden uitgemaakt – om *dan* het korps uit te worden gegooid. Snap je wat ik bedoel?'

'Ja…' zei Nestor, op een vlakke toon, intussen dacht hij de hele tijd na ::::: De woorden van een echte ouwe zeikerd. Misschien is dat een troost voor jou omdat jij eigenlijk al die dingen hebt gezegd. Ik heb er geen zin in met jou je graf in te springen. ::::: Hij kon de reden abso-luut niet uitleggen, maar hij dacht weer aan Ghislaine. Hij zag haar mooie elegante benen zoals ze bij Starbucks over elkaar waren ge-kruist… de sierlijke, slanke, ietwat *Frans* overkomende kuit van het been waarvan de gebogen knie boven op de knie van het andere been lag… maar hij dacht niet aan de mysteriën van haar lemen lendenen… Op *die* manier dacht hij niet aan haar… Ten slotte zei hij hardop: 'Om je de waarheid te zeggen, Jorge, snap ik *niet* wat je bedoelt. Voor mij is het geen troost *geen* proces te krijgen. Ik, ik zou verdomd graag willen dat er *wel* een proces kwam. Ik zou graag de hele godverdomde kwestie ter tafel brengen, en dat gaat me op een of andere manier lukken.'

'Snap je niet hoe weinig verschil het zal maken om "de hele kwestie ter tafel te brengen"?' zei Hernandez. 'Het kan de situatie net zo goed erger maken.'

Nestor zei: 'Ja, je kunt best gelijk hebben... maar ik kan hier niet zomaar zitten... want het is erger dan dat. Ik heb het gevoel alsof ik aan de elektrische stoel zit vastgesnoerd en me afvraag wanneer ze de hendel overhalen. Ik moet iets doen, Jorge!'

'Okeeee, amigo, maar –'

'Ik laat het je weten,' zei Nestor. 'Ik moet nu gaan.' Niet eens zoiets als een dág.

# 16

## VERNEDERING ÉÉN

Amélia zat achterovergezakt, ingestort, vrijwel ondergedompeld in de kussengolven van de enige gemakkelijke stoel in hun appartement... met haar benen gekruist, waardoor haar rokje... dat toch al *zo* lang was... dermate hoog kwam dat toen Magdalena binnenkwam ze zich aanvankelijk afvroeg of het een rokje of een hemdje was... Het had haar teleurgesteld dat Amélia zo mismoedig was... teleurgesteld tot de rand van verontwaardigd. :::::: *Jij* hebt toch niets om zo met jezelf bezig te zijn? :::::: Magdalena had gerekend op Amélia's altijd vrolijke, altijd schrandere persoonlijkheid om *haar* problemen aan te horen. Ze nam zelf een pose aan. Ze streek met een short en een T-shirt neer op de zitting van een eettafelstoel met een rechte rug. Onwillekeurig zette ze haar grotere aanspraak op sympathie kracht bij door een been dubbel te klappen, het hoog genoeg op te tillen om de hiel op de rand van de stoel te leggen en de knie met beide armen te knuffelen alsof het de enige vriend was die ze nog had.

'Nee, dat is niet waar,' zei Amélia. 'We zitten *niet* in hetzelfde schuitje. Jij bent bij *hem* weggegaan. *Hij* is bij *mij* weggegaan. Jij bent blij. Ik niet.'

'Ik ben niet *blij*!' zei Magdalena. 'Ik ben doodsbang! Als je zijn gezicht had gezien – ik wil maar zeggen, mijn god!'

Amélia haalde haar wenkbrauwen op, op een manier die zoveel zei als: 'Je probeert niets tot *iets* op te blazen.'

'Maar zijn gezicht – het leek wel van – van – van – een of andere *dui-*

*vel*! Zoals hij me "*Loeder! – loeder dat je bent!*" begon te noemen – maar van zeggen wat hij zei krijg je in de verste verte –'

Amélia viel haar in de rede: 'En je bent zo ondersteboven dat je van-avond neem ik aan *niet* met je "oligarch" vriendje uitgaat?... Doe me een lol... Reggie interesseerde het niet eens genoeg om zijn stem tegen *mij* te verheffen. Hij was eerder een of andere baas die een werknemer laat komen en zegt: "Het spijt me, maar je past gewoon niet goed in onze organisatie. Het ligt niet aan jou, maar we zullen je moeten laten gaan." Zo formuleerde Reggie het. "Ik zal je moeten laten gaan. Dit werkt gewoon niet." Dat waren werkelijk zijn woorden: "Dit werkt ge-woon niet". Na bijna twee jaar "dit werkt gewoon niet". Wat is "dit" in hemelsnaam, dat zou ik graag weten, en wat wordt "werkt" geacht te betekenen? Hij zei ook: "Het ligt niet aan jou." *Awww... vort...* daar-door voelde ik me *stukken beter*. Weet je? Na twee jaar komt hij tot de conclusie dat dit gewoon niet werkt en het niet aan mij ligt.'

::::: Verdomme nog aan toe! De hele wereld draait niet om jou, Amélia. :::::

Magdalena probeerde de wereld weer rond haarzelf te laten draaien. 'En nog iets, Amélia, ik zit aan de grond! Hij heeft mijn betaalkaarten, mijn chequeboekje, mijn geld, mijn rijbewijs – alles! Ik had het geluk hier genoeg geld te hebben weggestopt om de slotenmaker te betalen. Kostte een vermogen!'

'Wat denk je dat hij gaat doen – voor duizenden dollars spullen kopen met jouw creditcard? De sleutels pakken en jouw auto stelen? Hier mid-den in de nacht inbreken? Je hebt het slot al laten vervangen. Denk je dat hij zo gek van je is dat hij alleen om zijn gram te halen zijn carrière zal verwoesten? Je bent erg knap, maar ik heb niet gezien –' Ze brak haar gedachte af. 'Maar goed, wie is je oligarchenvriendje van vanavond?'

'Hij heet Sergei Korolyov.'

'En wat doet-ie?'

'Ik geloof dat hij... "investeert"? Is dat de term? Ik weet het niet echt. Wel weet ik dat hij kunst verzamelt. Hij heeft het Miami Museum of Art voor zeventig miljoen dollar schilderijen geschonken en ze heb-ben de naam in het Korolyov Museum of Art veranderd. Herinner je je dat nog? Er was op tv veel over te doen.'

Ze had er spijt van het er zo dik bovenop te leggen. Amélia verkeert in shocktoestand vanwege Reggie – en zij moet haar zo nodig vertellen met wat een ster *zij* over een paar uur een afspraakje heeft.

'Ik geloof dat ik me er iets van herinner,' zei Amélia.

Stilte... toen kon Magdalena zich niet inhouden, en dus vervolgde ze: 'Herinner je je de avond dat ik naar Chez Toi ging, en jij me je bustier leende? Nou, op die avond heb ik Sergei ontmoet – het was in elk geval de avond dat hij me om mijn telefoonnummer vroeg. Ik heb hem een keer eerder ontmoet... je weet wel, met al die andere mensen erbij... Ik geloof dat die bustier geen slecht idee was! Maak je geen zorgen. Ik ga je er niet weer om vragen. Ik wil zeggen, ik wil hem niet laten denken dat ik zoiets iedere avond draag, een bustier. Maar ik kan je advies weer gebruiken.'

Amélia keek weg of ze was afgeleid. Ze stond duidelijk niet te springen om nog eens voor couturière voor Magdalena te spelen voor een adembenemend afspraakje. Ten slotte zei ze zonder Magdalena recht aan te kijken: 'Waar neemt hij je mee naartoe?'

'Het is een groot feest op – ik heb ervan gehoord, maar ik heb het nooit gezien – je weet wel, Star Island? In iemands huis.'

Amélia glimlachte... sardonisch... 'Je bent te erg, Magdalena. Je gaat toevallig eten in een restaurant waarvan je nooit hebt gehoord, en dat heet Chez Toi. Dan ga je toevallig naar een groot feest in een oord dat Star Island heet in iemands grote huis. Daar heb je alleen het duurste onroerend goed van Miami. Misschien Fisher Island – maar het maakt niet veel uit.'

'Dat wist ik niet,' zei Magdalena.

Amélia staarde even naar haar. Het was het soort blik dat Magdalena niet op een bepaalde manier kon interpreteren. Het was gewoon een... gestadig staren. Ten slotte zei Amalia iets:

'Ben je van plan hem vanavond wat papaja te geven?'

Dat bezorgde Magdalena zo'n schok dat ze haar liefhebbende knie los liet en de voet op de grond zette, net als de andere, alsof ze wilde gaan vechten of vluchten.

'Amélia!' zei ze. 'Wat is dat nou voor vraag?!'

'Het is een praktische vraag,' zei Amélia. 'Na een bepaalde – wanneer een vent een bepaalde leeftijd heeft gaan ze er gewoon van uit dat het bij een leuk eerste afspraakje hoort. "*Alflojate*, schat! Geef het op!" Wanneer ik aan alle keren denk dat ik gewoon dingen *deed* omdat Reggie dat verwachtte... Dat heet een "relatie". Wanneer ik dat idiote woord hoor, wil ik mijn vingers in mijn strot steken.'

'Ik heb je nog nooit... *zo depri* gezien, Amélia.'

'Ik weet het niet,' zei Amélia. 'Ik heb nog nooit iets dergelijks bij de hand gehad. Die rotzak! – nee hoor, hij is geen rotzak. Reggie, ik was graag met hem getrouwd. Ik hoop dat het jou nooit overkomt.'

Inmiddels waren de tranen over haar wangen beginnen te rollen en beefden haar lippen. Amélia – die hier altijd de sterke en stabiele was geweest! Magdalena was de hele situatie gênant beginnen te vinden. Jawel, Amélia was gekwetst ::::: wat zou er echt tussen haar en Reggie zijn voorgevallen? ::::: maar het had haar altijd te veel meegezeten om zo in te storten en zichzelf te beklagen. Als ze echt ging huilen, janken, boehoe doen, zou Magdalena daar niet tegen kunnen. Om hier zomaar te zitten en toe te kijken hoe Amélia kapot ging – daarvoor was haar bewondering voor Amélia altijd te groot geweest. Ze was ouder, beter opgeleid en ontwikkelder.

Amélia snoof een heleboel tranen weg en vermande zich. Haar ogen lekten nog steeds een beetje, maar ze glimlachte op een volmaakt natuurlijke manier en zei: 'Het spijt me, Magdalena.' Tranen welden weer in haar ogen op. ::::: *Alsjeblieft*, laat je niet gaan, Amélia! ::::: wat ze godzijdank ook niet deed. Ze toonde een slechts lichtelijk betraande glimlach en zei: 'Dit is niet mijn beste dag geweest, om een of andere reden.' Ze liet een lachje horen. 'Hoor eens, *natuurlijk* help ik je... als ik kan... Waarom zou je eigenlijk niet in mijn kast kijken? Ik heb dat nieuwe zwarte jurkje met een halslijn als – ' Met haar handen gaf ze een V aan die aan beide kanten van haar nek begon en tot haar middel neerdook. 'Het zit mij een beetje te strak, maar het zal jou perfect passen.'

Wat een gewichtloosheid! Wat een exobiologische visie! Wat een astrale projectie! Wat een gelukzaligheid!

Niet dat Magdalena de termen *exobiologische visie* en *astrale projectie* kende, maar dat waren de twee belangrijkste onderdelen van de buitenaardse vreugde die ze voelde. Ze had het gevoel – maar het was voor haar meer dan een gevoel, het was heel reëel – dat ze hier in de crèmebruine leren passagiersstoel van deze sexy sportauto zat... en ze tegelijk boven het tafereel dreef... omdat ze astraal naar deze hoogte was geprojecteerd... en naar de ongelooflijke wending van het Lot keek waardoor Magdalena Otero, eerder in Hialeah woonachtig, nu *vlak naast* een man zat die te schitterend, te knap, te rijk, te zeer een beroemdheid was om haar op te bellen en uit te vragen – *maar het wel had gedaan*! Hij, Sergei Korolyov, de Russische oligarch die voor zeventig miljoen dollar schilderijen had geschonken aan het Miami Museum of Art, die het chicste etentje had gegeven dat ze ooit had meegemaakt, in het sociaal gezien chicste restaurant in heel Miami, Chez Toi... hij die deze auto bestuurde, die zo duur leek, en ongetwijfeld zo duur *was* – hij zat pal naast haar, aan het stuur! Ze kon hen beiden van hierboven zien. Ze kon recht door het dak heen kijken. Ze keek alle kanten op... hoeveel mensen volgden dit, volgden Magdalena Otero die in deze opwindende auto stapte die 130 kilometer per uur leek te rijden als hij gewoon tegen de stoeprand stond geparkeerd?

Nou... jammer genoeg maar weinig. Niemand wist wie zij was. Het was hier, Drexel Avenue, haar officiële adres, maar hoe vaak had zij hier echt geslapen?

*Roetsjjjjj*– ze was even vlug terug uit haar astrale kosmos als ze ernaar was opgestraald.

En Sergei zag er natuurlijk ideaal uit in deze omgeving. Afgezien van zijn profiel, zijn sterke kin, de krachtige kaaklijn zonder ook maar iets wat op overtollig vlees leek... was er nog zijn haar. Het was dik, diepbruin met zongebleekte blonde lokken en aan de zijkanten naar achteren geborsteld als door een luchtstroom... hoewel zij tweeën in werkelijkheid in de cocon met airco zaten waarin iedere normale chauffeur in Zuid-Florida zijn auto-interieur had veranderd. *Piep* – en hoe zat het dan met Norman en zijn open cabriolet? Maar Norman was *ab*normaal!

Sergei keek naar haar – die ogen van hem! – die blinkende ondeugende blauwe ogen! Een glimlachje... Omdat geen van beiden iets grappigs had gezegd, zou een toerist uit Cincinnati dat glimlachje zelfvoldaan hebben genoemd. Dat was bepaald niet het woord dat bij Magdalena opkwam. Nee hoor. Galant, hoffelijk, verfijnd... eerder die woorden. En zijn kleding... zag er zo *weelderig* uit... zijn colbert – kasjmier? – zo zacht, ze had zin haar hoofd erin te begraven... een glanzend wit overhemd – zijde? – met een hoge, open boord, duidelijk gemaakt om open te dragen... Uiteraard was ze zelf ook niet mis. Amélia's jurkje met de zeer lage halslijn... Af en toe betrapte ze Sergei erop stiekem naar de binnenwelvingen van haar borsten te kijken. Ze voelde zich... *sexy*.

Toen Sergei wegreed van de stoeprand, maakte de motor van de auto amper geluid. Inmiddels reden ze noordwaarts over Collins Avenue... niet al te veel verkeer... Woontorens schoten langs... de hele tijd, een muur waardoor een willekeurige voorbijganger niet besefte dat er omstreeks 200 meter naar het oosten een oceaan lag.

Magdalena bleef haar hersenen pijnigen om iets... wat dan ook... *interessants* te verzinnen om met Sergei over te praten. Godzijdank! Bij zijn verfijning hoorde zijn talent om over koetjes en kalfjes te praten... geen verontrustende stiltes...

Magdalena kon zich niet herinneren dat ze ooit zo ver noordelijk in Miami Beach was geweest. Ze moesten dicht bij het punt komen waar Miami Beach op het vasteland uitkomt.

Sergei ging langzamer rijden en schonk Magdalena de alleropgewektste glimlach. '*Ahhh*... we hebben net Rusland bereikt. We zijn in Sunny Isles.'

Op grond van wat ze kon onderscheiden van de straatverlichting, het maanlicht en de grote vlakglazen ramen die hier en daar in de hoge gebouwen oplichtten, zag het er in Magdalena's ogen uit als standaard-Miami Beach... dezelfde muur van hoge flats ten oosten van Collins Avenue die de uitzichten op de oceaan opeisten... en aan de andere kant, ten westen van Collins, oude gebouwen, kleine gebouwen, god mag weten hoeveel kilometers achter elkaar samengepakt.

Sergei ging nog langzamer rijden en wees de kant van die samengepakte massa op. Hij pikte er een zijstraat van niks uit. 'Zie je die winkelgalerij?' vroeg hij. Het zag er niet bijster indrukwekkend uit, niet voor iemand die ooit in Bal Harbour of Aventura was geweest. 'Alz jij geen Ruzziz zpreekt, kun jij nietz kopen in deze winkelz. O, ik neem aan dat je ietz kunt aanwijzen en wat dollarz pakken om te laten zien wat je bedoelt, "Ikke kopen?" Het zijn echte Ruzzen. Zij geen Engelz zpreken, en zij geen Amerikanen willen zijn. Het iz of je op Calle Ocho in Miami bent en een winkel binnenloopt zonder dat je Zpaanz kent. Zij ook abzoluut geen zin hebben "Amerikanen" te zijn...'

'Maar wat is *dat*?' vroeg Magdalena.

'Wat iz wat?'

'Dat grote bord. Het lijkt of het zomaar in de lucht zweeft.'

Net voorbij het armzalige winkelgalerijtje vlamde een felgekleurd bord in rood, geel en oranje neon op: HET HONINGPOTJE. In het duister leek het niet met iets eronder verbonden. Sergei deed het met een schouderophalen af. 'O, dat. Ik weet 't niet. Ik geloof dat 't een van die ztripclubz iz.'

'Voor Russen?'

'Nee, nee, nee, nee – voor die Amerikanen. Ruzzen gaan niet naar ztripclubz. Wij houden van meizjez. Die Amerikanen zijn gek op die pornografie. Niemand anderz iz er zo gek op.'

'Het is overal op internet,' zei Magdalena. 'Zoiets als 60 procent van alle zoekresultaten heeft met pornografie te maken. Het zou je verbazen hoeveel vooraanstaande mannen eraan verslaafd raken. Ze kijken er vijf, zes uur per dag op internet naar; ze doen het heel vaak op hun werk, in hun kantoren. Triest hoor! Ze verwoesten hun carrière.'

'In hun kantoren? Hoezo?'

'Omdat ze thuis met hun vrouw en kinderen zitten.'

'Hoe weet je dit allemaal?'

'Ik ben verpleegster. Ik heb vroeger voor een psychiater gewerkt.' Magdalena bestudeerde Sergei's gezicht op tekenen dat hij van Norman wist... Geen spoor, godzijdank. Dit gesprekje over pornografie – eindelijk een overwinning! Ze had het weer bewezen... ze was niet zomaar een grietje met een mooi gezicht en een geil lijf... hij zou geen keus hebben, wel... hij zou haar serieus *moeten* nemen... en Amélia's stem fluisterde in haar innerlijke oor, de gehoorgang in en liet haar trommelvlies vibreren: 'Ben je van plan hem vanavond wat papaja te geven?'

Hing ervan af! Hing ervan af! Zulke beslissingen hingen er altijd van af!

Toen ze Sunny Isles eenmaal uit waren en nog verder noordwaarts reden, werd het landschap steeds minder Miami Beach... Hollywood... Hallandale... 'Nu rijden we het hart van Rusland in.' Hij giechelde, om Magdalena duidelijk te maken dat hij dit erg grappig vond.

Hij sloeg Collins Avenue af, een kleinere snelweg op die naar het westen liep. Magdalena had geen idee waar ze nu waren.

'Zeg het me nog eens,' zei ze. 'Het restaurant waar we heen gaan heet...?'

'Gogol's.'

'En het is Russisch?'

'Het iz heel Ruzzizch,' zei hij... met zijn hoffelijk-zelfvoldane of zelfvoldaan-hoffelijke glimlach.

Ze reden westwaarts in het donker... gingen toen een bocht om – en daar was het, met een vlammend van achteren belicht bord dat even fel was als dat van Het Honingpotje: GOGOL's!... een inrijpoort omgeven door een groot aantal naakte nimfen, in zo'n diep bas-reliëf weergegeven dat het haast hallucinair werd: GOGOL's'!

Eronder een heuse zwerm parkeerwachten, jong, gave huid. Auto's reden in verschrikkelijke aantallen af en aan... een heuse menigte mannen en vrouwen ging naar binnen...

Sergei maakte in het Russisch grapjes met de parkeerwachten. Ze kenden Gospodin Korolyov heel goed. Zodra hij en Magdalena naar binnen liepen, snelde een lange, potige man toe – hij moet ongeveer 1 meter 97 zijn geweest – met een donker kostuum, een wit overhemd en een marineblauwe stropdas, het zwarte haar dat hij nog had was recht naar achteren over zijn schedel gekamd. Hij dweepte enthousiast: 'Sergei Andreivitsj!' De rest was in het Russisch. De man leek de eigenaar te zijn of op z'n minst de manager. Sergei zei in het Engels tegen hem: 'Dit is mijn vriendin Magdalena', *Thee sees my freend*... De grote man boog licht op een manier die Magdalena voor 'Europees' hield. Het was een enorme zaak... Iedere vierkante centimeter muurruimte was bedekt met diepmauve (synthetisch) fluweel dat alleen door bataljons spotjes in een verder zwart plafond werd verlicht. Het diepmauve was een achtergrond voor alle soorten glinstering waarop een ploeg Russische inrichters de hand had kunnen leggen. Een dubbele trap die naar een tweede niveau leidde, niet meer dan anderhalve meter boven het eerste niveau, had meer bizarre welvingen dan die in de Opéra van Parijs. De leuningen waren ingelegd met stroken gepoetst koper. De witte tafelkleden van Gogol's – een grote flitsende zee, dankzij de heel kleine lovertjes die er op een of andere manier ingeweven waren... De lampjes op alle tafels hadden mauve kappen en steunden op flitsende namaakkristallen poten... Waar het ook maar mogelijk was glinsterende randjes en franjes, koordjes en boordjes aan te brengen – waren ze bij Gogol's aangebracht. Al deze dingen waren bedoeld om een flitsende betovering tot stand te brengen in een weelderige maar bezadigde mauve schemering... maar het werkte niet. Het was niet eens opzichtig. Het zag er nuffig, prulachtig, pietepeuterig, overdreven en opgedirkt uit. Heel de spelonkachtige eetzaal zag eruit alsof die uit oma's juwelendoos afkomstig was.

Een heuse zwerm mannen, van zijn leeftijd of ouder, verzamelde zich rond Sergei. Wat waren ze luidruchtig! Waren ze dronken? Nou, misschien was het gewoon hun manier om hun geliefde kameraad te begroeten, maar in Magdalena's ogen waren ze beslist dronken. Ze namen hem in de houdgreep. Ze schoten in de lach, vielen uit elkaar, losten op vanwege iedere zin die uit zijn mond kwam, alsof hij de grootste grapjas was die ze ooit hadden gehoord. Magdalena zou er op dat moment alles voor hebben gegeven om Russisch te kennen.

Sergei probeerde haar niet eens meer aan deze mannen voor te stellen als ze verschenen. Het was moeilijk iemand voor te stellen die je in een houdgreep had en je stoute woorden in het oor fluisterde. De enige aandacht die ze kreeg waren wellustige blikken van mannen die de lust in hun lendenen helemaal naar hun gezichten tilden.

Van overal uit de zaak klonk diep mannelijk gelach en het mannelijke baritongeschreeuw van... dronken mannen. Aan de dichtstbijzijnde tafel leunde een grote man, van omstreeks vijftig, als je op Magdalena af mocht gaan, midden in een banket met een grote grijns achterover om vervolgens één, twee, drie, vier borrelglaasjes te ledigen met iets – wodka? – waarop hij een groot *ahhhhh!* liet horen. Zijn gezicht was vuurrood en Magdalena had nooit zo'n zelfvoldane grijns gezien. Hij bracht een keelachtige lachbrul uit van ergens diep in zijn strot. Hij overhandigde een borrelglas vol met wat het ook was aan de vrouw naast hem... jong of jong-achtig... dat was moeilijk te zien wanneer een vrouw het haar achter in een grote knot had opgestoken, net als grootmoeder... ze staarde naar het borrelglas alsof het een bom was of een slang... Keelachtig gebrul aan alle kanten...

Sergei slaagde erin zich los te maken van zijn bewonderaars en gebaarde naar Magdalena. De huizenhoge huisheer leidde hen naar een tafel. *¡Dios mío!* Het was een tafel voor tien... en Magdalena snapte wat er ging gebeuren. Acht mannen en vrouwen waren al gezeten, en er waren nog twee stoelen leeg... voor Sergei en voor haarzelf. Zodra ze Sergei zagen, kwamen ze allemaal overeind met *hoezee*'s en god weet wat nog verder. Zoals Magdalena had gevreesd, ontsnapte Sergei aldus niet aan zijn luidruchtige eerbiedige aanhang... Er kwam slechts een nieuw groepje voor in de plaats. Ze was er niet blij mee. Ze begon zich af te vragen of Sergei haar hierheen had gebracht om te laten zien hoeveel aanzien hij op eigen bodem genoot. Of misschien was het nog erger. Misschien kon het hem niet schelen of zij al dan niet onder de indruk was. Hij genoot gewoon van een avondlijk bad in al deze bewieroking.

In elk geval stelde hij haar deze keer aan iedere Rus, Rus, Rus voor... een grote warboel van medeklinkers... Ze ving geen enkele naam op. Ze had het gevoel of ze werd begraven onder alle *z*'en, *y*'en, *k*'en, *g*'en en *b*'en. Acht Russische onbekenden... die allemaal, mannen en vrouwen, naar haar keken alsof zij een of andere buitenaardse bijzonderheid was. Wat hebben we hier? Doe iets... Zeg iets... Vermaak ons... Ze zwetsten allemaal een eind weg in het Russisch. Recht tegenover haar aan tafel zat een man met een blokachtig gezicht met een kale kruin en echte bóssen zwart haar, kennelijk geverfd, die aan beide kanten onder de kruinlijn wild uitstaken, ze culmineerden in bakkebaarden die heerlijk onverzorgd tot zijn kaakbeen omlaag groeiden. Hij leek haar gezicht met een pathologische aandacht te bestuderen. Toen wendde hij zich tot een man twee stoelen verderop en zei iets waar ze allebei om moesten grinniken... op een manier die aangaf dat ze hun best deden niet in een bulderlach uit te barsten... waarover?

Op de menukaart waren de gerechten eerst in het Engels gedrukt, met krullerige Russische letters er onmiddellijk onder. Zelfs in het Engels herkende Magdalena amper een gerecht.

Een ober materialiseerde stilletjes naast Sergei en overhandigde hem een opgevouwen stuk papier. Sergei las het, draaide zich naar haar toe en zei: 'Ik moet dag zeggen tegen mijn vriend Dimitri. Ik moet me even verontschuldigen. Ik ben zo terug.'

Hij zei iets tegen de anderen in het Russisch, stond op en verliet de tafel met de ober die hem naar 'Dimitri' zou brengen. Nu verkeerde Magdalena in het gezelschap van acht Russen die ze niet kende, vier dikke mannen – in de veertig? – en vier vrouwen – in de dertig? – met overdadige krultangkapsels en 'keurige' jurken uit een vervlogen tijd.

Maar vooral... zat daar de man met al het haar onder de kruinlijn en het staren waarvan je kippenvel kreeg. Sergei had hem voorgesteld als een grote schaakkampioen. 'Nummer vijf van de wereld in de tijd van Mikhail Tal,' had Sergei haar achter zijn hand toevertrouwd. Niets daarvan, de grote Mikhail Tal incluis, zei Magdalena iets – alleen de man met de explosieve rand infracraniaal haar. Zijn naam, als Magdalena het goed had opgevangen, was Zus-of-zo Zhytin. De manier waarop hij haar aanstaarde, bracht haar van haar stuk. Zij kon haar ogen – of liever haar perifere zicht – niet van hem afhouden. Ze vermeed het hem recht in zijn gezicht te kijken. Hij was griezelig en grof, op het sinistere af. ::::: Sergei, haast je alsjeblieft! Kom terug! Je hebt me alleen gelaten met deze verschrikkelijke griezels – of met één griezel in ieder geval. Hij ziet er griezelig genoeg uit om een heel vertrek vol griezels te vullen. :::::: Hij had zijn ellebogen op tafel, zijn onderarmen om beide kanten van zijn bord geslagen en hij had zijn rug zo ver gebogen dat zijn hoofd nog geen vijftien centimeter boven zijn enorme voorraad eten hing. Hij at alles met een lepel, die hij als een schop vasthield. Hij propte in een spectaculaire vaart hompen aardappelen en een soort draadjesvlees die vraatzuchtige muil in. Brokken vlees die de lepel niet aan kon, pikte hij op met zijn vingers en knaagde eraan, waarbij hij alle kanten op gluurde. Hij keek alsof hij vastbesloten was zijn eten te beschermen tegen rovers en dieven. Af en toe hief hij zijn hoofd, vuurde een veelbetekenende glimlach af en loosde ongevraagd commentaar – in het Russisch – op de conversaties om hem heen. *Loosde* was het woord. In het Russisch klonk zijn stem als een kiepauto die een lading grind loosde.

Magdalena was gefascineerd... al te gefascineerd. De Nummer Vijf van de Wereld-schaker hief zijn hoofd om een nabije conversatie te corrigeren en betrapte haar erop naar hem te staren. Hij hield op, zijn hoofd nog laag boven zijn eten – een bergachtige brok draadjesvlees nog op zijn lepel – en stuitte haar abrupt met een grote spottende glimlach. Hij vroeg in het Engels, met een accent maar vloeiend, of hij haar ergens mee van dienst kon zijn.

'Nee,' zei Magdalena. Ze bloosde vreselijk. 'Ik wilde alleen –'

'Wat doe je?' Het *doe je* raakte bedolven onder de twee vingers die hij in zijn mond stak in een dappere poging vleesdraadjes van tussen zijn tanden te trekken.

'Doe?'

'*Doe*,' zei hij, terwijl hij een draadje uit zijn mond op de grond liet vallen. 'Wat doe je om aan eten te komen, aan kleren, een plaats om 's nachts te slapen. Wat *doe* je?'

Op een manier die ze niet kon doorgronden, was hij haar aan het bespotten... of ronduit bot tegen haar... of *iets*. Ze aarzelde... en zei ten slotte: 'Ik ben verpleegster.'

'Wat voor verpleegster?' vroeg de voormalige Nummer Vijf.

Magdalena merkte dat verschillende mensen aan tafel niet meer bewogen. Ze hadden hun ogen gericht op *haar*... de man *daar* met het geschoren hoofd die naast een zo dikke vrouw zat dat haar enorme namaakhalsband plat op haar lijfje lag alsof dat een schaal was ... en de twee vrouwen *daar* met ronde hoedjes en haarnetjes van een eind terug in de vorige eeuw. Zij wilden dit ook horen.

'Psychiatrisch verpleegster,' zei Magdalena. 'Ik heb voor een psychiater gewerkt.'

'Wat voor soort psychiater, een logotherapeut of een pillentherapeut?' Magdalena had geen idee wat hij bedoelde, maar door de sluwe kleine draaiing van zijn lippen en de manier waarop hij een oog versmalde kreeg ze het gevoel of hij enkel probeerde vast te stellen hoe weinig ze van haar eigen vak wist. Ze keek snel om zich heen. Was Sergei maar terug! Met een behoedzame stem zei ze: 'Wat is een logo-therapeut? Ik ken dat woord niet.'

'Je weet niet wat een logotherapeut is.' Hij bracht het niet als een vraag, maar als een feitelijke vaststelling. Zijn toon was inmiddels die van een onderwijzer op een lagere school en gaf zoveel aan als: 'Je bent psychiatrisch verpleegster – zonder de meest elementaire dingen over psychiatrie te weten. Ik geloof dat we beter bij het begin kunnen beginnen.'

'Een logotherapeut "behandelt" zijn patiënten' – *behandelt* was doordrenkt van ironie – 'met praten... het ego, het es, het superego, het oedipuscomplex enzovoorts... vooral de patiënt praat, niet hij. De logotherapeut luistert voornamelijk... tenzij de patiënt zo saai is dat zijn geest afdwaalt, wat stel ik me voor vaak, heel vaak het geval moet zijn. De pillenpsychiater geeft zijn patiënten pillen om de toevloed van dopamine te bevorderen, de heropname te remmen en ze een synthetische gemoedsrust te bezorgen. *Logos* is Grieks voor "woord". Hoe zit het met de psychiater voor wie jij werkt?'

'Voor *werkte*.'

'Oké, voor werkte. Hoe zat het met hem?'

Magdalena werd ongerust door deze vragen. Het was haar niet duidelijk waarom. De voormalige Nummer Vijf zei niets dat beledigend was of dat te ver ging. Waarom voelde ze zich dan zo beledigd? Ze wilde er gewoon vanaf. Ze wilde zeggen: 'Hoor eens, laten we het over wat anders hebben, goed?' Maar ze had het lef niet. Ze wilde niet chagrijnig overkomen met Sergei's vrienden erbij. Ze zocht nog eens het glinsterende interieur van Gogol's af... en *smeekte* dat Sergei weer zou opdagen. Maar er was geen spoor van hem – en op een of andere manier moest ze op de kampioen reageren.

'Nou, hij schreef wel medicijnen voor, maar ik geloof dat hij vooral het andere was... wat je zei.' Het *wat je zei* was zoiets als terugdeinzen vóór de klap die naar ze begreep zou volgen.

'Leuk voor hem!' zei de grote schaker. Hij zei het zonder enig spoor van een glimlach, alsof hij het werkelijk meende. Magdalena kreeg weer hoop – geen goed humeur, alleen hoop. 'Een wijs iemand! Logo is de kant die we op moeten!' vervolgde hij. 'Je bent het vast met me eens – nietwaar? – dat praattherapeuten de meest gehaaide afpersers aller tijden zijn.' Hij boorde zijn oogstralen in haar ogen en hield haar in bedwang. Ze kon onmogelijk loskomen.

'Ik begrijp niet wat je bedoelt...' ::::: Alsjeblieft! Iemand! Haal me hieruit! Haal hem van me af! ::::: '*Afperser*... ¡*Dios mío!* Dat snap ik echt niet...'

Nu begon het tot haar door te dringen: heel de tafel was gestopt met praten, gestopt met eten en zelfs gestopt met wodka drinken... om de kampioen haar te zien kwellen.

'Snap je dat echt niet?' zei de kampioen, alsof dat een deerniswekkende manier was om te proberen hier onderuit te komen. 'Goed dan, laten we beginnen met... vertel me wat een afperser *is*.' Zijn ogen boorden zich vastberadener dan ooit in de hare. Zijn stem suggereerde dat als ze hierop het antwoord niet wist, ze hoegenaamd geen opleiding had.

Magdalena gaf het op. Ze stortte volledig in. 'Ik weet het niet. Ik weet niet eens hoe ik het moet zeggen. Jij moet het me maar vertellen.'

Deze keer hief hij zijn hoofd en draaide hij zijn lippen op een manier die Magdalena en haar zinkende moed als openlijke minachting ervoeren. 'Je weet het niet.' Opnieuw geen vraag, maar een verdrietige constatering van de feiten. 'Een afperser is iemand die zegt: "Jij doet wat ik zeg, of ik zal zorgen dat je zo lijdt dat je het niet kunt verdragen." Je logotherapeut gebruikt de eerste paar sessies om je wijs te maken dat alleen *hij* je kan redden van je depressie, je angst, je overweldigende schuldgevoel, je dwanggedachten, je zelfvernietigende neigingen, je verlammende catatonie of wat dan ook. Wanneer hij je eenmaal daarvan heeft overtuigd, ben je van *hem*. Je behoort tot zijn activa. Hij zal je laten komen tot de dag dat je genezen bent... een dag die uiteraard nooit komt... of je geld op is ... of je op een dag dood bent. Zo zit het met de psychiater voor wie je werkte, nietwaar? Ik weet niet hoe oud je werkgever was, maar als hij oud genoeg is om twee generaties van deze arme mensen aan de haak te hebben geslagen, zal hij heel zijn leven erg rijk zijn. Uiteraard moet hij stilletjes een heleboel gejammer en volstrekt zinloze breinbrekers aan zitten horen – de patiënten vinden het allemaal prachtig om hem door te zagen over de betekenis van hun dromen en dergelijke... maar ik weet zeker dat je werkgever aan andere dingen dacht terwijl zij doorwauwelden... zijn beleggingsportefeuille, een nieuwe auto, een meisje zonder kleren aan, een bezorger door wie hij verstijft... alles is beter dan werkelijk naar de logoree van deze idioten luisteren. Alleen zorgen dat ze in zijn hok blijven, dat is het enige waarover hij zich druk hoeft te maken, ze levenslang bezorgen, zorgen dat ze niet voor zichzelf gaan denken en... *ideeën* krijgen. Dat is zeker een redelijk goede beschrijving van je werkgever? Misschien wist je wel, misschien wist je niet dat je voor een geleerde, chique afperser werkte. Maar als ik me niet vergis, wist je het wel.'

Dat kwam hard aan bij Magdalena! Hij had het over Norman en diens toppatiënt, Maurice, kunnen hebben! Even kwam ze in de verleiding het te vertellen – maar ze was wel gek als ze hem dat genoegen deed, deze vreselijke schaakkampioen. :::::: Waarmee denkt hij eigenlijk bezig te zijn? Mij manipuleren? Hij is zo vreselijk gemeen! gemeen! gemeen! gemeen! :::::: De tranen waren niet ver, maar ze drong die terug. Ze moest hem ook niet nog eens het genoegen van haar tranen doen.

'Vergis ik me?' zei hij nog eens, deze keer op een warme, hartelijke toon.

Magdalena perste haar lippen op elkaar om te voorkomen dat *zij*, dit stel vreselijke Russen aan tafel, die nu een en al aandacht waren, haar lippen zouden zien beven. Zwakjes, zwakjes wist zij op een zachte, verpletterde, verslagen toon uit te brengen: 'Ik heb zoiets nooit meegemaakt... Ik weet niet waarover je het hebt...' Zwakker en zwakker... volkomen verslagen... en ze begreep niet waarom hij in de aanval was gegaan, waarom hij haar aan zoiets had willen onderwerpen... of hoe hij het had gedaan... of hij het *überhaupt* had gedaan... want ze wist dat ze het beslist niet aan iemand anders kon hebben verteld. De grote schaker had geen moment een boze blik op zijn gezicht. Hij kwam geen moment vijandig over... er was alleen dat zelfvoldane glimlachje op zijn gezicht... en een autoritair airtje van intellectuele superioriteit... en neerbuigendheid, omdat hij probeerde de dingen die ze niet begreep in woorden van één lettergreep uit te leggen. Hoe kon ze iemand anders duidelijk maken wat hij haar aandeed?

'Is het "weet het niet" of "wil het liever *niet* weten"?' vroeg hij. 'Zeg eens eerlijk?' Hij zei het zo aardig als maar kon... met de hartelijkste en meest begripvolle blik op zijn gezicht... met het zachtste glimlachje... met de lichtste vaderlijke hoofdknikjes –

– en Magdalena was verlamd. Ze miste de kracht om iets te zeggen. Ze kon alleen op deze gemene man reageren door in tranen uit te barsten... maar ze slaagde erin het tot stille schokjes terug te brengen... haar nek, haar gebogen schouders, haar borst, haar buik... schokten. Ze durfde niet te praten. Wat zouden ze denken? We hebben hier een mal, stom Cubaans schatje... en ze noemt zichzelf 'psychiatrisch verpleegster'! Alle acht zitten ze een beetje te gniffelen. Ze lachen *haar* niet echt uit... je lacht een hulpeloos kind niet uit... Nee, *dat* zouden ze heus niet doen. Ze willen alleen dolgraag zien wat haar hersenloze *reactie* zal zijn.

::::: Ik moet *niet* reageren! Dat genoegen zal ik hun *niet* doen! :::::

Ze klemde haar tanden op elkaar; *klemde* ze echt. ::::: Niet één snik zal over mijn lippen komen! – niet met deze bloedzuiger erbij – :::::

'Wat is er aan de hand?' Luid – *zijn stem!* – maar opgewekt. Hij stond zo vlak achter haar dat ze hem niet eens kon zien door haar hoofd om te draaien. Het volgende ogenblik – het drukken van zijn handen en zijn gewicht op de rug van haar stoel. *Zijn stem!* kwam van vlak boven haar hoofd... maar nu zachter, en met het lichtste zweempje dreiging. Hij zei in het Engels: 'Heb je lol... Zhytin? Ik kon je je sluwe spelletje van zeven meter afstand weer zien spelen, en ik kon het ruiken. Je bent me nogal een smeerlap, nietwaar?'

Toen legde hij zijn handen op haar schouders en begon, o zo zachtjes, de spieren tussen haar schouders en haar nek te masseren.

*Ze was in zijn handen!* Daarop hield ze het niet meer. Haar ogen stroomden vol tranen. Ze liepen over haar wangen neer...

Zhytin keek op naar Sergei. Hij probeerde een slappe, schuldbewuste uitdrukking te verstoppen achter een glimlach vol goede wil. Hij zei in het Russisch: 'Sergei Andreivitsj, Miss Otero en ik hadden net een interessant gesprek over psychi – '

'*Molchi!*' Het klonk als heftig geblaf. Wat het ook betekende, Sergei had Zhytin zo scherp afgekapt dat die geen poging deed nog een woord te zeggen. Zijn mond viel verbijsterd open. Sergei blaft nog een keer – en de kleur stroomt weg uit Zhytins blokachtige gezicht. Hij wordt wit van angst. Hij kijkt naar Magdalena... nu heeft hij de ernstige stem van de vredestichter: 'Het spijt me zeer... Ik ging ervan uit dat je begreep dat we maar een spelletje in scherpzinnigheid speelden.'

Sergei sprong van achter Magdalena tevoorschijn, handpalmen op tafel, leunde zo ver als hij kon naar het angstige gezicht van Kampioen Zhytin toe en zei met een zachte, ziedende stem iets tegen hem in het Russisch.

Zhytin keek weer naar haar, deze keer nog banger dan eerst. 'Miss Otero, ik heb oprecht spijt van mijn botte gedrag. Ik besef nu dat –' Hij stopte en keek naar Sergei. Sergei ziedde nog een paar woorden uit, en Zhytin keek opnieuw naar Magdalena en zei: 'Ik besef nu dat ik me als een brutaal kind gedroeg –' Hij keek opnieuw naar Sergei. Sergei zei bruusk iets tegen hem in het Russisch... en Zhytin zei tegen Magdalena: 'Wil je het me vergeven?'

Even was Magdalena opgelucht over de plotse – en volledige – vernedering van haar kwelgeest. Maar bij de volgende hartslag begon ze zich ongemakkelijk te voelen. Er was iets vreemds en ongezonds in beweging gezet. Sergei blaft een paar woorden, en Zhytin, de grote kampioen, werpt zich ongeveer kruiperig smekend voor haar neer. Het was zo vreemd dat ze zich nog dieper vernederd voelde... nu ze op een derde partij moest vertrouwen om haar kwelgeest eronder te krijgen.

Sergei zei tegen Magdalena, onder Zhytins ogen: 'Ik moet me verontschuldigen voor het gedrag van onze "kampioen".'

Deze verontschuldigingen gingen Zhytins vrouw te ver. Het was een vrouw met donker haar, ongeveer even oud als hij... en bij de schouders en de bovenrug zo dik als een man. Ze kwam zo luidruchtig mogelijk uit haar stoel overeind, ging recht overeind staan... recht tenminste voor iemand met een rug als de hare... flitste Sergei een boosaardige blik toe en sprak haar echtgenoot scherp toe, in het Russisch. Zhytin was hét toonbeeld van angst. Hij keek niet naar zijn vrouw. Zijn ogen waren strak op die van Sergei gericht.

Sergei zei in het Engels tegen Zhytin: 'Het is goed. Olga heeft gelijk. Je moet weg. Mijn voorstel is eigenlijk dat je dat heel snel doet.' Hij bewoog diverse keren een paar centimeter van Zhytins gezicht de rug van zijn hand heen en weer en zei: '*Vaks! Vaks, vaks,*' blijkbaar Russisch voor 'ophoepelen'.

Zhytin kwam overeind, hij beefde zichtbaar. In gebogen houding pakte hij de arm van zijn vrouw en sloop haastig naar de ingang. *Hij* leunde op *haar*, niet andersom.

Sergei draaide zich weer naar waar de andere zes waren gebleven, de bullebak met het geschoren hoofd, de dikke vrouw met de boezem die als een tafeltje uitstak, de twee vrouwen met ronde hoedjes... een heel lange stugge man met een te nauwe schedel, ingevallen wangen en te korte hemdsmouwen waardoor je een paar zeer grote beenachtige polsen zag en handen die groter waren dan zijn hoofd, en een stiertje van een man wiens ogen zo diep in de spleet tussen zijn overhangende wenkbrauwen en opliggende jukbeenderen waren gezonken dat je ze niet kon zien. Zag er heel griezelig uit... Sergei panorameerde een vrolijke glimlach over alle zes de gezichten, alsof er zojuist helemaal niets was gebeurd. Hij sneed diverse luchthartige onderwerpen aan, maar ze leken allemaal te bang om erbij aan te knopen.

Magdalena was helemaal van streek. Zij was de buitenstaander die alles teweeg had gebracht. Als zij iets grappigs of slims genoeg had gezegd – zoals ze bij Chez Toi had gedaan – zou heel de situatie nooit zijn ontstaan. Zij wilde niets liever dan wegwezen uit dit restaurant met de massa's Russen. Sergei kon ook niets bij haar bereiken. Ze was te somber.

Na een paar minuten vergeefs proberen liet Sergei de grote, potige maître d' komen, of wat hij ook was, en had een gesprekje met hem in het Russisch. Toen glimlachte hij weer naar de zes mismaakte bullebakken en bullebakmeisjes voor hem en zei in het Russisch en vervolgens in het Engels: 'Jullie hebben veel geluk. Marko heeft een leuk tafeltje voor zes voor jullie. Jullie zullen het heel gezellig hebben.'

Schaapachtig, voorzichtig, zonder één woord begrepen de zes de boodschap. Ze stonden op en volgden Marko, die hen naar een verre bestemming bracht in een afgelegen hoek van Gogol's omvangrijke verdieping. Sergei leunde naar Magdalena toe en legde een arm om haar schouders. 'Zo, dit lijkt er meer op... een leuke tafel voor twee.' Hij lachte luid in de geest van 'O, wat hebben we een lol.'

:::::: Nou... nee en nee, mijn beste Sergei. We zijn niet met z'n tweeën, maar met z'n drieën: jij, ik... en Vernedering die de andere acht stoelen vult. En nee, ik zou dit niet bepaald lol noemen. Al die brullende beesten in deze zaak met hun ha-ha-ha-ha-ha, deze bruten en hun vriendinnetjes, gekleed, overdreven gekleed, heel overdreven gekleed in oudbakken stijlen en kapsels, deze dronken pummels met hun botte dierlijke levenslust, maar al te bereid de zwakken of onoplettenden te grijpen en lol te hebben door haar vleugels uit te trekken, en intussen maar lachen om hoe zij tegenstribbelde... Oh, Zhytin, de grote Nummer Vijf – hij is er fantastisch in! Fantastisch! Een ware meester! Wat? Heb je het niet gezien? Mijn god, je hebt een klassieke demonstratie gemist! Maar je kunt daar wel zien wat er van haar over is... het is de kleine Cubaanse papaja aan die tafel voor tien die bijna leeg is – leeg in een verder stampvolle zaak als deze! Op een zo druk uur als nu! Leeg! Ze is een beschaamde en lege schelp. Niemand wil iets met haar te maken hebben afgezien van onze befaamde papajaverzamelaar, Korolyov... Hij gaat haar papaja pakken om ermee te doen wat hij er maar mee wil. Daarna zal hij de papaja als een doodgereden dier weggooien… Verlustig je maar in de aanblik! Je kunt haar niet missen! Ze zit alleen aan die enorme tafel, afgezien van onze papaja-connaisseur, en die telt natuurlijk niet… Ja! Kijk nou! Wat is er erger dan de dood?… *Vernedering!*… terwijl haar tafelgenoot, de heer Sergei Korolyov – hij is zo tevreden over zichzelf. Hij denkt dat hij haar kan opvrolijken, en waarom niet? *Hij* is buitengewoon gelukkig! Zijn stemming kon nauwelijks beter zijn! Zo voelt een man zich wanneer hij alleen maar hoeft te verschijnen… en *todo el mundo* springt op uit zijn stoel en komt toesnellen om je te overdekken met warme grijnzen en aan al je grillen toe te geven. Nog beter is ongetwijfeld de angst op de gezichten van andere mannen te zien wanneer ze je op enige manier dwarszitten… ze zijn vreselijk bang, alsof ze vrezen voor hun leven – ze *kruipen* echt… zoals die gemene gemene gemene gemene gemene man kroop op het moment dat tsaar Sergei op een bepaalde manier blafte –

– o, Sergei is nu in de Zevende Hemel… Met alle plezier zit hij heel de avond aan deze tafel… aan deze *gigantische* tafel voor tien, alleen hij en zijn kleine chocha met een enorme witte flitsende lovertjeszee voor hen. Je kunt hem niet missen! Daar is-ie! De machtigste man in de zaal!… Hij heeft echt niet het *flauwste* benul van *haar* ellende… *Alsjeblieft*, mijn knappe redder, haal me hier *alsjeblieft* weg… uit het zicht van wel duizend beschaamd makende, medelijdende, mijdende ogen… maar nee-e-e-e-e, hij moet zichzelf maximaal vertonen, nietwaar… Ziedaar de tsaar!… van Ruslands Hallandale, hartje Florida.

Eindelijk eindelijk eindelijk eindelijk – en dit *eindelijk* voelde als *eindelijk, na vijf jaar louter marteling* – *eindelijk* stelde Sergei voor te vertrekken en naar het grote feest op Star Island te gaan. Zijn vertrek verliep als zijn aankomst… de vleierijen, de houtgrepen, de stoute woorden in het oor, en Sergei die 2 meter 10 overeind stond en wiens borst opzwol als hij hen zag springen… Magdalena? Zij bestond niet meer. Ze keken recht door haar heen. Alleen de grote vleeshomp die de zaak leidde zei zoiets als dag… en dat zoiets ongetwijfeld alleen omdat hij meende op die manier een wit voetje te halen bij de tsaar die dit plakje papaja had meegebracht.

# 17

## MEER VERNEDERING

::::: Helemaal in het begin, zodra hij had gevraagd 'Wat doe je' en zo…
'Wat doe je om aan eten te komen, aan kleren' en hoe het ook verder
ging, had ik alleen maar iets hoeven te zeggen als 'Ken ik u, mijnheer?'
En vervolgens had ik hem, ongeacht wat hij zei, met die vraag onder
druk moeten blijven zetten: 'Ken ik u, mijnheer? Ik zou u heel echt *heel*
goed moeten hebben leren kennen voor ik dat soort vragen beantwoordde'… en als hij dan *toch nog* doorging, had ik kunnen aanvullen:
'En iets zegt me dat ik u *nooit* zo goed zal leren kennen, in geen duizend jaar, als ik het tenminste kan vermijden'… Tja, met het 'als ik het
tenminste kan vermijden' was het misschien overdreven gaan klinken,
zeker uit de mond van iemand van mijn leeftijd, 24, en hij is – wat? –
in de vijftig? – maar dat was het moment dat ik hem had moeten afsnijden, echt helemaal in het begin, voor hij toe kon komen aan die
gemene, vernederende rol van hem – :::::

En dat was *het enige* waaraan ze dacht nu ze hier op de passagiersstoel
zat amper vijfentwintig centimeter van Sergei af. Die liet zijn dure
sportwagen voorbijschieten over Collins Avenue in het donker… een
zwart gat met een regelrechte komeet van rode achterlichten die erin
doken… Sergei lachte en giechelde en grinnikte en zei dingen als: 'Hij
kroop! Hij kroop alz een kleine jongen die weet dat hij zich heeft
mizdragen!'… *schoot* langs dit rode achterlicht *schoot* langs het volgende
en *schoot* langs en *schoot* langs de volgende en de volgende *schoot* langs
*schoot* langs *schoot* langs hen allemaal met een ongelooflijke snelheid in

het donker... volstrekt roekeloos en Magdalena beseft het allemaal wel maar alleen in haar cerebellum... het bereikt niet eens de piramiden van Betz, laat staan haar gedachten... Het enige waaraan ze kan *denken* is wat ze had moeten doen, wat ze had kunnen doen om dat verschrikkelijke stuk *mierda* van haar af te houden... 'Kampioen' Zhytin.

::::: *Bastardo de puta* dat je bent! ::::: Dat soort grove taal liet Magdalena gewoonlijk niet eens in haar hoofd toe. Maar ze was in de greep van *waarom heb ik niet*, dat vreselijke intermezzo wanneer je naar boven loopt om naar bed te gaan of als een waanzinnige over Collins Avenue rijdt – na afloop van het feestje – en pas *nu* kom je op het weerwoord dat je had moeten geven... om die rotzak te verpletteren die bij het gesprek tijdens het eten vanavond punten ten koste van jou bleef scoren... niet dat Magdalena de term *l'esprit de l'escalier* kende, maar ze maakte het nu mee... nu ze verwoed, zinloos haar hersenen doorzocht.

Sergei was in zo'n goed humeur dat het hem geen moment opviel hoe stil en in gedachten verzonken Magdalena was... en inmiddels was hij begonnen over het onderwerp Flebetnikov, de Rus die hen had uitgenodigd voor het feest waar ze naar op weg waren, in diens villa, buitenverblijf, paleis op Star Island – eigenlijk was er geen term te groots voor... en was het haar niet opgevallen dat iedere Rus in Miami die in een groot huis woonde een 'oligarch' werd genoemd? Wat een grap was dat! Hijzelf werd een oligarch genoemd. Hij móest daar wel om grinniken. Een oligarchie is heerschappij door weinigen... dus zou iemand zo vriendelijk willen zijn hem te vertellen waarover hij de heerschappij had en met wie? Eerlijk gezegd had hij gehoord dat Flebetnikovs hedgefonds serieus in de problemen was geraakt, en hoeveel problemen moest een Rus hebben voor hij niet meer als een oligarch werd aangemerkt? Hij grinnikte weer.

Inmiddels reden ze Sunny Isles door, en Sergei wees links naar een flatgebouw aan de andere kant van Collins Avenue. 'Daar woon ik,' zei hij. 'Ik heb de 28ᵉ en 29ᵉ verdieping.'

Dat trok Magdalena's aandacht. 'De hele verdiepingen?'

'Tja... nu je het zegt... ja, allebei de verdiepingen.'

'Hoe hoog is het gebouw?'

'Negentwintig verdiepingen.'

'Dat wil dus zeggen dat je heel de bovenste twee verdiepingen hebt?' Wijd open ogen.

'Ummm... ja.'

'Het *penthouse*?'

'Er zijn erg mooie zeezichten,' zei Sergei. 'Maar dat zul je zelf wel zien.'

Nu zat zij weer op zijn golflengte. ::::: Betekent dat vanavond? ::::: en Amélia's vraag sprong weer in haar hoofd terug... en dat trok haar ver genoeg uit haar depressie omhoog om in elk geval aan iets anders te *denken* dan aan het vreselijke voorval bij Gogol's... *Dat zul je zelf wel zien*... en Magdalena begon het antwoord op die vraag te *voelen*. Was het denkbaar dat zij sterk genoeg zou zijn om naar die *twee hele verdiepingen* van een flatgebouw *met uitzicht over de oceaan* te gaan en een braaf meisje te zijn dat *no la aflojare* onmiddellijk op zijn schoot? – dat sterk is en tot de volgende nacht wacht? Of zou ze tegen die tijd zo dicht tegen hem aan leunen dat – waarom het nu inhouden nu we er vrijwel zijn?

Daarop gleed, godzijdank, Zhytin uit haar geest en was weg.

Sergei nam de afrit van Collins Avenue naar de MacArthur Causeway. Hij reed voor de verandering langzaam... vier-, vijfhonderd meter misschien... toen wees hij rechts de kant van de Biscayne Baai op... enkel een enorme zwarte vorm in het duister... 'Zie je dat bruggetje? Zo kom je op Star Island.'

'Ligt Star Island zo dicht bij de kust?' vroeg Magdalena. 'Dat is zo'n korte brug, ik snap niet hoe ze het een eiland kunnen noemen.'

'Nou,' zei Sergei, 'het raakt nergens het vasteland, dus dat zal denk ik de reden zijn.'

Ze zoefden *in een mum* van tijd het bruggetje over, maar toen ging Sergei langzamer rijden en zei: 'Het is het – ik weet niet precies hoeveelste huis rechts, maar het is niet ver. Het is enorm.'

Zelfs in het donker besefte Magdalena hoe overdadig, chic en weelderig de vegetatie werd zodra je op Star Island arriveerde... fijntjes gebeeldhouwde heggen, eindeloze ideale lanen met reuzenpalmen. De huizen stonden heel ver van de weg af. Zelfs in dit licht was het duidelijk dat het reusachtige... enorme... opzichtige buitenverblijven waren, zo groot dat het leek of ze een heel lange weg hadden gereden toen ze het huis bereikten dat Sergei herkende als dat van Flebetnikov. Hij sloeg de oprit in... muren van struiken aan beide kanten, zo hoog en dik dat je het huis niet kon zien. De oprit eindigde tussen twee gebouwen die je vanaf de weg niet kon zien. Ze hadden allebei een etage en waren diep genoeg om een familie van behoorlijke omvang in te huisvesten... en ook luxueus genoeg... een soort Bermuda-wit pleisterwerk... een parkeerwacht nam hun auto over... deze twee panden waren niets minder dan een dubbel poortgebouw. Erachter... het hoofdverblijf. Daar was het. Wat groot! Het liep maar door... en door... zeker honderdvijftig meter. Het wandelpad naar het huis was aangelegd met gigantische en nadrukkelijk nutteloze bochten. Maar wat was dit? Het begin van het wandelpad was afgezet met een fluwelen koord. Aan één kant, vlak voor het koord, zat een blondje – omstreeks 35? – aan een kaarttafeltje met een stapel formulieren voor haar neus. Toen Sergei en Magdalena het tafeltje naderden, zond ze een stralende glimlach uit en vroeg: 'U bent hier voor het feest?'

Toen Sergei ja zei, nam ze twee formulieren van de bovenkant van de stapel en zei: 'Als u hier wilt tekenen, alstublieft.'

Sergei begon het formulier te lezen dat ze hem overhandigde – en draaide plotseling zijn hoofd, versmalde zijn ogen en staarde aandachtig alsof het ding in een hagedis was veranderd. Hij wierp het blondje dezelfde blik toe toen hij vroeg wat het te betekenen had: *Vot ees dees zing?*

Het blondje glimlachte weer stralend en zei: 'Het is een vrijwaring. Het is maar een formaliteit.'

Nu glimlachte Sergei. 'Aha, dan is het goed. Als het maar een formaliteit is, waarom zouden we dan moeite doen? Vindt u ook niet?'

'Nou,' zei het blondje, 'we moeten wel uw schriftelijke toestemming hebben.'

'Schriftelijke toestemming? Waarvoor?'

'Zodat we uw beeltenis en uw woorden in de video kunnen gebruiken.'

'Beeeeeeltenis?' vroeg Sergei.

'Ja, dan kunnen we u in actie laten zien op het feest. U zult het geweldig doen. Hopelijk vindt u het niet erg dat ik dit zeg. Europese accenten in deze programma's vinden we prachtig. U zult het geweldig doen... en u ook!' zei ze, met een blik naar Magdalena. 'Jullie zijn het knapste stel dat ik vanavond heb gezien.'

Dat beviel Magdalena wel. Ze wilde dolgraag naar binnen.

'Wat bedoelt u met "deze programma's"?'

'Onze serie,' zei het blondje. 'Die heet *Masters of Disaster*. Hebben ze u dat niet verteld? Misschien heeft u het wel gezien.'

'Nee, ik heb het niet gezien,' zei Sergei, 'en nee, ik heb er nooit van gehoord, en nee, "ze" hebben het me niet verteld. Ik dacht dat mijnheer Flebetnikov me voor een feest had uitgenodigd. Wat iz dat *Mazterz of Dizazter*?'

'Het is een realityshow. Vreemd dat u er nooit van heeft gehoord. Onze kijkcijfers zijn echt heel goed. Iedereen houdt van sterren, maar ze houden er nog meer van de sterren te zien afgaan en ondergaan. Kent u Duits? In het Duits noemen ze het *Schadenfreude*.'

'Flebetnikov is dus ten onder gegaan?'

'Er is me verteld dat hij een Russische oligarch is en hij een enorm hedgefonds had. Toen is het misgelopen met een of andere transactie, en iedereen heeft zich uit het hedgefonds teruggetrokken, en voor hem is het een catastrofe.'

Magdalena zei tegen Sergei: 'O, ik geloof dat ik me hem *herinner*! Hij stond bij ons in de rij op de openingsdag van Art Basel. Een grote vent. Hij bleef maar voordringen in de rij mensen.'

'O, ik heb hem daar ook gezien.' Hij grinnikte. 'En nu is hij dus een "master of disaster"'... Hij draaide naar het blondje toe. 'Waarom willen die "masters of disaster" zichzelf in dat programma van u zo laten vernederen?'

'Nou, ze denken kennelijk dat iedereen al weet wat hen is overkomen. Dus dan kunnen ze evengoed hun comeback maken door te laten zien dat ze wel klappen hebben opgelopen, maar niet verslagen zijn.' Ze glimlachte deze keer sluw. 'Dat zal het zijn... of anders de vergoeding die we hen betalen voor de rechten op het programma.'

'Hoeveel is dat?'

Met dezelfde veelbetekenende glimlach zei het blondje: 'Dat varieert, dat varieert. Het enige wat ik u kan vertellen is dat de "masters of disaster" die cheque altijd gaan innen.'

Sergei keek naar Magdalena met zijn ogen wijd open – wat in zijn geval erg wijd was – en het lichtste glimlachje... alles bij elkaar een uitdrukking die zei: 'Dit mogen we niet missen. Wat vind je ervan?'

Magdalena knikte ja met een eigen grote glimlach. Dus tekenden ze allebei de vrijwaring. Het blondje keek naar hen en zei: 'O, mijnheer Korolyov, nu weet ik wie u bent! Een paar mensen hadden het laatst over u! Het Korolyov Museum of Art – ongelooflijk dat ik nu met u praat. Het is een *eer*. U bent een Rus, net als mijnheer Flebetnikov! Dat klopt toch? Ze zullen vast willen dat u in het Russisch met hem praat, dan kunnen ze er ondertitels bij doen. Dat slaat geweldig aan. We hebben het gedaan met Yves Gaultier in het programma over Jean-Baptiste Lamarck. Allebei Fransen.' Haar gezicht begon te stralen bij de herinnering aan dat hoogtepunt in de geschiedenis van realityshows. 'De producenten, de regisseur, de schrijver – ze zullen allemaal blij zijn u te zien.'

Magdalena liet zich voor het eerst horen. 'De schrijver?' vroeg ze.

'Tja, inderdaad… Het is natuurlijk allemaal echt en hij schrijft voor niemand teksten of iets dergelijks… maar je hebt iemand nodig om het programma enige… *structuur* te geven. Begrijpt u wat ik bedoel? Ik bedoel, je kunt daar niet zestig, zeventig mensen binnen hebben die zonder enig doel rondlopen.'

Sergei schonk Magdalena een eigen veelbetekenende glimlach. Hij knikte in de richting van het huis. Het was een enorm gevaarte in de Spanish-Revivalstijl uit de jaren twintig.

Bij de ingang stonden twee zwarte portiers in smoking. Binnen belandden ze in een enorme, ouderwetse zaal, een entreehal, zoals die vroeger in grote huizen heette. ¡Dios mío! Het stond er vol vrolijke feestgangers, de meesten van middelbare leeftijd. Wat een hoop gebrul en geschreeuw! De helft van de mannen was, in Magdalena's ogen, op weg dronken en high te worden. Over de geluidsinstallatie klonk de nieuwe sync'n'slip-muziek.

Vanuit het niets – materialiseerde voor hun neus een Anglo, een korte Anglo met een te groot guayaberahemd dat haast tot zijn knieën reikte. Hij grijnsde hevig en zong: 'Mister Korolyov! Miss Otero! Welkom! Savannah vertelde ons dat u er was, en daar zijn we blij mee! Ik ben Sidney Munch. Ik produceer *Masters of Disaster*. Mag ik u aan Lawrence Koch voorstellen?'

Ongeveer een meter van mijnheer Sidney Munch, de producent, stonden twee mannen en een vrouw bij elkaar. Een van hen, een jongeman met een helemaal kaalgeschoren hoofd – tegenwoordig de modieuze oplossing wanneer een jongeman last heeft van een kalende kruin – liep naar voren met de grootste, hartelijkste glimlach denkbaar. 'Larry Koch' zei hij, en hij schudde Sergei de hand. Hij droeg een safari-jasje met een ontelbaar aantal zakken.

'En dit is onze schrijver, Marvin Belli, en onze styliste, Maria Zitzpoppen.' De schrijver was een jongeman met een rond, bloeddrukrood gezicht. Zijn enorme pens bolde onder zijn riem nog erger dan erboven. Hij was het soort montere, vrolijke ziel dat het je lastig maakt níet terug te glimlachen. De styliste, Miss Zitzpoppen, was een dunne, kraakbeenachtige vrouw met een wit jasschort aan. Haar glimlach leek beslist stug en geforceerd in vergelijking met die van Belli. Een rondje voorstellen. Een rondje ongelooflijk glimlachen… waarop de kale jonge regisseur – ongelukkigerwijs was zijn nek zo lang en dun dat zijn hoofd een witte knop leek – de jonge regisseur straalde echt naar Sergei: 'Ik begrijp dat u een Rus bent – en spreekt u Russisch?'

'Dat klopt,' zei Sergei. *Zat ees drue.*

'Nou – het zou fantastisch zijn als u met mijnheer Flebetnikov praatte. Dat zou voor echte echtheid zorgen en het verhaal van mijnheer Flebetnikov een geloofwaardige sfeer geven.'

'Dat zou "echte echtheid" zijn? Wat zou dan "onechte echtheid" zijn? Ik ken mijnheer Flebetnikov amper.' Sergei liet regisseur Koch met een spottende grijns verstijnen.

'O, dat maakt niet uit,' zei regisseur Koch. 'U heeft alleen een paar openingszinnen nodig om op gang te komen. En u en mevrouw Otero zien er fantastisch uit. *Fantastisch!* Ik weet zeker dat u wanneer het ijs eenmaal gebroken is het er prima zult afbrengen. U bent bepaald niet verlegen, en Marvin kan u twee of drie goede openingsregels geven.'

Maar Sergei had zich al tot Sidney Munch gewend, de producent. Hij handhaafde zijn blik van vermaakt ongeloof en zei: 'Ik dacht dat dit een realityprogramma was. En ik spreek regels van een schrijver uit? Volgens mij is de Engelse term daarvoor "een toneelstuk".'

Zonder één moment van aarzeling zei Sidney Munch: 'Zoals u zich volgens mij zeker kunt voorstellen, moet je op tv een hyperrealiteit scheppen voor het op de kijker als gewone realiteit over zal komen. Marvin en Larry moeten van dit allemaal' – hij gebaarde naar het feest dat aan de gang was – 'een verhaal maken. Anders is het alleen maar chaos, terwijl dit geacht wordt mijnheer Flebetnikovs eigen historie te zijn. Waarom is volgens u mijnheer Flebetnikov trouwens op deze manier failliet gegaan? Ik hoop er meer over te achterhalen, maar momenteel is het me allemaal niet echt duidelijk.'

Sergei moest grinniken. 'O, er zijn heel weinig mensen die zo veel risico nemen als mijnheer Flebetnikov. Hij heeft – hoe moet je het noemen – "lef" – is dat het woord? Hij heeft lef en hij doet een heel grote gok op de productie van aardgas in Amerika, en energie-futures zijn altijd een riskante gok, en hoe groter de gok is, des te riskanter. Het was achteraf gezien een dwaze vergissing, maar Flebetnikov heeft wel lef. *Echt* lef. Zo heeft zijn hedgefonds ook miljarden dollars verdiend. Hij heeft echt lef om echte risico's te nemen.'

'Dat is *fantastisch!*' zei de kaalhoofdige jonge regisseur. 'We hadden moeite dit te achterhalen en het zo te vereenvoudigen dat het publiek het kan begrijpen. U bent *fantastisch*, mijnheer Korolyov! Wilt u over dit alles niet met hem gaan praten? Hij is daar. De camera's staan bij hem.' Hij wees naar twee van de hoge witte camerastatieven. Door de drukte kon je Flebetnikov niet zien. Maar je zag dat er van achteren en frontaal videocamera's op hem waren gericht.

'U wilt dus een confrontatie, waarbij ik over zijn problemen praat,' zei Sergei, geamuseerder dan ooit. 'Zou u het fijn vinden als er iemand naar u toe komt met tv-camera's erbij en over *uw* problemen begint te praten?'

'*Hah!*' zei Munch. 'Trok ik maar zo veel aandacht! Dat zou heerlijk zijn! Het is geen confrontatie, helemaal niet. Het is een kans voor hem zijn visie op deze situatie te geven, en hij zou er niet in hebben toegestemd in dit programma te verschijnen als hij niet bereid was er open kaart over te spelen. En dit maal kan hij het in zijn moedertaal uitleggen. Misschien zou hij er zich ongemakkelijk onder voelen in het Engels zo'n gecompliceerde situatie te bespreken, maar op deze manier kan het hele verhaal in het Russisch, met Engelse ondertitels. Een confrontatie! *Hah!* – hij zal dankbaar zijn voor de gelegenheid er in zijn eigen taal over te kunnen praten, met alle nuances. Heel belangrijk, de nuances. U bewijst hem *een echte gunst.*'

Sergei lachte hem ongeveer in zijn gezicht uit. 'U denkt dus dat u me kunt zeggen dat ik naar iemand toe moet om met hem te praten over dingen die *u* interesseren, u filmt het, en dat is realiteit?' Nu lachte hij Sidney Munch *inderdaad* in zijn gezicht uit.

Terwijl Sergei nog lachte en gezichten trok, wierp Munch een blik naar Larry, zijn kaalhoofdige regisseur met safari-jasje... een heel snelle blik wierp hij... en schonk vervolgens al zijn aandacht weer aan Sergei... maar intussen hield hij zijn arm op dijniveau omlaag en bewoog de handpalm omhoog en omlaag. Zonder een woord vertrok Larry uit hun groepje, hij liep o zo langzaam en achteloos... maar toen hij ongeveer zeven meter weg was, zette hij er maximaal de vaart in. Hij liep zo snel dat hij zijn handen voor zich omhoog moest houden om te voorkomen dat hij tegen mensen in de menigte aan zou botsen en de hele tijd zoiets moest zeggen als 'Sorry!… Sorry!… Sorry!… Sorry!'… Magdalena had het in de gaten. Sergei had het helemaal niet gezien. Hij had te veel lol met Munch uit te lachen en hem heel sarcastisch te pesten. 'Wat een prachtig "verhaal" hebben jullie! Ik als acteur! Mijn rol is op Flebetnikov af te stappen, hem deze ellende in te peperen en jullie filmen het – en dat noemen we een realityshow!' Hij genoot er echt van… om Sidney Munch te ontmaskeren als de oplichter die hij was! Wat een smiecht!

Ineens klonk in de menigte aan de zijkant gedreun, dronken geroep en getier… dronken woede ook… 'Ga verdomme van mijn poot af, vette botervloot dat je bent!'… 'Het is eerder Kameraad Vlooien-beetikov!'… 'Niet tegen *mij* duwen, grote vette spekklomp dat je bent!'… 'Master de Patser!' Het tumult werd alleen maar luider. Wat het ook was, het kwam de kant op van Magdalena, Sergei en Sidney Munch. En het werd gevolgd door twee mobiele camerastatieven. Je kon ze niet missen, ze waren zo hoog. Ze reden door de menigte als een stel tanks.

*Dios mío*, het gedreun! De rand van de menigte brak open – en het tumult was vlak bij Magdalena. Het was het grote lijf van Flebetnikov zelf – *woest*. Hij was gehuld in een duur ogend donker pak en een wit overhemd. Zijn dikke nek stond nu bol van de aderen, pezen, groeven en een enorme musculus sternocleidomastoideus… en was volge-stroomd met het bloed van woede.

'Korolyov!' loeide hij.

Sidney Munch en mevrouw Zitzpoppen moesten opzij, zoveel be-grepen ze wel. De grote razende Rus ging recht op Sergei af en brulde in het Russisch: 'Ellendige kleine adder dat je bent! Je beledigt me, je valt me van achter mijn rug aan! Op tv! Voor het oog van driehonderd miljoen stomme Amerikanen!'

Hij duwde zijn grote rode apoplectische gezicht recht in dat van Sergei. Amper 15 cm scheidden de twee. Magdalena staarde bezorgd naar haar Sergei. Hij vertrok geen spier, alleen kruiste hij zijn armen over zijn borst. Hij had een glimlachje dat zei *Hopelijk besef je dat je gek bent*. Hij had er niet zelfverzekerder en ontspannener uit kunnen zien. *Cool* was het woord. Magdalena was zo trots op haar Sergei! Ze wilde hem dat dolgraag vertellen!

Flebetnikov bleef in het Russisch gillen: 'Jij durft mij een dwaas te noemen! Een dwaas die iets dwaas deed en al zijn geld is kwijtgeraakt! Denk je dat ik dat zomaar pik?'

Magdalena merkte dat de twee mobiele camera's vlak bij hen waren. De cameramannen hadden hun hoofd ongeveer ín de lenzen gestoken en verslonden uitgehongerd heel het tafereel.

Sergei glimlachte nog steeds zeer cool en zei in het Russisch: 'Boris Feodorovitsj, je weet heel goed dat het niet waar is. Je weet heel goed dat onze masters van de reality hier' – hij gebaarde naar Sidney Munch en naar de knophoofdige regisseur die pal achter Flebetnikov stond – 'je van alles op de mouw spelden.'

Flebetnikov viel stil. Magdalena zag hem naar Munch kijken, de producent, en zij zag Munch, zijn armen nog steeds langs zijn zij, zijn open handpalm omhoog omhoog omhoog omhoog bewegen. *Ga zo door!* leek Munch aan te geven. *Niet ophouden! Doorzetten! Mep die cynische blik van zijn arrogante gezicht! Hij spot met je! Neem hem te pakken, Grote Jongen! Niet ophouden nu!*

Flebetnikov vervolgde in het Russisch: 'Jij durft daar met me te staan spotten, Sergei Andreivitsj? Jij denkt dat ik me neerleg bij jouw arrogantie! Moet ik dat zelfvoldane gezicht er zelf voor je vanaf meppen?'

Sergei reageerde in het Russisch: 'Ach, toe nou. Boris Feodorovitsj, we weten allebei dat dit bekokstoofd is door die Amerikanen. Ze willen alleen dat jij je als een dwaas laat gaan.'

'*Dwaas*, nou gebruik je dat woord weer! Je durft me in mijn gezicht een dwaas te noemen?! O, neem me niet kwalijk, Sergei Andreivitsj, maar zo ver kan ik je niet laten gaan! Het is duidelijk dat ik groter ben dan jij, maar nu dwing je me te doen wat ik moet doen! Als je niet zelf dat beledigende glimlachje van je gezicht haalt, laat je me geen keus!'

Magdalena had geen idee wat ze zeiden – maar moet je Flebetnikovs gezicht *nu* zien! Het zwelt echt op! Het zit propvol bloed! Hij brengt het nog dichter naar dat van Sergei! Hij is zo dichtbij dat hij zijn neus kan afbijten! Hij heeft het kookpunt bereikt! En Sergei! Ze is zo trots op hem. Hij is een *man*! Hij versaagt niet, laat staan dat hij zich terugtrekt. De blik die hij Flebetnikov toewerpt, is nog precies even cool als toen heel dit gedoe begon. Ze ziet Flebetnikov nog eens naar Munch kijken. Munch knikt een snel *ja* en beweegt de open palm in een verwoed tempo omhoog en omlaag. *Ja! Ja! Ja! Ja!*

Flebetnikov zei in het Russisch: 'Denk erom, ik wil dit niet! Jij wilt *met alle geweld* dat ik het doe!'

Daarop stapte hij achteruit zodat hij ruimte had om te doen wat hij 'moest doen'. Met een kruising tussen een grom en een brul haalde hij naar Sergei uit. Het was een grote zware rechtse hoek. Zelfs iemand die niet zo jong en fit was als Sergei had een telefoongesprek kunnen afronden en dág zeggen voor de stoot aankwam. Sergei dook er moeiteloos voor weg en pareerde door zijn schouder in Flebetnikovs middenrif te rammen. *Grrrrooof!* – tussen een grom en een leeglopende buik... en de Master of Disaster viel naar achteren, hij en zijn grote buik en dikke reet. Hij zou de grond hebben geraakt met zijn schedelbasis als hij onderweg naar beneden niet tegen de dij van de kaalhoofdige regisseur was gekomen. Hij lag op de grond met een borst en een buik die op en neer gingen van het oppervlakkig ademhalen. Zijn ogen waren open, maar waren helemaal nergens op gericht en zagen duidelijk helemaal niets. Magdalena was, als verpleegster, van zulke dingen op de hoogte. Sergei had de grote man duidelijk alleen weg willen duwen. Maar zijn schouder had Flebetnikov recht in de zenuwbundel van de maag geraakt, waardoor hij was gevloerd.

Producent Munch maakte zich absoluut niet druk om de gevallen ster van zijn realityprogramma. Zijn aandacht was helemaal gericht op zijn twee cameramannen op hun rijdende camerastatieven. Hij bleef met zijn vuist zwaaien, met de wijsvinger en middelvinger op Flebetnikov en Sergei gericht, en schreeuwen: 'Pak het *allemaal*! Eet ze *op*! Pak het *allemaal*! Eet ze *op*!' De enigen die de dikke man probeerden te helpen waren Magdalena en Sergei. Sergei leunde over het uitgestrekte lijf en speurde naar tekenen van leven. 'Boris Feodorovitsj! Boris Feodorovitsj! Kun je me horen?'

Producent Munch en regisseur Koch waren in de greep van een droom die uitkwam.

'Fabuleus!' zei Munch die een rare hoela danste in zijn guayaberahemd.

'Fantasisch!' zei Koch, die een generatie jonger was dan Munch en geen 'fabuleus' zei.

Inmiddels knielde Sergei naast Flebetnikov neer en hij sprak in het Russisch. Ongerustheid dat hij de dikke man mogelijk een dodelijke klap had gegeven stond pijnlijk op zijn gezicht geschreven. De ogen van de dikke man leken twee klompjes matglas... geen iris... geen pupillen...

'Boris Feodorovitsj! Ik zweer dat ik niet probeerde je te verwonden!

Ik probeerde alleen ons uit elkaar te halen, zodat we dit alles als vrienden konden bespreken! En ik wil nog steeds je vriend zijn. Praat tegen me, Boris Feodorovitsj! Wij zijn trotse Russen en door die vuile Amerikanen hebben we ons allebei als dwazen gedragen!'

Dat woord – 'dwazen' – sneed door de mist van de dikke man. Helemaal op eigen kracht zorgde het voor een stimulus respons. Eindelijk een teken van leven! Flebetnikov deed erg zijn best, maar was tot niet meer dan grindachtig fluisteren in staat, telkens en telkens bleef hij iets zeggen.

Vreemd genoeg leek hij helemaal niet boos... alleen verdrietig...

Magdalena en Sergei knielden allebei naast het buik-bovenlijf van Flebetnikov. Sergei's hoofd was heel dicht bij dat van de dikke man. Toen verscheen een derde paar knieën in hun groepje, knieën in een schone, keurig gestreken kaki broek... onberispelijke vouwen... Magdalena en Sergei keken op. Het was een dunne, bleke, jonge Anglo met netjes geknipt, zorgvuldig gekamd blond haar. Hij had een notitieboekje met spiraalband in de ene hand en een balpen in de andere... geen gewone balpen... nee, een balpen met in het bovenstuk, het bredere stuk, een ingebouwde digitale opnamemicrofoon. Hij droeg een marineblauwe blazer en een wit overhemd. Hij zag eruit als een Anglo studentje, het soort dat je op foto's in tijdschriften zag.

Hij staarde naar Sergei en zei: 'Mijnheer Korolyov? Hi!' Hij klonk vriendelijk en verlegen. Hij bloosde toen Sergei naar hem terugstaarde. 'Ik ben John Smith van de *Miami Herald*,' zei hij luchthartig. 'Ik versla het feest van mijnheer Flebetnikov – of de realityshow of wat het ook is – en ineens was er hier al die opschudding.' Hij keek omlaag naar Flebetnikov, toen weer naar Sergei en vroeg: 'Wat is er met mijnheer Flebetnikov gebeurd?'

::::: De *Miami Herald*. John Smith... Waarom gaat er dan een belletje rinkelen? :::::

Sergei keek uitdrukkingsloos naar de jongen, maar niet lang. Nu wierp hij hem een blik toe die zei, in niet mis te verstane woorden: 'Val uit elkaar!' Wat de komst van de jongen bij het voorval betekende – Sergei had een tel of twee nodig om het in te schatten – O, *geweldig*... heel dit stomme zaakje kon in de krant belanden!

'Gebeuren?' zei Sergei. 'Nietz gebeuren. Mijn vriend Flebetnikov is gevallen. Het waz een ongeluk. We bellen de dokter, voor de zekerheid. Maar mijnheer Flebetnikov waz maar een paar zeconden bewuztelooz.'

'Maar deze mijnheer hier' – John Smith keek vagelijk achterom over zijn schouder – 'vertelde me dat mijnheer Flebetnikov probeerde u te slaan.'

'Hij ztruikelde en viel,' zei Sergei. Er was niets aan de hand. *Eets nozzing, my fran.*

'Gossie...' zei John Smith. 'Ik heb enige opheldering nodig. Deze mijnheer hier achter' – weer een vage knik over de schouder – 'hij zei dat hij heel de toestand heeft gezien en dat mijnheer Flebetnikov naar u uithaalde. Maar u ontweek de stoot – "net als een profbokser" zei hij. U ontweek de stoot en pareerde met een klap op het lichaam waardoor mijnheer Flebetnikov werd gevloerd! Hij zei dat het *echt* cool was!' Hij zette een grote, eerbiedige glimlach op, waarschijnlijk met het idee dat Sergei zou smelten door de vleierij. 'Heeft u veel aan boksen ge–'

'Wat zeg ik u? Hoort u? Nietz. Ik zeg u nietz gebeuren. Mijn vriend hier, hij ztruikelt en valt. Het waz een ongeluk.'

Intussen was de dikke man begonnen te grommen, en zijn gefluister nam toe tot een zwak mompel mompel mompel.

'Wat zei hij?' vroeg John Smith.

'Hij zei: "Dat klopt. Het was een ongeluk."'

Een stem van direct boven hen: '*Was* het maar een ongeluk geweest. Maar ik vrees dat het ge-ee-ee-een ongeluk was!'

Sergei, Magdalena en John Smith keken op. Sidney Munch stond boven hen... in zijn veel te grote guayaberahemd... zo lang dat het een jurk leek. Hij tuurde aandachtig naar hen omlaag.

'Dat is *hem*!' zei John Smith. 'De man over wie ik u vertelde!' Hij keek naar zijn notitieboekje met spiraalband. 'Mijnheer Munch! Hij was hier de hele tijd en heeft me verteld wat er is gebeurd!'

'Het was geen aangenaam gezicht,' zei Munch. Hij begon zijn hoofd te schudden. Hij tuitte zijn lippen en trok ze bij de hoeken verdrietig omlaag. Hij slaakte een diepe zucht. Hij richtte zijn woorden tot John Smith: 'Ik weet niet waarom, maar ineens' – hij gebaarde met zijn kin om aan te geven dat hij het over Flebetnikov had – 'begon hij zich een weg te banen door al deze mensen' – hij gebaarde naar de menigte gasten – 'en kwam recht op mijnheer Korolyov af. Ze wisselden een paar boze woorden en toen' – hij deed het kunstje met de kin weer – 'haalde hij uit naar mijnheer Korolyov, en mijnheer Korolyov ontweek net als een beroepsbokser en deelde' – weer de kin – 'zo'n klap met de schouder in het middenrif uit dat' – weer het Flebetnikov-teken – 'neerging als zes zakken kunstmest!'

Uit haar ooghoek zag Magdalena dat een van de mobiele camera-teams op amper 1 meter 20 met het rode oogje aan alles *alles alles* opnam. Ze stootte Sergei aan. Hij trok zich terug uit de groep en zag het met eigen ogen.

Hij was ziedend. Hij verhief zich in zijn volle lengte, keek omlaag naar Munch, maakte zijn arm en zijn wijsvinger stijf, richtte ze op de camera en zei met een staalachtige stem: 'Je filmt dit ook – *ubljúdok* dat je bent.'

Zijn staalachtige stem nam toe tot een schreeuw: 'Jij speelt een spelletje! Je stuurt je regisseurtje om leugens tegen Flebetnikov te vertellen – om hem kwaad te maken! Flebetnikov heeft dit niet gedaan! Ik heb dit niet gedaan! *Jij* hebt dit gedaan! Je hebt deze *leugen* uit je duim gezogen! Dit is geen realiteit – dit is een leugen!'

Munch zette het gezicht op van een man die *vreselijk* was getroffen door een gemene opmerking die enkel en alleen was gemaakt om zijn gevoelens te kwetsen. 'Maar mijnheer Korolyov, hoe kunt u zeggen dat dit geen realiteit is? Dit is allemaal net gebeurd! Wanneer iets eenmaal gebeurt, wordt het werkelijk, en wanneer het eenmaal werkelijk is, wordt het deel van de werkelijkheid. Of niet soms? Mijnheer Flebetnikov deed niet *alsof* hij boos was. Hij was *boos*! Niemand zei tegen u dat u uzelf moest *verdedigen*. *U* besloot zichzelf te verdedigen! En heel terecht! En heel mooi en atletisch, als ik het mag zeggen. Bent u ooit beroepsbokser geweest? In de ring was u –'

'NU IS DE MAAT VOL!' zei Sergei. 'U luistert naar me! U zendt niets uit waarop ik te zien ben, en u gebruikt niets van wat ik zeg! U heeft het recht niet! Ik stap naar de rechter! En dat is nog maar het begin. Begrepen?'

'Maar mijnheer Korolyov, u heeft een vrijwaring getekend!' Munch zei het met dezelfde gekwetste stem. 'U heeft ons toestemming gegeven wat u ook deed en wat u ook zei voor ons programma op te nemen. We hebben naar *uw woord* gehandeld. We hebben u aanvaard als een man van uw woord. U *ondertekende* de vrijwaring. Het is zo klaar als een klontje. En door wat we filmden komt u beslist in een gunstig licht te staan. Mijnheer' – hij maakte het Flebetnikov-teken – 'viel u aan en u verdedigde zichzelf met moed, kracht, snelheid en atletische zekerheid terwijl een man' – Flebetnikov-teken – 'die twee keer zo groot is als u, twee keer zo groot als *iedereen*, een verrassingsaanval inzette, een *lijfelijke* aanval. Denk er alstublieft eens over na! U *wilt* in *Masters of Disaster* verschijnen. Miami kent u als een edele, enorm genereuze weldoener van het museum, van heel Zuid-Florida. Dit programma zal *de man* achter de grote generositeit laten zien. Dit programma zal de wereld... een *echte man* laten zien!'

Magdalena merkte dat de journalist, John Smith, alles opnam met zijn digitale recorderbalpen. Hij verslond het allemaal net zo gretig als Munch. En Sergei? Hij liep leeg voor Magdalena's ogen. Zijn grote, sterke vol bloed gestroomde nek kromp... net als zijn prachtig gebeeldhouwde borst – zelfs zijn sterke brede schouders liepen snel leeg. Zijn colbert leek, volgens Magdalena, centimeters voorbij die eenssterke, eens-brede schouders van hem uit te steken en neer te hangen. Het was Magdalena duidelijk: Sergei besefte dat deze kleine Sidney Munch hem te slim af was geweest... *hem*, de machtige Rus die iedereen aan kon, en al helemaal een oplichtertje als Munch... en nu had Munch hem erin geluisd om precies de zelf-verlagende, vernederende dansbeernummertjes op te voeren die hij hem wilde laten opvoeren –

En *hij had de vrijwaring getekend*! Hij had zijn rechten opgegeven als de grootste sukkel die ooit heeft geleefd!

Sergei wierp Munch één laatste boosaardige blik toe en zei met zijn zachte ziedende stem: 'Hopelijk heeft u mij gehoord. Ik *vroeg* u niet om die film niet te vertonen. Ik zei dat u die *niet gaat* vertonen. Een rechtszaak is niet het enige wat er gebeuren kan. Er kunnen *andere* dingen gebeuren. U zult die film *nooit* op tv zien.' Magdalena kon Sergei's gezicht niet zien, maar ze zag wel mijnheer Munch toen hij naar Sergei keek. Zijn gezicht was verstijfd, op zijn oogleden na, die knipperden knipperden knipperden knipperden.

'Mijnheer Korolyov! Mijnheer Korolyov!' Het was John Smith, die achter hem opdaagde. Sergei wierp hem een blik toe die kon doden, maar de bleke journalist, zo dun als een oortelefoondraadje, wist van geen ophouden. 'Mijnheer Korolyov – voor u gaat! U deed het zojuist *fantastisch*! U – tja, ik weet dat u weggaat, maar mag ik u bellen? Ik zou u graag bellen, als u –'

John Smith deinsde midden in de zin terug. De blik op Sergei's gezicht leek hem de adem te benemen. Dit was niet alleen de blik die doodt. Dit was de blik die doodt, en dan het karkas rookt en opeet.

Ze verlieten de villa en begonnen terug te lopen naar de poorthuizen. Sergei staarde recht vooruit – naar niets. Magdalena had nooit zo'n chagrijnige blik op een menselijk gelaat gezien, zelfs niet in het Jackson Memorial Hospital op het ogenblik van de vrije val die aan de dood voorafgaat. Hij begon bij zichzelf in het Russisch te mompelen. Hij liep nog naast haar, maar zijn geest was naar een ander gebied vertrokken.

'Mompelmirovmompelkreupelmompelnesmayamompelmilayshmom pelkhlopovmompel –'

Magdalena hield het niet uit. Ze viel hem in de rede: 'Sergei, wat scheelt eraan? Wat ben je aan het mompelen? Kom teruuuuug!'

Sergei keek haar kwaad aan, maar uiteindelijk begon hij Engels te spreken. 'Dat dikke dwergje, die rotzak, die Munch – ongelooflijk dat ik dit heb laten gebeuren! Dat Amerikaanse stuk uitschot – en ik heb me door hem erin laten luizen! Hij wist precies hoe hij "mij" in zijn onsmakelijke realityshow moest krijgen – en ik zag het niet aankomen! Hij laat me overkomen als een of andere idiote straatvechter! Het ene ogenblik ben ik de grote – wat is het Amerikaanse woord? donateur? – en eren ze me omdat ik voor tientallen miljoenen schilderijen aan een museum schenk – en nu ben ik een dwaas die zo diep gezonken is dat ik in deze waardeloze "realityshow" verschijn! Weet je wat Flebetnikov zei toen ik over hem heen leunde om te zien of hij nog ademde, of er nog hartslag was – ik was bang dat hij dood was! Maar godzijdank leeft hij nog. Hij kan haast niet praten, maar met zijn deerniswekkende stem fluistert hij in mijn oor: "Sergei Andreivitsj, ik meende het niet." Meer hoefde hij niet te zeggen. De blik in zijn ogen – hij smeekte. "Sergei Andreivitsj," zei hij, "vergeef me alsjeblieft. Ze zeiden me dat ik ruzie moest gaan maken." Arme Boris Feodorovitsj. Hij is blut, hij is wanhopig. Hij heeft het geld nodig dat ze hem bieden. Dan beginnen ze toespelingen te maken. Als hij het goed doet in dit programma, geven ze hem misschien een eigen "realityshow". Misschien noemen ze het *De gekke Rus*? – ik weet het niet, maar ik heb nu door hoe die walgelijke Amerikanen het aanpakken. Ze dwingen Boris Feodorovitsj mij hun beerput in te sleuren door mij aan te vallen – lijfelijk! Toen hij eenmaal uithaalde met zijn zielige stoot zat ik in hun smerige programma, of ik nu wilde of niet. Ik liet zo veel minachting blijken voor die Munch – en hij luist me erin als een willekeurige arme *lokh*. Ongelooflijk! Een of ander walgelijk Amerikaantje!'

Ze waren nu aan het eind van het wandelpad, dichtbij het dubbele poorthuis. Dat leek gigantisch in deze vage elektrische schemering. Daardoor werd eerder hun omvang gesuggereerd dan dat ze werden belicht... een rand lei op de daken... de witte architraven rond de ramen... de schaduwen in het diepe reliëf van een of ander gipsen medaillon met grillige figuren erin.

Helemaal aan het eind van het wandelpad zat de grote blondine, 'Savannah', nog steeds aan het kaarttafeltje. Er was net genoeg licht om haar te belichten zoals ze met haar rug naar hen toe zat... haar mouwloze jurk, de witheid van haar brede, blote schouders, de lokken blonde hoogsels in haar haar... Sergei stopte abrupt en zei tegen Magdalena: 'Die *kvynt*... moet je haar eens zien. Met haar is het allemaal begonnen.'

Hij zei het niet hard. In feite *ziedde* hij het eerder dan dat hij het zei. Maar het was hard genoeg voor deze vrouw, Savannah, om iets te horen. Ze kwam overeind uit haar stoel en draaide zich om. Magdalena's hart begon heel snel te kloppen. Sergei had dezelfde blik op zijn gezicht als kort voor hij tekeer was gegaan tegen de Nummer Vijf schaker bij Gogol's. ::::: Goeie god, spaar me! Tegen nog zo'n ontstellende toestand ben ik niet bestand! ::::: Doodsbang hield ze haar adem in.

De vrouw, Savannah, begon te glimlachen. Ze zong uit: 'Hi! Hoe is het gegaan?'

Een woedende Sergei staarde dodelijke stralen naar haar, één tel, twee tellen, drie tellen, veel te veel tellen... toen... 'Hette waz wonderbaarlijk – geweldig!' Ook al kwam het er wat vreemd uit, zijn grote vreugde was onmiskenbaar. 'Ik zo blij zijn we naar jou geluizterd hebben!'

Magdalena kon haar oren niet geloven. Ze deed een halve stap naar voren en keek o zo snel naar Sergei's gezicht. *¡Dios mío!* Kon die glimlach ooit zo oprecht en... en... en zo *hartgrondig* zijn als die leek? 'Ja, we moeten *jou* dankbaar zijn, Zavannah!' O, de kameraadschap. Het was zelfs *liefde* waarin hij haar naam baadde! 'Dat was geen programma,' zei Sergei. 'Het was een *ervaring*, een – een – een les in het *leven zelf*! Flebetnikov – Boris Feodorovitsj – hij onz laten zien wat moed inhoudt!'

Hij wierp Savannah een blik toe met niet alleen geluk... maar ook *betovering*. Hij was Goede Wil en Dankbaarheid die in glimmende leren schoenen over deze aarde liep. Hij belichaamde deze dingen zo succesvol dat er een opmerkelijke glimlach over Savannahs gezicht kwam. Die was enorm en straalde. Haar tanden waren lang ja... maar ze waren ook volmaakt gelijk... en zo wit en stralend dat ze de vage elektrogloed hier op Flebetnikovs voorgazon overweldigden.

'Nou, dank u wel,' zei ze. 'Maar ik heb eigenlijk niet bijster veel gedaan –'

'Jawel hoor! Zeker wel! U heeft mijn gemopper zo geduldig doorstaan. U heeft me zo *aangemoedigd*!' Sergei begon naar Savannah toe te lopen, beide handen uitgestoken, zoals je doet wanneer je een goede vriend je genegenheid wilt tonen. De verrukte, stralend luxodontische Savannah stak beide handen naar hem uit, en hij klemde ze vast zodra hij bij haar was.

'Ineens is hij alles kwijt,' vervolgde Sergei, 'maar hij wil dat de wereld *weet*' – hij voorzag zijn greep op haar handen van een flinke pompbeweging om *weet* te benadrukken – 'weet dat wanneer een dappere man het ergste overkomt, hij een kracht *in* zich heeft' – hij voorzag *in* van een flinke pompbeweging – 'en het is de kracht van het hart – het menselijke hart!' Hij voorzag Savannah's handen van twee pompbewegingen, eentje voor *het hart* en een tweede voor *het menselijke hart*.

:::::: Van *betoverd* gesproken. Zie de uitdrukking op haar gezicht. Zij is het toonbeeld van een vrouw die zich afvraagt of – zich nauwelijks kan overgeven aan de mogelijkheid dat – dit visioen realiteit is. Deze ongelooflijk knappe beroemdheid met een Europees accent houdt allebei haar handen vast en knijpt erin – en giet zijn ziel in haar wijd open ogen. Kon dit waar zijn? Maar het *is* waar! Ze kan de aanraking van zijn handen voelen! Haar ogen kunnen zijn diepste emoties niet vlug genoeg inslikken! ::::::

'Hij een macht ontdekken die groter iz dan waarvoor hij zo veel jaar leefde, de macht van geld.' Nog een paar pompbewegingen. 'Wat jammer dat u niet bij ons was' – hij gebaarde de kant van het huis op – 'om het te zien, maar ik weet zeker dat Sidney – mijnheer Munch – een heel getalenteerde en sympathieke man, trouwens' – *zympathieke man trouwenz* – 'je de film heel snel zal laten zien. Maar ik moet je vragen of ik één ding mag nakijken. Ik heb hem gezegd dat ik hem altijd van dienst wil zijn wanneer hij een vraag heeft over Boris Feodorovitsj en wat hij die jaren in Rusland heeft gedaan of wat dan ook. Maar ik wil zeker weten of ik alle informatie op het formulier heb gezet. Ik had zo'n haast! De mail, het nummer van m'n mobieltje, het adres, al die dingen.' Hij voorzag haar handen van een laatste pompbeweging, en liet ze toen los.

'Goed,' zei Savannah, 'we kijken het na.' Ze ging weer op haar stoel zitten, greep onder de tafel, verscheen met een metalen dossierdoos en zette die op het tafelblad. Ze haalde een sleutel uit haar handtas tevoorschijn en maakte de doos open. 'Het zou hier bovenop moeten liggen...' Waarop ze een vel papier pakte en zei: 'Hier is het. Wat wilde je precies nakijken – de mail zei je?'

'Laat me het even zien,' zei Sergei die naast haar stond. Ze overhandigde hem het vel, en hij schonk haar de warmste en dankbaarste glimlach tot nu toe... en vouwde het formulier in de lengte in tweeën, nog eens in tweeën en liet het in een zak van zijn jasje glijden... glimlachte glimlachte glimlachte erop los.

Savannahs stralende luxodontische gloed verflauwde een beetje. 'Wat doe je ermee?'

'Ik moet het in een beter licht bekijken.' En maar glimlachen glimlachen glimlachen, hij gebaarde naar Magdalena, pakte haar bij de arm, maakte het fluwelen koord los en ging naar het grote poorthuis toe. 'Dank je, beste Savannah, voor alles.'

Schatje Savannahs gloed verflauwde nu *erg*, en haar stem werd luider. 'Alsjeblieft – Sergei – dat kan daar niet blijven!'

::::: *Sergei* noemt zij hem! Al die praatjes – hij moet haar hebben betoverd! :::::

Sergei versnelde zijn pas en zong met de vrolijkste stem die Magdalena zich kon voorstellen over zijn schouder terug: 'O, mijn beste Savannah, maak je geen zorgen! Het is allemaal voor de goede zaak!'

'Nee! Sergei! – Mijnheer Korolyov! – dat moet u niet doen! – dat *kunt* u niet doen! – alstublieft!'

Sergei glimlachte naar haar terug onder het lopen, en hij liep snel. Ze volgden niet het wandelpad met de kronkelende bochten, maar liepen de kortste weg over het gazon. Hij riep een parkeerwachter aan.

'Mijnheer Korolyov! Stop! Dat is niet van u!' Haar stem had een schril, paniekerig niveau bereikt – en leek dichterbij. Ze moest hen achterna komen. En toen: '*Verdomme* nog aan toe!'

Magdalena keek achterom. De vrouw was gestruikeld. Ze zat op het gras met een schoen aan en een schoen uit, en wreef over haar enkel. Haar gezicht was verwrongen van de pijn. Haar hoge hakken moesten in het gazon zijn weggezakt. Helemaal geen gloed meer.

De parkeerwachter kwam aanrijden met de Aston Martin. Sergei glimlachte naar Magdalena. Hij grinnikte, lachte, zei iets, en lachte en grinnikte nog eens. Iedere normale, niet-geïnformeerde toeschouwer – zoals de parkeerwachter – zou denken dat je hier een halfdronken iemand had die het leuk had gehad op het feestje... en die genoeg gezopen had om de parkeerwachter een briefje van vijftig dollar te geven. Magdalena zag dat Savannah blootsvoets terugsnelde naar het huis – met een zeer eigentijds hooggehakt soort hinken.

Toen ze het bruggetje overstaken van Star Island naar de MacArthur Causeway, lachte Sergei zo hard dat hij nauwelijks kon ademen. 'Had ik maar kunnen blijven en de blik op het gezicht zien van dat ellendelingetje, Munch, wanneer de vrouw hem zegt wat er is gebeurd! Ik zou er alles voor geven!'

Terwijl hij reed, legde hij zijn hand op Magdalena's knie en liet die daar een poos liggen. Geen van beiden zei een woord. Magdalena's hart sloeg zo snel en ze ademde zo vlug dat ze, wist ze, geen woord had kunnen uitbrengen zonder dat haar stem zou trillen. Toen liet hij zijn hand driekwart van de weg omhoog over haar dij glijden.

Inmiddels had Sergei Collins Avenue bereikt. Magdalena bleef volkomen roerloos. Als hij rechts afsloeg, zouden ze naar *haar* appartement rijden. Als hij links afsloeg, zouden ze naar het zijne rijden… Hij sloeg links af! – en Magdalena kon zich niet inhouden. Onmiddellijk telepatheerde ze Amélia via de vezel-fictieve chimeroptische verbinding die ze de hele avond open had laten staan: '*Zei* ik het je niet? Het hangt ervan af, het hangt ervan af!' Heel zacht liet Sergei zijn hand heel het eind naar haar kruis glijden en begon dat te strelen. Ze voelde een vloeistofstroom in haar lendenen opkomen en telepatheerde Amélia nog eens. 'Ik zweer het je, Amélia, ik neem geen besluit. Het gebeurt gewoon.'

Sergei's appartement was indrukwekkender dan in haar grootste fantasie. De woonkamer telde twee lagen. De woning zag er heel modern uit, maar niet modern op een manier die ze ooit eerder had gezien – glazen wanden zo overmatig gegraveerd met surreële vegen en wervelingen van vrouwen in fantasmagorische gewaden dat je er nauwelijks iets doorheen kon zien. Sergei bracht haar naar de eerste etage via een wenteltrap met een donkere leuning die was ingelegd met dat-kon-toch-niet-echt-zijn ivoor. Hij deed de slaapkamerdeur open en vroeg haar als eerste naar binnen te gaan… een enorm vertrek verlicht door het soort spotjes dat ze in clubs had gezien… het bed – het was gigantisch… wanden van is-dat-fluweel – ze nam geen andere details in zich op, want op dat moment omhelsde hij haar van achteren, zo stevig dat ze de overweldigende kracht van zijn armen kon voelen, om maar te zwijgen over zijn stotende bekken. Hij begroef zijn hoofd in de kromming van haar nek en met één beweging zwaaide hij *ineens* haar jurk van haar schouders, helemaal tot aan haar middel. ::::: *Amélia's* jurk – had hij die gescheurd? ::::: De V van de jurk was zo diep en zo breed, niet gemaakt om er iets onder te dragen, en het was zo ver… hij liet zijn handen omhoog over haar ribbenkast glijden –

De lijn met Amélia viel uit, verdween, werd vanaf dat ogenblik irrelevant.

# 18

## NA ZDROVIA!

Precies op het moment dat Sergei Korolyov Magdalena oppikte in zijn Aston Martin om in Hallandale te gaan eten, vond Nestor, vergezeld door John Smith, een parkeerplaats in een straat waar verwaarlozing heerste. Nestor had van zijn leven nooit zo veel ramen gezien met metaalplaten erop gespijkerd. Hij en John Smith hadden een verschillende kijk op dit deel van de stad, tegenwoordig 'Wynwood' geheten, wat briesjes en zuchtjes wind suggereerde op een door hoveniers bijgehouden open plek in het bos van een voorvaderlijk landgoed. Het officiële atelier van Igor was er gevestigd, zijn *eerlijke* atelier zeg maar, dat in de telefoongids stond. Wynwood grensde aan Overtown, en voor Nestor, als smeris, was het een sleets oud industrieterrein vol vervallen pakhuizen van een, twee of drie etages die het opknappen niet waard waren... en een rattennest van Puerto Ricaanse kleine criminelen voor wie hetzelfde gold. John Smith zag het daarentegen als Miami's versie van een merkwaardig nieuw sociaal verschijnsel – en *ja hoor!* verschijnsel op het gebied van onroerend goed – uit het eind van de twintigste eeuw: de 'kunstenaarsbuurt'.

Kunstenaarsbuurten waren overal opgedoken... SoHo (south of Houston Street) in New York... SoWa (south of Washington Street) in Boston... Downcity in Providence, Rhode Island... Shockoe Slip in Richmond, Virginia... en ze ontstonden allemaal op dezelfde manier. Een ondernemende projectontwikkelaar begint een afgedankt deel van de stad vol verwaarloosde oude gebouwen met grote open ruimtes op te kopen. Dan lokt hij de kunstenaars – getalenteerd of volkomen zonder talent maakt niet uit – en biedt hun grote ruimtes aan voor een belachelijk lage huur… blaast van de toren dat dit de nieuwe kunstenaarswijk is… en in drie jaar of minder… Uit de weg!… Daar komen ze!… hordes goed opgeleide en goed verdienende mensen die springen en schreeuwen van *nostalgie de la boue*, 'nostalgie naar de modder'… die graag de uitstromingen willen inademen van Kunst en andere Hoge Dingen tussen alle misère.

In Wynwood waren zelfs de palmbomen onconventioneel… arme haveloze zwervers… eentje hier… een andere daar… en allemaal sjofel. De nostalgie-naar-de-modder-mensen wilden niet anders. Ze wilden geen grootse lanen met statige palmen. Grootse lanen verspreidden geen uitstromingen van Kunst en andere Hoge Dingen tussen de misère.

Precies op dit moment stonden Nestor en John Smith in een vrachtlift, onderweg naar Igors atelier op de bovenste etage van een gebouw met drie etages dat door een ontwikkelaar in koop-lofts was veranderd. Alle liften in het gebouw waren vrachtliften… bediend door norse Mexicanen die nooit een woord tegen iemand zeiden. Waarmee je een betrouwbare maatstaf had voor de illegale-vreemdelingenstatus. Ze wilden absoluut géén aandacht op zichzelf vestigen. De nostalgie-naar-de-modder-mensen vonden de vrachtliften prachtig, ondanks het feit dat ze log, langzaam en ouderwets waren. Ouderwetse vrachtliften verspreidden een van de *nostalgie-de-la*-modderigste uitstromingen van allemaal – het zware elektrische kreunen van het katrolmechanisme met industriële kracht… het uiterst norse gezicht van de Mexicaan die bediende…

Nestor had een digitale camera in zijn handen… bezaaid met wijzertjes, metertjes en instrumentjes die hij nooit eerder had gezien of horen noemen. Hij hield het ding voor John Smith omhoog alsof het een volstrekt niet thuis te brengen vreemd voorwerp was. 'Wat word je geacht *hiermee* te bereiken? Ik weet niet eens waardoor je wordt geacht te *kijken*.'

'Je hoeft nergens *door* te kijken,' zei John Smith. 'Het enige wat je hoeft te doen, is *naar* dit beeld *hier* te kijken… en dan druk je op *dit* knopje. Liever gezegd – *vergeet* het beeld maar en druk gewoon op het knopje. Het enige wat we nodig hebben is het *jengeltje* dat het geeft. Je hoeft alleen als een fotograaf te *klinken*.'

Nestor schudde zijn hoofd. Hij kon het niet uitstaan dat hij niet snapte waarmee hij bezig was... en hij kon het niet uitstaan wanneer John Smith en niet hij de operatie leidde, ondanks John Smiths soepele optreden in het Vergevorderde Kletskousen tehuis in Hallandale. John Smith bleef vasthouden aan het vertellen van regelrechte leugens als journalistiek instrument! Hij had Igor gebeld op diens telefoonnummer in de gids en zei dat de *Herald* hem had opgedragen een stuk te schrijven over de recente opleving van realistische kunst in Miami... en mensen bleven hem, Igor, maar noemen als een van de belangrijke figuren van deze beweging. Igor bleek zo ijdel te zijn, wilde zo graag aan de onbekendheid ontkomen... dat hij het grif geloofde, ondanks het feit dat zijn werk slechts in twee goeddeels genegeerde groepstentoonstellingen was opgenomen... en er van zo'n 'opleving' en van zo'n 'beweging' geen sprake was geweest. Eerlijk gezegd had John Smith ook niet zo'n opdracht en had hij geen echte fotograaf van de *Herald* mee kunnen krijgen. Bovendien wilde hij niet dat op dit moment iemand van de *Herald* lucht kreeg van wat hij deed. Het was te vroeg. Hij moest eerst de feiten nauwkeurig hebben vastgesteld. Topping de Vierde was verdorie flink raar gaan doen toen hij het onderwerp ook maar aanroerde.

Vanaf het ogenblik dat de lift op de tweede etage met een plotse ruk tot stilstand kwam – met een ruk omdat de Mexicaan de grote hendel alle kanten op moest slingeren om de vloer van de enorme vrachtlift precies op het niveau van de vloer buiten te krijgen... de *nostalgie-de-la*-modder-mensen vonden dat onderdeel prachtig, het met een plotse ruk tot stilstand komen... het was zo *echt*... Zelfs voor de deuren opengingen, snoven Nestor en John Smith de lucht op van hun man... *terpentine!*... Deftige *nostalgie-de-la*-modder-mensen hadden misschien wel, misschien geen moeite met de geur. Maar ze konden moeilijk gaan morren, nietwaar. *Natuurlijk* had je actieve kunstenaars in deze lofts en *natuurlijk* werkten schilders met terpentine... Je bent in de 'kunstenaarsbuurt', mijn vriend!... Je kunt het maar beter nemen zoals het is en het als een uitstroming beschouwen van Kunst en andere Hoge Dingen tussen alle misère.

Zodra Igor de deur van zijn loft opendeed, was het duidelijk dat hij *helemaal klaar* was voor deze belangrijke gebeurtenis in zijn tot nu toe verwaarloosbare mediabestaan. Zijn gezicht was een grote stralende Roeoeoesjische glundering. Als hij nog zijn bovenmaatse Salvador-

Dalí-vrolijke opgestreken snor had gehad, was het helemaal een voorstelling geweest. Hij had zijn armen uitgestoken. Het leek of hij op het punt stond hen allebei met een Russische houtgreep te omhelzen.

'*Dobro pozalovat!*' zei hij in het Russisch, en in het Engels: 'Welkom! Kom binnen! Kom binnen!'

Wat een bulderende hartelijkheid! – zoveel dat de twee harde K'en achter elkaar, *Kom binnen! Kom binnen!*, de alcohol in zijn adem de gezichten van Nestor en John Smith in dreven. Hij was groter, zwaarborstiger en dronkener dan Nestor zich herinnerde uit Het Honingpotje. En wat was hij kunstenaarsbuurtmodieus gekleed!... een zwart shirt met een zijdeachtige glans, lange mouwen die tot de ellebogen waren opgestroopt, en met een open boord tot het borstbeen... het hing over een te strak zittende zwarte spijkerbroek in een dappere poging om zijn buik te verdoezelen.

Via de ingang kwam je meteen in een open keuken aan de zijkant van een ruimte die minstens dertien meter lang en zeven meter breed was. Het plafond moet wel 4 meter hoog zijn geweest, waardoor het er enorm leek... en dan nog een serie heel hoge ouderwetse pakhuisramen een eind weg aan de andere kant. Zelfs nu, tegen 16.00 uur, was heel de werkruimte overstroomd met natuurlijk licht... de ezels... de metalen tafels... een ladder... wat teerkleden... hetzelfde soort spullen als Igor in zijn geheime atelier in Hallandale had. Nestors verkenning van het pand kwam tot een abrupt einde toen Igor zijn gezicht recht in het *zijne* stak, uitriep 'Héééééééééé'!', Nestors hand greep en die zodanig schudde dat het leek of ieder gewricht in zijn rechterarm was verschoven, en hem op de schouder klopte op de manier die onder mannen betekent: *Je bent mijn maat en we hebben samen een heleboel mooie momenten overleefd, nietwaar?*

'Dit is mijn fotograaf,' kwam John Smith tussenbeide – Nestor kon zien dat John Smiths vlot liegende hersenen in de weer waren om een passende valse naam te verzinnen. *Plop!* – 'Ned,' zei hij, waarschijnlijk omdat het begon met Ne, net als Nestor.

'Nade!' klonk het toen Igor het zei. Met een nieuwe golf onverklaarbare vreugde, handhaafde hij zijn greep op Nades hand en klopte hem nog eens op de schouder. 'Laten we wat drinken!' zei hij. Hij greep achteruit naar het aanrecht in de keuken en haalde een fles tevoorschijn met een Stolichnya wodka-etiket maar met een bleekamberen vloeistof erin... Hij schonk die in een groot borrelglas dat hij met de ene hand optilde en waarnaar hij met de andere hand wees.

'Wod*a*brika!' riep hij uit, met nadruk op het *abri* – en kieperde heel het borrelglas vol zijn keel door. Zijn gezicht werd slagaderlijk rood. Hij kwam er grinnikend en naar adem snakkend bovenop. Toen hij ten slotte uitademde, rook de lucht die ze inademden naar alcoholisch braaksel.

'Ik neem de wodka en ik geef die een beetje – hoe noemen jullie dat in het Engels – "suit"? – van abrikozensap. Snap je? Een beetje suit – wod*a*brika! We nemen allemaal wat! Komen jullie?'

Waarop hij hen naar een grote lange solide houten tafel bracht met een oneven aantal houten stoelen eromheen. Hij nam de stoel aan het hoofd, en Nestor en John Smith gingen aan weerszijden van hem zitten. De grote borrelglazen stonden op hen te wachten. Igor bracht zijn eigen glas, de fles wodabrika en een grote schotel met hapjes mee... ingelegde kool met een soort bessen... gezouten komkommers – grote... plakjes rundertong met mierikswortel... zoute haring... gezouten rode zalmeitjes (armemensenkaviaar)... ingelegde paddenstoelen, hopen van deze gepekelde schoonheden, intact of gesneden en vermengd met gekookte aardappelen, eieren, grote klodders boter en mayonaise, grote ballen ervan in deeg gewikkeld – je hield er gegarandeerd een man mee warm nabij de poolcirkel en propte hem ermee in Miami vol calorieën... dit alles geserveerd in een zware wolk *odeur de vomi.*

'Iedereen denkt de Ruzzen, ze drinken alleen de pure wodka,' zei Igor. 'En weet je? Ze hebben gelijk! Dat iz het enige wat ze drinken!'

Nestor zag dat John Smith probeerde een vrolijke reactie op zijn verbijsterde gezicht te krijgen.

'En weet je waarom ze het zó drinken?' vroeg Igor. 'Ik laat het jullie zien. *Na zdrovia!*' Hij pakte met zijn vingers een kwak zoute haring, propte die in zijn keel, en sloeg nog een groot glas achterover... nog eens een vlammend-rood gezicht, snakken naar adem... en werkelijk een mist van *odeur de vomi.*

'Weet je waarom we dat doen? We vinden wodka niet lekker zmaken. Het zmaakt chemizch! Op deze manier hoeven we het niet te proeven. We willen alleen de alcohol. Waarom nemen we het dan niet' – hij maakte het gebaar van zijn arm met een spuit injecteren – 'op deze manier in?'

Dat vond hij bijzonder grappig. Hij pakte met zijn vingers een grote gepekelde deegbal op van de schaal, propte die in zijn mond, en begon gelijktijdig te kauwen en te praten. Hij pakte de fles op, vulde zijn glas weer en hief het nog eens, als om te zeggen, *Dit iz nu de wodabrika!* Hij keek stralend naar John Smith, en toen naar Nestor, en toen weer naar John Smith, en – *boem!* – sloeg nog een glas achterover. 'En nu drinken *jullie!*'

Het was geen vraag. Het was geen bevel. Het was een verklaring. Hij schonk hen allebei een glas vol in... en zichzelf ook. 'En nu gaan we... wanneer ik *"Na zdrovia"* zeg. Oké?'

Hij keek naar John Smith en toen naar Nestor... en wat kon je anders dan ja knikken?

'*Na zdrovia!*' riep hij uit, en ze kantelden alle drie hun hoofden achterover en kieperden de drank hun keel door. Zelfs voor de klap aankwam, besefte Nestor dat dit godverdomde borrelglas een stuk groter was dan hij had gedacht en dat er geen abrikozensmaak of enige andere smaak was om de schok van wat dreigde te verminderen. Het verdomde goedje kwam aan als een vuurbal, en hij moest hoesten en proesten. Zijn ogen stroomden vol tranen. Die van John Smith ook, en als zijn eigen gezicht nu even rood zag als dat van John Smith, dan zag het vuurrood.

Igor glimlachte erom, hij pakte met zijn vingers nog een kwak gezouten haring van de schotel en duwde het in zijn mond. Hij vond Nestors en John Smiths voorstelling komisch. *Hah hah hah-hah-hah haha.* Hij zou duidelijk teleurgesteld zijn geweest als ze het er beter hadden afgebracht.

'Maak je geen zorgen!' zei hij opgewekt. 'Jullie moeten oefenen! Ik geef jullie nog twee kansen.'

*Jezus Christus!* dacht Nestor. Dit was het ergste dronkenmansgedrag dat hij ooit had gezien! Het was afschuwelijk! En hij deed eraan mee! Cubanen waren geen grote drinkers. Op wat een luchthartige manier moest voorstellen zei hij: 'Nee hoor, bedankt. Volgens mij heb ik –'

'Nee, Nade, we moeten er drie nemen!' zei Igor. 'Snap je? Anders – nou ja, we moeten er drie nemen! Snap je?'

Nestor keek naar John Smith. John Smith keek streng naar Nestor, en bewoog langzaam zijn hoofd op en neer in de ja-stand. *John Smith?* Hij was zo lang en mager. Hij had geen normale fysieke moed. Maar hij was bereid om te liegen en te bedriegen... en waarschijnlijk te stelen, ook al had hij hem dat nog niet zien doen... en nu, naar blijkt, zijn gastro-intestinale kanaal te cauteriseren... om aan een verhaal te komen.

Nestor keek naar Igor en mompelde met een noodlottig gevoel: 'Oké.'

'Mooi zo!' zei Igor. Hij was er erg vrolijk over, terwijl hij alle drie de glazen opnieuw vulde.

Voor Nestor het wist – '*Na zdrovia!*' – gooide hij zijn hoofd achterover en kieperde hij de wodabrika zijn open muil in – *¡mierda!* – en het proesten, het ineenkrimpen, het hoesten, het naar adem snakken, de tranenvloed waren nauwelijks bedwongen of –

*Na zdrovia!* Nog een vuurbal – Ahhhhhhhughh... eeeeeeeuuughhh... *ushnayyyyyyyyyyanuck* spatte door zijn luchtpijp – brandde zijn keel – stroomde omhoog zijn neusopeningen in en lekte neer op zijn broek – en Igor feliciteerde hem en John Smith. 'Het is jullie gelukt! Hulde! Nu zijn jullie ere-*muzhiks*!'

Om een of andere reden klonk *muzhiks* niet al te best.

Afgaande op zijn ziekelijke gezicht had John Smith even erg geleden als Nestor. Maar John Smith kwam onmiddellijk ter zake. Uit de hoek van zijn mond zei hij, met een zachte grom, tegen Nestor: 'Je kunt aan de slag met foto's maken.'

*Je kunt aan de slag met foto's maken?* Hoezo, rotzak? John Smith voerde ook geen toneelstukje op. *Mijn fotograaf!* De rotzak was gaan *geloven* dat hij het bevel had! Nestor had zin de verdomde digitale camera door een raam te gooien... hoewel... *hmmmmm*... strategisch gesproken moest hij toegeven dat John Smith gelijk had. Als hij werd geacht een fotograaf te zijn, zou hij moeten beginnen de camera ergens op te richten en op dat nepknopje te drukken. Hij voelde zich flink vernederd toen hij zo plichtsgetrouw *aan de slag ging met foto's maken*... nepfoto's, zoals de opdracht luidde.

Intussen schudde John Smith verrast zijn hoofd en tuurde hij naar Igors schilderijen aan de muren alsof hij het niet kon laten. 'Dat is geweldig, Igor... *fantastisch*! Is dit je eigen collectie?' zei John Smith.

'Nee, nee, nee, nee, nee,' zei Igor en hij lachte op een manier die zegt: ik neem je je gebrek aan kennis van zulke dingen niet kwalijk. 'Was dat maar waar!' Hij gebaarde met een voorname zwaai van zijn hand naar beide muren. 'Over twee maanden is de helft ervan weg en moet ik er meer voor hen schilderen. Mijn agent, zij houdt voortdurend de druk op de ketel.'

'Je agent?' zei John Smith. 'Je zei *zij*? Is het een vrouw?'

'Waarom niet?' zei Igor, terwijl hij zijn schouder ophaalde. 'Ze is de beste van heel Rusland. Je kunt het iedere Russische kunstenaar vragen. Ze kennen haar: Mirima Komenensky.'

'Je hebt een Russische agent?'

'Waarom niet?' zei Igor, terwijl hij zijn schouder nog eens ophaalde. 'In Rusland begrijpen ze de echte kunst nog. Ze begrijpen het ambacht, de techniek, de kleuren, het clair-obscur, al die dingen.'

John Smith haalde een recordertje uit zijn zak en legde het op tafel met het soort welven van de wenkbrauwen dat vraagt of dit goed is. Igor antwoordde ja met een grootmoedig gebaar met de handpalm die alle zorgen op dit gebied verdreef.

'En hoe reageert men hier in de vs op realisme?' vroeg John Smith.

'Hier?' vroeg Igor. Alleen al om de vraag moest hij lachen. 'Hier houden ze van de bevliegingen. Hier denken ze dat de kunst begint bij Picasso. Picasso ging op zijn vijftiende van de kunstacademie af. Hij zei dat ze hem niets meer konden leren. Nu net het volgende semester gaven ze les in anatomie en perspectief. Weet je wat ik zou doen als ik niet beter tekende dan Picasso?' Hij wachtte op een antwoord.

'Ehhh... nee,' zei John Smith.

'Dan zou ik een nieuwe beweging beginnen en die Kubisme noemen!' Golven en stormen gelach kwamen uit Igors grote longen gestroomd, waardoor er nog meer alcohol in de lucht kwam. Nestor had het gevoel of hij werd meegesleurd en had moeite om te voorkomen dat hij niet in een bedwelming van braaksel zou worden verstikt.

Igor vulde de drie glazen weer. Hij hief het zijne en –

'*Na zdrovia!*'

– Igor gooide zijn wodabrika zijn keel door. Maar zowel Nestor als John Smith bracht de glazen naar de lippen, ze kantelden hun hoofd achterover en deden alsof, ze lieten in namaakvoldoening een *Ahhhhhhhhhhh!* horen en hielden hun handen om hun borrelglazen heen om de belastende amberen vloeistof te verbergen die er nog in zat.

Igor was inmiddels veel te dronken om het te merken. Hij had vijf grote glazen van het spul achterovergeslagen sinds ze hier waren – en alleen God wist hoeveel voor ze aankwamen. Nestor voelde zich flink dronken, na drie glazen. Maar het was bepaald geen vrolijke dronk. Hij had het gevoel of hij zijn centrale zenuwstelsel had aangetast en niet meer logisch kon denken of zijn handen goed kon gebruiken.

'En hoe zit het met abstracte kunst,' vroeg John Smith, 'zoals, laten we zeggen, ohhhh... van Malevitsj, zoals zijn werken onlangs in het Korolyov Museum of Art?'

'*Malevitsj!*' Igor liet de naam op de kam van de grootste golf tot nu toe rollen. 'Grappig dat je *Malevitsj* zegt!' Hij knipoogde naar John Smith, en de golf rolde door. 'Weet je, Malevitsj zei dat bij de realistische kunst God je het plaatje al geeft en je dat alleen over hoeft te nemen. Maar in de abstracte kunst moet je God zijn en het allemaal zelf maken. Geloof me, ik *ken* Malevitsj!' Nog een knipoog. 'Dat mocht hij wel zeggen! Ik heb zijn werk gezien toen hij begon. Hij *probeert* realistisch te zijn. Hij ambacht niet beheerzen! Volztrekt niet! Als ik zou schilderen als Malevitsj, weet je wat ik dan zou doen? Ik zou een nieuwe beweging beginnen en die Suprematisme noemen! Hetzelfde geldt voor Kandinsky.' Hij glimlachte veelbetekenend naar John Smith... 'Moet je naar Kandinsky kijken als *hij* begint. Hij probeert een schilderij van een huis te maken... het ziet eruit als een brood! Dus geeft hij het op en kondigt hij aan een nieuwe beweging te beginnen en die Constructivisme te noemen!' John Smith kreeg zowel een knipoog als een glimlach.

'En hoe zit het met Gontsjarova?' vroeg John Smith. Nu waren alle drie de kunstenaars in het spel, de namen waarvoor *le tout* Miami de befaamde, de genereuze Sergei Korolyov zo dankbaar was geweest! Wat een cultuur en luister had hij de stad gegeven!

Igor glimlachte medeplichtig naar John Smith als om te zeggen: 'Ja! Precies! We denken allebei hetzelfde.'

'Gontsjarova?!' riep Igor uit. 'Ze beheerst het ambacht het minst van allemaal! Ze kan niet tekenen, en dus maakt ze die enorme rotzooi met rechte lijntjes, en ze gaan hierheen en ze gaan daarheen, en ertussenin, *echt* een rotzooi, en ze zegt dat ieder lijntje een lichtstraal is en ze geeft er de naam Rayonisme aan. *Rayonisme!* omdat mijn kunst een nieuwe kunst is, en waarom moet *ik*, de Schepper, achterom kijken en nadenken over de dingen die al gebruikt en versleten zijn... ik hoef niet na te denken over de lijn, de anatomie en de drie dimensies en de – hoe noem je het? modelleren? – of het perspectief of de kleurenharmonie, al die dingen... Die golden... jaren geleden... eeuwen geleden, golden tot ze stierven. Iets uit het verleden. Val me niet lastig met het verleden! Ik sta vooraan! Al die dingen zijn daar ergens achter!' Hij gebaarde naar achteren over zijn schouder, vervolgens naar voren en omhoog. 'En ik zit hier boven al die dingen.'

John Smith vroeg: 'Kun jij wat deze kunstenaars hebben gedaan, Malevitsj, Kandinsky en Gontsjarova?'

Igor barstte in schuddebuiken uit. Hij lachte tot de tranen uit zijn ogen liepen. 'Het hangt ervan af hoe je dat bedoelt! Als je bedoelt of ik de Amerikanen dit dwaze gedoe serieus kan laten nemen en er grof geld voor kan laten betalen?... Nee – ik moet er te hard om lachen!' Hij begon weer een lachbui en moest zich dwingen om te stoppen. 'Nee, je moet me niet zo aan het lachen maken. Het is te grappig voor me! Het is niet goed voor me... niet goed, niet goed...' Eindelijk leek hij zichzelf in bedwang te hebben. 'Maar als je bedoelt, kan ik schilderijen maken zoals zij... *Iedereen* kan dat! *Ik* kan het, alleen moet ik dan naar deze *govno* kijken!' Bij de gedachte begon zijn buik weer te rommelen. 'Ik zou het geblinddoekt moeten doen...' Rommel pruttel pruttel rommel... 'En ik *kan* het geblinddoekt!'

'Wabedoelje?' vroeg John Smith.

'Ik heb het al geblinddoekt gedaan.'

'Meen je dat, of hou je me voor de gek?'

'Nee, deze dingen heb ik... *al* met mijn ogen dicht gedaan.'

*En ik kan het geblinddoekt* kwam er in op en neer pruttelend gegrinnik uit... maar het *Nee, deze dingen heb ik... al* was hem te veel. Al het rommelen, pruttelen, giechelen, brullen en bulderen kwam ineens tot een uitbarsting – kwam uit zijn longen, zijn strottenhoofd en van zijn lippen geploft. Hij kon niets doen om de lancering tegen te houden. Hij trapte zijn voeten heen en weer. Zijn onderarmen en vuisten schudden op en neer. Hij was buiten zichzelf. Nestor stond boven hem nepfoto's te maken voor hij besefte dat het zinloos was. Hij keek naar John Smith en trok een gezicht. Maar John Smith was weer eens volkomen zakelijk. Hij keek met de grootste ernst naar Nestor. Terwijl Igor nog steeds met zijn ogen dicht in zijn lachbui was verzonken, gebaarde John Smith iets in een glas te schenken. Hij wees met zijn hoofd de kant van de keuken op. Door de rukkende beweging, met een boze greppel over het midden van zijn voorhoofd, was het net een regelrecht bevel. *Vlug een beetje! Haal een groot borrelglas wodabrika voor me! Dit is een regelrecht bevel!*

Wat dacht John Smith wel? Dacht hij echt dat ik, Nestor Camacho, *zijn* fotograaf was? Desondanks deed Nestor het – hij haastte zich naar de aanrecht, schonk een borrelglas vol met Igors *na zdrovia* abrikoosbrouwsel en bracht het naar John Smith. Hij kon een boze blik niet bedwingen, maar John Smith leek het niet eens te merken.

Toen Igor uiteindelijk bijkwam van zijn lachbui en zijn ogen opendeed, stak John Smith de wodka naar hem uit en zei: 'Hier, neem maar.' Igors borst zwoegde nog, in een poging zijn longen weer op te blazen, maar hij zei geen nee tegen het drankje. Zodra hij kon, pakte hij het borrelglas aan, kieperde het achterover en deed *ahhhhhhh!...* *ahhhhhhhhh... ahhhhhhhh...*

'Gaat het?' vroeg John Smith.

'Ja, ja, ja, ja'... ademde nog moeizaam... 'Kon er niets aan doen... Je vraagt me zoiets grappigs... snap je?'

'Maar waar zijn die schilderijen nu, de schilderijen die je met je ogen dicht maakte?'

Igor glimlachte en begon iets te zeggen – maar toen verdween de glimlach. Hoe dronken hij ook was, hij leek te beseffen dat hij zich op gevaarlijk terrein had begeven.

'Oooo, ik weet het niet.' Hij haalde zijn schouders op om aan te geven dat het niet belangrijk was. 'Misschien heb ik ze weggegooid, misschien ben ik ze kwijtgeraakt... Ik vermaak me er alleen maar mee... Ik geef ze weg – maar wie wil ze hebben?... Ik leg ze ergens maar kan me niet herinneren waar... ik raak ze kwijt' – hij haalde nog eens zijn schouders op – 'ik weet niet waar ze zijn.'

John Smith zei: 'Laten we aannemen dat ze je *hebt* weggegeven. Aan wie zou je ze geven?'

Igor reageerde niet met een glimlach, maar met een lepe blik en deed één oog vrijwel dicht. 'Wie zou ze willen? – zelfs als die... "kunstenaars"... ze zelf hadden geschilderd? Ik zou ze nog niet willen als ze aan de overkant van de straat werden uitgedeeld.'

'Het Miami Museum of Art leek beslist blij om de echte dingen te krijgen. Ze hebben ze op zeventig miljoen dollar geschat.'

Igor zei: 'Hier houden ze van bevliegingen, ik zei het je al. Dat is hun... dat is hun – ik kan ze niet vertellen wat ze mooi moeten vinden. *De gustibus non est disputandum.*' Nog eens schouderophalen... 'Je doet wat je kunt, maar bij sommige mensen valt niet veel te bereiken...'

Nestor zag John Smith diep ademhalen, en op een of andere manier kon hij zien dat hij de moed had verzameld om de grote vraag te stellen. Hij was door de zure appel heen.

'Weet je,' zei John Smith, terwijl hij nog eens diep ademhaalde, 'er zijn mensen die zeggen dat jij daadwerkelijk die schilderijen in het museum hebt gemaakt.'

Diep inademen – en geen woorden. Igor staarde alleen naar John Smith. Hij deed één oog vrijwel helemaal dicht, net als eerder, maar er was nu geen vreugde in zijn uitdrukking.

'*Wie* zegt dat!?' Eh-oh. Nestor merkte dat in Igors gewodkabrikeerde brein te elfder ure een laatste bolwerk gezond verstand tot leven was gekomen. 'Ik wil weten *wie*! – welke *personen*!'

'Ik weet het niet,' zei John Smith. 'Het is zoiets dat je gewoon *eh… eh…* dat in de lucht hangt. Je weet hoe dat gaat.'

'Ja, ik weet hoe dat gaat,' zei Igor. 'Het is een *leugen*! Dat is het, een *leugen*!' Toen dwong hij zich, alsof hij besefte dat hij te sterk protesteerde, tot een *huhhh* dat geacht werd het lichter te laten klinken. 'Dat is het gekste wat ik ooit heb gehoord. Ken je het woord *origine*? Dat wil zeggen waar het vandaan komt. Museums, die hebben een heel systeem. Niemand zou met zoiets kunnen wegkomen. Het is het idiootste idee wat er is! Waarom zou iemand zoiets ook maar proberen?'

'Ik kan wel een reden bedenken,' zei John Smith. 'Als iemand je genoeg geld betaalde.'

Igor staarde slechts naar John Smith. Geen spoor van vreugde of ook maar ironie in zijn gezicht, niet eens een proto-knipoog. Hij had niet doodernstiger over kunnen komen. 'Ik geef je een raad,' zei hij ten slotte. 'Zinspeel niet eens op zoiets bij mijnheer Korolyov. Je moet het niet eens aan iemand vertellen die mijnheer Korolyov ooit *spreekt*. Duidelijk?'

'Waarom noem je Sergei Korolyov?' vroeg John Smith.

'Hij is de man die de schilderijen aan het museum schonk. Er was een groot feest voor hem.'

'O… *Ken* je Korolyov?'

'nee!' zei Igor. Hij verstijfde alsof iemand net de punt van een mes tegen zijn nek had gezet. 'Ik weet niet eens hoe hij eruitziet. Maar iedereen weet wie hij is, iedere Rus. Je speelt geen spelletje met hem zoals je een spelletje met mij speelt.'

'Ik speel geen spelletje –'

'Mooi! En je moet hem niet eens laten merken dat je aan deze dingen denkt, deze roddels!'

*Pak een stoel*. Pak een stoel, m'n reet! Wat moest *dat* voorstellen? De hoofdcommissaris hoefde *nooit* een stoel te pakken voor hij het kantoor van Dio in kon. Hij liep altijd de gang door langs al die ellendige voorheen Pan Am-watervliegtuigkantoortjes met zijn schouders naar achteren en zijn borst naar voren. Ook de levenslange-gemeentehuizers moesten de zwarte macht van hoofdcommissaris Booker goed kunnen zien... en als de deur openstond zou altijd net een blanke of Cubaan met levenslang in een open deur staan die vleiend, eerbiedig zou zingen: 'Dag, hoofdcommissaris!', waarop Zijne Hoogheid zijn kant op zou draaien en zeggen: 'Dag, Grote Vent.'

Maar nu waren er terwijl hij de gang door liep geen mensen met levenslang die 'Dag, hoofdcommissaris' of iets anders zongen. Ze hadden hun eerbied niet vollediger kunnen bedwingen. Ze reageerden in het geheel niet op zijne hoogheid.

Was het mogelijk dat Dio's kilheid naar heel het pand was doorgesijpeld? De kameraadschap tussen hem en Dio was verdwenen sinds de dag dat zij tweeën openhartig over Hernandez, Camacho en de arrestatie in het crackhuis hadden gesproken... met een publiek van vijf, maar deze vijf waren, gezien hun positie en hun grote Cubaanse monden, meer dan genoeg. Ze waren er getuige van geweest dat hij voor Dio was gezwicht vanwege zijn hypotheekaflossingen en zijn positie als grote zwarte hoofdcommissaris. Natuurlijk waren ze waarschijnlijk niet op de hoogte van de hypotheekaflossingen, maar dat andere – ze zouden wel in een andere wereld moeten hebben zitten dromen om het niet onmiddellijk door te hebben. Sindsdien had de hoofdcommissaris zich vernederd gevoeld... meer dan de getuigen in dat vertrek zich hadden kunnen voorstellen. Hij was bezweken onder die pretentieuze Cubaanse ploeteraar, Dionisio Cruz, onder hem en zijn pure, schaamteloze politieke zorgen...

*Pak een stoel...* Dio's poortwachter, een ezel van een vrouw met de naam Cecelia... die de valse wimpers droeg van een negenjarige die make-upje in de spiegel speelde... boven kaken van Neanderthalerformaat... zij had gezegd: 'Pak een stoel.' Geen verontschuldiging, geen verklaring, niet eens een glimlach of een knipoog om aan te geven dat ze besefte hoe bizar dit was... alleen 'Pak een stoel.' Een 'stoel' was, om precies te zijn, een houten leunstoel, samen met vier of vijf andere houten leunstoelen, in een armzalige kleine ruimte die gecreëerd was door de buitenmuur van een armzalig klein kantoor weg te halen. De hoofdcommissaris was deze zogeheten wachtkamer in het gemeentehuis net voorbijgelopen, en je zou toch niet het soort mensen willen kennen dat je daar aantrof? Anthony Biaggi, een gluiperige ontwikkelaar die zijn oog op een vervallen schoolgebouw en schoolplein in Pembroke Pines had laten vallen... José Hinchazón, een ex-smeris die jaren geleden was ontslagen tijdens een corruptieschandaal en die nu een dubieus 'beveiligings'-bedrijf leidde... een Anglo die er volgens de hoofdcommissaris uitzag als Adam Hirsch, van de mislukte reizen-boten-bussen Hirschen... Pak een stoel in een vertrek met dat stel?

Dus keek de hoofdcommissaris omlaag naar de ezelskop van Cecelia met een dubbelzinnige, angstaanjagende grijns die hij in het verleden zo vaak met goed gevolg had gebruikt. Hij versmalde zijn ogen en krulde zijn bovenlip terug. Zo werd zijn rij grote witte boventanden zichtbaar, die nog groter leken tegen de achtergrond van zijn donkere huid. Het was bedoeld om aan te geven dat hij op het punt stond zijn grijns nog groter te maken... een grijns van puur geluk... of haar op te vreten.

'Ik ben in de gang' – hij knikte met zijn hoofd die kant op – 'als Dio me kan ontvangen.'

Cecelia was niet van het soort dat snel terugschrikt. 'U bedoelt de wachtkamer,' zei ze.

'In de gang,' zei hij, en hij wekte steeds meer de indruk haar op te gaan vreten – en uit te spuwen. Hij haalde een van zijn kaartjes tevoorschijn en schreef een telefoonnummer op de achterkant. Hij overhandigde het haar en veranderde zijn dubbelzinnige grijns in een gelukkige grijns. Hij hoopte dat ze die als ironisch zou opvatten en nog angstiger of op z'n minst verwarder zou worden.

Toen hij terugliep door de gang en voorbij de zielige wachtkamer kwam, kon hij uit een hoek van zijn oog zien dat ze alle drie naar hem opkeken. Hij draaide zich naar hen toe maar gaf er slechts één een teken van herkenning, Hirsch – en hij wist eigenlijk niet welke Hirsch het was, Adam of diens broer Jacob.

Net als eerder betuigde niemand hem de 'Dag, hoofdcommissaris'-eer vanuit een open deur, wat betekende dat hij niet iemands kantoor in kon glippen en een gesprek kon aanknopen om de tijd te doden in afwachting van een oproep... een *oproep* van zijn Cubaanse meester.

Hij kon toch verdomme niet zomaar in de gang lanterfanten... *Godverdomme Dio!* Ineens had hij het lef hem als iedere andere nederige verzoeker te behandelen die aan het hof verschijnt om iets bij de koning te bepleiten.

Er was geen andere oplossing dan naar beneden te gaan naar de hal van dit Pan Am-gemeentehuis en schijntelefoontjes te plegen. Mensen die het gemeentehuis in en uit gingen zagen hem aan de kant staan en op het glazen frontje van zijn iPhone tikken. Ze wisten niet dat hij uit de gratie was… tot nu toe in ieder geval… ze schaarden zich om hem heen als rap-fans… 'Dag, hoofdcommissaris!'… 'Hé, hoofdcommissaris!'… 'Alles goed, hoofdcommissaris?'… 'U bent geweldig, hoofdcommissaris!'… en hij had het druk met het onophoudelijk uitdelen van zijn *Dag, Grote Vent* en *Hé, Grote Vent*… Wat een ironie… Hij! Cyrus Booker, hoofdcommissaris van politie, de machtige zwarte verschijning in het hart van het bestuur van de gemeente Miami… Hij! Hoofdcommissaris Booker, teruggebracht tot deze beledigende onbeduidendheid, lanterfantend in een hal… bezig met een idioot verdedigend spelletje… proberen om niet te verliezen in plaats van alles te wagen om te winnen… *Hij!* Waarom zou *hij* voor *ie*mand kruipen? Hij was geboren om te leiden… en hij was jong genoeg, 44 pas, om zich weer terug te vechten naar de top… zo niet in deze rol dan wel in een andere waar de top nog hoger lag, ook al kon hij momenteel niet bedenken wat dat zou zijn… zo nodig zou hij het wel *bouwen*!… en hoe zat het met al die schijterige angst over het huis en de hypotheek? Wat voor verschil zou in het oordeel van de geschiedenis een huis in Kendall maken?… maar toen dacht hij aan een ander oordeel… dat van zijn vrouw… zij zou verdrietig zijn, vierentwintig uur misschien… en dan woest!… *ooounnnghhh god jezus*… maar een man kon niet terugdeinzen voor de woede van een vrouw als hij alles ging wagen… om alles te bereiken, nietwaar? *Godverrrrrr!* Ze zou op oorlogspad gaan… 'Goed gedaan, slimmerik! Geen baan, geen huis, geen inkomen, maar *neeuuhh*… je laat dat niet –'

Zijn telefoon ging. Hij nam op zoals hij altijd deed: 'Hoofdcommissaris Booker.'

'Met Cecelia, van het kantoor van burgemeester Cruz'… 'van het kantoor van burgemeester Cruz', alsof hij geen enkel idee zou hebben welke Cecelia, van de duizenden Cecelia's in deze stad, op deze aarde, deze *ene* Cecelia zou zijn. 'De burgemeester kan u nu ontvangen. Ik ben naar de wachtkamer gegaan… en ik kon u niet vinden. De burgemeester heeft vanmorgen een heel drukke agenda.'

Boos? *Woest* godverdomme!… Je kunt me wat, Ezelskop! Maar het enige wat hij zei, was: 'Ik kom meteen.' Verdomme! Waarom had hij het 'meteen' erin gestopt? Zo klonk het of hij zich zou haasten… gehoorzaam.

Om veiligheidsredenen kon je alleen met de lift op de eerste verdieping komen. Verdomme en nog eens verdomme! In de lift raakte hij nog in twee keer *Dag, hoofdcommissaris* verstrikt. In één geval kwam het van een aardige knaap die circulaires schreef voor de Afdeling Milieubeheer, een aardige zwarte knaap die Mike heette. Mike kreeg een *Dag, Grote Vent* van hem… maar een glimlach lukte niet! Hij kon alleen zijn tanden laten zien!

Hij oefende het glimlachen toen hij de smalle gang door liep. Hij moest een glimlach voor Cecelia hebben. Toen hij bij haar bureau kwam, deed ze even of ze hem niet zag. Toen keek ze naar hem op. Wat had die *teef* een grote, ezelachtige tanden! Ze zei: 'Ah, daar bent u', en had zelfs het lef een blik op het horloge aan haar pols te werpen. 'Gaat u maar vlug naar binnen.' De hoofdcommissaris verspreidde de glimlach waarop hij had geoefend van wang tot wang. Hij hoopte dat die uitdrukte: 'Ja, ik heb het spelletje dat u speelt door, en nee, ik daal niet tot uw niveau af en speel niet mee.'

Toen hij het kantoor van de burgemeester in liep, zat de oude Dionisio in een grote mahoniehouten draaistoel die met ossenbloedkleurig leer was bekleed. De draaistoel was zo groot dat het een Mahonie Monster leek, en het ossenbloed leer leek net de binnenkant van de muil ervan die op het punt stond de Oude Dionisio met huid en haar te verslinden. Die leunde erin naar achteren met een ontzaglijk verveelde zelfvoldaanheid, aan een bureau met een oppervlak waarop je met een Piper Cub kon landen. Hij kwam niet overeind om de hoofdcommissaris te verwelkomen zoals hij gewoonlijk deed. Hij ging niet eens rechtop in de stoel zitten. Zo mogelijk leunde hij nog verder naar achteren, tot het uiterste van wat de stoelveren toelieten.

'Kom binnen, hoofdcommissaris, en pak een stoel.' Er zat een zelfverzekerde, bevelende ondertoon in zijn stem, en een nonchalante beweging van de pols wees naar de andere kant van het bureau. De *stoel* was een rechte stoel pal tegenover de Oude Dio. De hoofdcommissaris ging zitten, en zorgde ervoor dat zijn houding perfect was. Toen vroeg de Oude Dio: 'Hoe is het vanmiddag gesteld met de rust van de burgerij, hoofdcommissaris?'

De hoofdcommissaris glimlachte licht en wees op de kleine politieradio die aan de riem van zijn uniform vast zat. 'Niet één oproep gekregen in het halfuur dat ik hier wacht.'

'Mooi zo,' zei de burgemeester. Zijn gezicht bleef een dubieusspottende uitdrukking houden. 'Wat kan ik voor je doen, hoofdcommissaris?'

'Tja, je herinnert je waarschijnlijk dat incident op Lee de Forest High? Met een leraar die werd gearresteerd wegens het aanvallen van een leerling en die twee nachten in de gevangenis zat? Tja, nu zit zijn proces eraan te komen en juryleden stellen een leraar die een leerling aanvalt op één lijn met een of andere crimineel die een man van 85 aanvalt die in het park op een aluminium looprek leunt.'

'Akkoord,' zei de burgemeester, 'dat is duidelijk. En dus...?'

'We weten inmiddels dat het andersom is gegaan. De leerling heeft de leraar aangevallen. De leerling is een Haïtiaanse bendeleider met een jeugdstrafblad wegens geweld, en de andere leerlingen zijn bang voor hem. Eerlijk gezegd schijten ze in hun broek, als je het echt wilt weten. Hij droeg vijf van zijn aanhangers op te liegen tegen de agenten en te zeggen dat de leraar *hem* aanviel.'

'Oké, en de andere leerlingen?'

'Verder zei iedereen met wie de agenten spraken dat ze het niet wisten. Dat ze niet konden *zien* wat er was gebeurd, of dat ze door iets anders werden afgeleid, of – het kwam erop neer dat dit stuk tuig en zijn bende hen iets zouden aandoen als ze er ook maar over piekerden te vertellen wat er was gebeurd.'

'En nu...?'

'En nu hebben we bekentenissen van alle vijf de "getuigen". Ze geven allemaal toe dat ze gelogen hebben tegen de agenten. Wat wil zeggen dat de officier geen zaak heeft. Mijnheer Estevez – dat is de leraar – zal wat een *zeer* streng vonnis had kunnen zijn bespaard blijven.'

'Dat is goed werk, hoofdcommissaris, maar ik dacht dat dit een zaak van de Schoolpolitie was.'

'Dat was ook zo, maar nu valt het onder de competentie van de rechtbank en het Openbaar Ministerie.'

'Nou, dat is dan een happy end, niet waar, hoofdcommissaris,' zei de burgemeester, terwijl hij zijn ellebogen omhoog deed, zijn handen achter zijn nek klemde en ongeveer zo ontspannen als in een draaistoel mogelijk was achterover ging liggen. 'Dank je dat je de moeite nam om dit goede nieuws te brengen over recht dat zijn loop heeft, hoofdcommissaris. En daarom wilde je me persoonlijk spreken en deze afspraak op het drukste moment van mijn dag maken?'

De ironie, de verwaandheid, de kleinerende en geringschattende wijze waarop hij hem afschreef als een plaag – die zijn kostbare tijd opat – de totale minachting en het onbeschaamde gebrek aan respect... die deden het 'm. Die haalden de trekker over... Hij hield zich niet meer in... Hij *deed* het... riskeerde alles... zelfs het huis in Kendall, zo geliefd door zijn geliefde vrouw, haar mooie gezicht piepte door zijn corpus callosum op het moment dat hij zei: 'Eigenlijk... zit er nog een kant aan.'

'O?'

'Ja. Het gaat om de agent die voor een doorbraak in de zaak heeft gezorgd. Hij heeft een vreselijke rechterlijke dwaling voorkomen. De loopbaan, misschien het leven van mijnheer Estevez zouden verwoest zijn geweest. Hij heeft veel aan deze agent te danken. Wij allemaal. U zult zich zeker zijn naam herinneren... Nestor Camacho.'

De naam zorgde voor vreselijke verwikkelingen bij de ultralethargische houding van de burgemeester. Zijn handen zakten van achter zijn nek, zijn ellebogen raakten het blad van het bureau, en zijn hoofd kantelde naar voren. 'Waar heb je het over?' vroeg hij. 'Ik dacht dat hij was ontheven van dienst!'

'Dat was hij. Is hij nog steeds. Maar meteen nadat hij zijn penning en zijn wapen had overhandigd – het moet geen uur zijn geweest – gaf hij me de namen van alle vijf de jongens. Hij had dit allemaal op eigen houtje gedaan. Met een van hen had hij al een lang gesprek gehad, en de knaap herriep wat hij de Schoolpolitie had verteld. Inmiddels was Camacho ontheven van dienst en dus vroeg ik de rechercheafdeling de andere vier te ondervragen. Ze hielden niet al te lang aan hun verhaal vast. Zodra ze begrepen dat er een barst zat in hun gelederen en ze gearresteerd en vervolgd konden worden wegens meineed, was het afgelopen. Ze hebben het allemaal opgegeven. Het zijn tenslotte maar kinderen. Morgen zal de officier aankondigen dat ze de zaak laten vallen.'

'En gaan ze Camacho's naam bekendmaken?'

'O ja, uiteraard,' zei de hoofdcommissaris. 'Ik heb er lang over nagedacht, Dio... ik ga hem in dienst herstellen... de penning, het wapen, heel de mikmak.'

Daarop vloog de burgemeester naar voren in zijn stoel, alsof de veren zelf hem hadden gelanceerd.

'Dat kun je niet doen, Cy! Camacho is net ontheven van dienst – omdat hij een godverdomde racistische fanaat is! We zullen alle geloofwaardigheid verliezen die we bij de Afrikaans-Amerikaanse gemeenschap hebben opgebouwd toen we dat rotzakje in de ijskast stopten. Ik had je hem zonder meer moeten laten ontslaan. Ineens – hoe lang is het geleden, drie weken? – ineens is hij weer in beeld, groter dan ooit, en is hij een kloteheld. Alle Afrikaans-Amerikanen in Miami zullen weer in het geweer komen – op eentje na, de godverdomde hoofdcommissaris van politie! Het lijkt nog pas gisteren dat ze met z'n allen jouw fanaatje in actie zagen en hem al die racistische troep hoorden spuien, live, zonder omhaal, op YouTube. En nu komt door hem de Haïtiaanse klotegemeenschap in kloteopstand. Twee dagen lang schreeuwden ze op straat moord en brand. Nu zullen ze pas echt de straat op gaan, zodra ze ontdekken dat deze erkende racist, deze Ku Klux Camacho van jou, erin is geslaagd de schuld op een van hen af te schuiven. Ik heb je toch gezegd dat deze knaap een eenmans rassenrel is? En nu ga je hem in dienst herstellen en hem ook nog eens ophemelen! Ik snap je niet, Cy. Echt niet. Je weet heel goed dat een van de belangrijkste redenen om je tot hoofdcommissaris te benoemen was dat wij meenden dat jij de man was om de vrede te bewaren met al deze – eh ehhh – gemeenschappen. Je denkt dus dat ik toe blijf kijken en jou *onder mijn verantwoordelijkheid* raciale geschillen tot een godverdomde vuurzee laat oplaaien? Neeehhhhhh, hohhhhhh, mijn vriend, dat gaat niet door! Anders zorg je dat ik iets moet doen wat ik liever niet hoef te doen.'

'Wat dan?' vroeg de hoofdcommissaris.

De burgemeester knipte met zijn vingers. 'Je bent *zo* weg! Dat beloof ik je!'

'Je kunt me godverdomme niks beloven, Dionisio. Ben je het soms vergeten? Ik werk niet voor jou. Ik werk voor de gemeentesecretaris.'

'Dat onderscheid heeft niks te betekenen. De gemeentesecretaris werkt voor *mij*.'

'O, jij mag hem de baan hebben bezorgd, en jij drukt bij hem op de knopjes, maar volgens de gemeenteverordening werkt hij voor de gemeenteraad. Je draagt dit godverdomde geval aan hem over, en de pers valt van alle kanten over hem heen, en dan raakt-ie in paniek. Hij doet het in zijn broek! Ik ken een paar raadsleden – ik *ken* ze – precies zoals jij jouw zogeheten gemeentesecretaris *kent* – en ze geven jouw jochie er maar al te graag van langs, ze zijn zo opgestookt dat ze hem jouw instrumentje noemen… volkomen in strijd met wat in de verordening staat… jouw jongetje zal in een brabbelende dwerg veranderen. Hij zal een godverdomde commissie instellen om het probleem tien maanden lang of tot het overwaait te bestuderen.'

'Het enige wat je kunt doen is tijd rekken, Cy... misschien. Maar je bent er al geweest. Het verschil tussen jou en mij is dat ik aan heel de stad moet denken.'

'Nee, Dio, het verschil tussen jou en mij is dat jij alleen kunt denken aan wat heel de stad van Dio vindt. Waarom probeer je niet in een rustig kamertje over goed en kwaad na te denken... Ik denk dat je dan van bepaalde dingen spijt krijgt.'

De burgemeester draaide zijn lippen tot een zelfgenoegzaam lachje. 'Je bent er geweest, Cy, je bent er geweest.'

De hoofdcommissaris zei: 'Doe wat je moet doen, en ik doe wat ik moet doen... en dan zien we het wel, nietwaar?'

Hij stond op en staarde agressiever naar burgemeester Dionisio Cruz dan hij ooit van zijn leven naar iemand had gestaard... zonder één keer te knipperen. Maar Dio ook niet, die bleef zitten in zijn luxueuze ossenbloed-leer-en-mahonie muil van zijn gigant van een draaistoel en – kil – terugstaarde. De hoofdcommissaris wilde Dio's oogbollen uit zijn schedel laseren. Maar Dio week niet. Ze vertrokken allebei geen spier en zeiden geen woord. Het was een klassieke *Mexican stand-off*, die wel tien minuten leek te duren. In feite was het eerder tien seconde. Toen draaide de hoofdcommissaris zich om. Hij toonde Dio zijn grote sterke rug en stormde het vertrek uit.

In de lift naar beneden voelde hij zijn hart even snel kloppen als toen hij een jonge sportman was geweest. In de hal waren er burgers die geen idee hadden dat hij twee trappen hoger in de diepvries was gestopt, gecryogeniseerd. Hier beneden, tussen deze argeloze zielen, hoorde je zoals altijd het *Dag, hoofdcommissaris!* Maar ongebruikelijk genoeg negeerde hij ze, deze goede zielen, zijn fans. Hij ging helemaal in iets anders op.

Zodra hij dit belachelijke Pan American Luchtfietsers-gemeentehuis van pleisterwerk uit liep, reed brigadier Sanchez voor in de grote zwarte Escalade, en de hoofdcommissaris ging op de stoel naast hem zitten. Hij besefte dat hij er chagrijniger en nerveuzer uitzag dan Sanchez hem ooit had meegemaakt.

Sanchez wist niet goed wat hij moest zeggen – maar was wel nieuwsgierig naar wat er was gebeurd – en daarom vroeg hij: 'Nou, hoofdcommissaris... *ehhh*... hoe ging het?'

De hoofdcommissaris staarde recht door de voorruit en zei één woord: 'Niet.'

Ongetwijfeld had Sanchez dolgraag gevraagd: '*Hoezo* niet?'... maar hij deinsde ervoor terug een zo directe vraag te stellen. Hij raapte dus zijn moed bij elkaar en vroeg: 'Nee? Wat niet, hoofdcommissaris?'

'Het *ging* niet,' zei de hoofdcommissaris, die nog steeds recht vooruit keek. Na een paar tellen zei hij tegen de voorruit: 'Maar het *gebeurt*.'

Sanchez besefte dat hij niet tegen *hem* sprak. Dit was een gesprek met zijn hoge en machtige Zelf.

De hoofdcommissaris haalde zijn iPhone uit zijn borstzak, tikte twee keer met zijn vingertop op het glazen schermpje, hield het ding tegen zijn oor en zei: 'Cat.' Het was een bevel, geen telefoonfatsoen. 'Bel Camacho – nu meteen. Hij moet bij mij op kantoor komen z.s.m.'

# 19

## DE HOER

Magdalena ontwaakte in een staat van hypnopompie. Iets streelde haar. Maar het zorgde niet voor schrik, alleen voor een halfbewuste wirwar tijdens haar worsteling om haar lichten aan te doen. Toen het over haar schaamheuvel en haar onderbuik omhoog gleed en op de tepel van haar linkerborst begon te verwijlen, had ze het plaatje compleet, ook al bleven haar ogen gesloten. Zij en Sergei lagen naakt in zijn enorme bed in zijn grote appartement met etage in Sunny Isles – en ze vond het ongelooflijk. Ongelooflijk dat een man van zijn leeftijd zich telkens weer kon opladen, voor hij uiteindelijk in slaap was gevallen. Nu opende ze haar ogen, en met één blik naar de opening waar een stel haast komisch weelderige gordijnen bij elkaar kwam kon ze zien dat het buiten nog zwart was. Ze konden niet langer dan een uur of wat hebben geslapen – en kennelijk was hij weer klaar voor een volgende aanval. Het Korolyov Museum of Art... Ze lag in bed met een beroemde Russische oligarch. *Todo el mundo* wist wie hij was en hoe knap hij was. Zijn lichaam stootte tegen het hare, en zijn hand streelde haar hier... en daar... en daar en daar en daar, en ze wanhoopte. Ze was een hoer voor het Korolyov Museum of Art in het lichaam van een oligarch, een vreemdeling die Engels sprak met een zwaar accent. Maar toen werden de topjes van haar borsten op eigen kracht stijf, en de vloed in haar lendenen spoelde moraal, wanhoop en alle andere abstracte afwegingen weg in een wolk van een of ander goddelijk luchtje dat hij gebruikte. Nu was zijn grote voortplantingspilootje in haar bekken, aan het rijden, rijden, rijden en zij verzwolg het graag verzwolg het verzwolg het verzwolg het met de eigen lippen en muil van het bekken – dit alles zonder een woord. Maar toen begon hij te kreunen en het gekreun te benadrukken met af en toe een pseudo-pijnlijke uitroep in het Russisch. Het klonk als 'Zhyss katineee!' Hij was verbijsterend. Hij leek het eindeloos te kunnen volhouden, zo lang dat er uiteindelijk onwillekeurig geluiden uit haar lippen kwamen... *'Ah... ah... ahh... ahhh... Ahhhhhh'* toen ze telkens weer een hoogtepunt bereikte... Toen hij ten slotte gewoon naast haar lag, kon ze weer nadenken. De klok op zijn nachtkastje zei 5.05 uur. Was zij een hoer? Nee! Dit was de moderne volgorde bij liefde! – bij romantiek! Hij was helemaal wég van haar. Hij was bereid tot de dood van haar te houden. Hij kon niet genoeg van haar krijgen, wat inhield ook van haar*zelf*, haar geest, haar unieke persoonlijkheid, haar *ziel*. Gewoon naar haar kijken, naar haar verlangen, zich helemaal aan haar overgeven, haar willen op ieder moment dat hij wakker was – en kennelijk ook ieder moment dat hij *niet wakker* was – *Dios mío*, ze was zo moe, zo uitgeput, ze wilde zich onderdompelen in haar slaap – maar toen kreeg ze een visioen van met hem ontbijten. Misschien zouden ze badstof kamerjassen aan hebben. Hij had een paar luxueuze badjassen in de badkamer hangen... zij tweeën die ontbijten aan een tafeltje, over de oceaan uit kijken, naar elkaar kijken, smachtend praten, lachen om kleinigheidjes, heel hun wezen vól met de zoetheid, de dromerigheid die is mogelijk gemaakt door, jawel, vleselijke goddelijke gevoelens die het... het... het *distillaat* zijn van dingen die niet in louter woorden kunnen worden uitgedrukt, deze volmaakte overgave aan - *¡Dios mío!* wat was *dat*?! – P l i n g <sup>pling pling</sup> p l i n g p l i n g p l i n g <sup>pling pling</sup> p l i n g p l i n g p l i n g <sup>pling pling</sup> p l i n g p l i n g <sup>pling pling</sup> p l i n g p l i n g – Sergei draaide zich om en stak zijn hand uit naar zijn nachtkastje – naar zijn iPhone. De muziek was de zachte, verzachtende beltoon van zijn telefoon P l i n g <sup>pling pling</sup> p l i n g p l i n g p l i n g p l i n g <sup>pling pling</sup> – en ze *kende* die muziek... maar waarvan?... *Ahh!* van *járen* geleden! Twee keer was ze met haar moeder in de kersttijd naar een ballet voor kinderen geweest. Hoe werd het genoemd? Het enige wat ze kon verzinnen was 'De Dans van de Suikerduimen'... maar dat kon het niet zijn – 'De Dans van de Suikerboon Fee'! Dat was het! Ja, en de naam van heel het geval was... *De Notenkraker*!... Ze wist het weer! En het was van een grote componist... Hoe heette hij ook weer?... *Tsjaikovski!... dat was het!... Tsjaikovski!*... Dat was een heel *grote* componist, een *beroemde* componist van mooie muziek. *Nestor* piepte door haar hoofd. Te bedenken dat Nestor één ding gemeen had met Sergei – klooien met beltonen. Grappig. Zelfs in dit kleine detail was Sergei, als je erover nadacht, de aristocraat. *Tsjaikovski* – een grote klassieke componist!... terwijl Nestor zijn ware Hialeah-aard toonde... Hij moest een flutliedje kiezen van Bulldog, en Bulldog is net als Dogbite en Rabies – een imitatie van Pitbull. In gekke dingetjes zoals dit, klooien met een beltoon, hoorde Sergei bij een hogere orde der dingen. Sergei pling pling pling duwde zich op een elleboog omhoog. Zij keek naar de welving van zijn blote rug. Hij had zo'n geweldig lichaam. Hij pakte de telefoon op met zijn andere hand. Wat het einde van *De Notenkraker* betekende. Dit telefoontje kwam zo *vroeg*... Het was nog donker buiten.

'Hallo?' zei Sergei. Maar de rest was in het Russisch. Zijn stem begon harder te worden. Hij vroeg de beller iets... een tijdsverloop terwijl de beller antwoord gaf... Harder, Sergei stelde nog een vraag. Een tijdsverloop... en Sergei stelde nog een keer vraag, dit keer op boze toon. Magdalena kon in dit alles maar één woord onderscheiden, een naam – 'Hallandale' – de naam van een stad even ten noorden van Sunny Isles. Het tijdsverloop... en dit keer werd Sergei woedend. Hij schreeuwde.

Hij gooide de telefoon op bed. Hij zwaaide zijn benen over de zijkant van het bed, kwam overeind met zijn lichaam en hield zichzelf met de muizen van zijn hand in evenwicht... Hij zat daar te zitten... met zijn ruggengraat zo recht als een snaar, net als zijn hoofd.

Fluisterend zei hij iets, op even woedende toon. Hij schudde zijn hoofd van de ene kant naar de andere met het signaal dat zegt: 'Een hopeloos geval... hopeloos... hopeloos...'

'Wat scheelt eraan, Sergei?' vroeg Magdalena.

Hij draaide zijn hoofd niet eens haar kant op. Hij zei één woord: 'Niets.' En hij *zei* dat niet echt. Hij *ademde* het.

Hij stond op en liep spiernaakt... te mopperen en de hele tijd zijn hoofd te schudden... naar de kast waarin zijn kamerjassen zaten... en haalde er van een grote mahonie hanger eentje uit... een geweldig geval, deze kamerjas, zware zijde met een patroon in marineblauw, mediumblauw en rood, met witte stippen die niet groter waren dan graankorrels die heen en weer schoten als kometen... enorme rode gestikte revers en manchetten... Hij slingerde zijn armen in de mouwen en stond met zijn gezicht naar haar toe... zonder haar te zien...

Ah! – een hoopvol teken! Ook al was hij vijf of zes stappen weg, zijn *polla* hing vrijwel voor haar gezicht… en was gezwollen! – zichtbaar gezwollen! ::::: een teken dat ik nog besta! ::::: maar zijn ogen lieten het niet merken… In zijn hoofd knalden alle zeven soorten neuronen tegen synapsen tot de $n^{de}$ graad … Ze wilde hem dolgraag vragen of hij soms. Ze duwde *zichzelf* op een elleboog omhoog… en vroeg zich af of hij door de aanblik van haar borsten met tepels die ineens stijf werden niet echt zou gaan zwellen… snakkend naar *coño*… maar met succes bedwong hij zijn lust, als die er was… blijkbaar bestond zij momenteel niet meer, en nieuwsgierigheid van haar kant zou duidelijk niet op prijs worden gesteld.

Hij was amper in zijn slippers gestapt… die van fluweel waren en geborduurd met wat? – een sierlijk monogram in Russische letters? – en meer moesten hebben gekost dan alle kleren waarvan hij haar lijf gisteravond zo sletsletsletterig had ontdaan bij elkaar… Gisteravond… Dat moest helemaal niet zo lang geleden zijn geweest, want ze voelde zich zo moe, een beetje duizelig zelfs… Het licht dat uit de randen van de gordijnen sijpelde leek vreselijk zwak… was de zon al wel op?… waardoor het telefoongesprek nog onbegrijpelijker werd… Er was *iets* gebeurd… Hij was amper in zijn slippers gestapt toen een deurbel klingelde… niet rinkelde, niet zoemde… klingelde als de middelste toets op een xylofoon… Niemand ging een ontploffing of een ander alarmerend geluid veroorzaken door op een knop op Sergei Korolyovs slaapkamer te drukken…

Sergei liet zijn vingers door zijn haar gaan en liep naar de deur… en Magdalena gleed terug onder de lakens om haar blote lichaam te verbergen en overwoog zo ver in de kussens weg te zinken als zij kon en wat er ook ging gebeuren haar rug toe te keren… maar haar nieuwsgierigheid kreeg de overhand en ze bleef daar liggen onder lakens die haar helemaal, tot aan haar jukbeenderen bedekten – maar niet haar ogen. Ze wilde niets missen. Sergei zei iets in het Russisch bij de deur… een zachte stem reageerde buiten. Twee mannen kwamen binnen, allebei omstreeks 35… met dezelfde geelbruine – gabardine? – kostuums en marineblauwe – zwarte? – poloshirts… de ene lang, met aflopende schouders en zijn kale hoofd tot een jammerlijk misvormde knop geschoren… de andere korter, zwaarder… vertoonde de wereld een kop golvend donkerbruin haar waarop hij duidelijk *erg* zijn best had gedaan… Allebei hadden ze diepliggende ogen en ze leken in Magdalena's ogen onverbeterlijke gevallen. De lange leek zich, afgaande op de slaafse manier waarop hij zijn hoofd schudde, ervoor te verontschuldigen dat hij Sergei zo vroeg had gewekt en overhandigde hem vervolgens een op een bepaalde pagina geopende krant... Sergei bleef daar staan en verdiepte zich erin, dat duurde ongeveer een minuut maar die leek zich tot een uur uit te rekken, omdat zij allemaal, Magdalena incluis, de reactie van de peetvader wilden zien. Hij fronste naar de twee mannen alsof zij iets hadden gedaan wat niet alleen fout maar ook stom was. Hij zei geen woord. Hij liet hen een paar ouderwetse deuren door gaan met ruiten van glas en zware houten roeden – door te wijzen met een stijve arm en een wijsvinger die ineens dertig centimeter lang leek. Via de deuren kwam je in een studeerkamertje. En route moesten ze nog geen tweeëneenhalve of drie meter het bed langs. Ze wierpen allebei één blik op Magdalena, ze bogen allebei hun hoofd liefst vijf centimeter en ze mompelden allebei 'Miss', zonder ook maar een microseconde hun gehoorzame mars naar de studeerkamer te vertragen. Een microknik... een microwoord ter begroeting – nee, geen begroeting; eerder een amper minimale bevestiging van haar bestaan. Een warme golf vernedering stroomde haar hersenen door. Hun 'gastvrijheid' was automatisch. Zij was ongetwijfeld één jong ding uit een gestage reeks jonge dingen die 's ochtends in het bed van de baas te vinden waren.

In de studeerkamer kon ze de kleine man zien, de man die van zijn eigen golvende haar hield. Hij haalde een draadloze telefoon tevoorschijn en overhandigde die aan Sergei. Sergei bleef zitten en snauwde in de telefoon... in het Russisch. Het enige wat Magdalena kon verstaan was 'Hallandale' en de uitdrukking 'Actieve Volwassenen'... wat haar niets zei, maar eenvoudig opviel omdat het geen Russisch was. Toen hij uiteindelijk zijn Russische spervuur afsloot, overhandigde hij de telefoon weer aan de lijfwacht met de golvende lokken... en nam voor het eerst sinds de komst van de twee mannen notitie van Magdalena.

Hij kwam de studeerkamer uit en zei: 'Er is een probleem.' Hij zei het met een ernstige stem. Hij aarzelde, alsof hij meer ging zeggen... en dat deed hij: 'Vladimir zal je naar huis brengen.'

Hij marcheerde regelrecht zijn kleedkamer in. Hij kéék niet eens meer naar haar. Zo zat Magdalena in de val onder de beddenlakens – naakt. De twee lijfwachten stonden in de studeerkamer... Ze ervoer het als lijfelijke dwang... golf na golf vernedering... in de steek gelaten zonder kleren aan in een grote overdreven slaapkamer met een stel crimineel uitziende Russen die haar door de glazen deuren konden zien wanneer ze daar zin in hadden. Eerst voelde ze angst. Maar angst maakte plaats voor verzengende schaamte dat ze zich zo had laten gebruiken... een gebruikte *coño* die erop wachtte, net als het andere vuil in dit huis, te worden weggeveegd... *Vladimir zal je naar huis brengen...* Na een eindeloze minuut of wat stikte ze door de schaamte en de vernedering van het geheel... en ten slotte verscheen Sergei weer... haastig gekleed in een duur uitziend bleekblauw overhemd dat in een blauwe spijkerbroek was gestopt... ze wist niet dat hij zoiets normaals als een blauwe spijkerbroek bezat... Hij was geschoeid in een paar okerkleurige mocassins van varkensleer die meer dan duizend dollar moesten hebben gekost... en geen sokken... en geen glimlach... alleen de ergste, de botste uiting van gastvrijheid die ze ooit had gehoord: 'Vladimir zal alles regelen. Als je wilt ontbijten, zorgt de kok ervoor. Het spijt me, maar dit is een noodgeval. Vladimir zal voor je zorgen.' Hij liep de kamer uit met de andere lijfwacht, de korte die zo zijn best deed op zijn haar.

Magdalena was woedend, maar te verbijsterd om het te laten merken.

Als een zombie met een zwaar Russisch accent zei de figuur die Vladimir heette: 'Wanneer u klaar bent, breng ik u. Ik wacht buiten op u.' Hij liep de deur uit en deed die zorgvuldig achter zich dicht.

Door zijn nuchtere toon kreeg Magdalena het gevoel of hij werd ingezet om iedere ochtend het ene naakte meisje na het andere weg te halen.

'Rotzak dat je bent!' zei ze fluisterend, terwijl ze onder haar lakens uitkroop en opstond. Haar hart bonsde. Ze had zich in haar leven nooit zo vernederd gevoeld. Sergei's sadistische schaakmeester bij Gogol's was niets in vergelijking met de Meester zelf. Even stond ze doodstil. In een wandspiegel zag ze een mooi meisje staan, spiernaakt in een enorme al te elegante slaapkamer, ingericht in wat een grootse stijl moest voorstellen maar uiteindelijk opgedirkter en pietluttiger leek dan wat ook... met de guirlandes, de antieke stoelen en kisten, en een vloot van dieppaarse draperieën die je open moest trekken met belachelijke koorden van goudborduursel tot fluwelen plooien die zo diep waren als een kreek. Dat naakte meisje in de spiegel leek meer op een hoertje dan enig meisje dat ze ooit had aanschouwd, en nu werd de slet geacht haar goedkope, prullerige, *puta*-strakke kleren bij elkaar te rapen en als de wiedeweerga weg te wezen... nu ze was verbruikt als een soufflé of een sigaar, en Vladimir... heeft de opdracht het vuilnis weg te kieperen.

In de badkamer waren er zo veel spiegels dat de kleine teef haar blote hoeren-*reet* en -*tieten* uit ieder denkbare hoek kon zien. Gelukkig had ze gisteravond Amélia's eenvoudige zwarte jurkje gedragen... ja, zo makkelijk ging het aan de voorkant met een brede v open *tot hier*... en inderdaad kon ze bij daglicht onopgemerkt vertrekken, want mensen konden alleen de binnenste helften van haar tieten zien, en beide tepels zouden bedekt zijn door een lintbreedte van de zwarte namaakzijde van de stof van het jurkje.

De pumps aan haar voeten hadden een lage leest, ze waren gemaakt van blauw satijn en hadden de hoogst mogelijke hakken, wat dit jaar *heel* hoog was. Ze zag eruit als een toren van seks op de toppen van haar tenen. Nou ja, waarom het geheel niet afgerond met een krab-een-wang frambozenrode lippenstift... en genoeg zwarte oogschaduw om haar ogen een paar glinsterende bollen te laten lijken die op een paar wellustige mascarapoelen dreven.

Ze sloeg haar Big handtas over haar schouder, de Big van dit jaar uiteraard, gemaakt van het allerbeste zwarte namaakpython. Ze stond op het punt de kamer uit te lopen, ze concentreerde zich erop hoe ze haar weerzin moest bedwingen tegen die robot met de geschoren kop, Vladimir, en voelde zich futloos en vernederd wegens wat hij van haar nacht en deze ochtend wist... ::::: Sergei! Je bent echt een rotzak! Weet je dat? ::::: Ze zwoer dat ze hem *dat zou laten weten* mocht ze ooit de pech hebben hem weer tegen het lijf te lopen. ::::: Hoe kón je die twee Russische inboorlingen de kamer in laten? ::::: Was dat perversiteit? Nee, het was erger. Hij had gekregen wat hij wilde. Hij had haar geneukt. Dus was ze nu slechts een rondslingerend stuk gereedschap. En een stuk gereedschap geeft er toch niet om hoe iets overkomt? Sinds wanneer hebben stukken gereedschap een moreel begrip ontwikkeld dat gevoelens als bescheidenheid oppikt?... Of om het anders te formuleren: sinds wanneer zijn hoeren zich iets meer dan hoeren beginnen te voelen?

Nu was Magdalena *echt* boos. Ze zag de krant op de grond liggen naast de stoel waarop Sergei die was gaan zitten lezen. Ze pakte de krant op en nam de onderste halve pagina door die hij gelezen had... in Sectie c, 'Kunst en Amusement' van de *Herald*.

Het grootste deel ervan werd ingenomen door een artikel met een kop waarboven een korte, compacte regel in louter hoofdletters stond: REALIST SPREEKT ZICH UIT.

Het begon: 'Als een lach kon doden, zouden alle vooraanstaande kunstenaars vanaf Picasso tot Peter Doig er deze week massaal aan zijn gegaan op de verdieping in Wynwood met het atelier van een lid van de meest bedreigde soort in heel de kunstwereld: een realistische schilder.

De grote, hartelijke, schuddebuikende in Rusland geboren Igor Drukovitsj is niet de bekendste kunstenaar in Miami, maar misschien wel de kleurrijkste.'

Magdalena vroeg zich af ::::: *'Schuddebuikende?'* Wat betekent dat, *'schuddebuikende'*? ::::: zoem... zoem... zoem... ze las door. Deze Drukovitsj blijft glaasjes achteroverslaan van een wodkabrouwsel dat hij verzonnen heeft. Nu zegt hij: 'Picasso kan niet tekenen'... Als hij, Drukovitsj, niet beter kon tekenen dan Picasso, zou hij een nieuwe beweging beginnen en die Kubisme noemen... En wat heeft *dat* te betekenen? Ze stopte niet om het te achterhalen... zoem... zoem... zoem... drie Russische kunstenaars van wie ze nooit heeft gehoord... Mal-a-*wie?*... Ze heeft in elk geval van Picasso *gehoord*... Wie dit stuk ook schreef denkt duidelijk dat al dit kunst- en cultuurgedoe gewoon *fascinerend* is... Magdalena keek naar de naamregel... John Smith... *Dios mío*... weer diezelfde naam!... maar het is allemaal zo saai, ze kan zich niet voorstellen waardoor Sergei zo ontplofte... ze voelt dat ze indommelt... als een paard in slaap valt... terwijl ze overeind staat – *knal!* – uit het niets *knalt* de naam van Sergei tevoorschijn: 'Twintig schilderijen, geschat op $ 70 miljoen, werden aan het Miami Museum of Art geschonken door de Russische verzamelaar Sergei Korolyov die zich hier onlangs heeft gevestigd.'

Nu is ze klaarwakker... *Wat is er met Sergei?*... Sergei?... Maar er staat verder niets over Sergei... zoem... zoem... zoem... alleen meer over de Russische schilders, Malevitsj, Gontsjarova en Kandinsky... De 'grote, hartelijke, schuddebuikende' Russische schilder, deze Drukovitsj, neemt nog een glas wodka en begint over hen alle drie grappen te maken... zoem... zoem... zoem... Denkt Drukovitsj dat hij zou kunnen wat zij hebben gedaan? *'Iedereen* kan dat!' zegt hij. '*Ik* kan het, alleen moet ik dan naar deze troep kijken.' Hij zegt dat hij het geblinddoekt zou moeten doen, en eerlijk gezegd heeft hij het inderdaad geblinddoekt gedaan... zoem zoem... nog een glas wodka... Iemand vraagt hem waar deze schilderijen zijn... Hij zegt dat hij het niet weet... Misschien heeft hij ze weggegooid, of is hij ze kwijtgeraakt, of heeft hij ze aan iemand gegeven... Als hij ze weggaf, aan wie zou hij ze dan geven?... 'Wie zou ze willen?' zegt de Rus. Iemand zegt: 'Het Miami Museum of Art leek beslist blij toen ze het echte werk kregen. Ze hebben het op zeventig miljoen dollar geschat... Misschien gaf je ze aan het museum.'... *lachen lachen lachen*... De Rus zegt: 'Dat is het gekste wat ik ooit heb gehoord'... meer wodka... zoem zoem zoem zoem... De vent moest inmiddels zo dronken als een aap zijn... Magdalena leest heel het stuk tot het eind... Sergei wordt niet meer genoemd... Waarom wond Sergei zich dan zo op? Zou hij zo boos worden omdat iemand van wie niemand ooit heeft gehoord zei dat wat Sergei aan het museum had gegeven hem niet beviel?... Dat moet het zijn... Hij moet op dat punt heel trots en heel lichtgeraakt zijn... zoem... zoem... zoem... en dan te bedenken dat ze zich gewoon had gedwongen al dat gedoe te lezen...

Zoals opgedragen wachtte Vladimir toen Magdalena Sergei's slaapkamer uit kwam. Hij had de volstrekt lege uitdrukking van de efficiënte automaat die hij was. Hij vertrok geen spier in zijn gezicht toen hij haar zag. Maar alleen al door zijn aanwezigheid werd haar hoofd rood van schaamte. Hoe zou ze vanochtend op de rest van de wereld overkomen? Simpel: als een goedkope slet de ochtend na de orgie, met dezelfde tieten-tieren bijna-een-jurk waarin ze gisteravond was verschenen... nog steeds druppelend van ziekelijke papajapulp.

Godzijdank was er een lift die je regelrecht naar de ondergrondse parkeergarage bracht. Zonder een woord bracht Vladimir haar naar wat Sergei's limousine bleek, een bruingele Mercedes Maybach. Ze ging op de ruime achterbank zitten en vouwde zich in een hoek op, om onzichtbaar te worden. Het enige landschap wat ze te zien kreeg toen ze een helling en Collins Avenue opreden, was de achterkant van de haarloze witte knop waaruit Vladimirs hoofd achter het stuur bestond.

::::: Vladimir, waag het niet ook maar één woord tegen me te zeggen. :::::

Het bleek dat ze op dat punt niets te vrezen had. Dus toen werd ze paranoïde.

::::: Sergei heeft me als een goedkope hoer behandeld. Stel nou dat deze sinistere automaat van hem me niet naar huis brengt – maar me ontvoert en me gevangen houdt op een plek waarvan ik nooit heb gehoord, waar ze me zullen dwingen onuitsprekelijke dingen te doen? :::::

Haar ogen waren nu gericht op het landschap dat voorbijgleed. Wanhopig zocht ze naar geruststellende oriëntatiepunten. Maar ze wist zo weinig van de geografie hier ten noorden van Miami Beach –

Goddank! De Fontainbleu kwam langs gedreven... ze waren op de goede weg... Ze staarde weer naar Vladimirs knikker... Een heel nieuwe vloed van mogelijke rampen begon door haar hoofd te schieten... Hoe moest ze nu leven?... Had ze ergens in haar bolletje aangenomen dat ze Sergei's maîtresse zou worden, zoals ze Normans maîtresse was geweest?... Het was gewoon nooit met zo veel woorden bij haar opgekomen. ::::: Ik was al die tijd een maîtresse! Het is waar! Ik heb me afgekeerd van mijn familie, van Nestor en van alle anderen omdat Norman een televisieberoemdheid was.... *Een of andere beroemdheid*... hij had zich iedere keer laten gebruiken wanneer tv-pooiers naar een of andere egoïst met een medische graad zochten om de perverseling in iedere kijker te prikkelen met het pikantste nieuws over pornoverslaving... terwijl de rest van de psychiaterbroederschap op hem neerkeek als iemand die verslaafd was aan publiciteit en een plaatsje in de betere kringen, die alles zou doen om de aandacht op zichzelf te vestigen... het neerhalen van het beroep incluis... *¡Dios mío!* Hoe heb ik mezelf aan deze vunzige engerds kunnen overleveren? :::::

Ze was zo beschaamd dat ze Vladimir haar een straat van haar appartement vandaan liet afzetten. Ze wilde niet dat iemand haar in dit vervoermiddel thuis zag komen. Waarom wordt dat meisje met haar feestkleding van gisteravond zo vroeg in de ochtend teruggebracht naar deze buurt met (voor Miami Beach) lage huren in de limousine van een rijkaard die wordt bestuurd door een of andere stomme automaat van een rijkaard? Moeten we het voor je uittekenen?

Het was een van die ellendige was-en-strijk-kamer Miami-dagen. Ze loopt één straat en ze is al verhit, bezweet en vol zelfmedelijden. Ze probeert het, maar kan haar tranen niet inhouden. De mascara die vermoedelijk drama aan haar oogkassen toevoegt, loopt van haar jukbeenderen af, en dat verdient ze gewoon, het hoertje.

::::: Ik smeek U, God, laat Amélia niet thuis zijn... Laat haar me niet zo zien! ::::: Ze kan niet eens *proberen* Amélia voor de gek te houden... niet over *dit* onderwerp. Magdalena heeft de deur amper open of... daar staat Amélia met haar handen op haar heupen. Ze werpt één blik op Magdalena met de avond-voordien zwarte jurk die ze haar had geleend, en er komt een wat-hebben-we-hier grijns over haar lippen gekropen.

'En waar zijn *wij* geweest?' vroeg ze.

'O, je weet waar ik ben geweest –' En daarop gingen Magdalena's lekkende ogen wijd open en haar mond viel halfopen... en ze *barstte* in tranen uit. Haar snikken kwamen in regelrechte golven. Ze wist dat ze Amélia het hele verhaal moest vertellen, tot in de vernederendste details... maar dat was op dit moment haar minste zorg. Angst kreeg haar in de greep.

'Toe *nou*,' zei Amélia. 'Hé – wat scheelt eraan?' Ze sloeg haar armen om Magdalena heen – en zou nooit weten hoe dankbaar haar treurige huisgenote voor die kleine omhelzing was. Ook als ze kalm en beheerst was geweest, had Magdalena nooit de woorden gevonden om uit te drukken wat Amélia's vertoon van *bescherming* voor haar op dat moment betekende.

'O, mijn god, ik voel me zo weerzinwekkend. Dit was de ergste *snik* nacht *snik* van *snik* heel mijn leven! *snik snik snik snik*.' Haar woorden zwommen tegen golven en golven gesnik in.

'Vertel me maar wat er is gebeurd,' zei Amélia.

*snikken snikken snikken* 'En ik dacht dat hij zo *snik* gaaf *snik* was en alles... en beschaafd *snik*... Europees *snik* zeg maar *snik* en alles en *snik* van alles over kunst wist *snik* en al die goede manieren had... en wil je weten wat hij eigenlijk is?... Hij is het ergste *zwijn* dat ooit heeft geleefd! Hij steekt zijn smerige snuit hier *snik* en daar *snik* en waar hij maar zin in heeft en behandelt me dan als *mierda*!' – een regelrechte emmer *snikken* – 'Ik *voel* me zo smerig!' *snik snik snik snik*...

'Maar wat is er *gebeurd*?'

'Hij haalt die twee... *bullebakken* van hem de slaapkamer in, gewoon de slaapkamer in, en ik lig nog in bed, en hij is boos en schreeuwt tegen hen in het Russisch over iets... en ik denk: "Of ik niet eens besta" – maar ik besta wel hoor! *snik* ik ben dat stuk verbruikte *coño snik* daar *snik* in bed *snik snik snik* en hij draagt hen op de verbruikte *coño* er net als de rest van het vuil uit te gooien *snik* voor het begint te stinken *snik snik snik snik*. Ik was zo bang van hem, Amélia... *vreselijk bang* van hem... maar het is erger. Hij is doodeng. Het enige wat hij tegen me zegt is: "Er is iets gebeurd. Vladimir rijdt je naar huis." Meer niet! – terwijl we net de hele nacht – "Vladimir rijdt je naar huis!" Vladimir is een van die bullebakken... die grote, lange Rus met een geschoren hoofd... tot op het bot kaalgeschoren... en dat kale bot – er zitten allemaal builen en bulten in en geen hersens, alleen videogamecircuits... Het is een robot, en wat hij van Sergei ook moet doen, hij doet het. Hij heeft me teruggereden naar hier zonder een woord te zeggen. Hij heeft zijn instructies. Breng dit stuk verbruikte *coño* weg en loos het. Dus hij rijdt het hierheen en loost het... Er is iets – helemaal verkeerd – er is iets *slechts* aan heel die toestand. Het is doodeng, Amélia!'

Ze merkte dat Amélia al verveeld was door deze voordracht en geen overtuigend weerwoord wist te bedenken. Ten slotte kwam ze met: 'Tja, ik weet eigenlijk niets meer over jouw Sergei dan –'

Magdalena lachte wrang en mompelde: '*Mijn* Sergei...'

' – wat jij me hebt verteld, maar bij mij komt het over dat wat een knappe, ontwikkelde oligarch-was-het-toch hij ook is, hij het hart heeft van een van die Russische Kozakken die vroeger rondtrokken om de handen af te hakken van kindertjes die op het stelen van brood waren betrapt.'

Magdalena, oprecht geschrokken: 'Russische *Kozakken*?'

'Nu weer niet van voren af aan in paniek raken! Ik zweer dat er *geen* Russische Kozakken meer zijn,' zei Amélia. 'Niet eens in Sunny Isles. Ik snap niet waarom ze ineens in mijn hoofd opdoemden.'

'Om de handen af te hakken van kindertjes die op het stelen van brood waren betrapt...'

'Oké, oké,' zei Amélia. 'Het was niet mijn bedoeling met zo'n extreme vergelijking te komen... maar je begrijpt wat ik bedoel...'

Net toen Magdalena iets wilde zeggen, ging er een koude rilling door haar lichaam. Ze vroeg zich af of Amélia merkte dat ze weer beefde.


Tegen de avond waren Nestor en Ghislaine in het Korolyov Museum of Art nauwgezet een schilderij van ongeveer 90 cm hoog en 60 cm breed aan het bestuderen... Op een bordje aan de muur stond: 'Wassily Kandinsky, *Suprematistische Compositie XXIII*, 1919'.

::::: Wat had *dat* in hemelsnaam te betekenen? ::::: vroeg Nestor zich af.

Er was een grote aquamarijne penseelstreek *hier* beneden bij de onderkant en een grotere penseelstreek in rood *daar* boven... maar rood zo saai als een baksteen. De twee hadden niets met elkaar, en ertussen... een enorm stel smalle zwarte lijnen, lang, kort, recht, krom, slap, zwak, die over elkaar liepen in willekeurige knopen maar wegdraaiden van de opeenhoping hier en daar van stippen en klodders in elke kleur die je je kon voorstellen als ze maar vloekten. ::::: Moet dit *een grap* voorstellen ten koste van een heleboel serieuze mensen die vinden dat de sociaal voelende oligarch Sergei Korolyov iets geweldigs voor Miami heeft gedaan? ::::: Het was zo dwaas dat Nestor zich niet kon bedwingen dicht naar Ghislaine toe te leunen en te zeggen... met het soort onderdrukte huisstem: 'Wat geweldig, hè? Lijkt net een ontploffing in een container van de reinigingsdienst!'

Ghislaine zei aanvankelijk niets. Toen leunde ze dicht naar Nestor toe en zei op vrome toon: 'Tja, volgens mij hangt het hier niet omdat ze hopen dat je het al dan niet mooi vindt. Het is eerder omdat het een soort mijlpaal is.'

'Een *mijlpaal*?' vroeg Nestor. 'Wat voor *mijlpaal*?'

'Een mijlpaal in de kunstgeschiedenis,' zei ze. 'Ik heb het afgelopen semester colleges over kunst uit het begin van de twintigste eeuw gevolgd. Kandinsky en Malevitsj waren de eerste twee kunstenaars die enkel en alleen abstracte schilderijen maakten.'

Dat was een schok. Nestor merkte dat Ghislaine hem op haar eigen milde, aardige manier, zonder zijn gevoelens te willen kwetsen, had berispt. Ja! Hij was er niet achter hoe precies, met zo veel woorden, maar ze had hem berispt... op onderdrukte toon. Wat was dat met al die eerbiedige stemmen?... alsof het Korolyov Museum een kerk of een kapel was. Er moesten 60 à 70 mensen in de twee zalen zijn. Ze beraadslaagden eerbiedig voor dit schilderij en dat schilderij, de gelovigen, en ze ontvingen de communie... communie waarmee?... Wassily Kandinsky's oprijzende ziel?... Of met de Kunst zelf, de Kunst die alles verenigde?... Nestor vond het maar raar... Deze mensen bejegenden kunst als een religie. Het verschil was dat je kon wegkomen met een grapje over religie... Je hoefde maar te denken aan alle manieren waarop mensen dolden met de Heer, de Heiland, de Hemel, de Hel, de Buitenste Duisternis, Satan, het Koor der Engelen, het Vagevuur, de Messias, een Judas... voor het humoristische effect... Ja, je had volop mensen die zich onbehaaglijk zouden voelen deze begrippen in ernst te gebruiken... terwijl je het niet waagde je vrolijk te maken over Kunst... het was een serieuze zaak... als je dáár lollig bedoelde opmerkingen over maakte... dan was je duidelijk een *palurdo*... een dwaas... een stomkop die niet in de gaten had dat je je met je heiligschennis onhandig omlaag haalde... *Daarom* dus! *Daarom* was het zo ongrappig, kinderachtig, verschrikkelijk gênant om Kandinsky's *Suprematistische Compositie XXIII* als een grote saaie grap te beschouwen... daarom kon Ghislaine er niet gewoon in meegaan, een onschuldig giecheltje laten horen om de lading van zijn ongevoeligheid te verlichten en het over iets anders te hebben... Waardoor hij zich weer vreselijk bewust werd van zijn gebrek aan ontwikkeling.

Het was niet zo dat mensen met een universitaire graad slimmer waren dan andere mensen. Hij kende zo veel debielen met drs. voor hun naam dat hij een naslagwerk *Wie is een loser* kon publiceren. Maar intussen hadden ze al deze dingen opgepikt... *gedoe* dat je nodig had voor een gesprek. Magdalena pleegde het 'al dat museumgedoe' te noemen, en daar zat hij nu mee. Hij had niet – maar hij brak dat gedachtespoor af omdat hij gewoon geen gedachte aan Magdalena kon wijden. Het enige waarmee hij nu bezig was dat Ghislaine hem had berispt... op de mildste manier die ze kon bedenken, maar ze had hem *berispt*, en hij was gek wanneer hij hier gewoon als het berouwvolle, berispte jongetje voor dit prul van een schilderij ging staan.

Ineens hoorde hij zichzelf zeggen: 'Tja, ik ben hier niet als kunstliefhebber. Ik ben hier vanwege een zaak.'

'Je bent – je zei *zaak*?' Ghislaine wist niet goed hoe ze het moest zeggen. 'Ik bedoel, ik dacht dat je...'

'Je dacht dat ik was "ontheven van dienst"? Ja toch? Ik ben nog steeds ontheven van dienst, maar ik ben hier als privédetective. Het gaat over deze schilderijen.' Hij zwaaide zijn hand in een boogbeweging, alsof hij ieder schilderij ter plaatse erbij betrok. Hij wist dat hij het niet moest zeggen, maar dit was een manier om met Ghislaines *mijlpaal*-bombast en wat er verder bij hoorde af te rekenen. Hij leunde naar haar oor toe en zei: 'Het is allemaal nep, alles in allebei de zalen.'

'Wat?' zei Ghislaine. 'Hoe bedoel je, *nep*?'

'Ik bedoel dat het vervalsingen zijn. Hele goeie, naar ik begrijp, maar wel *vervalsingen*, stuk voor stuk.'

Nestor vond de verbijsterde blik op haar gezicht prachtig. Hij had haar wakker geschud. Of hij al dan niet een *palurdo* was, werd plotseling irrelevant. Hij had heel het onderwerp tot een oneindig belangrijker niveau opgetild... waar kunsthistorici kleine vlinders of insecten waren.

'Jazeker,' zei hij, 'ik vrees dat het waar is. Het zijn inderdaad vervalsingen, en ik weet waar Korolyov heen is gegaan om ze te laten maken, en ik ben in het geheime atelier geweest waar ze zijn gemaakt. Wat me te doen staat, is het bewijs leveren. Als het nep is –' Hij haalde zijn schouders op, als om te zeggen: 'Dan hoeven we geen tijd te verspillen aan die mijlpaalpraatjes'.

Daar had je het! Door zijn werk, zijn kennis als privédetective, werd haar berisping dwaas en meisjesachtig – en pas toen besefte hij dat hij *niets* had moeten onthullen over waarmee hij bezig was. Nu had hij, alleen vanwege zijn gekwetste ijdelheid, dit allemaal toevertrouwd aan een studente die hij amper kende.

Nee! Hij kende haar *wel*. Ze was argeloos, en ze was eerlijk. Hij kon haar *vertrouwen*. Dat had hij vanaf het allereerste begin gemerkt. Maar… nu hij iets stoms had uitgehaald, was het tijd volstrekt serieus te worden.

Hij keek haar aan met iets wat dichtbij een Smerisblik kwam. 'Dat is alleen tussen ons, tussen jou en mij, goed? Begrijp je?'

Hij Smerisblikte naar haar tot hij die belofte uit haar kreeg. 'Ja,' zei ze, met een zacht stemmetje, bijna fluisterend, 'ik begrijp het.'

Nu voelde hij zich schuldig. De snelste manier om haar van zich te vervreemden – en haar vertrouwen te verliezen – was om in deze stoerebinktrant door te gaan. Dus kwam hij met de zachtste en liefhebbendste glimlach waartoe hij in staat was. 'O, het spijt me,' zei hij. 'Ik wilde niet zo… zo… serieus en zo overkomen. Als er iemand is die ik kan vertrouwen, ben jij dat. Volkomen – dat *weet* ik gewoon. Dat weet ik van begin af aan, en –'

Hij hield zich in. Van het begin van *wat* eigenlijk? Nu sloeg hij naar de andere kant door.

'Nou ja, je begrijpt wat ik bedoel… Dat is dus de voornaamste reden dat ik hier ben. Ik dacht dat ik dit alles moest *zien* – en ik dacht dat het een gelegenheid was om *jou* te zien. Ik kan je in de verste verte niet zeggen hoeveel het voor me betekent dat je hier bent.'

Inmiddels was de liefhebbende blik waarmee hij naar haar keek volkomen oprecht. Haar naast zich hebben was een beetje Hemel. Voor de eerste keer vormden de woorden zich echt in zijn geest: 'Ik ben verliefd op haar'.

*¡Mierda!* – zijn iPhone. Hij had de beltoon uitgezet en hem op trillen gezet, en nu sprong het ding rond in zijn zak. Volgens de nummer-

herkenning was het John Smith. Hij wierp dus een vlugge *Dios mío*-blik op Ghislaine, schoot de zaal uit en de hal in, deed beide handen om het ergerlijke apparaat heen en nam op met een zéér gedempte stem:

'Camacho.'

'Nestor, waar ben je?' vroeg de stem van John Smith. 'Je klinkt of je onder een lading zand ligt.'

'Ik ben in het museum. Ik vond dat ik echt moest gaan kijken naar deze – waarover we het hebben. Ik ben –'

John Smith stapte zonder meer over Nestors stem heen: 'Moet je luisteren, Nestor, ik hoorde net van Igor. Hij is in een slechte bui. Hij heeft net het artikel gelezen – of iemand heeft het hem voorgelezen.'

'Zo laat?'

'Iemand heeft hem gebeld. Ik betwijfel of Igor ook maar Engels *kan* lezen, en waarschijnlijk geldt hetzelfde voor zijn vrienden, wie dat ook mogen zijn. Hoe dan ook, hij is heel opgewonden. Ik dacht eerst dat hij boos op *mij* was. Dat *is* hij waarschijnlijk ook, maar dat was niet waarover hij helemaal in de rats zat. Hij is doodsbang. Hij denkt dat Korolyov hem te pakken zal nemen. Dat gelooft hij echt. Hij is bang dat ze hem in een *hinderlaag* lokken, hinderlaag, zoals in *vermoorden*, om het leven brengen. Hij denkt dat ze de plaats al hebben bepaald. Hij heeft ze niet gezien, ze hebben hem niet bedreigd – hij is extreem paranoïde. Ik zei: "Denk je dat hij je alleen omdat je met zijn schilderijen hebt gespot te pakken zal nemen?" Een minuut lang zegt hij niets. Vervolgens zegt hij: "Nee" – ben je er klaar voor – "omdat ik de schilderijen heb gemaakt. Waarom moest je al die dingen laten drukken dat ik die schilderijen met mijn ogen dicht maak? Jij hebt me dit aangedaan! Je hebt het haast voor hen uitgetekend" enzovoorts enzovoorts. Hij is door het dolle, Nestor… maar hij heeft het toegegeven!'

'Hij kwam er zonder meer voor uit en zei dat hij ze heeft vervalst? Luisterde er nog iemand naar dit gesprek – of is het jouw woord tegen het zijne?'

'Nog beter,' zei John Smith, 'ik heb het allemaal op de band – en daarmee ging hij akkoord. Ik vertelde hem dat hij een overzicht moest geven van iedere stap in het proces.'

'Maar hij bekent niet dat hij een vervalser is?'

'Dat is momenteel zijn laatste zorg. Hij denkt dat ze achter hem aan zitten. Bovendien wil hij, als je het mij vraagt, dolgraag dat zijn enorme talent "aan de grote klok wordt gehangen".'

::::: Jesús Cristo. ::::: Iets aan John Smiths enthousiasme, zijn vreugde over de jacht, zijn verwachtingen over een grote journalistieke slag slaan, maakten Nestor doodsbang. ::::: 'doodsbang' :::::

# 20

## DE GETUIGE

*¡Caliente! Caliente schat... Heb volop fuego in yo' caja China... Wil zeggen dat je er een stuk Slang in moet doen.* ::::: *Jezus!* Hoe laat is het? ::::: Nestor rolde naar zijn iPhone toe en pakte die op ::::: 5.33 uur – *mierda* ::::: en gromde woester dan hij ooit in zijn leven had gegromd: 'Camacho.'

De vrouw aan de lijn vroeg: 'Nestor?' met een groot vraagteken... ze was er allerminst zeker van dat deze ongastvrije beestenstem van Nestor Camacho was.

'Ja,' zei hij, op een toon die de boodschap overbrengt: 'Val alsjeblieft dood.'

Zwakjes, bijna in tranen, zei de vrouw: 'Het spijt me, Nestor, maar ik zou je niet op deze manier opbellen als het niet absoluut moest. Ik ben het... Magdalena.' Haar stem begon te breken. 'Jij bent de... enige... die... me kan *helpen*!'

::::: *Ik ben het... Magdalena!* :::::

Eén herinnering kwam onder de radar door vliegen, dat wil zeggen subliminaal, en doordrenkte Nestors zenuwstelsel zonder ooit een gedachte te worden... *piep* Magdalena dumpt hem op straat in Hialeah en rijdt zo hard weg in de BMW waar ze op mysterieuze wijze aan is gekomen dat de banden krijsen en twee wielen daadwerkelijk van de grond komen als ze op de kruising keert om aan hem te ontsnappen. Het mocht dan onder de radar door dringen, maar het was een uitstekend middel om een eind te maken aan liefde, lust, libido, zelfs genegenheid... om 5.30 uur.

'Nestor?... Ben je daar?'

'Ja, ik ben er,' zei hij. 'Je moet toegeven dat dit nogal raar is.'

'Wat?'

'Dat ik een telefoontje van je krijg. Maar goed, *¿qué pasa*?'

'Ik weet niet of ik dit allemaal kan uitleggen over de telefoon, Nestor. Kunnen we elkaar niet treffen – voor een kop koffie, een ontbijt... *wat dan ook*?'

'Wanneer?'

'Nu!'

'Moet het nu meteen? Het is halfzes in de ochtend. Ik ben om twee uur naar bed gegaan.'

'Nestor toch... of je nooit iets and*eh eh eh eh eh eh*ers vo-o-or me doet! Ik heb je nu-u-u no-o-o-odig.' Haar woorden vielen in tranen uiteen, zelfs woordjes als *voor* en *nu*. 'Ik ka-a-n-n niet slapen. Ik heb de hele nacht niet geslapen. Ik ben zo bang. Nestor! He-el-lp me-e-e alsjeblieft!'

Zoals in heel de opgetekende geschiedenis is gebleken, is de sterke man die sterk genoeg is om de tranen van een vrouw te negeren zeld-zaam... Voeg daaraan toe Nestors trots op zijn kracht en op zijn – durft hij het ook maar te *denken*? – *moed* als beschermer – de man op de mast die op het punt stond naar zijn dood toe te duiken... Hernandez die op het punt stond te worden gewurgd door de reus in het crackpand... de tranen van een vrouw die bad om de Beschermer... Hij bezweek.

'Tja... waar?' vroeg hij. Ze hadden allebei medebewoners in zulke kleine appartementen dat er geen privacy zou zijn. Oké, ze zouden el-kaar treffen voor een kop koffie, maar wat was er zo vroeg open? 'Nou, we hebben altijd Ricky's nog,' zei Nestor.

Magdalena was verbijsterd. 'Je bedoelt toch niet Ricky's in *Hialeah*!'

::::: O, zeker wel ::::: zei Nestor bij zichzelf. De eenvoudige waarheid was dat zodra hij 'Ricky's' zei hem de zalige geur van de pastelitos weer te binnen schoot... waarvan hij verschrikkelijke honger kreeg... wat hem er vervolgens van overtuigde dat hij zonder Ricky's niet wakker kon blijven. Het enige wat hij hardop zei, was: 'Ik ken geen andere zaak die om 5.30 uur opengaat, en als ik niet iets te eten krijg, dan heb je met een zombie te maken.'

Dus hielden ze het op Ricky's over vijfenveertig minuten na nu, dan zou het 6.15 uur zijn. Nestor kon een diepe zucht niet inhouden... ge-volgd door een diepe kreun... Waar was hij mee bezig?

Nestor moest de Camaro twee straten van Ricky's vandaan parkeren, en door het lopen van deze twee straten laaide al zijn wrok jegens Hialeah weer op. In zijn gedachten hadden niet alleen zijn ouders maar ook zijn buren – hij kon zien hoe mijnheer Ruiz met zijn vingers knipte alsof hij iets was vergeten en zijn huis weer in glipte zodat hij niet op straat langs El Traidor Nestor Camacho hoefde – *heel Hialeah* hem als een sta-in-de-weg behandeld, of misschien gewoon als een rat, na zijn reddingsactie :::::: ja, ik heb de man *gered*! Ik heb nooit ook maar gedacht aan het arresteren van de man op de mast!... De enigen die me een eerlijke kans hebben gegeven waren Cristy en Nicky bij Ricky's ::::::... en daarop piepte de vage *lust* die hij altijd voor Cristy had gevoeld door zijn lendenen wat een milde opkikker voor hem was.

Nu was hij op het trottoir van dat banale rijtje wankele winkels waar hij onderweg naar Ricky's langs moest. Ja hoor... daar had je het allemaal... de stomme Santería winkel waar Magdalena's moeder al die voodoo hocus pocus ging halen... Je wilde het niet weten! In de etalage stond een meter hoge Sint Lazarus van keramiek, in de ziekelijke, vale tint geel waardoor de ziekelijke bruinzwarte leprawonden die het lichaam overdekten goed uitkwamen... Magdalena's mami... mijn *eigen* mami... Waarom moet ik door die bezochte melaatse aan *mijn* mami denken?... een bezochte ziel die aan andermans genade was overgeleverd... Ze dient uiteraard haar *caudillo* te geloven... maar ze *moest* haar zoon de verradersliefde blijven geven... en biedt hem, ondanks zijn zonden, een aangenaam zacht palet van medelijden... 'Ik vergeef je, mijn verloren zoon, ik vergeef je'... *Walgelijk*, dat was het!

Maar nu krijgt hij zijn eerste vleugje van de pastelitos, wat wil zeggen dat Ricky vlakbij is. *Zalig*! Hij is bij de deur... hij kan zijn tanden door het filodeeg *voelen* snijden, hij kan het filodeeg vlokken *zien* afschudden zo mooi als bloemetjes, hij kan het gehakte rundvlees en de gehakte ham *proeven* die zijn tanden overbrengen naar zijn tong op een bed van filobloemblaadjes. Nu gaat hij naar binnen... Het lijkt een eeuwigheid geleden dat hij in deze deuropening stond, maar er is niets veranderd. Daar is de grote glazen toonbank met de door gloeilampen verlichte planken met gebakken brood, muffins, taartjes en andere zoetigheden. De ronde tafeltjes met de ouderwetse Thonet-stoelen zijn er nog – leeg, hier om 6.15 in de ochtend. Oké, hij zal daar met Magdalena gaan zitten als ze komt... Boven alles, het rijke aroma van de pastelitos! Zo zal het in de Hemel zijn. Vier mannen staan bij de toonbank te wachten op hun bestellingen – bouwvakkers als Nestor moet raden. Twee van hen hebben een helm op, en ze dragen alle vier een T-shirt, een spijkerbroek en werkschoenen. Te wachten… er is geen teken van Cristy of Nicky – op dat moment een coloratuurkreet van ergens achter de toonbank: 'Nestor!'

Hij kan haar nog niet zien, de toonbank is zo hoog, maar in deze stem kun je je niet vergissen als die opklimt naar een of ander hoog-vliegend register. Mijn god! – zoals het Nestor met vreugde vervult! Hij begrijpt eerst niet helemaal waarom. Ze is hem tijdens dit alles trouw gebleven, door hem als *hem* te behandelen en niet als een pion in een politiek spel. Klopt, klopt, maar probeer jezelf niet voor de gek te houden, Nestor! Je *wilt* haar, nietwaar? Zo leuk, zo levendig, zo aar-dig gekleed op haar bescheiden manier, zo'n *gringa* tussen *gringa's* met haar draaiende *gringa* haar, zo'n lief veelbelovend *reetje*, mijn hemelse *gringa* reetje, mijn Cristy!

'Cristy!' zingt hij uit. '*Mía gringa enamorada*!'

Alleen al door de gedachte is hij wakker! Hij gaat regelrecht naar de toonbank, dringt zich langs de vier bouwvakkers alsof ze lucht zijn, zingt een wenskaart uit, een luide – en zorgt tegelijk dat het als een schertsende stem kan worden uitgelegd: 'Cristy, de enige echte! Heb je enig idee hoe ik je al die tijd heb gemist?!'

Nu kan hij de bovenkant van haar *gringa* lokken zien en haar spot-tende ogen – ook zij weet hoe ze het spelletje moet spelen – '*Mío que-rido pobrecito*,' zegt ze met een plagerige stem. 'Je hebt me *gemist*? *Awwww*, je wist gewoon niet waar je me moest zoeken, wel? Ik ben hier alleen iedere ochtend vanaf halfzes.'

Ze is twee stappen van de toonbank – en haar wachtende bouwvak-kersklanten – tot stilstand gekomen en houdt met haar linkerhand een blad met twee bestellingen pastelitos en koffie omhoog en werpt hem een blik toe vol – zo niet liefde, dan iets wat er dichtbij komt. Nestor leunt tegen de toonbank tot zijn lichaam er vrijwel overheen is gedra-peerd, zodat hij vlak bij haar zijn rechterhand kan uitsteken. Ze laat het blad zonder ook maar een blik naar de bouwvakkers op de toonbank glijden om Nestors hand in haar beide handen te kunnen nemen. Ze drukt er speels op en laat hem dan los. Met haar ogen is ze volkomen aan hem toegewijd.

'Ja, *mía gringa*,' zegt Nestor, 'het korps maakt het me niet makkelijk meer om rond te rijden.'

'O, mensen hebben me erover verteld.'

'Daar twijfel ik niet aan, maar wat *zeggen* ze erover?' vroeg Nestor.

Een diepe stem zei: 'Ze zeggen dat je moet ophouden met het meisje te besnuffelen en je haar ons verdomde eten moet laten brengen.'

Het was een van de bouwvakkers langs wie Nestor zich net had gedrongen... zonder ook maar een *por favor*. Een goede twaalf centimeter langer dan Nestor was deze dikzak en god weet hoeveel zwaarder... *americano*-bouwvakker van top tot teen – de helm, het voorhoofd glad van het zweet, de volle snor met als toegift een baard van acht dagen die zijn zwetende wangen een grauw aanzien gaf, het witte T-shirt, nu het met zweet was doordrenkt bouillonkleurig en over een uitgebreid stuk vlees gespannen dat de term 'worstelaarspens' verdiende, een paar vlezige maar dikke armen die uit de korte mouwen puilden, eentje met een zogeheten half-de-mouw-tatoeage met een enorme adelaar omringd door kraaien rond zijn biceps en triceps gewikkeld, een grijze Gorilla-brand werkmansbroek van keper, versleten bruine laarzen met stalen punten, zolen zo dik als een plak rosbief –

Nestor was, dankzij Cristy, in zo'n goede stemming dat hij graag had gelachen om de grap van de grote gozer – die uiteindelijk een punt had – en het door de vingers had gezien... op één woord na: *besnuffelen*. Zeker als het over de werkmanslippen van een hulk als deze kwam, betekende het Cristy in seksuele zin besnuffelen. Nestor doorzocht zijn hersenen om een reden te vinden waarom zelfs dat door de beugel zou kunnen. Hij probeerde en probeerde het, maar het kon niet door de beugel. Het was een belediging... een belediging waarmee hij meteen korte metten moest maken. Het was ook onbeleefd tegenover Cristy. Zoals iedere smeris op patrouille wist, kon je niet wachten. Je moest grote monden *nu* sluiten.

Hij stapte van de toonbank weg, schonk de *americano* een hartelijke glimlach, eentje die je gemakkelijk als een zwakke glimlach kon interpreteren, en zei: 'We zijn oude vrienden, Cristy en ik, en we hebben elkaar lang niet gezien.' Toen verbreedde hij de glimlach tot zijn bovenlip opkrulde en zijn boventanden zichtbaar werden... en bleef die grijns rekken tot hij vanwege zijn lange oogtanden – d.w.z. hoektanden – een grijnzende hond leek die op het punt stond menselijk vlees open te scheuren, terwijl hij vervolgde: 'Heb je daar een snuffel-*probleem* mee?'

De twee mannen keken elkaar aan, het leek een eeuwigheid te duren... Een confrontatie van Triceratops en Allosaurus op een klif die uitzag op de Halusische Kloof... tot de grote *americano* omlaag keek naar zijn polshorloge en zei: 'Ja, en ik moet hier weg en over tien minuten terug zijn op het terrein. Heb je *daar* een probleem mee?'

Nestor barstte bijna in lachen uit. 'Helemaal niet!' zei hij grinnikend. 'Helemaal niet!' De strijd was voorbij zodra de *americano* zijn ogen afwendde, zogenaamd om omlaag naar zijn horloge te kijken. De rest was onzin... bedoeld om het gezicht te redden.

Ineens keek Cristy op een veelzeggende, maar niet opgewekte manier langs Nestor heen: 'Je hebt bezoek, Nestor.'

Nestor draaide zich om. Het was Magdalena. Hij had er nooit aan gedacht dat Cristy van hem en Magdalena wist. Magdalena was eenvoudig, bescheiden gekleed, een spijkerbroek en een manachtig loshangend, lichtblauw overhemd met lange mouwen, bij de polsen en van voren vrijwel tot boven dichtgeknoopt, simpel, praktisch. Haar gezicht – wat was er met haar gezicht? Een flink deel ervan was bedekt door een grote, donkere bril. Desondanks zag ze er zo... bleek uit. 'Bleek' was ongeveer het verste waar zijn analytische krachten hem konden brengen. Mannen zien de make-up van een meisje niet tot die ontbreekt, en zelfs dan hebben ze geen idee wat er ontbreekt. De Magdalena die hij kende, veranderde haar oogkassen altijd in donkere beschaduwde achtergronden waardoor haar vlammende grote bruine ogen goed uitkwamen. Op haar jukbeenderen had ze altijd rouge. Nestor was niet op de hoogte van al zulke verfijnde kennis. Ze zag bleek, dat was het enige, bleek en verwilderd – was dat het woord? Ze was zichzelf niet. Eenvoudig, bescheiden, simpel en praktisch – dat paste ook niet bij haar. Hij liep naar haar toe en staarde in – liever gezegd op – een paar ondoordringbare donkere glazen. Hij zag zijn eigen vage, kleine weerspiegeling... en geen enkel teken van haar.

'Tja, je bent het *wel*, nietwaar?' Vriendelijk zei hij het; vriendelijk maar zonder emotie.

'Nestor,' zei ze. 'Zo aardig van je *di-it* te *do-oen*.' Het *doen* en het *dit* vielen haast in snikken uiteen.

Wat moest hij nu doen? Haar troosten met een knuffel? Maar god wist wat voor betraand resultaat dat zou hebben. Hij wilde haar ook niet pal onder Cristy's ogen met een omhelzing begroeten. Een hand geven? Magdalena met een handdruk begroeten na al die tijd dat ze de afgelopen vier jaar zij aan zij hadden gelegen was te harkerig om over na te denken. Dus zei hij alleen: 'Hier... zullen we gaan zitten?'

Het was het ronde tafeltje dat het verst van de toonbank stond. Ze gingen op de oude Thonet-stoelen zitten. Hij voelde zich almaar onhandiger. Ze was even prachtig als altijd. Maar dat sloeg niet van een observatie naar een emotie om. Het enige wat hij wist te bedenken was: 'Waar heb je zin in? Koffie? Een pastelito?'

'Voor mij alleen een *café cubana.*'

Ze begon haar stoel achteruit te schuiven, alsof ze zelf naar de toonbank wilde, maar Nestor stond op en gebaarde dat ze moest blijven zitten. 'Ik haal het wel,' zei hij. 'Ik trakteer.' De waarheid was dat hij ernaar *snakte* van het tafeltje te ontsnappen. Hij geneerde zich. Zij was *zo mooi!* Hij werd niet meegesleept door lust, maar door ontzag. Hij was het vergeten. Iedereen zou naar haar staren. Hij wierp een blik naar de toonbank... en, ja hoor, ze deden het... de vier bouwvakkers, Cristy, zelfs Ricky... Ricky *zelf* was lang genoeg de keukenruimte uit gekomen om te gapen. Nestor begon zijn eigen ideeën te krijgen, maar hij zou maar niet bij zulke ideeën stilstaan, wel? Het feit dat ze naar hem terug was gekomen omdat ze hem nu nodig had... de uiterst kwetsbare blik waarmee ze naar hem keek... die dingen hadden niets te maken met lust, wel? Maar hij kon zien – *zien!* – alsof het allemaal op dit moment gebeurde – hij kon haar *zien* de keer dat hij in bed lag en zij een meter of zo van hem af stond, naakt op een sliertje slipje van kant na, en zij keek naar hem met de plagerige blik die ze op zulke ogenblikken had, langzaam liet ze haar vingers achter het elastiek glijden – *die plagerige blik!* – en liet ze zakken... liet ze *langzaam* zakken... tot –

::::: Maar ze heeft je al een keer verraden, imbeciel dat je bent! Waarom zou je denken dat ze veranderd is? Alleen omdat ze jou jammerend om hulp vraagt? En Ghislaine dan? Je hebt niets *gedaan...* maar je staat pal voor de deur. Hoe zou *zij* zich moeten voelen? Maar ze hoeft het toch niet te weten?... O, dat zou me wat zijn... er zit niet genoeg testosteron in je lijf om je zo dwaas te krijgen. Tja... waarom je niet gewoon een poosje laten gaan? Geweldig, Nestor! Dat is nu precies de oorlogskreet van de dwaas! :::::

Bij de toonbank bracht Nicky hem de twee *cafés cubanas* die hij had besteld. Hij kende Nicky lang niet zo goed als Cristy, maar ze leunde met haar kin over de toonbank, liet haar ogen over zijn tafeltje gaan, draaide zich toen weer naar hem en zei: 'Dat is dus Magdalena?'

Hij knikte ja, en ze welfde haar wenkbrauwen op een overdreven en zeer veelbetekenende manier. Wilde dat zeggen dat *iedereen* van hen tweeën wist?

Hij ging terug naar het tafeltje, met de twee koppen koffie … en zijn eerste hartelijke glimlach. 'Magdalena, je ziet er fantastisch uit. Weet je dat? Je ziet er niet uit als iemand die vreselijk tobt.' Hij bleef glimlachen.

Haar stemming veranderde er in het geheel niet door. Ze liet haar hoofd hangen. 'Tob vreselijk…' mompelde ze… toen hief ze haar hoofd en keek hem aan. 'Nestor… ik ben vreselijk *bang*! *Alsjeblieieieft*!… Ik kan niemand bedenken, geen mens, die me kan vertellen wat ik moet doen, behalve jij. Jij zult het wel weten, omdat je vroeger bij de politie was.'

'Nog steeds,' zei hij, een beetje bruusker dan zijn bedoeling was.

'Maar ik dacht –' Ze wist niet hoe ze het moest formuleren.

'Je dacht zeker dat ik uit het korps was gegooid?'

'Ik heb geloof ik wat door elkaar gegooid. Er is zoveel over jou in de kranten geschreven. Besef je hoeveel grote artikelen ze over jou hebben geschreven?'

Nestor haalde zijn schouders op. Dat was zijn uiterlijke reactie. Van binnen tintelde hij van ijdelheid. ::::: Zo heb ik het nooit eerder bekeken. :::::

'Ik was wat "ontheven van dienst" heet. Ik ben nog steeds een smeris, maar "ontheven van dienst" is erg genoeg.'

Magdalena begreep het duidelijk niet. 'Tja… wat het ook is, ik vertrouw jou-ou-ou' – haar woorden rolden er op louter snikken uit – 'Nes-tor-or-or-or.'

'Dank je.' Nestor probeerde oprecht ontroerd te klinken. 'Maar steek van wal en vertel me eens waarover je tobt.'

Ze deed de donkere bril af om de tranen uit haar ogen te vegen. ::::: *¡Dios mío!* Ze zijn helemaal rood en opgezwollen… en ze is zo bleek! ::::: Ze zette vlug de bril weer op. Ze wist hoe ze eruit zag. 'Ik word gek van heel deze toestand.' Ze snoof meer tranen terug.

'Hoor eens, het komt wel goed met je! Maar eerst moet je me vertellen wat er *is*.'

'Ja, sorry,' zei ze. 'Goed, gisteren was ik dus in Sunny Isles op bezoek bij een vriend van me. Hij is altijd zo cool geweest en a-a-a-alles –' Ze stortte weer in en begon stilletjes te snikken. Ze liet haar hoofd zakken en drukte een servetje tegen haar neus en mond.

'Toe nou – Magdalena,' zei Nestor.

'Sorry, Nestor. Ik weet dat ik… paranoïde of zoiets klink. Maar goed, ik was bij die vriend van me op bezoek… hij is heel succesvol. Hij heeft dat appartement met etage, een penthouse zeg maar, in een flat bij de oceaan. Ik ben daar dus in Sunny Isles, en we praten gewoon over het een en het ander, en de telefoon ga-a-a-a-at...' – ze snikte zachtjes – 'en vanaf dat moment wordt mijn vriend, die altijd zo cool, elegant en zelfverzekerd is, erg zenuwachtig, helemaal opgefokt en boos – ik bedoel, hij wordt een ander mens... begrijp je? Hij schreeuwt in het Russisch in de telefoon. Hij is zelf een Rus. En al snel dagen die twee mannen op. Het leken me regelrechte criminelen. Een van hen was echt griezelig. Het was een grote lange vent met een volkomen kaal geschoren kop, en zijn hoofd was – het leek te klein voor een man die zo groot was als hij. Er zaten van die rare *gevallen* op, een soort heuvels, als de bergen op de maan of zoiets. Het is moeilijk te beschrijven. Maar goed, deze grote lange vent geeft mijn vriend een krant, de *Herald* van gisteren, en die is op een bepaalde bladzijde opengeslagen. Ik heb het later gezien. Het was een lang artikel over een Russische kunstenaar van wie ik nooit heb gehoord, hij woont in Miami en maakt –'

::::: *Igor*! :::::

Nestor viel haar een beetje te opgewonden in de rede. 'Hoe heette hij, de kunstenaar?'

'Ik weet het niet meer,' zei Magdalena. 'Igor Het-Een-of-Ander – de achternaam herinner ik me niet – en nu is mijn vriend echt boos, hij begint rond te rennen, bevelen te geven en doet tegen iedereen nors, ook tegen mij. Hij zegt me dat ik naar huis ga. Hij *vraagt* het me niet en zegt niet *waarom*. Hij geeft alleen een van de criminelen opdracht me naar huis te rijden. Het enige wat hij tegen me zegt is: "Er is iets gebeurd." Hij geeft me geen hint waar dit op slaat. Dan gaat hij zijn kleine bibliotheek een kamer verderop in, de twee schurken neemt hij mee, en hij begint tegen ze te schreeuwen – niet echt schreeuwen, maar hij is duidelijk kwaad – en dan begint hij zo'n beetje bevelen in de telefoon te blaffen. Allemaal in het Russisch, maar zijn bibliotheek heeft dubbele deuren en ze doen die niet helemaal dicht, en ik kan horen wat ze zeggen, ook al versta ik er niets van, op één ding na, Hallandale. En dan rennen hij en een van de criminelen weg, zonder enige uitleg. De andere crimineel, de lange met de geschoren kop – hij is net een... een... een *robot*. Hij rijdt me naar huis en zegt de hele tijd niet één woord. Het begint allemaal... je weet wel, raar en griezelig zeg maar te worden, zoals hij hun beveelt en zij dat gewoon slikken. Maar... Wat kijk je nou naar me, Nestor?'

'Ik ben alleen verbaasd, geloof ik,' zei Nestor. Hij besefte dat hij te snel ademde. 'En hoe heet je vriend?'

'Sergei Korolyov. Misschien heb je van hem gehoord? Hij schonk het Miami Museum of Art voor zo'n honderd miljoen dollar schilderijen van beroemde Russische kunstenaars, en ze hebben heel het museum naar hem genoemd.'

*Of hij ooit van Sergei Korolyov had gehoord?!*

Worstelend met zijn verbazing een golf van informatiedwang – de dwang om indruk op mensen te maken met informatie die jij hebt en zij dolgraag zouden hebben maar niet hebben – feitelijk de beste vriend van de rechercheur – de golf trof Nestor frontaal.

*Of ik ooit van Sergei Korolyov heb gehoord!*

::::: Je zult *stomverbaasd* zijn over wat ik je zo ga vertellen ::::: maar op het laatste moment haalde een andere dwang – een smeriswaarschuwing om informatie voor je te houden – hem terug van de rand.

'Hoe heb je die vent Korolyov leren kennen?'

'Bij een kunstevenement. Maar goed, hij nodigde me uit voor een etentje.'

'Waar?'

'Een of ander restaurant in Hallandale,' zei Magdalena.

'En hoe was dat?'

'Dat ging allemaal goed. Maar toen ik daar was met Sergei –' Ze aarzelde, vulde toen aan: 'Korolyov... kreeg ik een raar gevoel.' Nestor vroeg zich af of ze het 'Korolyov' erbij had gedaan om hem niet het idee te geven dat ze iets intiems met de vent had. 'Zodra we daar waren behandelde iedereen, om te beginnen de parkeerwachten, Sergei' – ze stopte weer, maar moest hebben besloten dat het 'Korolyov' te zwaar was om er in het gesprek iedere keer bij te slepen – 'iedereen behandelde Sergei als een koning, of misschien is tsaar het woord, alleen niet eens als een tsaar... eerder als een dictator... of een peetvader. Daarvan begon ik zenuwachtig te worden, al dat peetvadergedoe, al dacht ik toen niet aan "peetvader". Overal waar we in die zaak verschenen, hielden alle mensen op met waarmee ze bezig waren als hij naderde – nou ja, ze hadden evengoed voor hem kunnen buigen. Als hem niet aanstond wat iemand zei, dan maakten ze rechtsomkeert en zeiden ze het tegendeel van wat ze net hadden gezegd – meteen! Ik heb nog nooit zoiets gezien. Er was daar een of andere beroemde Russische schaakkampioen die het me lastig maakte – waarom weet ik nog steeds niet –

en dus droeg Sergei hem op om te vertrekken, en geloof me, hij *ver-trok*! Meteen! Toen droeg hij de zes andere mensen aan tafel op om naar een andere tafel te verhuizen – en dat deden ze – meteen! Vaak was het gênant, maar ik moet bekennen dat het wel opwindend was bij iemand te zijn met zo veel macht. Maar wat ik daar te zien kreeg, was niets in vergelijking met wat er gisteren gebeurde.'

Poef! het aura van zijn Manena en het knappe uiterlijk van zijn Manena, en herinneringen aan het leven onder de gordel verdwenen – *in een mum*. Nu zag Nestor alleen nog... een *getuige* voor zich, een vrouw die Korolyov het artikel van John Smith over Igor had zien lezen en hem ter plaatse, voor haar ogen, in een moordlustige maniak had zien veranderen. Hij was mensen gaan bevelen of zojuist de Derde Wereldoorlog was uitgebroken en in de telefoon over Hallandale gaan schreeuwen, om met een van zijn bullebakken weg te rennen... Hij keek op zijn horloge: 6.40 uur. Zou hij John Smith bellen of hem sms'en? Sms'en waarschijnlijk. Maar schrijven was niet zijn sterkste punt. Het idee dit allemaal met zijn vingers op het glazen scherm van een iPhone te moeten tikken –

'Magdalena' – niet langer Manena – 'ik ben zo terug.' Hij ging naar het herentoilet, dat niet groter was dan een kast. Eenmaal binnen deed hij de deur op slot en pleegde het telefoontje.

'Hal-lohhhh...'

'John, met Nestor hier. Sorry dat ik je zo vroeg bel, maar ik liep net een oude vriendin tegen het lijf – ik zit in Hialeah te ontbijten – en zij vertelde me iets wat je zou moeten weten voor je op de krant naar je vergadering gaat. Ze willen een ooggetuige? Nou, hier is een oogge-tuige.' Hij vertelde vervolgens wat Magdalena had gezien... de paniek die Korolyov beving 'zodra hij gisteren je stuk had gelezen'... en het ene woord dat ze had verstaan in een regelrechte wervelstorm van Rus-sisch: *Hallandale*.

'Misschien heeft dit allemaal niets te betekenen,' zei Nestor, 'maar ik ga naar de flat toe om te kijken hoe het met Igor staat.'

'Nestor, dat is geweldig! Echt geweldig. Je weet wat je bent, Nestor, je bent een fantastische man! Ik maak geen grapje!'... Zo dweepte John Smith nog een poos door. 'Ik maak me er zorgen over dat jij je zo vaak bij klaarlichte dag in het openbaar vertoont in spertijd – van acht tot zes, nietwaar?'

'Ja,' zei Nestor, 'ik denk dat ik het een beetje veiliger moet spelen.'

'Wat doen ze als ze je betrappen?'

Nestor viel stil. Hij wilde er liever niet aan denken, laat staan erover praten... 'Ik denk... dat ze me uit het korps gooien.'

'Is het dan zo belangrijk om *nu* te gaan kijken hoe het met Igor staat?'

'Je hebt gelijk, John... maar ik moet het doen.'

'Ik weet het niet... tja, wees voorzichtig, in godsnaam, afgesproken?'

De weg terug naar het tafeltje begon hij het te overdenken... Het Honingpotje en Igor achtervolgen naar de Alhambra Lakes Actieve Volwassenenflat?... Dat was 's avonds laat, lang na 18.00 uur. Dus dat was in orde... Maar de volgende dag teruggaan, en zich met John Smith voordoen als een inspecteur van 'het Milieu'? Dat was *waanzin*. Wat hem misschien had gered waren het pak en de das. Wanneer hij er in die uitdossing even raar uitzag als hij zich erin voelde, dan was hij niet in gevaar. In elk geval had het aangrijpen van deze kans geloond. Ze hadden een hele wand met nieuwe Igor-vervalsingen ontdekt en een aantal geweldige foto's gemaakt... en hier was hij dan, hij ging terug naar de Actieve Volwassenenflat in het verblindend felle zonlicht van Miami. Lil was geen genie, maar ze was ook geen stomkop. Stel dat ze er inmiddels achter was... ze hem op YouTube had gezien of op het televisienieuws... en zich afvroeg wat een smeris daar deed die beweerde van het Milieu te zijn?

Maar iets dreef hem om toch terug te gaan.

Toen hij weer bij het tafeltje was, wist hij een kalm gezicht op te zetten. Het gezicht van de Getuige was helemaal niet kalm. Ze bleef naar hier kijken... en naar daar kijken... en knaagde intussen aan de knokkel van haar wijsvinger... zo zag het er in ieder geval uit.

'Magdalena, je moet niet aan het ergste blijven denken dat kan gebeuren. Tot nu toe is er helemaal niets gebeurd... maar als je je echt zorgen maakt kun je toch voor een paar dagen bij iemand anders intrekken?'

Door de blik waarmee ze naar hem keek, kreeg hij het idee dat ze wachtte tot hij zou zeggen: 'Waarom trek je niet bij mij in?'... Hij voelde niet de minste neiging... Hij kon haar niet meer haar slipje zien laten zakken... Hij had geen getuige in zijn appartementje *nodig*... Hij keek op zijn horloge... 'Kwart over zeven.' Hij zei het hardop. 'Ik heb drie kwartier om thuis te komen voor de spertijd begint.'

Nestor overwoog in feite geen seconde naar huis te rijden. Hij hield alleen een Getuige af. In werkelijkheid ging hij regelrecht naar de I-95 toe, richting Hallandale.

Hij remde met de Camaro af van 100 kilometer per uur naar 70 en geen km.u. harder – nu het een paar minuten na 8.00 uur was... en precies wat hij nodig had was iets stoms te doen als door een staatspolitieman aan de kant te worden gezet wegens te hard rijden, waardoor ook zijn schending van de spertijd zou uitkomen. Hij reed eerder 60 toen hij de laatste grote bocht nam op Hallandale Beach Boulevard –

– en daar lag het dan, het Alhambra Lakes Tehuis voor Actieve Volwassenen, een beetje harder te bakken onder de grote hittelamp van Miami ... een beetje meer te verkruimelen... de 'terrassen' waren een beetje meer verzakt, ietsje dichter bij het-opgeven en in-een-hoop-beneden-op-het beton-belanden. Het oord was zo stil als een tombe... Zoals ruim 99 procent van de inwoners van Zuid-Florida had Nestor nooit een tombe gezien... en 'stil' – hoe kon *hij* dat weten? Van hieruit in de Camaro met de ramen dicht en de airco die moeizaam een storm door de ventilatieopeningen duwde, kon Nestor niets van buitenaf horen. Hij nam alleen aan dat het stil was. Hij beschouwde iedereen in het Alhambra Lakes Tehuis voor Actieve Volwassenen als – nou ja, niet echt als *dood*, maar ze waren evenmin wat hij levend zou noemen. Ze zaten in het Vagevuur. In Nestors opvatting van hoe de nonnen het Vagevuur hadden uitgelegd, was het een enorme ruimte... een te grote ruimte om een kamer te heten... net als die enorme ruimtes in het Miami Convention Center... en alle pasgestorven dode zielen krioelden angstig rond in die ruimte, ze vroegen zich af naar welk gebied van het leven na de dood God hen ging sturen... voor de eeuwigheid, waaraan natuurlijk nooit een eind komt.

Hij parkeerde nogmaals op het parkeerterrein voor bezoekers dat het dichtst bij de snelweg lag en het verst van de hoofdingang van het gebouw. Hij had zijn donkerder-dan-donkere cvs-zonnebril met metaaldraadmontuur al op... uit hoofde van ijdelheid, niet als uitvlucht... maar nu deed hij een greep onder de voorstoel en haalde zijn witte ziet-eruit-als-geweven-stro plastic platte hoedje met brede rand tevoorschijn... uit hoofde van vermomming.

Hoe lang? Vijf seconde misschien? – nadat de airco was uitgezet, nam een verstikkende hitte het interieur van de Camaro over. Toen hij uitstapte, was er geen frisse lucht... alleen afstompende hitte van de grote hittelamp. Zijn kleren voelden of ze waren gemaakt van dekenwol en leer, zelfs zijn nep-gingang shirt van polyester. Hij had het uitgekozen voor de ontmoeting met Magdalena vanwege de lange mouwen. Hij wilde geen centimeter Camacho-spieren spannen. Zijn kaki broek had even goed van leer kunnen zijn. De broek zat in het zitvlak zo strak dat elke stap die hij zette meer zweet uit het vlees van zijn kruis leek te persen. Een paar keer keek hij omlaag om te zien of het zichtbaar was. Het enorme parkeerterrein was één schittering van zonlicht dat van metalen sierstrippen af flitste, zozeer dat de auto's louter vormen en schaduwen werden – zelfs wanneer je er door een donkerder-dan-donkere smeriszonnebril naar tuurde. Door zijn ogen tot spleetjes te vernauwen kon hij Igors Vulcan suv onderscheiden. Nou, hij was in ieder geval niet ergens heen gegaan – niet dat hij enige lust had om zich in de openbaarheid te wagen, afgaande op hoe John Smith zijn paranoia omschreef. O hé, op de stoep nabij de ingang stonden twee politiewagens van het bureau van de sheriff van Broward County. Precies wat hij nodig had... een paar smerissen die rondhingen en hem ondanks de smeriszonnebril moeiteloos zouden herkennen: de spertijdschendende, van dienst ontheven smeris uit Miami die zo nodig volop publiciteit voor zichzelf wilde; de laatste tijd slechte publiciteit.

Toen hij in de buurt van de politieauto's kwam, draaide hij zijn hoofd en zijn hoed met brede rand van hen af, alsof hij om enige onvoorstelbare reden de goedkope geschilderde bakstenen van de gevel controleerde. Hij hoorde zo'n gekletter van aluminium looprekken dat hij zich afvroeg of ze massaal naar het ontbijt gingen... maar dat kon niet... de Actieve Volwassenen verdrongen zich altijd op het vroegst mogelijke uur voor maaltijden. Er zouden beslist niet zovelen van hen na 8.00 uur op het ontbijt afstevenen. Toen hij naar binnen ging, hingen of kletterden er heel wat rond in de hal, ze praatten met elkaar... of fluisterden tegen elkaar, zo dicht als ze bij elkaars oren konden komen. *¡Santa Barranza!* Geen zeven meter van hem vandaan had je Phyllis, de invallende conciërge. Misschien herkende ze hem. Het laatste wat hij nodig had, was in iemand zoals zij verstrikt raken... volstrekt zonder humor en van nature een lastig geval... Meer aluminium looprekken, die van de ene kant naar de andere kletterden, dromden samen in de doorgang die naar het binnenplein leidde. Maar niemand leek daar binnen te gaan. Het was alsof alle looprekken verstrikt waren geraakt en de doorgang verstopten. Flink wat gezoem van conversatie ook... een menigte oude vrouwen die rinkelden en zoemden en zoemden en rinkelden. Zinloos om te proberen zo binnen te komen. Nestor dook de lift in en ging op die manier omhoog naar Igors verdieping, de eerste etage... Hij verscheen op het looppad... er was meer zoemen en rinkelen en rinkelen en zoemen. Hij kon zich niet herinneren de eerste keer dat hij hier overdag was zo veel activiteit op een looppad te hebben gezien... Hij begon de kant van Igors appartement op te lopen... langzaam en voorzichtig.

'Kijk, Edith – daar – het is een van die mannen van Milieu... Je gelooft me niet, nou, wie is dat?!'

Het kwam van een eindje verderop. Hij herkende onmiddellijk de stem als die van grote Lil en nu zag hij ze... Behoedzaam begon hij hun kant op te lopen... en zij kwamen *zijn* kant op gelopen en gekletterd. Lil leek even hartelijk als altijd. Zoals gewoonlijk was Edith over haar looprek gebogen, maar ze rinkelde en kletterde nu met een aardig vaartje voort.

Zelfs van zo ver weg kon Nestor Edith horen zeggen: '*Nu* komt hij... *nadat* de lucht verdwijnt.'

'En waar is die lange?' vroeg Lil. 'Hij is degene met al de –' Ze brak het af en tikte met haar wijsvinger tegen haar voorhoofd.

::::: Bedankt ::::: zei Nestor bij zichzelf ::::: Waarom zei ze 'al de'? ::::: Hij kon zich niet herinneren wat hij de laatste keer had gezegd dan wel of hij iets had gezegd.

Lil kwam recht op hem af. Zonder zoiets als een hallo zei ze: 'Dus *nu* hebben ze u weer gestuurd – we moeten eerst doodvallen, en dan daagt u misschien op.'

Nestor stond erbij, haalde zijn schouders op en begon te zeggen: 'Dat is niet nodig.' Maar hij kwam niet verder dan het – '*no* –'

'Het is toch niet te geloven?' zei Lil. 'Dit heb ik nooit van mijn leven gehoord. We krijgen hier hartaanvallen. We krijgen beroertes. Mensen vallen. Ze breken hun heupen. Ze breken een arm. Maar een nek?! Wie heeft ooit zoiets gehoord? En heel het eind tot onderaan gevallen. Mijn god, mijn god, wat een verschrikkelijke toestand. Dat zoiets hier gebeurt. Wat een schok. Ik weet niet wat ik u moet zeggen.'

'Ik – wie heeft zijn nek gebroken?' vroeg Nestor.

Edith liet zich horen, ongeveer vanaf het niveau van Nestors middel. '*Wie?*... Hoor ik het goed? Ze sturen je van Milieu helemaal naar hier, maar ze vergeten je te vertellen *waarom*?' Ze keek op naar Lil en tikte op haar eigen voorhoofd.

'*Wie* dan?!' vroeg Nestor.

'De *kunstenaar*,' zei ze met de langzame, nadrukkelijke uitspraak die je hanteert voor domme mensen die het maar niet willen snappen. 'Die met de terpentine, en tekenen kon hij niet, de arme man.'

Nestor kreeg zo'n schok dat hij een geluid als een stoot stoom in zijn oren hoorde. Hij kon het niet afsluiten. Het gevoel in zijn hersenen – een golf van schuld die hij omdat hij te geschokt was niet kon analyseren. Hij keek naar Lil. Waarom naar Lil en niet naar Edith kon hij ook niet uitleggen. Hij *voelde* alleen dat Edith te klein en te getikt was om te kunnen vertrouwen.

'Wanneer was dat?' vroeg hij aan Lil. 'Wat is er gebeurd?'

'Dat moet ergens vannacht zijn geweest, de arme ziel. Wanneer precies? Wanneer precies weet ik niet. Ze praten met iedereen, niemand die het weet. Maar een gebroken nek – hij ligt daar pal beneden op het beton. Als u door deze vloer heen kon kijken, ligt hij pal onder uw voeten, als –'

Nestor herkende het, hetzelfde gevoel dat hij bijna de vrije loop had gelaten toen hij eerder met Magdalena sprak en haar *dolgraag* wilde vertellen wat zij niet over Korolyov wist. Informatiedwang. Nu was Lil ervan in de greep. Het bleek dat iemand kort voor de dageraad Igors lichaam onder aan de trap had gevonden. Hij was met zijn hoofd naar beneden omlaag getuimeld. Iedereen kon zien dat zijn nek was gebroken. De rest van zijn lichaam lag er vlak boven over de treden verdraaid. De rigor mortis was beginnen in te treden toen ze hem vonden. Hij stonk nog naar alcohol. Het was niet moeilijk om één en één op te tellen, wel? Toen Lil wakker werd, was de politie al hier… en bewoners waren al op het looppad aan het babbelen en rammelen en wijzen… een regelrecht percussieconcert voor aluminium looprekken. Eerst rammelden ze allemaal naar het binnenplein, waar je het beste uitzicht had. Het lichaam van Igor – of van 'Nikolai', in de woorden van Lil – lag onder aan de trap van de eerste etage naar de begane grond. De politie had meteen een deken over het lichaam gelegd, maar liet het zoals het was, helemaal gebroken en verdraaid. Waarom hadden ze het lichaam van de arme man niet weggehaald, het horizontaal uitgestrekt en wat er nog van hem over was een beetje waardigheid gegeven? Maar hij lag er nog, en de politie hing rond en deed niets anders dan gele plaats-delicttape aanbrengen dat je in films ziet. Hetzelfde spul. Ze plakten de trap af, zodat niemand naar boven of beneden kon. Vervolgens bouwden ze een heel hek van gele tape op het binnenplein om mensen ervan te weerhouden te dicht bij het lichaam te komen, er waren zo veel nieuwsgierige mensen op het binnenplein. Toen joegen ze hen allemaal weg en begonnen ze tape over iedere doorgang te plakken die naar de binnenplaats leidde.

'Kijk maar. Ziet u het daar?' vroeg Lil. 'Boven aan de trap?... Dat is het tape. En *daar*?'

Ze wees voorbij de trap. Voor het eerst zag Nestor een hek van gele tape rond de ingang van een appartement... dat van Igor. Twee verveelde agenten stonden vlakbij. 'U zou eens moeten gaan kijken!' zei Lil enthousiast. 'Goed kijken. Zulke dingen zie je hier niet. Een groot stuk tape, *zo breed*' – ongeveer vijftien centimeter – 'ze hebben het over de deurhendel en het sleutelgat geplakt. En op het stuk tape? De tekst die je vanaf hier niet kunt zien. Het is een waarschuwing over hoe de tape – haal er geen geintjes mee uit. Ooit zoiets gezien? U moet er eens goed naar kijken. Ik was er vóór ze dat grote stuk tape aanbrachten, en de deur stond nog open. Er was een heel stel smerissen binnen. Zag er net zo uit als toen wij het hebben gezien, alleen waren al die schilderijen van die muur weg.'

'Die waren *weg*?!' zei Nestor. Het was niet zijn bedoeling geweest zo veel verbazing te tonen. 'Weet u het zeker?'

'*Natuurlijk* weet ik het zeker. De schilderijen op een rij aan die lange muur. *Die* zou'k hebben opgemerkt, ze waren zo slecht. Misschien kon de arme man er niet meer tegen. Misschien heeft hij ze eruit gegooid. Zulke schilderijen, als ik ze aan *mijn* muur had, zou'k ook beginnen te drinken... de arme ziel,' vulde ze aan, om maar geen kwaad van de doden te spreken.

'Ze zijn *weg*...' zei Nestor, evengoed tegen zichzelf als tegen haar.

Net op dat moment draaide een van de smerissen zich om, en Nestor meende dat hij pal naar hem keek. *¡Mierda!* Misschien kwam het omdat hij zoveel jonger was dan alle anderen hier op het looppad. Of misschien – de eerste moest iets tegen de ander hebben gezegd, want nu keken ze allebei pal naar hem. Hij wilde zijn strohoed van plastic over zijn gezicht trekken, maar dat zou het alleen maar erger maken.

'Ik wil het van daar af zien,' zei Nestor tegen Lil. Hij wees de andere kant van het looppad aan.

'*Daar*? U moet juist *daar* naartoe om het goed te zien,' zei Lil die naar de gele tape rond Igors deuropening wees.

'Nee… ik ga eerst *daar* heen,' zei Nestor. Hij hoopte dat hij niet zo angstig klonk als hij eigenlijk was. Hij draaide zich om om te vertrekken, maar niet voordat Lil zijdelings naar Edith tuurde. Hij kon de groeven in haar nek zien toen ze aan één kant haar lippen omlaag deed, als om te zeggen: 'De jongen is een halvegare.'

Hij probeerde nonchalant te lopen, gehurkt zodat hij onder het oogniveau zou blijven van de aluminium looprekgluurders en de rest van de toeschouwers hier boven. Nonchalant en gehurkt lopen – dat kón niet. De Actieve Volwassenen staarden naar hem. Hij moest er als een dief of zoiets hebben uitgezien. Hij kwam dus overeind… en nu kon hij maar al te goed de vleesklomp daar beneden zien, afgedekt, wanstaltig… Igor?… die hij toen hij leefde had gevolgd naar dit 'geheime' onderkomen van hem… Hij voelde dat hij hulpeloos neerzakte – *te laat* om er iets aan te doen! – in een moeras van louter schuld… Hij had hem '*gevolgd*', en dat was de eerste stap, nietwaar? ::::: Dios, ik smeek u, laat het zijn dat hij dronken was en hij uit eigen beweging van de trap is gevallen… Hij was maar een vervalser! Hij verdiende het niet om te worden doodgeslagen! En *ik* ben ermee begonnen en – wacht even… waar heb ik het over? Ik heb Igor niet gezegd dat hij schilderijen moest gaan vervalsen… Ik heb hem niet gezegd een of andere gewelddadige Russische oplichter hulp en bijstand te verlenen… Ik heb hem niet gezegd een geheim atelier in te richten in een of andere flat voor Actieve Volwassenen in Hallandale… Ik heb hem niet gezegd een alcoholist te worden en heel de dag zijn wodabrika's te drinken… Ik heb hem niet gezegd dat hij naar Het Honingpotje moest en voor hoeren moest betalen. ::::: Weldra zette Nestor, terwijl hij naar de verfrommelde, dode vleesklomp van Igor staarde, in zijn hoofd alles op een rij… Hij had Igor niet geschapen en hem overgeleverd aan een stelletje moordlustige criminelen… Weldra had hij zichzelf vergeven… zonder goddelijke tussenkomst, maar *Dios mío, alle* –

– *alle vier de smerissen* op het binnenplein staarden naar hem terwijl hij naar beneden naar de resten van Igor had gestaard… die smerissen van Broward County waren nog een stelletje Anglo's ook!… Ze zouden hem maar wat graag overleveren. :::::Word ik paranoïde?… Maar ze kijken *wel* naar me, net als de twee bij Igors deur, nietwaar? Ik moet ervandoor! :::::

Nestor hurkte weer, maar deze keer deed hij niet alsof hij nonchalant was. Hij stoof naar de lift en ging naar de begane grond – verwachtte

half dat smerissen van Broward County hem bij de liftdeur zouden op-
wachten... Hij *was* nerveus aan het worden, nietwaar?!... Hij
probeerde niet *te* hard naar het terrein bij de snelweg te lopen waar hij
de Camaro had gezet... en schéurde ongeveer weg. ::::: Niet te geloven! Zo voelt het om een man te zijn op wie ze jagen! :::::

Toen hij oostwaarts over Hallandale Beach Boulevard naar Sunny
Isles reed, begon hij tot zichzelf te komen. ::::: Ga naar huis! Dat is het
voornaamste. Echt *daar zijn*, voor het geval ze iemand zouden sturen
om het na te trekken. ::::: Niettemin moest hij op zoek naar een telefooncel en een telefoontje plegen... nu. Als hij zijn iPhone gebruikte,
zouden ze in een halve seconde weten wie hij was en waar hij was...
maar waar was er in-de-naam-van-*dios* een telefooncel? Het was of
telefooncellen van de aarde... in elk geval uit Hallandale waren verdwenen... Kilometers dreven voorbij... Zijn ogen doorzochten ieder tank-
station, iedere winkelgalerij, ieder motelparkeerterrein, ieder drive-in-
restaurant, het terrein van de Broward County Water Authority, zelfs
volstrekt hopeloze gevallen... een gelijkvloers winkeltje met overal op
de gazons goedkope tuinbeelden, eenhoorns, beren – grote – engeltjes,
elven, Abraham Lincoln, twee Maagden Maria, een vliegende vis van
gips, een gipsen indiaan met een gipsen hoofdtooi –

Ten slotte een soort nachtclub aan de kant van de weg... Gogol's geheten... Het parkeerterrein was leeg, maar in de hoek het dichtst bij
de club – een telefooncel. Godzijdank had hij kleingeld. Hij moest In-
lichtingen bellen voor het nummer van het bureau van de sheriff van
Broward County... en na meer munten smeten ze hem in de antwoord-
apparaatgevangenis. De vrouwenstem op een bandje zei: 'U bent verbonden met het bureau van de sheriff van Broward County. Luister
goed alstublieft. Voor spoedgevallen toets nul-nul... voor het melden
van zaken waarbij geen spoed is, toets twee... voor nota's en admini-
stratie, toets drie... voor personeelszaken, toets vier'... tot uiteindelijk... een menselijke stem: 'Moordzaken. Inspecteur Canter.'

'Inspecteur,' zei Nestor. 'Ik heb goede informatie voor u. U heeft iets
om dit te noteren?'

'Met wie spreek ik?'

'Het spijt me, inspecteur, het enige wat ik u kan geven is de informatie, maar het is goede informatie.'

Een stilte. 'Oké... ga uw gang.'

'Zodra de M.O. er is –' O hé, 'M.O.' klonk te smerisachtig. Hij for-

513

muleerde het anders, 'de medisch onderzoeker' – maar dat hielp niet veel... nog steeds te veel smeriskennis. Inmiddels moest de inspecteur op de drukschakelaar van de bandrecorder hebben geduwd – 'Nadat de medisch onderzoeker komt en klaar is, krijgt u een ambulance met een lijk met het naamplaatje' – hij sprak heel langzaam – 'Ni-ko-lai Ko-pin-sky... Oké?... uit het Alhambra Lakes Tehuis voor Actieve Volwasse-nen. Zijn echte naam is I-gor Dru-ko-vitsj... Oké? Het is een kunste-naar die in het telefoonboek van Miami staat. Hij heeft schijnbaar zijn nek gebroken bij een val van de trap. Maar de M.O.... ehh...' – o, ze kunnen de pot op... hij liet het gewoon bij M.O. – 'moet dat niet als zoete koek slikken. Hij moet sectie verrichten om te bepalen of het een ongeluk was... of iets anders... Oké? De schilderijen die hij maakte... *ehhh*... hij maakte ze exact in de stijl van beroemde artiesten – en we hebben het hier over *exact*, inspecteur – twaalf ervan ontbreken in zijn appartement in het complex –'

Daarop hing Nestor abrupt op. Hij sprong de Camaro in en gaf gas, terug naar Miami. ::::: Ben ik gek? Ik kan niet overal maar 'gas geven'. *Ik word gezocht!* ze jagen op me, voor zover ik weet. Wat ik net nodig heb, is dat een agent van Broward County me inrekent wegens te hard rijden... *te hard rijden!* :::::

Hij vertraagde de Camaro tot de snelheid van iemand die gezocht wordt, net een fractie onder de limiet. Hij liet zijn adem ontsnappen en werd zich ervan bewust dat zijn hart te snel klopte.

*¡Mierda!* Het klokje op het dashboard... ver na 8.00 uur! *Spertijd* – maar ook John Smith!... moest inmiddels op zijn grote vergadering bij de *Herald* zijn –

Dit keer kon Nestor het onder het rijden met zijn iPhone doen... Hij had John Smiths nummer in zijn lijst met contacten... *¡Dios mío!* Wat hij *nu* net nodig heeft was een *palurdo americano* smeris van Bro-ward County die hem aan de kant zet voor rijden terwijl hij handheld belt... Hij keek in de achteruitkijkspiegel... en toen in de twee zijspie-gels... toen bekeek hij de weg voor zich... de weg en de bermen... een risico dat hij moest nemen. De gezochte man tikte het nummer op het glazen schermpje van de iPhone –

Het was maar bij wijze van spreken natuurlijk – 'ze hebben nu echt de strop rond mijn nek' – maar Ed Topping voelde werkelijk een beklem-ming in zijn nek... of in ieder geval in zijn keel. De ontwikkelingen waren zo dat hij moeilijk kon verwachten dat John Smith dit alles staande zou bespreken. Nee hoor, deze keer zaten zij drieën – John Smith, Stan Friedman en hijzelf – aan een ronde tafel bij zijn bureau. En er was een vierde man: de topsmaadadvocaat van de *Herald*, Ira Cutler. Hij was een man van voor in de vijftig waarschijnlijk, een van die mannen van gevorderde middelbare leeftijd die nog een gladde onderkin heeft, een grote en een gladde buik, die niet opgeblazen lijkt door ouderdom, maar door de vitaliteit, de ambitie en de enorme eetlust van de jeugd. Hij deed Ed denken aan de portretten van grote mannen uit de achttiende eeuw door de gebroeders Peale, die de gladde, kloeke buik van hun onderwerpen altijd als een teken van succes en kracht weergaven. Met zijn buik, onderkinnen, glanzende vingernagels, gestreken witte overhemd was Ira een goed geklede, goed gevoede, flink opgepoetste pitbull wanneer het op juridische kwesties aankwam, en hij hield van procederen, zeker in de rechtszaal waar hij mensen in hun gezicht kon beledigen, hen vernederen, hun karakter breken, hun reputatie verwoesten, hen aan het huilen, snikken, snotteren, janken kon krijgen... en het mocht allemaal. Hij had het in zich dit kind van 1 meter 88, John Smith, tegen te houden. Er was iets heel gemeens aan Cutler. Edward T. Topping IV zou hem niet graag te eten of voor iets anders vragen, zijn kwijlende pitbullpersoonlijkheid zou huize Topping niet tot eer strekken... maar hij mocht aan deze tafel zijn slechtste gedrag vertonen.

'Goed, heren... laten we aan de slag gaan,' zei Ed. Hij keek naar ieder van de andere drie, zogenaamd om te zien of ze 'bij de les' waren, zoals dat heet, maar eigenlijk om hen zijn gezag te laten erkennen, wat in feite neerkwam op verwelken in aanwezigheid van deze harde kerel. Zijn T-4 blik daalde neer op John Smith, in elk geval zo goed als hij de blik kon laten neerdalen. 'Vertel ons eens over die allernieuwste informatie die je hebt.' Breng rapport uit, soldaat – dat aura wilde Ed zijn leiderschap laten uitstralen.

'Zoals ik u zei, mijnheer, geloof ik dat we het soort ooggetuigeinformatie hebben dat aan onze zaak ontbrak. De politieman buiten dienst die me hierbij helpt, Nestor Camacho, liep een oude vriendin tegen het lijf die toevallig op bezoek was bij Sergei Korolyov toen die ons artikel gisteren las over de schilder, Igor Drukovitsj, die volgens ons de vervalser is van de schilderijen die Korolyov aan het museum schonk. Ze beschreef de reactie van Korolyov –'

Ira Cutler viel hem in de rede. Hij praatte met een wonderlijk hoge stem. 'Wacht even... Camacho... Is dat niet de naam van de smeris die onlangs is ontslagen omdat hij racistische opmerkingen had gemaakt?'

'Hij werd niet *ontslagen*, mijnheer, hij werd "ontheven van dienst". Dat wil zeggen dat ze de penning en de dienstrevolver van de smeris afnemen tot ze de zaak hebben uitgezocht.'

'Ummmm... ik snap het,' zei Cutler... op de manier die zegt: 'Ik snap het *niet*, maar ga door. We kunnen later op deze fanaticus terugkomen.'

'Maar goed,' zei John Smith, 'deze vrouw, een vriendin van hem' – en vervolgens beschreef hij het voorval, Korolyovs paniek en de rest, zoals Nestor het had doorgegeven.

Ed keek naar Cutler. Cutler zei: 'Om te beginnen is dat geen ooggetuigenverslag. Het is ondersteunend bewijs, maar een ooggetuige is iemand die het misdrijf werkelijk heeft gezien toen het werd gepleegd. Het is informatie die je kunt gebruiken om een zaak op te bouwen, maar het is geen ooggetuigenbewijs.'

Ed zei bij zichzelf ::::: Goddank dat jij er bent, Cutler! *Jou* verkopen ze geen knollen voor citroenen, schat! ::::: Hij had moeite een glimlach te onderdrukken. Hij hief zijn kin en keek naar John Smith. Wat een blik was het! Er zat de houding in van een leider die-tot-een-bepaald-punt-tolerant-is. 'Vertel mijnheer Cutler eens wat je nog meer hebt.' ::::: Nu hij je grootste vogel uit de lucht heeft geschoten. :::::

John Smith sprak over Igors volledige bekentenis dat hij de schilderijen had vervalst. Hij vertelde over de foto's die hij had van Igors vervalsingen-in-bewerking... en dat die alle stappen had onthuld die Korolyov had gezet om de schilderijen een waterdichte herkomst te verlenen, de naam van de Duitse expert en het reisje naar Stuttgart om hem om te kopen incluis. Hij vertelde hem over de subvervalsing, om het zomaar te noemen, van een catalogus van honderd jaar geleden, gedrukt op papier uit die tijd... de catalogus was op zijn corrupte manier een kunststukje. John Smith kwam met een on-John Smithachtig lyrisch loflied op de vaardigheid die het vergde om hem te maken... papier vinden van honderd jaar geleden, merkwaardigheden bij het inbinden herhalen, gedateerde fotoreproductie-technieken, zelfs retorische krullen uit die tijd... Het was eerlijk gezegd allemaal zo on-John Smithachtig lyrisch dat de catalogus uit haar aan de enkels zuigende goorheid leek op te rijzen tot een dionysische hoogte ver boven de maatstaven van goed en kwaad...

Toen John Smith klaar was, keek Ed naar zijn redding, een man die immuun was voor kinderachtige ambities en emoties... Advocaat Cutler. Stan Friedman en John Smith zelf richtten hun ogen ook op de pitbull met de meestertitel.

De onaanvechtbare arbiter leunde naar voren, duwde zijn ellebogen en onderarmen op het tafelblad en keek op zijn beurt naar hen met een uitdrukking van volledige hondse dominantie... honds, voor zover een man van middelbare leeftijd met onderkin, een buik, een pas gestoomd en knisperend gestreken wit overhemd en een mooie zijden Italiaanse stropdas werkelijk op een pitbull kon lijken. Toen sprak hij:

'Op basis van wat je hebt verteld... het is uitgesloten dat je een artikel kunt publiceren waarin staat dat Korolyov dit of dat heeft gedaan, anders dan deze schilderijen aan het museum schenken, ook niet op basis van de bekentenis van de vervalser. Jouw man, Drukovitsj, lijkt *heel graag* voor zijn eigen talent en dapperheid te worden geprezen. Dat kenmerkt alle soorten bedriegers. Bovendien is hij een dronkenlap van het ergste soort en hinderlijk trots op wat hij heeft gedaan.'

:::::: Ja! Ik *wist* dat ik op je kon rekenen! Je bent een realist tussen deze jonkies voor wie praktisch niets op het spel staat, wat we ook publiceren... terwijl voor mij – voor mij alles op het spel staat... zoals mijn carrière, mijn inkomen... allemaal gedirigeerd door de eindeloze minachting van mijn vrouw. Ik hóór haar gewoon: 'Jij hebt altijd je nonchalante en luie neigingen gehad – maar god nog aan toe! moest je het tot dit niveau opvoeren? Moest je een toonaangevende burger gaan belasteren, een man die zo gul is dat ze voor hem een museum een andere naam geven en zijn naam in marmeren letters *zo groot* en *zo diep* op de gevel van het museum graveren, en de burgemeester en de helft van de andere vooraanstaande burgers uit Miami en omgeving – óók mijn nonchalante, luie, vroeger-vooraanstaande, door zichzelf te gronde gerichte echtgenoot – al deze vooraanstaande mensen gaan naar een banket te zijner ere, en nu ben je vastbesloten hen sukkels, dwazen, willige slachtoffers, sufferds, boertjes te laten lijken – allemaal vanwege een paar idealen van een pasgeboren post-puppy over een vrije pers met de taak onbevreesd te informeren... en naam te maken met zijn op Yale opgeleide zelf en zijn zelf opgeleide ego – nou, ik hoop dat je eigen nonchalante, luie ego nu gelukkig is! Jij met je *vrijheid van de pers*, je *taak* van de pers, o, jij schildwacht van de burgerij, jij die de wacht houdt terwijl zij slapen – *hetzouwatttt!* incompetente ezel die je bent, die op het punt stond zijn eerste grote stap te zetten als een tophoofd-redacteur – eerste grote stap – ja hoor!... in het ergste autowrak dat je je kunt voorstellen *hetzouwatttt!*' God zegene je, Ira Cutler! Je hebt me voor mijn zwakste kant behoed! Op dit gebied is er geen hogere macht dan – :::::

Ira Cutlers stem kwam ertussen. 'Je kunt het je niet veroorloven Korolyov van wat dan ook te *beschuldigen* –'

::::: Ja! Vertel 't ze, broeder! Vertel ze waar het op staat! :::::

'– omdat je voldoende objectief bewijs hebt en geen ooggetuige. Je kunt niet eens aangeven of Korolyov iets ervan te *verwijten* valt –'

::::: O, getuig maar, broeder! Maak hun maar duidelijk wat goed en juist is! :::::

Een enorme last gleed van zijn schouders af... De aap sprong van zijn rug af. Eindelijk kon hij uitademen! ::::: Er *is* een God in de Hemel! Ik ben bevrijd van de – :::::

De hoge stem van de pitbull klonk opnieuw: 'Aan de andere kant heb je hier sterk materiaal, en je hebt de feiten heel nauwkeurig vastgesteld, naar mij dunkt. Hoeheetieookweer – Igor? – zegt dat hij de schilderijen heeft vervalst, en dat heb je op de band. Dat heeft hij gezegd. Je hebt het feit bevestigd dat dezelfde Russische schilder onder twee namen bekend is, Igor in de stad en Nikolai op het platteland –'

::::: Maar wat is er aan de hand? Wat heeft dit 'aan de andere kant'-gedoe ineens te betekenen?... en dat 'sterk materiaal'-gepraat? Mijn pitbull graaft met zijn achterpoten de grond onder mij vandaan? Hou voet bij stuk! Hoe voet bij stuk, ellendige hond die je bent! :::::

'– en hij heeft een geheim atelier in een tehuis voor bejaarden in Hallandale, wat ten noorden van nergens ligt,' zei Cutler, 'en dat materiaal kun je gebruiken, zolang a) dit meisje wist dat je het opnam en b) je het niet zo opschrijft dat je enige doel voor al deze moeite lijkt te zijn geweest om Korolyov als een oplichter te ontmaskeren.' Hij keek naar John Smith en zei: 'Ik begrijp dat je hebt geprobeerd contact op te nemen met Korolyov, John.'

::::: 'John' noemt hij hem, terwijl ik weet dat hij hem nog nooit heeft gezien. Maar hij neemt hem voor wat hij is – een jochie! Een jochie dat met vuur speelt! Gewoon een jochie!

'Ja, mijnheer,' zei John Smith. 'Ik heb –'

Hij brak het af omdat ergens in zijn kleren een mobieltje begon over te gaan. Hij graaide het uit zijn colbertbinnenzak en keek naar de nummerherkenning. Voor hij opnam, ging hij vlug rechtop zitten – keek naar raadsman Cutler en zei: 'Het spijt me... mijnheer... maar dit telefoontje moet echt.' Hij ging naar een hoek van het kantoor, en drukte zijn gezicht er zo dicht tegen aan dat zijn ene wang tegen de binnenmuur en de andere tegen het buitenglas werd geplet, ook al was er een BlackBerry tussen geperst.

Het eerste wat ze na 'hallo' te horen kregen, was dat John Smith 'Jezus!' zei in iets wat dicht bij kreunen kwam, een hoogst on-John Smithachtig 'Jezus' en een nog on-John Smithachtiger kreunen. Er volgde een 'Oooooouh!, alsof hij net in zijn maagstreek was gestompt. Niemand kon zich voorstellen dat het lichaam van John Smith zulke geluiden verspreidde. Hij leek wel een eeuwigheid in die hoek te blijven, maar waarschijnlijker is dat het om twintig of dertig seconden ging. Toen zei hij op een zachte, beleefde toon: 'Dank je, Nestor.'

John Smith had een bleke gelaatskleur, maar toen hij zich omdraaide, was hij zo wit als een lijk. Al het bloed was uit zijn gezicht weggestroomd. Hij stond stokstijf en zei met een hopeloos verslagen stem: 'Dat was mijn beste bron. Hij is in Hallandale. Ze hebben zojuist Igor Drukovitsj dood onder aan een trap gevonden. Zijn nek was gebroken.'

::::: Verdomme! ::::: zei Ed bij zichzelf. Hij wist wat *dat* betekende... Het was uitgesloten dat hij het artikel nu *niet* zou publiceren... terwijl Sergei Korolyovs naam in steen op de voorgevel van het museum stond gebeiteld... en hij had tijdens het diner maar twee stoelen van hem af gezeten! ::::: En nu kan ik absoluut niet voorkomen dat ik *mijn* nek riskeer. De Onbevreesde Journalist Ed Topping... Verdomme! en nog eens verdomme! :::::

# 2 1

## DE RIDDER VAN HIALEAH

Amper 6.45 uur – en het was een en al tumult in het kantoor van Edward T. Topping IV. Te veel mensen binnen! Te veel herrie! Hij had geen tijd gehad om ook maar een blik te werpen op dat grote symbool van zijn grootheid: zijn glaswanduitzicht over de Biscayne Baai, Miami Beach, de Atlantische Oceaan, 180 graden blauwe horizon, en een miljard kleine glinsteringen die van het water af sprongen terwijl de grote Hitte Lamp boven de brandstof begon op te voeren. Hij had zelfs niet achter zijn bureau kunnen gaan zitten, niet één keer, tenzij je van tijd tot tijd met zijn lange benige heupen tegen de rand ervan leunen meetelde.

Hij had een telefoon bij zijn oor en zijn ogen waren gericht op het scherm van zijn Apple ZBE3-computer. Ongeduldige, dolzinnige, zelfs paniekerige telefoontjes, sms'jes, tweets, twits and e-schreeuwen stormden binnen vanuit heel het land... vanuit heel de wereld in feite... van een angstige kunsthandelaar in Vancouver, waar het 3.45 uur was, een of andere kunstbeursimpresario van Art Basel in Zwitserland, waar het 12.45 uur was, een veilinghuis in Tokio, waar het kwart voor acht 's avonds was, en een angstige – nee, paniekerige-tot-aan-schreeuwens-toe – privéverzamelaar in Wellington, Nieuw-Zeeland, waar het slechts een paar minuten vóór morgen was, en allerlei soorten nieuwsorganisaties, ook van de Engelse, Franse, Duitse, Italiaanse en Japanse televisie, even afgezien van de oude media, kabelmaatschappijen en internet uit Amerika. Van CBS stond beneden in de hal een camerateam te wachten – om 6.45 uur!

John Smiths artikel was net verschenen. De *Herald* had het gisteravond om zes uur online gezet om te laten zien dat men de eerste was – d.w.z. de primeur had. Zes uur later verscheen het in de eerste editie van de krant onder twee woorden in kapitalen van 5 cm hoog, zo vet en zo zwart als in een sensatieblad, en over de volle breedte van de voorpagina:

### DODELIJK TOEVAL

Alle kanonnen van de Chicago Loop Groep die wanhopig wilden zijn 'waar de dingen gebeuren', waren, zodra het stuk online stond, in een van de drie Falcon-jets van Loop gestapt en naar Miami opgestegen. Waar de dingen gebeurden, was in het kantoor van de hoofdredacteur van de *Herald*, Edward T. Topping IV. In dit ene vertrek waren er momenteel acht – of waren het er negen! – topmensen van Loop, de CEO Puggy Knobloch incluis, plus Ed zelf, Ira Cutler en Adlai desPortes, de nieuwe uitgever van de *Herald*. Om een of andere reden waren de stadsredacteur, Stan Friedman, en John Smith, de man van het moment, even weg. De meest bedwelmende stof die de mensheid kent – adrenaline – pompte in golven golven golven golven door het vertrek. Daardoor had de groep van Loop het gevoel een in-het-hart logeplaats te hebben voor een van de grootste verhalen van de eenentwintigste eeuw: een nieuw museum van $ 220 miljoen, het anker van een enorm metropolitisch cultureel complex, wordt genoemd naar een Russische 'oligarch' na zijn uitzonderlijke schenking van schilderijen ter waarde van 'zeventig miljoen dollar'. Meestersteenhouwers hadden allang zijn naam in marmer boven de ingang gegraveerd – THE KOROLYOV MUSEUM OF ART – en nu, moet je ons zien op dit moment, hier in dit kantoor. Wij zijn de hoogste leiders. Onze journalisten hebben zojuist deze grote 'donateur' als een oplichter ontmaskerd.

Decibels boven het gedruis en het gezoem uit van iedere plek waar de dingen gebeuren, kon Ed Puggy Knoblochs harde, rijpe snater horen snateren: '*Haaaghh* – de oude dame denkt dat "Milieu" de naam van een overheidsinstelling is!?' *Haaaghh!* was Puggy's harde lach. Het was net geblaf. Het overstemde ieder ander geluid – voor ongeveer een halve seconde – als om te zeggen: 'Vind je dat grappig? Goed, hier is je beloning: *Haaaghh!*'

O, de adrenaline pompte pompte pompte!

Er kwam nog een stem boven het gerommel en gebrul uit. Die van advocaat Ira Cutler. Kon je niet missen, die stem. Het leek wel het jammeren van een metalen draaibank. Hij hield de krant omhoog, met het gigantische DODELIJK TOEVAL, voor de oogbollen van Puggy Knobloch.

'Hier! Lees de opening!' zei Ira Cutler. 'Lees de eerste twee alinea's.'

Hij probeerde de krant aan Knobloch te overhandigen, maar Knobloch hief zijn grote vlezige handen, palmen naar buiten, als afwijzing. Hij leek beledigd. 'Denk je soms dat ik het niet heb gelezen?' – op een toon die aangaf: <<< Goeie god, man, weet je *echt* niet tegen wie je zo brutaal praat? >>>

Maar dat weerhield Cutler geen seconde. Hij had de grote leider geïmmobiliseerd met zijn laserblik en zijn onophoudelijke, eindeloze rat-tat-tat-tat-tat van woorden. Hij rukte de krant terug en zei: 'Hier! Ik lees het je wel voor.'

'"Dodelijk toeval" staat er, en pal daaronder: "'s-Avonds claimt hij museumschatten te hebben vervalst. 's-Morgens is hij dood."... en dan de naamregel: "door John Smith." Vervolgens staat er: "Slechts enkele uren nadat Igor Drukovitsj, een kunstenaar uit Wynwood, de *Herald* belde om te claimen dat hij de op $ 70 miljoen geschatte Russische modernistische schilderijen heeft vervalst die nu in het Korolyov Museum of Art hangen – de kern van de collectie – werd hij deze ochtend bij dageraad dood gevonden. Zijn nek was gebroken. Zijn lichaam lag met het hoofd naar voren uitgespreid onder aan een trap in een flat voor bejaarden in Hallandale – waar hij, naar de *Herald* te weten kwam, een geheim atelier aanhield onder de naam Nikolai Kopinsky."'

De pitbull liet de krant zakken, glimmend van zelflof. 'Heb je het door, Puggy?' kraaide hij tegen Knobloch. 'Heb je het beeld? Volg je de strategie? Wij *beschuldigen* Sergei Korolyov *nergens* van. Het museum dat de schilderijen bezit, draagt toevallig zijn naam, meer niet.' Cutler haalde zogenaamd zijn schouders op. 'Daaraan konden we niet veel doen, wel? Heb je het sleutelwoord: *claimt*? Het heeft me veel moeite gekost om het bij John Smith over te laten komen. Hij wilde woorden gebruiken als Drukovitsj *onthulde* de vervalsing, of *bekende*, of *beschreef hoe*, of andere woorden die aan konden geven dat wij *aannemen* dat Drukovitsj de waarheid vertelt. Nee, ik regelde dat we een woord gebruikten dat sneller kan betekenen dat wij sceptisch zijn: hij *claimt* dat hij ze heeft vervalst... dat *claimt* hij... Het heeft me een uur gekost om die jongen een beetje tot rede te brengen.'

O, Ed herinnerde zich dat allemaal. ::::::Wij – ook ik – haalden die arme John Smith door een echte neusbloeder. Zo noemde je het wanneer iedereen over de schouder van de journalist leunt als hij aan het schrijven is. Wanneer hij ineens zijn hoofd rechtop zou tillen, zou hij iemand een bloedneus bezorgen.

Ah, maar de adrenaline pompt pompt pompt pompt ook voor de onbekenden – strijd! Hoe zal de oplichter reageren? Hoe zal hij vechten? Wie zal hij aanvallen – en waarmee?

Even voor 8.00 uur werd de bedwelming van zijn *waar dingen gebeuren* tot het maximale opgepompt, toen Stan Friedman weer in het vertrek opdook. Deze keer was hij niet verrukt. Hij droeg een witte envelop... en zijn gezicht was heel treurig geworden. Hij bracht dat nare gezicht en de envelop regelrecht naar de uitgever van de *Herald*, Adlai desPortes, die tot dat moment van de grootste adrenalineroes van zijn leven had genoten. Friedman smeerde 'm meteen weer uit het vertrek. Uitgever desPortes las de brief, die blijkbaar niet lang was, en heel snel bracht hij de brief en zijn eigen treurige gezicht regelrecht naar Ed. Ed las de brief en ::::: Jezus Christus! Wat heeft *dit* precies te betekenen? ::::: hij bracht de brief en zijn treurige – nee, niet treurige, *verbijsterde* – gezicht regelrecht naar Ira Cutler, en het begon rustig te worden in het vertrek. Iedereen besefte dat Somberheid het vertrek had betreden, en het werd nog rustiger.

Ed besefte wat een zwakke en verwarde indruk hij zo maakte. *Owww*. Het moment was gekomen dat hij naar voren moest treden en leiderschap tonen. Hij verhief zijn stem en zei op wat hij als een achteloze en luchtige toon bedoelde: 'Hé, iedereen, Ira heeft wat na-het-sluiten-van-de-pers nieuws.' Hij wachtte en kreeg nooit een reactie op dit achteloze en luchtige *mot – na-het-sluiten-van-de-pers* – een overblijfsel uit de 20ᵉ eeuw. 'We hebben een bericht van de andere kant!' Geen teken van achteloze, luchtige harten in het vertrek. 'Ira, wil je de brief hardop aan ons voorlezen?'

Het vertrek leek in de verste verte niet zo blasé als Ed het wilde laten klinken.

'O keeej,' zei Cutler. 'Wat hebben we hier?' Het was altijd verrassend de hoge toon van de pitbullstem te horen, zeker met zo veel mensen erbij. 'Eens kijken... eens kijken... eens kijken... wat we hier hebben is... Dit bericht blijkt afkomstig van... advocatenkantoor Solipsky, Gudder, Kramer, Mangelmann en Pizzonia. Het is gericht aan de heer

Adlai desPortes, Uitgever, de *Miami Herald*, Herald Plaza 1 et cetera, et cetera... hmmmm.. hmm.. enzovoorts.

"Geachte heer desPortes, Wij vertegenwoordigen de heer Sergei Korolyov, het onderwerp van een artikel op de voorpagina in de editie van vandaag van de *Miami Herald*. Uw grove en in hoge mate lasterlijke beschrijving van de heer Korolyov is al over de hele wereld in gedrukte en elektronische media herhaald. Met evident onjuiste gegevens en schandalige insinuaties heeft u de reputatie geschaad van een van de meest betrokken, gulste en zeer gerespecteerde burgers van Miami en omgeving. U heeft in hoge mate gesteund op de verzinsels en, naar alle waarschijnlijkheid, hallucinaties van een persoon van wie bekend is dat hij aan een gevorderde fase van alcoholisme lijdt. U heeft uw belangrijke rol op een roekeloze, kwaadaardige en volstrekt onverantwoordelijke wijze gebruikt, en afhankelijk van de geldigheid van bepaalde beweringen, voor zover ze al geldig zijn, is ook sprake van strafbare feiten. Als u een onmiddellijke herroeping van dit "verhaal" vol lasterpraat alsmede een verontschuldiging publiceert, zal de heer Korolyov dat als een positieve factor meewegen. Met de meeste hoogachting, Julius M. Gudder, raadsman, Solipsky, Gudder, Snyder, Mangelmann en Pizzonia.'"

Cutler versmalde zijn ogen en overzag het vertrek met een giftig glimlachje op zijn lippen. Hij was in zijn element. Laten jullie en hij de strijd aangaan! Ik zal jullie van alle verdachtmakingen voorzien die jullie nodig hebben om hem mee in z'n reet te bijten... Zijn ogen bleven rusten op de officiële ontvanger van deze klap in het gezicht, uitgever Adlai desPortes. Uitgever desPortes leek bepaald niet te staan trappelen om de eer van de *Miami Herald* te wreken. In feite leek hij, zoals zijn veronderstelde Franse voorouders het zouden hebben geformuleerd, overduidelijk *hors de combat*. Hij leek verstomd, en daarbij hoorde nadrukkelijk de letterlijke betekenis van het woord: sprakeloos. Mijn god, als je uitgever was van de *Miami Herald* hoorde daar toch niet zulke ellende als *strafbare feiten* bij! Het hoorde neer te komen op drie uur lang buitenshuis gaan lunchen met adverteerders, politici, CEO's, CFO's, hoofden van universiteiten en stichtingen, beschermers van de kunst, beroemdheden op lange termijn, maar ook sterren van een kwartier die net op dansshows, muziekshows, quizshows, realityshows en bodyshows op de nationale tv waren geweest, winnaars van dansshows, muziekshows en spelshows op tv. Hun aanwezigheid vereiste steeds een beminnelijke, eeuwig gebruinde, eeuwig sociale gastheer wiens koetjes en kalfjes nooit voor opschudding zorgden. Alleen al zijn gezicht zorgde voor de meest gedienstige begroetingen met naam en toenaam en de vriendelijkste bejegeningen door maître d's en eigenaren van al de beste restaurants. Maar op dit moment was er niets beminnelijks aan hem. Zijn mond hing lichtelijk open. Ed wist precies wat des Portes zich op dit moment afvroeg… Hebben we een vreselijke blunder begaan? Hebben we wat wetenschappers op-de-goede-afloop-onderzoek noemen verricht, waarbij de hoop op een bepaald resultaat de echte bevindingen verdraait? Hebben we vertrouwd op het woord van een man van wie wijzelf weten dat hij een zielige zuipschuit is? Was Drukovitsjs muur vol vervalsingen niet gewoon kwijt omdat hij ze ergens anders had opgeslagen – áls het al echt vervalsingen waren? Hebben we alle zetten van Korolyov ver-goede-afloopt… terwijl die in feite geen kwade bedoelingen hadden? Wist hij, Ed, precies wat er door het hoofd ging van de man met de grootscheepse naam Adlai desPortes, omdat precies hetzelfde ook door het hoofd ging van Edward T. Topping ɪᴠ?

Zoals een goede pitbull, altijd op strijd uit, leek Cutler door de huiden van alle Ed's en Adlai's voor hem heen te kijken en alle slappe ruggengraten te zien. Het kwam dus op hem neer, de taak om ze kracht te geven en rechtop te laten staan.

'Schitterend!' zei hij, en hij grijnsde of zojuist het leukste spelletje ter wereld was begonnen. 'Jullie moeten het wel prachtig vinden! Heb je ooit van je leven van een grotere zak vol gebakken lucht gehoord?… die voor een raket door moet gaan? Probeer eens één feit in ons stuk te ontdekken dat ze ontkennen… Je zult het niet vinden, omdat het hen ook niet lukt! Ze kunnen niet iets bepaalds ontkennen waarvan wij Korolyov hebben beschuldigd – want wij hebben hem *nergens* van beschuldigd! Hopelijk begrijpen jullie,' zei hij, 'dat zodra ze met een aanklacht wegens smaad komen ze een echte visitatie uitlokken.'

Cutler glimlachte niet alleen, hij begon in zijn handen te wrijven alsof hij zich geen heerlijker vooruitzicht kon voorstellen. 'Dit is allemaal gebral. Waarom sturen ze dit geval – met de hand geschreven – zo vroeg in de ochtend?' Hij bekeek alle gezichten weer, alsof iemand het meteen zou snappen… Stilte… IJzig… 'Het is pure pr!' zei hij. 'Ze willen in het openbaar zeggen hoe "grof" dit allemaal is, zodat er geen nieuwsberichten meer uitgaan zonder hun iedereen bedreigende ontkenning erbij. Meer hebben we hier niet.'

Ed voelde de noodzaak zijn leiderschap te demonstreren door wat spits commentaar te leveren. Maar hij kon helemaal niets verzinnen, niet op spitse toon en niet op een andere toon. Bovendien was de brief toch aan desPortes gericht? Het was zijn zaak, niet? Ed staarde naar Adlai desPortes. De man wekte de indruk zojuist met een hellebaard bij zijn schedelbasis te zijn geraakt. Hij stond wezenloos te wankelen. Ed wist wat hij, de uitgever, dacht, omdat hij, Ed, hetzelfde dacht. Waarom had hij dit ambitieuze jonkie, John Smith, zijn gang laten gaan? Het was een *jongen*! Hij zag eruit of hij zich nooit hoefde te scheren! Heel zijn zaak was gebaseerd op een plotse uitbarsting van 'waarheid' vanuit het hart van een hopeloze dronkaard – die nu dood was. Nu deze advocaat Julius Gudder met de scalpel zwaaide, zouden Korolyov & Co. Igor Drukovitsjs reputatie en geloofwaardigheid terugbrengen tot een vlek op een badmat.

Uitgever desPortes kwam tot leven en haalde, bij wijze van spreken, Ed de woorden regelrecht uit de mond: 'Maar Ira, leunen we niet vreselijk zwaar op de getuigenis van een man met een stel serieuze problemen? Eén, hij is dood, en, twee, hij was dodelijk dronken toen hij leefde.'

Dat zorgde voor wat gelach, en God zij daarvoor gedankt! Tekenen van leven bij de ondoden!

Maar de pitbull deed daar niet aan mee. Zijn stem klonk alleen maar hoger, harder, heftiger toen hij zei: 'Geen sprake van! Geen sprake van! De nuchterheid van de man of het gebrek daaraan staat er helemaal los van. Dit is een stuk over een man die een dubbelleven leidde, een openbaar leven, en een volstrekt geheim leven, en hij is dood gevonden – mogelijk vermoord – onder mysterieuze omstandigheden. Wat hij ook aan de vooravond van zijn raadselachtige dood zegt, het wordt in hoge mate relevant, ook al worden derden door de feiten in een kwaad daglicht geplaatst.'

Mooi gezegd, raadsman! Maar Eds tachycardie bedaarde er helemaal niet door. Juist op dat moment kwam Stan Friedman het vertrek binnen met een zeer treurig kijkende John Smith in zijn kielzog. Ed had zin de hele groep toe te spreken en te zeggen: 'Zo, dag Stan. Het is je gelukt je toponderzoeksjongensjournalist weer hierheen te krijgen, nietwaar? Maar waarom? Hij is zo'n kind dat hij het niet eens aan kan *aan te horen* wat hij ons allemaal heeft aangedaan in het belang van zijn eigen kinderlijke ambitie. Je kon niet eens genoeg ruggengraat tonen hier te blijven om aan te horen hoe het heeft uitgepakt, nietwaar? Short

Hills, St. Paul's, Yale – *yaaaaaagggh!*... Zo pakt het leven met mahonie lambrisering tegenwoordig uit – slappelingen die desondanks denken dat ze over het geboorterecht beschikken om te doen wat ze willen, ongeacht hoeveel last de gewone man ervan heeft. Geen wonder dat je je hoofd zo laat hangen. Geen wonder dat je te bang bent om iemand anders in deze ruimte aan te kijken.'

De kleine rotzak, ongeveer aan de hand van Stan geleid, ging regelrecht op Ira Cutler af. Heel het vertrek was stil. Iedereen, ieder geschrokken lijf, wilde weten waarover dit moest gaan. Zelfs Ira Cutler leek verbijsterd, iets wat hij altijd probeerde te vermijden. Stan ging in plaats van naast John naast de pitbull staan en zei iets, heel wat eerlijk gezegd, met zeer zachte stem. Na een poosje gluurden beiden naar John Smith, wiens hoofd zo laag hing dat hij hen waarschijnlijk niet kon zien.

Stan zei: 'John –'

John Smith liep naar hen tweeën toe, helemaal het bange hondje. Hij knikte vaag naar Cutler en zei iets tegen hem wat niet meer dan fluisteren was. Uit een zak in zijn blazer haalde hij diverse velletjes papier tevoorschijn en overhandigde die aan Cutler. Ze leken met de hand te zijn beschreven. Cutler bestudeerde ze gedurende wat wel tien minuten leek – vervolgens het jammeren van de metalen draaibank en Cutler zei: 'Ik geloof dat John wil dat ik excuses maak dat hij 'm zo vaak smeerde uit dit vertrek. Hij had zijn telefoon op trillen staan en moest telkens naar buiten lopen om deze telefoontjes af te wikkelen. Gloria, bij Stan op kantoor, had zijn telefoonnummer zodat ze hem kon bereiken. Tot nu toe heeft hij vragen' – Cutler hield de velletjes papier omhoog als bewijs – ' vragen uit letterlijk heel de wereld gehad, en ze zijn allemaal om dezelfde reden in paniek. In de relatief korte tijd sinds het Korolyov Museum of Art open is gegaan, hebben ze schilderijen ter waarde van – of misschien níet ter waarde van – tientallen *miljoenen* dollars gekocht van handelaren die Korolyov vertegenwoordigen. En dat zijn alleen degenen die de *Herald* hebben gebeld. God weet wat het totaal zal zijn. Ik had geen flauw idee dat hij er met schilderijen bijverdiende.' Cutler keek het vertrek rond... De anderen hadden ook geen idee.

Cutler kreeg een pitbullgrijns. 'Hmmmm... ik vraag me af of hij profiteert van een belastingaftrek van zeventig miljoen dollar voor de vervalsingen die hij aan het museum schonk, om maar te zwijgen van wat hij als bijverdienste aan de vervalsingen overhoudt... Op deze lijst heeft John alle namen, alle contactinformatie, en hij heeft bandopnamen van de telefoongesprekken die hij vanaf Gloria's bureau heeft gevoerd. Hij is gebeld door galerieën, handelaren, andere museums – nou ja, je kunt het je voorstellen. Maar het telefoontje dat me nieuwsgierig maakt is dat van een vent die een drukpersje bezit in Stuttgart. Hij maakt zich zorgen omdat hij denkt dat men hem iets zal verwijten wat hij in alle onschuld deed. Voor een of ander Russisch bedrijf heeft hij, in het Frans, een catalogus vervaardigd van een Malevitsj-expositie uit het begin van de jaren twintig. Hij zegt dat het bedrijf hem heeft voorzien van papier dat minstens zo oud is, oude letters, opmaak, ontwerpen, binddraad, de werken. De vent dacht dat het voor een of ander Malevitsj-eeuwfeest was, en hé, wat vreselijk leuk! Slim ook. Toen zag hij een paar Malevitsjen op de berichten op tv en internet naar aanleiding van Johns stuk, hoorde hij over de mogelijkheid dat een paar Russen vervalsingen hadden gemaakt, en één en één was twee. Heren, ik geloof dat we voor onze ogen misschien de grootste zwendel uit de kunstgeschiedenis de mist in zien gaan.'

Ed en alle anderen hadden hun ogen op John Smith gericht. ::::: Mijn god, dit joch heeft licht in deze zaak gebracht! Waarom staat hij daar dan nog met zijn ogen helemaal neergeslagen, en schudt hij met zijn hoofd? ::::: Hij hoorde Stan aan Ira Cutler uitleggen dat John Smith een verschrikkelijk schuldgevoel had gekregen nadat Igor Drukovitsj dood werd gevonden, en hij daarvan nog steeds last heeft. 'Hij is ervan overtuigd dat als hij dat eerste verhaal over Drukovitsj niet had geschreven – om de onthullingen die vanochtend aan het licht kwamen op te wekken – Drukovitsj nog zou leven. Ik moet je zeggen dat hij erg somber is.'

Ineens barstte Ed los met een luide stem en een kracht, een brul kort gezegd, waartoe niemand, ook hijzelf niet, hem in staat had geacht: 'SMITH, KOM HIER!' Nu staarde John Smith, eerder bang dan bedroefd, naar zijn opperredacteur die zei: 'VOEL JE MAAR SCHULDIG IN JE EIGEN GODVERDOMDE TIJD! JE WERKT NU VOOR MIJ, EN JE MOET VOOR MORGEN EEN GROOT STUK SCHRIJVEN!'

Niemand wist dat Edward T. Topping IV het in zich had! Alle toppers van de Loop Groep en de *Herald* zagen en hoorden het gebeuren! Het was op dat moment, concludeerden ze allemaal, dat Ed Topping – voorheen 'T-4' – een nieuwe man was geworden, een sterke man, een echte man, een sieraad voor het krantengebeuren.

Ed was ook verbaasd. Eigenlijk – en dat wist hij – was hij uit angst tegen John Smith uitgevallen, angst dat het joch ervandoor zou gaan zonder het artikel te schrijven dat hem, Ed Topping, en een heleboel anderen, uit de penarie zou halen.

Door haar gesprek met Nestor was Magdalena's angstniveau verminderd van doodsbang tot heel bang. Er *is* een verschil, en dat voelde ze; maar afgelopen nacht had ze toch nog nauwelijks geslapen. Ze kon niet één houding vinden om in bed te liggen zonder dat ze zich onaangenaam bewust was van haar hartslag. Die was helemaal niet zo hoog, maar kon ieder moment gaan galopperen. Na een paar uur... zo voelde het in ieder geval... hoorde ze de klink van de voordeur omdraaien, en daardoor ontplofte ze haast. Haar hart sloeg op hol, alsof het idiote niveaus van boezemfibrilleren wilde bereiken. Ze bad tot God om het zo –

– en het was zo: het was maar Amélia die thuiskwam. 'Dank U, God!' Ze zei het echt hardop, zij het fluisterend.

De laatste twee avonden, maandag en dinsdag, had Amélia in zijn woning nabij het ziekenhuis doorgebracht, hij was de neurochirurg in opleiding van 32 die plotseling in haar leven was. Neurochirurg! Chirurgen stonden aan de top van de statushiërarchie in alle ziekenhuizen omdat zij de mannen van de daad waren – chirurgen waren doorgaans mannen – mannen van de daad die het gewoon waren mensenlevens in hun hand te hebben – letterlijk, tastbaar – en momenteel waren neurochirurgen het meest romantisch van allemaal. Zij liepen het grootste risico van alle chirurgen. Als je het punt had bereikt dat je hersenchirurgie nodig had, was je er al heel slecht aan toe, en het sterftecijfer was bij hun specialisme het allerhoogst. (Onder aan de ladder stonden dermatologen, pathologen, radiologen en psychiaters; geen kritieke fases, geen noodoproepen in de nacht, thuis, op vrije dagen of via de geluidsinstallatie in het ziekenhuis, geen pijnlijke tochten naar wachtkamers in je operatiekleding terwijl je de juiste retoriek probeerde te verzinnen om de biddende wrakken te vertellen dat hun beminde zojuist op de operatietafel was gestorven en waarom.) Magdalena bedacht dat het liefdeleven van Amélia en van haar nu omgekeerd waren. Het leek pas gisteren dat Amélia Reggie-loos en wanhopig was, terwijl zij op het punt stond uit te gaan met een jonge, beroemde, knappe, energieke Rus die Sergei heette. Nu was er geen Sergei meer, hoopte ze vurig. Zij was wanhopig, en ook nog eens half-doodsbang, terwijl Amélia in de weer was met een Cubaan van de tweede generatie, een jonge neurochirurg, die als zodanig romantisch was.

Magdalena moest uiteindelijk even na zessen een paar uur in slaap zijn gevallen, want ze had naar de lichtgevende wijzers op haar wekker gekeken en *piep* ze werd wakker, en dezelfde klok stond nu op 9.30. Niets te horen in het appartement; Amélia moest nog slapen, want ze was laat thuis gekomen, en het was een van haar vrije dagen. Magdalena was daar met alle plezier blijven liggen, maar alle omstandigheden van haar tegenspoed en angst kwamen teruggesprongen vanuit de hypno-pompische mist, en daardoor werd ze te *behoedzaam* om daar in lethargische kwetsbaarheid te blijven liggen. Ze stond dus op, sloeg een katoenen badjas om over haar т-shirt waarin ze had geslapen, ging de badkamer in, bracht twee tot kommen gevouwen handen vol koud water naar haar gezicht en voelde zich niet beter. Haar hart was al een beetje te snel aan het bonzen, en ze had een doffe hoofdpijn en een grote vermoeidheid zoals zij 's morgens nooit had. Ze ging naar de keuken en zette voor zichzelf een kop Cubaanse koffie, en die kon haar maar beter hier uittrekken, de koffie, of – het voornaamste was *voorzichtig* te zijn, naar Amélia te schreeuwen en 911 te bellen *zodra* ze iets hoorde, *niet* nadat ze naar de deur was gegaan om beter te luisteren. Ze ging hun woonkamertje in en ging op een van de leunstoelen zitten, maar zelfs van het kopje vasthouden werd ze te moe. Dus kwam ze overeind om het op het provisorische salontafeltje te zetten. Nu ze toch rondliep, deed ze de tv aan, ze zette het geluid heel zacht, om Amélia niet wakker te maken. Het was een Spaanse zender, en ze bleek naar een praatprogramma te kijken. De gastheer was een komiek met de naam Hernán Lobocolo. Hij liet zich liefst Loboloco noemen, niet Hernán, want Loboloco betekende Gekke Wolf en hij was een komiek. Zijn specialiteit was om zijn gasten serieuze vragen te stellen met de stemmen van andere mensen, beroemde mensen, bijvoorbeeld om een skateboardkampioen iets te vragen over halfpipe stunts met de boze, aansporende stem van César Chávez die de Amerikanen waarschuwt voor inbreuken. Hij was er heel goed in – hij kon ook buitengewoon grappige dierengeluiden maken, waarin hij ieder moment kon uitbarsten – en Magdalena genoot gewoonlijk van Loboloco bij de zeldzame gelegenheden dat ze tv keek. Maar nu ze zo gedeprimeerd en op haar hoede was, miste ze de stemming om iets grappig te vinden, en het ingeblikte gelach ergerde haar enorm, zelfs met het geluid zacht. Waarom zou een zo goeie komiek als Loboloco het gevoel hebben dat hij ingeblikt gelach nodig had? Het was niet goed voor het programma, het klonk er goedkoop door en –

Haar hart sprong bijna haar ribbenkast uit. Het slot op de deur werd omgedraaid en de deur *barstte open!* Magdalena sprong overeind. Haar nieuwe iPhone *lag nog in de slaapkamer – geen tijd!* – geen 911! – geen Nestor! Ze draaide zich om – en het was Amélia… met een grote Nalgene literfles water die ze achterover kantelde en in haar keel klokte. Haar huid gloeide van het zweet. Ze droeg een maillot van zwarte lycra die tot net onder de knieën kwam en een zwart haltertopje met racerback, met een paar kriskras uitsnijdingen. Ze had geen make-up op en haar haar was naar achteren getrokken in een paardenstaart. Tel het allemaal bij elkaar op en het zei spinning, de nieuwe rage. Iedereen in de les – en zeldzaam was de Xer-ziel van ouder dan 35 – zat schrijlings op een stilstaande fiets, eentje in rij na rij na rij van zulke fietsen, en kreeg instructies van een leraar, man of vrouw, die bevelen en beschuldigingen uitblafte als een sadistische drilsergeant tot iedereen tot het alleruiterste van haar longcapaciteit, beenkracht en uithoudingsvermogen pedaleerde. Drie op de vier van deze vrijwillige masochisten waren vrouwen die zo graag – tot wanhoop toe – *conditie* wilden krijgen dat ze zich… zelfs hieraan onderwierpen. Tja… ook Magdalena zou zichzelf aan deze marteling onderwerpen, alleen kostten de lessen vijfenvijftig dollar per keer, en ze had per week amper zoveel om in leven – laat staan in vorm – te blijven, en zelfs in dat tempo zou het beetje geld dat ze nog op de bank had staan over een maand op zijn… en wat zou ze *dan* doen?

Tussen het klokken uit de Nalgene-fles door – ze was niet verder gekomen dan net in de deur – zag Amélia Magdalena stokstijf voor de leunstoel staan, op de bal van haar voeten, knieën gebogen, alsof ze op het punt stond te springen of te vluchten.

Amélia stopte lang genoeg met klokken om te vragen: 'Magdalena, wat is dat voor blik op je gezicht?'

'Nou, ik… *ehh*… ik geloof dat ik alleen verrast ben. Ik dacht dat je nog sliep. Ik hoorde je vannacht binnenkomen, en het leek behoorlijk laat.'

Amélia nam nog een paar klokken uit de Nalgene-fles, waarvan de inhoud haast even groot moest zijn geweest als van haar hoofd.

'Sinds wanneer doe je aan spinning?' vroeg Magdalena.

'Hoe weet je dat ik naar spinning ben geweest?'

'Dat is niet al te moeilijk... die outfit, het formaat van de waterfles, je gezicht ziet rood – ik bedoel niet *ziek*-rood, ik bedoel *trainings*-rood, een *heel* zware training.'

'Om je de waarheid te zeggen, is dit de eerste keer dat ik het ooit heb geprobeerd,' zei Amélia.

'Nou,' zei Magdalena, 'wat vind je ervan?'

'Oh, het is geweldig... ik denk... ik bedoel, als je het overleeft! Ik heb me van mijn leven nog nooit uit vrije wil zo ingespannen! Ik bedoel, ik... ben... helemaal op.'

Magdalena zei: 'Ga toch zitten.'

'Maar ik voel me zo – ik moet onder de douche.'

'Ach, toe nou, ga een minuutje zitten.'

Dus zakte Amélia onderuit in de leunstoel, zuchtte en liet haar hoofd zo ver achterover op het bovenstuk zakken dat ze recht omhoog keek naar het plafond.

Magdalena glimlachte en ze besefte, met zo vele woorden, dat dit de eerste keer in de afgelopen achtenveertig uur was dat ze één keertje had geglimlacht. Ze zei: 'Deze nieuwe belangstelling voor trainen, ik bedoel *echt* trainen, zou dat misschien niet iets met neurochirurgie te maken hebben?'

Amélia grinnikte vaag, hief haar hoofd en ging rechtop zitten. Voor het eerst merkte ze dat de televisie aan stond. De Lobocolo Show was nog bezig, je zag een heleboel grijnzen, orthodontistisch gezien ideaal witte tanden, gebaren en bewegende lippen... die plaats maakten voor wat ongetwijfeld lachuitbarstingen waren maar die vrijwel geen geluid maakten omdat Magdalena dat zo zacht had gezet... 'Waar kijk je naar?' vroeg Amélia.

'Ohhh... niets,' zei Magdalena.

'Dat is toch Lobocolo?' vroeg Amélia.

Magdalena ging onmiddellijk in het defensief en zei: 'Ik *keek* er niet echt naar, en ik had het geluid heel zacht staan omdat je misschien nog sliep. Ik weet dat Lobocolo stom is, maar er zijn programma's die *stom* stom zijn en er zijn er die stom *grappig* zijn... zoals *The Simpsons* en alles met Will Ferrell erin, en zoiets geldt vind ik ook voor Lobocolo, stom *grappig*, soms in ieder geval –' ::::: Laten we ophouden over Lobocolo! ::::: 'Maar wat *zei* je?'

'Wat ik *zei*? Jeetje, al vergeten,' zei Amélia.

'We hadden het over spinning,' zei Magdalena, 'en hoe je daarvoor interesse hebt gekregen...'

'Ik herinner me niet *wat* ik zei,' zei Amélia. 'Nou ja... maakt niet uit... ik heb vandaag ontdekt dat je alleen heel hard kunt trainen als het enige waaraan je denkt is *omijngod haal ik dit wel!* Je kunt niet tegelijk aan je problemen denken. Je zou het moeten proberen, Magdalena. Ik kan je *garanderen* dat je alleen heel hard kunt spinnen als je niet tegelijk... aan al dat andere gedoe denkt. Je moet jezelf een plezier doen! Begrijp je wat ik bedoel? Maar hoe voel je je *nu*? Je klinkt een beetje beter.'

Magdalena zei: 'Een beetje... Heb ik je verteld dat ik Nestor gisteren heb gezien?'

'Wat?! Umm... nee! Op een of andere manier heb je nagelaten me daarover in te lichten... Waarom?'

'Nou, ik wilde alleen... ik geloof dat ik alleen...'

'Wat wilde je alleen?' vroeg Amélia. 'Toe nou, gooi het eruit, meid!'

Schaapachtig zei Magdalena: 'Ik heb hem gebeld.'

'Je hebt hem *gebeld*? Dan heb je hem waarschijnlijk een prachtig decennium bezorgd, *hahahah*! Jongens nog aan toe, een paar dozijn Weesgegroetjes hebben de pot gewonnen.'

'Nou, dat weet ik niet. Ik heb hem gebeld omdat hij een smeris is. En ik geloof dat ik gewoon dacht dat hij me kon helpen, je weet wel, met wat er met Sergei is gebeurd.'

'*Dat* heb je hem *verteld*?' vroeg Amélia.

'Nou, ik bedoel, niet dat ik naakt in Sergei's bed achterbleef. Helemaal niets over Sergei's bed, en helemaal niets over hoe ik Sergei ken, alleen dat ik bij hem op bezoek was, ik en een paar andere mensen – en, weet je, ik heb hem niet eens verteld op welk uur van de dag dit allemaal speelde. Ik heb alleen gezegd dat heel de situatie me dol maakte, Sergei die mensen instructies geeft of hij de maffia is, het hoofd van de Pizzo-misdaadfamilie of zoiets, en hij draagt die enorme kaalhoofdige robot-*bullebak* op me naar huis te rijden – en misschien kon Nestor me vertellen wat ik moest doen, afgezien van naar de politie gaan, want als ik dat deed, zou het misschien uitkomen, en dan zou Sergei de bullebakken écht op me af sturen.'

'Maar hij heeft toch ruzie met de politie?' vroeg Amélia. 'Is hij zelfs nog wel een smeris?'

'Tja, ik weet het eigenlijk niet. Ik bedoel, we weten dat hij in de kranten en zo heeft gestaan, en ook al leken bepaalde dingen nogal erg, hij is haast een beroemdheid of zoiets.'

'De jongen uit Hialeah van wie je liever vandaag dan morgen af wilde?'

Amélia was begonnen te glimlachen, en het was maar al te duidelijk dat ze het allemaal vermakelijk vond, maar dat nam Magdalena haar niet kwalijk. Gewoon iemand hebben om mee te praten, hielp haar de dingen logischer te zien en, nu we het er toch over hebben, Nestors plaats in de wereld te bepalen.

'Ja, ik was wel verbaasd over mezelf,' zei ze. 'Maar hij was wel anders – begrijp je? Toen ik hem een paar dagen terug zag, leek het wel of hij groter was of zoiets of –'

'Misschien heeft hij nu alleen meer tijd om naar de sportschool te gaan...'

'*Dat* is het niet. Ik bedoel of hij *meer* spieren heeft, ik weet niet waar hij ze zou moeten laten,' zei Magdalena. 'Maar ik bedoel niet lichamelijk groter. Ik wist eigenlijk niet naar wie ik anders toe zou moeten, en meteen toen ik hem weer zag, leek het "O, dat is dezelfde oude Nestor", maar toen ik hem het verhaal begon te vertellen werd hij zeg maar... zo rijp, *belangstellend*, of hij echt naar me luisterde, of hij het echt wilde *weten*, begrijp je?'

'Ja, hoor,' zei Amélia, 'omdat hij nog steeds waanzinnig verliefd op je is.'

'Dat was het niet. Het was of hij erg mannelijk was en de leiding nam. Hij luisterde niet gewoon zodat ik me beter zou voelen; hij begon vragen op me af te vuren, net heel gedetailleerde smerisvragen, of hij er iets van wist en wist wat hij moest doen. Hij was zeg maar... ik weet het niet...' Ze lachte, om de scherpe kantjes van het woord dat ze ging gebruiken af te halen – 'geil'.

'God nog aan toe, ik had niet gedacht ooit mee te maken dat je Nestor Camacho geil zou noemen.'

'Ik bedoel niet godverdomd, oogverblindend geil... maar gewoon sterk. Begrijp je wat ik bedoel? Ik ging me afvragen of misschien –' Daar kapte ze het af.

'Je vindt dat je bij Nestor had moeten blijven?'

'Tja, ik heb het gevoel dat ik hem te vanzelfsprekend vond,' zei Magdalena. 'Ik bedoel, verder is er niemand zo echt voor me geweest als hij. En wanneer er iets gebeurt, denk ik het eerst aan hem. Dat moet toch iets betekenen?'

'Nou, ik kan niet echt zeggen dat je er op *vooruit* bent gegaan.'

'Ja, serieus, een viespeuk, vervolgens een crimineel,' zei Magdalena. 'Ik deed het geweldig, nietwaar?'

'Val jezelf niet te hard,' zei Amélia. 'Ik geloof dat je het erger had kunnen treffen dan met Nestor. Hij is heel goed voor je geweest. Wat hebben jullie afgesproken?'

'Eigenlijk niets,' zei Magdalena. 'Dat is het gekke. Net toen ik echt weer iets voor hem begon te voelen, stoof hij ongeveer van zijn stoel.'

'Een vreemde vent.'

'Nee, ik bedoel het letterlijk. Hij zei zoiets als "Ik moet mijn partner bellen" en weg was-ie. Het was zo – wat is het woord? Heldhaftig? Net of hij ging knokken – o, ik weet het niet.'

'Jouw ridder uit Hialeah!' zei Amélia.

Plotseling keken ze allebei naar het televisiescherm. Het patroon van licht en schaduwen was abrupt veranderd. De Lobocolo Show was natuurlijk bínnen geweest, in een of andere studio, en het contrast tussen heldere stukken van het scherm en donkere stukken was minimaal. Maar nu was je buiten in een keihard middaguurzonlicht waardoor de schaduwen van een gebouw als Oost-Indische inkt leken af te steken. Het was een binnenplein van een of ander gebouw van twee of drie etages met rondom terrassen – nee, het waren binnen-wandelgangen – die boven het binnenplein uitstaken. Tussen de etages waren grote buitentrappen, en onder aan een daarvan lag kennelijk het lichaam van iemand over de laatste paar treden uitgespreid in een neerwaartse hoek, het hoofd naar voren, onder een of ander wit laken, ook het hoofd, wat wilde zeggen dat de persoon dood was. Ernaast had je smerissen en een afsluiting, min of meer, van gele plaats-van-het-misdrijf-tape waarmee een stelletje vooral oude mensen werd tegengehouden, heel wat leunden er op aluminium looprekken.

'Hé, zet dat eens even harder,' zei Amélia.

Magdalena zette het geluid dus harder met de afstandsbediening, en het gezicht van een journaliste verscheen op het scherm, een jonge vrouw met blond haar. 'Is het je ooit opgevallen dat het altijd blondjes zijn, ook op de Spaanse zenders?' vroeg Amélia, lichtelijk geïrriteerd. Het blondje hield een microfoon vast en zei: '– en een van de raadsels is dat de kunstenaar in deze bejaardenflat in Hallandale – ook al had hij zelden contact met zijn buren – bekend stond als Nikolai Kopinsky. Zijn appartement was blijkbaar een soort clandestien atelier waar hij nooit iemand toeliet.'

'God nog aan toe!' zei Magdalena. 'Zei ze Hallandale?'

'Ja, Hallandale.'

'God nog aan toeoeoeoeoeoe!' zei Magdalena, die het in een kruising tussen uitroep en kreun veranderde, en haar gezicht met haar handen bedekte. 'Dat zei Sergei aan de telefoon, "Hallandale". Heel de rest was in het Russisch! God in de hemel nog aan toeooeoe! Ik moet Nestor bellen! Ik moet weten wat er gaande is in Hallandale! Goeie god nog aan toe!'

Ze wist zich lang genoeg te beheersen om de paar stappen naar haar slaapkamer toe te rennen, haar telefoon te pakken en terug te komen naar de woonkamer waar ze niet alleen zou zijn en ze scrollde haar contactenlijst naar 'Nestor'. De telefoon ging vrijwel meteen over en vrijwel meteen reageerde een mechanische stem: '– is niet beschikbaar. Als u een bericht wilt –'

Magdalena keek met totale wanhoop op haar gezicht naar Amélia en zei op een toon die het einde van de wereld suggereerde: 'Hij neemt niet op.'


Zodra de liftdeur op de eerste etage openging, was daar meteen Cat Posada die op hem wachtte.

'Agent Camacho?' zei ze, alsof ze niet precies wist wie hij was. 'Volg me maar. Ik breng u naar het kantoor van de hoofdcommissaris.'

Nestor bestudeerde haar knappe gezicht en ontdekte... *niets*. Het was ongeveer even gemakkelijk te lezen als een baksteen. Hij kon het niet uitstaan. Dit was precies hetzelfde meisje naar wie hij op precies deze zelfde plaats had gehunkerd... zelfs midden in een crisis die hem destijds sprakeloos had gemaakt. Was het mogelijk dat zij zich hem echt *niet* herinnerde? Zomaar ineens, zonder het te hebben gepland, hoorde hij zichzelf zeggen: 'Nou, daar gaan we weer. De lange mars.'

Ze was al aan het lopen toen ze achterom keek en zei: 'Lange mars? Het is maar een stukje de gang in.'

Het was de toon die zei: 'Ik heb geen idee waarover u het heeft, en het is mijn tijd niet waard stil te staan om het te achterhalen'. Net als eerder bracht ze hem tot vlak voor het kantoor van de hoofdcommissaris en bleef ze stilstaan. 'Ik laat hem weten dat u er bent.' Toen verdween ze naar binnen.

In een mum van tijd kwam ze het kantoor uit. 'U kunt naar binnen.'

Nestor probeerde nog één keer een teken te krijgen... van haar lippen, haar ogen, haar wenkbrauwen, een kanteling van het hoofd – alleen een teken, *ieder* teken, goddomme! Haar lendenen waren op dit moment niet eens een onderdeel van de anatomie. Maar het enige wat hij kreeg was de baksteen.

Met een zucht ging Nestor naar binnen. De hoofdcommissaris keek aanvankelijk niet eens op. ::::: Jezus! – *hij is groot.* ::::: Hij wist dat, maar het was nu alsof hij het helemaal opnieuw in zich opnam. Zelfs zijn marineblauwe overhemd met lange mouwen en alle sterren over de boorden konden de puur lijfelijke macht van de man niet verbergen. Hij had een balpen in zijn hand. Hij leek verdiept in door de computer opgewekte dingen op zijn bureau. Toen keek hij naar Nestor op. Hij stond niet op en bood zijn hand niet aan. Hij zei alleen: 'Agent Camacho...' Het was geen begroeting. Het was een feitelijke vaststelling.

::::: *Dag, hoofdcommissaris?... Fijn u te zien, hoofdcommissaris?...* Dat zou allemaal verkeerd klinken. Hij hield het bij één woord: 'Hoofdcommissaris.' Het was louter een bevestiging.

'Ga zitten, agent.' De hoofdcommissaris wees naar een stoel met rechte rug, zonder leuningen, recht tegenover het bureau. Het was allemaal zo'n herhaling van de eerste ontmoeting dat Nestor de moed in de schoenen zonk. Toen hij eenmaal tegenover de hoofdcommissaris zat, keek de hoofdcommissaris hem aan met een lange, strakke blik en zei: 'Ik heb een paar dingen –'

Hij hield op en keek de kant van de deur op. Cat tuurde door de deur. 'Hoofdcommissaris?' vroeg ze met een aarzelende stem. Toen wenkte ze, en de hoofdcommissaris kwam overeind, en ze stonden tête-à-tête in de deuropening. Nestor kon haar eerste woorden horen: 'Hoofdcommissaris, sorry dat ik stoor, maar ik vond dat u het moest weten.'

Vervolgens dempte ze haar stem tot hij alleen een zacht zoemen kon horen. Hij meende de naam 'Korolyov' op te vangen, maar hij wist ook dat het pure paranoia kon zijn. Korolyov was de reden dat hij de spertijd had overtreden, en dat was ongetwijfeld de reden dat de hoofdcommissaris hem had opgedragen te komen. ::::: *O, Dios Dios Dios* ::::: maar hij was te ontmoedigd om tot God te bidden. En waarom zou God zich trouwens verwaardigen hem te helpen? ::::: 'O God, U die zelfs Judas heeft vergeven, ik heb de zonde van oneerlijkheid gepleegd, waaronder liegen en bedriegen vallen'... O, laat toch zitten. Het is hopeloos! Judas deed in elk geval een hoop voor Jezus vóór hij tegen hem zondigde. En ik? Waarom zou God ook maar de moeite nemen me op te merken? Ik verdien het niet… Ik ben echt vervloekt. :::::

De hoofdcommissaris en Cat bleven heel zacht zoemen. Af en toe viel de hoofdcommissaris hardop uit met een stevige vloek, 'O, in Jezus' naam'… 'Jezus Christus'… en een 'Heilige jeukende Jezus'… Gelukkig zei hij echt 'jeukende'.

Uiteindelijk beëindigde hij zijn kleine onderhoud met Cat en begon hij naar zijn bureau terug te gaan – maar toen draaide hij zich om en zei hardop tegen haar terwijl zij naar *haar* bureau terugliep: 'Vertel ze maar dat ze kunnen zeggen wat ze willen, maar het is uitgesloten dat ik dat vliegtuig rechtsomkeert had laten maken, ook als ik ervan had geweten. De man heeft een Russisch paspoort, hij is nergens voor aangeklaagd, hij is niet aangewezen als "iemand voor wie we belangstelling hebben", niemand heeft hem ergens rechtstreeks van *beschuldigd*, ook die vreselijke *Herald* niet. Dus hoe kun je het vliegtuig rechtsomkeert laten maken? Enig *idee*? Die krantenbonzen hebben van hun leven nooit iets moeten laten draaien. Ze zitten maar in commissies en proberen manieren te verzinnen om hun bestaan te rechtvaardigen.'

Nestor wilde dolgraag weten waarover de hoofdcommissaris en Cat het hadden gehad. Er stond aan alle kanten *Korolyov* op geschreven. Maar Nestor waagde zich niet aan ook maar één vraag. ::::: 'O, neem me niet kwalijk, hoofdcommissaris, maar hadden u en Cat het toevallig over –' Ik ga m'n mond daarover niet – zeker daarover niet – opendoen, nergens over, tenzij de hoofdcommissaris me een rechtstreekse vraag stelt. :::::

De hoofdcommissaris ging aan zijn bureau zitten, en ::::: ik wist het! ik wist het! Hij heeft nog steeds zijn boze frons van het nadenken over iedereen die hem zo vreselijk veel verdriet had gedaan… ::::: De hoofdcommissaris sloeg zijn ogen neer en schudde zijn hoofd met een sein dat betekent: 'Stomme smerige klootzakken', toen keek hij op naar Nestor met het *stomme smerige klootzakken* nog over heel zijn gezicht geschreven en zei: 'Goed, waar waren we?'

::::: Verdorie! Die frons! Hij denkt dat ik een van hen moet zijn, de man waardoor hij het is vergeten. :::::

'O ja, ik weet het weer,' zei de hoofdcommissaris. 'Ik heb hier een paar dingen van je.'

Daarop leunde hij zo ver naar een zijkant van zijn bureau dat zelfs zijn grote lijf vrijwel verdween. Nestor kon hem een onderla horen openen. Toen hij zichzelf weer overeind duwde, had hij iets onhandel-baars in zijn handen… bleken een paar bleekgrijze doosachtige bakken te zijn, een kleine en een aanzienlijk grotere. Smerissen noemden het 'misbakken'. Ze dienden om bewijsmateriaal bij strafzaken in te be-waren. De hoofdcommissaris zette ze voor zich op zijn bureau. Hij maakte de kleine open –

– en het eerste teken van Daar Boven dat Nestor kreeg was een gou-den flits toen de hoofdcommissaris het ding uit de bak haalde. Nu de hoofdcommissaris zijn arm over het bureau stak en het hem overhan-digde kon hij het helemaal zien.

'Je penning,' was het enige wat hij zei.

Nestor staarde ernaar in de palm van zijn hand alsof hij nooit eerder zo'n wonderbaarlijk voorwerp had gezien. Intussen maakte de hoofd-commissaris de andere bak open… en stak een grote, lompe riem van metaal en leer over het bureau. Het was een Glock 9 in een leren hol-ster die aan een wapengordel vast zat.

'Je dienstrevolver,' zei de hoofdcommissaris – toonloos.

Nestor had inmiddels de penning in de ene hand en ondersteunde de Glock en toebehoren met de andere. Hij staarde ernaar… waarschijn-lijk langer dan hij had moeten doen… voor hij zijn ogen opsloeg naar de hoofdcommissaris… en met bevende stem wist uit te brengen: 'Wil dit zeggen…'

'Ja,' zei de hoofdcommissaris, 'dat wil het zeggen. Je bent hersteld in actieve dienst. Je volgende dienst bij de Crime Suppression Unit begint morgen om 16.00 uur.'

Nestor was zo overweldigd door dit mirakel dat hij niet wist hoe hij moest reageren. Dus probeerde hij: 'Dank u – *ehhh* –'

De hoofdcommissaris bespaarde hem de worsteling. 'Maar ik geef je een raad – nee, dat neem ik terug. Dit is een bevel. Wat ik doe, zal tot enig gedonder leiden. Maar ik wil niet horen dat jij in enige zin, hoe-danigheid of vorm met de pers praat. Is dat duidelijk?'

Nestor knikte ja.

'Je kunt er zeker van zijn dat je morgen *in de pers* komt. Snap je? De officier van justitie gaat aankondigen dat hij de aanklachten tegen de leraar op Lee de Forest – José Estevez – laat vallen wegens gebrek aan bewijs… Ze zullen jou noemen. Jij was de man die liet zien wat het "be-wijs" voorstelde: een samenzwering van een stelletje bange jongens om dat lamstraaltje, de zogenaamde bendeleider, Dubois, te beschermen.

In dat verband *wil* ik dat je in de pers komt. Maar wat ik zei blijft van kracht. Je *praat* niet met de pers. Je *bevestigt* geen informatie. Je *reageert* op geen enkele manier op de pers. En ik zeg het nog maar eens: dat is... een... *bevel.*'

'Het is me duidelijk, hoofdcommissaris.' Door de manier waarop hij het zei – *Het is me duidelijk* – *voelde* hij op een of andere manier dat hij weer bij het korps was.

De hoofdcommissaris plaatste zijn onderarmen op het bureau en leunde zo ver naar Nestor toe als hij maar kon... en verraadde voor het eerst een andere emotie dan zijn versie van streng spreek-me-niet-tegen-gezag. Hij liet zijn lippen over de volle lengte van zijn gezicht verbreden... en zijn ogen kwamen tot leven... en het vlees op zijn juk-beenderen zwol op tot twee zachte kussentjes van warmte... en hij zei... 'Welkom terug, Camacho.'

Hij zei het zacht... en het was maar een glimlach van een politieman in het vervallen centrum van Miami, Florida... maar kwam er ooit een licht van een stralender plaats Daar Boven... of werd de ziel van een man ooit meer gekalmeerd of meer gezegend... of werd hij ooit volle-diger verheven uit deze trog van sterfelijke fouten waarin we gedoemd zijn onze levens te leiden?

Buiten, op straat, voelde Nestor zich niet gerehabiliteerd, in ere her-steld, zegevierend of iets dergelijks. Hij voelde zich licht in het hoofd, gedesoriënteerd, alsof een ontstellende last die hij heel lang had gedra-gen door toverij van zijn rug was gehaald, en de Grote Hitte Lamp was daar boven zoals gewoonlijk zijn kokosnoot aan het roosteren, en hij wist niet eens welke kant hij op liep. Hij had geen idee welke straat het was. Hij was helemaal de kluts kwijt... maar wacht even, hij zou haar toch echt moeten bellen.

Hij scrollde zijn contactenlijst af tot hij haar naam tegenkwam en tikte op het glazen scherm van de iPhone.

In minder dan geen tijd nam ze op: 'Nestor!'

'Nou, ik heb goed nieuws. De hoofdcommissaris heeft me mijn pen-ning en mijn revolver teruggegeven, ik ben weer geïnstalleerd, ik ben weer een echte smeris.'

'God nog aan toe, Nestor! Wat is dat... *geweldig*!' zei Ghislaine.

# DANKWOORD

*Terug naar het bloed* leunt zwaar op de generositeit van de burgemeester van Miami MANNY DIAZ die de schrijver op Dag Eén voorstelde aan een hele zaal vol mensen... hoofdcommissaris van politie JOHN TIMONEY, geboren in Dublin, de volmaakte Ierse Smeris in de geschiedenis van New York, Philadelphia en Miami, stuurde hem meteen mee op een patrouille van een Safe Boat van de politie te water van Miami, om vervolgens de lakens weg te halen van een anders onzichtbaar Miami, met *aperçu's* en al. *Aperçu's* die deze Ierse smeris kent. Uiteindelijk is hij in de avonddienst een Dostojevksi-kenner... OSCAR EN CECILE BETANCOURT CORRAL, twee gedreven journalisten uit Miami, die hem als eersten de *kom-toch-naar-beneden*-golf bezorgden – vervolgens niemand, nergens, nooit uit de weg gingen (met de kundige hulp van MARIANA BETANCOURT)... AUGUSTO LOPEZ EN SUZANNE STEWART brachten hem in contact met de grote Haïtiaanse antropoloog LOUIS HERNS MARCELIN... BARTH GREEN, de beroemde neurochirurg die veel van zijn tijd wijdt aan Haïtianen in Haïti, leidde hem naar Litte Haiti in Miami... en naar zijn collega ROBERTO HEROS... PAUL GEORGE, de historicus, nam hem mee op zijn befaamde *grand tour*... KATRIN THEODOLI, bouwer van jachten in Miami die op x-15's lijken en die eerder opstijgen dan de zeilen hijsen, liet hem toe bij de eerste keer dat haar nieuwste lijkt-wel-een-raketjacht opsteeg... LEE ZARA vertelde hem een aantal verhalen... die waar bleken te zijn!... Lerares MARIA GOLDSTEIN stelde hem in staat inside-informatie te verwerven over een van de gekste incidenten in de ge-

541

schiedenis van het openbaar onderwijs in Miami... ELIZABETH THOMP-
SON, de schilderes, wist dingen over de Levens van de Kunstenaars in
Miami waar hij niet buiten had gekund... Het hoorde niet bij haar
functieomschrijving, maar CHRISTINA VERIGAN bleek een medium, een
gedachtelezer, een geleerde en een lerares... Om maar niet te spreken
van HERBERT ROSENFELD, een top sociaal-geograaf van Miami...
DAPHNE ANGULO, weergaloos portrettist van Jong Miami, van chic tot
arm... JOEY EN THEA GOLDMAN, ontwikkelaars en motoren van de
kunstbuurt Wynwood, Miami's equivalent van Chelsea in New York...
ANN LOUISE BARDACH, dé autoriteit voor alles wat te maken heeft met
Cuba *fidelista* en de Havana-Miami Nexus van vandaag... en eveneens
PETER SMOLYANSKI, KEN TREISTER, JIM TROTTER, MISCHA, CADILLAC, BOB
ADELMAN, JAVIER PEREZ, JANET NEY, GEORGE GOMEZ, ROBERT GEWANTER,
LARRY PIERRE, RAADSMAN EDDIE HAYES, ALBERTO MESA EN GENE TINNEY...
en nog een beschermengel van de nieuwkomer in de stad. Je weet wie
je bent.

# INHOUD